ROMANS ET CONTES
DE VOLTAIRE

VOLTAIRE

ROMANS
ET
CONTES

Chronologie, préface et notes
par
René Pomeau
professeur à la Sorbonne

GARNIER-FLAMMARION

REPÈRES CHRONOLOGIQUES

1694 : Voltaire, de son nom de famille François-Marie Arouet, naît à Paris.

1704 : Défaite des armées françaises à Hœchstaedt. Voltaire entre au collège des jésuites de Louis-le-Grand.

1713 : Paix d'Utrecht. Voltaire à La Haye comme secrétaire de l'ambassadeur de France.

1715 : Mort de Louis XIV.

1717 : Voltaire est enfermé pour onze mois à la Bastille.

1718 : Il remporte son premier grand succès avec *Œdipe*, tragédie.

1723 : Il publie la première édition de *la Henriade*, poème épique sur les guerres de religion et Henri IV.

1726 : Bâtonné par ordre du chevalier de Rohan, il est emprisonné à la Bastille, puis exilé en Angleterre.

1728 : Il rentre en France.

1731 : Publie l'*Histoire de Charles XII*.

1732 : Succès triomphal de *Zaïre*, tragédie.

1734 : Publie les *Lettres philosophiques*. Menacé d'arrestation, se réfugie à Cirey, en Champagne, chez son amie Mme du Châtelet.

1736 : Début de la correspondance avec Frédéric, qui deviendra roi de Prusse en 1740.

1737 : Les Eléments de la philosophie de Newton.

1739 : Envoie à Frédéric *le Voyage du baron de Gangan*.

1741 : Guerre de Succession d'Autriche.

1743 : Entrée des frères d'Argenson, amis de Voltaire, au ministère. Il accomplit une mission secrète à Berlin.

1745 : Fontenoy. Mme de Pompadour favorite. Voltaire historiographe du roi : écrit l'*Histoire de la guerre de 1741*. Publication dans le *Mercure de France* des chapitres de l'*Essai sur les mœurs* traitant de l'Orient.

1746 : Elu à l'Académie française.

1747 : Juin : *Memnon*, première version de *Zadig*. Octobre : incident du jeu de la reine. Voltaire réfugié à Sceaux écrit des contes pour la duchesse du Maine.

1748 : *Sémiramis*, tragédie. A la cour de Stanislas, à Nancy. Paix d'Aix-la-Chapelle. Montesquieu : *l'Esprit des lois*.

1749 : Mort de Mme du Châtelet.

1750 : Nommé chambellan de Frédéric II, Voltaire part pour Berlin. Rousseau : *Discours sur les sciences et les arts*.

1751 : *Le Siècle de Louis XIV*. Publication du tome I de l'*Encyclopédie*.

1752 : *Micromégas*. Octobre-novembre : querelle avec Maupertuis, brouille avec Frédéric II.

1753 : Mars : Voltaire quitte la Prusse. Mai : séjour à Gotha chez le duc et la duchesse. Juin : Voltaire retenu de force à Francfort par le résident du roi de Prusse. Août : en Alsace.

1755 : Voltaire aux Délices, près de Genève. Rousseau : *Discours sur l'origine de l'inégalité*. Novembre : tremblement de terre de Lisbonne.

1756 : Début de la guerre de Sept ans. Intervention de Voltaire en faveur de l'amiral anglais Byng. *Essai sur les mœurs et l'esprit des nations*.

1757 : Désastre français à Rossbach. Scandale de l'article *Genève* de l'*Encyclopédie*. Campagne contre les philosophes.

1758 : Voltaire à Schwetzingen chez l'électeur palatin ; lui lit *Candide*. Octobre-décembre : achète Ferney et Tourney, en territoire français près de Genève. Rousseau : *Lettre sur les spectacles*.

1759 : Janvier-février : publication de *Candide*. Campagne de pamphlets contre les ennemis des philosophes.

1760 : Voltaire recueille Mlle Corneille.

1761 : Rousseau : *la Nouvelle Héloïse*. Début du procès des jésuites au parlement de Paris.

1762 : Début de l'affaire Calas. Rousseau : *Emile* et *le Contrat social*. Catherine II prend le pouvoir en Russie.

1763 : Fin de la guerre de Sept ans : la France perd le Canada et l'Inde. Voltaire publie le *Traité sur la tolérance*.

1764 : Publication des *Contes de Guillaume Vadé (le Blanc et le Noir, Jeannot et Colin)*, du *Dictionnaire philosophique*.

1765 : Réhabilitation de Calas. *Pot-pourri*.

1766 : *Le Philosophe ignorant*. Supplice du chevalier de La Barre, accusé d'impiété.

1767 : *L'Ingénu*. Affaire Sirven.

1768 : *La Princesse de Babylone*.

1770 : Voltaire commence à publier les *Questions sur l'Encyclopédie* (9 volumes). D'Holbach : *le Système de la Nature*.

1771 : Suppression des anciens parlements, création des « parlements Maupeou » : approbation de Voltaire. Acquittement définitif de Sirven.

1773 : Février-mars : Voltaire gravement malade.

1774 : Publication du *Taureau blanc*. 10 mai : avènement de Louis XVI; ministère de Turgot : Voltaire appuie par une campagne de presse les réformes entreprises. Tente, mais en vain, d'obtenir la réhabilitation du jeune d'Etallonde, condamné pour impiété en même temps que le chevalier de La Barre.

1775 : L'éditeur Cramer publie les *Œuvres complètes* : édition dite « encadrée », la dernière parue du vivant de Voltaire et sous son contrôle.

1776 : *La Bible enfin expliquée*.

1778 : Retour de Voltaire à Paris : apothéose et mort (30 mai 1778).

VOLTAIRE CONTEUR

Voltaire conteur : quoi de plus naturel ? N'était-il pas, par son tempérament d'écrivain, prédestiné au genre du conte philosophique ? L'idée chez lui prend forme, couleur, mouvement; spontanément elle s'incarne en une figure dotée d'une étincelle de vie.

Il faut pourtant résister à la fausse évidence d'une connaissance classée. Force est de constater que Voltaire n'a découvert le conte que tardivement : à quarante-cinq ans, lui si précoce; c'est en 1739 seulement qu'il adresse à Frédéric de Prusse le premier qu'il ait écrit, *le Voyage du baron de Gangan*, archétype de *Micromégas*, dont le manuscrit ne nous est pas parvenu. On sait assez qu'il a placé ailleurs sa mise principale d'homme de lettres. Il a fait carrière au théâtre, comptant sur ses productions tragiques pour assurer son immortalité. Il débute par une tragédie, *Œdipe*. Il meurt sur une autre tragédie, *Irène*. Dans l'intervalle, il a donné quelque cinquante pièces. Pièces aujourd'hui toutes injouables, ou peu s'en faut. Cependant qu'il reste vivant, voire actuel, par ces contes dont il parlait, avec un dédain non totalement affecté, comme de « bagatelles », de « fadaises ».

Comment comprendre qu'un maître-écrivain ait pu à tel point s'abuser ? Par quelle aberration a-t-il obstinément porté son meilleur effort à côté du genre qui nous apparaît comme étant évidemment le sien ?

Assurément ce qui l'égare, c'est le préjugé du genre noble, servi par une redoutable aptitude à pasticher les chefs-d'œuvre. En lui un tour d'esprit scolaire a longtemps persisté. Pour qu'il atteignît l'âge du conte, il fallait qu'il osât être lui-même. Ce qu'il obtient au terme d'une maturation, conjointement philosophique et imaginative.

Son premier essai, ce *Baron de Gangan*, mérite considération. D'après ce que fait connaître l'échange de
lettres avec Frédéric, le héros du plus ancien conte voltairien fut un voyageur céleste. Gangan atterrissait sur
notre planète comme fera Micromégas. Mais Voltaire
déjà, quelques années plus tôt, s'était donné une hypothèse analogue. Au début de son *Traité de métaphysique*
(vers 1735), afin de découvrir l'homme en sa vérité, il se
met en la place d'un être sidéral, touchant le sol terrestre
dans le pays des Cafres. Il aperçoit un éléphant, un
singe, un lion, un nègre. Il lui faut quelque temps pour
reconnaître à l'animal humain une supériorité d'intelligence sur les autres.

En de telles fictions, l'origine du conte voltairien se
révèle. Celui-ci naît d'une perspective plongeante sur
l'homme, suggérée par la philosophie newtonienne. Au
cours des années 1730 et 1740, épris de l'univers gravi-
tationnel, si grandiose en sa simplicité, Voltaire aime
parcourir en imagination le cosmos. Son valet Longchamp rapporte comment, par une nuit de grand froid,
en rase campagne, attendant du secours à la suite d'un
accident de sa voiture, il contemplait, soulevé d'enthousiasme poétique, les étoiles brillant de toutes parts.
Il voguait en esprit dans l'immensité. Ainsi fera Zadig,
dirigeant sa route sur les astres, « s'élançant jusque dans
l'infini, et contemplant détaché de ses sens l'ordre
infini de l'univers ». Les êtres des contes apparaissent
dans le mouvement de redescente : lorsque Zadig, revenant sur terre, « se figure les hommes tels qu'ils sont en
effet, des insectes se dévorant les uns les autres sur un
petit atome de boue »; lorsque Micromégas, s'armant de
son diamant comme d'un microscope, discerne sur cette
flaque d'eau, la mer Baltique, un grouillement humain.

Un mode d'aperception aussi inusité détermine une
philosophie et un style. Les personnages du conte voltairien sont vus, non à hauteur d'homme, mais dans une
perspective diminuante. Les récits de Voltaire autres
que *Micromégas* ne mentionneront plus le microscope ;
mais l'humanité continuera à ressembler à la « volée de
philosophes » que l'habitant de Sirius saisit dans leur
bateau sur la Baltique : des fourmis fébriles s'agitant par
saccades, pensant, quand elles pensent, par idées courtes ;
des trotte-menu, ou, comme il dira dans *Candide*, des
souris hantant la cale du grand vaisseau.

Pour donner forme à ses imaginations, les modèles ne faisaient pas défaut.

Tout artiste sans doute invente à partir de ce que lui lègue la tradition. La proposition vaut particulièrement pour Voltaire. Par fidélité aux classiques comme en vertu d'habitudes remontant au collège, il se plaît à l'imitation des maîtres. Pourvu d'une culture littéraire encyclopédique, il sait où s'adresser parmi ceux qui avant lui ont narré pour divertir et enseigner. Il connaît mal l'*Heptaméron* de Marguerite de Navarre ; mais il en lit et apprécie le modèle : le *Décaméron* de Boccace. Il aime Rabelais. Certaines inventions du roman « gigantal » se retrouvent dans *Micromégas*. Il relit le vieux maître au moment où il écrit *Candide*. Parmi le fatras qu'il lui reproche, il distingue les brefs récits conduits avec une économie classique des moyens. Mais il voudra, quant à lui, donner équilibre et proportion non seulement à tel épisode, mais à l'ensemble.

Dès ses débuts, il a pratiqué des genres connexes : le conte en vers imité de La Fontaine, le dialogue philosophique à la manière de Fontenelle. La forme de l'entretien n'offre que trop de commodité au polémiste. Il arrive que les interlocuteurs voltairiens, simplifiés à l'extrême, n'aient pour nom qu'une lettre : A, B, C... Parfois pourtant, à travers l'échange des répliques, une action s'ébauche. Inversement des contes comme *l'Homme aux quarante écus* tendent à réduire la part de l'affabulation au profit du dialogue.

Voltaire n'ignore pas, encore qu'il les méprise, les fictions féeriques, allégoriques, fadement orientales, prodiguées autour de lui par des conteurs au souffle court. *Gomgan ou l'homme prodigieux transporté dans l'air, sur la terre et sous les eaux* (1711) est-il la « source » de son Gangan-Micromégas ? Il est sûr, en tout cas, que *Scarmentado* et *Candide* empruntent quelque chose à l'obscur *Cosmopolite* de Fougeret de Monbron. L'Orient voltairien, fantaisiste et libertin comme celui des Crébillon, Fromaget et autres, doit au moins aux connaissances de l'historien de paraître moins conventionnel. Il n'est pas sans ressembler à la Perse des *Lettres persanes*. A Montesquieu qu'il n'aime pas Voltaire est redevable plus qu'il ne semble : le personnage du voyageur promenant sa raison ingénue à travers le monde absurde — ce type voltairien — s'est d'abord nommé Usbek et Rica.

Voltaire s'est avisé, depuis son séjour à Londres, que

les lettres françaises pouvaient se rajeunir au contact
des littératures étrangères. Il lit et relit, comme ses
contemporains, les *Mille et une Nuits* traduites par Gal-
land : l'art de soutenir l'intérêt, que Shéhérazade pratique avec tant de virtuosité, n'est pas étranger aux surprises et rebondissements de *Zadig*, de *Candide*, de *la
Princesse de Babylone*. Dans le même sens s'exerce
l'influence du *Roland furieux*. A l'Arioste Voltaire
emprunte ses héroïnes vagabondes, ses héros chevale-
resques parcourant le monde tout pleins de l'idée de la
femme aimée, et aussi une certaine manière romanesque
d'annuler les distances.

Il est surtout à lui-même sa propre source. L'art du
conte s'esquisse dans les premières *Lettres philosophiques*,
mettant en scène un Quaker en face du jeune Français
cérémonieux et frivole. Vers le même temps il commence
la Pucelle : ce divertissement héroï-comique, exorcisant
l'obscénité par les vertus du décasyllabe, le met en présence des problèmes que pose la narration plaisamment satirique. Et il écrit *Charles XII*, puis *le Siècle de Louis XIV* :
le récit historique, tel qu'il le conçoit, caractérisant les
êtres avec un minimum de mots, donnant à penser par
le simple énoncé des faits, s'apparente à l'art de conter.
Les *Anecdotes sur Louis XIV*, les *Anecdotes sur Pierre le
Grand* offrent des analogies avec *Zadig*, à peu près contemporain : le conte pourrait s'intituler aussi bien *Anecdotes sur Zadig*, le personnage étant peint dans une suite
d'épisodes dont il demeure le protagoniste.

Mais ce qui inspira sans doute à Voltaire le goût de
conter, ce fut un exercice beaucoup plus humble. On se
plaît à penser que le genre de récit créé par lui doit à une
rencontre de hasard une naissance toute voltairienne.

On s'ennuyait ferme à Cirey, quand on ne travaillait
pas. Le théâtre installé au château chômait, faute d'acteurs, même amateurs. On dut, pour occuper les veillées
d'hiver, faire l'acquisition d'une lanterne magique.
Mme de Grafigny, dans ses lettres de décembre 1738,
nous montre Voltaire donnant lui-même des séances.
Pendant qu'il projette les figurines peintes sur des plaques,
il improvise leur histoire. Il entraîne dans des inventions
« à mourir de rire » des personnages bien connus de lui
et des siens : son ami le maréchal de Richelieu, son ennemi
l'abbé Desfontaines, et *tutti quanti*. Impatiemment il
veut animer les silhouettes figées. Il agite l'appareil, si
violemment qu'un jour il provoque un accident. Le

combustible de la lampe se renverse, s'enflamme; il a
la main brûlée. Pauvre chose après tout, et bien peu
« magique », que la lanterne. Les figurines ne prennent
vie que par la verve du conteur et dans les mots d'un
conte. Quelques semaines plus tard, à l'intention du même
auditoire domestique, Voltaire a broché son *Voyage de
Gangan*. D'où il appert que le plus ancien conte voltairien procéda tout à la fois de la lanterne magique et de la
philosophie de Newton.

Dans la création des *Contes*, on doit faire la part de
l'humeur du conteur. Voltaire n'écrit ses récits que par
passades : comme si, en de certains moments, il lui fallait calmer ses irritations en leur ouvrant cette issue.
Supposera-t-on que dans la psychologie voltairienne le
conte remplit la fonction d'une *catharsis* ?

Il est remarquable que les titres se groupent par séries
chronologiques, à des époques climatériques. Le premier ensemble se situe entre 1747 et 1749. Voltaire mène
alors une vie d'excitation nerveuse. A la cour il fait
figure de poète officiel. Mais des nuées d'ennemis lui
suscitent mille tracasseries. A quoi s'ajoutent les complications de sa vie privée. Il doit faire face à une double
liaison; avec sa vieille amie Mme du Châtelet et,
depuis quelques mois, avec sa nièce, la jeune et agui-
chante Mme Denis. Pour comble sa santé se délabre
de plus en plus. Il lui faut, dit-il, « mourir de faim pour
vivre ». Un pareil régime l'entretient dans un état d'exas-
pération. Il apaise ses vivacités en écrivant des contes
allègres et caustiques, sur les thèmes conjoints de la destinée et de l'optimisme : *Zadig*, *Babouc*, *Memnon*. Et vers
ce temps, ou peu après, *Micromégas* prend sa forme
définitive.

Passent une dizaine d'années où n'apparaît qu'un seul
conte notable : les *Voyages de Scarmentado*, écrits au
retour de Prusse, bagatelle qui transpose en traits cin-
glants la déception de l'ex-chambellan après les mésa-
ventures de Berlin et de Francfort.

Il faut ensuite sauter au mois de janvier 1758. Voltaire hiberne en sa belle maison de Lausanne. Il vit
claquemuré dans sa chambre surchauffée. De sa fenêtre
il découvre l'admirable paysage du lac et des montagnes,
figé par le froid. Partout, la neige. Cette seule vue donne

le frisson au grand frileux qu'il est. Il se rappelle que la
philosophie à la mode est l'optimisme. Ce monde serait
donc « le meilleur des mondes possibles ». Cela le fait
bien rire. Dans le meilleur des mondes, il devrait faire
moins froid. On n'y devrait point voir des spectacles
comme ceux qui se donnent à Paris, où l'on persécute
l'*Encyclopédie*, en Allemagne, où les armées de France,
de Prusse, d'Autriche, s'entre-tuent à cœur joie. Dérision,
indignation. La plume, auprès de son poêle brûlant, lui
démange. « Quand on a le sang allumé, dit-il, et qu'on
est de loisir, on a la rage d'écrire. » Il a le sang allumé, il
est de loisir, et il écrit *Candide*.

Autre série pendant l'hiver 1763-1764. L'année qui
s'achève a été rude. Il avait fallu remuer toute l'Europe en
faveur des Calas. Maintenant l'affaire est en bonne voie.
Le vieux lutteur s'accorde un répit. Sa maison de Ferney
s'est égayée depuis l'arrivée de Mlle Corneille, dont la
frimousse n'est pas « tournée au tragique ». Il vient de
marier cette enfant; une naissance est attendue. Voltaire a l'impression de devenir grand-père. Il se met donc
à faire « des contes de ma mère l'Oie », pour réjouir
à la veillée « sa petite famille ». Il imagine *le Blanc et le
Noir*, *Jeannot et Colin* : récits souriants, peu malicieux,
les plus détendus de ses contes.

On n'en dira pas autant de la série suivante : *l'Homme
aux quarante écus*, *l'Ingénu*, *la Princesse de Babylone*,
les Lettres d'Amabed. 1767-1769 : c'est le moment du
grand effort contre *l'infâme*. Jamais Voltaire n'a tant produit. L'ardeur militante, qui est sa Muse, fouette ses
facultés d'invention, faisant « grincer » parfois l'ironie
de ces pamphlets en forme narrative.

Après un court intervalle, on passe à l'année 1773.
Voltaire a failli succomber à une crise d'urémie. Mais le
mal lui accorde encore un sursis de cinq ans. Après des
mois de langueur, au seuil de sa quatre-vingtième année,
il ressuscite. Avec jubilation, il sent les forces lui revenir.
Tout requinqué, il va raconter l'histoire du *Taureau
blanc* : comment Nabuchodonosor métamorphosé en
taureau, mais toujours amoureux de la belle Amaside,
épouse celle-ci précipitamment dès qu'il recouvre la
forme humaine. De quoi donner à penser aux disciples
de Freud et de Jung. Il est permis tout au moins de
reconnaître en un si fougueux animal le symbole d'une
vigueur retrouvée.

Les contes consécutifs à ces ébats ne trahissent plus que

lassitude. L'*Histoire de Jenni, les Oreilles du comte de
Chesterfield* mettent en œuvre, avec quelque fantaisie, des
idées, du savoir, soutenus par du savoir-faire. Mais l'esprit ne pétille plus que par éclairs. L'âge éteint les
humeurs. Ce qui, par application de la règle baconienne
de l'absence, confirme que le conte voltairien puisait dans
la chaleur d'un « sang allumé » le meilleur de son énergie.

Ces œuvres d'humeur ne sont pas des improvisations.
Leur rédaction, autant qu'on sache, s'étendait sur des
mois, parfois sur des années (ce fut, semble-t-il, le cas
de *Micromégas*). L'idée, longtemps accréditée, que les
contes furent tracés au fil de la plume procédait d'une
impression. Elle paraissait justifiée par la destination
mondaine de plusieurs d'entre eux, surtout parmi les
premiers. *Le Crocheteur borgne, Cosi-Sancta* n'ont-ils pas
été composés, à la hâte vraisemblablement, pour tirer
d'embarras, dans un jeu de gages, une dame condamnée
à fournir un conte ? La série de 1747 a été faite d'abord
pour amuser la duchesse du Maine et sa cour, au château
de Sceaux, ou Stanislas Leczinsky et la sienne, à Nancy.
Candide eut comme premiers lecteurs le duc et la duchesse
de La Vallière, l'électeur palatin. L'instinct de charmer a
toujours été, dans la personnalité de Voltaire, un élément fondamental. Il écrit ses contes pour plaire, et à des
personnages difficiles en matière d'esprit. Pour eux il
choisit les meilleures saillies de son imagination, répri-
mant la verve un peu grosse à laquelle volontiers il se
laisse aller. Ici comme ailleurs c'est pour une part au
public que nous sommes redevables de la qualité de
l'œuvre. On goûte dans ces bagatelles l'agrément d'un
style Louis XV : variété, fantaisie, dans l'harmonie discrète de la composition.

A priori, on présumerait donc que le bonheur des
contes exclut l'improvisation. Mais on a des preuves
que Voltaire les corrigeait et remaniait, avec autant de
soin que ses autres œuvres. Il notait d'abord un bref
canevas, résumant l'action en quelques lignes. Celui de
l'*Ingénu*, conservé dans le fonds de Leningrad, permet
de mesurer l'étendue des modifications apportées au
schéma initial. Il reste que Voltaire se fixe au commencement un cadre d'ensemble. Ainsi il évite que la variété
des épisodes ne se perde dans la dispersion. L'unité

étant celle, en général, d'un voyage et d'une vie, il atteint sans peine l'équilibre du récit : le voyage et la vie de Candide s'organisent en un aller et retour, de Westphalie en Amérique, et d'Amérique à Constantinople, avec un temps d'arrêt au point central, qui est le pays d'Eldorado. Ayant tracé son plan, le conteur a toute latitude, ensuite, dans le détail des chapitres, de se livrer aux attraits de l'imprévu. Il lui est loisible d'adopter l'allure libre du roman picaresque. Mais, à la différence des auteurs de *Gil Blas* ou de *Tom Jones*, Voltaire, sans qu'il y paraisse, sait toujours où il va. Un autre avantage du procédé est qu'il comporte les commodités du récit à tiroirs. En cours de révision, Voltaire ne se prive pas de substituer, d'ajouter des épisodes : travail visible dans *Zadig, Candide, le Taureau blanc*. Nous ne possédons qu'un seul manuscrit d'un conte, antérieur au texte imprimé : celui de *Candide*. Ce document atteste avec quelle attention le texte fut revu, à plusieurs reprises, non seulement épisode par épisode, mais jusque dans le menu détail de l'expression.

Tant de sollicitude donne donc lieu de s'étonner que Voltaire dans sa *Correspondance* garde un si complet silence sur l'élaboration des *Contes*. Discrétion qui contraste avec l'abondance des commentaires à propos de chaque tragédie qu'il a sur le métier. Faut-il invoquer le goût du secret, chez lui, pour tout ce qui lui est le plus intimement personnel ? Pensera-t-on qu'il se tait parce qu'en ses contes il se livre plus complètement qu'en ses autres ouvrages ?

On ne contestera pas au moins qu'il s'y assure une présence fort visible. Un narrateur, selon le genre, opte entre deux partis. Le romancier, le nouvelliste tendent habituellement à faire croire qu'ils n'existent pas. Tout au contraire le conteur, comme l'aède ou le poète de l'épopée classique, se porte explicitement garant de son récit. Aussi bien les métamorphoses et prodiges qu'il débite ont-ils besoin d'être attestés par un auteur véridique.

Voltaire se plie à la règle du genre, selon les procédés habituels. Il ne dédaigne pas d'entrer en matière par des équivalents du traditionnel « Il était une fois »... (« Dans une de ces planètes qui tournent autour de l'étoile Sirius, il y avait un jeune homme de beaucoup d'esprit qui... », « Il y avait en Vestphalie... »). Il intervient par ses « je ». Ceux-ci sont particulièrement fréquents dans

Micromégas : le narrateur annonce les épisodes (« je vais raconter ingénument comment la chose se passa »), commente (« ce n'est pas que je prétende que Monsieur Derham ait mal vu... »), proteste de sa discrétion touchant les sujets scabreux (le grand arbre que « nos philosophes » plantèrent sur Micromégas « dans un endroit que le docteur Swift nommerait, mais que je me garderai bien d'appeler par son nom, à cause de mon grand respect pour les dames »). L'insistance du « je » incite à penser que *Micromégas* s'apparentait d'assez près par le style à l'archaïque *Gangan*. Car on constate que dans la succession des contes la première personne se fait de plus en plus rare, sans disparaître tout à fait.

Au début de *Candide*, c'est le conteur qui trace pour nous le portrait du héros, et nous l'explique : le jeune garçon « avait le jugement assez droit, avec l'esprit le plus simple : c'est, *je crois*, pour cette raison qu'on le nommait Candide ». Le narrateur s'efface de *Jeannot et Colin*, qui est presque une nouvelle, de *l'Ingénu*, qui est presque un roman. Il reparaît, en même temps que le merveilleux, dans *la Princesse de Babylone*. Evoquant les fastes babyloniens, il fait appel à la notoriété publique (« On sait que son palais et son parc... s'étendaient entre l'Euphrate et le Tigre qui... »). Il établit des rapprochements historiques (« Ce fut d'après ses portraits et ses statues [ceux de la princesse] que dans la suite des siècles Praxitèle sculpta son Aphrodite »). Il donne son opinion (« Cette excellente morale n'a jamais été démentie que par les faits »). Finalement, n'y tenant plus, il fait irruption en propre personne à la dernière page du récit dans une apostrophe aux Muses : diatribe lancée à la tête de ses adversaires, morceau étourdissant, prodigieux de méchanceté amusante, et totalement imprévu. Rien n'annonçait, rien dans le récit n'exigeait cette irruption à bras raccourcis sur Larcher, Fréron et consorts — sinon que, l'histoire finie, il restait au narrateur à régler quelques comptes.

Aux pages mêmes où ne s'affirme pas le « je » du conteur, sa présence se devine. C'est lui qui confère l'être aux marionnettes de ce Guignol philosophique, et d'abord par l'efficace des noms qu'il leur assigne : baron de Thunder-ten-tronckh, Cacambo, Giroflée, Mlle de Kerkabon, Barbabou, Formosante, dona Boca Vermeja... Dénominations plus ou moins vraisemblables (quel jeune Allemand s'est jamais nommé Candide ?), mais très parlantes, résumant en leurs sonorités l'essence du personnage. Ebauchées ainsi en quelques traits saillants, les silhouettes prennent vie par le mouvement que leur imprime l'opérateur. Voltaire fait en sorte de les présenter toujours agissantes, selon l'esthétique du Guignol. Personnage très épisodique que le Turc, patron, dans *Candide*, de la galère où rament Pangloss et le jésuite frère de Cunégonde : il se détache pourtant avec une suffisante réalité, du fait que nous ne le voyons que bastonnant à tour de bras ses galériens, en hurlant « chiens de chrétiens ». Pangloss même, l'homme « tout en langue », ne cesse d'agir à sa manière : il pérore avec une fougue inlassable. Ces personnages ont tous, comme leur créateur, « le diable au corps ».

C'est Voltaire, ordonnateur du spectacle, qui règle leurs évolutions, et ce n'est pas la manifestation la moins délectable de sa présence en son œuvre. Il ménage des rencontres peu croyables : de Candide et de Cunégonde à Lisbonne, à la faveur d'un autodafé, de Candide et du frère jésuite dans une colonie des pères au Paraguay, de Candide et de Pangloss, qu'on tenait pour trépassé, d'abord dans une rue de Hollande, puis en mer Egée sur la galère. Voltaire use de sa toute-puissance : il tue et ressuscite ses personnages selon le besoin. Quelle plus grande surprise que de faire reparaître quelqu'un qu'on a donné pour mort et enterré ? Ce qui dans le roman-feuilleton passe pour une condamnable facilité devient un jeu dans le conte.

« Tous les genres sont bons, sauf le genre ennuyeux », professait Voltaire. Ses fables sont les fables qu'invente l'homme qui aimait le moins s'ennuyer. Allégrement il accumule les surprises. Voyez dans *Zadig* le chapitre du *Basilic*. Zadig traverse à pied l'Asie. A l'improviste il découvre un spectacle qui l'intrigue : des femmes courbées cherchent quelque chose dans une prairie. Elles cherchent un basilic. Car elles sont les esclaves du seigneur Ogul, lequel, étant malade, doit prendre comme remède, par ordre de la Faculté, un basilic cuit à l'eau de rose : il épousera celle qui lui procurera un spécimen de cet animal qui n'existe pas. Inopinément le conte a débouché en pleine folie. Voltaire conteur donne un festival de l'absurde et de la sottise. Sa philosophie spontanée trouve là sa meilleure expression. Mais il faut dire aussi que l'absurde possède un mérite : celui de l'imprévu. Par ses intrusions saugrenues, l'ab-

surde rompt la monotonie. On comprend que Voltaire,
en ses contes et ailleurs, se complaise à en évoquer les
fantasmagories.

C'est ici que le chantre de *la Henriade* se déclare poète,
si l'on définit poésie une invention continue de l'expression, ayant pouvoir d'alerter la sensibilité esthétique.
Il sème les trouvailles qui piquent et réveillent. Il est
rare qu'il aligne une énumération, en ses contes, sans la
faire exploser avant la fin. Qu'on prenne garde aux instruments de la musique militaire, disposés pour un
concert d'un genre spécial : « les trompettes, les fifres,
les hautbois, les tambours, les canons formaient une
harmonie telle qu'il n'y en eut jamais en enfer ». Ses dialogues pratiquent l'échange régulièrement rythmé des
demandes et réponses : « Croyez-vous, dit Martin... —
Oui, sans doute, dit Candide... — Eh bien! dit Martin...
— Oh! dit Candide... » Soudain, sur un « car le libre
arbitre », Voltaire coupe : « En raisonnant ainsi, ils arrivèrent à Bordeaux. »

Son art fait la nique aux ordonnances de la rhétorique.
Pour peu qu'on le connaisse, on l'attend aux dénoue-
ments. En ce lieu, désigné pour les morceaux de bravoure, il place volontiers, lui, une pirouette. *Micromégas*
s'acheminait sagement — enfin, assez sagement — vers
sa conclusion. Le géant de Sirius a remis aux hommes un
beau livre de philosophie où leur sera expliqué « le bout
des choses ». On porte le précieux volume en grande
pompe à l'Académie des sciences de Paris. On l'ouvre
en cérémonie : enfin, on va savoir... « Mais quand le
secrétaire l'eut ouvert, il ne vit rien qu'un livre tout
blanc. — Ah! dit-il, je m'en étais bien douté. »

Dans *le Blanc et le Noir*, la mystification de la fin
commande tout le récit. Tiraillé entre ses deux valets,
Topaze, tout blanc, Ebène, tout noir, le jeune Rustan,
amoureux de la princesse de Cachemire, se rend à la
foire de Kaboul. Chaque pas de cette mille et deuxième
nuit est un prodige. Parvenu devant un torrent infran-
chissable, Rustan voit soudain un pont tout de marbre
enjamber le précipice, et s'abîmer dans les eaux, avec un
fracas épouvantable, dès qu'il l'a traversé. Il est ensuite
arrêté par une montagne abrupte. Mais voici que se creuse
à la base une galerie brillamment illuminée conduisant
de l'autre côté du mont, où se trouve Kaboul. Hélas! dans
la ville un javelot magique tue la princesse et le blesse
mortellement lui-même. A son lit d'agonie, il voit repa-

raître Topaze et Ebène : il reconnaît en eux deux génies, son bon et son mauvais ange. Jusqu'ici, nous avons cru à tout ce conte, très fermement, comme on croit à un conte de fées. Nous compatissons au malheur de Rustan, dont le dernier instant est arrivé : il va rendre l'âme, il va savoir ce qui se cache de l'autre côté de la vie.

Point du tout. Rustan se réveille en sursaut, tout en sueur, dans son lit, chez son père. Tout ce qui précède n'était qu'un songe devenu cauchemar. A ses cris, Ebène et Topaze accourent : ce ne sont point des anges, avec des ailes sur le dos, mais ses domestiques. Le calme revenu, Rustan s'entretient avec eux sur les rêves, sur le temps dans l'état de veille et en songe. Cependant Voltaire nous réserve encore, pour la fin de la fin, une pichenette. Topaze se flatte de posséder un merveilleux perroquet, né avant le déluge : il racontera tout ce qu'il a vu depuis ce temps lointain. On conçoit la curiosité de Rustan : « On lui amena le perroquet, lequel parla ainsi. » Point, et point final. Car au lieu de l'histoire annoncée, le lecteur a droit à un post-scriptum : « Mademoiselle Catherine Vadé n'a jamais pu trouver l'histoire du perroquet »...

Ainsi avec ceux qui l'écoutent Voltaire joue au jeu de la surprise. Pourtant, chemin faisant, il n'oublie pas ses grands desseins, et qu'il est philosophe — un philosophe masqué sous l'apparence de l'un de ses personnages.

Le conte voltairien ordinairement s'élabore autour d'un protagoniste, tantôt acteur, tantôt témoin des aventures, mais toujours, de celles-ci, commentateur philosophique. Tout ce qui advient est au passage salué de ses réflexions ou interrogations. La glose gagne naturellement en intérêt à mesure que l'événement devient plus insolite, offrant des contrastes plus accentués. La variété narrative concourt à l'exercice de la pensée. Aussi Voltaire promène-t-il son Zadig non seulement de Babylone en Egypte et retour, mais dans les hauts et les bas de la société. Simple particulier, époux de femmes infidèles, premier ministre, esclave, affranchi, prétendant évincé du trône, roi enfin et possesseur d'Astarté : dans ces mille traverses le héros ne cesse de faire ses réflexions. Il médite à bâtons rompus, mais selon un leitmotiv : comment un homme tel que lui, paré de toutes les qualités, n'obtient-il pas de la Destinée le bonheur qu'il mérite ?

Le retour périodique de l'interrogation rythme le récit, et en resserre l'unité. Pareillement *Candide*, à intervalles inégaux mais assez réguliers pour que l'effet soit perçu, est ponctué par le refrain du « meilleur des mondes ».

Or ces questions sont celles qu'agite Voltaire philosophe. Lui-même parle par la bouche des Babouc, Memnon, Zadig, Scarmentado, Candide, l'Ingénu. Il a constitué dans le *corpus* de ses contes le plus agréable répertoire de ses idées. Encore est-ce trop peu de dire que les protagonistes sont ses porte-parole. Ils sont lui-même. Le fond de leurs personnages est sa propre activité incessante d'observation critique, vertu éminemment voltairienne attestée à chaque page de sa *Correspondance*. Il va jusqu'à leur prêter, parfois, quelques particularités de son histoire personnelle. Zadig pâtit comme lui du fanatisme de l'archimage Yébor (Boyer, évêque de Mirepoix, l'un de ses ennemis à la cour de Louis XV). Tous deux ont connu l'inconstance féminine (Voltaire celle de Mme Denis, avant de surprendre celle de Mme du Châtelet), et l'inconstance des rois. Candide, de concert avec l'hôte des Délices et le seigneur de Ferney, invente le bonheur du « jardin ». Comme jadis le jeune Arouet, l'Ingénu est emmuré vivant dans la Bastille. Non que Voltaire aille jusqu'à l'autobiographie : de tels détails, épisodiques, confirment seulement qu'il a créé ces personnages à partir de lui-même.

Ils sont un Voltaire rajeuni, embelli, corrigé. En eux il s'est mis tel qu'il est et tel qu'il s'imagine. Il leur insuffle son « insolence naturelle », son érudition ironique. Comme lui, d'un mot ils dénoncent les illusions, les impostures, les crimes.

Car les « gestes » de ces personnages ne sont point œuvres gratuites, inventées pour le seul plaisir. Dans le chapitre du *Taureau blanc* où il s'explique sur l'art de conter, il souhaite que le conte « sous le voile de la fable laisse entrevoir aux yeux exercés une vérité fine qui échappe au vulgaire »; il demande que la fable soit « bien vraie, bien avérée et bien morale ». S'il ne respecte guère le réalisme qu'il semble exiger, du moins propose-t-il des allégories lestées de sens. Mais qui évitent l'écueil du genre allégorique. Il ne juxtapose pas l'image à l'idée, dans une mise en œuvre pédagogique. Son inspiration militante est inhérente au récit, non surajoutée. Sa philosophie se fait homme dans le héros du conte, lequel se confond avec lui-même. Dès lors les images où sa pensée prend corps ressemblent moins aux classiques allégories qu'aux symboles quelque peu énigmatiques d'un art plus moderne. En leur centre ces clairs récits recèlent quelque chose qui résiste à l'élucidation. Légers mais consistants, les meilleurs possèdent finalement l'épaisseur des grandes œuvres.

René POMEAU.

OUVRAGES A CONSULTER

Bottiglia (W. F.), *Voltaire's Candide : analysis of a classic*, dans *Studies on Voltaire and the XVIIIth Century*, t. VII (2ᵉ édition, Genève, 1964).

Desnoiresterres (G.), *Voltaire et la Société de son temps*, Paris, 1867-1876, 8 vol.

Lanson (G.), *Voltaire*, nouvelle édition, Paris, 1960.

Naves (R.), *Voltaire, l'homme et l'œuvre*, Paris, 1942.

Pomeau (R.), *Voltaire par lui-même*, Paris, 1955.

Valéry (P.), *Discours sur Voltaire*, 10 décembre 1944.

Wade (I. O.), *Voltaire and Candide*, Princeton, 1960.

On complétera ces indications à l'aide de l'ouvrage de Mary Margaret Barr, *A Bibliography of writings on Voltaire (1825-1925)*, New York, 1929 (suppléments jusqu'en 1940 dans *Modern Language Notes*, t. 48 et 56; une continuation jusqu'en 1965 est en préparation).

ROMANS ET CONTES

NOTE
SUR
ZADIG

Zadig d'abord s'appela *Memnon*. Le conte parut en juillet 1747 sous ce titre, sans qu'on sache rien sur la date ni sur les circonstances de sa rédaction. Ce *Memnon* ne contenait ni la dédicace à la sultane Sheraa (Mme de Pompadour), ni les épisodes de Yébor (l'évêque Boyer, chef du parti dévot), de la fille et des deux mages, du souper, du pêcheur. Voltaire l'avait fait imprimer à Amsterdam ; il demanda au comte d'Argenson, ministre de la Guerre en visite aux armées, d'en introduire clandestinement en France un certain nombre d'exemplaires. Il fut sans doute refusé, car *Memnon* resta inconnu du public français.

En octobre 1747, Mme du Châtelet joue à Fontainebleau au jeu de la reine. Elle perd, s'obstine, finit par devoir des sommes énormes. Voltaire près d'elle s'impatiente : « Vous jouez avec des fripons », chuchote-t-il en anglais. La phrase est entendue et comprise. Il doit se réfugier à Sceaux, chez la duchesse du Maine. Il se claquemure derrière ses volets clos. Chaque nuit, vers deux heures, il descend chez la duchesse, soupe et lui lit quelque chapitre de ses contes, parmi lesquels *Memnon* en passe de devenir *Zadig*. C'est peut-être de novembre 1747 que date un manuscrit, aujourd'hui à Leningrad : une copie par Longchamp (retiré avec Voltaire à Sceaux) des chapitres *le Basilic*, *les Combats*, *l'Hermite* (début), avec des corrections de Voltaire. Les variantes de ce manuscrit présentent un état du texte intermédiaire entre *Memnon* et *Zadig*. On y voit Voltaire hésiter sur les noms propres : Itobad de *Memnon* devient Itobal (nom définitif) ; la « belle capricieuse », nommée Marie dans *Memnon*, devient Isela et finira par se nommer Missouf. Les noms propres constituant un élément essentiel de ses personnages, il arrive que Voltaire ne trouve pas d'emblée le mieux approprié.

Bientôt *Zadig* divertit un public plus large. Voltaire
sort de sa clandestinité sans quitter Sceaux. Pour remercier son hôtesse, il organise des fêtes : comédies, opéras,
concerts. Parfois en intermède il lit *Zadig*, *Babouc*, et un
Memnon qui n'a que le titre de commun avec celui de
juillet 1747 (ci-dessous p. 111). Dans les mois qui suivent,
il produit ces mêmes bagatelles devant la cour de Lor-
raine, à Lunéville et à Commercy. Charmés, les auditeurs
demandent que l'auteur leur procure un texte. Il pro-
met et de cette promesse naît une édition de *Zadig* qu'il
veut limiter à mille exemplaires. Mais comment empêcher l'éditeur de grossir subrepticement son tirage ? Il
recourt à une ruse singulière. Il donne à Prault la première moitié du manuscrit, à Machuel la seconde. Puis
quand l'un réclame la suite et l'autre le commencement,
il refuse catégoriquement. Chaque libraire est réduit à
lui abandonner sa moitié d'ouvrage, invendable. Il ne
reste plus qu'à faire brocher ensemble les deux parties.
Zadig reconstitué paraît en septembre 1748. Voltaire le
désavoue ; mais au bout de quelque temps, en présence du
succès, il consent à en être l'auteur.

Il révisera encore deux fois son texte. En 1752, il
ajoute l'anecdote de Yébor et une amabilité à l'adresse de
Frédéric II. En 1756, il supprime l'anecdote d'Irax,
développe le chapitre des *Jugements* en deux : *le Ministre*,
les Audiences. Entre 1752 et 1756 il avait écrit aussi
la Danse et *les Yeux bleus* : il les garde en portefeuille, sans
doute afin de préserver l'équilibre général de son récit ;
ils ne paraîtront que dans l'édition posthume de Kehl.

Zadig est l'histoire d'un voyage. Le héros, simple bourgeois de Babylone, devient par son mérite premier
ministre (ch. 1 - 8) ; une intrigue le chasse jusqu'en
Egypte, où il tombe en esclavage ; en cet état il parcourt
l'Arabie, se relevant peu à peu (ch. 9-13) ; l'amour d'Astarté le rappelle à Babylone ; il retrouve la reine, triomphe
de l'adversité et monte sur le trône (ch. 14-19). Composition harmonieuse. Cependant, comparé à d'autres
voyages *(Scarmentado, Candide, la Princesse de Babylone)*, l'itinéraire de Zadig ne lui permet pas de visiter
beaucoup de pays. Même en ajoutant l'excursion des
deux chapitres posthumes dans l'île de Sérendib, nous
demeurons dans la même contrée, qui est l'Orient philosophique du XVIIIe siècle.

Les travaux de Voltaire, vers 1745-1747, expliquent

cette limitation. Préparant l'*Essai sur les mœurs* il est plongé dans l'étude de l'Orient ancien : il dépouille Herbelot (*Bibliothèque Orientale*, d'où vient le nom de Zadig, de l'arabe *Sadik :* juste), l'ouvrage de l'Anglais Hyde (*Historia religionis veterum Persarum*, contenant une traduction du *Sadder*), les *Voyages* de Chardin, Bernier, Tavernier. Il publie dans le *Mercure* le résultat de ses recherches : les premiers chapitres du futur *Essai* traitant de l'Orient. Simultanément son imagination mise en mouvement brode sur cette documentation exotique : il donne sa tragédie de *Sémiramis* (1748), il écrit *Zadig*. Ce conte, non plus d'ailleurs que *Babouc* ou l'autre *Memnon*, ne s'engage pas encore dans la comparaison des civilisations où bientôt le développement de l'*Essai sur les mœurs* entraînera les fictions voltairiennes : il s'en tient au déguisement oriental, qui en 1747 ne saurait passer pour une nouveauté.

Déguisement qui n'est pas pourtant de pure fantaisie. *Zadig* pose un problème de philosophie « orientale », celui de « la Destinée » (c'est le sous-titre du conte). La présence permanente du sage babylonien et ses interrogations créent le lien entre les diverses aventures. Au départ, Zadig, considérant sa position et ses mérites, croit qu'il peut être heureux. Périodiquement, récapitulant ses infortunes, il revient sur le thème central. L'interrogation s'élève au pathétique pour souligner deux moments critiques : fuyant Babylone, Zadig s'indigne de constater que « tout ce qu'il a fait de bien a toujours été pour lui une source de malédictions »; il ne retrouve quelque sérénité que par la contemplation de la voûte céleste. Plus tard, toutes ses espérances ayant été détruites par le chevalier vert, il accuse la Providence. Le développement de l'idée se confond avec le progrès de l'action, jusqu'au dénouement. Mais ici un décalage se produit. La conclusion résumée dans le « mais » de Zadig est dissociée du dénouement romanesque qui assure au héros le trône de Babylone et la main d'Astarté : dans *Candide* au contraire, le « jardin » donnera au conte sa conclusion en même temps philosophique et narrative.

Il est apparent que Voltaire projette en Zadig une image de lui-même. L'académicien, l'historiographe, le gentilhomme ordinaire de la chambre du roi, dit par personnage interposé son amertume d'homme arrivé. Déçu depuis qu'il voit de près les rouages du Pouvoir et qu'il évolue, difficilement, parmi les cabales de cour, il dresse

dans *Zadig* un réquisitoire : corruption et sottise se
donnent carrière, car le roi ne gouverne pas. Moabdar,
au gré de ses caprices, s'abandonne à un ministre qui
a su plaire, à une favorite qui le subjugue. L'hommage
à la sultane Sheraa est corrigé par le portrait de la belle
Missouf, en laquelle Mme de Pompadour a pu se reconnaître. Depuis 1741 les décevantes campagnes de la
guerre contre l'Autriche ont mis au jour les faiblesses
de la monarchie française. Voltaire raconte les malheurs
qu'il redoute : Babylone en proie à l'anarchie, envahie
par un puissant voisin. Il indique le remède : qu'un
souverain tel Zadig, absolu mais « éclairé », fasse régner
« la paix, la gloire et l'abondance ». Le sage babylonien
réalise l'ambition voltairienne de régir les hommes pour
faire leur bien.

Mais le conte recèle quelque chose de plus personnel.
C'est le Voltaire des années 1745-1747 qui s'y exprime :
irritable, dyspeptique, surmené par la vie de cour et les
complications de ses relations féminines. Les lettres à
sa nièce ont révélé un arrière-plan longtemps ignoré : les
chapitres initiaux comportent des références que l'on
ne soupçonnait pas. Mme Denis n'est point d'une
exemplaire fidélité, il le sait. Il voudrait entraîner cette
mondaine évaporée vers quelque retraite philosophique :
rêve présentement irréalisable. Avec son héros il s'interroge sur « la destinée ». Qu'est-ce que ce monde où tout
semble aller au hasard, où il est « si dangereux de se
mettre à la fenêtre » ?

Voltaire connaît la réponse du providentialisme classique, pour l'avoir lui-même énoncée dans sa philosophie de Cirey. L'ange-ermite vient faire une démonstration par l'exemple, complétée par un sermon. Faut-il
admettre que ce « révérend père » parle au nom de l'auteur ? L'argument est lourd, puéril parfois. On n'ose
affirmer que Voltaire l'a voulu tel. Ne serait-ce pas plutôt
le signe qu'il a cessé d'y adhérer ? Il est du côté de Zadig :
il objecte ses « mais » aux raisonnements de l'ange leibnizien. Celui-ci ayant recours pour trancher à une
démonstration surnaturelle, Zadig « adore » et « se soumet ». Mais son esprit n'est pas convaincu. Conclusion
incertaine. En face d'un monde déconcertant, ce n'est
pas une philosophie que définit Zadig; c'est une attitude
qu'il propose : une gaieté travaillée d'inquiétude.

R. P.

ZADIG OU LA DESTINÉE

HISTOIRE ORIENTALE

ÉPITRE DÉDICATOIRE DE ZADIG
A LA SULTANE SHERAA

PAR SADI

Le 10 du mois de Schewal, l'an 837 de l'hégire.

Charme des prunelles, tourment des cœurs, lumière de l'esprit, je ne baise point la poussière de vos pieds, parce que vous ne marchez guère, ou que vous marchez sur des tapis d'Iran ou sur des roses. Je vous offre la traduction d'un livre d'un ancien sage qui, ayant le bonheur de n'avoir rien à faire, eut celui de s'amuser à écrire l'histoire de Zadig, ouvrage qui dit plus qu'il ne semble dire. Je vous prie de le lire et d'en juger : car, quoique vous soyez dans le printemps de votre vie, quoique tous les plaisirs vous cherchent, quoique vous soyez belle, et que vos talents ajoutent à votre beauté; quoiqu'on vous loue du soir au matin, et que par toutes ces raisons vous soyez en droit de n'avoir pas le sens commun, cependant vous avez l'esprit très sage et le goût très fin, et je vous ai entendu raisonner mieux que de vieux derviches à longue barbe et à bonnet pointu. Vous êtes discrète et vous n'êtes point défiante; vous êtes douce sans être faible; vous êtes bienfaisante avec discernement; vous aimez vos amis, et vous ne vous faites point d'ennemis. Votre esprit n'emprunte jamais ses agréments des traits de la médisance; vous ne dites de mal ni n'en faites, malgré la prodigieuse facilité que vous y auriez. Enfin votre âme m'a toujours paru pure comme votre beauté. Vous avez même un petit fonds de philosophie qui m'a fait croire que vous prendriez plus de goût qu'une autre à cet ouvrage d'un sage.

Il fut écrit d'abord en ancien chaldéen, que ni vous ni moi n'entendons. On le traduisit en arabe, pour amuser le célèbre sultan Ouloug-beb. C'était du temps où les Arabes et les Persans commençaient à écrire des *Mille et une Nuits*, des *Mille et un Jours*, etc. Ouloug aimait mieux la lecture de *Zadig;* mais les sultanes aimaient mieux les

Mille et un. « Comment pouvez-vous préférer, leur disait le sage Ouloug, des contes qui sont sans raison, et qui ne signifient rien ? — C'est précisément pour cela que nous les aimons, répondaient les sultanes. »

Je me flatte que vous ne leur ressemblerez pas, et que vous serez un vrai Ouloug. J'espère même que, quand vous serez lasse des conversations générales, qui ressemblent assez aux *Mille et un*, à cela près qu'elles sont moins amusantes, je pourrai trouver une minute pour avoir l'honneur de vous parler raison. Si vous aviez été Thalestris du temps de Scander, fils de Philippe; si vous aviez été la reine de Sabée du temps de Soleiman, c'eussent été ces rois qui auraient fait le voyage.

Je prie les vertus célestes que vos plaisirs soient sans mélange, votre beauté durable, et votre bonheur sans fin.

SADI.

LE BORGNE

Du temps du roi Moabdar il y avait à Babylone un jeune homme nommé Zadig, né avec un beau naturel fortifié par l'éducation. Quoique riche et jeune, il savait modérer ses passions; il n'affectait rien; il ne voulait point toujours avoir raison, et savait respecter la faiblesse des hommes. On était étonné de voir qu'avec beaucoup d'esprit il n'insultât jamais par des railleries à ces propos si vagues, si rompus, si tumultueux, à ces médisances téméraires, à ces décisions ignorantes, à ces turlupinades grossières, à ce vain bruit de paroles, qu'on appelait *conversation* dans Babylone. Il avait appris, dans le premier livre de Zoroastre, que l'amour-propre est un ballon gonflé de vent, dont il sort des tempêtes quand on lui a fait une piqûre. Zadig surtout ne se vantait pas de mépriser les femmes et de les subjuguer. Il était généreux; il ne craignait point d'obliger les ingrats, suivant ce grand précepte de Zoroastre : *Quand tu manges, donne à manger aux chiens, dussent-ils te mordre.* Il était aussi sage qu'on peut l'être : car il cherchait à vivre avec des sages. Instruit dans les sciences des anciens Chaldéens, il n'ignorait pas les principes physiques de la nature, tels qu'on les connaissait alors, et savait de la métaphysique ce qu'on en a su dans tous les âges, c'est-à-dire fort peu de chose. Il était fermement persuadé que l'année était de trois cent soixante et cinq jours et un quart, malgré la nouvelle philosophie de son temps, et que le soleil était au centre du monde ; et quand les principaux mages lui disaient, avec une hauteur insultante, qu'il avait de mauvais sentiments, et que c'était être ennemi de l'Etat que de croire que le soleil tournait sur lui-même, et que l'année avait douze mois, il se taisait sans colère et sans dédain.

Zadig, avec de grandes richesses, et par conséquent avec des amis, ayant de la santé, une figure aimable, un esprit juste et modéré, un cœur sincère et noble, crut qu'il pouvait être heureux. Il devait se marier à Sémire, que sa beauté, sa naissance, et sa fortune, rendaient le premier parti de Babylone. Il avait pour elle un attachement solide et vertueux, et Sémire l'aimait avec passion. Ils touchaient au moment fortuné qui allait les unir, lorsque, se promenant ensemble vers une porte de Babylone, sous les palmiers qui ornaient le rivage de l'Euphrate, ils virent venir à eux des hommes armés de sabres et de flèches. C'étaient les satellites du jeune Orcan, neveu d'un ministre, à qui les courtisans de son oncle avaient fait accroire que tout lui était permis. Il n'avait aucune des grâces ni des vertus de Zadig ; mais, croyant valoir beaucoup mieux, il était désespéré de n'être pas préféré. Cette jalousie, qui ne venait que de sa vanité, lui fit penser qu'il aimait éperdument Sémire. Il voulait l'enlever. Les ravisseurs la saisirent, et dans les emportements de leur violence ils la blessèrent, et firent couler le sang d'une personne dont la vue aurait attendri les tigres du mont Imaüs. Elle perçait le ciel de ses plaintes. Elle s'écriait : « Mon cher époux ! on m'arrache à ce que j'adore. » Elle n'était point occupée de son danger ; elle ne pensait qu'à son cher Zadig. Celui-ci, dans le même temps, la défendait avec toute la force que donnent la valeur et l'amour. Aidé seulement de deux esclaves, il mit les ravisseurs en fuite, et ramena chez elle Sémire, évanouie et sanglante, qui en ouvrant les yeux vit son libérateur. Elle lui dit : « O Zadig ! je vous aimais comme mon époux ; je vous aime comme celui à qui je dois l'honneur et la vie. » Jamais il n'y eut un cœur plus pénétré que celui de Sémire. Jamais bouche plus ravissante n'exprima des sentiments plus touchants par ces paroles de feu qu'inspirent le sentiment du plus grand des bienfaits et le transport le plus tendre de l'amour le plus légitime. Sa blessure était légère ; elle guérit bientôt. Zadig était blessé plus dangereusement; un coup de flèche reçu près de l'œil lui avait fait une plaie profonde. Sémire ne demandait aux dieux que la guérison de son amant. Ses yeux étaient nuit et jour baignés de larmes : elle attendait le moment où ceux de Zadig pourraient jouir de ses regards; mais un abcès survenu à l'œil blessé fit tout craindre. On envoya jusqu'à Memphis chercher le grand médecin Hermès, qui vint avec un nombreux cortège. Il visita le malade, et déclara qu'il perdrait l'œil; il prédit même le jour et l'heure où ce funeste accident devait arriver. « Si c'eût été l'œil droit, dit-il, je l'aurais guéri; mais les plaies de l'œil gauche sont incurables. » Tout Babylone, en plaignant la destinée de Zadig, admira la profondeur de la science d'Hermès. Deux jours après, l'abcès perça de lui-même; Zadig fut guéri parfaitement. Hermès écrivit un livre où il lui prouva qu'il n'avait pas dû guérir. Zadig ne le lut point; mais, dès qu'il put sortir, il se prépara à rendre visite à celle qui faisait l'espérance du bonheur de sa vie, et pour qui seule il voulait avoir des yeux. Sémire était à la campagne depuis trois jours. Il apprit en chemin que cette belle dame, ayant déclaré hautement qu'elle avait une aversion insurmontable pour les borgnes, venait de se marier à Orcan lui-même. A cette nouvelle il tomba sans connaissance; sa douleur le mit au bord du tombeau; il fut longtemps malade, mais enfin la raison l'emporta sur son affliction; et l'atrocité de ce qu'il éprouvait servit même à le consoler.

« Puisque j'ai essuyé, dit-il, un si cruel caprice d'une fille élevée à la cour, il faut que j'épouse une citoyenne. » Il choisit Azora, la plus sage et la mieux née de la ville; il l'épousa, et vécut un mois avec elle dans les douceurs de l'union la plus tendre. Seulement il remarquait en elle un peu de légèreté, et beaucoup de penchant à trouver toujours que les jeunes gens les mieux faits étaient ceux qui avaient le plus d'esprit et de vertu.

LE NEZ

Un jour, Azora revint d'une promenade, tout en colère et faisant de grandes exclamations. « Qu'avez-vous, lui dit-il, ma chère épouse ? qui vous peut mettre ainsi hors de vous-même ? — Hélas! dit-elle, vous seriez comme moi, si vous aviez vu le spectacle dont je viens d'être témoin. J'ai été consoler la jeune veuve Cosrou, qui vient d'élever, depuis deux jours, un tombeau à son jeune époux auprès du ruisseau qui borde cette prairie. Elle a promis aux dieux, dans sa douleur, de demeurer auprès de ce tombeau tant que l'eau de ce ruisseau coulerait auprès. — Eh bien! dit Zadig, voilà une femme estimable qui aimait véritablement son mari! — Ah! reprit Azora, si vous saviez à quoi elle s'occupait quand je lui ai rendu visite! — A quoi donc, belle Azora? — Elle faisait détourner le ruisseau. » Azora se répandit en des invectives si longues, éclata en reproches si violents contre la jeune veuve, que ce faste de vertu ne plut pas à Zadig.

Il avait un ami, nommé Cador, qui était un de ces jeunes gens à qui sa femme trouvait plus de probité et de mérite qu'aux autres : il le mit dans sa confidence, et s'assura, autant qu'il le pouvait, de sa fidélité par un présent considérable. Azora, ayant passé deux jours chez une de ses amies à la campagne, revint le troisième jour à la maison. Des domestiques en pleurs lui annoncèrent que son mari était mort subitement la nuit même, qu'on n'avait pas osé lui porter cette funeste nouvelle, et qu'on venait d'ensevelir Zadig dans le tombeau de ses pères, au bout du jardin. Elle pleura, s'arracha les cheveux, et jura de mourir. Le soir, Cador lui demanda la permission de lui parler, et ils pleurèrent tous deux. Le lendemain ils pleurèrent moins et dînèrent ensemble. Cador lui confia que son ami lui avait laissé la plus grande partie de son bien, et lui fit entendre qu'il mettrait son bonheur à partager sa fortune avec elle. La dame pleura, se fâcha, s'adoucit; le souper fut plus long que le dîner; on se parla avec plus de confiance. Azora fit l'éloge du défunt; mais elle avoua qu'il avait des défauts dont Cador était exempt.

Au milieu du souper, Cador se plaignit d'un mal de rate violent; la dame, inquiète et empressée, fit apporter toutes les essences dont elle se parfumait pour essayer s'il n'y en avait pas quelqu'une qui fût bonne pour le mal de rate; elle regretta beaucoup que le grand Hermès ne fût pas encore à Babylone; elle daigna même toucher le côté où Cador sentait de si vives douleurs. « Etes-vous sujet à cette cruelle maladie? lui dit-elle avec compassion. — Elle me met quelquefois au bord du tombeau, lui répondit Cador, et il n'y a qu'un seul remède qui puisse me soulager : c'est de m'appliquer sur le côté le nez d'un homme qui soit mort la veille. — Voilà un étrange remède, dit Azora. — Pas plus étrange, répondit-il, que

les sachets du sieur Arnou [a] contre l'apoplexie. » Cette
raison, jointe à l'extrême mérite du jeune homme, détermina enfin la dame. « Après tout, dit-elle, quand mon
mari passera du monde d'hier dans le monde du lendemain sur le pont Tchinavar, l'ange Asraël lui accordera-
t-il moins le passage parce que son nez sera un peu moins
long dans la seconde vie que dans la première ? » Elle
prit donc un rasoir; elle alla au tombeau de son époux,
l'arrosa de ses larmes, et s'approcha pour couper le nez
à Zadig, qu'elle trouva tout étendu dans la tombe. Zadig
se relève en tenant son nez d'une main, et arrêtant le
rasoir de l'autre. « Madame, lui dit-il, ne criez plus tant
contre la jeune Cosrou; le projet de me couper le nez
vaut bien celui de détourner un ruisseau. »

LE CHIEN ET LE CHEVAL

Zadig éprouva que le premier mois du mariage,
comme il est écrit dans le livre du *Zend*, est la lune du
miel, et que le second est la lune de l'absinthe. Il fut
quelque temps après obligé de répudier Azora, qui était
devenue trop difficile à vivre, et il chercha son bonheur
dans l'étude de la nature. « Rien n'est plus heureux,
disait-il, qu'un philosophe qui lit dans ce grand livre que
Dieu a mis sous nos yeux. Les vérités qu'il découvre sont
à lui : il nourrit et il élève son âme, il vit tranquille; il ne
craint rien des hommes, et sa tendre épouse ne vient
point lui couper le nez. »
    Plein de ces idées, il se retira dans une maison de campagne sur les bords de l'Euphrate. Là il ne s'occupait pas
à calculer combien de pouces d'eau coulaient en une
seconde sous les arches d'un pont, ou s'il tombait une
ligne cube de pluie dans le mois de la souris plus que
dans le mois du mouton. Il n'imaginait point de faire de
la soie avec des toiles d'araignée, ni de la porcelaine avec
des bouteilles cassées, mais il étudia surtout les propriétés
des animaux et des plantes, et il acquit bientôt une sagacité qui lui découvrait mille différences où les autres
hommes ne voient rien que d'uniforme.
    Un jour, se promenant auprès d'un petit bois, il vit
accourir à lui un eunuque de la reine, suivi de plusieurs

---

    a. Il y avait dans ce temps un Babylonien, nommé Arnou, qui gué-
rissait et prévenait toutes les apoplexies, dans les gazettes, avec un
sachet pendu au cou.

officiers qui paraissaient dans la plus grande inquiétude, et qui couraient çà et là comme des hommes égarés qui cherchent ce qu'ils ont perdu de plus précieux. « Jeune homme, lui dit le premier eunuque, n'avez-vous point vu le chien de la reine ? » Zadig répondit modestement : « C'est une chienne, et non pas un chien. — Vous avez raison, reprit le premier eunuque. — C'est une épagneule très petite, ajouta Zadig ; elle a fait depuis peu des chiens ; elle boite du pied gauche de devant, et elle a les oreilles très longues. — Vous l'avez donc vue ? dit le premier eunuque tout essoufflé. — Non, répondit Zadig, je ne l'ai jamais vue, et je n'ai jamais su si la reine avait une chienne. »

Précisément dans le même temps, par une bizarrerie ordinaire de la fortune, le plus beau cheval de l'écurie du roi s'était échappé des mains d'un palefrenier dans les plaines de Babylone. Le grand veneur et tous les autres officiers couraient après lui avec autant d'inquiétude que le premier eunuque après la chienne. Le grand veneur s'adressa à Zadig, et lui demanda s'il n'avait point vu passer le cheval du roi. « C'est, répondit Zadig, le cheval qui galope le mieux ; il a cinq pieds de haut, le sabot fort petit ; il porte une queue de trois pieds et demi de long ; les bossettes de son mors sont d'or à vingt-trois carats ; ses fers sont d'argent à onze deniers. — Quel chemin a-t-il pris ? Où est-il ? demanda le grand veneur. — Je ne l'ai point vu, répondit Zadig, et je n'en ai jamais entendu parler. »

Le grand veneur et le premier eunuque ne doutèrent pas que Zadig n'eût volé le cheval du roi et la chienne de la reine ; ils le firent conduire devant l'assemblée du grand Desterham, qui le condamna au knout, et à passer le reste de ses jours en Sibérie. A peine le jugement fut-il rendu qu'on retrouva le cheval et la chienne. Les juges furent dans la douloureuse nécessité de réformer leur arrêt ; mais ils condamnèrent Zadig à payer quatre cents onces d'or pour avoir dit qu'il n'avait point vu ce qu'il avait vu. Il fallut d'abord payer cette amende ; après quoi il fut permis à Zadig de plaider sa cause au conseil du grand Desterham ; il parla en ces termes :

« Etoiles de justice, abîmes de science, miroirs de vérité, qui avez la pesanteur du plomb, la dureté du fer, l'éclat du diamant, et beaucoup d'affinité avec l'or, puisqu'il m'est permis de parler devant cette auguste assemblée, je vous jure par Orosmade que je n'ai jamais vu la

chienne respectable de la reine, ni le cheval sacré du roi
des rois. Voici ce qui m'est arrivé. Je me promenais vers
le petit bois où j'ai rencontré depuis le vénérable eunuque
et le très illustre grand veneur. J'ai vu sur le sable les
traces d'un animal, et j'ai jugé aisément que c'étaient
celles d'un petit chien. Des sillons légers et longs, imprimés sur de petites éminences de sable entre les traces des
pattes, m'ont fait connaître que c'était une chienne dont
les mamelles étaient pendantes, et qu'ainsi elle avait fait
des petits il y a peu de jours. D'autres traces en un sens
différent, qui paraissaient toujours avoir rasé la surface
du sable à côté des pattes de devant, m'ont appris qu'elle
avait les oreilles très longues; et, comme j'ai remarqué
que le sable était toujours moins creusé par une patte que
par les trois autres, j'ai compris que la chienne de notre
auguste reine était un peu boiteuse, si je l'ose dire.

« A l'égard du cheval du roi des rois, vous saurez que,
me promenant dans les routes de ce bois, j'ai aperçu les
marques des fers d'un cheval; elles étaient toutes à égales
distances. Voilà, ai-je dit, un cheval qui a un galop parfait. La poussière des arbres, dans une route étroite qui
n'a que sept pieds de large, était un peu enlevée à droite
et à gauche, à trois pieds et demi du milieu de la route.
Ce cheval, ai-je dit, a une queue de trois pieds et demi,
qui, par ses mouvements de droite et de gauche, a balayé
cette poussière. J'ai vu sous les arbres, qui formaient un
berceau de cinq pieds de haut, les feuilles des branches
nouvellement tombées; et j'ai connu que ce cheval y
avait touché, et qu'ainsi il avait cinq pieds de haut. Quant
à son mors, il doit être d'or à vingt-trois carats : car il en
a frotté les bossettes contre une pierre que j'ai reconnue
être une pierre de touche, et dont j'ai fait l'essai. J'ai jugé
enfin, par les marques que ses fers ont laissées sur des
cailloux d'une autre espèce, qu'il était ferré d'argent à
onze deniers de fin. »

Tous les juges admirèrent le profond et subtil discernement de Zadig; la nouvelle en vint jusqu'au roi et à la
reine. On ne parlait que de Zadig dans les antichambres,
dans la chambre, et dans le cabinet; et quoique plusieurs
mages opinassent qu'on devait le brûler comme sorcier,
le roi ordonna qu'on lui rendît l'amende de quatre cents
onces d'or à laquelle il avait été condamné. Le greffier,
les huissiers, les procureurs, vinrent chez lui en grand
appareil lui rapporter ses quatre cents onces; ils en
retinrent seulement trois cent quatre-vingt-dix-huit pour

les frais de justice, et leurs valets demandèrent des honoraires.

Zadig vit combien il était dangereux quelquefois d'être
trop savant, et se promit bien, à la première occasion, de
ne point dire ce qu'il avait vu.

Cette occasion se trouva bientôt. Un prisonnier d'Etat
s'échappa; il passa sous les fenêtres de sa maison. On
interrogea Zadig, il ne répondit rien; mais on lui prouva
qu'il avait regardé par la fenêtre. Il fut condamné pour
ce crime à cinq cents onces d'or, et il remercia ses juges
de leur indulgence, selon la coutume de Babylone.
« Grand Dieu! dit-il en lui-même, qu'on est à plaindre
quand on se promène dans un bois où la chienne de la
reine et le cheval du roi ont passé! qu'il est dangereux
de se mettre à la fenêtre! et qu'il est difficile d'être heureux dans cette vie! »

L'ENVIEUX

Zadig voulut se consoler, par la philosophie et par
l'amitié, des maux que lui avait faits la fortune. Il avait,
dans un faubourg de Babylone, une maison ornée avec
goût, où il rassemblait tous les arts et tous les plaisirs
dignes d'un honnête homme. Le matin, sa bibliothèque
était ouverte à tous les savants; le soir, sa table l'était à
la bonne compagnie; mais il connut bientôt combien les
savants sont dangereux; il s'éleva une grande dispute sur
une loi de Zoroastre, qui défendait de manger du griffon.
« Comment défendre le griffon, disaient les uns, si cet
animal n'existe pas? — Il faut bien qu'il existe, disaient
les autres, puisque Zoroastre ne veut pas qu'on en
mange. » Zadig voulut les accorder en leur disant : « S'il
y a des griffons, n'en mangeons point; s'il n'y en a point,
nous en mangerons encore moins; et par là nous obéirons
tous à Zoroastre. »

Un savant, qui avait composé treize volumes sur les
propriétés du griffon, et qui de plus était grand théurgite,
se hâta d'aller accuser Zadig devant un archimage nommé
Yébor, le plus sot des Chaldéens, et partant le plus fanatique. Cet homme aurait fait empaler Zadig pour la plus
grande gloire du soleil, et en aurait récité le bréviaire de
Zoroastre d'un ton plus satisfait. L'ami Cador (un ami
vaut mieux que cent prêtres) alla trouver le vieux Yébor,
et lui dit : « Vivent le soleil et les griffons! gardez-vous

bien de punir Zadig : c'est un saint; il a des griffons dans
sa basse-cour, et il n'en mange point; et son accusateur
est un hérétique qui ose soutenir que les lapins ont le
pied fendu, et ne sont point immondes. — Eh bien! dit
Yébor en branlant sa tête chauve, il faut empaler Zadig
pour avoir mal pensé des griffons, et l'autre pour avoir
mal parlé des lapins. » Cador apaisa l'affaire par le moyen
d'une fille d'honneur à laquelle il avait fait un enfant, et
qui avait beaucoup de crédit dans le collège des mages.
Personne ne fut empalé; de quoi plusieurs docteurs mur-
murèrent, et en présagèrent la décadence de Babylone.
Zadig s'écria : « À quoi tient le bonheur! Tout me persécute dans ce monde, jusqu'aux êtres qui n'existent
pas. » Il maudit les savants, et ne voulut plus vivre qu'en
bonne compagnie.

Il rassemblait chez lui les plus honnêtes gens de Babylone, et les dames les plus aimables; il donnait des soupers délicats, souvent précédés de concerts, et animés par
des conversations charmantes dont il avait su bannir l'empressement de montrer de l'esprit, qui est la plus sûre
manière de n'en point avoir, et de gâter la société la plus
brillante. Ni le choix de ses amis, ni celui des mets,
n'étaient faits par la vanité : car en tout il préférait l'être
au paraître, et par là il s'attirait la considération véritable
à laquelle il ne prétendait pas.

Vis-à-vis sa maison demeurait Arimaze, personnage
dont la méchante âme était peinte sur sa grossière physionomie. Il était rongé de fiel et bouffi d'orgueil, et pour
comble, c'était un bel esprit ennuyeux. N'ayant jamais
pu réussir dans le monde, il se vengeait par en médire.
Tout riche qu'il était, il avait de la peine à rassembler
chez lui des flatteurs. Le bruit des chars qui entraient le
soir chez Zadig l'importunait, le bruit de ses louanges
l'irritait davantage. Il allait quelquefois chez Zadig, et se
mettait à table sans être prié : il y corrompait toute la
joie de la société, comme on dit que les harpies infectent
les viandes qu'elles touchent. Il lui arriva un jour de vouloir donner une fête à une dame qui, au lieu de la recevoir,
alla souper chez Zadig. Un autre jour, causant avec lui
dans le palais, ils abordèrent un ministre qui pria Zadig
à souper, et ne pria point Arimaze. Les plus implacables
haines n'ont pas souvent des fondements plus importants.
Cet homme, qu'on appelait l'envieux dans Babylone, voulut perdre Zadig parce qu'on l'appelait l'heureux. L'occasion de faire du mal se trouve cent fois par jour, et celle

de faire du bien, une fois dans l'année, comme dit Zoroastre.

L'envieux alla chez Zadig, qui se promenait dans ses jardins avec deux amis et une dame à laquelle il disait souvent des choses galantes, sans autre intention que celle de les dire. La conversation roulait sur une guerre que le roi venait de terminer heureusement contre le prince d'Hyrcanie, son vassal. Zadig, qui avait signalé son courage dans cette courte guerre, louait beaucoup le roi et encore plus la dame. Il prit ses tablettes, et écrivit quatre vers qu'il fit sur le champ, et qu'il donna à lire à cette belle personne.

Ses amis le prièrent de leur en faire part : la modestie, ou plutôt un amour-propre bien entendu, l'en empêcha. Il savait que des vers impromptus ne sont jamais bons que pour celle en l'honneur de qui ils sont faits : il brisa en deux la feuille des tablettes sur laquelle il venait d'écrire, et jeta les deux moitiés dans un buisson de roses, où on les chercha inutilement. Une petite pluie survint; on regagna la maison. L'envieux, qui resta dans le jardin, chercha tant, qu'il trouva un morceau de la feuille. Elle avait été tellement rompue que chaque moitié de vers qui remplissait la ligne faisait un sens, et même un vers d'une plus petite mesure; mais, par un hasard encore plus étrange, ces petits vers se trouvaient former un sens qui contenait les injures les plus horribles contre le roi; on y lisait :

> Par les plus grands forfaits
> Sur le trône affermi
> Dans la publique paix
> C'est le seul ennemi.

L'envieux fut heureux pour la première fois de sa vie. Il avait entre les mains de quoi perdre un homme vertueux et aimable. Plein de cette cruelle joie, il fit parvenir jusqu'au roi cette satire écrite de la main de Zadig : on le fit mettre en prison, lui, ses deux amis, et la dame. Son procès lui fut bientôt fait, sans qu'on daignât l'entendre. Lorsqu'il vint recevoir sa sentence, l'envieux se trouva sur son passage et lui dit tout haut que ses vers ne valaient rien. Zadig ne se piquait pas d'être bon poète; mais il était au désespoir d'être condamné comme criminel de lèse-majesté, et de voir qu'on retînt en prison une belle dame et deux amis pour un crime qu'il n'avait pas fait. On ne lui permit pas de parler, parce que ses tablettes parlaient : telle était la loi de Babylone. On le

fit donc aller au supplice à travers une foule de curieux
dont aucun n'osait le plaindre, et qui se précipitaient
pour examiner son visage et pour voir s'il mourrait avec
bonne grâce. Ses parents seulement étaient affligés, car
ils n'héritaient pas. Les trois quarts de son bien étaient
confisqués au profit du roi, et l'autre quart au profit de
l'envieux.

Dans le temps qu'il se préparait à la mort, le perroquet
du roi s'envola de son balcon, et s'abattit dans le jardin
de Zadig sur un buisson de roses. Une pêche y avait été
portée d'un arbre voisin par le vent; elle était tombée sur
un morceau de tablettes à écrire auquel elle s'était collée.
L'oiseau enleva la pêche et la tablette, et les porta sur les
genoux du monarque. Le prince, curieux, y lut des mots
qui ne formaient aucun sens, et qui paraissaient des fins
de vers. Il aimait la poésie, et il y a toujours de la ressource avec les princes qui aiment les vers : l'aventure
de son perroquet le fit rêver. La reine, qui se souvenait
de ce qui avait été écrit sur une pièce de la tablette de
Zadig, se la fit apporter. On confronta les deux morceaux,
qui s'ajustaient ensemble parfaitement; on lut alors les
vers tels que Zadig les avait faits :

> Par les plus grands forfaits j'ai vu troubler la terre.
> Sur le trône affermi le roi sait tout dompter.
> Dans la publique paix l'amour seul fait la guerre :
> C'est le seul ennemi qui soit à redouter.

Le roi ordonna aussitôt qu'on fît venir Zadig devant
lui, et qu'on fît sortir de prison ses deux amis et la belle
dame. Zadig se jeta le visage contre terre, aux pieds du
roi et de la reine : il leur demanda très humblement
pardon d'avoir fait de mauvais vers; il parla avec tant de
grâce, d'esprit, et de raison, que le roi et la reine voulurent le revoir. Il revint, et plut encore davantage. On
lui donna tous les biens de l'envieux, qui l'avait injustement accusé : mais Zadig les rendit tous, et l'envieux ne
fut touché que du plaisir de ne pas perdre son bien.
L'estime du roi s'accrut de jour en jour pour Zadig. Il
le mettait de tous ses plaisirs, et le consultait dans toutes
ses affaires. La reine le regarda dès lors avec une complaisance qui pouvait devenir dangereuse pour elle, pour le
roi son auguste époux, pour Zadig, et pour le royaume.
Zadig commençait à croire qu'il n'est pas difficile d'être
heureux.

LES GÉNÉREUX

Le temps arriva où l'on célébrait une grande fête qui revenait tous les cinq ans. C'était la coutume à Babylone de déclarer solennellement au bout de cinq années, celui des citoyens qui avait fait l'action la plus généreuse. Les grands et les mages étaient les juges. Le premier satrape, chargé du soin de la ville, exposait les plus belles actions qui s'étaient passées sous son gouvernement. On allait aux voix : le roi prononçait le jugement. On venait à cette solennité des extrémités de la terre. Le vainqueur recevait des mains du monarque une coupe d'or garnie de pierreries, et le roi lui disait ces paroles : « Recevez ce prix de la générosité, et puissent les dieux me donner beaucoup de sujets qui vous ressemblent ! »

Ce jour mémorable venu, le roi parut sur son trône, environné des grands, des mages, et des députés de toutes les nations, qui venaient à ces jeux où la gloire s'acquérait, non par la légèreté des chevaux, non par la force du corps, mais par la vertu. Le premier satrape rapporta à haute voix les actions qui pouvaient mériter à leurs auteurs ce prix inestimable. Il ne parla point de la grandeur d'âme avec laquelle Zadig avait rendu à l'envieux toute sa fortune : ce n'était pas une action qui méritât de disputer le prix.

Il présenta d'abord un juge qui, ayant fait perdre un procès considérable à un citoyen, par une méprise dont il n'était pas même responsable, lui avait donné tout son bien, qui était la valeur de ce que l'autre avait perdu.

Il produisit ensuite un jeune homme qui, étant éperdument épris d'une fille qu'il allait épouser, l'avait cédée à un ami près d'expirer d'amour pour elle, et qui avait encore payé la dot en cédant la fille.

Ensuite il fit paraître un soldat qui, dans la guerre d'Hyrcanie, avait donné encore un plus grand exemple de générosité. Des soldats ennemis lui enlevaient sa maîtresse, et il la défendait contre eux : on vint lui dire que d'autres Hyrcaniens enlevaient sa mère à quelques pas de là ; il quitta en pleurant sa maîtresse, et courut délivrer sa mère ; il retourna ensuite vers celle qu'il aimait, et la trouva expirante. Il voulut se tuer : sa mère lui remontra qu'elle n'avait que lui pour tout secours, et il eut le courage de souffrir la vie.

Les juges penchaient pour ce soldat. Le roi prit la parole, et dit : « Son action et celle des autres sont belles, mais elles ne m'étonnent point; hier, Zadig en a fait une qui m'a étonné. J'avais disgracié depuis quelques jours mon ministre et mon favori Coreb. Je me plaignais de lui avec violence, et tous mes courtisans m'assuraient que j'étais trop doux : c'était à qui me dirait le plus de mal de Coreb. Je demandai à Zadig ce qu'il en pensait, et il osa en dire du bien. J'avoue que j'ai vu, dans nos histoires, des exemples qu'on a payé de son bien une erreur, qu'on a cédé sa maîtresse, qu'on a préféré une mère à l'objet de son amour; mais je n'ai jamais lu qu'un courtisan ait parlé avantageusement d'un ministre disgracié contre qui son souverain était en colère. Je donne vingt mille pièces d'or à chacun de ceux dont on vient de réciter les actions généreuses; mais je donne la coupe à Zadig.

— Sire, lui dit-il, c'est Votre Majesté seule qui mérite la coupe, c'est elle qui a fait l'action la plus inouïe, puisque, étant roi, vous ne vous êtes point fâché contre votre esclave, lorsqu'il contredisait votre passion. »

On admira le roi et Zadig. Le juge qui avait donné son bien, l'amant qui avait marié sa maîtresse à son ami, le soldat qui avait préféré le salut de sa mère à celui de sa maîtresse, reçurent les présents du monarque : ils virent leurs noms écrits dans le livre des généreux. Zadig eut la coupe. Le roi acquit la réputation d'un bon prince, qu'il ne garda pas longtemps. Ce jour fut consacré par des fêtes plus longues que la loi ne le portait. La mémoire s'en conserve encore dans l'Asie. Zadig disait : « Je suis donc enfin heureux! » Mais il se trompait.

LE MINISTRE

Le roi avait perdu son premier ministre. Il choisit Zadig pour remplir cette place. Toutes les belles dames de Babylone applaudirent à ce choix, car depuis la fondation de l'empire il n'y avait jamais eu de ministre si jeune. Tous les courtisans furent fâchés; l'envieux en eut un crachement de sang, et le nez lui enfla prodigieusement. Zadig, ayant remercié le roi et la reine, alla remercier aussi le perroquet : « Bel oiseau, lui dit-il, c'est vous qui m'avez sauvé la vie, et qui m'avez fait premier ministre : la chienne et le cheval de Leurs Majestés

m'avaient fait beaucoup de mal, mais vous m'avez fait du
bien. Voilà donc de quoi dépendent les destins des
hommes! Mais, ajouta-t-il, un bonheur si étrange sera
peut-être bientôt évanoui. » Le perroquet répondit :
« Oui. » Ce mot frappa Zadig. Cependant, comme il était
bon physicien, et qu'il ne croyait pas que les perroquets
fussent prophètes, il se rassura bientôt et se mit à exercer
son ministère de son mieux.

Il fit sentir à tout le monde le pouvoir sacré des lois,
et ne fit sentir à personne le poids de sa dignité. Il ne
gêna point les voix du divan, et chaque vizir pouvait
avoir un avis sans lui déplaire. Quand il jugeait une
affaire, ce n'était pas lui qui jugeait, c'était la loi; mais
quand elle était trop sévère, il la tempérait; et quand on
manquait de lois, son équité en faisait qu'on aurait prises
pour celles de Zoroastre.

C'est de lui que les nations tiennent ce grand principe :
qu'il vaut mieux hasarder de sauver un coupable que de
condamner un innocent. Il croyait que les lois étaient
faites pour secourir les citoyens autant que pour les intimider. Son principal talent était de démêler la vérité, que
tous les hommes cherchent à obscurcir. Dès les premiers
jours de son administration il mit ce grand talent en
usage. Un fameux négociant de Babylone était mort aux
Indes; il avait fait ses héritiers ses deux fils par portions
égales, après avoir marié leur sœur, et il laissait un présent de trente mille pièces d'or à celui de ses deux fils qui
serait jugé l'aimer davantage. L'aîné lui bâtit un tombeau, le second augmenta d'une partie de son héritage la
dot de sa sœur; chacun disait : « C'est l'aîné qui aime le
mieux son père, le cadet aime mieux sa sœur; c'est à
l'aîné qu'appartiennent les trente mille pièces. »

Zadig les fit venir tous deux l'un après l'autre. Il dit
à l'aîné : « Votre père n'est point mort, il est guéri de sa
dernière maladie, il revient à Babylone. — Dieu soit
loué, répondit le jeune homme; mais voilà un tombeau
qui m'a coûté bien cher! » Zadig dit ensuite la même
chose au cadet. « Dieu soit loué, répondit-il; je vais rendre
à mon père tout ce que j'ai; mais je voudrais qu'il laissât
à ma sœur ce que je lui ai donné. — Vous ne rendrez
rien, dit Zadig, et vous aurez les trente mille pièces :
c'est vous qui aimez le mieux votre père. »

Une fille fort riche avait fait une promesse de mariage
à deux mages, et, après avoir reçu quelques mois des instructions de l'un et de l'autre, elle se trouva grosse. Ils

voulaient tous deux l'épouser. « Je prendrai pour mon mari, dit-elle, celui des deux qui m'a mise en état de donner un citoyen à l'empire. — C'est moi qui ai fait cette bonne œuvre, dit l'un. — C'est moi qui ai eu cet avantage, dit l'autre. — Eh bien ! répondit-elle, je reconnais pour père de l'enfant celui des deux qui lui pourra donner la meilleure éducation. » Elle accoucha d'un fils. Chacun des mages veut l'élever. La cause est portée devant Zadig. Il fait venir les deux mages. « Qu'enseigneras-tu à ton pupille ? dit-il au premier. — Je lui apprendrai, dit le docteur, les huit parties d'oraison, la dialectique, l'astrologie, la démonomanie ; ce que c'est que la substance et l'accident, l'abstrait et le concret, les monades et l'harmonie préétablie. — Moi, dit le second, je tâcherai de le rendre juste et digne d'avoir des amis. » Zadig prononça : « Que tu sois son père ou non, tu épouseras sa mère *. »

LES DISPUTES ET LES AUDIENCES

C'est ainsi qu'il montrait tous les jours la subtilité de son génie et la bonté de son âme ; on l'admirait, et cependant on l'aimait. Il passait pour le plus fortuné de tous

* A partir de l'édition de 1748 et jusqu'à celle de 1756 où il fut supprimé, on lisait, après ces mots, le développement suivant qui fut repris par les éditeurs de Kehl :

Il venait tous les jours des plaintes à la cour contre l'itimadoulet de Médie, nommé Irax. C'était un grand seigneur dont le fonds n'était pas mauvais, mais qui était corrompu par la vanité et par la volupté. Il souffrait rarement qu'on lui parlât, et jamais qu'on l'osât contredire. Les paons ne sont pas plus vains, les colombes ne sont pas plus voluptueuses, les tortues ont moins de paresse ; il ne respirait que la fausse gloire et les faux plaisirs ; Zadig entreprit de le corriger.

Il lui envoya de la part du roi un maître de musique avec douze voix et vingt-quatre violons, un maître d'hôtel avec six cuisiniers, et quatre chambellans, qui ne devaient pas le quitter. L'ordre du roi portait que l'étiquette suivante serait inviolablement observée ; et voici comme les choses se passèrent.

Le premier jour, dès que le voluptueux Irax fut éveillé, le maître de musique entra, suivi des voix et des violons : on chanta une cantate qui dura deux heures, et, de trois minutes en trois minutes, le refrain était :

Que son mérite est extrême !
Que de grâces ! que de grandeur !
Ah ! combien monseigneur
Doit être content de lui-même !

Après l'exécution de la cantate, un chambellan lui fit une harangue de trois quarts d'heure, dans laquelle on le louait expressément de toutes les bonnes qualités qui lui manquaient. La harangue finie, on le conduisit à les hommes, tout l'empire était rempli de son nom; toutes les femmes le lorgnaient; tous les citoyens célébraient sa justice; les savants le regardaient comme leur oracle; les prêtres même avouaient qu'il en savait plus que le vieux archimage Yébor. On était bien loin alors de lui faire des procès sur les griffons; on ne croyait que ce qui lui semblait croyable.

Il y avait une grande querelle dans Babylone, qui durait depuis quinze cents années, et qui partageait l'empire en deux sectes opiniâtres : l'une prétendait qu'il ne fallait jamais entrer dans le temple de Mithra que du pied gauche; l'autre avait cette coutume en abomination, et n'entrait jamais que du pied droit. On attendait le jour de la fête solennelle du feu sacré pour savoir quelle secte serait favorisée par Zadig. L'univers avait les yeux sur ses deux pieds, et toute la ville était en agitation et en suspens. Zadig entra dans le temple en sautant à pieds joints, et il prouva ensuite, par un discours éloquent, que le Dieu du ciel et de la terre, qui n'a acception de personne, ne fait pas plus de cas de la jambe gauche que de la jambe droite.

L'envieux et sa femme prétendirent que dans son discours il n'y avait pas assez de figures, qu'il n'avait pas fait assez danser les montagnes et les collines. « Il est sec et sans génie, disaient-ils; on ne voit chez lui ni la mer s'enfuir, ni les étoiles tomber, ni le soleil se fondre comme de la cire : il n'a point le bon style oriental. » Zadig se contentait d'avoir le style de la raison. Tout le monde fut pour lui, non pas parce qu'il était dans le bon chemin, non pas parce qu'il était raisonnable, non pas parce qu'il était aimable, mais parce qu'il était premier vizir.

table au son des instruments. Le dîner dura trois heures : dès qu'il ouvrit la bouche pour parler, le premier chambellan dit : « Il aura raison. » A peine eut-il prononcé quatre paroles que le second chambellan s'écria : « Il a raison. » Les deux autres chambellans firent de grands éclats de rire des bons mots qu'Irax avait dits ou qu'il avait dû dire. Après dîner on lui répéta la cantate.

Cette première journée lui parut délicieuse, il crut que le roi des rois l'honorait selon ses mérites; la seconde lui parut moins agréable; la troisième fut gênante; la quatrième fut insupportable; la cinquième fut un supplice. Enfin, outré d'entendre toujours chanter : « Ah! combien monseigneur doit être content de lui-même! », d'entendre toujours dire qu'il avait raison, et d'être harangué chaque jour à la même heure, il écrivit en cour pour supplier le roi qu'il daignât rappeler ses chambellans, ses musiciens, son maître d'hôtel : il promit d'être désormais moins vain et plus appliqué, il se fit moins encenser, eut moins de fêtes et fut plus heureux : car, comme dit Sadder, « toujours du plaisir n'est pas du plaisir ». (Note des éditeurs.)

Il termina aussi heureusement le grand procès entre les mages blancs et les mages noirs. Les blancs soutenaient que c'était une impiété de se tourner, en priant Dieu, vers l'orient d'hiver; les noirs assuraient que Dieu avait en horreur les prières des hommes qui se tournaient vers le couchant d'été. Zadig ordonna qu'on se tournât comme on voudrait.

Il trouva ainsi le secret d'expédier, le matin, les affaires particulières et les générales; le reste du jour, il s'occupait des embellissements de Babylone : il faisait représenter des tragédies où l'on pleurait, et des comédies où l'on riait, ce qui était passé de mode depuis longtemps, et ce qu'il fit renaître parce qu'il avait du goût. Il ne prétendait pas en savoir plus que les artistes; il les récompensait par des bienfaits et des distinctions, et n'était point jaloux en secret de leurs talents. Le soir, il amusait beaucoup le roi, et surtout la reine. Le roi disait : « Le grand ministre! » La reine disait : « L'aimable ministre! » et tous deux ajoutaient : « C'eût été grand dommage qu'il eût été pendu. »

Jamais homme en place ne fut obligé de donner tant d'audiences aux dames. La plupart venaient lui parler des affaires qu'elles n'avaient point, pour en avoir une avec lui. La femme de l'envieux s'y présenta des premières; elle lui jura par Mithra, par Zenda-Vesta, et par le feu sacré, qu'elle avait détesté la conduite de son mari; elle lui confia ensuite que ce mari était un jaloux, un brutal; elle lui fit entendre que les dieux le punissaient en lui refusant les précieux effets de ce feu sacré par lequel seul l'homme est semblable aux immortels : elle finit par laisser tomber sa jarretière; Zadig la ramassa avec sa politesse ordinaire; mais il ne la rattacha point au genou de la dame; et cette petite faute, si c'en est une, fut la cause des plus horribles infortunes. Zadig n'y pensa pas, et la femme de l'envieux y pensa beaucoup.

D'autres dames se présentaient tous les jours. Les annales secrètes de Babylone prétendent qu'il succomba une fois, mais qu'il fut tout étonné de jouir sans volupté, et d'embrasser son amante avec distraction. Celle à qui il donna, sans presque s'en apercevoir, des marques de sa protection, était une femme de chambre de la reine Astarté. Cette tendre Babylonienne se disait à elle-même pour se consoler : « Il faut que cet homme-là ait prodigieusement d'affaires dans la tête, puisqu'il y songe encore même en faisant l'amour. » Il échappa à Zadig, dans les instants où plusieurs personnes ne disent mot, et où d'autres ne prononcent que des paroles sacrées, de s'écrier tout d'un coup : « La reine ! » La Babylonienne crut qu'enfin il était revenu à lui dans un bon moment, et qu'il lui disait : « Ma reine. » Mais Zadig, toujours très distrait, prononça le nom d'Astarté. La dame, qui dans ces heureuses circonstances interprétait tout à son avantage, s'imagina que cela voulait dire : « Vous êtes plus belle que la reine Astarté. » Elle sortit du sérail de Zadig avec de très beaux présents. Elle alla conter son aventure à l'envieuse, qui était son amie intime ; celle-ci fut cruellement piquée de la préférence. « Il n'a pas daigné seulement, dit-elle, me rattacher cette jarretière que voici, et dont je ne veux plus me servir. — Oh ! oh ! dit la fortunée à l'envieuse, vous portez les mêmes jarretières que la reine ! Vous les prenez donc chez la même faiseuse ? » L'envieuse rêva profondément, ne répondit rien, et alla consulter son mari l'envieux.

Cependant Zadig s'apercevait qu'il avait toujours des distractions quand il donnait des audiences et quand il jugeait ; il ne savait à quoi les attribuer : c'était là sa seule peine.

Il eut un songe : il lui semblait qu'il était couché d'abord sur des herbes sèches, parmi lesquelles il y en avait quelques-unes de piquantes qui l'incommodaient ; et qu'ensuite il reposait mollement sur un lit de roses, dont il sortait un serpent qui le blessait au cœur de sa langue acérée et envenimée. « Hélas ! disait-il, j'ai été longtemps couché sur ces herbes sèches et piquantes, je suis maintenant sur le lit de roses, mais quel sera le serpent ? »

LA JALOUSIE

Le malheur de Zadig vint de son bonheur même, et surtout de son mérite. Il avait tous les jours des entretiens avec le roi et avec Astarté, son auguste épouse. Les charmes de sa conversation redoublaient encore par cette envie de plaire qui est à l'esprit ce que la parure est à la beauté ; sa jeunesse et ses grâces firent insensiblement sur Astarté une impression dont elle ne s'aperçut pas d'abord. Sa passion croissait dans le sein de l'innocence. Astarté se livrait sans scrupule et sans crainte au plaisir de voir et d'entendre un homme cher à son époux et à l'Etat ; elle ne cessait de le vanter au roi ; elle en parlait à ses femmes, qui enchérissaient encore sur ses louanges ; tout servait à enfoncer dans son cœur le trait qu'elle ne sentait pas. Elle faisait des présents à Zadig, dans lesquels il entrait plus de galanterie qu'elle ne pensait ; elle croyait ne lui parler qu'en reine contente de ses services, et quelquefois ses expressions étaient d'une femme sensible.

Astarté était beaucoup plus belle que cette Sémire qui haïssait tant les borgnes, et que cette autre femme qui avait voulu couper le nez à son époux. La familiarité d'Astarté, ses discours tendres, dont elle commençait à rougir, ses regards, qu'elle voulait détourner, et qui se fixaient sur les siens, allumèrent dans le cœur de Zadig un feu dont il s'étonna. Il combattit ; il appela à son secours la philosophie, qui l'avait toujours secouru ; il n'en tira que des lumières, et n'en reçut aucun soulagement. Le devoir, la reconnaissance, la majesté souveraine violée, se présentaient à ses yeux comme des dieux vengeurs ; il combattait, il triomphait ; mais cette victoire, qu'il fallait remporter à tout moment, lui coûtait des gémissements et des larmes. Il n'osait plus parler à la reine avec cette douce liberté qui avait eu tant de charmes pour tous deux : ses yeux se couvraient d'un nuage ; ses discours étaient contraints et sans suite : il baissait la vue ; et quand, malgré lui, ses regards se tournaient vers Astarté, ils rencontraient ceux de la reine mouillés de pleurs, dont il partait des traits de flamme ; ils semblaient se dire l'un à l'autre : « Nous nous adorons, et nous craignons de nous aimer ; nous brûlons tous deux d'un feu que nous condamnons. »

Zadig sortait d'auprès d'elle égaré, éperdu, le cœur surchargé d'un fardeau qu'il ne pouvait plus porter : dans la violence de ses agitations, il laissa pénétrer son secret à son ami Cador, comme un homme qui, ayant soutenu longtemps les atteintes d'une vive douleur, fait enfin connaître son mal par un cri qu'un redoublement aigu lui arrache, et par la sueur froide qui coule sur son front.

Cador lui dit : « J'ai déjà démêlé les sentiments que vous vouliez vous cacher à vous-même ; les passions ont des signes auxquels on ne peut se méprendre. Jugez, mon cher Zadig, puisque j'ai lu dans votre cœur, si le roi n'y découvrira pas un sentiment qui l'offense. Il n'a d'autre défaut que celui d'être le plus jaloux des hommes. Vous résistez à votre passion avec plus de force que la reine ne combat la sienne, parce que vous êtes philosophe, et parce que vous êtes Zadig. Astarté est femme ; elle laisse

parler ses regards avec d'autant plus d'imprudence
qu'elle ne se croit pas encore coupable. Malheureusement,
rassurée sur son innocence, elle néglige des dehors nécessaires. Je tremblerai pour elle tant qu'elle n'aura rien à
se reprocher. Si vous étiez d'accord l'un et l'autre, vous
sauriez tromper tous les yeux : une passion naissante et
combattue éclate; un amour satisfait sait se cacher. »
Zadig frémit à la proposition de trahir le roi, son bienfaiteur; et jamais il ne fut plus fidèle à son prince que quand
il fut coupable envers lui d'un crime involontaire. Cependant la reine prononçait si souvent le nom de Zadig, son
front se couvrait de tant de rougeur en le prononçant,
elle était tantôt si animée, tantôt si interdite, quand elle
lui parlait en présence du roi; une rêverie si profonde
s'emparait d'elle quand il était sorti, que le roi fut troublé. Il crut tout ce qu'il voyait, et imagina tout ce qu'il
ne voyait point. Il remarqua surtout que les babouches
de sa femme étaient bleues, et que les babouches de
Zadig étaient bleues, que les rubans de sa femme étaient
jaunes, et que le bonnet de Zadig était jaune; c'étaient là
de terribles indices pour un prince délicat. Les soupçons
se tournèrent en certitude dans son esprit aigri.

Tous les esclaves des rois et des reines sont autant
d'espions de leurs cœurs. On pénétra bientôt qu'Astarté
était tendre, et que Moabdar était jaloux. L'envieux engagea l'envieuse à envoyer au roi sa jarretière, qui ressemblait à celle de la reine. Pour surcroît de malheur, cette
jarretière était bleue. Le monarque ne songea plus qu'à
la manière de se venger. Il résolut une nuit d'empoisonner la reine, et de faire mourir Zadig par le cordeau au
point du jour. L'ordre en fut donné à un impitoyable
eunuque, exécuteur de ses vengeances. Il y avait alors
dans la chambre du roi un petit nain qui était muet, mais
qui n'était pas sourd. On le souffrait toujours : il était
témoin de ce qui se passait de plus secret, comme un animal domestique. Ce petit muet était très attaché à la
reine et à Zadig. Il entendit, avec autant de surprise que
d'horreur, donner l'ordre de leur mort. Mais comment
faire pour prévenir cet ordre effroyable qui allait s'exécuter dans peu d'heures ? Il ne savait pas écrire; mais il
avait appris à peindre, et savait surtout faire ressembler.
Il passa une partie de la nuit à crayonner ce qu'il voulait
faire entendre à la reine. Son dessin représentait le roi
agité de fureur, dans un coin du tableau, donnant des
ordres à son eunuque; un cordeau bleu et un vase sur

une table, avec des jarretières bleues et des rubans jaunes; la reine, dans le milieu du tableau, expirante entre les bras de ses femmes; et Zadig étranglé à ses pieds. L'horizon représentait un soleil levant pour marquer que cette horrible exécution devait se faire aux premiers rayons de l'aurore. Dès qu'il eut fini cet ouvrage, il courut chez une femme d'Astarté, la réveilla, et lui fit entendre qu'il fallait dans l'instant même porter ce tableau à la reine.

Cependant, au milieu de la nuit, on vient frapper à la porte de Zadig; on le réveille; on lui donne un billet de la reine; il doute si c'est un songe; il ouvre la lettre d'une main tremblante. Quelle fut sa surprise, et qui pourrait exprimer la consternation et le désespoir dont il fut accablé quand il lut ces paroles : « Fuyez, dans l'instant même, ou l'on va vous arracher la vie! Fuyez, Zadig; je vous l'ordonne au nom de notre amour et de mes rubans jaunes. Je n'étais point coupable; mais je sens que je vais mourir criminelle. »

Zadig eut à peine la force de parler. Il ordonna qu'on fît venir Cador; et, sans lui rien dire, il lui donna ce billet. Cador le força d'obéir, et de prendre sur-le-champ la route de Memphis. « Si vous osez aller trouver la reine, lui dit-il, vous hâtez sa mort; si vous parlez au roi, vous la perdez encore. Je me charge de sa destinée; suivez la vôtre. Je répandrai le bruit que vous avez pris la route des Indes. Je viendrai bientôt vous trouver, et je vous apprendrai ce qui se sera passé à Babylone. »

Cador, dans le moment même, fit placer deux dromadaires des plus légers à la course vers une porte secrète du palais; il y fit monter Zadig, qu'il fallut porter, et qui était près de rendre l'âme. Un seul domestique l'accompagna; et bientôt Cador, plongé dans l'étonnement et dans la douleur, perdit son ami de vue.

Cet illustre fugitif, arrivé sur le bord d'une colline dont on voyait Babylone, tourna la vue sur le palais de la reine, et s'évanouit; il ne reprit ses sens que pour verser des larmes et pour souhaiter la mort. Enfin, après s'être occupé de la destinée déplorable de la plus aimable des femmes et de la première reine du monde, il fit un moment de retour sur lui-même, et s'écria : « Qu'est-ce donc que la vie humaine? O vertu! à quoi m'avez-vous servi? Deux femmes m'ont indignement trompé; la troisième, qui n'est point coupable, et qui est plus belle que les autres, va mourir! Tout ce que j'ai fait de bien a toujours été pour moi une source de malédictions, et je n'ai été élevé au comble de la grandeur que pour tomber dans le plus horrible précipice de l'infortune. Si j'eusse été méchant comme tant d'autres, je serais heureux comme eux. » Accablé de ces réflexions funestes, les yeux chargés du voile de la douleur, la pâleur de la mort sur le visage, et l'âme abîmée dans l'excès d'un sombre désespoir, il continuait son voyage vers l'Egypte.

LA FEMME BATTUE

Zadig dirigeait sa route sur les étoiles. La constellation d'Orion et le brillant astre de Sirius le guidaient vers le pôle de Canope. Il admirait ces vastes globes de lumière qui ne paraissent que de faibles étincelles à nos yeux, tandis que la terre, qui n'est en effet qu'un point imperceptible dans la nature, paraît à notre cupidité quelque chose de si grand et de si noble. Il se figurait alors les hommes tels qu'ils sont en effet, des insectes se dévorant les uns les autres sur un petit atome de boue. Cette image vraie semblait anéantir ses malheurs, en lui retraçant le néant de son être et celui de Babylone. Son âme s'élançait jusque dans l'infini, et contemplait, détachée de ses sens, l'ordre immuable de l'univers. Mais lorsque ensuite, rendu à lui-même et rentrant dans son cœur, il pensait qu'Astarté était peut-être morte pour lui, l'univers disparaissait à ses yeux, et il ne voyait dans la nature entière qu'Astarté mourante et Zadig infortuné.

Comme il se livrait à ce flux et à ce reflux de philosophie sublime et de douleur accablante, il avançait vers les frontières de l'Egypte; et déjà son domestique fidèle était dans la première bourgade, où il lui cherchait un logement. Zadig cependant se promenait vers les jardins qui bordaient ce village. Il vit, non loin du grand chemin, une femme éplorée qui appelait le ciel et la terre à son secours, et un homme furieux qui la suivait. Elle était déjà atteinte par lui, elle embrassait ses genoux. Cet homme l'accablait de coups et de reproches. Il jugea, à la violence de l'Egyptien et aux pardons réitérés que lui demandait la dame, que l'un était un jaloux, et l'autre une infidèle; mais quand il eut considéré cette femme, qui était d'une beauté touchante, et qui même ressemblait un peu à la malheureuse Astarté, il se sentit pénétré de compassion pour elle, et d'horreur pour l'Egyptien. « Secourez-moi, s'écria-t-elle à Zadig avec des sanglots;

tirez-moi des mains du plus barbare des hommes, sauvez-
moi la vie ! »

A ces cris, Zadig courut se jeter entre elle et ce barbare. Il avait quelque connaissance de la langue égyptienne. Il lui dit en cette langue : « Si vous avez quelque
humanité, je vous conjure de respecter la beauté et la faiblesse. Pouvez-vous outrager ainsi un chef-d'œuvre de
la nature, qui est à vos pieds, et qui n'a pour sa défense
que des larmes ? — Ah ! ah ! lui dit cet emporté, tu l'aimes
donc aussi ! et c'est de toi qu'il faut que je me venge. »
En disant ces paroles, il laisse la dame, qu'il tenait d'une
main par les cheveux, et, prenant sa lance, il veut en
percer l'étranger. Celui-ci, qui était de sang-froid, évita
aisément le coup d'un furieux. Il se saisit de la lance près
du fer dont elle est armée. L'un veut la retirer, l'autre
l'arracher. Elle se brise entre leurs mains. L'Egyptien
tire son épée ; Zadig s'arme de la sienne. Ils s'attaquent
l'un l'autre. Celui-ci porte cent coups précipités ; celui-là
les pare avec adresse. La dame, assise sur un gazon,
rajuste sa coiffure et les regarde. L'Egyptien était plus
robuste que son adversaire, Zadig était plus adroit.
Celui-ci se battait en homme dont la tête conduisait le
bras, et celui-là comme un emporté dont une colère
aveugle guidait les mouvements au hasard. Zadig passe
à lui, et le désarme ; et tandis que l'Egyptien, devenu plus
furieux, veut se jeter sur lui, il le saisit, le presse, le fait
tomber en lui tenant l'épée sur la poitrine ; il lui offre de
lui donner la vie. L'Egyptien, hors de lui, tire son poignard ; il en blesse Zadig dans le temps même que le
vainqueur lui pardonnait. Zadig, indigné, lui plonge son
épée dans le sein. L'Egyptien jette un cri horrible, et
meurt en se débattant. Zadig alors s'avança vers la dame,
et lui dit d'une voix soumise : « Il m'a forcé de le tuer :
je vous ai vengée ; vous êtes délivrée de l'homme le plus
violent que j'aie jamais vu. Que voulez-vous maintenant
de moi, madame ? — Que tu meures, scélérat, lui répondit-elle ; que tu meures ! tu as tué mon amant ; je voudrais
pouvoir déchirer ton cœur. — En vérité, madame, vous
aviez là un étrange homme pour amant, lui répondit
Zadig ; il vous battait de toutes ses forces et il voulait
m'arracher la vie parce que vous m'avez conjuré de vous
secourir. — Je voudrais qu'il me battît encore, reprit la
dame en poussant des cris. Je le méritais bien, je lui
avais donné de la jalousie. Plût au ciel qu'il me battît, et
que tu fusses à sa place ! » Zadig, plus surpris et plus en

colère qu'il ne l'avait été de sa vie, lui dit : « Madame,
toute belle que vous êtes, vous mériteriez que je vous
battisse à mon tour, tant vous êtes extravagante; mais je
n'en prendrai pas la peine. » Là-dessus il remonta sur son
chameau, et avança vers le bourg. A peine avait-il fait
quelques pas qu'il se retourne au bruit que faisaient
quatre courriers de Babylone. Ils venaient à toute bride.
L'un d'eux, en voyant cette femme, s'écria : « C'est elle-
même! Elle ressemble au portrait qu'on nous en a fait. »
Ils ne s'embarrassèrent pas du mort, et se saisirent incontinent de la dame. Elle ne cessait de crier à Zadig :
« Secourez-moi encore une fois, étranger généreux! je
vous demande pardon de m'être plainte de vous : secourez-moi, et je suis à vous jusqu'au tombeau! » L'envie
avait passé à Zadig de se battre désormais pour elle. « A
d'autres! répond-il; vous ne m'y attraperez plus. »

D'ailleurs il était blessé, son sang coulait, il avait
besoin de secours; et la vue des quatre Babyloniens, probablement envoyés par le roi Moabdar, le remplissait
d'inquiétude. Il s'avance en hâte vers le village, n'imaginant pas pourquoi quatre courriers de Babylone venaient
prendre cette Egyptienne, mais encore plus étonné du
caractère de cette dame.

L'ESCLAVAGE

Comme il entrait dans la bourgade égyptienne, il se vit
entouré par le peuple. Chacun criait : « Voilà celui qui a
enlevé la belle Missouf, et qui vient d'assassiner Clétofis!
— Messieurs, dit-il, Dieu me préserve d'enlever jamais
votre belle Missouf! elle est trop capricieuse; et, à l'égard
de Clétofis, je ne l'ai point assassiné; je me suis défendu
seulement contre lui. Il voulait me tuer, parce que je lui
avais demandé très humblement grâce pour la belle Missouf, qu'il battait impitoyablement. Je suis un étranger
qui vient chercher un asile dans l'Egypte; et il n'y a pas
d'apparence qu'en venant demander votre protection j'aie
commencé par enlever une femme, et par assassiner un
homme. »

Les Egyptiens étaient alors justes et humains. Le
peuple conduisit Zadig à la maison de ville. On commença par le faire panser de sa blessure, et ensuite on
l'interrogea, lui et son domestique séparément, pour
savoir la vérité. On reconnut que Zadig n'était point un

assassin; mais il était coupable du sang d'un homme : la
loi le condamnait à être esclave. On vendit au profit de la
bourgade ses deux chameaux; on distribua aux habitants
tout l'or qu'il avait apporté; sa personne fut exposée en
vente dans la place publique, ainsi que celle de son
compagnon de voyage. Un marchand arabe, nommé
Sétoc, y mit l'enchère; mais le valet, plus propre à la
fatigue, fut vendu bien plus chèrement que le maître. On
ne faisait pas de comparaison entre ces deux hommes.
Zadig fut donc esclave subordonné à son valet : on les
attacha ensemble avec une chaîne qu'on leur passa aux
pieds, et en cet état ils suivirent le marchand arabe dans
sa maison. Zadig, en chemin, consolait son domestique,
et l'exhortait à la patience; mais, selon sa coutume, il faisait des réflexions sur la vie humaine. « Je vois, lui disait-il,
que les malheurs de ma destinée se répandent sur la
tienne. Tout m'a tourné jusqu'ici d'une façon bien
étrange. J'ai été condamné à l'amende pour avoir vu passer une chienne; j'ai pensé être empalé pour un griffon;
j'ai été envoyé au supplice parce que j'avais fait des vers
à la louange du roi; j'ai été sur le point d'être étranglé
parce que la reine avait des rubans jaunes, et me voici
esclave avec toi parce qu'un brutal a battu sa maîtresse.
Allons, ne perdons point courage; tout ceci finira peut-
être; il faut bien que les marchands arabes aient des
esclaves; et pourquoi ne le serais-je pas comme un autre,
puisque je suis un homme comme un autre ? Ce marchand ne sera pas impitoyable; il faut qu'il traite bien ses
esclaves, s'il en veut tirer des services. » Il parlait ainsi,
et dans le fond de son cœur il était occupé du sort de la
reine de Babylone.

Sétoc, le marchand, partit deux jours après pour l'Arabie déserte avec ses esclaves et ses chameaux. Sa tribu
habitait vers le désert d'Horeb. Le chemin fut long et
pénible. Sétoc, dans la route, faisait bien plus de cas du
valet que du maître, parce que le premier chargeait bien
mieux les chameaux; et toutes les petites distinctions
furent pour lui.

Un chameau mourut à deux journées d'Horeb : on
répartit sa charge sur le dos de chacun des serviteurs;
Zadig en eut sa part. Sétoc se mit à rire en voyant tous
ses esclaves marcher courbés. Zadig prit la liberté de lui
en expliquer la raison, et lui apprit les lois de l'équilibre.
Le marchand, étonné, commença à le regarder d'un autre
œil. Zadig, voyant qu'il avait excité sa curiosité, la redou-

bla en lui apprenant beaucoup de choses qui n'étaient point étrangères à son commerce ; les pesanteurs spécifiques des métaux et des denrées sous un volume égal ; les propriétés de plusieurs animaux utiles ; le moyen de rendre tels ceux qui ne l'étaient pas ; enfin il lui parut un sage. Sétoc lui donna la préférence sur son camarade, qu'il avait tant estimé. Il le traita bien, et n'eut pas sujet de s'en repentir.

Arrivé dans sa tribu, Sétoc commença par redemander cinq cents onces d'argent à un Hébreu auquel il les avait prêtées en présence de deux témoins ; mais ces deux témoins étaient morts, et l'Hébreu, ne pouvant être convaincu, s'appropriait l'argent du marchand, en remerciant Dieu de ce qu'il lui avait donné le moyen de tromper un Arabe. Sétoc confia sa peine à Zadig, qui était devenu son conseil. « En quel endroit, demanda Zadig, prêtâtes-vous vos cinq cents onces à cet infidèle ? — Sur une large pierre, répondit le marchand, qui est auprès du mont Horeb. — Quel est le caractère de votre débiteur ? dit Zadig. — Celui d'un fripon, reprit Sétoc. — Mais je vous demande si c'est un homme vif ou flegmatique, avisé ou imprudent. — C'est de tous les mauvais payeurs, dit Sétoc, le plus vif que je connaisse. — Eh bien ! insista Zadig, permettez que je plaide votre cause devant le juge. » En effet il cita l'Hébreu au tribunal, et il parla ainsi au juge : « Oreiller du trône d'équité, je viens redemander à cet homme, au nom de mon maître, cinq cents onces d'argent qu'il ne veut pas rendre. — Avez-vous des témoins ? dit le juge. — Non, ils sont morts ; mais il reste une large pierre sur laquelle l'argent fut compté ; et s'il plaît à Votre Grandeur d'ordonner qu'on aille chercher la pierre, j'espère qu'elle portera témoignage ; nous resterons ici, l'Hébreu et moi, en attendant que la pierre vienne ; je l'enverrai chercher aux dépens de Sétoc, mon maître. — Très volontiers », répondit le juge ; et il se mit à expédier d'autres affaires.

A la fin de l'audience : « Eh bien ! dit-il à Zadig, votre pierre n'est pas encore venue ? » L'Hébreu, en riant, répondit : « Votre Grandeur resterait ici jusqu'à demain que la pierre ne serait pas encore arrivée ; elle est à plus de six milles d'ici, et il faudrait quinze hommes pour la remuer. — Eh bien ! s'écria Zadig, je vous avais bien dit que la pierre porterait témoignage ; puisque cet homme sait où elle est, il avoue donc que c'est sur elle que l'argent fut compté. » L'Hébreu, déconcerté, fut bientôt

contraint de tout avouer. Le juge ordonna qu'il serait lié
à la pierre, sans boire ni manger, jusqu'à ce qu'il eût
rendu les cinq cents onces, qui furent bientôt payées.

L'esclave Zadig et la pierre furent en grande recommandation dans l'Arabie.

LE BUCHER

Sétoc, enchanté, fit de son esclave son ami intime. Il
ne pouvait pas plus se passer de lui qu'avait fait le roi de
Babylone; et Zadig fut heureux que Sétoc n'eût point de
femme. Il découvrait dans son maître un naturel porté
au bien, beaucoup de droiture et de bon sens. Il fut fâché
de voir qu'il adorait l'armée céleste, c'est-à-dire le soleil,
la lune, et les étoiles, selon l'ancien usage d'Arabie. Il lui
en parlait quelquefois avec beaucoup de discrétion. Enfin
il lui dit que c'étaient des corps comme les autres, qui ne
méritaient pas plus son hommage qu'un arbre ou un
rocher. « Mais, disait Sétoc, ce sont des êtres éternels
dont nous tirons tous nos avantages; ils animent la
nature; ils règlent les saisons; ils sont d'ailleurs si loin de
nous qu'on ne peut pas s'empêcher de les révérer. —
Vous recevez plus d'avantages, répondit Zadig, des eaux
de la mer Rouge, qui porte vos marchandises aux Indes.
Pourquoi ne serait-elle pas aussi ancienne que les étoiles ?
Et si vous adorez ce qui est éloigné de vous, vous devez
adorer la terre des Gangarides, qui est aux extrémités du
monde. — Non, disait Sétoc, les étoiles sont trop brillantes pour que je ne les adore pas. » Le soir venu, Zadig
alluma un grand nombre de flambeaux dans la tente où
il devait souper avec Sétoc; et dès que son patron parut,
il se jeta à genoux devant ces cires allumées, et leur dit :
« Eternelles et brillantes clartés, soyez-moi toujours pro-
pices! » Ayant proféré ces paroles, il se mit à table sans
regarder Sétoc. « Que faites-vous donc ? lui dit Sétoc
étonné. — Je fais comme vous, répondit Zadig; j'adore
ces chandelles, et je néglige leur maître et le mien. »
Sétoc comprit le sens profond de cet apologue. La sagesse
de son esclave entra dans son âme; il ne prodigua plus
son encens aux créatures, et adora l'Etre éternel qui les
a faites.

Il y avait alors dans l'Arabie une coutume affreuse,
venue originairement de Scythie, et qui, s'étant établie
dans les Indes par le crédit des bracmanes, menaçait

d'envahir tout l'Orient. Lorsqu'un homme marié était mort, et que sa femme bien-aimée voulait être sainte, elle se brûlait en public sur le corps de son mari. C'était une fête solennelle qui s'appelait *le bûcher du veuvage*. La tribu dans laquelle il y avait eu le plus de femmes brûlées était la plus considérée. Un Arabe de la tribu de Sétoc étant mort, sa veuve, nommée Almona, qui était fort dévote, fit savoir le jour et l'heure où elle se jetterait dans le feu au son des tambours et des trompettes. Zadig remontra à Sétoc combien cette horrible coutume était contraire au bien du genre humain; qu'on laissait brûler tous les jours de jeunes veuves qui pouvaient donner des enfants à l'Etat, ou du moins élever les leurs; et il le fit convenir qu'il fallait, si on pouvait, abolir un usage si barbare. Sétoc répondit : « Il y a plus de mille ans que les femmes sont en possession de se brûler. Qui de nous osera changer une loi que le temps a consacrée ? Y a-t-il rien de plus respectable qu'un ancien abus ? — La raison est plus ancienne, reprit Zadig. Parlez aux chefs des tribus, et je vais trouver la jeune veuve. »

Il se fit présenter à elle; et après s'être insinué dans son esprit par des louanges sur sa beauté, après lui avoir dit combien c'était dommage de mettre au feu tant de charmes, il la loua encore sur sa constance et sur son courage. « Vous aimiez donc prodigieusement votre mari ? lui dit-il. — Moi ? point du tout, répondit la dame arabe. C'était un brutal, un jaloux, un homme insupportable; mais je suis fermement résolue de me jeter sur son bûcher. — Il faut, dit Zadig, qu'il y ait apparemment un plaisir bien délicieux à être brûlée vive. — Ah! cela fait frémir la nature, dit la dame; mais il faut en passer par là. Je suis dévote; je serais perdue de réputation, et tout le monde se moquerait de moi si je ne me brûlais pas. » Zadig, l'ayant fait convenir qu'elle se brûlait pour les autres et par vanité, lui parla longtemps d'une manière à lui faire aimer un peu la vie, et parvint même à lui inspirer quelque bienveillance pour celui qui lui parlait. « Que feriez-vous enfin, lui dit-il, si la vanité de vous brûler ne vous tenait pas ? — Hélas! dit la dame, je crois que je vous prierais de m'épouser. »

Zadig était trop rempli de l'idée d'Astarté pour ne pas éluder cette déclaration; mais il alla dans l'instant trouver les chefs des tribus, leur dit ce qui s'était passé, et leur conseilla de faire une loi par laquelle il ne serait permis à une veuve de se brûler qu'après avoir entretenu un

jeune homme tête à tête pendant une heure entière.
Depuis ce temps, aucune dame ne se brûla en Arabie.
On eut au seul Zadig l'obligation d'avoir détruit en un
jour une coutume si cruelle, qui durait depuis tant de
siècles. Il était donc le bienfaiteur de l'Arabie.

LE SOUPER

Sétoc, qui ne pouvait se séparer de cet homme en qui
habitait la sagesse, le mena à la grande foire de Balzora,
où devaient se rendre les plus grands négociants de la
terre habitable. Ce fut pour Zadig une consolation sensible de voir tant d'hommes de diverses contrées réunis
dans la même place. Il lui paraissait que l'univers était une
grande famille qui se rassemblait à Balzora. Il se trouva
à table, dès le second jour, avec un Egyptien, un Indien
gangaride, un habitant du Cathay, un Grec, un Celte, et
plusieurs autres étrangers qui, dans leurs fréquents
voyages vers le golfe Arabique, avaient appris assez
d'arabe pour se faire entendre. L'Egyptien paraissait fort
en colère. « Quel abominable pays que Balzora! disait-il;
on m'y refuse mille onces d'or sur le meilleur effet du
monde. — Comment donc, dit Sétoc; sur quel effet vous
a-t-on refusé cette somme ? — Sur le corps de ma tante,
répondit l'Egyptien; c'était la plus brave femme d'Egypte.
Elle m'accompagnait toujours; elle est morte en chemin :
j'en ai fait une des plus belles momies que nous ayons;
et je trouverais dans mon pays tout ce que je voudrais
en la mettant en gage. Il est bien étrange qu'on ne veuille
pas seulement me donner ici mille onces d'or sur un
effet si solide. » Tout en se courrouçant, il était près de
manger d'une excellente poule bouillie, quand l'Indien,
le prenant par la main, s'écria avec douleur : « Ah!
qu'allez-vous faire ? — Manger de cette poule, dit
l'homme à la momie. — Gardez-vous-en bien, dit le Gangaride; il se pourrait faire que l'âme de la défunte fût
passée dans le corps de cette poule, et vous ne voudriez
pas vous exposer à manger votre tante. Faire cuire des
poules, c'est outrager manifestement la nature. — Que
voulez-vous dire avec votre nature et vos poules ? reprit
le colérique Egyptien; nous adorons un bœuf, et nous en
mangeons bien. — Vous adorez un bœuf! est-il possible ?
dit l'homme du Gange. — Il n'y a rien de si possible,
repartit l'autre; il y a cent trente-cinq mille ans que nous

en usons ainsi, et personne parmi nous n'y trouve à redire.
— Ah! cent trente-cinq mille ans! dit l'Indien, ce compte
est un peu exagéré; il n'y en a que quatre-vingt mille que
l'Inde est peuplée, et assurément nous sommes vos
anciens, et Brama nous avait défendu de manger des
bœufs avant que vous vous fussiez avisés de les mettre
sur les autels et à la broche. — Voilà un plaisant animal
que votre Brama, pour le comparer à Apis! dit l'Egyptien; qu'a donc fait votre Brama de si beau? » Le bramin
répondit : « C'est lui qui a appris aux hommes à lire et
à écrire, et à qui toute la terre doit le jeu des échecs. —
Vous vous trompez, dit un Chaldéen qui était auprès de
lui; c'est le poisson Oannès à qui on doit de si grands
bienfaits, et il est juste de ne rendre qu'à lui ses hommages. Tout le monde vous dira que c'était un être divin,
qu'il avait la queue dorée, avec une belle tête d'homme,
et qu'il sortait de l'eau pour venir prêcher à terre
trois heures par jour. Il eut plusieurs enfants qui furent
rois, comme chacun sait. J'ai son portrait chez moi,
que je révère comme je le dois. On peut manger du bœuf tant
qu'on veut; mais c'est assurément une très grande
impiété de faire cuire du poisson; d'ailleurs vous êtes tous
deux d'une origine trop peu noble et trop récente pour
me rien disputer. La nation égyptienne ne compte que
cent trente-cinq mille ans, et les Indiens ne se vantent
que de quatre-vingt mille, tandis que nous avons des
almanachs de quatre mille siècles. Croyez-moi, renoncez
à vos folies, et je vous donnerai à chacun un beau portrait
d'Oannès. »

L'homme de Cambalu, prenant la parole, dit : « Je respecte fort les Egyptiens, les Chaldéens, les Grecs, les
Celtes, Brama, le bœuf Apis, le beau poisson Oannès;
mais peut-être que le Li ou le Tien [b], comme on voudra
l'appeler, vaut bien les bœufs et les poissons. Je ne dirai
rien de mon pays; il est aussi grand que la terre d'Egypte,
la Chaldée et les Indes ensemble. Je ne dispute pas
d'antiquité, parce qu'il suffit d'être heureux, et que c'est
fort peu de chose d'être ancien; mais, s'il fallait parler
d'almanachs, je dirais que toute l'Asie prend les nôtres,
et que nous en avions de fort bons avant qu'on sût l'arithmétique en Chaldée.

— Vous êtes de grands ignorants tous tant que vous

---

b. Mots chinois qui signifient proprement : *Li*, la lumière naturelle,
la raison; et *Tien*, le ciel; et qui signifient aussi Dieu.

êtes! s'écria le Grec; est-ce que vous ne savez pas que le
chaos est le père de tout, et que la forme et la matière ont
mis le monde dans l'état où il est ? » Ce Grec parla longtemps; mais il fut enfin interrompu par le Celte, qui,
ayant beaucoup bu pendant qu'on disputait, se crut alors
plus savant que tous les autres, et dit en jurant qu'il n'y
avait que Teutath et le gui de chêne qui valussent la peine
qu'on en parlât; que, pour lui, il avait toujours du gui
dans sa poche; que les Scythes, ses ancêtres, étaient les
seules gens de bien qui eussent jamais été au monde;
qu'ils avaient, à la vérité, quelquefois mangé des hommes,
mais que cela n'empêchait pas qu'on ne dût avoir beaucoup de respect pour sa nation; et qu'enfin, si quelqu'un
parlait mal de Teutath, il lui apprendrait à vivre. La querelle s'échauffa pour lors, et Sétoc vit le moment où la
table allait être ensanglantée. Zadig, qui avait gardé le
silence pendant toute la dispute, se leva enfin : il s'adressa
d'abord au Celte, comme au plus furieux; il lui dit qu'il
avait raison, et lui demanda du gui; il loua le Grec sur
son éloquence, et adoucit tous les esprits échauffés. Il ne
dit que très peu de chose à l'homme du Cathay, parce
qu'il avait été le plus raisonnable de tous. Ensuite il leur
dit : « Mes amis, vous alliez vous quereller pour rien, car
vous êtes tous du même avis. » A ce mot, ils se récrièrent
tous. « N'est-il pas vrai, dit-il au Celte, que vous n'adorez
pas ce gui, mais celui qui a fait le gui et le chêne ? —
Assurément, répondit le Celte. — Et vous, monsieur
l'Egyptien, vous révérez apparemment dans un certain
bœuf celui qui vous a donné les bœufs ? — Oui, dit
l'Egyptien. — Le poisson Oannès, continua-t-il, doit
céder à celui qui a fait la mer et les poissons. — D'accord,
dit le Chaldéen. — L'Indien, ajouta-t-il, et le Cathayen,
reconnaissent comme vous un premier principe; je n'ai
pas trop bien compris les choses admirables que le Grec
a dites, mais je suis sûr qu'il admet aussi un Etre supérieur, de qui la forme et la matière dépendent. » Le Grec,
qu'on admirait, dit que Zadig avait très bien pris sa pensée. « Vous êtes donc tous de même avis, répliqua Zadig,
et il n'y a pas là de quoi se quereller. » Tout le monde
l'embrassa. Sétoc, après avoir vendu fort cher ses denrées, reconduisit son ami Zadig dans sa tribu. Zadig
apprit en arrivant qu'on lui avait fait son procès en son
absence, et qu'il allait être brûlé à petit feu.

LES RENDEZ-VOUS

Pendant son voyage à Balzora, les prêtres des étoiles
avaient résolu de le punir. Les pierreries et les ornements
des jeunes veuves qu'ils envoyaient au bûcher leur appartenaient de droit; c'était bien le moins qu'ils fissent brûler Zadig pour le mauvais tour qu'il leur avait joué. Ils
accusèrent donc Zadig d'avoir des sentiments erronés sur
l'armée céleste; ils déposèrent contre lui, et jurèrent
qu'ils lui avaient entendu dire que les étoiles ne se cou-
chaient pas dans la mer. Ce blasphème effroyable fit frémir les juges; ils furent prêts de déchirer leurs vêtements,
quand ils ouïrent ces paroles impies, et ils l'auraient fait,
sans doute, si Zadig avait eu de quoi les payer. Mais,
dans l'excès de leur douleur, ils se contentèrent de le
condamner à être brûlé à petit feu. Sétoc, désespéré,
employa en vain son crédit pour sauver son ami; il fut
bientôt obligé de se taire. La jeune veuve Almona, qui
avait pris beaucoup de goût à la vie, et qui en avait obligation à Zadig, résolut de le tirer du bûcher, dont il lui
avait fait connaître l'abus. Elle roula son dessein dans sa
tête, sans en parler à personne. Zadig devait être exécuté
le lendemain; elle n'avait que la nuit pour le sauver :
voici comme elle s'y prit en femme charitable et prudente.

Elle se parfuma; elle releva sa beauté par l'ajustement
le plus riche et le plus galant, et alla demander une
audience secrète au chef des prêtres des étoiles. Quand
elle fut devant ce vieillard vénérable, elle lui parla en ces
termes : « Fils aîné de la grande Ourse, frère du Taureau,
cousin du grand Chien (c'étaient les titres de ce pontife),
je viens vous confier mes scrupules. J'ai bien peur d'avoir
commis un péché énorme en ne me brûlant pas dans le
bûcher de mon cher mari. En effet qu'avais-je à conserver ? une chair périssable, et qui est déjà toute flétrie. »
En disant ces paroles, elle tira de ses longues manches de
soie ses bras nus, d'une forme admirable et d'une blancheur éblouissante. « Vous voyez, dit-elle, le peu que cela
vaut. » Le pontife trouva dans son cœur que cela valait
beaucoup. Ses yeux le dirent, et sa bouche le confirma :
il jura qu'il n'avait vu de sa vie de si beaux bras. « Hélas !
lui dit la veuve, les bras peuvent être un peu moins mal
que le reste; mais vous m'avouerez que la gorge n'était

pas digne de mes attentions. » Alors elle laissa voir le sein
le plus charmant que la nature eût jamais formé. Un bou-
ton de rose sur une pomme d'ivoire n'eût paru auprès
que de la garance sur du buis, et les agneaux sortant du
lavoir auraient semblé d'un jaune brun. Cette gorge, ses
grands yeux noirs qui languissaient en brillant doucement
d'un feu tendre, ses joues animées de la plus belle pourpre
mêlée au blanc de lait le plus pur; son nez, qui n'était pas
comme la tour du mont Liban; ses lèvres, qui étaient
comme deux bordures de corail renfermant les plus belles
perles de la mer d'Arabie, tout cela ensemble fit croire au
vieillard qu'il avait vingt ans. Il fit en bégayant une déclaration tendre. Almona, le voyant enflammé, lui demanda
la grâce de Zadig. « Hélas! dit-il, ma belle dame, quand
je vous accorderais sa grâce, mon indulgence ne servirait
de rien; il faut qu'elle soit signée de trois autres de mes
confrères. — Signez toujours, dit Almona. — Volontiers,
dit le prêtre, à condition que vos faveurs seront le prix
de ma facilité. — Vous me faites trop d'honneur, dit
Almona; ayez seulement pour agréable de venir dans ma
chambre après que le soleil sera couché, et dès que la
brillante étoile *Sheat* sera sur l'horizon, vous me trouverez sur un sofa couleur de rose, et vous en userez comme
vous pourrez avec votre servante. » Elle sortit alors, emportant avec elle la signature, et laissa le vieillard plein
d'amour et de défiance de ses forces. Il employa le reste
du jour à se baigner; il but une liqueur composée de la
cannelle de Ceylan, et des précieuses épices de Tidor et
de Ternate, et attendit avec impatience que l'étoile *Sheat*
vînt à paraître.

Cependant la belle Almona alla trouver le second pontife. Celui-ci l'assura que le soleil, la lune, et tous les feux
du firmament, n'étaient que des feux follets en comparaison de ses charmes. Elle lui demanda la même grâce,
et on lui proposa d'en donner le prix. Elle se laissa
vaincre, et donna rendez-vous au second pontife au lever
de l'étoile *Algénib*. De là elle passa chez le troisième et
chez le quatrième prêtre, prenant toujours une signature,
et donnant un rendez-vous d'étoile en étoile. Alors elle
fit avertir les juges de venir chez elle pour une affaire
importante. Ils s'y rendirent : elle leur montra les quatre
noms, et leur dit à quel prix les prêtres avaient vendu la
grâce de Zadig. Chacun d'eux arriva à l'heure prescrite;
chacun fut bien étonné d'y trouver ses confrères, et plus
encore d'y trouver les juges, devant qui leur honte fut

manifestée. Zadig fut sauvé. Sétoc fut si charmé de l'habileté d'Almona, qu'il en fit sa femme.

Zadig partit après s'être jeté aux pieds de sa belle libératrice. Sétoc et lui se quittèrent en pleurant, en se jurant
une amitié éternelle, et en se promettant que le premier
des deux qui ferait une grande fortune en ferait part à
l'autre.

Zadig marcha du côté de la Syrie, toujours pensant à
la malheureuse Astarté, et toujours réfléchissant sur le
sort qui s'obstinait à se jouer de lui et à le persécuter.
« Quoi! disait-il, quatre cents onces d'or pour avoir vu
passer une chienne! condamné à être décapité pour
quatre mauvais vers à la louange du roi! prêt à être étranglé parce que la reine avait des babouches de la couleur
de mon bonnet! réduit en esclavage pour avoir secouru
une femme qu'on battait; et sur le point d'être brûlé
pour avoir sauvé la vie à toutes les jeunes veuves arabes! »

LE BRIGAND

En arrivant aux frontières qui séparent l'Arabie Pétrée
de la Syrie, comme il passait près d'un château assez fort,
des Arabes armés en sortirent. Il se vit entouré; on lui
criait : « Tout ce que vous avez nous appartient, et votre
personne appartient à notre maître. » Zadig, pour
réponse, tira son épée; son valet, qui avait du courage,
en fit autant. Ils renversèrent morts les premiers Arabes
qui mirent la main sur eux; le nombre redoubla : ils ne
s'étonnèrent point, et résolurent de périr en combattant.
On voyait deux hommes se défendre contre une multitude; un tel combat ne pouvait durer longtemps. Le
maître du château, nommé Arbogad, ayant vu d'une
fenêtre les prodiges de valeur que faisait Zadig, conçut de
l'estime pour lui. Il descendit en hâte, et vint lui-même
écarter ses gens, et délivrer les deux voyageurs. « Tout
ce qui passe sur mes terres est à moi, dit-il, aussi bien
que ce que je trouve sur les terres des autres; mais vous
me paraissez un si brave homme que je vous exempte de
la loi commune. » Il le fit entrer dans son château, ordon-
nant à ses gens de le bien traiter; et, le soir, Arbogad
voulut souper avec Zadig.

Le seigneur du château était un de ces Arabes qu'on
appelle *voleurs*; mais il faisait quelquefois de bonnes
actions parmi une foule de mauvaises; il volait avec une

rapacité furieuse, et donnait libéralement : intrépide dans
l'action, assez doux dans le commerce, débauché à table,
gai dans la débauche, et surtout plein de franchise. Zadig
lui plut beaucoup; sa conversation, qui s'anima, fit durer
le repas; enfin Arbogad lui dit : « Je vous conseille de
vous enrôler sous moi, vous ne sauriez mieux faire; ce
métier-ci n'est pas mauvais; vous pourrez un jour devenir
ce que je suis. — Puis-je vous demander, dit Zadig, depuis
quel temps vous exercez cette noble profession ? — Dès
ma plus tendre jeunesse, reprit le seigneur. J'étais valet
d'un Arabe assez habile; ma situation m'était insupportable. J'étais au désespoir de voir que, dans toute la terre
qui appartient également aux hommes, la destinée ne
m'eût pas réservé ma portion. Je confiai mes peines à un
vieil Arabe, qui me dit : « Mon fils, ne désespérez pas;
il y avait autrefois un grain de sable qui se lamentait
d'être un atome ignoré dans les déserts; au bout de
quelques années il devint diamant, et il est à présent le
plus bel ornement de la couronne du roi des Indes. » Ce
discours me fit impression; j'étais le grain de sable, je
résolus de devenir diamant. Je commençai par voler
deux chevaux; je m'associai des camarades; je me mis en
état de voler de petites caravanes : ainsi je fis cesser peu
à peu la disproportion qui était d'abord entre les hommes
et moi. J'eus ma part aux biens de ce monde, et je fus
même dédommagé avec usure : on me considéra beaucoup : je devins seigneur brigand; j'acquis ce château par
voie de fait. Le satrape de Syrie voulut m'en déposséder;
mais j'étais déjà trop riche pour avoir rien à craindre; je
donnai de l'argent au satrape, moyennant quoi je conser-
vai ce château, et j'agrandis mes domaines; il me nomma
même trésorier des tributs que l'Arabie Pétrée payait au
roi des rois. Je fis ma charge de receveur, et point du tout
celle de payeur.

« Le grand desterham de Babylone envoya ici, au nom
du roi Moabdar, un petit satrape pour me faire étrangler.
Cet homme arriva avec son ordre : j'étais instruit de
tout; je fis étrangler en sa présence les quatre personnes
qu'il avait amenées avec lui pour serrer le lacet; après
quoi je lui demandai ce que pouvait lui valoir la commission de m'étrangler. Il me répondit que ses honoraires
pouvaient aller à trois cents pièces d'or. Je lui fis voir
clair qu'il y aurait plus à gagner avec moi. Je le fis sous-
brigand; il est aujourd'hui un de mes meilleurs officiers,
et des plus riches. Si vous m'en croyez, vous réussirez

comme lui. Jamais la saison de voler n'a été meilleure, depuis que Moabdar est tué, et que tout est en confusion dans Babylone.

— Moabdar est tué! dit Zadig; et qu'est devenue la reine Astarté? — Je n'en sais rien, reprit Arbogad; tout ce que je sais, c'est que Moabdar est devenu fou, qu'il a été tué, que Babylone est un grand coupe-gorge, que tout l'empire est désolé, qu'il y a de beaux coups à faire encore, et que pour ma part, j'en ai fait d'admirables. — Mais la reine, dit Zadig; de grâce, ne savez-vous rien de la destinée de la reine? — On m'a parlé d'un prince d'Hyrcanie, reprit-il; elle est probablement parmi ses concubines, si elle n'a pas été tuée dans le tumulte; mais je suis plus curieux de butin que de nouvelles. J'ai pris plusieurs femmes dans mes courses, je n'en garde aucune; je les vends cher quand elles sont belles, sans m'informer de ce qu'elles sont. On n'achète point le rang; une reine qui serait laide ne trouverait pas marchand : peut-être ai-je vendu la reine Astarté, peut-être est-elle morte; mais peu m'importe, et je pense que vous ne devez pas vous en soucier plus que moi. » En parlant ainsi il buvait avec tant de courage, il confondait tellement toutes les idées, que Zadig n'en put tirer aucun éclaircissement.

Il restait interdit, accablé, immobile. Arbogad buvait toujours, faisait des contes, répétait sans cesse qu'il était le plus heureux de tous les hommes, exhortant Zadig à se rendre aussi heureux que lui. Enfin, doucement assoupi par les fumées du vin, il alla dormir d'un sommeil tranquille. Zadig passa la nuit dans l'agitation la plus violente. « Quoi, disait-il, le roi est devenu fou! il est tué! Je ne puis m'empêcher de le plaindre. L'empire est déchiré, et ce brigand est heureux : ô fortune! ô destinée! un voleur est heureux, et ce que la nature a fait de plus aimable a péri peut-être d'une manière affreuse, ou vit dans un état pire que la mort. O Astarté! qu'êtes-vous devenue? »

Dès le point du jour il interrogea tous ceux qu'il rencontrait dans le château; mais tout le monde était occupé, personne ne lui répondit : on avait fait pendant la nuit de nouvelles conquêtes, on partageait les dépouilles. Tout ce qu'il put obtenir dans cette confusion tumultueuse, ce fut la permission de partir. Il en profita sans tarder, plus abîmé que jamais dans ses réflexions douloureuses.

Zadig marchait inquiet, agité, l'esprit tout occupé de la malheureuse Astarté, du roi de Babylone, de son fidèle Cador, de l'heureux brigand Arbogad, de cette femme si

capricieuse que des Babyloniens avaient enlevée sur les
confins de l'Égypte, enfin de tous les contretemps et de
toutes les infortunes qu'il avait éprouvés.

LE PÊCHEUR

A quelques lieues du château d'Arbogad, il se trouva
sur le bord d'une petite rivière, toujours déplorant sa
destinée, et se regardant comme le modèle du malheur.
Il vit un pêcheur couché sur la rive, tenant à peine d'une
main languissante son filet, qu'il semblait abandonner, et
levant les yeux vers le ciel.

« Je suis certainement le plus malheureux de tous les
hommes, disait le pêcheur. J'ai été, de l'aveu de tout le
monde, le plus célèbre marchand de fromages à la crème
dans Babylone, et j'ai été ruiné. J'avais la plus jolie
femme qu'homme de ma sorte pût posséder, et j'en ai
été trahi. Il me restait une chétive maison, je l'ai vue
pillée et détruite. Réfugié dans une cabane, je n'ai de ressource que ma pêche, et je ne prends pas un poisson.
O mon filet! je ne te jetterai plus dans l'eau, c'est à moi
de m'y jeter. » En disant ces mots il se lève, et s'avance
dans l'attitude d'un homme qui allait se précipiter et
finir sa vie.

« Eh quoi! se dit Zadig à lui-même, il y a donc des
hommes aussi malheureux que moi! » L'ardeur de sauver
la vie au pêcheur fut aussi prompte que cette réflexion.
Il court à lui, il l'arrête, il l'interroge d'un air attendri et
consolant. On prétend qu'on en est moins malheureux
quand on ne l'est pas seul; mais, selon Zoroastre, ce n'est
pas par malignité, c'est par besoin. On se sent alors
entraîné vers un infortuné comme vers son semblable. La
joie d'un homme heureux serait une insulte; mais deux
malheureux sont comme deux arbrisseaux faibles qui,
s'appuyant l'un sur l'autre, se fortifient contre l'orage.

« Pourquoi succombez-vous à vos malheurs ? dit Zadig
au pêcheur. — C'est, répondit-il, parce que je n'y vois
pas de ressource. J'ai été le plus considéré du village de
Derlback auprès de Babylone, et je faisais, avec l'aide de
ma femme, les meilleurs fromages à la crème de l'empire.
La reine Astarté et le fameux ministre Zadig les aimaient
passionnément. J'avais fourni à leurs maisons six cents
fromages. J'allai un jour à la ville pour être payé; j'appris
en arrivant dans Babylone que la reine et Zadig avaient

disparu. Je courus chez le seigneur Zadig, que je n'avais jamais vu; je trouvai les archers du grand desterham, qui, munis d'un papier royal, pillaient sa maison loyalement et avec ordre. Je volai aux cuisines de la reine; quelques-uns des seigneurs de la bouche me dirent qu'elle était morte; d'autres dirent qu'elle était en prison; d'autres prétendirent qu'elle avait pris la fuite; mais tous m'assurèrent qu'on ne me payerait point mes fromages. J'allai avec ma femme chez le seigneur Orcan, qui était une de mes pratiques : nous lui demandâmes sa protection dans notre disgrâce. Il l'accorda à ma femme, et me la refusa. Elle était plus blanche que ces fromages à la crème qui commencèrent mon malheur; et l'éclat de la pourpre de Tyr n'était pas plus brillant que l'incarnat qui animait cette blancheur. C'est ce qui fit qu'Orcan la retint, et me chassa de sa maison. J'écrivis à ma chère femme la lettre d'un désespéré. Elle dit au porteur : « Ah, ah! oui! je sais quel est l'homme qui m'écrit, j'en ai entendu parler : on dit qu'il fait des fromages à la crème excellents; qu'on m'en apporte, et qu'on les lui paye. »

« Dans mon malheur, je voulus m'adresser à la justice. Il me restait six onces d'or : il fallut en donner deux onces à l'homme de loi que je consultai, deux au procureur qui entreprit mon affaire, deux au secrétaire du premier juge. Quand tout cela fut fait, mon procès n'était pas encore commencé, et j'avais déjà dépensé plus d'argent que mes fromages et ma femme ne valaient. Je retournai à mon village dans l'intention de vendre ma maison pour avoir ma femme.

« Ma maison valait bien soixante onces d'or; mais on me voyait pauvre et pressé de vendre. Le premier à qui je m'adressai m'en offrit trente onces; le second, vingt; et le troisième, dix. J'étais prêt enfin de conclure, tant j'étais aveuglé, lorsqu'un prince d'Hyrcanie vint à Babylone, et ravagea tout sur son passage. Ma maison fut d'abord saccagée, et ensuite brûlée.

« Ayant ainsi perdu mon argent, ma femme et ma maison, je me suis retiré dans ce pays où vous me voyez; j'ai tâché de subsister du métier de pêcheur. Les poissons se moquent de moi comme les hommes : je ne prends rien, je meurs de faim; et sans vous, auguste consolateur, j'allais mourir dans la rivière. »

Le pêcheur ne fit point ce récit tout de suite; car à tout moment Zadig, ému et transporté, lui disait : « Quoi! vous ne savez rien de la destinée de la reine? —

Non, seigneur, répondait le pêcheur; mais je sais que la reine et Zadig ne m'ont point payé mes fromages à la crème, qu'on a pris ma femme, et que je suis au désespoir. — Je me flatte, dit Zadig, que vous ne perdrez pas tout votre argent. J'ai entendu parler de ce Zadig; il est honnête homme; et s'il retourne à Babylone, comme il l'espère, il vous donnera plus qu'il ne vous doit; mais pour votre femme, qui n'est pas si honnête, je vous conseille de ne pas chercher à la reprendre. Croyez-moi, allez à Babylone; j'y serai avant vous, parce que je suis à cheval et que vous êtes à pied. Adressez-vous à l'illustre Cador; dites-lui que vous avez rencontré son ami; attendez-moi chez lui. Allez; peut-être ne serez-vous pas toujours malheureux.

« O puissant Orosmade! continua-t-il, vous vous servez de moi pour consoler cet homme; de qui vous servirez-vous pour me consoler ? » En parlant ainsi il donnait au pêcheur la moitié de tout l'argent qu'il avait apporté d'Arabie, et le pêcheur, confondu et ravi, baisait les pieds de l'ami de Cador, et disait : « Vous êtes un ange sauveur. »

Cependant Zadig demandait toujours des nouvelles, et versait des larmes. « Quoi! seigneur, s'écria le pêcheur, vous seriez donc aussi malheureux, vous qui faites du bien ? — Plus malheureux que toi cent fois, répondait Zadig. — Mais comment se peut-il faire, disait le bonhomme, que celui qui donne soit plus à plaindre que celui qui reçoit ? — C'est que ton plus grand malheur, reprit Zadig, était le besoin, et que je suis infortuné par le cœur. — Orcan vous aurait-il pris votre femme ? dit le pêcheur. » Ce mot rappela dans l'esprit de Zadig toutes ses aventures; il répétait la liste de ses infortunes, à commencer depuis la chienne de la reine jusqu'à son arrivée chez le brigand Arbogad. « Ah! dit-il au pêcheur, Orcan mérite d'être puni. Mais d'ordinaire ce sont ces gens-là qui sont les favoris de la destinée. Quoi qu'il en soit, va chez le seigneur Cador, et attends-moi. » Ils se séparèrent : le pêcheur marcha en remerciant son destin, et Zadig courut en accusant toujours le sien.

LE BASILIC

Arrivé dans une belle prairie, il y vit plusieurs femmes qui cherchaient quelque chose avec beaucoup d'application. Il prit la liberté de s'approcher de l'une d'elles, et de lui demander s'il pouvait avoir l'honneur de les aider dans leurs recherches. « Gardez-vous-en bien, répondit la Syrienne; ce que nous cherchons ne peut être touché que par des femmes. — Voilà qui est bien étrange, dit Zadig; oserai-je vous prier de m'apprendre ce que c'est qu'il n'est permis qu'aux femmes de toucher ? — C'est un basilic, dit-elle. — Un basilic, madame! et pour quelle raison, s'il vous plaît, cherchez-vous un basilic ? — C'est pour notre seigneur et maître Ogul, dont vous voyez le château sur le bord de cette rivière, au bout de la prairie. Nous sommes ses très humbles esclaves; le seigneur Ogul est malade; son médecin lui a ordonné de manger un basilic cuit dans l'eau rose; et comme c'est un animal fort rare, et qui ne se laisse jamais prendre que par des femmes, le seigneur Ogul a promis de choisir pour sa femme bien-aimée celle de nous qui lui apporterait un basilic : laissez-moi chercher, s'il vous plaît, car vous voyez ce qu'il m'en coûterait si j'étais prévenue par mes compagnes. »

Zadig laissa cette Syrienne et les autres chercher leur basilic, et continua de marcher dans la prairie. Quand il fut au bord d'un petit ruisseau, il y trouva une autre dame couchée sur le gazon, et qui ne cherchait rien. Sa taille paraissait majestueuse, mais son visage était couvert d'un voile. Elle était penchée vers le ruisseau; de profonds soupirs sortaient de sa bouche. Elle tenait en main une petite baguette, avec laquelle elle traçait des caractères sur un sable fin qui se trouvait entre le gazon et le ruisseau. Zadig eut la curiosité de voir ce que cette femme écrivait; il s'approcha, il vit la lettre Z, puis un A : il fut étonné; puis parut un D : il tressaillit. Jamais surprise ne fut égale à la sienne quand il vit les deux dernières lettres de son nom. Il demeura quelque temps immobile; enfin, rompant le silence d'une voix entrecoupée : « O généreuse dame! pardonnez à un étranger, à un infortuné, d'oser vous demander par quelle aventure étonnante je trouve ici le nom de ZADIG tracé de votre main divine ? » A cette voix, à ces paroles, la dame releva son voile d'une main tremblante, regarda Zadig, jeta un cri d'attendrissement, de surprise et de joie, et succombant sous tous les mouvements divers qui assaillaient à la fois son âme, elle tomba évanouie entre ses bras. C'était Astarté elle-même, c'était la reine de Babylone, c'était celle que Zadig adorait, et qu'il se reprochait d'adorer, c'était celle dont il avait tant pleuré et tant craint la destinée. Il fut un

moment privé de l'usage de ses sens; et quand il eut attaché ses regards sur les yeux d'Astarté, qui se rouvraient
avec une langueur mêlée de confusion et de tendresse :
« O puissances immortelles! s'écria-t-il, qui présidez aux
destins des faibles humains, me rendez-vous Astarté ? En
quel temps, en quels lieux, en quel état la revois-je ? » Il
se jeta à genoux devant Astarté, et il attacha son front à
la poussière de ses pieds. La reine de Babylone le relève,
et le fait asseoir auprès d'elle sur le bord de ce ruisseau;
elle essuyait à plusieurs reprises ses yeux, dont les larmes
recommençaient toujours à couler. Elle reprenait vingt
fois des discours que ses gémissements interrompaient;
elle l'interrogeait sur le hasard qui les rassemblait, et prévenait soudain ses réponses par d'autres questions. Elle
entamait le récit de ses malheurs, et voulait savoir ceux
de Zadig. Enfin tous deux ayant un peu apaisé le tumulte
de leurs âmes, Zadig lui conta en peu de mots par quelle
aventure il se trouvait dans cette prairie. « Mais, ô malheureuse et respectable reine! comment vous retrouvé-je
en ce lieu écarté, vêtue en esclave, et accompagnée d'autres
femmes esclaves qui cherchent un basilic pour le faire
cuire dans de l'eau rose par ordonnance du médecin.

— Pendant qu'elles cherchent leur basilic, dit la belle
Astarté, je vais vous apprendre tout ce que j'ai souffert,
et tout ce que je pardonne au ciel depuis que je vous
revois. Vous savez que le roi mon mari trouva mauvais
que vous fussiez le plus aimable de tous les hommes; et
ce fut pour cette raison qu'il prit une nuit la résolution
de vous faire étrangler et de m'empoisonner. Vous savez
comme le ciel permit que mon petit muet m'avertît de
l'ordre de sa Sublime Majesté. A peine le fidèle Cador
vous eut-il forcé de m'obéir et de partir, qu'il osa entrer
chez moi au milieu de la nuit par une issue secrète. Il
m'enleva, et me conduisit dans le temple d'Orosmade, où
le mage, son frère, m'enferma dans une statue colossale
dont la base touche aux fondements du temple, et dont
la tête atteint la voûte. Je fus là comme ensevelie, mais
servie par le mage, et ne manquant d'aucune chose nécessaire. Cependant, au point du jour, l'apothicaire de
Sa Majesté entra dans ma chambre avec une potion
mêlée de jusquiame, d'opium, de ciguë, d'ellébore noir
et d'aconit; et un autre officier alla chez vous avec un
lacet de soie bleue. On ne trouva personne. Cador, pour
mieux tromper le roi, feignit de venir nous accuser tous
deux. Il dit que vous aviez pris la route des Indes, et moi

celle de Memphis : on envoya des satellites après vous et
après moi.

« Les courriers qui me cherchaient ne me connaissaient
pas. Je n'avais presque jamais montré mon visage qu'à
vous seul, en présence et par ordre de mon époux. Ils
coururent à ma poursuite, sur le portrait qu'on leur faisait de ma personne : une femme de la même taille que
moi, et qui peut-être avait plus de charmes, s'offrit à
leurs regards sur les frontières de l'Egypte. Elle était
éplorée, errante. Ils ne doutèrent pas que cette femme ne
fût la reine de Babylone; ils la menèrent à Moabdar. Leur
méprise fit entrer d'abord le roi dans une violente colère;
mais bientôt, ayant considéré de plus près cette femme,
il la trouva très belle, et fut consolé. On l'appelait Missouf. On m'a dit depuis que ce nom signifie en langue
égyptienne *la belle capricieuse*. Elle l'était en effet; mais
elle avait autant d'art que de caprice. Elle plut à Moabdar. Elle le subjugua au point de se faire déclarer sa
femme. Alors son caractère se développa tout entier :
elle se livra sans crainte à toutes les folies de son imagination. Elle voulut obliger le chef des mages, qui était
vieux et goutteux, de danser devant elle; et sur le refus
du mage, elle le persécuta violemment. Elle ordonna à
son grand-écuyer de lui faire une tourte de confitures.
Le grand-écuyer eut beau lui représenter qu'il n'était
point pâtissier, il fallut qu'il fît la tourte; et on le chassa,
parce qu'elle était trop brûlée. Elle donna la charge de
grand-écuyer à son nain, et la place de chancelier à un
page. C'est ainsi qu'elle gouverna Babylone. Tout le
monde me regrettait. Le roi, qui avait été assez honnête
homme jusqu'au moment où il avait voulu m'empoisonner et vous faire étrangler, semblait avoir noyé ses vertus
dans l'amour prodigieux qu'il avait pour la belle capricieuse. Il vint au temple le grand jour du feu sacré. Je
le vis implorer les dieux pour Missouf au pied de la statue
où j'étais renfermée. J'élevai la voix; je lui criai : « Les
dieux refusent les vœux d'un roi devenu tyran, qui a
voulu faire mourir une femme raisonnable pour épouser
une extravagante. » Moabdar fut confondu de ces paroles
au point que sa tête se troubla. L'oracle que j'avais
rendu, et la tyrannie de Missouf, suffisaient pour lui faire
perdre le jugement. Il devint fou en peu de jours.

« Sa folie, qui parut un châtiment du ciel, fut le signal
de la révolte. On se souleva, on courut aux armes. Babylone, si longtemps plongée dans une mollesse oisive,

devint le théâtre d'une guerre civile affreuse. On me tira
du creux de ma statue, et on me mit à la tête d'un parti.
Cador courut à Memphis, pour vous ramener à Babylone. Le prince d'Hyrcanie, apprenant ces funestes nouvelles, revint avec son armée faire un troisième parti dans
la Chaldée. Il attaqua le roi, qui courut au-devant de lui
avec son extravagante Egyptienne. Moabdar mourut
percé de coups. Missouf tomba aux mains du vainqueur.
Mon malheur voulut que je fusse prise moi-même par un
parti hyrcanien, et qu'on me menât devant le prince précisément dans le temps qu'on lui amenait Missouf. Vous
serez flatté, sans doute, en apprenant que le prince me
trouva plus belle que l'Egyptienne; mais vous serez
fâché d'apprendre qu'il me destina à son sérail. Il me dit
fort résolument que, dès qu'il aurait fini une expédition
militaire qu'il allait exécuter, il viendrait à moi. Jugez de
ma douleur. Mes liens avec Moabdar étaient rompus, je
pouvais être à Zadig; et je tombais dans les chaînes de
ce barbare. Je lui répondis avec toute la fierté que me
donnaient mon rang et mes sentiments. J'avais toujours
entendu dire que le ciel attachait aux personnes de ma
sorte un caractère de grandeur qui, d'un mot et d'un
coup d'œil, faisait rentrer dans l'abaissement du plus profond respect les téméraires qui osaient s'en écarter. Je
parlai en reine, mais je fus traitée en demoiselle suivante.
L'Hyrcanien, sans daigner seulement m'adresser la
parole, dit à son eunuque noir que j'étais une imperti-
nente, mais qu'il me trouvait jolie. Il lui ordonna d'avoir
soin de moi et de me mettre au régime des favorites, afin
de me rafraîchir le teint, et de me rendre plus digne de
ses faveurs pour le jour où il aurait la commodité de m'en
honorer. Je lui dis que je me tuerais : il répliqua, en riant,
qu'on ne se tuait point, qu'il était fait à ces façons-là, et
me quitta comme un homme qui vient de mettre un perroquet dans sa ménagerie. Quel état pour la première
reine de l'univers, et, je dirai plus, pour un cœur qui était
à Zadig! »

A ces paroles il se jeta à ses genoux et les baigna de
larmes. Astarté le releva tendrement, et elle continua
ainsi : « Je me voyais au pouvoir d'un barbare, et rivale
d'une folle avec qui j'étais renfermée. Elle me raconta son
aventure d'Egypte. Je jugeai par les traits dont elle vous
peignait, par le temps, par le dromadaire sur lequel vous
étiez monté, par toutes les circonstances, que c'était
Zadig qui avait combattu pour elle. Je ne doutai pas que

vous ne fussiez à Memphis; je pris la résolution de m'y retirer. « Belle Missouf, lui dis-je, vous êtes beaucoup plus plaisante que moi, vous divertirez bien mieux que moi le prince d'Hyrcanie. Facilitez-moi les moyens de me sauver; vous régnerez seule; vous me rendrez heureuse, en vous débarrassant d'une rivale. » Missouf concerta avec moi les moyens de ma fuite. Je partis donc secrètement avec une esclave égyptienne.

« J'étais déjà près de l'Arabie, lorsqu'un fameux voleur, nommé Arbogad, m'enleva, et me vendit à des marchands qui m'ont amenée dans ce château, où demeure le seigneur Ogul. Il m'a achetée sans savoir qui j'étais. C'est un homme voluptueux qui ne cherche qu'à faire grande chère et qui croit que Dieu l'a mis au monde pour tenir table. Il est d'un embonpoint excessif, qui est toujours prêt à le suffoquer. Son médecin, qui n'a que peu de crédit auprès de lui quand il digère bien, le gouverne despotiquement quand il a trop mangé. Il lui a persuadé qu'il le guérirait avec un basilic cuit dans de l'eau rose. Le seigneur Ogul a promis sa main à celle de ses esclaves qui lui apporterait un basilic. Vous voyez que je les laisse s'empresser à mériter cet honneur, et je n'ai jamais eu moins d'envie de trouver ce basilic que depuis que le ciel a permis que je vous revisse. »

Alors Astarté et Zadig se dirent tout ce que des sentiments longtemps retenus, tout ce que leurs malheurs et leurs amours pouvaient inspirer aux cœurs les plus nobles et les plus passionnés; et les génies qui président à l'amour portèrent leurs paroles jusqu'à la sphère de Vénus.

Les femmes rentrèrent chez Ogul sans avoir rien trouvé. Zadig se fit présenter à lui, et lui parla en ces termes : « Que la santé immortelle descende du ciel pour avoir soin de tous vos jours! Je suis médecin, j'ai accouru vers vous sur le bruit de votre maladie, et je vous ai apporté un basilic cuit dans de l'eau rose. Ce n'est pas que je prétende vous épouser : je ne vous demande que la liberté d'une jeune esclave de Babylone que vous avez depuis quelques jours; et je consens de rester en esclavage à sa place si je n'ai pas le bonheur de guérir le magnifique seigneur Ogul. »

La proposition fut acceptée. Astarté partit pour Babylone avec le domestique de Zadig, en lui promettant de lui envoyer incessamment un courrier pour l'instruire de tout ce qui se serait passé. Leurs adieux furent aussi

tendres que l'avait été leur reconnaissance. Le moment
où l'on se retrouve, et celui où l'on se sépare, sont les
deux plus grandes époques de la vie, comme dit le grand
livre du Zend. Zadig aimait la reine autant qu'il le jurait,
et la reine aimait Zadig plus qu'elle ne lui disait.

Cependant Zadig parla ainsi à Ogul : « Seigneur, on
ne mange point mon basilic, toute sa vertu doit entrer
chez vous par les pores. Je l'ai mis dans un petit outre
bien enflé et couvert d'une peau fine : il faut que vous
poussiez cet outre de toute votre force, et que je vous le
renvoie à plusieurs reprises ; et en peu de jours de régime
vous verrez ce que peut mon art. » Ogul, dès le premier
jour, fut tout essoufflé, et crut qu'il mourrait de fatigue.
Le second, il fut moins fatigué, et dormit mieux. En
huit jours il recouvra toute la force, la santé, la légèreté
et la gaieté de ses plus brillantes années. « Vous avez joué
au ballon, et vous avez été sobre, lui dit Zadig : apprenez
qu'il n'y a point de basilic dans la nature, qu'on se porte
toujours bien avec de la sobriété et de l'exercice, et que
l'art de faire subsister ensemble l'intempérance et la
santé est un art aussi chimérique que la pierre philosophale, l'astrologie judiciaire et la théologie des mages. »

Le premier médecin d'Ogul, sentant combien cet
homme était dangereux pour la médecine, s'unit avec
l'apothicaire du corps pour envoyer Zadig chercher des
basilics dans l'autre monde. Ainsi, après avoir été toujours puni pour avoir bien fait, il était près de périr pour
avoir guéri un seigneur gourmand. On l'invita à un excellent dîner. Il devait être empoisonné au second service ;
mais il reçut un courrier de la belle Astarté au premier.
Il quitta la table, et partit. Quand on est aimé d'une belle
femme, dit le grand Zoroastre, on se tire toujours d'affaire
dans ce monde.

LES COMBATS

La reine avait été reçue à Babylone avec les transports
qu'on a toujours pour une belle princesse qui a été malheureuse. Babylone alors paraissait être plus tranquille.
Le prince d'Hyrcanie avait été tué dans un combat. Les
Babyloniens, vainqueurs, déclarèrent qu'Astarté épouserait celui qu'on choisirait pour souverain. On ne voulut
point que la première place du monde, qui serait celle
de mari d'Astarté et de roi de Babylone, dépendît des

intrigues et des cabales. On jura de reconnaître pour roi
le plus vaillant et le plus sage. Une grande lice, bordée
d'amphithéâtres magnifiquement ornés, fut formée à
quelques lieues de la ville. Les combattants devaient s'y
rendre armés de toutes pièces. Chacun d'eux avait derrière les amphithéâtres un appartement séparé, où il ne
devait être vu ni connu de personne. Il fallait courir
quatre lances. Ceux qui seraient assez heureux pour
vaincre quatre chevaliers devaient combattre ensuite les
uns contre les autres; de façon que celui qui resterait le
dernier maître du champ serait proclamé le vainqueur
des jeux. Il devait revenir quatre jours après avec les
mêmes armes, et expliquer les énigmes proposées par les
mages. S'il n'expliquait point les énigmes, il n'était point
roi, et il fallait recommencer à courir des lances, jusqu'à
ce qu'on trouvât un homme qui fût vainqueur dans ces
deux combats : car on voulait absolument pour roi le plus
vaillant et le plus sage. La reine, pendant tout ce temps,
devait être étroitement gardée : on lui permettait seulement d'assister aux jeux, couverte d'un voile; mais on ne
souffrait pas qu'elle parlât à aucun des prétendants, afin
qu'il n'y eût ni faveur ni injustice.

Voilà ce qu'Astarté faisait savoir à son amant, espérant
qu'il montrerait pour elle plus de valeur et d'esprit que
personne. Il partit, et pria Vénus de fortifier son courage et d'éclairer son esprit. Il arriva sur le rivage de
l'Euphrate la veille de ce grand jour. Il fit inscrire sa
devise parmi celles des combattants, en cachant son
visage et son nom, comme la loi l'ordonnait, et alla se
reposer dans l'appartement qui lui échut par le sort. Son
ami Cador, qui était revenu à Babylone, après l'avoir
inutilement cherché en Egypte, fit porter dans sa loge une
armure complète que la reine lui envoyait. Il lui fit amener aussi de sa part le plus beau cheval de Perse. Zadig
reconnut Astarté à ces présents : son courage et son
amour en prirent de nouvelles forces et de nouvelles
espérances.

Le lendemain, la reine étant venue se placer sous un
dais de pierreries, et les amphithéâtres étant remplis de
toutes les dames et de tous les ordres de Babylone, les
combattants parurent dans le cirque. Chacun d'eux vint
mettre sa devise aux pieds du grand mage. On tira au
sort les devises; celle de Zadig fut la dernière. Le premier
qui s'avança était un seigneur très riche, nommé Itobad,
fort vain, peu courageux, très maladroit, et sans esprit.

Ses domestiques l'avaient persuadé qu'un homme comme
lui devait être roi; il leur avait répondu : « Un homme
comme moi doit régner. » Ainsi on l'avait armé de pied
en cap. Il portait une armure d'or émaillée de vert, un
panache vert, une lance ornée de rubans verts. On s'aperçut d'abord, à la manière dont Itobad gouvernait son
cheval, que ce n'était pas un homme comme lui à qui le
ciel réservait le sceptre de Babylone. Le premier cavalier
qui courut contre lui le désarçonna; le second le renversa
sur la croupe de son cheval, les deux jambes en l'air et
les bras étendus. Itobad se remit, mais de si mauvaise
grâce que tout l'amphithéâtre se mit à rire. Un troisième
ne daigna pas se servir de sa lance; mais, en lui faisant
une passe, il le prit par la jambe droite, et lui faisant
faire un demi-tour, il le fit tomber sur le sable : les
écuyers des jeux accoururent à lui en riant, et le remirent
en selle. Le quatrième combattant le prend par la jambe
gauche, et le fait tomber de l'autre côté. On le conduisit
avec des huées à sa loge, où il devait passer la nuit selon
la loi; et il disait en marchant à peine : « Quelle aventure
pour un homme comme moi ! »

Les autres chevaliers s'acquittèrent mieux de leur
devoir. Il y en eut qui vainquirent deux combattants de
suite; quelques-uns allèrent jusqu'à trois. Il n'y eut que
le prince Otame qui en vainquit quatre. Enfin Zadig
combattit à son tour; il désarçonna quatre cavaliers de
suite avec toute la grâce possible. Il fallut donc voir qui
serait vainqueur d'Otame ou de Zadig. Le premier portait des armes bleues et or, avec un panache de même;
celles de Zadig étaient blanches. Tous les vœux se partageaient entre le cavalier bleu et le cavalier blanc. La
reine, à qui le cœur palpitait, faisait des prières au ciel
pour la couleur blanche.

Les deux champions firent des passes et des voltes
avec tant d'agilité, ils se donnèrent de si beaux coups de
lance, ils étaient si fermes sur leurs arçons, que tout le
monde, hors la reine, souhaitait qu'il y eût deux rois
dans Babylone. Enfin, leurs chevaux étant lassés et leurs
lances rompues, Zadig usa de cette adresse : il passe derrière le prince bleu, s'élance sur la croupe de son cheval,
le prend par le milieu du corps, le jette à terre, se met
en selle à sa place, et caracole autour d'Otame étendu
sur la place. Tout l'amphithéâtre crie : « Victoire au cavalier blanc! » Otame, indigné, se relève, tire son épée;
Zadig saute de cheval, le sabre à la main. Les voilà tous

deux sur l'arène, livrant un nouveau combat où la force et l'agilité triomphent tour à tour. Les plumes de leur casque, les clous de leurs brassards, les mailles de leur armure sautent au loin sous mille coups précipités. Ils frappent de pointe et de taille, à droite, à gauche, sur la tête, sur la poitrine; ils reculent, ils avancent, ils se mesurent, ils se rejoignent, ils se saisissent, ils se replient comme des serpents, ils s'attaquent comme des lions; le feu jaillit à tout moment des coups qu'ils se portent. Enfin Zadig, ayant un moment repris ses esprits, s'arrête, fait une feinte, passe sur Otame, le fait tomber, le désarme, et Otame s'écrie : « O chevalier blanc! c'est vous qui devez régner sur Babylone. » La reine était au comble de la joie. On reconduisit le chevalier bleu et le chevalier blanc chacun à leur loge, ainsi que tous les autres, selon ce qui était porté par la loi. Des muets vinrent les servir et leur apporter à manger. On peut juger si le petit muet de la reine ne fut pas celui qui servit Zadig. Ensuite on les laissa dormir seuls jusqu'au lendemain matin, temps où le vainqueur devait apporter sa devise au grand mage, pour la confronter et se faire reconnaître.

Zadig dormit, quoique amoureux, tant il était fatigué. Itobad, qui était couché auprès de lui, ne dormit point. Il se leva pendant la nuit, entra dans sa loge, prit les armes blanches de Zadig avec sa devise, et mit son armure verte à la place. Le point du jour étant venu, il alla fièrement au grand mage déclarer qu'un homme comme lui était vainqueur. On ne s'y attendait pas; mais il fut proclamé pendant que Zadig dormait encore. Astarté, surprise, et le désespoir dans le cœur, s'en retourna dans Babylone. Tout l'amphithéâtre était déjà presque vide lorsque Zadig s'éveilla; il chercha ses armes, et ne trouva que cette armure verte. Il était obligé de s'en couvrir, n'ayant rien autre chose auprès de lui. Etonné et indigné, il les endosse avec fureur, il avance dans cet équipage.

Tout ce qui était encore sur l'amphithéâtre et dans le cirque le reçut avec des huées. On l'entourait; on lui insultait en face. Jamais homme n'essuya des mortifications si humiliantes. La patience lui échappa; il écarta à coups de sabre la populace qui osait l'outrager; mais il ne savait quel parti prendre. Il ne pouvait voir la reine; il ne pouvait réclamer l'armure blanche qu'elle lui avait envoyée : c'eût été la compromettre; ainsi, tandis qu'elle

était plongée dans la douleur, il était pénétré de fureur
et d'inquiétude. Il se promenait sur les bords de l'Euphrate, persuadé que son étoile le destinait à être malheureux sans ressource, repassant dans son esprit toutes
ses disgrâces depuis l'aventure de la femme qui haïssait
les borgnes, jusqu'à celle de son armure. « Voilà ce que
c'est, disait-il, de m'être éveillé trop tard ; si j'avais moins
dormi, je serais roi de Babylone, je posséderais Astarté.
Les sciences, les mœurs, le courage, n'ont donc jamais
servi qu'à mon infortune. » Il lui échappa enfin de mur-
murer contre la Providence, et il fut tenté de croire que
tout était gouverné par une destinée cruelle qui oppri-
mait les bons et qui faisait prospérer les chevaliers verts.
Un de ses chagrins était de porter cette armure verte qui
lui avait attiré tant de huées. Un marchand passa, il la lui
vendit à vil prix, et prit du marchand une robe et un
bonnet long. Dans cet équipage, il côtoyait l'Euphrate,
rempli de désespoir et accusant en secret la Providence,
qui le persécutait toujours.

L'ERMITE

Il rencontra en marchant un ermite, dont la barbe
blanche et vénérable lui descendait jusqu'à la ceinture.
Il tenait en main un livre qu'il lisait attentivement. Zadig
s'arrêta, et lui fit une profonde inclination. L'ermite le
salua d'un air si noble et si doux que Zadig eut la curiosité de l'entretenir. Il lui demanda quel livre il lisait.
« C'est le livre des destinées, dit l'hermite ; voulez-vous
en lire quelque chose ? » Il mit le livre dans les mains
de Zadig, qui, tout instruit qu'il était dans plusieurs
langues, ne put déchiffrer un seul caractère du livre. Cela
redoubla encore sa curiosité. « Vous me paraissez bien
chagrin, lui dit ce bon père. — Hélas ! que j'en ai sujet !
dit Zadig. — Si vous permettez que je vous accompagne,
repartit le vieillard, peut-être vous serai-je utile : j'ai quelquefois répandu des sentiments de consolation dans l'âme
des malheureux. » Zadig se sentit du respect pour l'air,
pour la barbe, et pour le livre de l'ermite. Il lui trouva
dans la conversation des lumières supérieures. L'ermite parlait de la destinée, de la justice, de la morale, du
souverain bien, de la faiblesse humaine, des vertus et des
vices, avec une éloquence si vive et si touchante que Zadig
se sentit entraîné vers lui par un charme invincible. Il le

pria avec instance de ne le point quitter, jusqu'à ce qu'ils fussent de retour à Babylone. « Je vous demande moi-même cette grâce, lui dit le vieillard ; jurez-moi par Oros-made que vous ne vous séparerez point de moi d'ici à quelques jours, quelque chose que je fasse. » Zadig jura, et ils partirent ensemble.

Les deux voyageurs arrivèrent le soir à un château superbe. L'ermite demanda l'hospitalité pour lui et pour le jeune homme qui l'accompagnait. Le portier, qu'on aurait pris pour un grand seigneur, les introduisit avec une espèce de bonté dédaigneuse. On les présenta à un principal domestique, qui leur fit voir les appartements magnifiques du maître. Ils furent admis à sa table au bas bout, sans que le seigneur du château les honorât d'un regard ; mais ils furent servis comme les autres avec délicatesse et profusion. On leur donna ensuite à laver dans un bassin d'or garni d'émeraudes et de rubis. On les mena coucher dans un bel appartement, et le lende-main matin un domestique leur apporta à chacun une pièce d'or, après quoi on les congédia.

« Le maître de la maison, dit Zadig en chemin, me paraît être un homme généreux, quoique un peu fier ; il exerce noblement l'hospitalité. » En disant ces paroles, il aperçut qu'une espèce de poche très large que portait l'ermite paraissait tendue et enflée : il y vit le bassin d'or garni de pierreries, que celui-ci avait volé. Il n'osa d'abord en rien témoigner ; mais il était dans une étrange sur-prise.

Vers le midi, l'ermite se présenta à la porte d'une maison très petite, où logeait un riche avare ; il y demanda l'hospitalité pour quelques heures. Un vieux valet mal habillé le reçut d'un ton rude, et fit entrer l'ermite et Zadig dans l'écurie, où on leur donna quelques olives pourries, de mauvais pain, et de la bière gâtée. L'er-mite but et mangea d'un air aussi content que la veille ; puis s'adressant à ce vieux valet qui les observait tous deux pour voir s'ils ne volaient rien, et qui les pressait de partir, il lui donna les deux pièces d'or qu'il avait reçues le matin, et le remercia de toutes ses attentions. « Je vous prie, ajouta-t-il, faites-moi parler à votre maître. » Le valet, étonné, introduisit les deux voyageurs : « Magnifique seigneur, dit l'ermite, je ne puis que vous rendre de très humbles grâces de la manière noble dont vous nous avez reçus : daignez accepter ce bassin d'or comme un faible gage de ma reconnaissance. » L'avare

fut près de tomber à la renverse. L'ermite ne lui donna
pas le temps de revenir de son saisissement; il partit au
plus vite avec son jeune voyageur. « Mon père, lui dit
Zadig, qu'est-ce que tout ce que je vois ? Vous ne me
paraissez ressembler en rien aux autres hommes : vous
volez un bassin d'or garni de pierreries à un seigneur qui
vous reçoit magnifiquement, et vous le donnez à un
avare qui vous traite avec indignité. — Mon fils, répondit
le vieillard, cet homme magnifique, qui ne reçoit les
étrangers que par vanité, et pour faire admirer ses richesses, deviendra plus sage; l'avare apprendra à exercer
l'hospitalité : ne vous étonnez de rien, et suivez-moi. »
Zadig ne savait encore s'il avait affaire au plus fou ou au
plus sage de tous les hommes; mais l'ermite parlait avec
tant d'ascendant que Zadig, lié d'ailleurs par son serment,
ne put s'empêcher de le suivre.

Ils arrivèrent le soir à une maison agréablement bâtie,
mais simple, où rien ne sentait ni la prodigalité ni l'avarice. Le maître était un philosophe retiré du monde, qui
cultivait en paix la sagesse et la vertu, et qui cependant
ne s'ennuyait pas. Il s'était plu à bâtir cette retraite dans
laquelle il recevait les étrangers avec une noblesse qui
n'avait rien de l'ostentation. Il alla lui-même au-devant
des deux voyageurs, qu'il fit reposer d'abord dans un
appartement commode. Quelque temps après, il les vint
prendre lui-même pour les inviter à un repas propre et
bien entendu, pendant lequel il parla avec discrétion des
dernières révolutions de Babylone. Il parut sincèrement
attaché à la reine, et souhaita que Zadig eût paru dans la
lice pour disputer la couronne. « Mais les hommes,
ajouta-t-il, ne méritent pas d'avoir un roi comme Zadig. »
Celui-ci rougissait, et sentait redoubler ses douleurs. On
convint dans la conversation que les choses de ce monde
n'allaient pas toujours au gré des plus sages. L'ermite
soutint toujours qu'on ne connaissait pas les voies de la
Providence, et que les hommes avaient tort de juger d'un
tout dont ils n'apercevaient que la plus petite partie.

On parla des passions. « Ah! qu'elles sont funestes! »
disait Zadig. — Ce sont les vents qui enflent les voiles
du vaisseau, repartit l'ermite : elles le submergent quelquefois; mais sans elles il ne pourrait voguer. La bile rend
colère et malade; mais sans la bile l'homme ne saurait
vivre. Tout est dangereux ici-bas, et tout est nécessaire. »

On parla de plaisir, et l'ermite prouva que c'est un
présent de la Divinité; « car, dit-il, l'homme ne peut se

donner ni sensation ni idées, il reçoit tout; la peine et le
plaisir lui viennent d'ailleurs comme son être ».

Zadig admirait comment un homme qui avait fait des
choses si extravagantes pouvait raisonner si bien. Enfin,
après un entretien aussi instructif qu'agréable, l'hôte
reconduisit ses deux voyageurs dans leur appartement,
en bénissant le Ciel qui lui avait envoyé deux hommes si
sages et si vertueux. Il leur offrit de l'argent d'une manière
aisée et noble qui ne pouvait déplaire. L'ermite le
refusa, et lui dit qu'il prenait congé de lui, comptant
partir pour Babylone avant le jour. Leur séparation fut
tendre, Zadig surtout se sentait plein d'estime et d'inclination pour un homme si aimable.

Quand l'ermite et lui furent dans leur appartement,
ils firent longtemps l'éloge de leur hôte. Le vieillard au
point du jour éveilla son camarade. « Il faut partir,
dit-il; mais tandis que tout le monde dort encore, je veux
laisser à cet homme un témoignage de mon estime et de
mon affection. » En disant ces mots, il prit un flambeau,
et mit le feu à la maison. Zadig, épouvanté, jeta des cris,
et voulut l'empêcher de commettre une action si affreuse.
L'ermite l'entraînait par une force supérieure; la maison
était enflammée. L'ermite, qui était déjà assez loin avec
son compagnon, la regardait brûler tranquillement. « Dieu
merci! dit-il, voilà la maison de mon cher hôte détruite
de fond en comble! L'heureux homme! » A ces mots
Zadig fut tenté à la fois d'éclater de rire, de dire des
injures au révérend père, de le battre, et de s'enfuir; mais
il ne fit rien de tout cela, et, toujours subjugué par l'ascendant de l'ermite, il le suivit malgré lui à la dernière couchée.

Ce fut chez une veuve charitable et vertueuse qui
avait un neveu de quatorze ans, plein d'agréments et son
unique espérance. Elle fit du mieux qu'elle put les honneurs de sa maison. Le lendemain, elle ordonna à son
neveu d'accompagner les voyageurs jusqu'à un pont qui,
étant rompu depuis peu, était devenu un passage dangereux. Le jeune homme, empressé, marche au-devant
d'eux. Quand ils furent sur le pont : « Venez, dit l'ermite
au jeune homme, il faut que je marque ma reconnaissance
à votre tante. » Il le prend alors par les cheveux, et le
jette dans la rivière. L'enfant tombe, reparaît un moment
sur l'eau, et est engouffré dans le torrent. « O monstre!
ô le plus scélérat de tous les hommes! s'écria Zadig. —
Vous m'aviez promis plus de patience, lui dit l'ermite

en l'interrompant; apprenez que sous les ruines de cette maison où la Providence a mis le feu, le maître a trouvé un trésor immense; apprenez que ce jeune homme dont la Providence a tordu le cou aurait assassiné sa tante dans un an, et vous dans deux. — Qui te l'a dit, barbare ? cria Zadig; et quand tu aurais lu cet événement dans ton livre des destinées, t'est-il permis de noyer un enfant qui ne t'a point fait de mal ? »

Tandis que le Babylonien parlait, il aperçut que le vieillard n'avait plus de barbe, que son visage prenait les traits de la jeunesse. Son habit d'ermite disparut; quatre belles ailes couvraient un corps majestueux et resplendissant de lumière. « O envoyé du ciel! ô ange divin! s'écria Zadig en se prosternant, tu es donc descendu de l'empyrée pour apprendre à un faible mortel à se soumettre aux ordres éternels ? — Les hommes, dit l'ange Jesrad, jugent de tout sans rien connaître : tu étais celui de tous les hommes qui méritait le plus d'être éclairé. » Zadig lui demanda la permission de parler. « Je me défie de moi-même, dit-il; mais oserai-je te prier de m'éclaircir un doute; ne vaudrait-il pas mieux avoir corrigé cet enfant, et l'avoir rendu vertueux, que de le noyer ? » Jesrad reprit : « S'il avait été vertueux, et s'il eût vécu, son destin était d'être assassiné lui-même avec la femme qu'il devait épouser, et le fils qui en devait naître. — Mais quoi! dit Zadig, il est donc nécessaire qu'il y ait des crimes et des malheurs ? et les malheurs tombent sur les gens de bien! — Les méchants, répondit Jesrad, sont toujours malheureux : ils servent à éprouver un petit nombre de justes répandus sur la terre, et il n'y a point de mal dont il ne naisse un bien. — Mais, dit Zadig, s'il n'y avait que du bien, et point de mal ? — Alors, reprit Jesrad, cette terre serait une autre terre, l'enchaînement des événements serait un autre ordre de sagesse; et cet autre ordre, qui serait parfait, ne peut être que dans la demeure éternelle de l'Etre suprême, de qui le mal ne peut approcher. Il a créé des millions de mondes dont aucun ne peut ressembler à l'autre. Cette immense variété est un attribut de sa puissance immense. Il n'y a ni deux feuilles d'arbre sur la terre, ni deux globes dans les champs infinis du ciel, qui soient semblables, et tout ce que tu vois sur le petit atome où tu es né devait être dans sa place et dans son temps fixe, selon les ordres immuables de celui qui embrasse tout. Les hommes pensent que cet enfant qui vient de périr est tombé dans l'eau par hasard,

que c'est par un même hasard que cette maison est brûlée; mais il n'y a point de hasard : tout est épreuve, ou
punition, ou récompense, ou prévoyance. Souviens-toi
de ce pêcheur qui se croyait le plus malheureux de tous
les hommes. Orosmade t'a envoyé pour changer sa destinée. Faible mortel! cesse de disputer contre ce qu'il
faut adorer. — Mais, dit Zadig... » Comme il disait *mais*,
l'ange prenait déjà son vol vers la dixième sphère. Zadig,
à genoux, adora la Providence, et se soumit. L'ange lui
cria du haut des airs : « Prends ton chemin vers Babylone. »

LES ÉNIGMES

Zadig, hors de lui-même et comme un homme auprès
de qui est tombé le tonnerre, marchait au hasard. Il entra
dans Babylone le jour où ceux qui avaient combattu dans
la lice étaient déjà assemblés dans le grand vestibule du
palais pour expliquer les énigmes, et pour répondre aux
questions du grand mage. Tous les chevaliers étaient
arrivés, excepté l'armure verte. Dès que Zadig parut dans
la ville, le peuple s'assembla autour de lui; les yeux ne
se rassasiaient point de le voir, les bouches de le bénir,
les cœurs de lui souhaiter l'empire. L'envieux le vit passer, frémit, et se détourna; le peuple le porta jusqu'au
lieu de l'assemblée. La reine, à qui on apprit son arrivée,
fut en proie à l'agitation de la crainte et de l'espérance;
l'inquiétude la dévorait : elle ne pouvait comprendre ni
pourquoi Zadig était sans armes, ni comment Itobad portait l'armure blanche. Un murmure confus s'éleva à la
vue de Zadig. On était surpris et charmé de le revoir;
mais il n'était permis qu'aux chevaliers qui avaient
combattu de paraître dans l'assemblée.

« J'ai combattu comme un autre, dit-il; mais un autre
porte ici mes armes; et, en attendant que j'aie l'honneur
de le prouver, je demande la permission de me présenter
pour expliquer les énigmes. » On alla aux voix : sa réputation de probité était encore si fortement imprimée dans
les esprits qu'on ne balança pas à l'admettre.

Le grand mage proposa d'abord cette question :
« Quelle est de toutes les choses du monde la plus longue
et la plus courte, la plus prompte et la plus lente, la plus
divisible et la plus étendue, la plus négligée et la plus
regrettée, sans qui rien ne se peut faire, qui dévore tout
ce qui est petit, et qui vivifie tout ce qui est grand ? »

C'était à Itobad à parler. Il répondit qu'un homme comme lui n'entendait rien aux énigmes, et qu'il lui suffisait d'avoir vaincu à grands coups de lance. Les uns dirent que le mot de l'énigme était la fortune, d'autres la terre, d'autres la lumière. Zadig dit que c'était le temps : « Rien n'est plus long, ajouta-t-il, puisqu'il est la mesure de l'éternité; rien n'est plus court, puisqu'il manque à tous nos projets; rien n'est plus lent pour qui attend; rien de plus rapide pour qui jouit; il s'étend jusqu'à l'infini en grand; il se divise jusque dans l'infini en petit; tous les hommes le négligent, tous en regrettent la perte; rien ne se fait sans lui; il fait oublier tout ce qui est indigne de la postérité, et il immortalise les grandes choses. » L'assemblée convint que Zadig avait raison.

On demanda ensuite : « Quelle est la chose qu'on reçoit sans remercier, dont on jouit sans savoir comment, qu'on donne aux autres quand on ne sait où l'on en est, et qu'on perd sans s'en apercevoir ? »

Chacun dit son mot : Zadig devina seul que c'était la vie. Il expliqua toutes les autres énigmes avec la même facilité. Itobad disait toujours que rien n'était plus aisé, et qu'il en serait venu à bout tout aussi facilement s'il avait voulu s'en donner la peine. On proposa des questions sur la justice, sur le souverain bien, sur l'art de régner. Les réponses de Zadig furent jugées les plus solides. « C'est bien dommage, disait-on, qu'un si bon esprit soit un si mauvais cavalier. »

— Illustres seigneurs, dit Zadig, j'ai eu l'honneur de vaincre dans la lice. C'est à moi qu'appartient l'armure blanche. Le seigneur Itobad s'en empara pendant mon sommeil : il jugea apparemment qu'elle lui siérait mieux que la verte. Je suis prêt de lui prouver d'abord devant vous, avec ma robe et mon épée, contre toute cette belle armure blanche qu'il m'a prise, que c'est moi qui ai eu l'honneur de vaincre le brave Otame. »

Itobad accepta le défi avec la plus grande confiance. Il ne doutait pas qu'étant casqué, cuirassé, brassardé, il ne vînt aisément à bout d'un champion en bonnet de nuit et en robe de chambre. Zadig tira son épée, en saluant la reine, qui le regardait, pénétrée de joie et de crainte. Itobad tira la sienne, en ne saluant personne. Il s'avança sur Zadig comme un homme qui n'avait rien à craindre. Il était prêt à lui fendre la tête : Zadig sut parer le coup, en opposant ce qu'on appelle le fort de l'épée au faible de son adversaire, de façon que l'épée d'Itobad se rompit.

Alors Zadig, saisissant son ennemi au corps, le renversa par terre; et lui portant la pointe de son épée au défaut de la cuirasse : « Laissez-vous désarmer, dit-il, ou je vous tue. » Itobad, toujours surpris des disgrâces qui arrivaient à un homme comme lui, laissa faire Zadig, qui lui ôta paisiblement son magnifique casque, sa superbe cuirasse, ses beaux brassards, ses brillants cuissards, s'en revêtit, et courut dans cet équipage se jeter aux genoux d'Astarté. Cador prouva aisément que l'armure appartenait à Zadig. Il fut reconnu roi d'un consentement unanime, et surtout de celui d'Astarté, qui goûtait, après tant d'adversités, la douceur de voir son amant digne aux yeux de l'univers d'être son époux. Itobad alla se faire appeler monseigneur dans sa maison. Zadig fut roi, et fut heureux. Il avait présent à l'esprit ce que lui avait dit l'ange Jesrad. Il se souvenait même du grain de sable devenu diamant. La reine et lui adorèrent la Providence. Zadig laissa la belle capricieuse Missouf courir le monde. Il envoya chercher le brigand Arbogad, auquel il donna un grade honorable dans son armée, avec promesse de l'avancer aux premières dignités s'il se comportait en vrai guerrier, et de le faire pendre s'il faisait le métier de brigand.

Sétoc fut appelé du fond de l'Arabie, avec la belle Almona, pour être à la tête du commerce de Babylone. Cador fut placé et chéri selon ses services; il fut l'ami du roi, et le roi fut alors le seul monarque de la terre qui eût un ami. Le petit muet ne fut pas oublié. On donna une belle maison au pêcheur. Orcan fut condamné à lui payer une grosse somme, et à lui rendre sa femme; mais le pêcheur, devenu sage, ne prit que l'argent.

Ni la belle Sémire ne se consolait d'avoir cru que Zadig serait borgne, ni Azora ne cessait de pleurer d'avoir voulu lui couper le nez. Il adoucit leurs douleurs par des présents. L'envieux mourut de rage et de honte. L'empire jouit de la paix, de la gloire et de l'abondance; ce fut le plus beau siècle de la terre : elle était gouvernée par la justice et par l'amour. On bénissait Zadig, et Zadig bénissait le ciel.

APPENDICE*

LA DANSE

Sétoc devait aller, pour les affaires de son commerce, dans l'île de Serendib; mais le premier mois de son mariage qui est, comme on sait, la lune du miel, ne lui permettait ni de quitter sa femme, ni de croire qu'il pût jamais la quitter : il pria son ami Zadig de faire pour lui le voyage. « Hélas! disait Zadig, faut-il que je mette encore un plus vaste espace entre la belle Astarté et moi ? Mais il faut servir mes bienfaiteurs. » Il dit, il pleura, et il partit.

Il ne fut pas longtemps dans l'île de Serendib sans y être regardé comme un homme extraordinaire. Il devint l'arbitre de tous les différends entre les négociants, l'ami des sages, le conseil du petit nombre de gens qui prennent conseil. Le roi voulut le voir et l'entendre. Il connut bientôt tout ce que valait Zadig; il eut confiance en sa sagesse, et en fit son ami. La familiarité et l'estime du roi fit trembler Zadig. Il était, nuit et jour, pénétré du malheur que lui avaient attiré les bontés de Moabdar. « Je plais au roi, disait-il, ne serai-je pas perdu ? » Cependant il ne pouvait se dérober aux caresses de Sa Majesté : car il faut avouer que Nabussan, roi de Serendib, fils de Nussanab, fils de Nabassun, fils de Sanbusna, était un des meilleurs princes de l'Asie; et que, quand on lui parlait, il était difficile de ne le pas aimer.

Ce bon prince était toujours loué, trompé et volé : c'était à qui pillerait ses trésors. Le receveur général de l'île de Serendib donnait toujours cet exemple, fidèlement suivi par les autres. Le roi le savait; il avait changé de trésorier plusieurs fois; mais il n'avait pu changer la mode établie de partager les revenus du roi en deux moitiés inégales, dont la plus petite revenait toujours à Sa Majesté, et la plus grosse aux administrateurs.

Le roi Nabussan confia sa peine au sage Zadig. « Vous

* Nous donnons dans cet appendice deux chapitres posthumes qui parurent pour la première fois dans l'édition de Kehl où ils avaient été insérés entre le chapitre des Rendez-vous (p. 33) et celui du Brigand (p. 35). Les éditeurs de Kehl avaient supprimé les deux paragraphes qui terminent notre chapitre des Rendez-vous (à partir de *Zadig partit après s'être jeté aux pieds de sa belle libératrice...*). (Note des éditeurs.)

qui savez tant de belles choses, lui dit-il, ne sauriez-vous
point le moyen de me faire trouver un trésorier qui ne
me vole point ? — Assurément, répondit Zadig, je sais
une façon infaillible de vous donner un homme qui ait
les mains nettes. » Le roi, charmé, lui demanda, en l'embrassant, comment il fallait s'y prendre. « Il n'y a, dit
Zadig, qu'à faire danser tous ceux qui se présenteront
pour la dignité de trésorier, et celui qui dansera avec
le plus de légèreté sera infailliblement le plus honnête homme. — Vous vous moquez, dit le roi; voilà
une plaisante façon de choisir un receveur de mes
finances! Quoi, vous prétendez que celui qui fera le mieux
un entrechat sera le financier le plus intègre et le plus
habile! — Je ne vous réponds pas qu'il sera le plus habile,
repartit Zadig; mais je vous assure que ce sera indubitablement le plus honnête homme. » Zadig parlait avec
tant de confiance que le roi crut qu'il avait quelque secret
surnaturel pour connaître les financiers. « Je n'aime pas
le surnaturel, dit Zadig, les gens et les livres à prodiges
m'ont toujours déplu : si Votre Majesté veut me laisser
faire l'épreuve que je lui propose, elle sera bien convaincue que mon secret est la chose la plus simple et la plus
aisée. » Nabussan, roi de Serendib, fut bien plus étonné
d'entendre que ce secret était simple, que si on le lui
avait donné pour un miracle : « Or bien, dit-il, faites
comme vous l'entendrez. — Laissez-moi faire, dit Zadig,
vous gagnerez à cette épreuve plus que vous ne pensez. »
Le jour même il fit publier, au nom du roi, que tous ceux
qui prétendaient à l'emploi de haut receveur des deniers
de Sa Gracieuse Majesté Nabussan, fils de Nussanab,
eussent à se rendre, en habits de soie légère, le premier
de la lune du crocodile, dans l'antichambre du roi. Ils
s'y rendirent au nombre de soixante et quatre. On avait
fait venir des violons dans un salon voisin; tout était préparé pour le bal; mais la porte de ce salon était fermée,
et il fallait, pour y entrer, passer par une petite galerie
assez obscure. Un huissier vint chercher et introduire
chaque candidat, l'un après l'autre, par ce passage dans
lequel on le laissait seul quelques minutes. Le roi, qui
avait le mot, avait étalé tous ses trésors dans cette galerie.
Lorsque tous les prétendants furent arrivés dans le salon,
Sa Majesté ordonna qu'on les fît danser. Jamais on ne
dansa plus pesamment et avec moins de grâce; ils avaient
tous la tête baissée, les reins courbés, les mains collées à
leurs côtés. « Quels fripons! » disait tout bas Zadig. Un

seul d'entre eux formait des pas avec agilité, la tête haute, le regard assuré, les bras étendus, le corps droit, le jarret ferme. « Ah! l'honnête homme! le brave homme! » disait Zadig. Le roi embrassa ce bon danseur, le déclara trésorier, et tous les autres furent punis et taxés avec la plus grande justice du monde : car chacun, dans le temps qu'il avait été dans la galerie, avait rempli ses poches, et pouvait à peine marcher. Le roi fut fâché pour la nature humaine que de ces soixante et quatre danseurs il y eût soixante et trois filous. La galerie obscure fut appelée *le corridor de la tentation*. On aurait en Perse empalé ces soixante et trois seigneurs; en d'autres pays on eût fait une chambre de justice qui eût consommé en frais le triple de l'argent volé, et qui n'eût rien remis dans les coffres du souverain; dans un autre royaume, ils se seraient pleinement justifiés, et auraient fait disgracier ce danseur si léger : à Serendib, ils ne furent condamnés qu'à augmenter le trésor public, car Nabussan était fort indulgent.

Il était aussi fort reconnaissant; il donna à Zadig une somme d'argent plus considérable qu'aucun trésorier n'en avait jamais volé au roi son maître. Zadig s'en servit pour envoyer des exprès à Babylone, qui devaient l'informer de la destinée d'Astarté. Sa voix trembla en donnant cet ordre, son sang reflua vers son cœur, ses yeux se couvrirent de ténèbres, son âme fut prête à l'abandonner. Le courrier partit, Zadig le vit embarquer; il rentra chez le roi, ne voyant personne, croyant être sans sa chambre, et prononçant le nom d'amour. « Ah! l'amour, dit le roi; c'est précisément ce dont il s'agit; vous avez deviné ce qui fait ma peine. Que vous êtes un grand homme! J'espère que vous m'apprendrez à connaître une femme à toute épreuve, comme vous m'avez fait trouver un trésorier désintéressé. » Zadig, ayant repris ses sens, lui promit de le servir en amour comme en finance, quoique la chose parût plus difficile encore.

LES YEUX BLEUS

« Le corps et le cœur... », dit le roi à Zadig. A ces mots, le Babylonien ne put s'empêcher d'interrompre Sa Majesté. « Que je vous sais bon gré, dit-il, de n'avoir point dit *l'esprit et le cœur!* Car on n'entend que ces mots dans les conversations de Babylone; on ne voit que des livres

où il est question du cœur et de l'esprit, composés par
des gens qui n'ont ni de l'un ni de l'autre; mais, de grâce,
sire, poursuivez. » Nabussan continua ainsi : « Le corps
et le cœur sont chez moi destinés à aimer; la première de
ces deux puissances a tout lieu d'être satisfaite. J'ai ici
cent femmes à mon service, toutes belles, complaisantes,
prévenantes, voluptueuses même, ou feignant de l'être
avec moi. Mon cœur n'est pas à beaucoup près si heureux. Je n'ai que trop éprouvé qu'on caresse beaucoup
le roi de Serendib, et qu'on se soucie fort peu de Nabussan. Ce n'est pas que je croie mes femmes infidèles; mais
je voudrais trouver une âme qui fût à moi; je donnerais
pour un pareil trésor les cent beautés dont je possède les
charmes : voyez si, sur ces cent sultanes, vous pouvez
m'en trouver une dont je sois sûr d'être aimé. »

Zadig lui répondit comme il avait fait sur l'article des
financiers : « Sire, laissez-moi faire; mais permettez
d'abord que je dispose de ce que vous aviez étalé dans la
galerie de la tentation; je vous en rendrai bon compte, et
vous n'y perdrez rien. » Le roi le laissa le maître absolu.
Il choisit dans Serendib trente-trois petits bossus des
plus vilains qu'il put trouver, trente-trois pages des plus
beaux, et trente-trois bonzes des plus éloquents et des plus
robustes. Il leur laissa à tous la liberté d'entrer dans les
cellules des sultanes; chaque petit bossu eut quatre mille
pièces d'or à donner; et dès le premier jour tous les bossus
furent heureux. Les pages, qui n'avaient rien à donner
qu'eux-mêmes, ne triomphèrent qu'au bout de deux ou
trois jours. Les bonzes eurent un peu plus de peine; mais
enfin trente-trois dévotes se rendirent à eux. Le roi, par
des jalousies qui avaient vue sur toutes les cellules, vit
toutes ces épreuves, et fut émerveillé. De ses cent femmes,
quatre-vingt-dix-neuf succombèrent à ses yeux. Il en
restait une toute jeune, toute neuve, de qui Sa Majesté
n'avait jamais approché. On lui détacha, un, deux, trois
bossus, qui lui offrirent jusqu'à vingt mille pièces; elle
fut incorruptible, et ne put s'empêcher de rire de l'idée
qu'avaient ces bossus de croire que de l'argent les rendrait mieux faits. On lui présenta les deux plus beaux
pages; elle dit qu'elle trouvait le roi encore plus beau.
On lui lâcha le plus éloquent des bonzes, et ensuite le
plus intrépide; elle trouva le premier un bavard, et ne
daigna pas même soupçonner le mérite du second. « Le
cœur fait tout, disait-elle; je ne céderai jamais ni à l'or
d'un bossu, ni aux grâces d'un jeune homme, ni aux

séductions d'un bonze : j'aimerai uniquement Nabussan,
fils de Nussanab, et j'attendrai qu'il daigne m'aimer. »
Le roi fut transporté de joie, d'étonnement et de tendresse. Il reprit tout l'argent qui avait fait réussir les
bossus, et en fit présent à la belle Falide : c'était le nom
de cette jeune personne. Il lui donna son cœur : elle le
méritait bien. Jamais la fleur de la jeunesse ne fut si brillante ; jamais les charmes de la beauté ne furent si enchanteurs. La vérité de l'histoire ne permet pas de taire
qu'elle faisait mal la révérence ; mais elle dansait comme
les fées, chantait comme les sirènes, et parlait comme les
Grâces : elle était pleine de talents et de vertus.

Nabussan, aimé, l'adora ; mais elle avait les yeux bleus,
et ce fut la source des plus grands malheurs. Il y avait
une ancienne loi qui défendait aux rois d'aimer une de
ces femmes que les Grecs ont appelées depuis boopies.
Le chef des bonzes avait établi cette loi il y avait plus de
cinq mille ans ; c'était pour s'approprier la maîtresse du
premier roi de l'île de Serendib que ce premier bonze
avait fait passer l'anathème des yeux bleus en constitution
fondamentale d'Etat. Tous les ordres de l'empire vinrent
faire à Nabussan des remontrances. On disait publiquement que les derniers jours du royaume étaient arrivés,
que l'abomination était à son comble, que toute la nature
était menacée d'un événement sinistre ; qu'en un mot
Nabussan, fils de Nussanab, aimait deux grands yeux
bleus. Les bossus, les financiers, les bonzes, et les brunes,
remplirent le royaume de leurs plaintes.

Les peuples sauvages qui habitent le nord de Serendib
profitèrent de ce mécontentement général. Ils firent une
irruption dans les Etats du bon Nabussan. Il demanda
des subsides à ses sujets ; les bonzes, qui possédaient la
moitié des revenus de l'Etat, se contentèrent de lever les
mains au ciel, et refusèrent de les mettre dans leurs coffres
pour aider le roi. Ils firent de belles prières en musique,
et laissèrent l'Etat en proie aux barbares.

« O mon cher Zadig, me tireras-tu encore de cet horrible
embarras ? s'écria douloureusement Nabussan. — Très
volontiers, répondit Zadig ; vous aurez de l'argent des
bonzes tant que vous en voudrez. Laissez à l'abandon les
terres où sont situés leurs châteaux, et défendez seulement
les vôtres. » Nabussan n'y manqua pas : les bonzes vinrent
se jeter aux pieds du roi, et implorer son assistance. Le
roi leur répondit par une belle musique dont les paroles
étaient des prières au ciel pour la conservation de leurs

terres. Les bonzes enfin donnèrent de l'argent, et le roi finit heureusement la guerre. Ainsi Zadig, par ses conseils sages et heureux, et par les plus grands services, s'était attiré l'irréconciliable inimitié des hommes les plus puissants de l'Etat; les bonzes et les brunes jurèrent sa perte; les financiers et les bossus ne l'épargnèrent pas; on le rendit suspect au bon Nabussan. Les services rendus restent souvent dans l'antichambre, et les soupçons entrent dans le cabinet, selon la sentence de Zoroastre : c'était tous les jours de nouvelles accusations; la première est repoussée, la seconde effleure, la troisième blesse, la quatrième tue.

Zadig, intimidé, qui avait bien fait les affaires de son ami Sétoc, et qui lui avait fait tenir son argent, ne songea plus qu'à partir de l'île, et résolut d'aller lui-même chercher des nouvelles d'Astarté. « Car, disait-il, si je reste dans Serendib, les bonzes me feront empaler; mais où aller ? je serai esclave en Egypte, brûlé selon toutes les apparences en Arabie, étranglé à Babylone. Cependant il faut savoir ce qu'Astarté est devenue : partons, et voyons à quoi me réserve ma triste destinée. »

NOTE

LE MONDE COMME IL VA

Ce conte fut l'un de ceux que Voltaire lisait à la duchesse du Maine et à sa société pendant l'automne de 1747. Il le fit imprimer pour la première fois en 1748, dans une édition de ses *Œuvres* par Walther de Dresde, sous le titre *le Monde comme il va*. L'année suivante, une réédition parisienne par le libraire Lambert s'intitule *Babouc ou le Monde comme il va*. Le titre définitif date de 1764 : *le Monde comme il va*. *Vision de Babouc, écrite par lui-même*. Cette addition est quelque peu énigmatique. Dans le texte, demeuré inchangé, nulle allusion à une « vision ». Rien ne laisse supposer que la visite initiale d'Ituriel ou le compte rendu final de Babouc relève de l'hallucination. L'intitulé de 1764 annonçait-il une intention de modifier la mise en scène du récit, à laquelle Voltaire n'aurait pas donné de suite ?

Peu de contes sont aussi « réalistes » que celui-ci. Le travesti oriental même appartenait à une actualité récente. En 1745 toute la cour s'était déguisée à la turque, au bal masqué donné pour le mariage du Dauphin avec l'infante Marie-Thérèse d'Espagne. Le graveur Cochin le fils, pour la postérité, fixa l'image d'une France portant turban et pantalon à l'ottomane.

Le travesti du *Monde comme il va* n'est pas moins factice. On oublie vite que c'est à Persépolis que Babouc mène son enquête. Voltaire en ce conte écrit ses « Scènes de la vie parisienne ». On reconnaît d'abord « l'ancienne entrée » de la « ville immense » : le faubourg Saint-Marceau, populeux et sordide. Successivement sont évoquées les sphères diverses de la capitale. Au Parlement, par la faute de la vénalité des charges, de très jeunes gens obtiennent le pouvoir de juger. L'Eglise est en proie à l'agitation janséniste : les convulsionnaires ne se contentent pas d'annoncer le retour de « Zerdust », c'est-à-dire d'Elie, signe de la fin des temps ; ils se livrent, chez eux depuis la fermeture du cimetière Saint-Médard, à des pratiques psychopathiques où sont fâcheusement mêlées de toutes jeunes filles. La finance est aux mains des « quarante rois plébéiens », les fermiers généraux qui, levant l'impôt, consentent à en rétrocéder « quelque chose au monarque ». Les ministres, assiégés par les solliciteurs, s'enferment inaccessibles dans leur toute-puissance ; mais ils succombent sous les affaires, en raison même de leur toute-puissance. Le commerce de luxe pratique des prix scandaleusement élevés. Les dames du bel air vivent dans une tranquille immoralité. A l'arrière-plan, la guerre : celle de Succession d'Autriche, dont Voltaire, en sa qualité d'historiographe, est occupé à écrire l'histoire. Il découvrait comme Babouc les dessous de la chose militaire : l'horreur des champs de bataille, l'ignominie des hôpitaux, l'indifférence des troupes mercenaires, et du côté du commandement l'ignorance ou l'incertitude des buts de guerre, les dissensions entre généraux, leur impéritie qui engage les armées dans des opérations inutiles et mal conduites (telle la bataille de Dettingen).

Mais Voltaire-Babouc ne se contente pas d'enquêter. Il a pour mission de juger. Faut-il anéantir « Persépolis », comme une Gomorrhe moderne ? Le philosophe a l'habitude de voir « le pour et le contre » (c'est le titre d'une œuvre de Voltaire). Il s'avise que la guerre, cette boucherie, est aussi l'école de l'héroïsme ; que l'Eglise compte en ses rangs des « mages » vertueux ; que les financiers avides ont dans l'occasion secouru l'Etat (Voltaire pense à Pâris-Duverney). Parmi les femmes du monde, Babouc rencontre des dames d'un esprit éclairé, ayant les vertus de « l'honnête homme », telle Téone (en qui on reconnaît Mme du Châtelet). Le théâtre lui paraît enseigner, en un langage « mesuré, harmonieux et sublime », « le devoir des rois, l'amour de la vertu, les dangers des passions ». Aux soupers après le spectacle, il savoure les plaisirs de la table et ceux d'une conversation enjouée.

Ainsi Babouc se forme. Le Scythe a été conquis par les séductions de la « capitale infâme ». Il est devenu Parisien. Evolution qui fait sentir, dans un récit dépourvu de tout repère chronologique, une durée romanesque.

R. P.

LE MONDE COMME IL VA,

VISION DE BABOUC

ÉCRITE PAR LUI-MÊME

Parmi les génies qui président aux empires du monde, Ituriel tient un des premiers rangs, et il a le département de la haute Asie. Il descendit un matin dans la demeure du Scythe Babouc, sur le rivage de l'Oxus, et lui dit : « Babouc, les folies et les excès des Perses ont attiré notre colère : il s'est tenu hier une assemblée des génies de la haute Asie pour savoir si on châtierait Persépolis, ou si on la détruirait. Va dans cette ville, examine tout; tu reviendras m'en rendre un compte fidèle, et je me déterminerai, sur ton rapport, à corriger la ville ou à l'exterminer. — Mais, seigneur, dit humblement Babouc, je n'ai jamais été en Perse; je n'y connais personne. — Tant mieux, dit l'ange, tu ne seras point partial; tu as reçu du Ciel le discernement et j'y ajoute le don d'inspirer la confiance; marche, regarde, écoute, observe, et ne crains rien; tu seras partout bien reçu. »

Babouc monta sur son chameau et partit avec ses serviteurs. Au bout de quelques journées, il rencontra vers les plaines de Sennaar l'armée persane, qui allait combattre l'armée indienne. Il s'adressa d'abord à un soldat qu'il trouva écarté. Il lui parla, et lui demanda quel était le sujet de la guerre. « Par tous les dieux, dit le soldat, je n'en sais rien. Ce n'est pas mon affaire : mon métier est de tuer et d'être tué pour gagner ma vie; il n'importe qui je serve. Je pourrais bien même dès demain passer dans le camp des Indiens : car on dit qu'ils donnent près d'une demi-drachme de cuivre par jour à leurs soldats de plus que nous n'en avons dans ce maudit service de Perse. Si vous voulez savoir pourquoi on se bat, parlez à mon capitaine. »

Babouc ayant fait un petit présent au soldat entra dans le camp. Il fit bientôt connaissance avec le capitaine, et

lui demanda le sujet de la guerre. « Comment voulez-vous
que je le sache ? dit le capitaine, et que m'importe ce beau
sujet ? J'habite à deux cents lieues de Persépolis ; j'entends
dire que la guerre est déclarée ; j'abandonne aussitôt ma
famille, et je vais chercher, selon notre coutume, la fortune ou la mort, attendu que je n'ai rien à faire. — Mais
vos camarades, dit Babouc, ne sont-ils pas un peu plus
instruits que vous ? — Non, dit l'officier ; il n'y a guère
que nos principaux satrapes qui savent bien précisément
pourquoi on s'égorge. »

Babouc, étonné, s'introduisit chez les généraux ; il
entra dans leur familiarité. L'un d'eux lui dit enfin : « La
cause de cette guerre, qui désole depuis vingt ans l'Asie,
vient originairement d'une querelle entre un eunuque
d'une femme du grand roi de Perse, et un commis d'un
bureau du grand roi des Indes. Il s'agissait d'un droit qui
revenait à peu près à la trentième partie d'une darique.
Le premier ministre des Indes et le nôtre soutinrent
dignement les droits de leurs maîtres. La querelle
s'échauffa. On mit de part et d'autre en campagne une
armée d'un million de soldats. Il faut recruter cette
armée tous les ans de plus de quatre cent mille hommes.
Les meurtres, les incendies, les ruines, les dévastations,
se multiplient ; l'univers souffre, et l'acharnement
continue. Notre premier ministre et celui des Indes pro-
testent souvent qu'ils n'agissent que pour le bonheur du
genre humain ; et à chaque protestation il y a toujours
quelque ville détruite et quelques provinces ravagées. »

Le lendemain, sur un bruit qui se répandit que la paix
allait être conclue, le général persan et le général indien
s'empressèrent de donner bataille ; elle fut sanglante.
Babouc en vit toutes les fautes et toutes les abominations ;
il fut témoin des manœuvres des principaux satrapes,
qui firent ce qu'ils purent pour faire battre leur chef. Il
vit des officiers tués par leurs propres troupes ; il vit des
soldats qui achevaient d'égorger leurs camarades expirants pour leur arracher quelques lambeaux sanglants,
déchirés et couverts de fange. Il entra dans les hôpitaux
où l'on transportait les blessés, dont la plupart expiraient
par la négligence inhumaine de ceux mêmes que le roi de
Perse payait chèrement pour les secourir. « Sont-ce là des
hommes, s'écria Babouc, ou des bêtes féroces ? Ah ! je
vois bien que Persépolis sera détruite. »

Occupé de cette pensée, il passa dans le camp des
Indiens : il y fut aussi bien reçu que dans celui des Perses,

selon ce qui lui avait été prédit; mais il y vit tous les mêmes excès qui l'avaient saisi d'horreur. « Oh, oh! dit-il en lui-même, si l'ange Ituriel veut exterminer les Persans, il faut donc que l'ange des Indes détruise aussi les Indiens. » S'étant ensuite informé plus en détail de ce qui s'était passé dans l'une et l'autre armée, il apprit des actions de générosité, de grandeur d'âme, d'humanité, qui l'étonnèrent et le ravirent. « Inexplicables humains, s'écria-t-il, comment pouvez-vous réunir tant de bassesse et de grandeur, tant de vertus et de crimes ? »

Cependant la paix fut déclarée. Les chefs des deux armées, dont aucun n'avait remporté la victoire, mais qui, pour leur seul intérêt, avaient fait verser le sang de tant d'hommes, leurs semblables, allèrent briguer dans leurs cours des récompenses. On célébra la paix dans des écrits publics qui n'annonçaient que le retour de la vertu et de la félicité sur la terre. « Dieu soit loué! dit Babouc; Persépolis sera le séjour de l'innocence épurée; elle ne sera point détruite comme le voulaient ces vilains génies : courons sans tarder dans cette capitale de l'Asie. »

Il arriva dans cette ville immense par l'ancienne entrée, qui était toute barbare, et dont la rusticité dégoûtante offensait les yeux. Toute cette partie de la ville se ressentait du temps où elle avait été bâtie : car, malgré l'opiniâtreté des hommes à louer l'antique aux dépens du moderne, il faut avouer qu'en tout genre les premiers essais sont toujours grossiers.

Babouc se mêla dans la foule d'un peuple composé de ce qu'il y avait de plus sale et de plus laid dans les deux sexes. Cette foule se précipitait d'un air hébété dans un enclos vaste et sombre. Au bourdonnement continuel, au mouvement qu'il y remarqua, à l'argent que quelques personnes donnaient à d'autres pour avoir droit de s'asseoir, il crut être dans un marché où l'on vendait des chaises de paille; mais bientôt, voyant que plusieurs femmes se mettaient à genoux, en faisant semblant de regarder fixement devant elles, et en regardant les hommes de côté, il s'aperçut qu'il était dans un temple. Des voix aigres, rauques, sauvages, discordantes, faisaient retentir la voûte de sons mal articulés qui faisaient le même effet que les voix des onagres quand elles répondent, dans les plaines des Pictaves, au cornet à bouquin qui les appelle. Il se bouchait les oreilles; mais il fut près de se boucher encore les yeux et le nez quand il vit entrer dans ce temple des ouvriers avec des pinces et des pelles. Ils remuèrent une large pierre, et jetèrent à droite et à gauche une terre dont s'exhalait une odeur empestée; ensuite on vint poser un mort dans cette ouverture, et on remit la pierre par-dessus.

« Quoi! s'écria Babouc, ces peuples enterrent leurs morts dans les mêmes lieux où ils adorent la Divinité! Quoi! leurs temples sont pavés de cadavres! Je ne m'étonne plus de ces maladies pestilentielles qui désolent souvent Persépolis. La pourriture des morts, et celle de tant de vivants rassemblés et pressés dans le même lieu, est capable d'empoisonner le globe terrestre. Ah! la vilaine ville que Persépolis! Apparemment que les anges veulent la détruire pour en rebâtir une plus belle, et pour la peupler d'habitants moins malpropres, et qui chantent mieux. La Providence peut avoir ses raisons; laissons-la faire. »

Cependant le soleil approchait du haut de sa carrière. Babouc devait aller dîner à l'autre bout de la ville, chez une dame pour laquelle son mari, officier de l'armée, lui avait donné des lettres. Il fit d'abord plusieurs tours dans Persépolis; il vit d'autres temples mieux bâtis et mieux ornés, remplis d'un peuple poli, et retentissant d'une musique harmonieuse; il remarqua des fontaines publiques, lesquelles, quoique mal placées, frappaient les yeux par leur beauté; des places où semblaient respirer en bronze les meilleurs rois qui avaient gouverné la Perse; d'autres places où il entendait le peuple s'écrier : « Quand verrons-nous ici le maître que nous chérissons ? » Il admira les ponts magnifiques · élevés sur le fleuve, les quais superbes et commodes, les palais bâtis à droite et à gauche, une maison immense où des milliers de vieux soldats blessés et vainqueurs rendaient chaque jour grâces au Dieu des armées. Il entra enfin chez la dame, qui l'attendait à dîner avec une compagnie d'honnêtes gens. La maison était propre et ornée, le repas délicieux, la dame jeune, belle, spirituelle, engageante, la compagnie digne d'elle; et Babouc disait en lui-même à tout moment : « L'ange Ituriel se moque du monde de vouloir détruire une ville si charmante. »

Cependant il s'aperçut que la dame, qui avait commencé par lui demander tendrement des nouvelles de son mari, parlait plus tendrement encore, sur la fin du repas, à un jeune mage. Il vit un magistrat qui, en présence de sa femme, pressait avec vivacité une veuve; et cette veuve indulgente avait une main passée autour du cou du magistrat, tandis qu'elle tendait l'autre à un jeune citoyen très beau et très modeste. La femme du magistrat se leva de table la première pour aller entretenir dans un cabinet voisin son directeur, qui arrivait trop tard et qu'on avait attendu à dîner; et le directeur, homme éloquent, lui parla dans ce cabinet avec tant de véhémence et d'onction que la dame avait, quand elle revint, les yeux humides, les joues enflammées, la démarche mal assurée, la parole tremblante.

Alors Babouc commença à craindre que le génie Ituriel n'eût raison. Le talent qu'il avait d'attirer la confiance le mit dès le jour même dans les secrets de la dame : elle lui confia son goût pour le jeune mage, et l'assura que dans toutes les maisons de Persépolis il trouverait l'équivalent de ce qu'il avait vu dans la sienne. Babouc conclut qu'une telle société ne pouvait subsister; que la jalousie, la discorde, la vengeance, devaient désoler toutes les maisons; que les larmes et le sang devaient couler tous les jours; que certainement les maris tueraient les galants de leurs femmes, ou en seraient tués; et qu'enfin Ituriel faisait fort bien de détruire tout d'un coup une ville abandonnée à de continuels désordres.

Il était plongé dans ces idées funestes, quand il se présenta à la porte un homme grave, en manteau noir, qui demanda humblement à parler au jeune magistrat. Celui-ci, sans se lever, sans le regarder, lui donna fièrement, et d'un air distrait, quelques papiers, et le congédia. Babouc demanda quel était cet homme. La maîtresse de la maison lui dit tout bas : « C'est un des meilleurs avocats de la ville; il y a cinquante ans qu'il étudie les lois. Monsieur, qui n'a que vingt-cinq ans, et qui est satrape de loi depuis deux jours, lui donne à faire l'extrait d'un procès qu'il doit juger, qu'il n'a pas encore examiné. — Ce jeune étourdi fait sagement, dit Babouc, de demander conseil à un vieillard; mais pourquoi n'est-ce pas ce vieillard qui est juge ? — Vous vous moquez, lui dit-on; jamais ceux qui ont vieilli dans les emplois laborieux et subalternes ne parviennent aux dignités. Ce jeune homme a une grande charge, parce que son père est riche, et qu'ici le droit de rendre la justice s'achète comme une métairie. — O mœurs! ô malheureuse ville! s'écria Babouc; voilà le comble du désordre; sans doute, ceux qui ont ainsi acheté le droit de juger vendent leurs jugements : je ne vois ici que des abîmes d'iniquité. »

Comme il marquait ainsi sa douleur et sa surprise, un jeune guerrier, qui était revenu ce jour même de l'armée, lui dit : « Pourquoi ne voulez-vous pas qu'on achète les emplois de la robe ? J'ai bien acheté, moi, le droit d'affronter la mort à la tête de deux mille hommes, que je commande; il m'en a coûté quarante mille dariques d'or, cette année, pour coucher sur la terre trente nuits de suite en habit rouge, et pour recevoir ensuite deux bons coups de flèches dont je me sens encore. Si je me ruine pour servir l'empereur persan, que je n'ai jamais vu, Mr. le satrape de robe peut bien payer quelque chose pour avoir le plaisir de donner audience à des plaideurs. » Babouc, indigné, ne put s'empêcher de condamner dans son cœur un pays où l'on mettait à l'encan les dignités de la paix et de la guerre; il conclut précipitamment que l'on y devait ignorer absolument la guerre et les lois, et que, quand même Ituriel n'exterminerait pas ces peuples, ils périraient par leur détestable administration.

Sa mauvaise opinion augmenta encore à l'arrivée d'un gros homme qui, ayant salué très familièrement toute la compagnie, s'approcha du jeune officier, et lui dit : « Je ne peux vous prêter cinquante mille dariques d'or, car, en vérité, les douanes de l'empire ne m'en ont rapporté que trois cent mille cette année. » Babouc s'informa quel était cet homme qui se plaignait de gagner si peu; il apprit qu'il y avait dans Persépolis quarante rois plébéiens qui tenaient à bail l'empire de Perse, et qui en rendaient quelque chose au monarque.

Après dîner, il alla dans un des plus superbes temples de la ville; il s'assit au milieu d'une troupe de femmes et d'hommes qui étaient venus là pour passer le temps. Un mage parut dans une machine élevée, qui parla longtemps du vice et de la vertu. Ce mage divisa en plusieurs parties ce qui n'avait pas besoin d'être divisé; il prouva méthodiquement tout ce qui était clair; il enseigna tout ce qu'on savait. Il se passionna froidement, et sortit suant et hors d'haleine. Toute l'assemblée alors se réveilla, et crut avoir assisté à une instruction. Babouc dit : « Voilà un homme qui a fait de son mieux pour ennuyer deux ou trois cents de ses concitoyens; mais son intention était bonne, et il n'y a pas là de quoi détruire Persépolis. »

Au sortir de cette assemblée, on le mena voir une fête publique qu'on donnait tous les jours de l'année : c'était dans une espèce de basilique, au fond de laquelle on voyait un palais. Les plus belles citoyennes de Persépolis, les plus considérables satrapes, rangés avec ordre, formaient un spectacle si beau que Babouc crut d'abord que c'était là toute la fête. Deux ou trois personnes, qui paraissaient des rois et des reines, parurent bientôt dans le vestibule de ce palais; leur langage était très différent de celui du peuple; il était mesuré, harmonieux, et sublime. Personne ne dormait, on écoutait dans un profond silence, qui n'était interrompu que par les témoignages de la sensibilité et de l'admiration publique. Le devoir des rois, l'amour de la vertu, les dangers des passions, étaient exprimés par des traits si vifs et si touchants que Babouc versa des larmes. Il ne douta pas que ces héros et ces héroïnes, ces rois et ces reines qu'il venait d'entendre, ne fussent les prédicateurs de l'empire; il se proposa même d'engager Ituriel à les venir entendre, bien sûr qu'un tel spectacle le réconcilierait pour jamais avec la ville.

Dès que cette fête fut finie, il voulut voir la principale reine qui avait débité dans ce beau palais une morale si noble et si pure; il se fit introduire chez Sa Majesté; on le mena par un petit escalier, au second étage, dans un appartement mal meublé, où il trouva une femme mal vêtue qui lui dit, d'un air noble et pathétique : « Ce métier-ci ne me donne pas de quoi vivre; un des princes que vous avez vus m'a fait un enfant; j'accoucherai bientôt; je manque d'argent et sans argent on n'accouche point. » Babouc lui donna cent dariques d'or, en disant : « S'il n'y avait que ce mal-là dans la ville, Ituriel aurait tort de se tant fâcher. »

De là il alla passer sa soirée chez des marchands de magnificences inutiles. Un homme intelligent, avec lequel il avait fait connaissance, l'y mena; il acheta ce qui lui plut, et on le lui vendit avec politesse beaucoup plus qu'il ne valait. Son ami, de retour chez lui, lui fit voir combien on le trompait. Babouc mit sur ses tablettes le nom du marchand, pour le faire distinguer par Ituriel au jour de la punition de la ville. Comme il écrivait, on frappa à sa porte; c'était le marchand lui-même qui venait lui rapporter sa bourse, que Babouc avait laissée par mégarde sur son comptoir. « Comment se peut-il, s'écria Babouc, que vous soyez si fidèle et si généreux, après n'avoir pas eu

de honte de me vendre des colifichets quatre fois au-
dessus de leur valeur ? — Il n'y a aucun négociant un
peu connu dans cette ville, lui répondit le marchand, qui
ne fût venu vous rapporter votre bourse; mais on vous a
trompé quand on vous a dit que je vous avais vendu ce
que vous avez pris chez moi quatre fois plus qu'il ne vaut :
je vous l'ai vendu dix fois davantage, et cela est si vrai que,
si dans un mois vous voulez le revendre, vous n'en aurez
pas même ce dixième. Mais rien n'est plus juste; c'est la
fantaisie des hommes qui met le prix à ces choses frivoles;
c'est cette fantaisie qui fait vivre cent ouvriers que j'emploie; c'est elle qui me donne une belle maison, un char
commode, des chevaux; c'est elle qui excite l'industrie,
qui entretient le goût, la circulation, et l'abondance. Je
vends aux nations voisines les mêmes bagatelles plus
chèrement qu'à vous, et par là je suis utile à l'empire. »
Babouc, après avoir un peu rêvé, le raya de ses tablettes.

Babouc, fort incertain sur ce qu'il devait penser de
Persépolis, résolut de voir les mages et les lettrés : car les
uns étudient la sagesse, et les autres la religion; et il se
flatta que ceux-là obtiendraient grâce pour le reste du
peuple. Dès le lendemain matin il se transporta dans un
collège de mages. L'archimandrite lui avoua qu'il avait
cent mille écus de rente pour avoir fait vœu de pauvreté,
et qu'il exerçait un empire assez étendu en vertu de son
vœu d'humilité; après quoi il laissa Babouc entre les
mains d'un petit frère qui lui fit les honneurs.

Tandis que ce frère lui montrait les magnificences de
cette maison de pénitence, un bruit se répandit qu'il était
venu pour réformer toutes ces maisons. Aussitôt il reçut
des mémoires de chacune d'elles; et les mémoires disaient
tous en substance : « Conservez-nous, et détruisez toutes
les autres. » A entendre leurs apologies, ces sociétés étaient
toutes nécessaires; à entendre leurs accusations réci-
proques, elles méritaient toutes d'être anéanties. Il
admirait comme il n'y en avait aucune d'elles qui, pour
édifier l'univers, ne voulût en avoir l'empire. Alors il se
présenta un petit homme qui était un demi-mage, et qui
lui dit : « Je vois bien que l'œuvre va s'accomplir, car
Zerdust est revenu sur la terre; les petites filles prophé-
tisent en se faisant donner des coups de pincettes par-
devant et le fouet par-derrière. Ainsi nous vous demandons votre protection contre le grand-lama. — Comment!
dit Babouc, contre ce pontife-roi qui réside au Thibet ?

— Contre lui-même. — Vous lui faites donc la guerre, et vous levez contre lui des armées ? — Non ; mais il dit que l'homme est libre et nous n'en croyons rien ; nous écrivons contre lui de petits livres qu'il ne lit pas : à peine a-t-il entendu parler de nous ; il nous a seulement fait condamner, comme un maître ordonne qu'on échenille les arbres de ses jardins. » Babouc frémit de la folie de ces hommes qui faisaient profession de sagesse, des intrigues de ceux qui avaient renoncé au monde, de l'ambition et de la convoitise orgueilleuse de ceux qui enseignaient l'humilité et le désintéressement ; il conclut qu'Ituriel avait de bonnes raisons pour détruire toute cette engeance.

Retiré chez lui, il envoya chercher des livres nouveaux pour adoucir son chagrin, et il pria quelques lettrés à dîner pour se réjouir. Il en vint deux fois plus qu'il n'en avait demandé, comme les guêpes que le miel attire. Ces parasites se pressaient de manger et de parler ; ils louaient deux sortes de personnes, les morts et eux-mêmes, et jamais leurs contemporains, excepté le maître de la maison. Si quelqu'un d'eux disait un bon mot, les autres baissaient les yeux et se mordaient les lèvres de douleur de ne l'avoir pas dit. Ils avaient moins de dissimulation que les mages, parce qu'ils n'avaient pas de si grands objets d'ambition. Chacun d'eux briguait une place de valet et une réputation de grand homme ; ils se disaient en face des choses insultantes, qu'ils croyaient des traits d'esprit. Ils avaient eu quelque connaissance de la mission de Babouc. L'un d'eux le pria tout bas d'exterminer un auteur qui ne l'avait pas assez loué il y avait cinq ans ; un autre demanda la perte d'un citoyen qui n'avait jamais ri à ses comédies ; un troisième demanda l'extinction de l'Académie, parce qu'il n'avait jamais pu parvenir à y être admis. Le repas fini, chacun d'eux s'en alla seul, car il n'y avait pas dans toute la troupe deux hommes qui pussent se souffrir, ni même se parler ailleurs que chez les riches qui les invitaient à leur table. Babouc jugea qu'il n'y aurait pas grand mal quand cette vermine périrait dans la destruction générale.

Dès qu'il se fut défait d'eux, il se mit à lire quelques livres nouveaux. Il y reconnut l'esprit de ses convives. Il vit surtout avec indignation ces gazettes de la médisance, ces archives du mauvais goût, que l'envie, la bassesse et la faim ont dictées ; ces lâches satires où l'on ménage le

vautour et où l'on déchire la colombe; ces romans dénués
d'imagination, où l'on voit tant de portraits de femmes
que l'auteur ne connaît pas.

Il jeta au feu tous ces détestables écrits, et sortit pour
aller le soir à la promenade. On le présenta à un vieux
lettré qui n'était point venu grossir le nombre de ses
parasites. Ce lettré fuyait toujours la foule, connaissait
les hommes, en faisait usage, et se communiquait avec
discrétion. Babouc lui parla avec douleur de ce qu'il
avait lu et de ce qu'il avait vu.

« Vous avez lu des choses bien méprisables, lui dit le
sage lettré; mais dans tous les temps, et dans tous les
pays, et dans tous les genres, le mauvais fourmille, et le
bon est rare. Vous avez reçu chez vous le rebut de la
pédanterie, parce que, dans toutes les professions, ce qu'il
y a de plus indigne de paraître est toujours ce qui se présente avec le plus d'impudence. Les véritables sages
vivent entre eux retirés et tranquilles; il y a encore parmi
nous des hommes et des livres dignes de votre attention. »
Dans le temps qu'il parlait ainsi, un autre lettré les joi-
gnit; leurs discours furent si agréables et si instructifs,
si élevés au-dessus des préjugés et si conformes à la vertu,
que Babouc avoua n'avoir jamais rien entendu de pareil.
« Voilà des hommes, disait-il tout bas, à qui l'ange Ituriel
n'osera toucher, ou il sera bien impitoyable. »

Accommodé avec les lettrés, il était toujours en colère
contre le reste de la nation. « Vous êtes étranger, lui dit
l'homme judicieux qui lui parlait; les abus se présentent
à vos yeux en foule, et le bien, qui est caché et qui résulte
quelquefois de ces abus mêmes, vous échappe. » Alors il
apprit que parmi les lettrés il y en avait quelques-uns qui
n'étaient pas envieux, et que parmi les mages mêmes il
y en avait de vertueux. Il conçut à la fin que ces grands
corps, qui semblaient en se choquant préparer leurs communes ruines, étaient au fond des institutions salutaires;
que chaque société de mages était un frein à ses rivales;
que si ces émules différaient dans quelques opinions, ils
enseignaient tous la même morale, qu'ils instruisaient le
peuple, et qu'ils vivaient soumis aux lois, semblables aux
précepteurs qui veillent sur le fils de la maison, tandis
que le maître veille sur eux-mêmes. Il en pratiqua plusieurs, et vit des âmes célestes. Il apprit même que parmi
les fous qui prétendaient faire la guerre au grand-lama,
il y avait eu de très grands hommes. Il soupçonna enfin
qu'il pourrait bien en être des mœurs de Persépolis

comme des édifices, dont les uns lui avaient paru dignes de pitié, et les autres l'avaient ravi en admiration.

Il dit à son lettré : « Je connais très bien que ces mages, que j'avais crus si dangereux, sont en effet très utiles, surtout quand un gouvernement sage les empêche de se rendre trop nécessaires; mais vous m'avouerez au moins que vos jeunes magistrats, qui achètent une charge de juge dès qu'ils ont appris à monter à cheval, doivent étaler dans les tribunaux tout ce que l'impertinence a de plus ridicule, et tout ce que l'iniquité a de plus pervers; il vaudrait mieux sans doute donner ces places gratuitement à ces vieux jurisconsultes qui ont passé toute leur vie à peser le pour et le contre. »

Le lettré lui répliqua : « Vous avez vu notre armée avant d'arriver à Persépolis; vous savez que nos jeunes officiers se battent très bien, quoiqu'ils aient acheté leurs charges : peut-être verrez-vous que nos jeunes magistrats ne jugent pas mal, quoiqu'ils aient payé pour juger. »

Il le mena le lendemain au grand tribunal, où l'on devait rendre un arrêt important. La cause était connue de tout le monde. Tous ces vieux avocats qui en parlaient étaient flottants dans leurs opinions; ils alléguaient cent lois, dont aucune n'était applicable au fond de la question; ils regardaient l'affaire par cent côtés, dont aucun n'était dans son vrai jour : les juges décidèrent plus vite que les avocats ne doutèrent. Leur jugement fut presque unanime; ils jugèrent bien, parce qu'ils suivaient les lumières de la raison; et les autres avaient opiné mal, parce qu'ils n'avaient consulté que leurs livres.

Babouc conclut qu'il y avait souvent de très bonnes choses dans les abus. Il vit dès le jour même que les richesses des financiers, qui l'avaient tant révolté, pouvaient produire un effet excellent, car, l'empereur ayant eu besoin d'argent, il trouva en une heure, par leur moyen, ce qu'il n'aurait pas eu en six mois par les voies ordinaires; il vit que ces gros nuages, enflés de la rosée de la terre, lui rendaient en pluie ce qu'ils en recevaient. D'ailleurs, les enfants de ces hommes nouveaux, souvent mieux élevés que ceux des familles plus anciennes, valaient quelquefois beaucoup mieux : car rien n'empêche qu'on ne soit un bon juge, un brave guerrier, un homme d'Etat habile, quand on a eu un père bon calculateur.

Insensiblement Babouc faisait grâce à l'avidité du
financier, qui n'est pas au fond plus avide que les autres
hommes, et qui est nécessaire. Il excusait la folie de se
ruiner pour juger et pour se battre, folie qui produit de
grands magistrats et des héros. Il pardonnait à l'envie des
lettrés, parmi lesquels il se trouvait des hommes qui
éclairaient le monde; il se réconciliait avec les mages
ambitieux et intrigants, chez lesquels il y avait plus de
grandes vertus encore que de petits vices; mais il lui restait bien des griefs, et surtout les galanteries des dames,
et les désolations qui en devaient être la suite le remplis-
saient d'inquiétude et d'effroi.

Comme il voulait pénétrer dans toutes les conditions
humaines, il se fit mener chez un ministre; mais il tremblait toujours en chemin que quelque femme ne fût
assassinée en sa présence par son mari. Arrivé chez
l'homme d'Etat, il resta deux heures dans l'antichambre
sans être annoncé, et deux heures encore après l'avoir
été. Il se promettait bien dans cet intervalle de recom-
mander à l'ange Ituriel et le ministre et ses insolents huissiers. L'antichambre était remplie de dames de tout
étage, de mages de toutes couleurs, de juges, de marchands, d'officiers, de pédants; tous se plaignaient du
ministre. L'avare et l'usurier disaient : « Sans doute cet
homme-là pille les provinces »; le capricieux lui reprochait d'être bizarre; le voluptueux disait : « Il ne songe
qu'à ses plaisirs »; l'intrigant se flattait de le voir bientôt
perdu par une cabale; les femmes espéraient qu'on leur
donnerait bientôt un ministre plus jeune.

Babouc entendait leurs discours; il ne put s'empêcher
de dire : « Voilà un homme bien heureux, il a tous ses
ennemis dans son antichambre; il écrase de son pouvoir
ceux qui l'envient; il voit à ses pieds ceux qui le
détestent. » Il entra enfin; il vit un petit vieillard courbé
sous le poids des années et des affaires, mais encore vif
et plein d'esprit.

Babouc lui plut, et il parut à Babouc un homme estimable. La conversation devint intéressante. Le ministre
lui avoua qu'il était un homme très malheureux, qu'il
passait pour riche, et qu'il était pauvre; qu'on le croyait
tout-puissant, et qu'il était toujours contredit; qu'il
n'avait guère obligé que des ingrats, et que dans un travail continuel de quarante années il avait eu à peine un
moment de consolation. Babouc en fut touché, et pensa
que, si cet homme avait fait des fautes, et si l'ange Ituriel

voulait le punir, il ne fallait pas l'exterminer, mais seulement lui laisser sa place.

Tandis qu'il parlait au ministre, entre brusquement la belle dame chez qui Babouc avait dîné; on voyait dans ses yeux et sur son front les symptômes de la douleur et de la colère. Elle éclata en reproches contre l'homme d'Etat, elle versa des larmes; elle se plaignit avec amertume de ce qu'on avait refusé à son mari une place où sa naissance lui permettait d'aspirer, et que ses services et ses blessures méritaient; elle s'exprima avec tant de force, elle mit tant de grâces dans ses plaintes, elle détruisit les objections avec tant d'adresse, elle fit valoir les raisons avec tant d'éloquence, qu'elle ne sortit point de la chambre sans avoir fait la fortune de son mari.

Babouc lui donna la main : « Est-il possible, madame, lui dit-il, que vous vous soyez donné toute cette peine pour un homme que vous n'aimez point, et dont vous avez tout à craindre ? — Un homme que je n'aime point! s'écria-t-elle; sachez que mon mari est le meilleur ami que j'aie au monde, qu'il n'y a rien que je ne lui sacrifie, hors mon amant; et qu'il ferait tout pour moi, hors de quitter sa maîtresse. Je veux vous la faire connaître : c'est une femme charmante, pleine d'esprit, et du meilleur caractère du monde; nous soupons ensemble ce soir avec mon mari et mon petit mage, venez partager notre joie. »

La dame mena Babouc chez elle. Le mari, qui était enfin arrivé plongé dans la douleur, revit sa femme avec des transports d'allégresse et de reconnaissance : il embrassait tour à tour sa femme, sa maîtresse, le petit mage, et Babouc. L'union, la gaieté, l'esprit, et les grâces, furent l'âme de ce repas. « Apprenez, lui dit la belle dame chez laquelle il soupait, que celles qu'on appelle quelquefois de malhonnêtes femmes ont presque toujours le mérite d'un très honnête homme; et pour vous en convaincre, venez demain dîner avec moi chez la belle Téone. Il y a quelques vieilles vestales qui la déchirent; mais elle fait plus de bien qu'elles toutes ensemble. Elle ne commettrait pas une légère injustice pour le plus grand intérêt; elle ne donne à son amant que des conseils généreux; elle n'est occupée que de sa gloire : il rougirait devant elle s'il avait laissé échapper une occasion de faire du bien, car rien n'encourage plus aux actions vertueuses que d'avoir pour témoin et pour juge de sa conduite une maîtresse dont on veut mériter l'estime. »

Babouc ne manqua pas au rendez-vous. Il vit une maison où régnaient tous les plaisirs. Téone régnait sur eux; elle savait parler à chacun son langage. Son esprit naturel mettait à son aise celui des autres; elle plaisait sans presque le vouloir; elle était aussi aimable que bienfaisante; et, ce qui augmentait le prix de toutes ses bonnes qualités, elle était belle.

Babouc, tout Scythe et tout envoyé qu'il était d'un génie, s'aperçut que, s'il restait encore à Persépolis, il oublierait Ituriel pour Téone. Il s'affectionnait à la ville, dont le peuple était poli, doux et bienfaisant, quoique léger, médisant, et plein de vanité. Il craignait que Persépolis ne fût condamnée; il craignait même le compte qu'il allait rendre.

Voici comme il s'y prit pour rendre ce compte. Il fit faire par le meilleur fondeur de la ville une petite statue composée de tous les métaux, des terres et des pierres les plus précieuses et les plus viles; il la porta à Ituriel : « Casserez-vous, dit-il, cette jolie statue parce que tout n'y est pas or et diamants ? » Ituriel entendit à demi-mot; il résolut de ne pas même songer à corriger Persépolis, et de laisser aller *le monde comme il va* « car, dit-il, *si tout n'est pas bien, tout est passable* ». On laissa donc subsister Persépolis, et Babouc fut bien loin de se plaindre, comme Jonas, qui se fâcha de ce qu'on ne détruisait pas Ninive. Mais quand on a été trois jours dans le corps d'une baleine, on n'est pas de si bonne humeur que quand on a été à l'opéra, à la comédie, et qu'on a soupé en bonne compagnie.

NOTE
SUR
MEMNON

Comme *Babouc*, *Memnon* fut écrit pour fournir aux divertissements d'une cour. En février 1749, le conte était lu par Stanislas Leczynski, roi de Pologne détrôné que Louis XV son gendre avait installé à Nancy. L'œuvre paraît la même année dans un *Recueil de pièces en vers et en prose*, avec les *Discours en vers* de Voltaire. Le titre définitif, *Memnon ou la sagesse humaine*, date de 1756 (dans les *Mélanges de littérature*, chez Cramer, Genève).

Memnon nous transporte à Ninive. C'est-à-dire que nous restons à Paris. *Memnon*, c'est encore « le Monde comme il va » : tohu-bohu de fripons courant à leur plaisir. Nous retrouvons des figures connues : des femmes, adroites coquines ou solliciteuses en « paniers » assiégeant les gens en place ; d'arrogants « satrapes », protecteurs attitrés des banqueroutiers contre leurs victimes.

Quand on vit dans un tel monde, faire le projet d'être « parfaitement sage », quelle folie ! Le conte illustre la déraison des raisonneurs aux prises avec la réalité. Thème de Montaigne, maintes fois repris : par Pascal, par la tradition libertine, par la littérature comique. Voltaire innove en faisant apparaître au dénouement un ange leibnizien, plus disert que l'Ituriel de Babouc. « L'animal de l'étoile » vient donner un cours de philosophie optimiste à Memnon délirant de fièvre. Le pauvre sage conserve encore assez de raison pour douter des révélations qu'on lui prodigue. Piètre « bon génie » que celui-là, incapable de défendre ses protégés contre le malheur. Il ne sait que bavarder inutilement auprès des affligés. C'est un Pangloss déjà. Un Pangloss qui ne « ressemble à rien », ayant pour tout corps six belles ailes, sans « pieds, ni tête, ni queue ». Des êtres ainsi faits sont peu sujets aux passions. Mais le philosophe

Memnon observe que dans l'étoile de l'ange, « sans femme et sans dîner », l'existence risque d'être ennuyeuse.

La remarque ne manque pas de portée. Sur notre « petit globe terraqué », les plaisirs naissent des désirs. La « sagesse humaine » ne consiste pas dans un renoncement, d'ailleurs impossible. Elle enseigne, ou devrait enseigner à faire des uns et des autres un usage réglé.

R. P.

MEMNON

OU

LA SAGESSE HUMAINE

Memnon conçut un jour le projet insensé d'être parfaitement sage. Il n'y a guère d'hommes à qui cette folie n'ait quelquefois passé par la tête. Memnon se dit à lui-même : « Pour être très sage, et par conséquent très heureux, il n'y a qu'à être sans passions ; et rien n'est plus aisé, comme on sait. Premièrement, je n'aimerai jamais de femme ; car, en voyant une beauté parfaite, je me dirai à moi-même : ces joues-là se rideront un jour ; ces beaux yeux seront bordés de rouge ; cette gorge ronde deviendra plate et pendante ; cette belle tête deviendra chauve. Or je n'ai qu'à la voir à présent des mêmes yeux dont je la verrai alors, et assurément cette tête ne fera pas tourner la mienne.

« En second lieu je serai toujours sobre ; j'aurai beau être tenté par la bonne chère, par des vins délicieux, par la séduction de la société ; je n'aurai qu'à me représenter les suites des excès, une tête pesante, un estomac embarrassé, la perte de la raison, de la santé et du temps, je ne mangerai alors que pour le besoin ; ma santé sera toujours égale, mes idées toujours pures et lumineuses. Tout cela est si facile qu'il n'y a aucun mérite à y parvenir.

« Ensuite, disait Memnon, il faut penser un peu à ma fortune ; mes désirs sont modérés ; mon bien est solidement placé sur le receveur général des finances de Ninive ; j'ai de quoi vivre dans l'indépendance : c'est là le plus grand des biens. Je ne serai jamais dans la cruelle nécessité de faire ma cour ; je n'envierai personne, et personne ne m'enviera. Voilà qui est encore très aisé. J'ai des amis, continuait-il, je les conserverai, puisqu'ils n'auront rien à me disputer. Je n'aurai jamais d'humeur avec eux, ni eux avec moi ; cela est sans difficulté. »

Ayant fait ainsi son petit plan de sagesse dans sa chambre, Memnon mit la tête à la fenêtre. Il vit deux femmes qui se promenaient sous des platanes auprès de sa maison. L'une était vieille, et paraissait ne songer à rien; l'autre était jeune, jolie, et semblait fort occupée. Elle soupirait, elle pleurait, et n'en avait que plus de grâces. Notre sage fut touché, non pas de la beauté de la dame (il était bien sûr de ne pas sentir une telle faiblesse), mais de l'affliction où il la voyait. Il descendit; il aborda la jeune Ninivienne dans le dessein de la consoler avec sagesse. Cette belle personne lui conta, de l'air le plus naïf et le plus touchant, tout le mal que lui faisait un oncle qu'elle n'avait point; avec quels artifices il lui avait enlevé un bien qu'elle n'avait jamais possédé, et tout ce qu'elle avait à craindre de sa violence. « Vous me paraissez un homme de si bon conseil, lui dit-elle, que si vous aviez la condescendance de venir jusque chez moi, et d'examiner mes affaires, je suis sûre que vous me tireriez du cruel embarras où je suis. » Memnon n'hésita pas à la suivre, pour examiner sagement ses affaires, et pour lui donner un bon conseil.

La dame affligée le mena dans une chambre parfumée, et le fit asseoir avec elle poliment sur un large sofa, où ils se tenaient tous deux les jambes croisées vis-à-vis l'un de l'autre. La dame parla en baissant les yeux, dont il échappait quelquefois des larmes, et qui en se relevant rencontraient toujours les regards du sage Memnon. Ses discours étaient pleins d'un attendrissement qui redoublait toutes les fois qu'ils se regardaient. Memnon prenait ses affaires extrêmement à cœur, et se sentait de moment en moment la plus grande envie d'obliger une personne si honnête et si malheureuse. Ils cessèrent insensiblement, dans la chaleur de la conversation, d'être vis-à-vis l'un de l'autre. Leurs jambes ne furent plus croisées. Memnon la conseilla de si près, et lui donna des avis si tendres, qu'ils ne pouvaient ni l'un ni l'autre parler d'affaires, et qu'ils ne savaient plus où ils en étaient.

Comme ils en étaient là, arrive l'oncle, ainsi qu'on peut bien le penser : il était armé de la tête aux pieds; et la première chose qu'il dit fut qu'il allait tuer, comme de raison, le sage Memnon et sa nièce; la dernière qui lui échappa fut qu'il pouvait pardonner pour beaucoup d'argent. Memnon fut obligé de donner tout ce qu'il avait. On était heureux dans ce temps-là d'en être quitte à si bon marché; l'Amérique n'était pas encore découverte, et les dames affligées n'étaient pas à beaucoup près si dangereuses qu'elles le sont aujourd'hui.

Memnon, honteux et désespéré, rentra chez lui : il y trouva un billet qui l'invitait à dîner avec quelques-uns de ses intimes amis. « Si je reste seul chez moi, dit-il, j'aurai l'esprit occupé de ma triste aventure, je ne mangerai point; je tomberai malade : il vaut mieux aller faire avec mes amis intimes un repas frugal. J'oublierai, dans la douceur de leur société, la sottise que j'ai faite ce matin. » Il va au rendez-vous; on le trouve un peu chagrin. On le fait boire pour dissiper sa tristesse. Un peu de vin pris modérément est un remède pour l'âme et pour le corps. C'est ainsi que pense le sage Memnon; et il s'enivre. On lui propose de jouer après le repas. Un jeu réglé avec des amis est un passe-temps honnête. Il joue; on lui gagne tout ce qu'il a dans sa bourse, et quatre fois autant sur sa parole. Une dispute s'élève sur le jeu, on s'échauffe : l'un de ses amis intimes lui jette à la tête un cornet, et lui crève un œil. On rapporte chez lui le sage Memnon ivre, sans argent, et ayant un œil de moins.

Il cuve un peu son vin, et dès qu'il a la tête plus libre, il envoie son valet chercher de l'argent chez le receveur général des finances de Ninive pour payer ses intimes amis : on lui dit que son débiteur a fait le matin une banqueroute frauduleuse qui met en alarme cent familles. Memnon, outré, va à la cour avec un emplâtre sur l'œil et un placet à la main pour demander justice au roi contre le banqueroutier. Il rencontre dans un salon plusieurs dames qui portaient toutes d'un air aisé des cerceaux de vingt-quatre pieds de circonférence. L'une d'elles, qui le connaissait un peu, dit en le regardant de côté : « Ah! l'horreur! » Une autre, qui le connaissait davantage, lui dit : « Bonsoir, monsieur Memnon; mais vraiment, monsieur Memnon, je suis fort aise de vous voir; à propos, monsieur Memnon, pourquoi avez-vous perdu un œil ? » Et elle passa sans attendre sa réponse. Memnon se cacha dans un coin, et attendit le moment où il pût se jeter aux pieds du monarque. Ce moment arriva. Il baisa trois fois la terre, et présenta son placet. Sa gracieuse Majesté le reçut très favorablement, et donna le mémoire à un de ses satrapes pour lui en rendre compte. Le satrape tire Memnon à part, et lui dit d'un air de hauteur, en ricanant amèrement : « Je vous trouve un plaisant borgne de vous adresser au roi plutôt qu'à moi, et encore plus plaisant d'oser demander justice contre un honnête banquerou-

tier que j'honore de ma protection, et qui est le neveu
d'une femme de chambre de ma maîtresse. Abandonnez
cette affaire-là, mon ami, si vous voulez conserver l'œil
qui vous reste. »

Memnon, ayant ainsi renoncé le matin aux femmes,
aux excès de table, au jeu, à toute querelle, et surtout à
la cour, avait été avant la nuit trompé et volé par une
belle dame, s'était enivré, avait joué, avait eu une querelle, s'était fait crever un œil, et avait été à la cour, où
l'on s'était moqué de lui.

Pétrifié d'étonnement et navré de douleur, il s'en
retourne la mort dans le cœur. Il veut rentrer chez lui;
il y trouve des huissiers qui démeublaient sa maison de
la part de ses créanciers. Il reste presque évanoui sous
un platane; il y rencontre la belle dame du matin, qui se
promenait avec son cher oncle, et qui éclata de rire en
voyant Memnon avec son emplâtre. La nuit vint; Memnon se coucha sur de la paille auprès des murs de sa
maison. La fièvre le saisit; il s'endormit dans l'accès, et
un esprit céleste lui apparut en songe.

Il était tout resplendissant de lumière. Il avait six
belles ailes, mais ni pieds, ni tête, ni queue, et ne ressemblait à rien. « Qui es-tu ? lui dit Memnon. — Ton bon
génie, lui répondit l'autre. — Rends-moi donc mon œil,
ma santé, mon bien, ma sagesse, lui dit Memnon. »
Ensuite il lui conta comment il avait perdu tout cela en
un jour. « Voilà des aventures qui ne nous arrivent jamais
dans le monde que nous habitons, dit l'esprit. — Et quel
monde habitez-vous ? dit l'homme affligé. — Ma patrie,
répondit-il, est à cinq cents millions de lieues du soleil,
dans une petite étoile auprès de Sirius, que tu vois d'ici.
— Le beau pays! dit Memnon; quoi! vous n'avez point
chez vous de coquines qui trompent un pauvre homme,
point d'amis intimes qui lui gagnent son argent et qui lui
crèvent un œil, point de banqueroutiers, point de satrapes
qui se moquent de vous en vous refusant justice ? —
Non, dit l'habitant de l'étoile, rien de tout cela. Nous ne
sommes jamais trompés par les femmes, parce que nous
n'en avons point; nous ne faisons point d'excès de table,
parce que nous ne mangeons point; nous n'avons point
de banqueroutiers, parce qu'il n'y a chez nous ni or ni
argent; on ne peut pas nous crever les yeux, parce que
nous n'avons point de corps à la façon des vôtres; et les
satrapes ne nous font jamais d'injustice, parce que dans
notre petite étoile tout le monde est égal. »

Memnon lui dit alors : « Monseigneur, sans femme et sans dîner, à quoi passez-vous votre temps ? — A veiller, dit le génie, sur les autres globes qui nous sont confiés; et je viens pour te consoler. — Hélas! reprit Memnon, que ne veniez-vous la nuit passée pour m'empêcher de faire tant de folies ? — J'étais auprès d'Assan, ton frère aîné, dit l'être céleste. Il est plus à plaindre que toi. Sa gracieuse Majesté le roi des Indes, à la cour duquel il a l'honneur d'être, lui a fait crever les deux yeux pour une petite indiscrétion, et il est actuellement dans un cachot, les fers aux pieds et aux mains. — C'est bien la peine, dit Memnon, d'avoir un bon génie dans une famille pour que, de deux frères, l'un soit borgne, l'autre aveugle; l'un couché sur la paille, l'autre en prison. — Ton sort changera, reprit l'animal de l'étoile. Il est vrai que tu seras toujours borgne; mais, à cela près, tu seras assez heureux, pourvu que tu ne fasses jamais le sot projet d'être parfaitement sage. — C'est donc une chose à laquelle il est impossible de parvenir ? s'écria Memnon en soupirant. — Aussi impossible, lui répliqua l'autre, que d'être parfaitement habile, parfaitement fort, parfaitement puissant, parfaitement heureux. Nous-mêmes, nous en sommes bien loin. Il y a un globe où tout cela se trouve; mais dans les cent mille millions de mondes qui sont dispersés dans l'étendue tout se suit par degrés. On a moins de sagesse et de plaisir dans le second que dans le premier, moins dans le troisième que dans le second, ainsi du reste jusqu'au dernier, où tout le monde est complètement fou. — J'ai bien peur, dit Memnon, que notre petit globe terraqué ne soit précisément les petites-maisons de l'univers dont vous me faites l'honneur de me parler. — Pas tout à fait, dit l'esprit; mais il en approche : il faut que tout soit en sa place. — Eh mais! dit Memnon, certains poètes, certains philosophes, ont donc grand tort de dire que *tout est bien* ? — Ils ont grande raison, dit le philosophe de là-haut, en considérant l'arrangement de l'univers entier. — Ah! je ne croirai cela, répliqua le pauvre Memnon, que quand je ne serai plus borgne. »

lume de son temps se dégrade, en s'en moulant de prestiges, c'est sous efficacement au regard de quiconque en
est désabusé. Le monde humain de l'homme est celui
où la raison l'emporte, lequel à ses valeurs ausssi et se
mesure. Voltaire l'accusait, moulte du bien oublié, une
hiérarchie ouverte aux divagations des fakirs.
    Voltaire n'est pas seulement de Décrasse : Bababec
remise et retourne bien vite à ses choux. La béatitude
extreme a ses auteurs des pâtissiers des gens de con-
core à ...

NOTE
SUR
LETTRE D'UN TURC

Lettre d'un Turc, autrement dit *Bababec et les fakirs*
(c'est le titre de l'édition de Kehl), paraît en 1750 dans
l'édition Walther des *Œuvres*.

Voltaire vient de se documenter sur l'Inde ancienne
pour l'*Essai sur les mœurs*. Les délires de cette terre mystique le fascinent. Il a lu dans Bernier (*Voyages*, Amsterdam, 1709, t. II, p. 127-128) le récit d'étonnants exer-
cices : « [Les fakirs] passent des heures entières ravis en
extase, leurs sens externes sans aucune fonction, et (ce qui
serait admirable s'il était vrai) voyant Dieu même comme
une certaine lumière très blanche, très vive et inexplicable...
Ils disent par exemple qu'après avoir jeûné plusieurs
jours au pain et à l'eau il faut premièrement se tenir seul
dans un lieu retiré, les yeux fichés en haut premièrement
sans branler aucunement, puis les ramener doucement en
bas, et les fixer tous deux à regarder en même temps le
bout de son nez, également et autant d'un côté que de
l'autre (ce qui est assez difficile), et se tenir là ainsi bandés
et attentifs sur le bout du nez jusqu'à ce que la lumière
vienne. »

On a compris qu'en cette *Lettre d'un Turc*, ce n'est pas
de l'Inde seulement et de ses fakirs qu'il s'agit. La satire
vise en général l'univers mystique, son ascèse du salut,
ses mortifications, son goût de l'extase, sans oublier ses
petits profits très humains. On accuse le rationalisme de
méconnaître un tel « ordre » de valeurs, en jugeant
de l'extérieur : à qui reste étranger à un système de
croyances, l'esprit de celles-ci échappe; on n'aperçoit
qu'une caricature grimaçante. Nul certes n'oserait prétendre que Voltaire est entré très profondément dans
l'âme du brahmanisme. Mais entrer dans l'univers mystique, c'est s'y laisser prendre. Voltaire avec le rationa-

lisme de son temps se dégage, en s'en moquant, de prestiges, dérisoires effectivement au regard de quiconque en est désabusé. Le monde humain de l'homme est celui de la raison pratique, lequel a ses valeurs aussi et sa morale. Valeurs d'action, morale du bien public, que la facétie oppose aux divagations des fakirs.

Voltaire n'est pas optimiste. « Décrassé », Bababec s'ennuie et retourne bien vite à ses clous. La béatitude procure à ses adeptes des voluptés que rien ne remplace.

R. P.

LETTRE D'UN TURC

SUR LES FAKIRS
ET SUR SON AMI BABABEC

Lorsque j'étais dans la ville de Bénarès sur le rivage du Gange, ancienne patrie des bracmanes, je tâchai de m'instruire. J'entendais passablement l'indien; j'écoutais beaucoup et remarquais tout. J'étais logé chez mon correspondant Omri; c'était le plus digne homme que j'aie jamais connu. Il était de la religion des bramins, j'ai l'honneur d'être musulman : jamais nous n'avons eu une parole plus haute que l'autre au sujet de Mahomet et de Brama. Nous faisions nos ablutions chacun de notre côté, nous buvions de la même limonade, nous mangions du même riz, comme deux frères.

Un jour, nous allâmes ensemble à la pagode de Gavani. Nous y vîmes plusieurs bandes de fakirs, dont les uns étaient des janguis, c'est-à-dire des fakirs contemplatifs, et les autres, des disciples des anciens gymnosophistes, qui menaient une vie active. Ils ont, comme on sait, une langue savante, qui est celle des plus anciens bracmanes, et, dans cette langue, un livre qu'ils appellent le *Veidam*. C'est assurément le plus ancien livre de toute l'Asie, sans en excepter le *Zenda-Vesta*.

Je passai devant un fakir qui lisait ce livre. « Ah! malheureux infidèle! s'écria-t-il, tu m'as fait perdre le nombre des voyelles que je comptais; et de cette affaire-là mon âme passera dans le corps d'un lièvre, au lieu d'aller dans celui d'un perroquet, comme j'avais tout lieu de m'en flatter. » Je lui donnai une roupie pour le consoler. A quelques pas de là, ayant eu le malheur d'éternuer, le bruit que je fis réveilla un fakir qui était en extase. « Où suis-je ? dit-il; quelle horrible chute! je ne vois plus le bout de mon nez : la lumière céleste est disparue [a]. — Si

---

[a]. Quand les fakirs veulent voir la lumière céleste, ce qui est très commun parmi eux, ils tournent les yeux vers le bout de leur nez.

je suis cause, lui dis-je, que vous voyez enfin plus loin que le bout de votre nez, voilà une roupie pour réparer le mal que j'ai fait; reprenez votre lumière céleste. »

M'étant ainsi tiré d'affaire discrètement, je passai aux autres gymnosophistes; il y en eut plusieurs qui m'apportèrent de petits clous fort jolis, pour m'enfoncer dans les bras et dans les cuisses en l'honneur de Brama. J'achetai leurs clous, dont j'ai fait clouer mes tapis. D'autres dansaient sur les mains; d'autres voltigeaient sur la corde lâche; d'autres allaient toujours à cloche-pied. Il y en avait qui portaient des chaînes, d'autres, un bât; quelques-uns avaient leur tête dans un boisseau; au demeurant les meilleures gens du monde. Mon ami Omri me mena dans la cellule d'un des plus fameux; il s'appelait Bababec : il était nu comme un singe, et avait au cou une grosse chaîne qui pesait plus de soixante livres. Il était assis sur une chaise de bois, proprement garnie de petites pointes de clous qui lui entraient dans les fesses, et on aurait cru qu'il était sur un lit de satin. Beaucoup de femmes venaient le consulter; il était l'oracle des familles, et on peut dire qu'il jouissait d'une très grande réputation. Je fus témoin du long entretien qu'Omri eut avec lui. « Croyez-vous, lui dit-il, mon père, qu'après avoir passé par l'épreuve des sept métempsycoses, je puisse parvenir à la demeure de Brama ? — C'est selon, dit le fakir; comment vivez-vous ? — Je tâche, dit Omri, d'être bon citoyen, bon mari, bon père, bon ami; je prête de l'argent sans intérêt aux riches dans l'occasion, j'en donne aux pauvres; j'entretiens la paix parmi mes voisins. — Vous mettez-vous quelquefois des clous dans le cul ? demanda le bramin. — Jamais, mon révérend père. — J'en suis fâché, répliqua le fakir, vous n'irez certainement que dans le dix-neuvième ciel; et c'est dommage. — Comment, dit Omri, cela est fort honnête; je suis très content de mon lot : que m'importe du dix-neuvième ou du vingtième, pourvu que je fasse mon devoir dans mon pèlerinage, et que je sois bien reçu au dernier gîte ? N'est-ce pas assez d'être honnête homme dans ce pays-ci, et d'être ensuite heureux au pays de Brama ? Dans quel ciel prétendez-vous donc aller, vous, monsieur Bababec, avec vos clous et vos chaînes ? — Dans le trente-cinquième, dit Bababec. — Je vous trouve plaisant, répliqua Omri, de prétendre être logé plus haut que moi; ce ne peut être assurément que l'effet d'une excessive ambition. Vous condamnez ceux qui recherchent les honneurs dans cette vie, pourquoi en voulez-vous de si grands dans l'autre ? Et sur quoi d'ailleurs prétendez-vous être mieux traité que moi ? Sachez que je donne plus en aumônes en dix jours que ne vous coûtent en dix ans tous les clous que vous vous enfoncez dans le derrière. Brama a bien à faire que vous passiez la journée tout nu, avec une chaîne au cou ; vous rendez là un beau service à la patrie. Je fais cent fois plus de cas d'un homme qui sème des légumes, ou qui plante des arbres, que de tous vos camarades, qui regardent le bout de leur nez, ou qui portent un bât par excès de noblesse d'âme. » Ayant parlé ainsi, Omri se radoucit, le caressa, le persuada, l'engagea enfin à laisser là ses clous et sa chaîne, et à venir chez lui mener une vie honnête. On le décrassa, on le frotta d'essences parfumées ; on l'habilla décemment ; il vécut quinze jours d'une manière fort sage, et avoua qu'il était cent fois plus heureux qu'auparavant. Mais il perdait son crédit dans le peuple ; les femmes ne venaient plus le consulter : il quitta Omri, et reprit ses clous pour avoir de la considération.

NOTE

SUR

MICROMÉGAS

L'histoire de ce conte pose un problème qui n'est pas entièrement résolu. Il fut publié pendant le séjour de Voltaire en Prusse. On considère comme l'originale une édition sans date : *le Micromégas de Mr de Voltaire. A Londres.* Deux autres éditions sont datées de Londres, 1752. Le manuscrit de l'œuvre telle que nous la connaissons était prêt à la fin de 1750 : Voltaire le confie à un voyageur chargé de négociations commerciales à Paris (début de 1751); en août, Malesherbes, directeur de la librairie, demande que soient supprimés les traits visant Fontenelle.

Mais en raison de ses origines *Micromégas* pourrait être considéré comme le plus ancien des *Contes*. Voltaire en parle en 1752 comme d'une « ancienne plaisanterie ». On sait en effet qu'en juin 1739 il avait envoyé à Frédéric, prince royal de Prusse, une « fadaise philosophique » intitulée *Voyage du baron de Gangan.* Le manuscrit n'ayant jamais été retrouvé ni publié, cette œuvre n'est connue que par ce qu'en dit Frédéric dans sa réponse : c'est l'histoire d'un « voyageur céleste », où se trouve « réduit à sa juste valeur ce que les hommes ont coutume d'appeler grand ». La ressemblance avec le sujet de *Micromégas* est indéniable, et M. Wade, dans son édition critique (Princeton, 1950), a montré que beaucoup d'allusions de ce *Micromégas* nous reportent à 1739. Il est vrai qu'en sens inverse M. W. H. Barber (*French studies*, janv. 1957) a souligné tout ce qui semble dater des environs de 1750. Mais trois arguments font pencher en faveur de M. Wade : l'allusion à la guerre contre la Turquie de 1736-1739; les railleries contre Fontenelle, avec lequel Voltaire et Mme du Châtelet étaient en mauvais termes au lendemain de la publication des *Eléments de la philosophie de Newton;* le rapport étroit qui existe entre ces deux ouvrages de Voltaire, les *Eléments* et *Micromégas*, alors que vers 1750 Voltaire ne s'occupe plus de science. On peut conclure que le *Voyage du baron de Gangan* a été repris et refondu sous le titre de *Micromégas.*

De quand date la révision? Les *Mémoires* de Longchamp, tels qu'ils furent arrangés par l'éditeur, énumèrent *Micromégas* parmi les contes écrits en 1747 pour la duchesse du Maine. Mais le manuscrit du secrétaire de Voltaire dit seulement : « Il écrivit alors pour amuser Mme du Maine plusieurs petits contes ou romans tels que *Zadig, Babouc* et autres, et il m'occupait à les mettre au net. » Rien ne prouve qu'il faille ranger *Micromégas* parmi ces « autres ». On peut envisager une hypothèse : le *Voyage de Gangan* contenait une flatterie à l'adresse de Frédéric; il semble naturel que Voltaire à la cour du roi de Prusse ait eu l'idée de reprendre cette « ancienne plaisanterie »; *Gangan* serait devenu *Micromégas* entre juillet et décembre 1750.

Il est difficile de conjecturer l'importance des modifications apportées au texte primitif. Sans doute pour des raisons de convenance l'allusion flatteuse à Frédéric disparaît du texte imprimé. Dans celui-ci deux détails au moins décèlent un remaniement : la mention d'autres voyages de Micromégas sur la terre, et le fait que le personnage porte désormais un nom grec, possède le don des langues, mais ne sait pas le grec.

De cet historique il ressort que Voltaire conserva *Gangan-Micromégas* dans ses papiers sans penser à le publier; que le conte fut écrit en manière de récréation après le pénible travail scientifique des *Eléments* (cf. Best. 1934 : « une fadaise philosophique qui ne doit être lue que comme on se délasse d'un travail sérieux avec les bouffonneries d'Arlequin »); qu'il présente aussi le caractère d'un divertissement mondain, destiné à amuser Mme du Châtelet, Frédéric, quelques intimes de la cour de Berlin (ainsi Mme de Bentinck, la confidente de Voltaire, Best. 4298).

Enfoncé dans l'étude de Newton pendant la retraite de Cirey, Voltaire reste homme de lettres. Dans la science il trouve des éléments de fiction.

Newton avait découvert dans la nature une force nouvelle : l'attraction dans le ciel met en mouvement les corps célestes; sur terre elle fait tomber tout objet comme la pomme du pommier (l'anecdote célèbre a été mise en circulation par Voltaire). On peut donc imaginer un voyageur qui utiliserait cette force comme le navigateur celle du vent. Ainsi fait Micromégas : connaissant « merveilleusement les lois de la gravitation et toutes les forces attractives et répulsives », il s'en sert pour « aller de globe en globe »; il progresse par révolution comme un astéroïde (« après avoir bien tourné il arriva »...).

Mais Voltaire ne se soucie pas de rigueur scientifique. Aucune de ces précisions techniques que multiplient nos auteurs de science-fiction. Nulle mention d'un vaisseau de l'espace : Micromégas et ses gens vont « de globe en globe comme un oiseau voltige de branche en branche ». La comparaison s'accorde mal avec l'idée d'une navigation utilisant les forces gravitationnelles. En fait, nos voyageurs disposent d'une faculté propre de mouvement qui leur permet de s'installer sur les mobiles célestes. Ils se déplacent tantôt « à l'aide d'un rayon de soleil » (c'est la monture qu'emprunte saint Denis dans la Pucelle), tantôt « par la commodité d'une comète ». Quittant Saturne, ils « sautent » sur l'anneau de cette planète; de là ils vont « aisément de lune en lune »; une comète passant tout auprès, ils « s'élancent » sur elle. Escale à Jupiter. Comment repartent-ils ? Par une comète encore, puisque, voulant débarquer sur la terre, ils « passent sur la queue » de cette comète, et descendent au moyen d'une aurore boréale. Merveilleux voyage, où s'accomplit un rêve de l'homme : abolir la pesanteur, annuler les distances. La science a fourni un point de départ à l'imagination poétique.

Depuis Kepler les progrès de l'astronomie avaient remis en honneur les spéculations sur la pluralité des mondes habités. D'autres êtres, plus ou moins semblables à l'homme, ne vivent-ils pas sur les planètes du soleil et des autres étoiles ? De savants rêveurs ne craignent pas d'évaluer, par la règle des proportions, la taille de ces créatures inconnues. Certain soir à Cirey on s'amuse des calculs de Wolff (Elementa matheseos universae, 1735), selon lequel les Jupitériens devaient atteindre les dimensions du géant Og, roi de Basan dans l'Ecriture (cf. Best. 1606).

Voltaire invente donc un Micromégas, habitant d'une planète proche de Sirius, haut de trente-deux kilomètres,

dont le nez mesure deux mille mètres, possédant environ
mille sens, avec une espérance de vie de cent cinq mille
siècles. Il lui donne pour compagnon un habitant de
Saturne qui n'a que deux kilomètres de haut, ne vit que
cent cinquante siècles, et ne jouit que de soixante-
douze sens : c'est un « nain ».

Dans les premiers paragraphes le conteur se livre à des
calculs de proportions imités de Wolff. Il va de soi qu'il
en bannit tout sérieux. La parodie allège la fiction. En ce
pays des géants « siriens », il existe des collèges, un
« mufti » ennemi des philosophes, une cour « remplie de
tracasseries et de petitesses ». Saturne pareillement est
doté d'une Académie des sciences, dont le secrétaire a
pour maîtresse une « fort jolie petite brune ». Voltaire a
souvent loué le siècle de Louis XIV d'avoir répandu dans
toute l'Europe la politesse française : il s'amuse ici à
installer dans le cosmos les mœurs de Versailles et de
Paris.

Il s'amuse aussi à projeter dans Saturne un vénérable
vieillard : Fontenelle. L'auteur des *Mondes* et des *Eloges*
des académiciens s'était assuré vers 1739 une grande autorité en qualité de secrétaire de l'Académie des sciences.
Mais il restait attaché à l'astronomie cartésienne des
« tourbillons », et hostile à l'attraction newtonienne. Il
traita dédaigneusement les *Eléments de la philosophie de
Newton*. Aussi bien l'ouvrage de Voltaire commençait-il
par une allusion satirique à la *Pluralité des mondes* de
Fontenelle (« Ce n'est point ici une marquise, ni une
philosophie imaginaire », disait l'avant-propos à Mme du
Châtelet). Mme du Châtelet de son côté avait espéré
qu'Algarotti lui dédierait son *Newtonianisme pour les
dames* : mais l'Italien préféra en offrir la dédicace au
secrétaire de l'Académie. Voltaire vengea Cirey en des-
sinant de Fontenelle, homme d'esprit qui prêtait au
ridicule, un portrait-charge, digne pendant du caractère
de *Cydias* par La Bruyère. Le « nain de Saturne » n'est
pas un vrai savant, tout au plus « rend-il un fort bon
compte des inventions des autres »; brouillon, il n'a pas
la patience d'observer avant de décider; il mêle à la science
une galanterie déplacée : non seulement il fait « de petits
vers et de grands calculs », mais il croit bon d'exposer les
lois astronomiques en style de boudoir. Le chapitre II
de *Micromégas* cite presque textuellement Fontenelle
(*Pluralité des mondes*, premier soir : « La beauté du jour
est comme une beauté blonde qui a plus de brillant, mais

la beauté de la nuit est une beauté brune qui est plus touchante »). Et Voltaire fait allusion aux aventures galantes du vieux secrétaire de l'Académie (il a en 1739 plus de quatre-vingts ans) : « j'ai pris la nature sur le fait » aurait été prononcé par un témoin le surprenant en compagnie de Mme de Tencin. Il est à noter que Fontenelle reparaît aux dernières lignes, en la personne du « vieux secrétaire de l'Académie des sciences », non plus de Saturne mais de Paris, lequel en présence du livre tout blanc s'écrie : « Ah! je m'en étais bien douté! »

D'autres savants sont égratignés au passage : « l'illustre vicaire Derham », le P. Castel, jésuite, Maupertuis et sa « volée de philosophes » qui en 1736-1737 s'étaient rendus au fond de la Baltique pour mesurer un arc du méridien (les difficultés de Voltaire avec Maupertuis, dès son arrivée à Berlin, ne furent peut-être pas étrangères à la publication de *Micromégas*). Le conte raille, sinon la science, du moins l'esprit de sérieux des savants : petitesses et erreurs sont le lot de ces personnages aux graves allures.

Le titre et la conduite du récit assignent le premier rôle à Micromégas : le « Sirien » domine constamment son compagnon par un ascendant aussi bien physique que moral. Mais les deux personnages ne sont point de même nature. Micromégas demeure une ombre assez conventionnelle. Ses qualités de « philosophe » ne prennent quelque relief que dans ses démêlés du début, analogues aux déboires de Zadig à Babylone. Ensuite ce géant se comporte en sage exemplaire, comparable au Pantagruel des *Tiers* et *Quart livres* de Rabelais. Le nain de Saturne est une figure autrement intéressante. Caricature saisie sur le vif, il anime le propos par ses bévues, ses légèretés, son ton maniéré et pétulant.

Accompagnant le géant et le nain, inexorablement liés par les nécessités du voyage et celles du récit, le conte suit l'allure d'une narration où s'intercalent des dialogues. Voltaire a équilibré l'un et l'autre élément en évitant d'exploiter toutes les ressources du voyage sidéral. Car ce qu'il dit de Sirius ne nous dépayse guère; les précisions sur Saturne se réduisent à peu de chose. L'escale de Jupiter est passée sous silence, sous prétexte que « Messieurs les inquisiteurs » ont condamné cette partie du récit. Mais *l'atterrissage* donne lieu à des détails assez développés. L'imagination de Voltaire s'est en somme cantonnée dans la partie la plus connue de sa fiction. Admettons que sa discrétion préserve le mystère des espaces infinis mieux que les descriptions minutieuses, habituellement décevantes.

L'essentiel est dit dans les deux dialogues qui encadrent la narration : de Micromégas avec le Saturnien sur la variété de l'immense univers; des deux voyageurs avec les hommes. Une progression bien ménagée nous a préparés à l'idée d'une conversation la plus disproportionnée qui soit : des humains, mesurant environ un mètre soixante-dix, échangent des idées avec des êtres du cosmos, hauts respectivement de deux et de trente-deux kilomètres. En comparaison, combien était dérisoire l'écart qui séparait des Parisiens les Persans de Montesquieu!

« Fadaise », « plaisanterie » ? N'en croyons pas trop vite le modeste auteur. *Micromégas* va plus loin qu'un récit plaisant agrémenté de traits satiriques. La signification du conte se résume dans le nom du protagoniste, inscrit au titre : petit-grand. Géant à côté du Saturnien, le Sirien est un nain comparé à d'autres habitants d'autres mondes. Point de grandeur dans l'absolu. Rien ne se mesure que relativement : idée qui prend de l'intérêt à partir du moment où elle s'applique à l'homme. Comme l'a noté I. O. Wade, le vocabulaire du conte fait un abondant emploi de l'adjectif *petit*. La cour des géants siriens est remplie de « petitesses »; la maîtresse du Saturnien est une « petite brune » (haute de cinq mille six cent soixante toises, environ mille deux cents mètres), le Saturnien un « petit nain », et l'expédition de Saturne à la terre « un petit voyage philosophique ». Le vocabulaire constamment diminue les êtres et les choses. Il atteint son plein effet lorsqu'il s'agit de la terre, cette « petite fourmilière », cette « taupinière », et des hommes, ces « mites », ces « animalcules », ces « infiniment petits ». L'humanité dans cette perspective s'allège de tout ce qui lui donne du poids. A peine énoncées, les prétentions des hommes sombrent dans le ridicule. Quand la mite théologienne en bonnet carré affirme que l'univers a été créé pour l'habitant de la planète terre, Micromégas éclate d'un rire homérique, faisant choir le roi de la création au fond de la poche du Saturnien.

Le conte pourtant laisse-t-il une impression désolante ? Certes non. Les hommes aussi sont des Micromégas : ces parcelles exiguës de matière ont le pouvoir de

penser, de se tromper par conséquent, mais également
d'attraper quelque vérité. Et leur légèreté ne va pas sans
allégresse. Insatisfaits comme tout ce qui vit, ils n'ont
pas un sort plus tragique que les autres êtres végétant à
travers l'espace. L'immensité même de la nature n'an-
goisse pas Voltaire comme (peut-être...) elle angoissait
Pascal. Elle l'exalte plutôt. Dans l'admirable variété des
mondes il aperçoit partout des « proportions ». L'ordre,
marque de l'Etre suprême, compense la démesure du
cosmos voltairien.

R. P.

pensée, ne se trompât pas conséquent, mais également
d'ailleur quelque vain. Il les éclaire ne va pas sans
détresse. Insatiable comme tout ce qui vit, ne veut
pas un être qui émigre que les autres êtres veulent, à
travers l'espace. L'intime, une même de la nature n'en
porte pas. L'aime comme (par Gio...) elle importe à
Pascal. Elle l'aime plutôt. Dans l'aimable vanité des
monde d'amours éternelles proposant une recherche,
marque de l'être suprême comporte la demeure d'un
comme volontaire.

R. P.

MICROMÉGAS

HISTOIRE PHILOSOPHIQUE

CHAPITRE PREMIER

VOYAGE D'UN HABITANT DU MONDE DE L'ÉTOILE SIRIUS DANS LA PLANÈTE DE SATURNE

Dans une de ces planètes qui tournent autour de l'étoile nommée Sirius, il y avait un jeune homme de beaucoup d'esprit, que j'ai eu l'honneur de connaître dans le dernier voyage qu'il fit sur notre petite fourmilière ; il s'appelait Micromégas, nom qui convient fort à tous les grands. Il avait huit lieues de haut : j'entends, par huit lieues, vingt-quatre mille pas géométriques de cinq pieds chacun.

Quelques algébristes, gens toujours utiles au public, prendront sur-le-champ la plume, et trouveront que, puisque monsieur Micromégas, habitant du pays de Sirius, a de la tête aux pieds vingt-quatre mille pas, qui font cent vingt mille pieds de roi, et que nous autres, citoyens de la terre, nous n'avons guère que cinq pieds, et que notre globe a neuf mille lieues de tour, ils trouveront, dis-je, qu'il faut absolument que le globe qui l'a produit ait au juste vingt-un millions six cent mille fois plus de circonférence que notre petite terre. Rien n'est plus simple et plus ordinaire dans la nature. Les Etats de quelques souverains d'Allemagne ou d'Italie, dont on peut faire le tour en une demi-heure, comparés à l'empire de Turquie, de Moscovie ou de la Chine, ne sont qu'une très faible image des prodigieuses différences que la nature a mises dans tous les êtres.

La taille de Son Excellence étant de la hauteur que j'ai dite, tous nos sculpteurs et tous nos peintres conviendront sans peine que sa ceinture peut avoir cinquante

mille pieds de roi de tour : ce qui fait une très jolie proportion.

Quant à son esprit, c'est un des plus cultivés que nous
ayons ; il sait beaucoup de choses ; il en a inventé
quelques-unes ; il n'avait pas encore deux cent cinquante
ans, et il étudiait, selon la coutume, au collège des jésuites
de sa planète, lorsqu'il devina, par la force de son esprit,
plus de cinquante propositions d'Euclide. C'est dix-huit
de plus que Blaise Pascal, lequel, après en avoir deviné
trente-deux en se jouant, à ce que dit sa sœur, devint
depuis un géomètre assez médiocre, et un fort mauvais
métaphysicien. Vers les quatre cent cinquante ans, au
sortir de l'enfance, il disséqua beaucoup de ces petits
insectes qui n'ont pas cent pieds de diamètre, et qui se
dérobent aux microscopes ordinaires ; il en composa un
livre fort curieux, mais qui lui fit quelques affaires. Le
muphti de son pays, grand vétillard, et fort ignorant,
trouva dans son livre des propositions suspectes, malson-
nantes, téméraires, hérétiques, sentant l'hérésie, et le
poursuivit vivement : il s'agissait de savoir si la forme
substantielle des puces de Sirius était de même nature
que celle des colimaçons. Micromégas se défendit avec
esprit ; il mit les femmes de son côté ; le procès dura
deux cent vingt ans. Enfin le muphti fit condamner le
livre par des jurisconsultes qui ne l'avaient pas lu, et l'auteur eut ordre de ne paraître à la cour de huit cents
années.

Il ne fut que médiocrement affligé d'être banni d'une
cour qui n'était remplie que de tracasseries et de petitesses. Il fit une chanson fort plaisante contre le muphti,
dont celui-ci ne s'embarrassa guère ; et il se mit à voyager
de planète en planète, pour achever de se former *l'esprit
et le cœur*, comme l'on dit. Ceux qui ne voyagent qu'en
chaise de poste ou en berline seront sans doute étonnés
des équipages de là-haut : car nous autres, sur notre petit
tas de boue, nous ne concevons rien au-delà de nos
usages. Notre voyageur connaissait merveilleusement les
lois de la gravitation, et toutes les forces attractives et
répulsives. Il s'en servait si à propos que, tantôt à l'aide
d'un rayon du soleil, tantôt par la commodité d'une
comète, il allait de globe en globe, lui et les siens, comme
un oiseau voltige de branche en branche. Il parcourut la
voie lactée en peu de temps, et je suis obligé d'avouer
qu'il ne vit jamais à travers les étoiles dont elle est semée
ce beau ciel empyrée que l'illustre vicaire Derham se

vante d'avoir vu au bout de sa lunette. Ce n'est pas que
je prétende que Monsieur Derham ait mal vu, à Dieu ne
plaise! mais Micromégas était sur les lieux, c'est un bon
observateur, et je ne veux contredire personne. Micromégas, après avoir bien tourné, arriva dans le globe de
Saturne. Quelque accoutumé qu'il fût à voir des choses
nouvelles, il ne put d'abord, en voyant la petitesse du
globe et de ses habitants, se défendre de ce sourire de
supériorité qui échappe quelquefois aux plus sages. Car
enfin Saturne n'est guère que neuf cents fois plus gros
que la terre, et les citoyens de ce pays-là sont des nains
qui n'ont que mille toises de haut ou environ. Il s'en
moqua un peu d'abord avec ses gens, à peu près comme
un musicien italien se met à rire de la musique de Lulli
quand il vient en France. Mais comme le Sirien avait un
bon esprit, il comprit bien vite qu'un être pensant peut
fort bien n'être pas ridicule pour n'avoir que six mille
pieds de haut. Il se familiarisa avec les Saturniens, après
les avoir étonnés. Il lia une étroite amitié avec le secrétaire de l'Académie de Saturne, homme de beaucoup
d'esprit, qui n'avait à la vérité rien inventé, mais qui rendait un fort bon compte des inventions des autres, et qui
faisait passablement de petits vers et de grands calculs.
Je rapporterai ici, pour la satisfaction des lecteurs, une
conversation singulière que Micromégas eut un jour
avec M. le secrétaire.

CHAPITRE SECOND

CONVERSATION DE L'HABITANT DE SIRIUS
AVEC CELUI DE SATURNE

Après que Son Excellence se fut couchée, et que le
secrétaire se fut approché de son visage : « Il faut avouer,
dit Micromégas, que la nature est bien variée. — Oui,
dit le Saturnien; la nature est comme un parterre dont
les fleurs... — Ah! dit l'autre, laissez là votre parterre.
— Elle est, reprit le secrétaire, comme une assemblée de
blondes et de brunes, dont les parures... — Eh! qu'ai-je
à faire de vos brunes? dit l'autre. — Elle est donc comme
une galerie de peintures dont les traits... — Eh non! dit
le voyageur; encore une fois, la nature est comme la
nature. Pourquoi lui chercher des comparaisons? —
Pour vous plaire, répondit le secrétaire. — Je ne veux

point qu'on me plaise, répondit le voyageur ; je veux
qu'on m'instruise : commencez d'abord par me dire
combien les hommes de votre globe ont de sens. — Nous
en avons soixante et douze, dit l'académicien, et nous
nous plaignons tous les jours du peu. Notre imagination
va au-delà de nos besoins ; nous trouvons qu'avec nos
soixante et douze sens, notre anneau, nos cinq lunes,
nous sommes trop bornés ; et, malgré toute notre curiosité et le nombre assez grand de passions qui résultent
de nos soixante et douze sens, nous avons tout le temps
de nous ennuyer. — Je le crois bien, dit Micromégas ;
car dans notre globe nous avons près de mille sens, et il
nous reste encore je ne sais quel désir vague, je ne sais
quelle inquiétude, qui nous avertit sans cesse que nous
sommes peu de chose, et qu'il y a des êtres beaucoup
plus parfaits. J'ai un peu voyagé ; j'ai vu des mortels fort
au-dessous de nous ; j'en ai vu de fort supérieurs ; mais
je n'en ai vu aucuns qui n'aient plus de désirs que de vrais
besoins, et plus de besoins que de satisfaction. J'arrive-
rai peut-être un jour au pays où il ne manque rien ; mais
jusqu'à présent personne ne m'a donné de nouvelles
positives de ce pays-là. » Le Saturnien et le Sirien s'épui-
sèrent alors en conjectures ; mais, après beaucoup de raisonnements fort ingénieux et fort incertains, il en fallut
revenir aux faits. « Combien de temps vivez-vous ? dit le
Sirien. — Ah ! bien peu, répliqua le petit homme de
Saturne. — C'est tout comme chez nous, dit le Sirien ;
nous nous plaignons toujours du peu. Il faut que ce soit
une loi universelle de la nature. — Hélas ! nous ne
vivons, dit le Saturnien, que cinq cents grandes révolutions du soleil. (Cela revient à quinze mille ans ou environ, à compter à notre manière.) Vous voyez bien que
c'est mourir presque au moment que l'on est né ; notre
existence est un point, notre durée un instant, notre
globe un atome. A peine a-t-on commencé à s'instruire
un peu que la mort arrive avant qu'on ait de l'expérience.
Pour moi, je n'ose faire aucuns projets ; je me trouve
comme une goutte d'eau dans un océan immense. Je suis
honteux, surtout devant vous, de la figure ridicule que je
fais dans ce monde. »

Micromégas lui repartit : « Si vous n'étiez pas philosophe, je craindrais de vous affliger en vous apprenant
que notre vie est sept cents fois plus longue que la vôtre ;
mais vous savez trop bien que quand il faut rendre son
corps aux éléments, et ranimer la nature sous une autre

forme, ce qui s'appelle mourir; quand ce moment de
métamorphose est venu, avoir vécu une éternité, ou avoir
vécu un jour, c'est précisément la même chose. J'ai été
dans des pays où l'on vit mille fois plus longtemps que
chez moi, et j'ai trouvé qu'on y murmurait encore. Mais
il y a partout des gens de bon sens qui savent prendre
leur parti et remercier l'auteur de la nature. Il a répandu
sur cet univers une profusion de variétés avec une espèce
d'uniformité admirable. Par exemple tous les êtres pensants sont différents, et tous se ressemblent au fond par
le don de la pensée et des désirs. La matière est partout
étendue; mais elle a dans chaque globe des propriétés
diverses. Combien comptez-vous de ces propriétés
diverses dans votre matière ? — Si vous parlez de ces propriétés, dit le Saturnien, sans lesquelles nous croyons que
ce globe ne pourrait subsister tel qu'il est, nous en
comptons trois cents, comme l'étendue, l'impénétrabi-
lité, la mobilité, la gravitation, la divisibilité, et le reste.
— Apparemment, répliqua le voyageur, que ce petit
nombre suffit aux vues que le Créateur avait sur votre
petite habitation. J'admire en tout sa sagesse; je vois partout des différences, mais aussi partout des proportions.
Votre globe est petit, vos habitants le sont aussi; vous
avez peu de sensations; votre matière a peu de propriétés;
tout cela est l'ouvrage de la Providence. De quelle couleur
est votre soleil bien examiné ? — D'un blanc fort jau-
nâtre, dit le Saturnien; et quand nous divisons un de ses
rayons, nous trouvons qu'il contient sept couleurs. —
Notre soleil tire sur le rouge, dit le Sirien, et nous avons
trente-neuf couleurs primitives. Il n'y a pas un soleil,
parmi tous ceux dont j'ai approché, qui se ressemble,
comme chez vous il n'y a pas un visage qui ne soit différent de tous les autres. »
   Après plusieurs questions de cette nature, il s'informa
combien de substances essentiellement différentes on
comptait dans Saturne. Il apprit qu'on n'en comptait
qu'une trentaine, comme Dieu, l'espace, la matière, les
êtres étendus qui sentent, les êtres étendus qui sentent
et qui pensent, les êtres pensants qui n'ont point d'étendue; ceux qui se pénètrent, ceux qui ne se pénètrent pas,
et le reste. Le Sirien, chez qui on en comptait trois cents,
et qui en avait découvert trois mille autres dans ses
voyages, étonna prodigieusement le philosophe de
Saturne. Enfin, après s'être communiqué l'un à l'autre
un peu de ce qu'ils savaient et beaucoup de ce qu'ils ne

savaient pas, après avoir raisonné pendant une révolution du soleil, ils résolurent de faire ensemble un petit voyage philosophique.

CHAPITRE TROISIÈME

VOYAGE DES DEUX HABITANTS DE SIRIUS ET DE SATURNE

Nos deux philosophes étaient prêts à s'embarquer dans l'atmosphère de Saturne avec une fort jolie provision d'instruments mathématiques, lorsque la maîtresse du Saturnien, qui en eut des nouvelles, vint en larmes faire ses remontrances. C'était une jolie petite brune qui n'avait que six cent soixante toises, mais qui réparait par bien des agréments la petitesse de sa taille. « Ah ! cruel ! s'écria-t-elle, après t'avoir résisté quinze cents ans, lorsque enfin je commençais à me rendre, quand j'ai à peine passé cent ans entre tes bras, tu me quittes pour aller voyager avec un géant d'un autre monde ; va, tu n'es qu'un curieux, tu n'as jamais eu d'amour : si tu étais un vrai Saturnien, tu serais fidèle. Où vas-tu courir ? Que veux-tu ? Nos cinq lunes sont moins errantes que toi, notre anneau est moins changeant. Voilà qui est fait, je n'aimerai jamais plus personne. » Le philosophe l'embrassa, pleura avec elle, tout philosophe qu'il était ; et la dame, après s'être pâmée, alla se consoler avec un petit-maître du pays.

Cependant nos deux curieux partirent ; ils sautèrent d'abord sur l'anneau, qu'ils trouvèrent assez plat, comme l'a fort bien deviné un illustre habitant de notre petit globe ; de là ils allèrent de lune en lune. Une comète passait tout auprès de la dernière ; ils s'élancèrent sur elle avec leurs domestiques et leurs instruments. Quand ils eurent fait environ cent cinquante millions de lieues, ils rencontrèrent les satellites de Jupiter. Ils passèrent dans Jupiter même, et y restèrent une année, pendant laquelle ils apprirent de fort beaux secrets qui seraient actuellement sous presse sans messieurs les inquisiteurs, qui ont trouvé quelques propositions un peu dures. Mais j'en ai lu le manuscrit dans la bibliothèque de l'illustre archevêque de..., qui m'a laissé voir ses livres avec cette générosité et cette bonté qu'on ne saurait assez louer.

Mais revenons à nos voyageurs. En sortant de Jupiter, ils traversèrent un espace d'environ cent millions de lieues, et ils côtoyèrent la planète de Mars, qui, comme on sait, est cinq fois plus petite que notre petit globe; ils virent deux lunes qui servent à cette planète, et qui ont échappé aux regards de nos astronomes. Je sais bien que le père Castel écrira, et même assez plaisamment, contre l'existence de ces deux lunes; mais je m'en rapporte à ceux qui raisonnent par analogie. Ces bons philosophes-là savent combien il serait difficile que Mars, qui est si loin du soleil, se passât à moins de deux lunes. Quoi qu'il en soit, nos gens trouvèrent cela si petit qu'ils craignirent de n'y pas trouver de quoi coucher, et ils passèrent leur chemin comme deux voyageurs qui dédaignent un mauvais cabaret de village et poussent jusqu'à la ville voisine. Mais le Sirien et son compagnon se repentirent bientôt. Ils allèrent longtemps, et ne trouvèrent rien. Enfin ils aperçurent une petite lueur : c'était la terre : cela fit pitié à des gens qui venaient de Jupiter. Cependant, de peur de se repentir une seconde fois, ils résolurent de débarquer. Ils passèrent sur la queue de la comète, et, trouvant une aurore boréale toute prête, ils se mirent dedans, et arrivèrent à terre sur le bord septentrional de la mer Baltique, le cinq juillet mil sept cent trente-sept, nouveau style.

CHAPITRE QUATRIÈME

CE QUI LEUR ARRIVE SUR LE GLOBE DE LA TERRE

Après s'être reposés quelque temps, ils mangèrent à leur déjeuner deux montagnes, que leurs gens leur apprêtèrent assez proprement. Ensuite ils voulurent reconnaître le petit pays où ils étaient. Ils allèrent d'abord du nord au sud. Les pas ordinaires du Sirien et de ses gens étaient d'environ trente mille pieds de roi; le nain de Saturne suivait de loin en haletant; or il fallait qu'il fît environ douze pas, quand l'autre faisait une enjambée : figurez-vous (s'il est permis de faire de telles comparaisons) un très petit chien de manchon qui suivrait un capitaine des gardes du roi de Prusse.

Comme ces étrangers-là vont assez vite, ils eurent fait le tour du globe en trente-six heures; le soleil, à la vérité, ou plutôt la terre, fait un pareil voyage en une journée; mais il faut songer qu'on va bien plus à son aise quand on tourne sur son axe que quand on marche sur ses pieds.

Les voilà donc revenus d'où ils étaient partis, après avoir
vu cette mare, presque imperceptible pour eux, qu'on
nomme *la Méditerranée*, et cet autre petit étang qui, sous
le nom du *grand Océan*, entoure la taupinière. Le nain
n'en avait eu jamais qu'à mi-jambe, et à peine l'autre
avait-il mouillé son talon. Ils firent tout ce qu'ils purent
en allant et en revenant dessus et dessous pour tâcher
d'apercevoir si ce globe était habité ou non. Ils se baissèrent, ils se couchèrent, ils tâtèrent partout; mais leurs
yeux et leurs mains n'étant point proportionnés aux petits
êtres qui rampent ici, ils ne reçurent pas la moindre
sensation qui pût leur faire soupçonner que nous et nos
confrères les autres habitants de ce globe avons l'honneur d'exister.

Le nain, qui jugeait quelquefois un peu trop vite,
décida d'abord qu'il n'y avait personne sur la terre. Sa
première raison était qu'il n'avait vu personne. Micromégas lui fit sentir poliment que c'était raisonner assez
mal : « Car, disait-il, vous ne voyez pas avec vos petits
yeux certaines étoiles de la cinquantième grandeur que
j'aperçois très distinctement; concluez-vous de là que ces
étoiles n'existent pas ? — Mais, dit le nain, j'ai bien tâté.
— Mais, répondit l'autre, vous avez mal senti. — Mais,
dit le nain, ce globe-ci est si mal construit, cela est si irrégulier et d'une forme qui me paraît si ridicule! tout
semble être ici dans le chaos : voyez-vous ces petits ruisseaux dont aucun ne va de droit fil, ces étangs qui ne
sont ni ronds, ni carrés, ni ovales, ni sous aucune forme
régulière; tous ces petits grains pointus dont ce globe est
hérissé, et qui m'ont écorché les pieds ? (Il voulait parler
des montagnes.) Remarquez-vous encore la forme de tout
le globe, comme il est plat aux pôles, comme il tourne
autour du soleil d'une manière gauche, de façon que les
climats des pôles sont nécessairement incultes ? En vérité,
ce qui fait que je pense qu'il n'y a ici personne, c'est
qu'il me paraît que des gens de bon sens ne voudraient
pas y demeurer. — Eh bien, dit Micromégas, ce ne sont
peut-être pas non plus des gens de bon sens qui l'habitent.
Mais enfin il y a quelque apparence que ceci n'est pas
fait pour rien. Tout vous paraît irrégulier ici, dites-vous,
parce que tout est tiré au cordeau dans Saturne et dans
Jupiter. Eh! c'est peut-être par cette raison-là même
qu'il y a ici un peu de confusion. Ne vous ai-je pas dit
que dans mes voyages j'avais toujours remarqué de la
variété ? » Le Saturnien répliqua à toutes ces raisons. La

dispute n'eût jamais fini, si par bonheur Micromégas, en s'échauffant à parler, n'eût cassé le fil de son collier de diamants. Les diamants tombèrent; c'étaient de jolis petits carats assez inégaux, dont les plus gros pesaient quatre cents livres, et les plus petits cinquante. Le nain en ramassa quelques-uns; il s'aperçut, en les approchant de ses yeux, que ces diamants, de la façon dont ils étaient taillés, étaient d'excellents microscopes. Il prit donc un petit microscope de cent soixante pieds de diamètre, qu'il appliqua à sa prunelle; et Micromégas en choisit un de deux mille cinq cents pieds. Ils étaient excellents; mais d'abord on ne vit rien par leur secours : il fallait s'ajuster. Enfin l'habitant de Saturne vit quelque chose d'imperceptible qui remuait entre deux eaux dans la mer Baltique : c'était une baleine. Il la prit avec le petit doigt fort adroitement; et la mettant sur l'ongle de son pouce, il la fit voir au Sirien, qui se mit à rire pour la seconde fois de l'excès de petitesse dont étaient les habitants de notre globe. Le Saturnien, convaincu que notre monde est habité, s'imagina bien vite qu'il ne l'était que par des baleines; et comme il était grand raisonneur, il voulut deviner d'où un si petit atome tirait son mouvement, s'il avait des idées, une volonté, une liberté. Micromégas y fut fort embarrassé; il examina l'animal fort patiemment, et le résultat de l'examen fut qu'il n'y avait pas moyen de croire qu'une âme fût logée là. Les deux voyageurs inclinaient donc à penser qu'il n'y a point d'esprit dans notre habitation, lorsqu'à l'aide du microscope ils aperçurent quelque chose d'aussi gros qu'une baleine qui flottait sur la mer Baltique. On sait que dans ce temps-là même une volée de philosophes revenait du cercle polaire, sous lequel ils avaient été faire des observations dont personne ne s'était avisé jusqu'alors. Les gazettes dirent que leur vaisseau échoua aux côtes de Botnie, et qu'ils eurent bien de la peine à se sauver; mais on ne sait jamais dans ce monde le dessous des cartes. Je vais raconter ingénument comme la chose se passa, sans y rien mettre du mien : ce qui n'est pas un petit effort pour un historien.

CHAPITRE CINQUIÈME

EXPÉRIENCES ET RAISONNEMENTS DES DEUX VOYAGEURS

Micromégas étendit la main tout doucement vers l'endroit où l'objet paraissait, et avançant deux doigts, et les retirant par la crainte de se tromper, puis les ouvrant et les serrant, il saisit fort adroitement le vaisseau qui portait ces messieurs, et le mit encore sur son ongle, sans le trop presser, de peur de l'écraser. « Voici un animal bien différent du premier, dit le nain de Saturne »; le Sirien mit le prétendu animal dans le creux de sa main. Les passagers et les gens de l'équipage, qui s'étaient crus enlevés par un ouragan, et qui se croyaient sur une espèce de rocher, se mettent tous en mouvement; les matelots prennent des tonneaux de vin, les jettent sur la main de Micromégas, et se précipitent après. Les géomètres prennent leurs quarts de cercle, leurs secteurs, et des filles laponnes, et descendent sur les doigts du Sirien. Ils en firent tant qu'il sentit enfin remuer quelque chose qui lui chatouillait les doigts : c'était un bâton ferré qu'on lui enfonçait d'un pied dans l'index; il jugea, par ce picotement, qu'il était sorti quelque chose du petit animal qu'il tenait; mais il n'en soupçonna pas d'abord davantage. Le microscope, qui faisait à peine discerner une baleine et un vaisseau, n'avait point de prise sur un être aussi imperceptible que des hommes. Je ne prétends choquer ici la vanité de personne, mais je suis obligé de prier les importants de faire ici une petite remarque avec moi : c'est qu'en prenant la taille des hommes d'environ cinq pieds, nous ne faisons pas sur la terre une plus grande figure qu'en ferait sur une boule de dix pieds de tour un animal qui aurait à peu près la six cent millième partie d'un pouce en hauteur. Figurez-vous une substance qui pourrait tenir la terre dans sa main, et qui aurait des organes en proportion des nôtres; et il se peut très bien faire qu'il y ait un grand nombre de ces substances : or concevez, je vous prie, ce qu'elles penseraient de ces batailles qui nous ont valu deux villages qu'il a fallu rendre.

Je ne doute pas que si quelque capitaine des grands grenadiers lit jamais cet ouvrage, il ne hausse de deux grands pieds au moins les bonnets de sa troupe; mais je l'avertis qu'il aura beau faire, et que lui et les siens ne seront jamais que des infiniment petits.

Quelle adresse merveilleuse ne fallut-il donc pas à notre philosophe de Sirius pour apercevoir les atomes dont je viens de parler ? Quand Leuwenhoek et Hart-soeker virent les premiers, ou crurent voir la graine dont nous sommes formés, ils ne firent pas à beaucoup près une si étonnante découverte. Quel plaisir sentit Micro-mégas en voyant remuer ces petites machines, en examinant tous leurs tours, en les suivant dans toutes leurs opérations ! comme il s'écria ! comme il mit avec joie un de ses microscopes dans les mains de son compagnon de voyage ! « Je les vois, disaient-ils tous deux à la fois ; ne les voyez-vous pas qui portent des fardeaux, qui se baissent, qui se relèvent. » En parlant ainsi les mains leur tremblaient, par le plaisir de voir des objets si nouveaux, et par la crainte de les perdre. Le Saturnien, passant d'un excès de défiance à un excès de crédulité, crut apercevoir qu'ils travaillaient à la propagation. *Ah !* disait-il, *j'ai pris la nature sur le fait.* Mais il se trompait sur les apparences : ce qui n'arrive que trop, soit qu'on se serve ou non de microscopes.

CHAPITRE SIXIÈME

CE QUI LEUR ARRIVA AVEC DES HOMMES

Micromégas, bien meilleur observateur que son nain, vit clairement que les atomes se parlaient ; et il le fit remarquer à son compagnon, qui, honteux de s'être mépris sur l'article de la génération, ne voulut point croire que de pareilles espèces pussent se communiquer des idées. Il avait le don des langues aussi bien que le Sirien ; il n'entendait point parler nos atomes, et il supposait qu'ils ne parlaient pas. D'ailleurs, comment ces êtres imperceptibles auraient-ils les organes de la voix, et qu'auraient-ils à dire ? Pour parler, il faut penser, ou à peu près ; mais s'ils pensaient, ils auraient donc l'équivalent d'une âme. Or, attribuer l'équivalent d'une âme à cette espèce, cela lui paraissait absurde. « Mais, dit le Sirien, vous avez cru tout à l'heure qu'ils faisaient l'amour ; est-ce que vous croyez qu'on puisse faire l'amour sans penser et sans proférer quelque parole, ou du moins sans se faire entendre ? Supposez-vous d'ail-

leurs qu'il soit plus difficile de produire un argument
qu'un enfant ? Pour moi, l'un et l'autre me paraissent de
grands mystères. — Je n'ose plus ni croire ni nier, dit le
nain ; je n'ai plus d'opinion. Il faut tâcher d'examiner ces
insectes, nous raisonnerons après. — C'est fort bien dit »,
reprit Micromégas ; et aussitôt il tira une paire de ciseaux
dont il se coupa les ongles, et d'une rognure de l'ongle de
son pouce, il fit sur-le-champ une espèce de grande trompette parlante, comme un vaste entonnoir, dont il mit le
tuyau dans son oreille. La circonférence de l'entonnoir
enveloppait le vaisseau et tout l'équipage. La voix la plus
faible entrait dans les fibres circulaires de l'ongle ; de
sorte que, grâce à son industrie, le philosophe de là-haut
entendit parfaitement le bourdonnement de nos insectes
de là-bas. En peu d'heures il parvint à distinguer les
paroles, et enfin à entendre le français. Le nain en fit
autant, quoique avec plus de difficulté. L'étonnement des
voyageurs redoublait à chaque instant. Ils entendaient
des mites parler d'assez bon sens : ce jeu de la nature leur
paraissait inexplicable. Vous croyez bien que le Sirien et
son nain brûlaient d'impatience de lier conversation avec
les atomes ; il craignait que sa voix de tonnerre, et surtout
celle de Micromégas, n'assourdît les mites sans en être
entendue. Il fallait en diminuer la force. Ils se mirent
dans la bouche des espèces de petits cure-dents, dont le
bout fort effilé venait donner auprès du vaisseau. Le
Sirien tenait le nain sur ses genoux, et le vaisseau avec
l'équipage sur un ongle ; il baissait la tête et parlait bas.
Enfin, moyennant toutes ces précautions et bien d'autres
encore, il commença ainsi son discours :

« Insectes invisibles, que la main du Créateur s'est plu
à faire naître dans l'abîme de l'infiniment petit, je le
remercie de ce qu'il a daigné me découvrir des secrets
qui semblaient impénétrables. Peut-être ne daignerait-on
pas vous regarder à ma cour ; mais je ne méprise personne, et je vous offre ma protection. »

Si jamais il y a eu quelqu'un d'étonné, ce furent les
gens qui entendirent ces paroles. Ils ne pouvaient deviner
d'où elles partaient. L'aumônier du vaisseau récita les
prières des exorcismes, les matelots jurèrent, et les philosophes du vaisseau firent un système ; mais quelque système qu'ils fissent, ils ne purent jamais deviner qui leur
parlait. Le nain de Saturne, qui avait la voix plus douce
que Micromégas, leur apprit alors en peu de mots à
quelles espèces ils avaient affaire. Il leur conta le voyage

de Saturne, les mit au fait de ce qu'était monsieur Micromégas; et, après les avoir plaints d'être si petits, il leur
demanda s'ils avaient toujours été dans ce misérable état
si voisin de l'anéantissement, ce qu'ils faisaient dans un
globe qui paraissait appartenir à des baleines, s'ils étaient
heureux, s'ils multipliaient, s'ils avaient une âme, et
cent autres questions de cette nature.

Un raisonneur de la troupe, plus hardi que les autres,
et choqué de ce qu'on doutait de son âme, observa l'interlocuteur avec des pinnules braquées sur un quart de
cercle, fit deux stations, et à la troisième il parla ainsi :
« Vous croyez donc, monsieur, parce que vous avez
mille toises depuis la tête jusqu'aux pieds, que vous êtes
un... — Mille toises! s'écria le nain; juste ciel! d'où peut-
il savoir ma hauteur ? mille toises! Il ne se trompe pas
d'un pouce; quoi! cet atome m'a mesuré! il est géomètre,
il connaît ma grandeur; et moi, qui ne le vois qu'à travers
un microscope, je ne connais pas encore la sienne! — Oui,
je vous ai mesuré, dit le physicien, et je mesurerai bien
encore votre grand compagnon. » La proposition fut
acceptée; Son Excellence se coucha de son long : car,
s'il se fût tenu debout, sa tête eût été trop au-dessus des
nuages. Nos philosophes lui plantèrent un grand arbre
dans un endroit que le docteur Swift nommerait, mais
que je me garderai bien d'appeler par son nom, à cause de
mon grand respect pour les dames. Puis, par une suite de
triangles liés ensemble, ils conclurent que ce qu'ils
voyaient était en effet un jeune homme de cent vingt
mille pieds de roi.

Alors Micromégas prononça ces paroles : « Je vois
plus que jamais qu'il ne faut juger de rien sur sa grandeur
apparente. O Dieu! qui avez donné une intelligence à
des substances qui paraissent si méprisables, l'infiniment
petit vous coûte aussi peu que l'infiniment grand; et, s'il
est possible qu'il y ait des êtres plus petits que ceux-ci,
ils peuvent encore avoir un esprit supérieur à ceux de ces
superbes animaux que j'ai vus dans le ciel, dont le pied
seul couvrirait le globe où je suis descendu. »

Un des philosophes lui répondit qu'il pouvait en toute
sûreté croire qu'il est en effet des êtres intelligents beaucoup plus petits que l'homme. Il lui conta, non pas tout
ce que Virgile a dit de fabuleux sur les abeilles, mais
ce que Swammerdam a découvert, et ce que Réaumur a
disséqué. Il lui apprit enfin qu'il y a des animaux qui sont
pour les abeilles ce que les abeilles sont pour l'homme,

ce que le Sirien lui-même était pour ces animaux si vastes
dont il parlait, et ce que ces grands animaux sont pour
d'autres substances devant lesquelles ils ne paraissent
que comme des atomes. Peu à peu la conversation devint
intéressante, et Micromégas parla ainsi.

CHAPITRE SEPTIÈME

CONVERSATION AVEC LES HOMMES

« O atomes intelligents, dans qui l'Etre éternel s'est
plu à manifester son adresse et sa puissance, vous devez
sans doute goûter des joies bien pures sur votre globe :
car, ayant si peu de matière, et paraissant tout esprit,
vous devez passer votre vie à aimer et à penser ; c'est la
véritable vie des esprits. Je n'ai vu nulle part le vrai
bonheur ; mais il est ici, sans doute. » A ce discours, tous
les philosophes secouèrent la tête ; et l'un d'eux, plus
franc que les autres, avoua de bonne foi que, si l'on en
excepte un petit nombre d'habitants fort peu considérés,
tout le reste est un assemblage de fous, de méchants et
de malheureux. « Nous avons plus de matière qu'il ne
nous en faut, dit-il, pour faire beaucoup de mal, si le
mal vient de la matière ; et trop d'esprit, si le mal vient de
l'esprit. Savez-vous bien, par exemple, qu'à l'heure que
je vous parle, il y a cent mille fous de notre espèce, couverts de chapeaux, qui tuent cent mille autres animaux
couverts d'un turban, ou qui sont massacrés par eux, et
que, presque par toute la terre, c'est ainsi qu'on en use
de temps immémorial ? » Le Sirien frémit, et demanda
quel pouvait être le sujet de ces horribles querelles entre
de si chétifs animaux. « Il s'agit, dit le philosophe, de
quelque tas de boue grand comme votre talon. Ce n'est
pas qu'aucun de ces millions d'hommes qui se font
égorger prétende un fétu sur ce tas de boue. Il ne s'agit
que de savoir s'il appartiendra à un certain homme qu'on
nomme *Sultan*, ou à un autre qu'on nomme, je ne sais
pourquoi, *César*. Ni l'un ni l'autre n'a jamais vu ni ne
verra jamais le petit coin de terre dont il s'agit ; et presque
aucun de ces animaux, qui s'égorgent mutuellement, n'a
jamais vu l'animal pour lequel ils s'égorgent.

— Ah ! malheureux ! s'écria le Sirien avec indignation,
peut-on concevoir cet excès de rage forcenée ! Il me prend
envie de faire trois pas, et d'écraser de trois coups de pied

toute cette fourmilière d'assassins ridicules. — Ne vous en donnez pas la peine, lui répondit-on; ils travaillent assez à leur ruine. Sachez qu'au bout de dix ans, il ne reste jamais la centième partie de ces misérables; sachez que, quand même ils n'auraient pas tiré l'épée, la faim, la fatigue ou l'intempérance, les emportent presque tous. D'ailleurs, ce n'est pas eux qu'il faut punir, ce sont ces barbares sédentaires qui du fond de leur cabinet ordonnent, dans le temps de leur digestion, le massacre d'un million d'hommes, et qui ensuite en font remercier Dieu solennellement. » Le voyageur se sentait ému de pitié pour la petite race humaine, dans laquelle il découvrait de si étonnants contrastes. « Puisque vous êtes du petit nombre des sages, dit-il à ces messieurs, et qu'apparemment vous ne tuez personne pour de l'argent, dites-moi, je vous en prie, à quoi vous vous occupez. — Nous disséquons des mouches, dit le philosophe, nous mesurons des lignes, nous assemblons des nombres; nous sommes d'accord sur deux ou trois points que nous entendons, et nous disputons sur deux ou trois mille que nous n'entendons pas. » Il prit aussitôt fantaisie au Sirien et au Saturnien d'interroger ces atomes pensants, pour savoir les choses dont ils convenaient. «Combien comptez-vous, dit-il, de l'étoile de la Canicule à la grande étoile des Gémeaux ? » Ils répondirent tous à la fois : « Trente-deux degrés et demi. — Combien comptez-vous d'ici à la lune ? — Soixante demi-diamètres de la terre en nombre rond. — Combien pèse votre air ? » Il croyait les attraper, mais tous lui dirent que l'air pèse environ neuf cents fois moins qu'un pareil volume de l'eau la plus légère, et dix-neuf cents fois moins que l'or de ducat. Le petit nain de Saturne, étonné de leurs réponses, fut tenté de prendre pour des sorciers ces mêmes gens auxquels il avait refusé une âme un quart d'heure auparavant.

Enfin Micromégas leur dit : « Puisque vous savez si bien ce qui est hors de vous, sans doute vous savez encore mieux ce qui est en dedans. Dites-moi ce que c'est que votre âme, et comment vous formez vos idées. » Les philosophes parlèrent tous à la fois comme auparavant; mais ils furent tous de différents avis. Le plus vieux citait Aristote, l'autre prononçait le nom de Descartes; celui-ci, de Malebranche; cet autre, de Leibnitz; cet autre, de Locke. Un vieux péripatéticien dit tout haut avec confiance : « L'âme est un *entéléchie*, et une raison par qui elle a la puissance d'être ce qu'elle est. C'est ce que déclare expressément Aristote, page 633 de l'édition du Louvre. Ἐντελεχεῖα ἐστι. — Je n'entends pas trop bien le grec, dit le géant. — Ni moi non plus, dit la mite philosophique. — Pourquoi donc, reprit le Sirien, citez-vous un certain Aristote en grec? — C'est, répliqua le savant, qu'il faut bien citer ce qu'on ne comprend point du tout dans la langue qu'on entend le moins. »

Le cartésien prit la parole, et dit : « L'âme est un esprit pur qui a reçu dans le ventre de sa mère toutes les idées métaphysiques, et qui, en sortant de là, est obligée d'aller à l'école, et d'apprendre tout de nouveau ce qu'elle a si bien su, et qu'elle ne saura plus. — Ce n'était donc pas la peine, répondit l'animal de huit lieues, que ton âme fût si savante dans le ventre de ta mère, pour être si ignorante quand tu aurais de la barbe au menton. Mais qu'entends-tu par esprit ? — Que me demandez-vous là ? dit le raisonneur ; je n'en ai point d'idée ; on dit que ce n'est pas de la matière. — Mais sais-tu au moins ce que c'est que de la matière ? — Très bien, répondit l'homme. Par exemple cette pierre est grise, et d'une telle forme, elle a ses trois dimensions, elle est pesante et divisible. — Eh bien! dit le Sirien, cette chose qui te paraît être divisible, pesante et grise, me dirais-tu bien ce que c'est ? Tu vois quelques attributs ; mais le fond de la chose, le connais-tu ? — Non, dit l'autre. — Tu ne sais donc point ce que c'est que la matière. »

Alors monsieur Micromégas, adressant la parole à un autre sage qu'il tenait sur son pouce, lui demanda ce que c'était que son âme, et ce qu'elle faisait. « Rien du tout, répondit le philosophe malebranchiste ; c'est Dieu qui fait tout pour moi : je vois tout en lui, je fais tout en lui ; c'est lui qui fait tout sans que je m'en mêle. — Autant vaudrait ne pas être, reprit le sage de Sirius. Et toi, mon ami, dit-il à un Leibnitzien qui était là, qu'est-ce que ton âme ? — C'est, répondit le Leibnitzien, une aiguille qui montre les heures pendant que mon corps carillonne, ou bien, si vous voulez, c'est elle qui carillonne pendant que mon corps montre l'heure ; ou bien mon âme est le miroir de l'univers, et mon corps est la bordure du miroir : cela est clair. »

Un petit partisan de Locke était là tout auprès ; et quand on lui eut enfin adressé la parole : « Je ne sais pas, dit-il, comment je pense, mais je sais que je n'ai jamais pensé qu'à l'occasion de mes sens. Qu'il y ait des substances immatérielles et intelligentes, c'est de quoi je ne doute pas; mais qu'il soit impossible à Dieu de communiquer la pensée à la matière, c'est de quoi je doute fort. Je révère la puissance éternelle; il ne m'appartient pas de la borner : je n'affirme rien; je me contente de croire qu'il y a plus de choses possibles qu'on ne pense. »

L'animal de Sirius sourit : il ne trouva pas celui-là le moins sage; et le nain de Saturne aurait embrassé le sectateur de Locke sans l'extrême disproportion. Mais il y avait là, par malheur, un petit animalcule en bonnet carré qui coupa la parole à tous les animalcules philosophes; il dit qu'il savait tout le secret, que cela se trouvait dans la *Somme* de St. Thomas; il regarda de haut en bas les deux habitants célestes; il leur soutint que leurs personnes, leurs mondes, leurs soleils, leurs étoiles, tout était fait uniquement pour l'homme. A ce discours, nos deux voyageurs se laissèrent aller l'un sur l'autre en étouffant de ce rire inextinguible qui, selon Homère, est le partage des dieux : leurs épaules et leurs ventres allaient et venaient, et dans ces convulsions le vaisseau, que le Sirien avait sur son ongle, tomba dans une poche de la culotte du Saturnien. Ces deux bonnes gens le cherchèrent longtemps; enfin ils retrouvèrent l'équipage, et le rajustèrent fort proprement. Le Sirien reprit les petites mites; il leur parla encore avec beaucoup de bonté, quoiqu'il fût un peu fâché dans le fond du cœur de voir que les infiniment petits eussent un orgueil presque infiniment grand. Il leur promit de leur faire un beau livre de philosophie, écrit fort menu pour leur usage, et que, dans ce livre, ils verraient le bout des choses. Effectivement, il leur donna ce volume avant son départ : on le porta à Paris à l'Académie des sciences; mais, quand le secrétaire l'eut ouvert, il ne vit rien qu'un livre tout blanc : « Ah! dit-il, je m'en étais bien douté. »

NOTE
SONGE DE PLATON

Voltaire ne lisait pas le grec. Il ne connaît Platon qu'en traduction ou, qui pis est, à travers les commentaires de Dacier qui tendent à faire du philosophe grec un chrétien avant la lettre. On ne s'étonnera pas que, soumises à une double réfraction, les idées du *Phédon*, du *Banquet*, de *la République* subissent d'étranges altérations. Mais ce « songe de Platon » est à lire comme un « songe de Voltaire ».

Le texte date de 1756 (première publication dans une édition des *Œuvres*, par Cramer, Genève). Après le tremblement de terre de Lisbonne, Voltaire s'interroge sur l'œuvre du grand Démiourgos. Supposer que le Maître d'œuvre abandonna l'arrangement de la terre à un sous-ordre, pourquoi non ? Ainsi s'expliqueraient les malfaçons. Mais, après tout, ceci n'est qu'un songe.

L'intérêt du texte est qu'il élève des doutes sur le finalisme. Voltaire n'ira jamais jusqu'à renoncer au postulat qu'exige sa philosophie déiste. Il eut au moins la lucidité d'en apercevoir les difficultés, et de le mettre en question.

R. P.

SONGE DE PLATON

Platon rêvait beaucoup, et on n'a pas moins rêvé depuis. Il avait songé que la nature humaine était autrefois double, et qu'en punition de ses fautes elle fut divisée en mâle et femelle.

Il avait prouvé qu'il ne peut y avoir que cinq mondes parfaits, parce qu'il n'y a que cinq corps réguliers en mathématiques. Sa *République* fut un de ses grands rêves. Il avait rêvé encore que le dormir naît de la veille, et la veille du dormir, et qu'on perd sûrement la vue en regardant une éclipse ailleurs que dans un bassin d'eau. Les rêves alors donnaient une grande réputation.

Voici un de ses songes, qui n'est pas un des moins intéressants. Il lui sembla que le grand Démiourgos, l'éternel Géomètre, ayant peuplé l'espace infini de globes innombrables, voulut éprouver la science des génies qui avaient été témoins de ses ouvrages. Il donna à chacun d'entre eux un petit morceau de matière à arranger, à peu près comme Phidias et Zeuxis auraient donné des statues et des tableaux à faire à leurs disciples, s'il est permis de comparer les petites choses aux grandes.

Démogorgon eut en partage le morceau de boue qu'on appelle *la terre* et, l'ayant arrangé de la manière qu'on le voit aujourd'hui, il prétendait avoir fait un chef-d'œuvre. Il pensait avoir subjugué l'envie, et attendait des éloges même de ses confrères ; il fut bien surpris d'être reçu d'eux avec des huées.

L'un d'eux, qui était un fort mauvais plaisant, lui dit : « Vraiment vous avez fort bien opéré ; vous avez séparé votre monde en deux, et vous avez mis un grand espace d'eau entre les deux hémisphères, afin qu'il n'y eût point de communication de l'un à l'autre. On gèlera de froid sous vos deux pôles, on mourra de chaud sous votre

ligne équinoxiale. Vous avez prudemment établi de
grands déserts de sables, pour que les passants y mou-
russent de faim et de soif. Je suis assez content de vos
moutons, de vos vaches, et de vos poules ; mais franche-
ment, je ne le suis pas trop de vos serpents et de vos
araignées. Vos oignons et vos artichauts sont de très
bonnes choses, mais je ne vois pas quelle a été votre idée
en couvrant la terre de tant de plantes venimeuses, à
moins que vous n'ayez eu le dessein d'empoisonner ses
habitants. Il me paraît d'ailleurs que vous avez formé une
trentaine d'espèces de singes, beaucoup plus d'espèces
de chiens, et seulement quatre ou cinq espèces d'hommes :
il est vrai que vous avez donné à ce dernier animal ce
que vous appelez *la raison ;* mais, en conscience, cette
raison-là est trop ridicule, et approche trop de la folie. Il
me paraît d'ailleurs que vous ne faites pas grand cas de
cet animal à deux pieds, puisque vous lui avez donné
tant d'ennemis et si peu de défense, tant de maladies et
si peu de remèdes, tant de passions et si peu de sagesse.
Vous ne voulez pas apparemment qu'il reste beaucoup
de ces animaux-là sur terre : car, sans compter les dangers
auxquels vous les exposez, vous avez si bien fait votre
compte qu'un jour la petite vérole emportera tous les
ans régulièrement la dixième partie de cette espèce, et
que la sœur de cette petite vérole empoisonnera la source
de la vie dans les neuf parties qui resteront ; et, comme
si ce n'était pas encore assez, vous avez tellement dis-
posé les choses que la moitié des survivants sera occupée
à plaider, et l'autre à se tuer ; ils vous auront sans doute
beaucoup d'obligation, et vous avez fait là un beau chef-
d'œuvre. »

Démogorgon rougit ; il sentait bien qu'il y avait du
mal moral et du mal physique dans son affaire ; mais il
soutenait qu'il y avait plus de bien que de mal. « Il est
aisé de critiquer, dit-il ; mais pensez-vous qu'il soit si
facile de faire un animal qui soit toujours raisonnable ;
qui soit libre, et qui n'abuse jamais de sa liberté ? Pensez-
vous que, quand on a neuf à dix mille plantes à faire pro-
vigner, on puisse si aisément empêcher que quelques-
unes de ces plantes n'aient des qualités nuisibles ? Vous
imaginez-vous qu'avec une certaine quantité d'eau, de
sable, de fange, et de feu, on puisse n'avoir ni mer, ni
désert ? Vous venez, monsieur le rieur, d'arranger la
planète de Mars ; nous verrons comment vous vous en
êtes tiré avec vos deux grandes bandes, et quel bel effet

font vos nuits sans lune; nous verrons s'il n'y a chez vos gens ni folie ni maladie. »

En effet, les génies examinèrent Mars, et on tomba rudement sur le railleur. Le sérieux génie qui avait pétri Saturne ne fut pas épargné : ses confrères, les fabricateurs de Jupiter, de Mercure, de Vénus, eurent chacun des reproches à essuyer.

On écrivit de gros volumes et des brochures; on dit des bons mots, on fit des chansons, on se donna des ridicules, les partis s'aigrirent; enfin l'éternel Démiourgos leur imposa silence à tous : « Vous avez fait, leur dit-il, du bon et du mauvais, parce que vous avez beaucoup d'intelligence, et que vous êtes imparfaits; vos œuvres dureront seulement quelques centaines de millions d'années; après quoi, étant plus instruits, vous ferez mieux : il n'appartient qu'à moi de faire des choses parfaites et immortelles. » Voilà ce que Platon enseignait à ses disciples. Quand il eut cessé de parler, l'un d'eux lui dit : *Et puis vous vous réveillâtes.*

NOTE
SUR
LES DEUX CONSOLÉS

Ceci, dira-t-on, n'est pas un conte. Un dialogue plutôt, par l'auteur de l'*Essai sur les mœurs*, dont la première édition complète vient de paraître (*les Deux Consolés* furent publiés en 1756, comme le *Songe de Platon*, dans l'édition Cramer des *Œuvres*). On voit bien que toute l'érudition de celui qui vient d'écrire une *Histoire universelle* demeure à la disposition de son Citophile (apparemment : « qui aime citer »).

L'objection du genre vaut pour plusieurs autres textes, traditionnellement rangés parmi les *Contes*. Le classement cependant se justifie, dans la mesure où n'apparaît pas de distinction tranchée entre les formes variées du propos voltairien : article (de journal ou de dictionnaire), note détachée, dialogue, récit bref... Pourquoi *les Deux Consolés* ne seraient-ils pas un conte ? A l'un et l'autre personnage il est arrivé malheur. Ils ont souffert. Ils ont oublié. Il y a là au moins une anecdote philosophique — consolante ou désolante, au choix du lecteur.

R. P.

LES DEUX CONSOLÉS

Le grand philosophe Citophile disait un jour à une femme désolée, et qui avait juste sujet de l'être : « Madame, la reine d'Angleterre, fille du grand Henri IV, a été aussi malheureuse que vous : on la chassa de ses royaumes ; elle fut prête à périr sur l'Océan par les tempêtes ; elle vit mourir son royal époux sur l'échafaud. — J'en suis fâchée pour elle, dit la dame » ; et elle se mit à pleurer ses propres infortunes.

« Mais, dit Citophile, souvenez-vous de Marie Stuart : elle aimait fort honnêtement un brave musicien qui avait une très belle basse-taille. Son mari tua son musicien à ses yeux ; et ensuite sa bonne amie et sa bonne parente, la reine Elisabeth, qui se disait pucelle, lui fit couper le cou sur un échafaud tendu de noir, après l'avoir tenue en prison dix-huit années. — Cela est fort cruel, répondit la dame » ; et elle se replongea dans sa mélancolie.

« Vous avez peut-être entendu parler, dit le consolateur, de la belle Jeanne de Naples qui fut prise et étranglée ? — Je m'en souviens confusément », dit l'affligée.

« Il faut que je vous conte, ajouta l'autre, l'aventure d'une souveraine qui fut détrônée de mon temps après souper, et qui est morte dans une île déserte. — Je sais toute cette histoire », répondit la dame.

« Eh bien donc, je vais vous apprendre ce qui est arrivé à une autre grande princesse à qui j'ai montré la philosophie. Elle avait un amant, comme en ont toutes les grandes et belles princesses. Son père entra dans sa chambre, et surprit l'amant, qui avait le visage tout en feu et l'œil étincelant comme une escarboucle ; la dame aussi avait le teint fort animé. Le visage du jeune homme

déplut tellement au père qu'il lui appliqua le plus énorme
soufflet qu'on eût jamais donné dans sa province. L'amant
prit une paire de pincettes et cassa la tête au beau-père,
qui guérit à peine, et qui porte encore la cicatrice de cette
blessure. L'amante, éperdue, sauta par la fenêtre et se
démit le pied ; de manière qu'aujourd'hui elle boite visiblement, quoique d'ailleurs elle ait la taille admirable.
L'amant fut condamné à la mort pour avoir cassé la tête
à un très grand prince. Vous pouvez juger de l'état où
était la princesse quand on menait pendre l'amant. Je
l'ai vue longtemps lorsqu'elle était en prison ; elle ne me
parlait jamais que de ses malheurs. — Pourquoi ne voulez-
vous donc pas que je songe aux miens ? lui dit la dame. —
C'est, dit le philosophe, parce qu'il n'y faut pas songer,
et que, tant de grandes dames ayant été si infortunées,
il vous sied mal de vous désespérer. Songez à Hécube,
songez à Niobé. — Ah ! dit la dame, si j'avais vécu de
leur temps, ou de celui de tant de belles princesses, et si
pour les consoler vous leur aviez conté mes malheurs,
pensez-vous qu'elles vous eussent écouté ? »

Le lendemain, le philosophe perdit son fils unique, et
fut sur le point d'en mourir de douleur. La dame fit
dresser une liste de tous les rois qui avaient perdu leurs
enfants, et la porta au philosophe ; il la lut, la trouva fort
exacte, et n'en pleura pas moins. Trois mois après ils se
revirent, et furent étonnés de se retrouver d'une humeur
très gaie. Ils firent ériger une belle statue au Temps,
avec cette inscription : A CELUI QUI CONSOLE.

NOTE

SUR

HISTOIRE DES VOYAGES DE SCARMENTADO

Voltaire conserva trois ans en portefeuille l'*Histoire des voyages de Scarmentado*. Il publie son conte en 1756, au tome V de l'édition Cramer des *Œuvres*. Mais il l'avait écrit au début de 1753, après sa querelle avec Maupertuis et Frédéric II, quand, tout à fait désenchanté, il se préparait à quitter la Prusse. « Encore froissé des injustices qu'il venait d'éprouver, il composa *les Voyages de Scarmentado*, conte ingénieux qui renferme des allusions visiblement applicables aux événements dans lesquels il avait figuré. » Ainsi s'exprime son secrétaire Collini. On ne trouve plus trace, dans le texte que nous lisons, des allusions aux événements de Prusse. Il est vraisemblable que, dans une première version, Scarmentado faisait en Allemagne une escale, qui fut ensuite retranchée, en même temps que disparaissait certain *Barbarigo* dont s'alarmait Mme Denis (lettres du 24 mars et du 11 avril 1754).

Entre les malheurs de Voltaire et ceux de Scarmentado ne s'établit qu'une relation allégorique. Le héros du conte n'eut jamais de chance. Sa naissance est saluée par le poète Iro, autrement dit le poète Roi, l'un des vieux ennemis de Voltaire. Etudiant à Rome, il se lie avec de dangereuses beautés : la signora Fatelo (« Faites-le »); la signora Olimpia, apparemment la belle-sœur du pape Innocent X, dont *le Siècle de Louis XIV* assure qu'elle « vendit sous son pontificat tout ce qui pouvait se vendre ». Il arrive en France, sous le règne de Louis XIII, juste à temps pour voir la populace débiter en morceaux le cadavre de Concini. Il visite Londres au moment de la conspiration des Poudres (1605 : un conte a le droit de prendre des libertés avec la chronologie). A La Haye il assiste au supplice de Barneveldt : le chef des arminiens, opposés au dogme de la prédestination absolue, périssait victime du stathouder Maurice de Nassau et des pasteurs gomaristes. Le voyageur, à Séville, tombe au milieu d'un autodafé ; d'indiscrètes paroles sur cette « petite fête délicieuse » lui valent un séjour dans les cachots du Saint-Office, pendant que ses compagnons lisent la *Brève Relation de la destruction des Indes* (c'est-à-dire des populations indiennes d'Amérique du Sud) par Las Casas, évêque de Chiapa. A Constantinople il apprend à ses dépens le véritable sens de *Alla illa Alla* : « Il n'y a de Dieu qu'Allah ». En Chine, il éveille les soupçons aussi bien des missionnaires jésuites, qui autorisent leurs catéchumènes à pratiquer le culte des ancêtres, que des missionnaires ennemis des jésuites, qui dénoncent à Rome comme infâmes les concessions des enfants de Loyola. Il échappe à Aureng-Zeb, empereur mongol de l'Inde, à Muley-Ismael, sultan du Maroc contemporain de Louis XIV, à un capitaine de corsaires nègres, tyran qui n'est pas pire que les deux précédents.

Rentré chez lui, est-il devenu « philosophe » ? Il est seulement *escarmentado*, « instruit par l'expérience » : car ce Grec, natif de Candie en Crète, porte un nom espagnol. Son tour du monde est accéléré : il semble que le voyageur n'ait pas le temps de faire ses réflexions. Il n'est d'ailleurs l'adepte d'aucun système de philosophie. Voltaire, cette fois-ci, est passé trop vite. Il lui faudra revenir, plus à loisir, dans la plupart de ces lieux. L'*Histoire des voyages de Scarmentado* prélude à l'histoire des voyages de Candide.

R. P.

HISTOIRE

DES VOYAGES DE SCARMENTADO

ÉCRITE PAR LUI-MÊME

Je naquis dans la ville de Candie, en 1600. Mon père en était gouverneur; et je me souviens qu'un poète médiocre qui n'était pas médiocrement dur, nommé *Iro*, fit de mauvais vers à ma louange, dans lesquels il me faisait descendre de Minos en droite ligne; mais mon père ayant été disgracié, il fit d'autres vers où je ne descendais plus que de Pasiphaé et de son amant. C'était un bien méchant homme que cet Iro, et le plus ennuyeux coquin qui fût dans l'île.

Mon père m'envoya, à l'âge de quinze ans, étudier à Rome. J'arrivai dans l'espérance d'apprendre toutes les vérités; car jusque-là on m'avait enseigné tout le contraire, selon l'usage de ce bas monde, depuis la Chine jusqu'aux Alpes. Monsignor Profondo, à qui j'étais recommandé, était un homme singulier, et un des plus terribles savants qu'il y eût au monde. Il voulut m'apprendre les catégories d'Aristote, et fut sur le point de me mettre dans la catégorie de ses mignons : je l'échappai belle. Je vis des processions, des exorcismes, et quelques rapines. On disait, mais très faussement, que la signora Olimpia, personne d'une grande prudence, vendait beaucoup de choses qu'on ne doit point vendre. J'étais dans un âge où tout cela me paraissait fort plaisant. Une jeune dame de mœurs très douces, nommée la signora Fatelo, s'avisa de m'aimer. Elle était courtisée par le révérend père Poignardini, et par le révérend père Aconiti, jeunes profès d'un ordre qui ne subsiste plus : elle les mit d'accord en me donnant ses bonnes grâces; mais en même temps je courus risque d'être excommunié et empoisonné. Je partis, très content de l'architecture de St. Pierre.

Je voyageai en France; c'était le temps du règne de Louis le Juste. La première chose qu'on me demanda,

ce fut si je voulais à mon déjeuner un petit morceau du
maréchal d'Ancre, dont le peuple avait fait rôtir la chair,
et qu'on distribuait à fort bon compte à ceux qui en
voulaient.

Cet Etat était continuellement en proie aux guerres
civiles, quelquefois pour une place au conseil, quelquefois pour deux pages de controverse. Il y avait plus de
soixante ans que ce feu, tantôt couvert et tantôt soufflé
avec violence, désolait ces beaux climats. C'étaient là les
libertés de l'Eglise Gallicane. « Hélas! dis-je, ce peuple
est pourtant né doux : qui peut l'avoir tiré ainsi de son
caractère ? Il plaisante, et il fait des Saint-Barthélemy.
Heureux le temps où il ne fera que plaisanter! »

Je passai en Angleterre : les mêmes querelles y exci-
taient les mêmes fureurs. De saints catholiques avaient
résolu, pour le bien de l'Eglise, de faire sauter en l'air,
avec de la poudre, le roi, la famille royale, et tout le parlement, et de délivrer l'Angleterre de ces hérétiques. On
me montra la place où la bienheureuse reine Marie, fille
de Henri VIII, avait fait brûler plus de cinq cents de ses
sujets. Un prêtre hibernois m'assura que c'était une très
bonne action : premièrement, parce que ceux qu'on
avait brûlés étaient Anglais; en second lieu, parce qu'ils
ne prenaient jamais d'eau bénite, et qu'ils ne croyaient
pas au trou de St. Patrice. Il s'étonnait surtout que la
reine Marie ne fût pas encore canonisée; mais il espérait
qu'elle le serait bientôt, quand le cardinal-neveu aurait
un peu de loisir.

J'allai en Hollande, où j'espérais trouver plus de tranquillité chez des peuples plus flegmatiques. On coupait la
tête à un vieillard vénérable lorsque j'arrivai à la Haye.
C'était la tête chauve du premier ministre Barneveldt,
l'homme qui avait le mieux mérité de la république. Touché de pitié, je demandai quel était son crime, et s'il
avait trahi l'Etat. « Il a fait bien pis, me répondit un prédicant à manteau noir; c'est un homme qui croit que l'on
peut se sauver par les bonnes œuvres aussi bien que par
la foi. Vous sentez bien que, si de telles opinions s'éta-
blissaient, une république ne pourrait subsister, et qu'il
faut des lois sévères pour réprimer de si scandaleuses
horreurs. » Un profond politique du pays me dit en soupirant : « Hélas! monsieur, le bon temps ne durera pas
toujours; ce n'est que par hasard que ce peuple est si
zélé; le fond de son caractère est porté au dogme abominable de la tolérance, un jour il y viendra : cela fait fré-

mir. » Pour moi, en attendant que ce temps funeste de la modération et de l'indulgence fût arrivé, je quittai bien vite un pays où la sévérité n'était adoucie par aucun agrément, et je m'embarquai pour l'Espagne.

La cour était à Séville, les galions étaient arrivés, tout respirait l'abondance et la joie dans la plus belle saison de l'année. Je vis au bout d'une allée d'orangers et de citronniers une espèce de lice immense entourée de gradins couverts d'étoffes précieuses. Le roi, la reine, les infants, les infantes, étaient sous un dais superbe. Vis-à-vis de cette auguste famille était un autre trône, mais plus élevé. Je dis à un de mes compagnons de voyage : « A moins que ce trône ne soit réservé pour Dieu, je ne vois pas à quoi il peut servir. » Ces indiscrètes paroles furent entendues d'un grave Espagnol, et me coûtèrent cher. Cependant je m'imaginais que nous allions voir quelque carrousel ou quelque fête de taureaux, lorsque le grand inquisiteur parut sur ce trône d'où il bénit le roi et le peuple.

Ensuite vint une armée de moines défilant deux à deux, blancs, noirs, gris, chaussés, déchaussés, avec barbe, sans barbe, avec capuchon pointu, et sans capuchon ; puis marchait le bourreau ; puis on voyait au milieu des alguazils et des grands environ quarante personnes couvertes de sacs sur lesquels on avait peint des diables et des flammes. C'étaient des juifs qui n'avaient pas voulu renoncer absolument à Moïse, c'étaient des chrétiens qui avaient épousé leurs commères, ou qui n'avaient pas adoré Notre-Dame d'Atocha, ou qui n'avaient pas voulu se défaire de leur argent comptant en faveur des frères hiéronymites. On chanta dévotement de très belles prières, après quoi on brûla à petit feu tous les coupables ; de quoi toute la famille royale parut extrêmement édifiée.

Le soir, dans le temps que j'allais me mettre au lit, arrivèrent chez moi deux familiers de l'Inquisition avec la sainte Hermandad : ils m'embrassèrent tendrement, et me menèrent, sans me dire un seul mot, dans un cachot très frais, meublé d'un lit de natte et d'un beau crucifix. Je restai là six semaines, au bout desquelles le révérend père inquisiteur m'envoya prier de venir lui parler : il me serra quelque temps entre ses bras, avec une affection toute paternelle ; il me dit qu'il était sincèrement affligé d'avoir appris que je fusse si mal logé ; mais que tous les appartements de la maison étaient remplis, et qu'une autre fois il espérait que je serais plus à mon aise. Ensuite il me demanda cordialement si je ne savais pas pourquoi j'étais là. Je dis au révérend père que c'était apparemment pour mes péchés. « Eh bien, mon cher enfant, pour quel péché ? parlez-moi avec confiance. » J'eus beau imaginer, je ne devinai point; il me mit charitablement sur les voies.

Enfin je me souvins de mes indiscrètes paroles. J'en fus quitte pour la discipline et une amende de trente mille réales. On me mena faire la révérence au grand inquisiteur : c'était un homme poli, qui me demanda comment j'avais trouvé sa petite fête. Je lui dis que cela était délicieux, et j'allai presser mes compagnons de voyage de quitter ce pays, tout beau qu'il est. Ils avaient eu le temps de s'instruire de toutes les grandes choses que les Espagnols avaient faites pour la religion. Ils avaient lu les mémoires du fameux évêque de Chiapa, par lesquels il paraît qu'on avait égorgé, ou brûlé, ou noyé dix millions d'infidèles en Amérique pour les convertir. Je crus que cet évêque exagérait; mais quand on réduirait ces sacrifices à cinq millions de victimes, cela serait encore admirable.

Le désir de voyager me pressait toujours. J'avais compté finir mon tour de l'Europe par la Turquie; nous en prîmes la route. Je me proposai bien de ne plus dire mon avis sur les fêtes que je verrais. « Ces Turcs, dis-je à mes compagnons, sont des mécréants qui n'ont point été baptisés, et qui par conséquent seront bien plus cruels que les révérends pères inquisiteurs. Gardons le silence quand nous serons chez les mahométans. »

J'allai donc chez eux. Je fus étrangement surpris de voir en Turquie beaucoup plus d'églises chrétiennes qu'il n'y en avait dans Candie. J'y vis jusqu'à des troupes nombreuses de moines qu'on laissait prier la vierge Marie librement, et maudire Mahomet, ceux-ci en grec, ceux-là en latin, quelques autres en arménien. « Les bonnes gens que les Turcs! » m'écriai-je. Les chrétiens grecs et les chrétiens latins étaient ennemis mortels dans Constantinople; ces esclaves se persécutaient les uns les autres, comme des chiens qui se mordent dans la rue, et à qui leurs maîtres donnent des coups de bâtons pour les séparer. Le grand vizir protégeait alors les Grecs. Le patriarche grec m'accusa d'avoir soupé chez le patriarche latin, et je fus condamné en plein divan à cent coups de latte sur la plante des pieds, rachetables de cinq cents sequins. Le lendemain le grand vizir fut étranglé; le sur-

lendemain son successeur, qui était pour le parti des
Latins, et qui ne fut étranglé qu'un mois après, me
condamna à la même amende, pour avoir soupé chez le
patriarche grec. Je fus dans la triste nécessité de ne plus
fréquenter ni l'église grecque ni la latine. Pour m'en
consoler, je pris à loyer une fort belle Circassienne, qui
était la personne la plus tendre dans le tête-à-tête, et la
plus dévote à la mosquée. Une nuit, dans les doux transports de son amour, elle s'écria en m'embrassant : *Alla,
Illa, Alla :* ce sont les paroles sacramentales des Turcs :
je crus que c'étaient celles de l'amour; je m'écriai aussi
fort tendrement : « *Alla, Illa, Alla.* — Ah! me dit-elle,
le Dieu miséricordieux soit loué! vous êtes Turc. » Je lui
dis que je le bénissais de m'en avoir donné la force, et je
me crus trop heureux. Le matin l'iman vint pour me
circoncire; et, comme je fis quelque difficulté, le cadi du
quartier, homme loyal, me proposa de m'empaler : je sau-
vai mon prépuce et mon derrière avec mille sequins, et
je m'enfuis vite en Perse, résolu de ne plus entendre ni
messe grecque ni latine en Turquie, et de ne plus crier :
Alla, Illa, Alla, dans un rendez-vous.

En arrivant à Ispahan on me demanda si j'étais pour le
mouton noir ou pour le mouton blanc. Je répondis que
cela m'était fort indifférent, pourvu qu'il fût tendre. Il
faut savoir que les factions du *Mouton blanc* et du *Mouton
noir* partageaient encore les Persans. On crut que je me
moquais des deux partis; de sorte que je me trouvai déjà
une violente affaire sur les bras aux portes de la ville : il
m'en coûta encore grand nombre de sequins pour me
débarrasser des moutons.

Je poussai jusqu'à la Chine avec un interprète, qui
m'assura que c'était là le pays où l'on vivait librement et
gaiement. Les Tartares s'en étaient rendus maîtres, après
avoir tout mis à feu et à sang; et les révérends pères
jésuites d'un côté, comme les révérends pères dominicains de l'autre, disaient qu'ils y gagnaient des âmes à
Dieu, sans que personne en sût rien. On n'a jamais vu
de convertisseurs si zélés : car ils se persécutaient les uns
les autres tour à tour; ils écrivaient à Rome des volumes
de calomnies; ils se traitaient d'infidèles et de prévarica-
teurs pour une âme. Il y avait surtout une horrible querelle entre eux sur la manière de faire la révérence. Les
jésuites voulaient que les Chinois saluassent leurs pères
et leurs mères à la mode de la Chine, et les dominicains
voulaient qu'on les saluât à la mode de Rome. Il m'arriva

d'être pris par les jésuites pour un dominicain. On me fit
passer chez Sa Majesté tartare pour un espion du
pape. Le conseil suprême chargea un premier mandarin,
qui ordonna à un sergent, qui commanda à quatre sbires
du pays de m'arrêter et de me lier en cérémonie. Je fus
conduit après cent quarante génuflexions devant Sa Majesté. Elle me fit demander si j'étais l'espion du pape, et
s'il était vrai que ce prince dût venir en personne le
détrôner. Je lui répondis que le pape était un prêtre de
soixante et dix ans; qu'il demeurait à quatre mille lieues
de Sa Sacrée Majesté tartaro-chinoise; qu'il avait environ
deux mille soldats qui montaient la garde avec un parasol; qu'il ne détrônait personne, et que Sa Majesté pouvait dormir en sûreté. Ce fut l'aventure la moins funeste
de ma vie. On m'envoya à Macao, d'où je m'embarquai
pour l'Europe.

Mon vaisseau eut besoin d'être radoubé vers les côtes
de Golconde. Je pris ce temps pour aller voir la cour du
grand Aureng-Zeb, dont on disait des merveilles dans le
monde : il était alors dans Delhi. J'eus la consolation de
l'envisager le jour de la pompeuse cérémonie dans
laquelle il reçut le présent céleste que lui envoyait le
shérif de la Mecque. C'était le balai avec lequel on avait
balayé la maison sainte, le Caaba, le Beth Alla. Ce balai
est le symbole qui balaye toutes les ordures de l'âme.
Aureng-Zeb ne paraissait pas en avoir besoin; c'était
l'homme le plus pieux de tout l'Indoustan. Il est vrai qu'il
avait égorgé un de ses frères et empoisonné son père.
Vingt rayas et autant d'omras étaient morts dans les supplices; mais cela n'était rien, et on ne parlait que de sa
dévotion. On ne lui comparait que la sacrée majesté du
sérénissime empereur de Maroc, Muley-Ismaël, qui coupait des têtes tous les vendredis après la prière.

Je ne disais mot; les voyages m'avaient formé, et je
sentais qu'il ne m'appartenait pas de décider entre ces
deux augustes souverains. Un jeune Français, avec qui
je logeais, manqua, je l'avoue, de respect à l'empereur
des Indes et à celui de Maroc. Il s'avisa de dire très indis-
crètement qu'il y avait en Europe de très pieux souverains qui gouvernaient bien leurs Etats et qui fréquen-
taient même les églises, sans pourtant tuer leurs pères et
leurs frères, et sans couper les têtes de leurs sujets. Notre
interprète transmit en indou le discours impie de mon
jeune homme. Instruit par le passé, je fis vite seller mes
chameaux : nous partîmes, le Français et moi. J'ai su

depuis que la nuit même les officiers du grand Aureng-
Zeb étant venus pour nous prendre, ils ne trouvèrent que
l'interprète. Il fut exécuté en place publique, et tous les
courtisans avouèrent sans flatterie que sa mort était très
juste.

Il me restait de voir l'Afrique, pour jouir de toutes les
douceurs de notre continent. Je la vis en effet. Mon vaisseau fut pris par des corsaires nègres. Notre patron fit de
grandes plaintes; il leur demanda pourquoi ils violaient
ainsi les lois des nations. Le capitaine nègre lui répondit : « Vous avez le nez long, et nous l'avons plat; vos
cheveux sont tout droits, et notre laine est frisée; vous
avez la peau de couleur de cendre, et nous de couleur
d'ébène; par conséquent nous devons, par les lois sacrées
de la nature, être toujours ennemis. Vous nous achetez
aux foires de la côte de Guinée, comme des bêtes de
somme, pour nous faire travailler à je ne sais quel emploi
aussi pénible que ridicule. Vous nous faites fouiller à
coups de nerfs de bœuf dans des montagnes pour en tirer
une espèce de terre jaune qui par elle-même n'est bonne
à rien, et qui ne vaut pas, à beaucoup près, un bon oignon
d'Egypte; aussi quand nous vous rencontrons, et que
nous sommes les plus forts, nous vous faisons esclaves,
nous vous faisons labourer nos champs, ou nous vous
coupons le nez et les oreilles. »

On n'avait rien à répliquer à un discours si sage. J'allai
labourer le champ d'une vieille négresse, pour conserver
mes oreilles et mon nez. On me racheta au bout d'un an.
J'avais vu tout ce qu'il y a de beau, de bon et d'admirable
sur la terre : je résolus de ne plus voir que mes pénates.
Je me mariai chez moi : je fus cocu, et je vis que c'était
l'état le plus doux de la vie.

NOTE
SUR
CANDIDE

Une dizaine d'années séparent *Zadig* de *Candide*. Décennie décisive dans l'histoire du siècle comme dans celle de Voltaire. Une nouvelle génération littéraire entre en scène, conduite par Diderot et Rousseau. La guerre de Sept ans éclate, marquée par des défaites qui démontrent la nécessité d'une réforme de la France. C'est au moment où s'amorce le grand tournant du siècle que Voltaire quitte Paris : il n'y reviendra que vingt-huit ans plus tard. Il commence à perdre le contact avec la capitale française; de ce fait il éprouvera quelque difficulté à mettre au point l'épisode parisien de *Candide*.

En se rendant à Berlin, il se méprenait sur le caractère de Frédéric II, sur l'ambiance de la cour, et sur le rôle qu'il y pourrait jouer. Attristé par le climat, piqué par les railleries du roi auxquelles il ne peut répondre, en butte à la jalousie de ses confrères, il s'échappe après sa querelle avec Maupertuis. Le roi de Prusse se venge par l'avanie de Francfort. Mois pénibles pour Voltaire. Indésirable en Allemagne, informé que le roi de France lui interdit d'approcher de Paris, il s'arrête en Alsace incertain de l'avenir, jusqu'à ce que des Genevois lui offrent asile en leur république. Bien accueilli, il achète une maison dans la banlieue, qu'il nomme les Délices, et s'assure un domicile à Lausanne pour l'hiver.

Des difficultés ne tardent pas à s'élever. Affaires de *la Pucelle*, des représentations théâtrales aux Délices; affaire surtout de l'article *Genève* de l'*Encyclopédie* : on l'accuse, non sans raison, d'avoir inspiré l'article rédigé par d'Alembert. Simultanément l'orage éclate à Paris. La cour déclenche une campagne violente contre les philosophes. D'Alembert découragé abandonne l'*Encyclopédie*, dont la publication bientôt est suspendue. C'est dans cette ambiance de combat que Voltaire commence à écrire *Candide*.

Parmi la production, toujours abondante, de cette période les œuvres essentielles sont *le Siècle de Louis XIV* (1751) et l'*Essai sur les mœurs* (1756). *Candide* met à profit l'immense documentation de cette histoire générale. Tel trait piquant, qui n'avait pas trouvé place dans l'ouvrage historique, est repris, congrument accommodé, dans le conte. Le festin offert par les dames du sérail à la garnison turque d'Azov est inspiré de saint Jérôme, patiemment dépouillé par Voltaire. La « bonne chère des jésuites », très appréciée des cannibales parce que les pères sont les seuls en Amérique du Sud à faire usage de sel, vient de Muratori via Fréron. Par-delà ces détails, le conteur philosophe s'élève désormais à des vues comparatistes. Le voyage de ses personnages tend à devenir un tour du monde.

Tel était déjà le cas de Scarmentado. Comme ce héros précurseur de Candide, Voltaire est *escarmentado*. Parvenu au terme de ses voyages, il se contente d'un bonheur médiocre, mais solide. Aux Délices, il goûte la volupté pure de construire, de jardiner. Il est heureux chez lui, pendant qu'au-dehors les hommes s'égorgent. Depuis longtemps, dans la correspondance, le thème du jardin s'annonçait.

Sa philosophie a-t-elle évolué vers le pessimisme, comme on le répète ? Dès 1747 l'ancien optimisme de Cirey était remis en question. *Candide*, aboutissant à une conclusion plus positive que le « mais... » de Zadig, pourrait être considéré comme moins pessimiste. Il est certain, au demeurant, que deux événements à partir de 1755 ont replacé au premier plan, dans la pensée de Voltaire, la critique du « tout est bien ». En novembre de cette année, il est bouleversé par les récits du séisme qui vient de détruire Lisbonne. Il a senti la terre trembler jusqu'aux Délices. Sous le coup de l'émotion il compose le *Poème sur le désastre de Lisbonne*. Ses alexandrins éloquents, sur une catastrophe qui plonge l'Europe dans la consternation, font grand bruit. On l'accuse d'attaquer la Providence ; à Genève, à Lausanne, il se trouve engagé dans des discussions avec les défenseurs de l'optimisme providentiel (Haller, Bonnet et leurs amis).

Sur ces entrefaites, la guerre se rallume en Europe. Il en suit de près le déroulement. Sensible à la gloire des armes françaises (« je suis fou de joie », s'écriait-il après

Fontenoy), il soumet au ministère un plan de char d'assaut (novembre 1756). Il intervient à Londres en faveur de l'amiral Byng, vaincu par le maréchal de Richelieu : épisode qui prendra place dans *Candide*. Jugeant, non sans clairvoyance, que la France n'a rien à gagner dans ce conflit, il sert d'intermédiaire à des négociations secrètes entre Bernis et Frédéric II. Le désastre de Rossbach, qui anéantit ses espoirs de paix, excite son ironie amère. Il n'est pas étonnant que dans *Candide* la guerre tienne une place qui déborde largement l'épisode des Abares et des Bulgares ; le fléau finit par s'identifier à la loi de dévoration universelle à laquelle sont soumises toutes les espèces vivantes.

Le conte est-il né d'une méditation sur ce sujet tristement actuel ? La terre d'élection de l'optimisme, la patrie de Leibniz et de Wolff, est précisément celle où les armées en présence démentent le plus cruellement le « tout est bien ». Voltaire est informé des ravages que subit l'Allemagne par sa correspondance avec la duchesse de Saxe-Gotha, auprès de laquelle il avait passé un mois en 1753. Il sait que les divers belligérants, également dévastateurs, se succèdent dans ce petit Etat sans défense ; il doit négocier un emprunt à Genève pour le compte du duc ruiné. Il voit l'excellente duchesse, leibnizienne convaincue, s'attacher plus obstinément à l'optimisme à mesure que sa situation empire : entêtement émouvant, quelque peu ridicule, qu'il raille doucement. En cette dure année 1757, il prend l'habitude de juger les événements comme les jugera Candide, par référence au système leibnizien de l'optimisme.

Une légende veut que les trente chapitres du conte aient été improvisés en trois jours. En réalité, la rédaction s'étendit à peu près sur dix mois.

Voltaire ne fait aucune mention de *Candide* dans la correspondance subsistante de 1758. Mais à certaines périodes des échos du texte prouvent qu'il y travaille. Une première série se rencontre dans les lettres de janvier 1758. Enfermé dans sa chambre à Lausanne, il pense à l'Allemagne misérable, il écrit à la duchesse de Saxe-Gotha une lettre sur le « tout est bien » mis à mal par les pandours. Son imagination est en mouvement tandis qu'il rédige le chapitre de l'*Essai sur les mœurs* sur le Paraguay (addition de 1761), dont certaines expressions seront reprises dans le conte. C'est alors sans doute qu'il trace la première esquisse de *Candide*.

Au mois de juillet suivant il rend visite à son débiteur l'électeur palatin en sa résidence de Schwetzingen, près de Mannheim. Il avait emporté dans ses bagages le manuscrit de *Candide*. Il fait établir par son secrétaire Wagnière la première mise au net, et en donne lecture à l'électeur. Mais il prend congé avant d'avoir achevé la rédaction. Il avait entrepris ce voyage le long du Rhin avec l'espoir d'obtenir la permission de revenir à Paris. Las! il lui faut reprendre le chemin des Délices, et se résigner à la sagesse du « bon Turc » : cultiver son jardin, sans souci de ce qui se passe à « Constantinople ».

Candide s'achève en septembre et octobre. De cette époque sans doute date la version la plus ancienne du conte que nous connaissions : un manuscrit offert au duc et à la duchesse de La Vallière, récemment retrouvé à la Bibliothèque de l'Arsenal. Donnant une rédaction archaïque de l'épisode parisien, et omettant la rencontre avec l'esclave nègre, le manuscrit est évidemment antérieur au texte imprimé. Comme l'épisode de Surinam a pour source probable une note du livre d'Helvétius *De l'Esprit*, que Voltaire lit vers le 18 octobre, il faut supposer qu'une révision du texte, en novembre ou décembre, mit au point le manuscrit destiné à l'impression — ce qui d'ailleurs est confirmé par une nouvelle série d'échos dans la correspondance.

Le conte sort des presses en janvier 1759. Les 15 et 16 de ce mois, les Cramer de Genève notent sur leur livre qu'ils expédient à Paris et Amsterdam des colis de *Candide*. On soupçonne que Voltaire prit des mesures pour faire apparaître son subversif chef-d'œuvre en même temps dans plusieurs centres d'Europe. En février 1759 une invasion de *Candide* submerge la répression policière. A Genève, à Paris, on saisit des exemplaires dans les imprimeries. En vain. On n'arrête pas *Candide*.

Le texte de 1759 n'était pas définitif. En janvier 1761 Voltaire insère dans l'œuvre du prétendu « docteur Ralph » ce qu'il appelle « les additions qu'on a trouvées dans la poche du docteur ». Les principales se rattachent à l'épisode parisien : attaques contre Fréron et consorts; discussion sur la tragédie, faisant suite aux polémiques

soulevées par *Tancrède;* mésaventure de Candide chez
la marquise de Parolignac. Quelques mois avant sa mort,
préparant une nouvelle édition de ses œuvres, il prévoyait encore quelques menues corrections dont Wagnière
nous a conservé le texte.

De la comparaison du manuscrit La Vallière avec
l'édition originale, d'utiles enseignements ressortent.
Voltaire a corrigé certaines grossièretés : il supprime un
mot, particulièrement déplacé dans la bouche de
Mlle Cunégonde (fin du chapitre VII); il efface, au prix
d'une invraisemblance, un trait malséant (début du
chapitre IV); il donne au style un tour plus vif (sur ces
variantes, voir l'édition critique par R. Pomeau, Paris,
Nizet, 1959).

Le manuscrit confirme qu'il compose par insertions
d'épisodes dans un canevas général. Comme dans *Zadig,*
comme dans *Scarmentado,* il combine l'histoire d'un
voyage avec la biographie de son jeune héros. Mais il
étend aux diverses parties du monde le voyage de Candide : compte tenu de l'histoire de la Vieille, seuls l'Amérique du Nord (encore est-il fait allusion au Canada) et
l'Extrême-Orient ne sont pas visités. Il semble laisser
les aventures défiler au hasard; mais il a soin de main-
tenir dans cette succession un ordre, satisfaisant par
là les exigences contradictoires de l'esprit, qui attend à
la fois de l'œuvre d'art des effets de surprise et une
impression d'harmonie.

La liberté que comporte son plan lui permet de réparer aisément une omission. Il avait oublié, dans la version manuscrite, cet abominable ingrédient du meilleur des mondes : l'esclavage aux colonies. Il lui fait
place, par quelques ajustements minimes, dans l'épisode de Surinam, transportant sans scrupule en Guyane
hollandaise le *Code noir* des Antilles françaises.

Une substitution d'épisodes, dans le chapitre parisien,
fut plus laborieuse. La difficulté tenait au sujet. Quand il
s'agit de pays lointains, Voltaire crée une ambiance exotique par un choix heureux de détails (mets, costumes,
moyens de transport, particularités ethniques...). Mais,
son héros arrivant dans la capitale française, il se trouve
en présence de l'un des problèmes du réalisme : à des
lecteurs parisiens ou connaissant Paris, donner de leur
ville une image satirique qui en même temps parût véridique. Il lui fallut remanier quatre fois ce chapitre XXII.

Il avait rédigé une première version, dont on sait seu-

lement que ni l'abbé périgourdin ni la fausse Cunégonde
n'y paraissaient : c'est ce qui résulte d'un examen du
manuscrit La Vallière. Ensuite le manuscrit donne deux
chapitres XXII. Dans le plus ancien, Candide est témoin
d'une scène de convulsions jansénistes, d'un enterrement
pendant l'affaire des billets de confession, et du tumulte
provoqué par l'attentat de Damiens. Mais les deux épisodes de cimetière rappelaient trop une scène semblable
dans *Babouc*, et l'insistance sur ces macabres tableaux
créait une impression pénible. Voltaire ajoute donc un
autre chapitre XXII : maladie de Candide, visite au
théâtre, aventure avec la fausse Cunégonde ; mais l'attentat de Damiens n'est plus évoqué et Voltaire est embarrassé pour motiver l'arrestation de Candide. La version
imprimée de 1759 améliore cette partie. Enfin l'addition
de 1761 peint la débauche élégante, introduisant la
marquise de Parolignac, aventurière et demi-mondaine.
Le jeu des épisodes substitués ou ajoutés a permis en
définitive de donner au tableau parisien son juste éclai-
rage.

Jamais Voltaire n'avait créé avec autant de verve. En
chaque chapitre il fait apparaître les figures, heureusement croquées, que requièrent le lieu et le moment :
baron allemand, marchand hollandais, familier de l'Inquisition, gouverneur de Buenos-Ayres, jésuites, sauvages d'Amérique, fripons parisiens, sénateur de Venise,
usuriers juifs... Pour ces silhouettes rapidement croquées
Voltaire cherche le nom le plus expressif : à Clément XII,
nom du père de la Vieille dans le manuscrit, il substitue
« le pape Urbain X », plus romain quoique imaginaire ; le
banquier juif de Lisbonne, d'abord gauchement nommé
Ourdos, acquiert prestige et allure avec le nom de Don
Issachar. Certains grotesques sont affublés de noms
bizarrement hérissés : Thunder-ten-tronckh, Fernando
d'Ibaraa y Figueroa, etc. D'autres, tels que le baron jésuite
et la Vieille, ne sont même pas désignés par un nom
propre. Mais le naturel et le bon sens se reflètent dans les
prénoms de Jacques et de Martin. Quant à Candide, la
troisième phrase du roman nous informe qu'il doit son
nom à son caractère. Il en est évidemment de même de
Pangloss.

Ces deux personnages occupent le centre du récit. Le
docteur borgne a plus de consistance qu'il ne semble.

Pédant, bavard, il se révèle néanmoins voltairien, par la
brièveté de son verbe, la fébrilité de son allure, une certaine salacité, et aussi par une érudition encyclopédique
curieuse de détails piquants. Une paradoxale incompati-
bilité existe entre son tempérament primesautier et l'esprit
systématique du leibnizianisme. Mais il s'est entiché de
cette philosophie et n'en veut plus démordre, même
quand il a cessé d'y croire : par là le personnage a quelque
chose d'incompréhensible qui lui prête une sorte de vie
profonde. Il se raidit contre le changement qui malgré
lui s'est opéré dans ses opinions ; il s'obstine à confesser
sa foi dans le meilleur des mondes, et seul ne participe
pas à la réforme de la « petite société » cultivant le jardin
de Candide : entêtement qui, par contraste, permet de
mesurer l'évolution de son disciple.

Plus nettement que *Zadig*, *Candide* est un « roman de
formation ». Le héros, d'abord bon jeune homme, raisonnable, modéré, risquait de paraître un peu falot ; en
lui la faiblesse de la psychologie voltairienne se laisse
apercevoir. Mais Candide est sensible. Il pleure souvent
et facilement. Les malheurs de l'humanité l'affectent
vivement. Il a « le cœur sur la main » ; il croit « innocemment » ; aisément il est dupe des fripons. Mais il est
philosophe, ce qui n'est nullement incompatible avec sa
sensibilité ; il ne cesse de confronter le monde tel qu'il
le voit aux enseignements de maître Pangloss. Ouvert
à l'expérience, libre dans ses jugements, il se fait un art
de vivre dont la sagesse ressort par comparaison avec
l'extravagance verbale de Pangloss.

Quelle est donc la signification de l'œuvre ? La
complexité des intentions, les sous-entendus de l'ironie
font que les exégètes éprouvent quelque difficulté à
s'accorder sur le sens véritable du chef-d'œuvre le plus
incontesté de Voltaire.

Réfutation de l'optimisme ? On a depuis longtemps
objecté que cette réfutation laisse inentamé le système
leibnizien. Voltaire fait comparaître toutes les sortes de
maux, rappelant au passage les polémiques qui lui
tiennent à cœur. La méthode en bonne logique ne peut
aboutir : les arguments de détail ne sauraient démontrer
l'imperfection du *tout*. Mais le récit fait impression. Il
suggère irrésistiblement l'idée d'un univers livré au chaos.
Comment reconnaître là l'empreinte d'une Raison
suprême ? Voltaire ne va pas pourtant jusqu'à la conclusion athéiste. Il pense comme le derviche du chapitre

final : « Sa Hautesse » ne se soucie point de nous, parasites rampant dans les fonds du navire. A ce derviche, « qui passait pour le meilleur philosophe de la Turquie », une première rédaction attribuait l'énoncé de la conclusion pratique, « cultiver la terre », corollaire logique de l'indifférence divine.

Car tout espoir n'est pas perdu. Une certaine gaieté court à travers tant de catastrophes. L'on meurt dans *Candide :* le bon anabaptiste disparaît dans le gouffre « pour jamais », comme les passagers du navire coulé par le corsaire. Mais le récit aussitôt enchaîne, avec une prestesse qui respire une sorte d'allégresse. Et Martin se trompe : les hommes ne sont pas tous méchants ; Cacambo, démentant les prévisions du manichéen, ne s'approprie ni l'argent à lui confié ni Mlle Cunégonde. Entre la « léthargie de l'ennui » et les « convulsions de l'inquiétude », l'homme peut s'assurer un bonheur, modeste mais réel. Il suffit qu'il s'accepte tel qu'il est. Le but de sa vie, c'est d'agir ; dans l'action il trouve son hygiène, et la seule forme de félicité que comporte sa nature. La philosophie de *Candide* prolonge l'*Anti-Pascal* des *Lettres philosophiques.*

Mais un exposé schématique déforme une pensée fine. Celle-ci doit être saisie avec les nuances et réticences qui accompagnent son expression dans les épisodes essentiels d'Eldorado et du jardin. Eldorado, préfiguration de la cité future ? Sans doute, « ce qu'on ne fait pas et ce qu'on pourrait faire » (c'est le titre d'un opuscule de Voltaire) se trouve en ce meilleur des mondes réalisé. La religion réduite aux proportions d'une religion naturelle ; point de prêtres ni de parlement, mais un urbanisme imposant, un palais des sciences, un peuple d'ingénieurs et de techniciens : autant d'articles du programme voltairien. Voltaire cependant ne prend pas entièrement au sérieux son utopie. Il a placé l'épisode dans une lumière irréelle, semant çà et là des traits humoristiques : « belles filles de la garde », pavés parfumés, fontaines de liqueur. Il a trop le sens du relatif pour attendre béatement l'avènement d'un Eldorado technocratique. Au surplus Candide au bout de quelque temps s'ennuie dans ce paradis : il va rejoindre l'univers imparfait où il retrouvera Mlle Cunégonde.

Le jardin propose un bonheur sans illusion. Voltaire, grand travailleur, n'a jamais douté des vertus du *laboremus.* Mais les joies de l'activité ne s'apprécient que par

contraste. Elles « délivrent » de l'ennui, du vice, du besoin ;
elles sont la récompense du bon sens. Il ne faudrait pas trop
demander à ces plaisirs que procurent le jardinage, la
pâtisserie, la menuiserie, la couture... Vie « supportable »,
plutôt que vie heureuse, de ce bonheur plein et suffisant
où l'être n'a plus rien à désirer. Les amertumes de la
condition humaine subsistent : Cunégonde est devenue
« bien laide » et acariâtre. Seule une activité de ruche
empêche de penser à ces disgrâces, comme elle détourne
de considérer le renoncement qu'implique une telle vie.
Candide ne court plus le monde. Il s'est replié sur son
jardin. Attitude égoïste de propriétaire (« *notre* jardin ») ?
Sans doute, quoiqu'on ne puisse dire au juste jusqu'où
s'étend ce « jardin ».

Considérons enfin que la pensée de Voltaire se définit
habituellement dans une opposition. *Candide* s'affirme
comme un anti-Pangloss. Il signifie que le « docteur
borgne » a tort, qu'il est ridicule de s'enfermer comme
lui dans un nuage d'idées préconçues. L'homme sensé
ne récuse pas le réel, il évite de l'interpréter selon ses
préventions. Il s'applique à voir ce qui est, pour agir en
conséquence. Leçon de lucidité, et leçon de courage.

                                                R. P.

R. P.

CANDIDE OU L'OPTIMISME,

TRADUIT DE L'ALLEMAND

DE Mr. LE DOCTEUR RALPH,

AVEC LES ADDITIONS QU'ON A TROUVÉES DANS LA POCHE
DU DOCTEUR, LORSQU'IL MOURUT A MINDEN,
L'AN DE GRACE 1759

CHAPITRE PREMIER

COMMENT CANDIDE FUT ÉLEVÉ DANS UN BEAU CHATEAU, ET COMMENT IL FUT CHASSÉ D'ICELUI

Il y avait en Vestphalie, dans le château de monsieur le baron de Thunder-ten-tronckh, un jeune garçon à qui la nature avait donné les mœurs les plus douces. Sa physionomie annonçait son âme. Il avait le jugement assez droit, avec l'esprit le plus simple; c'est, je crois, pour cette raison qu'on le nommait Candide. Les anciens domestiques de la maison soupçonnaient qu'il était fils de la sœur de monsieur le baron, et d'un bon et honnête gentilhomme du voisinage, que cette demoiselle ne voulut jamais épouser parce qu'il n'avait pu prouver que soixante et onze quartiers, et que le reste de son arbre généalogique avait été perdu par l'injure du temps.

Monsieur le baron était un des plus puissants seigneurs de la Vestphalie, car son château avait une porte et des fenêtres. Sa grande salle même était ornée d'une tapisserie. Tous les chiens de ses basses-cours composaient une meute dans le besoin; ses palefreniers étaient ses piqueurs; le vicaire du village était son grand aumônier. Ils l'appelaient tous Monseigneur, et ils riaient quand il faisait des contes.

Madame la baronne, qui pesait environ trois cent cinquante livres, s'attirait par là une très grande considération, et faisait les honneurs de la maison avec une dignité qui la rendait encore plus respectable. Sa fille Cunégonde, âgée de dix-sept ans, était haute en couleur, fraîche, grasse, appétissante. Le fils du baron paraissait en tout digne de son père. Le précepteur Pangloss était l'oracle de la maison, et le petit Candide écoutait ses leçons avec toute la bonne foi de son âge et de son caractère.

Pangloss enseignait la métaphysico-théologo-cosmolo-nigologie. Il prouvait admirablement qu'il n'y a point d'effet sans cause, et que, dans ce meilleur des mondes possibles, le château de monseigneur le baron était le plus beau des châteaux, et madame la meilleure des baronnes possibles.

« Il est démontré, disait-il, que les choses ne peuvent être autrement : car tout étant fait pour une fin, tout est nécessairement pour la meilleure fin. Remarquez bien que les nez ont été faits pour porter des lunettes; aussi avons-nous des lunettes. Les jambes sont visiblement instituées pour être chaussées, et nous avons des chausses. Les pierres ont été formées pour être taillées et pour en faire des châteaux; aussi monseigneur a un très beau château : le plus grand baron de la province doit être le mieux logé; et les cochons étant faits pour être mangés, nous mangeons du porc toute l'année. Par conséquent, ceux qui ont avancé que tout est bien ont dit une sottise : il fallait dire que tout est au mieux. »

Candide écoutait attentivement, et croyait innocemment : car il trouvait mademoiselle Cunégonde extrêmement belle, quoiqu'il ne prît jamais la hardiesse de le lui dire. Il concluait qu'après le bonheur d'être né baron de Thunder-ten-tronckh, le second degré de bonheur était d'être mademoiselle Cunégonde; le troisième, de la voir tous les jours; et le quatrième, d'entendre maître Pangloss, le plus grand philosophe de la province, et par conséquent de toute la terre.

Un jour, Cunégonde, en se promenant auprès du château, dans le petit bois qu'on appelait parc, vit entre des broussailles le docteur Pangloss qui donnait une leçon de physique expérimentale à la femme de chambre de sa mère, petite brune très jolie et très docile. Comme mademoiselle Cunégonde avait beaucoup de disposition pour les sciences, elle observa, sans souffler, les expériences réitérées dont elle fut témoin; elle vit clairement la raison suffisante du docteur, les effets et les causes, et s'en retourna tout agitée, toute pensive, toute remplie du désir d'être savante, songeant qu'elle pourrait bien être la raison suffisante du jeune Candide, qui pouvait aussi être la sienne.

Elle rencontra Candide en revenant au château, et rougit; Candide rougit aussi; elle lui dit bonjour d'une voix entrecoupée, et Candide lui parla sans savoir ce qu'il disait. Le lendemain, après le dîner, comme on sortait de table, Cunégonde et Candide se trouvèrent derrière un paravent; Cunégonde laissa tomber son mouchoir, Candide le ramassa; elle lui prit innocemment la main; le jeune homme baisa innocemment la main de la jeune demoiselle avec une vivacité, une sensibilité, une grâce toute particulière; leurs bouches se rencontrèrent, leurs yeux s'enflammèrent, leurs genoux tremblèrent, leurs mains s'égarèrent. Monsieur le baron de Thunder-ten-tronckh passa auprès du paravent, et, voyant cette cause et cet effet, chassa Candide du château à grands coups de pied dans le derrière; Cunégonde s'évanouit : elle fut souffletée par madame la baronne dès qu'elle fut revenue à elle-même; et tout fut consterné dans le plus beau et le plus agréable des châteaux possibles.

CHAPITRE SECOND

CE QUE DEVINT CANDIDE PARMI LES BULGARES

Candide, chassé du paradis terrestre, marcha long-temps sans savoir où, pleurant, levant les yeux au ciel, les tournant souvent vers le plus beau des châteaux, qui renfermait la plus belle des baronnettes, il se coucha sans souper au milieu des champs entre deux sillons; la neige tombait à gros flocons. Candide, tout transi, se traîna le lendemain vers la ville voisine, qui s'appelle Valdberghoff-trarbk-dikdorff, n'ayant point d'argent, mourant de faim, et de lassitude. Il s'arrêta tristement à la porte d'un cabaret.

Deux hommes habillés de bleu le remarquèrent : « Camarade, dit l'un, voilà un jeune homme très bien fait, et qui a la taille requise. » Ils s'avancèrent vers Candide, et le prièrent à dîner très civilement. « Messieurs, leur dit Candide avec une modestie charmante, vous me faites beaucoup d'honneur, mais je n'ai pas de quoi payer mon écot. — Ah! monsieur, lui dit un des bleus, les personnes de votre figure et de votre mérite ne payent jamais rien : n'avez-vous pas cinq pieds cinq pouces de haut ? — Oui, messieurs, c'est ma taille, dit-il en faisant la révérence. — Ah! monsieur, mettez-vous à table; non seulement nous vous défrayerons, mais nous ne souffrirons jamais qu'un homme comme vous manque d'argent; les

hommes ne sont faits que pour se secourir les uns les autres.
— Vous avez raison, dit Candide; c'est ce que monsieur
Pangloss m'a toujours dit, et je vois bien que tout est au
mieux. » On le prie d'accepter quelques écus, il les prend
et veut faire son billet; on n'en veut point, on se met à
table. « N'aimez-vous pas tendrement ?... — Oh! oui,
répond-il, j'aime tendrement mademoiselle Cunégonde.
— Non, dit l'un de ces messieurs, nous vous demandons
si vous n'aimez pas tendrement le roi des Bulgares ? —
Point du tout, dit-il, car je ne l'ai jamais vu. — Comment! c'est le plus charmant des rois, et il faut boire à
sa santé. — Oh! très volontiers, messieurs. » Et il boit.
« C'en est assez, lui dit-on, vous voilà l'appui, le soutien,
le défenseur, le héros des Bulgares; votre fortune est
faite, et votre gloire est assurée. » On lui met sur-le-
champ les fers aux pieds, et on le mène au régiment. On
le fait tourner à droite, à gauche, hausser la baguette,
remettre la baguette, coucher en joue, tirer, doubler le
pas, et on lui donne trente coups de bâton; le lendemain,
il fait l'exercice un peu moins mal, et il ne reçoit que
vingt coups; le surlendemain, on ne lui en donne que dix,
et il est regardé par ses camarades comme un prodige.

Candide, tout stupéfait, ne démêlait pas encore trop
bien comment il était un héros. Il s'avisa un beau jour de
printemps de s'aller promener, marchant tout droit
devant lui, croyant que c'était un privilège de l'espèce
humaine, comme de l'espèce animale, de se servir de ses
jambes à son plaisir. Il n'eut pas fait deux lieues que voilà
quatre autres héros de six pieds qui l'atteignent, qui le
lient, qui le mènent dans un cachot. On lui demanda
juridiquement ce qu'il aimait le mieux d'être fustigé
trente-six fois par tout le régiment, ou de recevoir à la
fois douze balles de plomb dans la cervelle. Il eut beau
dire que les volontés sont libres, et qu'il ne voulait ni
l'un ni l'autre, il fallut faire un choix : il se détermina,
en vertu du don de Dieu qu'on nomme *liberté*, à passer
trente-six fois par les baguettes; il essuya deux prome-
nades. Le régiment était composé de deux mille hommes.
Cela lui composa quatre mille coups de baguettes, qui,
depuis la nuque du cou jusqu'au cul, lui découvrirent les
muscles et les nerfs. Comme on allait procéder à la troisième course, Candide, n'en pouvant plus, demanda en
grâce qu'on voulût bien avoir la bonté de lui casser la
tête : il obtint cette faveur; on lui bande les yeux; on le
fait mettre à genoux. Le roi des Bulgares passe dans ce

moment, s'informe du crime du patient; et comme ce
roi avait un grand génie, il comprit, par tout ce qu'il
apprit de Candide, que c'était un jeune métaphysicien
fort ignorant des choses de ce monde, et il lui accorda
sa grâce avec une clémence qui sera louée dans tous les
journaux et dans tous les siècles. Un brave chirurgien
guérit Candide en trois semaines avec les émollients
enseignés par Dioscoride. Il avait déjà un peu de peau,
et pouvait marcher, quand le roi des Bulgares livra
bataille au roi des Abares.

CHAPITRE TROISIÈME

COMMENT CANDIDE SE SAUVA D'ENTRE LES BULGARES, ET CE QU'IL DEVINT

Rien n'était si beau, si leste, si brillant, si bien ordonné
que les deux armées. Les trompettes, les fifres, les hautbois, les tambours, les canons, formaient une harmonie
telle qu'il n'y en eut jamais en enfer. Les canons renversèrent d'abord à peu près six mille hommes de chaque
côté; ensuite la mousqueterie ôta du meilleur des mondes
environ neuf à dix mille coquins qui en infectaient la surface. La baïonnette fut aussi la raison suffisante de la
mort de quelques milliers d'hommes. Le tout pouvait
bien se monter à une trentaine de mille âmes. Candide,
qui tremblait comme un philosophe, se cacha du mieux
qu'il put pendant cette boucherie héroïque.

Enfin, tandis que les deux rois faisaient chanter des
Te Deum, chacun dans son camp, il prit le parti d'aller
raisonner ailleurs des effets et des causes. Il passa par-
dessus des tas de morts et de mourants, et gagna d'abord
un village voisin; il était en cendres : c'était un village
abare que les Bulgares avaient brûlé, selon les lois du
droit public. Ici des vieillards criblés de coups regardaient mourir leurs femmes égorgées, qui tenaient leurs
enfants à leurs mamelles sanglantes; là des filles, éven-
trées après avoir assouvi les besoins naturels de quelques
héros, rendaient les derniers soupirs; d'autres, à demi
brûlées, criaient qu'on achevât de leur donner la mort.
Des cervelles étaient répandues sur la terre à côté de bras
et de jambes coupés.

Candide s'enfuit au plus vite dans un autre village : il
appartenait à des Bulgares, et les héros abares l'avaient

traité de même. Candide, toujours marchant sur des membres palpitants, ou à travers des ruines, arriva enfin hors du théâtre de la guerre, portant quelques petites provisions dans son bissac, et n'oubliant jamais mademoiselle Cunégonde. Ses provisions lui manquèrent quand il fut en Hollande; mais ayant entendu dire que tout le monde était riche dans ce pays-là, et qu'on y était chrétien, il ne douta pas qu'on ne le traitât aussi bien qu'il l'avait été dans le château de monsieur le baron, avant qu'il en eût été chassé pour les beaux yeux de mademoiselle Cunégonde.

Il demanda l'aumône à plusieurs graves personnages, qui lui répondirent tous que, s'il continuait à faire ce métier, on l'enfermerait dans une maison de correction pour lui apprendre à vivre.

Il s'adressa ensuite à un homme qui venait de parler tout seul une heure de suite sur la charité dans une grande assemblée. Cet orateur, le regardant de travers, lui dit : « Que venez-vous faire ici ? y êtes-vous pour la bonne cause ? — Il n'y a point d'effet sans cause, répondit modestement Candide; tout est enchaîné nécessairement, et arrangé pour le mieux. Il a fallu que je fusse chassé d'auprès de mademoiselle Cunégonde, que j'aie passé par les baguettes, et il faut que je demande mon pain, jusqu'à ce que je puisse en gagner; tout cela ne peut être autrement. — Mon ami, lui dit l'orateur, croyez-vous que le pape soit l'Antéchrist ? — Je ne l'avais pas encore entendu dire, répondit Candide; mais, qu'il le soit ou qu'il ne le soit pas, je manque de pain. — Tu ne mérites pas d'en manger, dit l'autre; va, coquin; va, misérable, ne m'approche de ta vie. » La femme de l'orateur ayant mis la tête à la fenêtre, et avisant un homme qui doutait que le pape fût antéchrist, lui répandit sur le chef un plein... O ciel! à quel excès se porte le zèle de la religion dans les dames!

Un homme qui n'avait point été baptisé, un bon anabaptiste, nommé Jacques, vit la manière cruelle et ignominieuse dont on traitait ainsi un de ses frères, un être à deux pieds sans plumes, qui avait une âme; il l'emmena chez lui, le nettoya, lui donna du pain et de la bière, lui fit présent de deux florins, et voulut même lui apprendre à travailler dans ses manufactures aux étoffes de Perse qu'on fabrique en Hollande. Candide, se prosternant presque devant lui, s'écriait : « Maître Pangloss me l'avait bien dit que tout est au mieux dans ce monde,

car je suis infiniment plus touché de votre extrême générosité que de la dureté de ce monsieur à manteau noir, et
de madame son épouse. »

Le lendemain, en se promenant, il rencontra un gueux
tout couvert de pustules, les yeux morts, le bout du nez
rongé, la bouche de travers, les dents noires, et parlant
de la gorge, tourmenté d'une toux violente, et crachant
une dent à chaque effort.

CHAPITRE QUATRIÈME

COMMENT CANDIDE RENCONTRA SON ANCIEN MAITRE
DE PHILOSOPHIE,
LE DOCTEUR PANGLOSS, ET CE QUI EN ADVINT

Candide, plus ému encore de compassion que d'horreur, donna à cet épouvantable gueux les deux florins
qu'il avait reçus de son honnête anabaptiste Jacques. Le
fantôme le regarda fixement, versa des larmes, et sauta
à son cou. Candide, effrayé, recule. « Hélas ! dit le misérable à l'autre misérable, ne reconnaissez-vous plus
votre cher Pangloss ? — Qu'entends-je ? Vous, mon cher
maître ! vous, dans cet état horrible ! Quel malheur vous
est-il donc arrivé ? Pourquoi n'êtes-vous plus dans le
plus beau des châteaux ? Qu'est devenue mademoiselle Cunégonde, la perle des filles, le chef-d'œuvre de
la nature ? — Je n'en peux plus, dit Pangloss. » Aussitôt
Candide le mena dans l'étable de l'anabaptiste, où il lui
fit manger un peu de pain ; et quand Pangloss fut refait :
« Eh bien ! lui dit-il, Cunégonde ? — Elle est morte,
reprit l'autre. » Candide s'évanouit à ce mot ; son ami
rappela ses sens avec un peu de mauvais vinaigre qui se
trouva par hasard dans l'étable. Candide rouvre les yeux.
« Cunégonde est morte ! Ah ! meilleur des mondes, où
êtes-vous ? Mais de quelle maladie est-elle morte ? Ne
serait-ce point de m'avoir vu chasser du beau château
de monsieur son père à grands coups de pied ? — Non,
dit Pangloss, elle a été éventrée par des soldats bulgares,
après avoir été violée autant qu'on peut l'être ; ils ont
cassé la tête à monsieur le baron, qui voulait la défendre ;
madame la baronne a été coupée en morceaux ; mon
pauvre pupille, traité précisément comme sa sœur ; et
quant au château, il n'est pas resté pierre sur pierre, pas
une grange, pas un mouton, pas un canard, pas un

arbre; mais nous avons été bien vengés, car les Abares en ont fait autant dans une baronnie voisine qui appartenait à un seigneur bulgare. »

A ce discours, Candide s'évanouit encore; mais, revenu à soi et ayant dit tout ce qu'il devait dire, il s'enquit de la cause et de l'effet, et de la raison suffisante qui avaient mis Pangloss dans un si piteux état. « Hélas! dit l'autre, c'est l'amour : l'amour, le consolateur du genre humain, le conservateur de l'univers, l'âme de tous les êtres sensibles, le tendre amour. — Hélas! dit Candide, je l'ai connu, cet amour, ce souverain des cœurs, cette âme de notre âme; il ne m'a jamais valu qu'un baiser et vingt coups de pied au cul. Comment cette belle cause a-t-elle pu produire en vous un effet si abominable ? »

Pangloss répondit en ces termes : « O mon cher Candide! vous avez connu Paquette, cette jolie suivante de notre auguste baronne; j'ai goûté dans ses bras les délices du paradis, qui ont produit ces tourments d'enfer dont vous me voyez dévoré; elle en était infectée, elle en est peut-être morte. Paquette tenait ce présent d'un cordelier très savant qui avait remonté à la source, car il l'avait eu d'une vieille comtesse, qui l'avait reçu d'un capitaine de cavalerie, qui le devait à une marquise, qui le tenait d'un page, qui l'avait reçu d'un jésuite qui, étant novice, l'avait eu en droite ligne d'un des compagnons de Christophe Colomb. Pour moi, je ne le donnerai à personne, car je me meurs.

— O Pangloss! s'écria Candide, voilà une étrange généalogie! n'est-ce pas le diable qui en fut la souche ? — Point du tout, répliqua ce grand homme; c'était une chose indispensable dans le meilleur des mondes, un ingrédient nécessaire; car si Colomb n'avait pas attrapé dans une île de l'Amérique cette maladie qui empoisonne la source de la génération, qui souvent même empêche la génération, et qui est évidemment l'opposé du grand but de la nature, nous n'aurions ni le chocolat ni la cochenille; il faut encore observer que jusqu'aujourd'hui, dans notre continent, cette maladie nous est particulière, comme la controverse. Les Turcs, les Indiens, les Persans, les Chinois, les Siamois, les Japonais, ne la connaissent pas encore; mais il y a une raison suffisante pour qu'ils la connaissent à leur tour dans quelques siècles. En attendant, elle a fait un merveilleux progrès parmi nous, et surtout dans ces grandes armées composées d'honnêtes stipendiaires bien élevés, qui décident du destin des

Etats; on peut assurer que, quand trente mille hommes combattent en bataille rangée contre des troupes égales en nombre, il y a environ vingt mille vérolés de chaque côté.

— Voilà qui est admirable, dit Candide; mais il faut vous faire guérir. — Et comment le puis-je ? dit Pangloss; je n'ai pas le sou, mon ami, et dans toute l'étendue de ce globe on ne peut ni se faire saigner, ni prendre un lavement sans payer, ou sans qu'il y ait quelqu'un qui paye pour nous. »

Ce dernier discours détermina Candide; il alla se jeter aux pieds de son charitable anabaptiste Jacques, et lui fit une peinture si touchante de l'état où son ami était réduit, que le bonhomme n'hésita pas à recueillir le docteur Pangloss; il le fit guérir à ses dépens. Pangloss, dans la cure, ne perdit qu'un œil ct une oreille. Il écrivait bien, et savait parfaitement l'arithmétique. L'anabaptiste Jacques en fit son teneur de livres. Au bout de deux mois, étant obligé d'aller à Lisbonne pour les affaires de son commerce, il mena dans son vaisseau ses deux philosophes. Pangloss lui expliqua comment tout était on ne peut mieux. Jacques n'était pas de cet avis. « Il faut bien, disait-il, que les hommes aient un peu corrompu la nature, car ils ne sont point nés loups, et ils sont devenus loups. Dieu ne leur a donné ni canons de vingt-quatre, ni baïonnettes; et ils se sont fait des baïonnettes et des canons pour se détruire. Je pourrais mettre en ligne de compte les banqueroutes, et la justice, qui s'empare des biens des banqueroutiers pour en frustrer les créanciers. — Tout cela était indispensable, répliquait le docteur borgne, et les malheurs particuliers font le bien général; de sorte que plus il y a de malheurs particuliers, et plus tout est bien. » Tandis qu'il raisonnait, l'air s'obscurcit, les vents soufflèrent des quatre coins du monde, et le vaisseau fut assailli de la plus horrible tempête, à la vue du port de Lisbonne.

CHAPITRE CINQUIÈME

TEMPÊTE, NAUFRAGE, TREMBLEMENT DE TERRE, ET CE
QUI ADVINT DU DOCTEUR PANGLOSS, DE CANDIDE, ET
DE L'ANABAPTISTE JACQUES

La moitié des passagers affaiblis, expirants de ces
angoisses inconcevables que le roulis d'un vaisseau porte
dans les nerfs et dans toutes les humeurs du corps agitées
en sens contraires, n'avait pas même la force de s'inquiéter du danger. L'autre moitié jetait des cris et faisait des
prières; les voiles étaient déchirées, les mâts brisés, le
vaisseau entr'ouvert. Travaillait qui pouvait, personne
ne s'entendait, personne ne commandait. L'anabaptiste
aidait un peu à la manœuvre; il était sur le tillac; un
matelot furieux le frappe rudement et l'étend sur les
planches; mais du coup qu'il lui donna, il eut lui-même
une si violente secousse qu'il tomba hors du vaisseau, la
tête la première. Il restait suspendu et accroché à une
partie de mât rompue. Le bon Jacques court à son secours,
l'aide à remonter, et de l'effort qu'il fait il est précipité
dans la mer à la vue du matelot, qui le laissa périr sans
daigner seulement le regarder. Candide approche, voit
son bienfaiteur qui reparaît un moment, et qui est
englouti pour jamais. Il veut se jeter après lui dans la
mer : le philosophe Pangloss l'en empêche, en lui prou-
vant que la rade de Lisbonne avait été formée exprès pour
que cet anabaptiste s'y noyât. Tandis qu'il le prouvait
a priori, le vaisseau s'entr'ouvre; tout périt, à la réserve
de Pangloss, de Candide, et de ce brutal de matelot qui
avait noyé le vertueux anabaptiste : le coquin nagea heureusement jusqu'au rivage, où Pangloss et Candide furent
portés sur une planche.

Quand ils furent revenus un peu à eux, ils marchèrent
vers Lisbonne; il leur restait quelque argent, avec lequel
ils espéraient se sauver de la faim après avoir échappé
à la tempête.

A peine ont-ils mis le pied dans la ville, en pleurant la
mort de leur bienfaiteur, qu'ils sentent la terre trembler
sous leurs pas, la mer s'élève en bouillonnant dans le
port, et brise les vaisseaux qui sont à l'ancre. Des tourbillons de flammes et de cendres couvrent les rues et les
places publiques; les maisons s'écroulent, les toits sont

renversés sur les fondements, et les fondements se dispersent; trente mille habitants de tout âge et de tout sexe sont écrasés sous des ruines. Le matelot disait en sifflant et en jurant : « Il y aura quelque chose à gagner ici. — Quelle peut être la raison suffisante de ce phénomène ? disait Pangloss. — Voici le dernier jour du monde! s'écriait Candide. » Le matelot court incontinent au milieu des débris, affronte la mort pour trouver de l'argent, en trouve, s'en empare, s'enivre, et, ayant cuvé son vin, achète les faveurs de la première fille de bonne volonté qu'il rencontre sur les ruines des maisons détruites, et au milieu des mourants et des morts. Pangloss le tirait cependant par la manche : « Mon ami, lui disait-il, cela n'est pas bien, vous manquez à la raison universelle, vous prenez mal votre temps. — Tête et sang, répondit l'autre, je suis matelot et né à Batavia; j'ai marché quatre fois sur le crucifix dans quatre voyages au Japon; tu as bien trouvé ton homme avec ta raison universelle! »

Quelques éclats de pierre avaient blessé Candide; il était étendu dans la rue et couvert de débris. Il disait à Pangloss : « Hélas! procure-moi un peu de vin et d'huile; je me meurs. — Ce tremblement de terre n'est pas une chose nouvelle, répondit Pangloss; la ville de Lima éprouva les mêmes secousses en Amérique l'année passée; mêmes causes, mêmes effets : il y a certainement une traînée de soufre sous terre depuis Lima jusqu'à Lisbonne. — Rien n'est plus probable, dit Candide; mais, pour Dieu, un peu d'huile et de vin. — Comment, probable? répliqua le philosophe, je soutiens que la chose est démontrée. » Candide perdit connaissance, et Pangloss lui apporta un peu d'eau d'une fontaine voisine.

Le lendemain, ayant trouvé quelques provisions de bouche en se glissant à travers des décombres, ils réparèrent un peu leurs forces. Ensuite ils travaillèrent comme les autres à soulager les habitants échappés à la mort. Quelques citoyens, secourus par eux, leur donnèrent un aussi bon dîner qu'on le pouvait dans un tel désastre : il est vrai que le repas était triste; les convives arrosaient leur pain de leurs larmes; mais Pangloss les consola, en les assurant que les choses ne pouvaient être autrement : « Car, dit-il, tout ceci est ce qu'il y a de mieux; car s'il y a un volcan à Lisbonne, il ne pouvait être ailleurs; car il est impossible que les choses ne soient pas où elles sont; car tout est bien. »

Un petit homme noir, familier de l'Inquisition, lequel

était à côté de lui, prit poliment la parole et dit : « Apparemment que monsieur ne croit pas au péché originel; car si tout est au mieux, il n'y a donc eu ni chute ni punition.

— Je demande très humblement pardon à Votre Excellence, répondit Pangloss encore plus poliment, car la chute de l'homme et la malédiction entraient nécessairement dans le meilleur des mondes possibles. — Monsieur ne croit donc pas à la liberté? dit le familier. — Votre Excellence m'excusera, dit Pangloss; la liberté peut subsister avec la nécessité absolue : car il était nécessaire que nous fussions libres; car enfin la volonté déterminée... » Pangloss était au milieu de sa phrase, quand le familier fit un signe de tête à son estafier qui lui servait à boire du vin de Porto ou d'Oporto.

CHAPITRE SIXIÈME

COMMENT ON FIT UN BEL AUTO-DA-FÉ
POUR EMPÊCHER LES TREMBLEMENTS DE TERRE,
ET COMMENT CANDIDE FUT FESSÉ

Après le tremblement de terre qui avait détruit les trois quarts de Lisbonne, les sages du pays n'avaient pas trouvé un moyen plus efficace pour prévenir une ruine totale que de donner au peuple un bel auto-da-fé; il était décidé par l'université de Coïmbre que le spectacle de quelques personnes brûlées à petit feu, en grande cérémonie, est un secret infaillible pour empêcher la terre de trembler.

On avait en conséquence saisi un Biscayen convaincu d'avoir épousé sa commère, et deux Portugais qui en mangeant un poulet en avaient arraché le lard : on vint lier après le dîner le docteur Pangloss et son disciple Candide, l'un pour avoir parlé, et l'autre pour avoir écouté avec un air d'approbation : tous deux furent menés séparément dans des appartements d'une extrême fraîcheur, dans lesquels on n'était jamais incommodé du soleil : huit jours après ils furent tous deux revêtus d'un *san-benito*, et on orna leurs têtes de mitres de papier : la mitre et le san-benito de Candide étaient peints de flammes renversées, et de diables qui n'avaient ni queues ni griffes; mais les diables de Pangloss portaient griffes et queues, et les flammes étaient droites. Ils marchèrent en procession ainsi vêtus, et entendirent un sermon très pathétique, suivi d'une belle musique en faux-bourdon. Candide fut fessé en cadence, pendant qu'on chantait; le Biscayen et les deux hommes qui n'avaient point voulu manger de lard furent brûlés, et Pangloss fut pendu, quoique ce ne soit pas la coutume. Le même jour, la terre trembla de nouveau avec un fracas épouvantable.

Candide, épouvanté, interdit, éperdu, tout sanglant, tout palpitant, se disait à lui-même : « Si c'est ici le meilleur des mondes possibles, que sont donc les autres ? Passe encore si je n'étais que fessé, je l'ai été chez les Bulgares; mais, ô mon cher Pangloss! le plus grand des philosophes, faut-il vous avoir vu pendre, sans que je sache pourquoi! O mon cher anabaptiste! le meilleur des hommes, faut-il que vous ayez été noyé dans le port! ô mademoiselle Cunégonde! la perle des filles, faut-il qu'on vous ait fendu le ventre! »

Il s'en retournait, se soutenant à peine, prêché, fessé, absous et béni, lorsqu'une vieille l'aborda, et lui dit : « Mon fils, prenez courage, suivez-moi. »

CHAPITRE SEPTIÈME

COMMENT UNE VIEILLE PRIT SOIN DE CANDIDE, ET COMMENT IL RETROUVA CE QU'IL AIMAIT

Candide ne prit point courage, mais il suivit la vieille dans une masure : elle lui donna un pot de pommade pour se frotter, lui laissa à manger et à boire; elle lui montra un petit lit assez propre; il y avait auprès du lit un habit complet. « Mangez, buvez, dormez, lui dit-elle, et que Notre-Dame d'Atocha, monseigneur. St. Antoine de Padoue, et monseigneur St. Jacques de Compostelle prennent soin de vous! je reviendrai demain. » Candide, toujours étonné de tout ce qu'il avait vu, de tout ce qu'il avait souffert, et encore plus de la charité de la vieille, voulut lui baiser la main. « Ce n'est pas ma main qu'il faut baiser, dit la vieille; je reviendrai demain. Frottez-vous de pommade, mangez et dormez. »

Candide, malgré tant de malheurs, mangea et dormit. Le lendemain, la vieille lui apporte à déjeuner, visite son dos, le frotte elle-même d'une autre pommade; elle lui apporte ensuite à dîner; elle revient sur le soir, et apporte à souper. Le surlendemain, elle fit encore les mêmes céré-

monies. « Qui êtes-vous ? lui disait toujours Candide ;
qui vous a inspiré tant de bonté ? quelles grâces puis-je
vous rendre ? » La bonne femme ne répondait jamais rien ;
elle revint sur le soir, et n'apporta point à souper : « Venez
avec moi, dit-elle, et ne dites mot. » Elle le prend sous le
bras, et marche avec lui dans la campagne environ un
quart de mille : ils arrivent à une maison isolée, entourée
de jardins et de canaux. La vieille frappe à une petite
porte. On ouvre ; elle mène Candide, par un escalier
dérobé, dans un cabinet doré, le laisse sur un canapé de
brocart, referme la porte, et s'en va. Candide croyait
rêver, et regardait toute sa vie comme un songe funeste,
et le moment présent comme un songe agréable.

La vieille reparut bientôt ; elle soutenait avec peine
une femme tremblante, d'une taille majestueuse, brillante
de pierreries, et couverte d'un voile. « Otez ce voile », dit
la vieille à Candide. Le jeune homme approche ; il lève
le voile d'une main timide. Quel moment ! quelle surprise !
il croit voir mademoiselle Cunégonde ; il la voyait en
effet, c'était elle-même. La force lui manque, il ne peut
proférer une parole, il tombe à ses pieds. Cunégonde
tombe sur le canapé. La vieille les accable d'eaux spiritueuses, ils reprennent leurs sens, ils se parlent ; ce sont
d'abord des mots entrecoupés, des demandes et des
réponses qui se croisent, des soupirs, des larmes, des
cris. La vieille leur recommande de faire moins de bruit,
et les laisse en liberté. « Quoi ! c'est vous, lui dit Candide ;
vous vivez ! je vous retrouve en Portugal ! On ne vous a
donc pas violée ? On ne vous a point fendu le ventre,
comme le philosophe Pangloss me l'avait assuré ? — Si
fait, dit la belle Cunégonde ; mais on ne meurt pas toujours de ces deux accidents. — Mais votre père et votre
mère ont-ils été tués ? — Il n'est que trop vrai, dit
Cunégonde en pleurant. — Et votre frère ? — Mon frère
a été tué aussi. — Et pourquoi êtes-vous en Portugal ?
et comment avez-vous su que j'y étais et par quelle
étrange aventure m'avez-vous fait conduire dans cette
maison ? — Je vous dirai tout cela, répliqua la dame ;
mais il faut auparavant que vous m'appreniez tout ce qui
vous est arrivé depuis le baiser innocent que vous me
donnâtes, et les coups de pied que vous reçûtes. »

Candide lui obéit avec un profond respect ; et quoiqu'il fût interdit, quoique sa voix fût faible et tremblante,
quoique l'échine lui fît encore un peu mal, il lui raconta
de la manière la plus naïve tout ce qu'il avait éprouvé

depuis le moment de leur séparation. Cunégonde levait les yeux au ciel : elle donna des larmes à la mort du bon anabaptiste et de Pangloss ; après quoi elle parla en ces termes à Candide, qui ne perdait pas une parole, et qui la dévorait des yeux.

CHAPITRE HUITIÈME

HISTOIRE DE CUNÉGONDE

« J'étais dans mon lit et je dormais profondément, quand il plut au Ciel d'envoyer les Bulgares dans notre beau château de Thunder-ten-tronckh ; ils égorgèrent mon père et mon frère, et coupèrent ma mère par morceaux. Un grand Bulgare, haut de six pieds, voyant qu'à ce spectacle j'avais perdu connaissance, se mit à me violer ; cela me fit revenir, je repris mes sens, je criai, je me débattis, je mordis, j'égratignai, je voulais arracher les yeux à ce grand Bulgare, ne sachant pas que tout ce qui arrivait dans le château de mon père était une chose d'usage : le brutal me donna un coup de couteau dans le flanc gauche dont je porte encore la marque. — Hélas ! j'espère bien la voir, dit le naïf Candide. — Vous la verrez, dit Cunégonde ; mais continuons. — Continuez », dit Candide.

Elle reprit ainsi le fil de son histoire : « Un capitaine bulgare entra, il me vit toute sanglante, et le soldat ne se dérangeait pas. Le capitaine se mit en colère du peu de respect que lui témoignait ce brutal, et le tua sur mon corps. Ensuite il me fit panser, et m'emmena prisonnière de guerre dans son quartier. Je blanchissais le peu de chemises qu'il avait, je faisais sa cuisine ; il me trouvait fort jolie, il faut l'avouer ; et je ne nierai pas qu'il ne fût très bien fait, et qu'il n'eût la peau blanche et douce ; d'ailleurs peu d'esprit, peu de philosophie : on voyait bien qu'il n'avait pas été élevé par le docteur Pangloss. Au bout de trois mois, ayant perdu tout son argent, et s'étant dégoûté de moi, il me vendit à un juif nommé don Issachar, qui trafiquait en Hollande et en Portugal, et qui aimait passionnément les femmes. Ce juif s'attacha beaucoup à ma personne, mais il ne pouvait en triompher ; je lui ai mieux résisté qu'au soldat bulgare : une personne d'honneur peut être violée une fois, mais sa vertu s'en affermit. Le juif, pour m'apprivoiser, me mena

dans cette maison de campagne que vous voyez. J'avais
cru jusque-là qu'il n'y avait rien sur la terre de si beau
que le château de Thunder-ten-tronckh; j'ai été détrom-
pée.

« Le grand inquisiteur m'aperçut un jour à la messe;
il me lorgna beaucoup, et me fit dire qu'il avait à me
parler pour des affaires secrètes. Je fus conduite à son
palais; je lui appris ma naissance; il me représenta combien il était au-dessous de mon rang d'appartenir à un
israélite. On proposa de sa part à don Issachar de me
céder à Monseigneur. Don Issachar, qui est le banquier
de la cour, et homme de crédit, n'en voulut rien faire.
L'inquisiteur le menaça d'un auto-da-fé. Enfin mon juif,
intimidé, conclut un marché par lequel la maison et moi
leur appartiendraient à tous deux en commun; que le
juif aurait pour lui les lundis, mercredis et le jour du
sabbat, et que l'inquisiteur aurait les autres jours de la
semaine. Il y a six mois que cette convention subsiste.
Ce n'a pas été sans querelles; car souvent il a été indécis
si la nuit du samedi au dimanche appartenait à l'ancienne
loi ou à la nouvelle. Pour moi, j'ai résisté jusqu'à présent
à toutes les deux; et je crois que c'est pour cette raison
que j'ai toujours été aimée.

« Enfin, pour détourner le fléau des tremblements de
terre, et pour intimider don Issachar, il plut à monseigneur l'inquisiteur de célébrer un auto-da-fé. Il me fit
l'honneur de m'y inviter. Je fus très bien placée; on servit
aux dames des rafraîchissements entre la messe et l'exécution. Je fus, à la vérité, saisie d'horreur en voyant
brûler ces deux juifs et cet honnête Biscayen qui avait
épousé sa commère; mais quelle fut ma surprise, mon
effroi, mon trouble, quand je vis, dans un san-benito et
sous une mitre, une figure qui ressemblait à celle de
Pangloss! Je me frottai les yeux, je regardai attentivement, je le vis pendre; je tombai en faiblesse. A peine
reprenais-je mes sens que je vous vis dépouillé tout nu;
ce fut là le comble de l'horreur, de la consternation, de
la douleur, du désespoir. Je vous dirai, avec vérité, que
votre peau est encore plus blanche, et d'un incarnat plus
parfait que celle de mon capitaine des Bulgares. Cette
vue redoubla tous les sentiments qui m'accablaient, qui
me dévoraient. Je m'écriai, je voulus dire : « Arrêtez,
barbares ! » Mais la voix me manqua, et mes cris auraient
été inutiles. Quand vous eûtes été bien fessé : « Comment
se peut-il faire, disais-je, que l'aimable Candide et le sage

Pangloss se trouvent à Lisbonne, l'un pour recevoir cent coups de fouet, et l'autre pour être pendu par l'ordre de monseigneur l'inquisiteur, dont je suis la bien-aimée ? Pangloss m'a donc bien cruellement trompée, quand il me disait que tout va le mieux du monde. »

« Agitée, éperdue, tantôt hors de moi-même, et tantôt prête de mourir de faiblesse, j'avais la tête remplie du massacre de mon père, de ma mère, de mon frère, de l'insolence de mon vilain soldat bulgare, du coup de couteau qu'il me donna, de ma servitude, de mon métier de cuisinière, de mon capitaine bulgare, de mon vilain don Issachar, de mon abominable inquisiteur, de la pendaison du docteur Pangloss, de ce grand *miserere* en faux-bourdon pendant lequel on vous fessait, et surtout du baiser que je vous avais donné derrière un paravent, le jour que je vous avais vu pour la dernière fois. Je louai Dieu, qui vous ramenait à moi par tant d'épreuves. Je recommandai à ma vieille d'avoir soin de vous, et de vous amener ici dès qu'elle le pourrait. Elle a très bien exécuté ma commission ; j'ai goûté le plaisir inexprimable de vous revoir, de vous entendre, de vous parler. Vous devez avoir une faim dévorante ; j'ai grand appétit ; commençons par souper. »

Les voilà qui se mettent tous deux à table ; et, après le souper, ils se replacent sur ce beau canapé dont on a déjà parlé ; ils y étaient quand le signor don Issachar, l'un des maîtres de la maison, arriva. C'était le jour du sabbat. Il venait jouir de ses droits, et expliquer son tendre amour.

CHAPITRE NEUVIÈME

CE QUI ADVINT DE CUNÉGONDE, DE CANDIDE, DU GRAND INQUISITEUR, ET D'UN JUIF

Cet Issachar était le plus colérique Hébreu qu'on eût vu dans Israël, depuis la captivité en Babylone. « Quoi ! dit-il, chienne de galiléenne, ce n'est pas assez de monsieur l'inquisiteur ? Il faut que ce coquin partage aussi avec moi ? » En disant cela il tire un long poignard dont il était toujours pourvu, et, ne croyant pas que son adverse partie eût des armes, il se jette sur Candide ; mais notre bon Vestphalien avait reçu une belle épée de la vieille avec l'habit complet. Il tire son épée, quoiqu'il eût les

mœurs fort douces, et vous étend l'israélite roide mort
sur le carreau, aux pieds de la belle Cunégonde.

« Sainte Vierge! s'écria-t-elle, qu'allons-nous devenir?
Un homme tué chez moi! si la justice vient, nous sommes
perdus. — Si Pangloss n'avait pas été pendu, dit Candide,
il nous donnerait un bon conseil dans cette extrémité,
car c'était un grand philosophe. A son défaut, consultons
la vieille. » Elle était fort prudente, et commençait à dire
son avis quand une autre petite porte s'ouvrit. Il était une
heure après minuit, c'était le commencement du dimanche.
Ce jour appartenait à monseigneur l'inquisiteur. Il entre
et voit le fessé Candide, l'épée à la main, un mort étendu
par terre, Cunégonde effarée, et la vieille donnant des
conseils.

Voici dans ce moment ce qui se passa dans l'âme de
Candide, et comment il raisonna : « Si ce saint homme
appelle du secours, il me fera infailliblement brûler, il
pourra en faire autant de Cunégonde; il m'a fait fouetter
impitoyablement; il est mon rival; je suis en train de tuer;
il n'y a pas à balancer. » Ce raisonnement fut net et rapide;
et, sans donner le temps à l'inquisiteur de revenir de sa
surprise, il le perce d'outre en outre, et le jette à côté du
juif. « En voici bien d'une autre, dit Cunégonde; il n'y a
plus de rémission; nous sommes excommuniés, notre
dernière heure est venue! Comment avez-vous fait, vous
qui êtes né si doux, pour tuer en deux minutes un juif
et un prélat ? — Ma belle demoiselle, répondit Candide,
quand on est amoureux, jaloux, et fouetté par l'Inquisition, on ne se connaît plus. »

La vieille prit alors la parole, et dit : « Il y a trois chevaux andalous dans l'écurie, avec leurs selles et leurs
brides : que le brave Candide les prépare; madame a des
moyadors et des diamants, montons vite à cheval, quoique
je ne puisse me tenir que sur une fesse, et allons à Cadix;
il fait le plus beau temps du monde, et c'est un grand
plaisir de voyager pendant la fraîcheur de la nuit. »

Aussitôt Candide selle les trois chevaux. Cunégonde,
la vieille, et lui, font trente milles d'une traite. Pendant
qu'ils s'éloignaient, la Ste Hermandad arrive dans la maison, on enterre monseigneur dans une belle église et on
jette Issachar à la voirie.

Candide, Cunégonde, et la vieille, étaient déjà dans la
petite ville d'Avacéna, au milieu des montagnes de la
Sierra-Morena; et ils parlaient ainsi dans un cabaret.

CHAPITRE DIXIÈME

DANS QUELLE DÉTRESSE
CANDIDE, CUNÉGONDE ET LA VIEILLE
ARRIVENT A CADIX, ET DE LEUR EMBARQUEMENT

« Qui a donc pu me voler mes pistoles et mes diamants ?
disait en pleurant Cunégonde; de quoi vivrons-nous ?
comment ferons-nous ? où trouver des inquisiteurs et des
juifs qui m'en donnent d'autres ? — Hélas! dit la vieille,
je soupçonne fort un révérend père cordelier qui coucha
hier dans la même auberge que nous à Badajos; Dieu
me garde de faire un jugement téméraire! mais il entra
deux fois dans notre chambre, et il partit longtemps
avant nous. — Hélas! dit Candide, le bon Pangloss
m'avait souvent prouvé que les biens de la terre sont
communs à tous les hommes, que chacun y a un droit
égal. Ce cordelier devait bien, suivant ces principes,
nous laisser de quoi achever notre voyage. Il ne vous
reste donc rien du tout, ma belle Cunégonde ? — Pas un
maravédis, dit-elle. — Quel parti prendre ? dit Candide.
— Vendons un des chevaux, dit la vieille; je monterai
en croupe derrière mademoiselle, quoique je ne puisse me
tenir que sur une fesse, et nous arriverons à Cadix. »

Il y avait dans la même hôtellerie un prieur de béné-
dictins; il acheta le cheval bon marché. Candide, Cunégonde, et la vieille passèrent par Lucena, par Chillas, par
Lebrixa, et arrivèrent enfin à Cadix. On y équipait une
flotte, et on y assemblait des troupes pour mettre à la
raison les révérends pères jésuites du Paraguai, qu'on
accusait d'avoir fait révolter une de leurs hordes contre
les rois d'Espagne et de Portugal, auprès de la ville du
St. Sacrement. Candide, ayant servi chez les Bulgares,
fit l'exercice bulgarien devant le général de la petite
armée avec tant de grâce, de célérité, d'adresse, de fierté,
d'agilité, qu'on lui donna une compagnie d'infanterie à
commander. Le voilà capitaine; il s'embarque avec mademoiselle Cunégonde, la vieille, deux valets, et les deux
chevaux andalous qui avaient appartenu à monsieur le
grand inquisiteur de Portugal.

Pendant toute la traversée ils raisonnèrent beaucoup
sur la philosophie du pauvre Pangloss. « Nous allons
dans un autre univers, disait Candide; c'est dans celui-

là, sans doute, que tout est bien.] Car il faut avouer qu'on pourrait gémir un peu de ce qui se passe dans le nôtre en physique et en morale. — Je vous aime de tout mon cœur, disait Cunégonde; mais j'ai encore l'âme tout effarouchée de ce que j'ai vu, de ce que j'ai éprouvé. — Tout ira bien, répliquait Candide; la mer de ce nouveau monde vaut déjà mieux que les mers de notre Europe; elle est plus calme, les vents plus constants. C'est certainement le nouveau monde qui est le meilleur des univers possibles. — Dieu le veuille! disait Cunégonde; mais j'ai été si horriblement malheureuse dans le mien que mon cœur est presque fermé à l'espérance. — Vous vous plaignez, leur dit la vieille; hélas! vous n'avez pas éprouvé des infortunes telles que les miennes. » Cunégonde se mit presque à rire, et trouva cette bonne femme fort plaisante de prétendre être plus malheureuse qu'elle. « Hélas! lui dit-elle, ma bonne, à moins que vous n'ayez été violée par deux Bulgares, que vous n'ayez reçu deux coups de couteau dans le ventre, qu'on n'ait démoli deux de vos châteaux, qu'on n'ait égorgé à vos yeux deux mères et deux pères, et que vous n'ayez vu deux de vos amants fouettés dans un auto-da-fé, je ne vois pas que vous puissiez l'emporter sur moi; ajoutez que je suis née baronne avec soixante et douze quartiers, et que j'ai été cuisinière. — Mademoiselle, répondit la vieille, vous ne savez pas quelle est ma naissance; et si je vous montrais mon derrière, vous ne parleriez pas comme vous faites, et vous suspendriez votre jugement. » Ce discours fit naître une extrême curiosité dans l'esprit de Cunégonde et de Candide. La vieille leur parla en ces termes.

CHAPITRE ONZIÈME

HISTOIRE DE LA VIEILLE

« Je n'ai pas eu toujours les yeux éraillés et bordés d'écarlate; mon nez n'a pas toujours touché à mon menton, et je n'ai pas toujours été servante. Je suis la fille du pape Urbain X et de la princesse de Palestrine [a]. On m'éleva jusqu'à quatorze ans dans un palais auquel tous

---

a. Voyez l'extrême discrétion de l'auteur; il n'y eut jusqu'à présent aucun pape nommé Urbain X; il craint de donner une bâtarde à un pape connu. Quelle circonspection! quelle délicatesse de conscience!

les châteaux de vos barons allemands n'auraient pas servi d'écurie; et une de mes robes valait mieux que toutes les magnificences de la Vestphalie. Je croissais en beauté, en grâces, en talents, au milieu des plaisirs, des respects, et des espérances. J'inspirais déjà de l'amour; ma gorge se formait; et quelle gorge! blanche, ferme, taillée comme celle de la Vénus de Médicis; et quels yeux! quelles paupières! quels sourcils noirs! quelles flammes brillaient dans mes deux prunelles, et effaçaient la scintillation des étoiles, comme me disaient les poètes du quartier. Les femmes qui m'habillaient et qui me déshabillaient tombaient en extase en me regardant par-devant et par-derrière; et tous les hommes auraient voulu être à leur place.

« Je fus fiancée à un prince souverain de Massa-Carrara. Quel prince! aussi beau que moi, pétri de douceur et d'agréments, brillant d'esprit et brûlant d'amour. Je l'aimais comme on aime pour la première fois, avec idolâtrie, avec emportement. Les noces furent préparées. C'était une pompe, une magnificence inouïe; c'étaient des fêtes, des carrousels, des opéra-buffa continuels; et toute l'Italie fit pour moi des sonnets dont il n'y eut pas un seul de passable. Je touchais au moment de mon bonheur, quand une vieille marquise qui avait été maîtresse de mon prince l'invita à prendre du chocolat chez elle. Il mourut en moins de deux heures avec des convulsions épouvantables. Mais ce n'est qu'une bagatelle. Ma mère, au désespoir, et bien moins affligée que moi, voulut s'arracher pour quelque temps à un séjour si funeste. Elle avait une très belle terre auprès de Gaïète. Nous nous embarquâmes sur une galère du pays, dorée comme l'autel de St. Pierre de Rome. Voilà qu'un corsaire de Salé fond sur nous et nous aborde; nos soldats se défendirent comme des soldats du pape : ils se mirent tous à genoux en jetant leurs armes, et en demandant au corsaire une absolution *in articulo mortis*.

« Aussitôt on les dépouilla nus comme des singes, et ma mère aussi, nos filles d'honneur aussi, et moi aussi. C'est une chose admirable que la diligence avec laquelle ces messieurs déshabillent le monde. Mais ce qui me surprit davantage, c'est qu'ils nous mirent à tous le doigt dans un endroit où nous autres femmes nous ne nous laissons mettre d'ordinaire que des canules. Cette cérémonie me paraissait bien étrange : voilà comme on juge de tout quand on n'est pas sorti de son pays. J'appris bientôt que c'était pour voir si nous n'avions pas caché là quelques diamants : c'est un usage établi de temps immémorial parmi les nations policées qui courent sur mer. J'ai su que messieurs les religieux chevaliers de Malte n'y manquent jamais quand ils prennent des Turcs et des Turques ; c'est une loi du droit des gens à laquelle on n'a jamais dérogé.

« Je ne vous dirai point combien il est dur pour une jeune princesse d'être menée esclave à Maroc avec sa mère. Vous concevez assez tout ce que nous eûmes à souffrir dans le vaisseau corsaire. Ma mère était encore très belle ; nos filles d'honneur, nos simples femmes de chambre, avaient plus de charmes qu'on n'en peut trouver dans toute l'Afrique. Pour moi, j'étais ravissante, j'étais la beauté, la grâce même, et j'étais pucelle. Je ne le fus pas longtemps : cette fleur, qui avait été réservée pour le beau prince de Massa-Carrara, me fut ravie par le capitaine corsaire ; c'était un nègre abominable, qui croyait encore me faire beaucoup d'honneur. Certes il fallait que madame la princesse de Palestrine et moi fussions bien fortes pour résister à tout ce que nous éprouvâmes jusqu'à notre arrivée à Maroc. Mais, passons ; ce sont des choses si communes qu'elles ne valent pas la peine qu'on en parle.

« Maroc nageait dans le sang quand nous arrivâmes. Cinquante fils de l'empereur Mulei-Ismaël avaient chacun leur parti : ce qui produisait en effet cinquante guerres civiles, de noirs contre noirs, de noirs contre basanés, de basanés contre basanés, de mulâtres contre mulâtres : c'était un carnage continuel dans toute l'étendue de l'empire.

« À peine fûmes-nous débarquées que des noirs d'une faction ennemie de celle de mon corsaire se présentèrent pour lui enlever son butin. Nous étions, après les diamants et l'or, ce qu'il avait de plus précieux. Je fus témoin d'un combat tel que vous n'en voyez jamais dans vos climats d'Europe. Les peuples septentrionaux n'ont pas le sang assez ardent. Ils n'ont pas la rage des femmes au point où elle est commune en Afrique. Il semble que vos Européens aient du lait dans les veines ; c'est du vitriol, c'est du feu qui coule dans celles des habitants du mont Atlas et des pays voisins. On combattit avec la fureur des lions, des tigres et des serpents de la contrée, pour savoir à qui nous aurait. Un Maure saisit ma mère par le bras droit, le lieutenant de mon capitaine la retint par le bras gauche ; un soldat maure la prit par une jambe,

un de nos pirates la tenait par l'autre. Nos filles se trouvèrent presque toutes en un moment tirées ainsi à
quatre soldats. Mon capitaine me tenait cachée derrière
lui. Il avait le cimeterre au poing, et tuait tout ce qui
s'opposait à sa rage. Enfin je vis toutes nos Italiennes
et ma mère déchirées, coupées, massacrées par les
monstres qui se les disputaient. Les captifs, mes compagnons, ceux qui les avaient pris, soldats, matelots, noirs,
basanés, blancs, mulâtres, et enfin mon capitaine, tout
fut tué, et je demeurai mourante sur un tas de morts.
Des scènes pareilles se passaient, comme on sait, dans
l'étendue de plus de trois cents lieues, sans qu'on manquât
aux cinq prières par jour ordonnées par Mahomet.

« Je me débarrassai avec beaucoup de peine de la foule
de tant de cadavres sanglants entassés, et je me traînai
sous un grand oranger au bord d'un ruisseau voisin ; j'y
tombai d'effroi, de lassitude, d'horreur, de désespoir et
de faim. Bientôt après, mes sens accablés se livrèrent à
un sommeil qui tenait plus de l'évanouissement que du
repos. J'étais dans cet état de faiblesse et d'insensibilité,
entre la mort et la vie, quand je me sentis pressée de
quelque chose qui s'agitait sur mon corps ; j'ouvris les
yeux, je vis un homme blanc et de bonne mine qui soupirait, et qui disait entre ses dents : *O che sciagura d'essere
senza c... !*

CHAPITRE DOUZIÈME

SUITE DES MALHEURS DE LA VIEILLE

« Etonnée et ravie d'entendre la langue de ma patrie,
et non moins surprise des paroles que proférait cet
homme, je lui répondis qu'il y avait de plus grands malheurs que celui dont il se plaignait. Je l'instruisis en peu
de mots des horreurs que j'avais essuyées, et je retombai
en faiblesse. Il m'emporta dans une maison voisine, me
fit mettre au lit, me fit donner à manger, me servit, me
consola, me flatta, me dit qu'il n'avait rien vu de si beau
que moi, et que jamais il n'avait tant regretté ce que personne ne pouvait lui rendre. « Je suis né à Naples, me
dit-il ; on y chaponne deux ou trois mille enfants tous les
ans ; les uns en meurent, les autres acquièrent une voix
plus belle que celle des femmes, les autres vont gouverner
des Etats. On me fit cette opération avec un très grand

succès, et j'ai été musicien de la chapelle de madame la princesse de Palestrine. — De ma mère! m'écriai-je. — De votre mère! s'écria-t-il en pleurant; quoi! vous seriez cette jeune princesse que j'ai élevée jusqu'à l'âge de six ans, et qui promettait déjà d'être aussi belle que vous êtes ? — C'est moi-même; ma mère est à quatre cents pas d'ici, coupée en quartiers sous un tas de morts... »

« Je lui contai tout ce qui m'était arrivé; il me conta aussi ses aventures, et m'apprit comment il avait été envoyé chez le roi de Maroc par une puissance chrétienne, pour conclure avec ce monarque un traité par lequel on lui fournirait de la poudre, des canons, et des vaisseaux, pour l'aider à exterminer le commerce des autres chrétiens. « Ma mission est faite, dit cet honnête eunuque; je vais m'embarquer à Ceuta, et je vous ramènerai en Italie. *Ma che sciagura d'essere senza c...!* »

« Je le remerciai avec des larmes d'attendrissement; et au lieu de me mener en Italie, il me conduisit à Alger, et me vendit au dey de cette province. A peine fus-je vendue que cette peste qui a fait le tour de l'Afrique, de l'Asie et de l'Europe, se déclara dans Alger avec fureur. Vous avez vu des tremblements de terre; mais, mademoiselle, avez-vous jamais eu la peste ? — Jamais, répondit la baronne.

— Si vous l'aviez eue, reprit la vieille, vous avoueriez qu'elle est bien au-dessus d'un tremblement de terre. Elle est fort commune en Afrique; j'en fus attaquée. Figurez-vous quelle situation pour la fille d'un pape, âgée de quinze ans, qui en trois mois de temps avait éprouvé la pauvreté, l'esclavage, avait été violée presque tous les jours, avait vu couper sa mère en quatre, avait essuyé la faim et la guerre, et mourait pestiférée dans Alger. Je n'en mourus pourtant pas; mais mon eunuque et le dey, et presque tout le sérail d'Alger périrent.

« Quand les premiers ravages de cette épouvantable peste furent passés, on vendit les esclaves du dey. Un marchand m'acheta, et me mena à Tunis; il me vendit à un autre marchand, qui me revendit à Tripoli; de Tripoli je fus revendue à Alexandrie, d'Alexandrie revendue à Smyrne, de Smyrne à Constantinople. J'appartins enfin à un aga des janissaires, qui fut bientôt commandé pour aller défendre Azof contre les Russes, qui l'assiégeaient.

« L'aga, qui était un très galant homme, mena avec lui tout son sérail, et nous logea dans un petit fort sur les Palus-Méotides, gardé par deux eunuques noirs et vingt soldats. On tua prodigieusement de Russes, mais ils nous le rendirent bien. Azof fut mis à feu et à sang, et on ne pardonna ni au sexe, ni à l'âge; il ne resta que notre petit fort; les ennemis voulurent nous prendre par famine. Les vingt janissaires avaient juré de ne se jamais rendre. Les extrémités de la faim où ils furent réduits les contraignirent à manger nos deux ennuques, de peur de violer leur serment. Au bout de quelques jours ils résolurent de manger les femmes.

« Nous avions un iman très pieux et très compatissant, qui leur fit un beau sermon par lequel il leur persuada de ne nous pas tuer tout à fait. « Coupez, dit-il, seulement une fesse à chacune de ces dames, vous ferez très bonne chère; s'il faut y revenir, vous en aurez encore autant dans quelques jours; le ciel vous saura gré d'une action si charitable, et vous serez secourus. »

« Il avait beaucoup d'éloquence; il les persuada. On nous fit cette horrible opération. L'iman nous appliqua le même baume qu'on met aux enfants qu'on vient de circoncire. Nous étions toutes à la mort.

« A peine les janissaires eurent-ils fait le repas que nous leur avions fourni, que les Russes arrivent sur des bateaux plats : il ne réchappa pas un janissaire. Les Russes ne firent aucune attention à l'état où nous étions. Il y a partout des chirurgiens français; un d'eux, qui était fort adroit, prit soin de nous; il nous guérit, et je me souviendrai toute ma vie que, quand mes plaies furent bien fermées, il me fit des propositions. Au reste, il nous dit à toutes de nous consoler; il nous assura que dans plusieurs sièges pareille chose était arrivée, et que c'était la loi de la guerre.

« Dès que mes compagnes purent marcher, on les fit aller à Moscou. J'échus en partage à un boïard qui me fit sa jardinière, et qui me donnait vingt coups de fouet par jour; mais ce seigneur ayant été roué au bout de deux ans avec une trentaine de boïards pour quelque tracasserie de cour, je profitai de cette aventure : je m'enfuis; je traversai toute la Russie; je fus longtemps servante de cabaret à Riga, puis à Rostock, à Vismar, à Leipsick, à Cassel, à Utrecht, à Leyde, à La Haye, à Rotterdam; j'ai vieilli dans la misère et dans l'opprobre, n'ayant que la moitié d'un derrière, me souvenant toujours que j'étais fille d'un pape; je voulus cent fois me tuer, mais j'aimais encore la vie. Cette faiblesse ridicule est peut-être un de nos penchants les plus funestes : car y a-t-il rien de plus

sot que de vouloir porter continuellement un fardeau
qu'on veut toujours jeter par terre ? d'avoir son être en
horreur, et de tenir à son être ? Enfin de caresser le serpent qui nous dévore, jusqu'à ce qu'il nous ait mangé
le cœur ?

« J'ai vu dans les pays que le sort m'a fait parcourir,
et dans les cabarets où j'ai servi, un nombre prodigieux
de personnes qui avaient leur existence en exécration;
mais je n'en ai vu que douze qui aient mis volontairement
fin à leur misère : trois nègres, quatre Anglais, quatre Genevois, et un professeur Allemand nommé Robeck. J'ai
fini par être servante chez le juif don Issachar; il me
mit auprès de vous, ma belle demoiselle; je me suis
attachée à votre destinée, et j'ai été plus occupée de vos
aventures que des miennes. Je ne vous aurais même
jamais parlé de mes malheurs si vous ne m'aviez pas un
peu piquée, et s'il n'était d'usage, dans un vaisseau, de
conter des histoires pour se désennuyer. Enfin, mademoiselle, j'ai de l'expérience, je connais le monde;
donnez-vous un plaisir, engagez chaque passager à vous
conter son histoire, et s'il s'en trouve un seul qui n'ait
souvent maudit sa vie, qui ne se soit souvent dit à lui-
même qu'il était le plus malheureux des hommes, jetez-
moi dans la mer la tête la première. »

CHAPITRE TREIZIÈME

COMMENT CANDIDE FUT OBLIGÉ DE SE SÉPARER
DE LA BELLE CUNÉGONDE ET DE LA VIEILLE

La belle Cunégonde, ayant entendu l'histoire de la
vieille, lui fit toutes les politesses qu'on devait à une personne de son rang et de son mérite. Elle accepta la proposition; elle engagea tous les passagers, l'un après l'autre,
à lui conter leurs aventures. Candide et elle avouèrent
que la vieille avait raison. « C'est bien dommage, disait
Candide, que le sage Pangloss ait été pendu contre la
coutume dans un auto-da-fé; il nous dirait des choses
admirables sur le mal physique et sur le mal moral qui
couvrent la terre et la mer, et je me sentirais assez de
force pour oser lui faire respectueusement quelques objections. »

A mesure que chacun racontait son histoire, le vaisseau
avançait. On aborda dans Buenos-Ayres. Cunégonde, le

capitaine Candide et la vieille allèrent chez le gouverneur don Fernando d'Ibaraa, y Figueora, y Mascarenes, y Lampourdos, y Souza. Ce seigneur avait une fierté convenable à un homme qui portait tant de noms. Il parlait aux hommes avec le dédain le plus noble, portant le nez si haut, élevant si impitoyablement la voix, prenant un ton si imposant, affectant une démarche si altière, que tous ceux qui le saluaient étaient tentés de le battre. Il aimait les femmes à la fureur. Cunégonde lui parut ce qu'il avait jamais vu de plus beau. La première chose qu'il fit fut de demander si elle n'était point la femme du capitaine. L'air dont il fit cette question alarma Candide : il n'osa pas dire qu'elle était sa femme, parce qu'en effet elle ne l'était point; il n'osait pas dire que c'était sa sœur, parce qu'elle ne l'était pas non plus; et quoique ce mensonge officieux eût été autrefois très à la mode chez les anciens, et qu'il pût être utile aux modernes, son âme était trop pure pour trahir la vérité. « Mademoiselle Cunégonde, dit-il, doit me faire l'honneur de m'épouser et nous supplions Votre Excellence de daigner faire notre noce. »

Don Fernando d'Ibaraa, y Figueora, y Mascarenes, y Lampourdos, y Souza, relevant sa moustache, sourit amèrement, et ordonna au capitaine Candide d'aller faire la revue de sa compagnie. Candide obéit; le gouverneur demeura avec mademoiselle Cunégonde. Il lui déclara sa passion, lui protesta que le lendemain il l'épouserait à la face de l'Eglise, ou autrement, ainsi qu'il plairait à ses charmes. Cunégonde lui demanda un quart d'heure pour se recueillir, pour consulter la vieille, et pour se déterminer.

La vieille dit à Cunégonde : « Mademoiselle, vous avez soixante et douze quartiers et pas une obole; il ne tient qu'à vous d'être la femme du plus grand seigneur de l'Amérique méridionale, qui a une très belle moustache; est-ce à vous de vous piquer d'une fidélité à toute épreuve ? Vous avez été violée par les Bulgares; un juif et un inquisiteur ont eu vos bonnes grâces : les malheurs donnent des droits. J'avoue que, si j'étais à votre place, je ne ferais aucun scrupule d'épouser monsieur le gouverneur, et de faire la fortune de monsieur le capitaine Candide. » Tandis que la vieille parlait avec toute la prudence que l'âge et l'expérience donnent, on vit entrer dans le port un petit vaisseau; il portait un alcade et des alguazils, et voici ce qui était arrivé.

La vieille avait très bien deviné que ce fut un cordelier

à la grande manche qui vola l'argent et les bijoux de
Cunégonde dans la ville de Badajos, lorsqu'elle fuyait en
hâte avec Candide. Ce moine voulut vendre quelques-
unes des pierreries à un joaillier. Le marchand les reconnut pour celles du grand inquisiteur. Le cordelier, avant
d'être pendu, avoua qu'il les avait volées : il indiqua les
personnes, et la route qu'elles prenaient. La fuite de
Cunégonde et de Candide était déjà connue. On les suivit
à Cadix : on envoya sans perdre de temps, un vaisseau à
leur poursuite. Le vaisseau était déjà dans le port de
Buenos-Ayres. Le bruit se répandit qu'un alcade allait
débarquer, et qu'on poursuivait les meurtriers de monseigneur le grand inquisiteur. La prudente vieille vit dans
l'instant tout ce qui était à faire. « Vous ne pouvez fuir,
dit-elle à Cunégonde, et vous n'avez rien à craindre : ce
n'est pas vous qui avez tué monseigneur, et d'ailleurs le
gouverneur, qui vous aime, ne souffrira pas qu'on vous
maltraite; demeurez. » Elle court sur-le-champ à Candide : « Fuyez, dit-elle, ou dans une heure vous allez être
brûlé. » Il n'y avait pas un moment à perdre; mais comment se séparer de Cunégonde, et où se réfugier ?

CHAPITRE QUATORZIÈME

COMMENT CANDIDE ET CACAMBO
FURENT REÇUS CHEZ LES JÉSUITES DU PARAGUAI

Candide avait amené de Cadix un valet tel qu'on en
trouve beaucoup sur les côtes d'Espagne et dans les colonies. C'était un quart d'Espagnol, né d'un métis dans le
Tucuman; il avait été enfant de chœur, sacristain, matelot, moine, facteur, soldat, laquais. Il s'appelait Cacambo,
et aimait fort son maître, parce que son maître était un
fort bon homme. Il sella au plus vite les deux chevaux
andalous. « Allons, mon maître, suivons le conseil de la
vieille; partons, et courons sans regarder derrière nous. »
Candide versa des larmes : « O ma chère Cunégonde!
faut-il vous abandonner dans le temps que monsieur le
gouverneur va faire un noces! Cunégonde amenée de si
loin, que deviendrez-vous ? — Elle deviendra ce qu'elle
pourra, dit Cacambo; les femmes ne sont jamais embar-
rassées d'elles; Dieu y pourvoit; courons. — Où me
mènes-tu ? où allons-nous ? que ferons-nous sans Cunégonde ? disait Candide. — Par St. Jacques de Compos-

telle, dit Cacambo, vous alliez faire la guerre aux jésuites ; allons la faire pour eux : je sais assez les chemins, je vous mènerai dans leur royaume, ils seront charmés d'avoir un capitaine qui fasse l'exercice à la bulgare ; vous ferez une fortune prodigieuse : quand on n'a pas son compte dans un monde, on le trouve dans un autre. C'est un très grand plaisir de voir et de faire des choses nouvelles.

— Tu as donc été déjà dans le Paraguai ? dit Candide. — Eh vraiment oui ! dit Cacambo ; j'ai été cuistre dans le collège de l'Assomption, et je connais le gouvernement de Los Padres comme je connais les rues de Cadix. C'est une chose admirable que ce gouvernement. Le royaume a déjà plus de trois cents lieues de diamètre ; il est divisé en trente provinces. Los Padres y ont tout, et les peuples rien ; c'est le chef-d'œuvre de la raison et de la justice. Pour moi, je ne vois rien de si divin que Los Padres, qui font ici la guerre au roi d'Espagne et au roi de Portugal, et qui en Europe confessent ces rois ; qui tuent ici des Espagnols, et qui à Madrid les envoient au ciel : cela me ravit ; avançons : vous allez être le plus heureux de tous les hommes. Quel plaisir auront Los Padres quand ils sauront qu'il leur vient un capitaine qui sait l'exercice bulgare ! »

Dès qu'ils furent arrivés à la première barrière, Cacambo dit à la garde avancée qu'un capitaine demandait à parler à monseigneur le commandant. On alla avertir la grande garde. Un officier paraguain courut aux pieds du commandant lui donner part de la nouvelle. Candide et Cacambo furent d'abord désarmés ; on se saisit de leurs deux chevaux andalous. Les deux étrangers sont introduits au milieu de deux files de soldats ; le commandant était au bout, le bonnet à trois cornes en tête, la robe retroussée, l'épée au côté, l'esponton à la main. Il fit un signe ; aussitôt vingt-quatre soldats entourent les deux nouveaux venus. Un sergent leur dit qu'il faut attendre, que le commandant ne peut leur parler, que le révérend père provincial ne permet pas qu'aucun Espagnol ouvre la bouche qu'en sa présence, et demeure plus de trois heures dans le pays. « Et où est le révérend père provincial ? dit Cacambo. — Il est à la parade après avoir dit sa messe, répondit le sergent, et vous ne pourrez baiser ses éperons que dans trois heures. — Mais, dit Cacambo, monsieur le capitaine, qui meurt de faim comme moi, n'est point Espagnol, il est Allemand ; ne pourrions-nous point déjeuner en attendant Sa Révérence ? »

Le sergent alla sur-le-champ rendre compte de ce discours au commandant. « Dieu soit béni! dit ce seigneur, puisqu'il est Allemand, je peux lui parler; qu'on le mène dans ma feuillée. » Aussitôt on conduit Candide dans un cabinet de verdure, orné d'une très jolie colonnade de marbre vert et or, et de treillages qui renfermaient des perroquets, des colibris, des oiseaux-mouches, des pintades, et tous les oiseaux les plus rares. Un excellent déjeuner était préparé dans des vases d'or; et tandis que les Paraguains mangèrent du maïs dans des écuelles de bois, en plein champ, à l'ardeur du soleil, le révérend père commandant entra dans la feuillée.

C'était un très beau jeune homme, le visage plein, assez blanc, haut en couleur, le sourcil relevé, l'œil vif, l'oreille rouge, les lèvres vermeilles, l'air fier, mais d'une fierté qui n'était ni celle d'un Espagnol ni celle d'un jésuite. On rendit à Candide et à Cacambo leurs armes, qu'on leur avait saisies, ainsi que les deux chevaux andalous; Cacambo leur fit manger l'avoine auprès de la feuillée, ayant toujours l'œil sur eux, crainte de surprise.

Candide baisa d'abord le bas de la robe du commandant, ensuite ils se mirent à table. « Vous êtes donc Allemand? lui dit le jésuite en cette langue. — Oui, mon révérend père », dit Candide. L'un et l'autre, en prononçant ces paroles, se regardaient avec une extrême surprise, et une émotion dont ils n'étaient pas les maîtres. « Et de quel pays d'Allemagne êtes-vous? dit le jésuite. — De la sale province de Vestphalie, dit Candide; je suis né dans le château de Thunder-ten-tronckh. — O ciel! est-il possible! s'écria le commandant. — Quel miracle! s'écria Candide. — Serait-ce vous? dit le commandant. — Cela n'est pas possible », dit Candide. Ils se laissent tomber tous deux à la renverse, ils s'embrassent, ils versent des ruisseaux de larmes. « Quoi! serait-ce vous, mon révérend père? vous, le frère de la belle Cunégonde! vous, qui fûtes tué par les Bulgares! vous, le fils de monsieur le baron! vous, jésuite au Paraguai! Il faut avouer que ce monde est une étrange chose. O Pangloss! Pangloss! que vous seriez aise si vous n'aviez pas été pendu! »

Le commandant fit retirer les esclaves nègres et les Paraguains qui servaient à boire dans des gobelets de cristal de roche. Il remercia Dieu et St. Ignace mille fois; il serrait Candide entre ses bras, leurs visages étaient baignés de pleurs. « Vous seriez bien plus étonné, plus attendri, plus hors de vous-même, dit Candide, si je vous disais que mademoiselle Cunégonde, votre sœur, que vous avez crue éventrée, est pleine de santé. — Où ? — Dans votre voisinage, chez monsieur le gouverneur de Buenos-Ayres ; et je venais pour vous faire la guerre. » Chaque mot qu'ils prononcèrent dans cette longue conversation accumulait prodige sur prodige. Leur âme tout entière volait sur leur langue, était attentive dans leurs oreilles, et étincelante dans leurs yeux. Comme ils étaient Allemands, ils tinrent table longtemps, en attendant le révérend père provincial ; et le commandant parla ainsi à son cher Candide.

CHAPITRE QUINZIÈME

COMMENT CANDIDE TUA LE FRÈRE
DE SA CHÈRE CUNÉGONDE

« J'aurai toute ma vie présent à la mémoire le jour horrible où je vis tuer mon père et ma mère, et violer ma sœur. Quand les Bulgares furent retirés, on ne trouva point cette sœur adorable, et on mit dans une charrette ma mère, mon père, et moi, deux servantes et trois petits garçons égorgés, pour nous aller enterrer dans une chapelle de jésuites, à deux lieues du château de mes pères. Un jésuite nous jeta de l'eau bénite ; elle était horriblement salée ; il en entra quelques gouttes dans mes yeux : le père s'aperçut que ma paupière faisait un petit mouvement : il mit la main sur mon cœur, et le sentit palpiter ; je fus secouru, et au bout de trois semaines il n'y paraissait pas. Vous savez, mon cher Candide, que j'étais fort joli ; je le devins encore davantage ; aussi le révérend père Croust, supérieur de la maison, prit pour moi la plus tendre amitié : il me donna l'habit de novice ; quelque temps après je fus envoyé à Rome. Le père général avait besoin d'une recrue de jeunes jésuites allemands. Les souverains du Paraguai reçoivent le moins qu'ils peuvent de jésuites espagnols ; ils aiment mieux les étrangers, dont ils se croient plus maîtres. Je fus jugé propre par le révérend père général pour aller travailler dans cette vigne. Nous partîmes, un Polonais, un Tyrolien, et moi. Je fus honoré, en arrivant, du sous-diaconat et d'une lieutenance ; je suis aujourd'hui colonel et prêtre. Nous recevons vigoureusement les troupes du roi d'Espagne ; je

vous réponds qu'elles seront excommuniées et battues.
La Providence vous envoie ici pour nous seconder. Mais
est-il bien vrai que ma chère sœur Cunégonde soit dans
le voisinage, chez le gouverneur de Buenos-Ayres ? »
Candide l'assura par serment que rien n'était plus vrai.
Leurs larmes recommencèrent à couler.

Le baron ne pouvait se lasser d'embrasser Candide; il
l'appelait son frère, son sauveur. « Ah! peut-être, lui
dit-il, nous pourrons ensemble, mon cher Candide,
entrer en vainqueurs dans la ville, et reprendre ma sœur
Cunégonde. — C'est tout ce que je souhaite, dit Candide; car je comptais l'épouser, et je l'espère encore. —
Vous, insolent! répondit le baron, vous auriez l'impudence d'épouser ma sœur, qui a soixante et douze quartiers! Je vous trouve bien effronté d'oser me parler d'un
dessein si téméraire! » Candide, pétrifié d'un tel discours,
lui répondit : « Mon révérend père, tous les quartiers du
monde n'y font rien; j'ai tiré votre sœur des bras d'un
juif et d'un inquisiteur; elle m'a assez d'obligations, elle
veut m'épouser. Maître Pangloss m'a toujours dit que les
hommes sont égaux; et assurément je l'épouserai. — C'est
ce que nous verrons, coquin! » dit le jésuite baron de
Thunder-ten-tronckh; et en même temps il lui donna un
grand coup du plat de son épée sur le visage. Candide
dans l'instant tire la sienne, et l'enfonce jusqu'à la garde
dans le ventre du baron jésuite; mais en la retirant toute
fumante, il se mit à pleurer : « Hélas! mon Dieu, dit-il,
j'ai tué mon ancien maître, mon ami, mon beau-frère; je
suis le meilleur homme du monde, et voilà déjà trois
hommes que je tue; et dans ces trois il y a deux prêtres. »

Cacambo, qui faisait sentinelle à la porte de la feuillée,
accourut. « Il ne nous reste qu'à vendre cher notre vie,
lui dit son maître; on va, sans doute, entrer dans la feuillée; il faut mourir les armes à la main. » Cacambo, qui en
avait bien vu d'autres, ne perdit point la tête; il prit la
robe de jésuite que portait le baron, la mit sur le corps
de Candide, lui donna le bonnet carré du mort, et le fit
monter à cheval. Tout cela se fit en un clin d'œil. « Galo-
pons, mon maître; tout le monde vous prendra pour un
jésuite qui va donner des ordres; et nous aurons passé les
frontières avant qu'on puisse courir après nous. » Il volait
déjà en prononçant ces paroles, et en criant en espagnol :
« Place, place pour le révérend père colonel! »

CHAPITRE SEIZIÈME

CE QUI ADVINT AUX DEUX VOYAGEURS
AVEC DEUX FILLES, DEUX SINGES,
ET LES SAUVAGES NOMMÉS OREILLONS

Candide et son valet furent au-delà des barrières, et personne ne savait encore dans le camp la mort du jésuite allemand. Le vigilant Cacambo avait eu soin de remplir sa valise de pain, de chocolat, de jambon, de fruits et de quelques mesures de vin. Ils s'enfoncèrent avec leurs chevaux andalous dans un pays inconnu où ils ne découvrirent aucune route. Enfin une belle prairie entrecoupée de ruisseaux se présenta devant eux. Nos deux voyageurs font repaître leurs montures. Cacambo propose à son maître de manger, et lui en donne l'exemple. « Comment veux-tu, disait Candide, que je mange du jambon, quand j'ai tué le fils de monsieur le baron, et que je me vois condamné à ne revoir la belle Cunégonde de ma vie ? A quoi me servira de prolonger mes misérables jours, puisque je dois les traîner loin d'elle dans les remords et dans le désespoir ? Et que dira le Journal de Trévoux ? »

En parlant ainsi, il ne laissa pas de manger. Le soleil se couchait. Les deux égarés entendirent quelques petits cris qui paraissaient poussés par des femmes. Ils ne savaient si ces cris étaient de douleur ou de joie; mais ils se levèrent précipitamment avec cette inquiétude et cette alarme que tout inspire dans un pays inconnu. Ces clameurs partaient de deux filles toutes nues qui couraient légèrement au bord de la prairie, tandis que deux singes les suivaient en leur mordant les fesses. Candide fut touché de pitié; il avait appris à tirer chez les Bulgares, et il aurait abattu une noisette dans un buisson sans toucher aux feuilles. Il prend son fusil espagnol à deux coups, tire, et tue les deux singes. « Dieu soit loué, mon cher Cacambo! j'ai délivré d'un grand péril ces deux pauvres créatures : si j'ai commis un péché en tuant un inquisiteur et un jésuite, je l'ai bien réparé en sauvant la vie à deux filles. Ce sont peut-être deux demoiselles de condition, et cette aventure nous peut procurer de très grands avantages dans le pays. »

Il allait continuer, mais sa langue devint percluse quand il vit ces deux filles embrasser tendrement les

deux singes, fondre en larmes sur leurs corps, et remplir
l'air des cris les plus douloureux. « Je ne m'attendais pas
à tant de bonté d'âme », dit-il enfin à Cacambo; lequel
lui répliqua : « Vous avez fait là un beau chef-d'œuvre,
mon maître; vous avez tué les deux amants de ces demoiselles. — Leurs amants! serait-il possible ? Vous vous
moquez de moi, Cacambo; le moyen de vous croire ? —
Mon cher maître, repartit Cacambo, vous êtes toujours
étonné de tout; pourquoi trouvez-vous si étrange que
dans quelques pays il y ait des singes qui obtiennent les
bonnes grâces des dames ? Ils sont des quarts d'homme,
comme je suis un quart d'Espagnol. — Hélas! reprit
Candide, je me souviens d'avoir entendu dire à maître
Pangloss qu'autrefois pareils accidents étaient arrivés,
et que ces mélanges avaient produit des égypans, des
faunes, des satyres; que plusieurs grands personnages de
l'antiquité en avaient vu; mais je prenais cela pour des
fables. — Vous devez être convaincu à présent, dit
Cacambo, que c'est une vérité, et vous voyez comment
en usent les personnes qui n'ont pas reçu une certaine
éducation; tout ce que je crains, c'est que ces dames ne
nous fassent quelque méchante affaire. »
    Ces réflexions solides engagèrent Candide à quitter la
prairie, et à s'enfoncer dans un bois. Il y soupa avec
Cacambo; et tous deux, après avoir maudit l'inquisiteur
de Portugal, le gouverneur de Buenos-Ayres, et le baron,
s'endormirent sur de la mousse. A leur réveil, ils sentirent
qu'ils ne pouvaient remuer; la raison en était que pendant
la nuit les Oreillons, habitants du pays, à qui les deux
dames les avaient dénoncés, les avaient garrottés avec des
cordes d'écorces d'arbre. Ils étaient entourés d'une cinquantaine d'Oreillons tout nus, armés de flèches, de mas-
sues, et de haches de caillou : les uns faisaient bouillir
une grande chaudière; les autres préparaient des broches,
et tous criaient : « C'est un jésuite, c'est un jésuite! nous
serons vengés, et nous ferons bonne chère; mangeons du
jésuite, mangeons du jésuite! »
    « Je vous l'avais bien dit, mon cher maître, s'écria tris-
tement Cacambo, que ces deux filles nous joueraient d'un
mauvais tour. » Candide, apercevant la chaudière et les
broches, s'écria : « Nous allons certainement être rôtis
ou bouillis. Ah! que dirait maître Pangloss, s'il voyait
comme la pure nature est faite ? Tout est bien; soit, mais
j'avoue qu'il est bien cruel d'avoir perdu mademoiselle
Cunégonde et d'être mis à la broche par des Oreillons. »

Cacambo ne perdait jamais la tête. « Ne désespérez de rien, dit-il au désolé Candide; j'entends un peu le jargon de ces peuples, je vais leur parler. — Ne manquez pas, dit Candide, de leur représenter quelle est l'inhumanité affreuse de faire cuire des hommes, et combien cela est peu chrétien. »

« Messieurs, dit Cacambo, vous comptez donc manger aujourd'hui un jésuite ? C'est très bien fait; rien n'est plus juste que de traiter ainsi ses ennemis. En effet le droit naturel nous enseigne à tuer notre prochain, et c'est ainsi qu'on en agit dans toute la terre. Si nous n'usons pas du droit de le manger, c'est que nous avons d'ailleurs de quoi faire bonne chère; mais vous n'avez pas les mêmes ressources que nous : certainement il vaut mieux manger ses ennemis que d'abandonner aux corbeaux et aux corneilles le fruit de sa victoire. Mais, messieurs, vous ne voudriez pas manger vos amis. Vous croyez aller mettre un jésuite en broche, et c'est votre défenseur, c'est l'ennemi de vos ennemis que vous allez rôtir. Pour moi, je suis né dans votre pays; monsieur que vous voyez est mon maître, et bien loin d'être jésuite, il vient de tuer un jésuite, il en porte les dépouilles; voilà le sujet de votre méprise. Pour vérifier ce que je vous dis, prenez sa robe, portez-la à la première barrière du royaume de Los Padres; informez-vous si mon maître n'a pas tué un officier jésuite. Il vous faudra peu de temps; vous pourrez toujours nous manger, si vous trouvez que je vous ai menti. Mais, si je vous ai dit la vérité, vous connaissez trop les principes du droit public, les mœurs et les lois, pour ne nous pas faire grâce. »

Les Oreillons trouvèrent ce discours très raisonnable; ils députèrent deux notables pour aller en diligence s'informer de la vérité; les deux députés s'acquittèrent de leur commission en gens d'esprit, et revinrent bientôt apporter de bonnes nouvelles. Les Oreillons délièrent leurs deux prisonniers, leur firent toutes sortes de civilités, leur offrirent des filles, leur donnèrent des rafraîchissements, et les reconduisirent jusqu'aux confins de leurs Etats, en criant avec allégresse : « Il n'est point jésuite, il n'est point jésuite ! »

Candide ne se lassait point d'admirer le sujet de sa délivrance. « Quel peuple ! disait-il, quels hommes ! quelles mœurs ! si je n'avais pas eu le bonheur de donner un grand coup d'épée au travers du corps du frère de mademoiselle Cunégonde, j'étais mangé sans rémission.

Mais, après tout, la pure nature est bonne, puisque ces
gens-ci, au lieu de me manger, m'ont fait mille honnêtetés
dès qu'ils ont su que je n'étais pas jésuite. »

CHAPITRE DIX-SEPTIÈME

ARRIVÉE DE CANDIDE ET DE SON VALET
AU PAYS D'ELDORADO, ET CE QU'ILS Y VIRENT

Quand ils furent aux frontières des Oreillons : « Vous
voyez, dit Cacambo à Candide, que cet hémisphère-ci ne
vaut pas mieux que l'autre; croyez-moi, retournons en
Europe par le plus court. — Comment y retourner, dit
Candide; et où aller ? Si je vais dans mon pays, les Bulgares et les Abares y égorgent tout; si je retourne en Portugal, j'y suis brûlé; si nous restons dans ce pays-ci,
nous risquons à tout moment d'être mis en broche. Mais comment se résoudre à quitter la partie du monde que mademoiselle Cunégonde habite ?

— Tournons vers la Cayenne, dit Cacambo, nous y
trouverons des Français, qui vont par tout le monde; ils
pourront nous aider. Dieu aura peut-être pitié de nous. »

Il n'était pas facile d'aller à la Cayenne; ils savaient
bien à peu près de quel côté il fallait marcher; mais des
montagnes, des fleuves, des précipices, des brigands, des
sauvages, étaient partout de terribles obstacles. Leurs
chevaux moururent de fatigue; leurs provisions furent
consumées; ils se nourrirent un mois entier de fruits
sauvages, et se trouvèrent enfin auprès d'une petite
rivière bordée de cocotiers, qui soutinrent leur vie et leurs
espérances.

Cacambo, qui donnait toujours d'aussi bons conseils
que la vieille, dit à Candide : « Nous n'en pouvons plus,
nous avons assez marché; j'aperçois un canot vide sur le
rivage, emplissons-le de cocos, jetons-nous dans cette
petite barque, laissons-nous aller au courant; une rivière
mène toujours à quelque endroit habité. Si nous ne trouvons pas des choses agréables, nous trouverons du moins
des choses nouvelles. — Allons, dit Candide, recomman-
dons-nous à la Providence. »

Ils voguèrent quelques lieues entre des bords tantôt
fleuris, tantôt arides, tantôt unis, tantôt escarpés. La
rivière s'élargissait toujours; enfin elle se perdait sous
une voûte de rochers épouvantables qui s'élevaient jus-

qu'au ciel. Les deux voyageurs eurent la hardiesse de
s'abandonner aux flots sous cette voûte. Le fleuve, resserré en cet endroit, les porta avec une rapidité et un bruit
horrible. Au bout de vingt-quatre heures ils revirent le
jour; mais leur canot se fracassa contre les écueils; il
fallut se traîner de rocher en rocher pendant une lieue
entière; enfin ils découvrirent un horizon immense,
bordé de montagnes inaccessibles. Le pays était cultivé
pour le plaisir comme pour le besoin; partout l'utile était
agréable. Les chemins étaient couverts ou plutôt ornés
de voitures d'une forme et d'une matière brillante, portant des hommes et des femmes d'une beauté singulière,
traînés rapidement par de gros moutons rouges qui sur-
passaient en vitesse les plus beaux chevaux d'Andalousie,
de Tétuan et de Méquinez.

« Voilà pourtant, dit Candide, un pays qui vaut mieux
que la Vestphalie. » Il mit pied à terre avec Cacambo
auprès du premier village qu'il rencontra. Quelques
enfants du village, couverts de brocarts d'or tout déchirés, jouaient au palet à l'entrée du bourg; nos deux
hommes de l'autre monde s'amusèrent à les regarder :
leurs palets étaient d'assez larges pièces rondes, jaunes,
rouges, vertes, qui jetaient un éclat singulier. Il prit
envie aux voyageurs d'en ramasser quelques-uns; c'était
de l'or, c'était des émeraudes, des rubis, dont le moindre
aurait été le plus grand ornement du trône du Mogol.
« Sans doute, dit Cacambo, ces enfants sont les fils du
roi du pays, qui jouent au petit palet. » Le magister du
village parut dans ce moment pour les faire rentrer à
l'école. « Voilà, dit Candide, le précepteur de la famille
royale. »

Les petits gueux quittèrent aussitôt le jeu, en laissant
à terre leurs palets, et tout ce qui avait servi à leurs divertissements. Candide les ramasse, court au précepteur, et
les lui présente humblement, lui faisant entendre par
signes que leurs altesses royales avaient oublié leur or et
leurs pierreries. Le magister du village, en souriant, les
jeta par terre, regarda un moment la figure de Candide
avec beaucoup de surprise, et continua son chemin.

Les voyageurs ne manquèrent pas de ramasser l'or, les
rubis, et les émeraudes. « Où sommes-nous ? s'écria Candide. Il faut que les enfants des rois de ce pays soient
bien élevés, puisqu'on leur apprend à mépriser l'or et les
pierreries. » Cacambo était aussi surpris que Candide. Ils
approchèrent enfin de la première maison du village; elle

était bâtie comme un palais d'Europe. Une foule de
monde s'empressait à la porte, et encore plus dans le
logis; une musique très agréable se faisait entendre, et
une odeur délicieuse de cuisine se faisait sentir. Cacambo
s'approcha de la porte, et entendit qu'on parlait péruvien;
c'était sa langue maternelle; car tout le monde sait que
Cacambo était né au Tucuman, dans un village où l'on
ne connaissait que cette langue. « Je vous servirai d'interprète, dit-il à Candide; entrons, c'est ici un cabaret. »

Aussitôt deux garçons et deux filles de l'hôtellerie,
vêtus de drap d'or, et les cheveux renoués avec des
rubans, les invitent à se mettre à la table de l'hôte. On
servit quatre potages garnis chacun de deux perroquets,
un contour bouilli qui pesait deux cents livres, deux
singes rôtis d'un goût excellent, trois cents colibris dans
un plat, et six cents oiseaux-mouches dans un autre; des
ragoûts exquis, des pâtisseries délicieuses; le tout dans
des plats d'une espèce de cristal de roche. Les garçons et
les filles de l'hôtellerie versaient plusieurs liqueurs faites
de canne de sucre.

Les convives étaient pour la plupart des marchands et
des voituriers, tous d'une politesse extrême, qui firent
quelques questions à Cacambo avec la discrétion la plus
circonspecte, et qui répondirent aux siennes d'une manière à le satisfaire.

Quand le repas fut fini, Cacambo crut, ainsi que Candide, bien payer son écot en jetant sur la table de l'hôte
deux de ces larges pièces d'or qu'il avait ramassées;
l'hôte et l'hôtesse éclatèrent de rire, et se tinrent longtemps les côtés. Enfin ils se remirent. « Messieurs, dit
l'hôte, nous voyons bien que vous êtes des étrangers;
nous ne sommes pas accoutumés à en voir. Pardonnez-
nous si nous nous sommes mis à rire quand vous nous
avez offert en payement les cailloux de nos grands chemins. Vous n'avez pas sans doute de la monnaie du pays,
mais il n'est pas nécessaire d'en avoir pour dîner ici.
Toutes les hôtelleries établies pour la commodité du
commerce sont payées par le gouvernement. Vous avez
fait mauvaise chère ici, parce que c'est un pauvre village; mais partout ailleurs vous serez reçus comme vous
méritez de l'être. » Cacambo expliquait à Candide tous
les discours de l'hôte, et Candide les écoutait avec la
même admiration et le même égarement que son ami
Cacambo les rendait. « Quel est donc ce pays, disaient-
ils l'un et l'autre, inconnu à tout le reste de la terre, et

où toute la nature est d'une espèce si différente de la nôtre ? C'est probablement le pays où tout va bien : car il faut absolument qu'il y en ait un de cette espèce. Et, quoi qu'en dît maître Pangloss, je me suis souvent aperçu que tout allait mal en Vestphalie. »

CHAPITRE DIX-HUITIÈME

CE QU'ILS VIRENT DANS LE PAYS D'ELDORADO

Cacambo témoigna à son hôte toute sa curiosité; l'hôte lui dit : « Je suis fort ignorant, et je m'en trouve bien; mais nous avons ici un vieillard retiré de la cour qui est le plus savant homme du royaume, et le plus communicatif. » Aussitôt il mène Cacambo chez le vieillard. Candide ne jouait plus que le second personnage, et accompagnait son valet. Ils entrèrent dans une maison fort simple, car la porte n'était que d'argent, et les lambris des appartements n'étaient que d'or, mais travaillés avec tant de goût que les plus riches lambris ne l'effaçaient pas. L'antichambre n'était à la vérité incrustée que de rubis et d'émeraudes; mais l'ordre dans lequel tout était arrangé réparait bien cette extrême simplicité.

Le vieillard reçut les deux étrangers sur un sofa matelassé de plumes de colibri, et leur fit présenter des liqueurs dans des vases de diamant; après quoi il satisfit à leur curiosité en ces termes :

« Je suis âgé de cent soixante et douze ans, et j'ai appris de feu mon père, écuyer du roi, les étonnantes révolutions du Pérou dont il avait été témoin. Le royaume où nous sommes est l'ancienne patrie des Incas, qui en sortirent très imprudemment pour aller subjuguer une partie du monde et qui furent enfin détruits par les Espagnols. Les princes de leur famille qui restèrent dans leur pays natal furent plus sages; ils ordonnèrent, du consentement de la nation, qu'aucun habitant ne sortirait jamais de notre petit royaume; et c'est ce qui nous a conservé notre innocence et notre félicité. Les Espagnols ont eu une connaissance confuse de ce pays, ils l'ont appelé *El Dorado*, et un Anglais, nommé le chevalier Raleigh, en a même approché il y a environ cent années; mais, comme nous sommes entourés de rochers inabordables et de précipices, nous avons toujours été jusqu'à présent à l'abri de la rapacité des nations de l'Europe, qui

ont une fureur inconcevable pour les cailloux et pour la
fange de notre terre, et qui, pour en avoir, nous tueraient
tous jusqu'au dernier. »

La conversation fut longue; elle roula sur la forme du
gouvernement, sur les mœurs, sur les femmes, sur les
spectacles publics, sur les arts. Enfin Candide, qui avait
toujours du goût pour la métaphysique, fit demander par
Cacambo si dans le pays il y avait une religion.

Le vieillard rougit un peu. « Comment donc! dit-il;
en pouvez-vous douter ? Est-ce que vous nous prenez
pour des ingrats ? » Cacambo demanda humblement
quelle était la religion d'Eldorado. Le vieillard rougit
encore : « Est-ce qu'il peut y avoir deux religions ? dit-il.
Nous avons, je crois, la religion de tout le monde; nous
adorons Dieu du soir jusqu'au matin. — N'adorez-vous
qu'un seul Dieu ? dit Cacambo, qui servait toujours d'interprète aux doutes de Candide. — Apparemment, dit le
vieillard, qu'il n'y en a ni deux, ni trois, ni quatre. Je
vous avoue que les gens de votre monde font des questions bien singulières. » Candide ne se lassait pas de faire
interroger ce bon vieillard; il voulut savoir comment on
priait Dieu dans l'Eldorado. « Nous ne le prions point,
dit le bon et respectable sage; nous n'avons rien à lui
demander, il nous a donné tout ce qu'il nous faut; nous
le remercions sans cesse. » Candide eut la curiosité de
voir des prêtres; il fit demander où ils étaient. Le bon
vieillard sourit. « Mes amis, dit-il, nous sommes tous
prêtres; le roi et tous les chefs de famille chantent des
cantiques d'actions de grâces solennellement tous les
matins, et cinq ou six mille musiciens les accompagnent.
— Quoi! Vous n'avez point de moines qui enseignent, qui
disputent, qui gouvernent, qui cabalent, et qui font brûler les gens qui ne sont pas de leur avis ? — Il faudrait
que nous fussions fous, dit le vieillard; nous sommes tous
ici du même avis, et nous n'entendons pas ce que vous
voulez dire avec vos moines. » Candide à tous ces discours demeurait en extase, et disait en lui-même : « Ceci
est bien différent de la Vestphalie et du château de monsieur le baron : si notre ami Pangloss avait vu Eldorado,
il n'aurait plus dit que le château de Thunder-ten-
tronckh était ce qu'il y avait de mieux sur la terre; il est
certain qu'il faut voyager. »

Après cette longue conversation, le bon vieillard fit
atteler un carrosse à six moutons, et donna douze de ses
domestiques aux deux voyageurs pour les conduire à la

cour. « Excusez-moi, leur dit-il, si mon âge me prive de l'honneur de vous accompagner. Le roi vous recevra d'une manière dont vous ne serez pas mécontents, et vous pardonnerez sans doute aux usages du pays, s'il y en a quelques-uns qui vous déplaisent. »

Candide et Cacambo montent en carrosse; les six moutons volaient, et en moins de quatre heures on arriva au palais du roi, situé à un bout de la capitale. Le portail était de deux cent vingt pieds de haut, et de cent de large; il est impossible d'exprimer quelle en était la matière. On voit assez quelle supériorité prodigieuse elle devait avoir sur ces cailloux et sur ce sable que nous nommons or et pierreries.

Vingt belles filles de la garde reçurent Candide et Cacambo à la descente du carrosse, les conduisirent aux bains, les vêtirent de robes d'un tissu de duvet de colibri; après quoi les grands officiers et les grandes officières de la couronne les menèrent à l'appartement de Sa Majesté au milieu de deux files, chacune de mille musiciens, selon l'usage ordinaire. Quand ils approchèrent de la salle du trône, Cacambo demanda à un grand officier comment il fallait s'y prendre pour saluer Sa Majesté : si on se jetait à genoux ou ventre à terre; si on mettait les mains sur la tête ou sur le derrière; si on léchait la poussière de la salle; en un mot, quelle était la cérémonie. « L'usage, dit le grand officier, est d'embrasser le roi et de le baiser des deux côtés. » Candide et Cacambo sautèrent au cou de Sa Majesté, qui les reçut avec toute la grâce imaginable, et qui les pria poliment à souper.

En attendant, on leur fit voir la ville, les édifices publics élevés jusqu'aux nues, les marchés ornés de mille colonnes, les fontaines d'eau pure, les fontaines d'eau rose, celles de liqueurs de canne de sucre qui coulaient continuellement dans de grandes places pavées d'une espèce de pierreries qui répandaient une odeur semblable à celle du gérofle et de la cannelle. Candide demanda à voir la cour de justice, le parlement; on lui dit qu'il n'y en avait point, et qu'on ne plaidait jamais. Il s'informa s'il y avait des prisons, et on lui dit que non. Ce qui le surprit davantage, et qui lui fit le plus de plaisir, ce fut le palais des sciences, dans lequel il vit une galerie de deux mille pas, toute pleine d'instruments de mathématique et de physique.

Après avoir parcouru toute l'après-dînée à peu près la millième partie de la ville, on les ramena chez le roi. Candide se mit à table entre Sa Majesté, son valet Cacambo, et plusieurs dames. Jamais on ne fit meilleure chère, et jamais on n'eut plus d'esprit à souper qu'en eut Sa Majesté. Cacambo expliquait les bons mots du roi à Candide, et quoique traduits, ils paraissaient toujours des bons mots. De tout ce qui étonnait Candide, ce n'était pas ce qui l'étonna le moins.

Ils passèrent un mois dans cet hospice. Candide ne cessait de dire à Cacambo : « Il est vrai, mon ami, encore une fois, que le château où je suis né ne vaut pas le pays où nous sommes; mais enfin mademoiselle Cunégonde n'y est pas, et vous avez sans doute quelque maîtresse en Europe. Si nous restons ici, nous n'y serons que comme les autres; au lieu que si nous retournons dans notre monde, seulement avec douze moutons chargés de cailloux d'Eldorado, nous serons plus riches que tous les rois ensemble, nous n'aurons plus d'inquisiteurs à craindre, et nous pourrons aisément reprendre mademoiselle Cunégonde. »

Ce discours plut à Cacambo; on aime tant à courir, à se faire valoir chez les siens, à faire parade de ce qu'on a vu dans ses voyages, que les deux heureux résolurent de ne plus l'être, et de demander leur congé à Sa Majesté.

« Vous faites une sottise, leur dit le roi; je sais bien que mon pays est peu de chose; mais, quand on est passablement quelque part, il faut y rester. Je n'ai pas assurément le droit de retenir des étrangers; c'est une tyrannie qui n'est ni dans nos mœurs ni dans nos lois : tous les hommes sont libres; partez quand vous voudrez, mais la sortie est bien difficile. Il est impossible de remonter la rivière rapide sur laquelle vous êtes arrivés par miracle, et qui court sous des voûtes de rochers. Les montagnes qui entourent tout mon royaume ont dix mille pieds de hauteur, et sont droites comme des murailles : elles occupent chacune en largeur un espace de plus de dix lieues; on ne peut en descendre que par des précipices. Cependant, puisque vous voulez absolument partir, je vais donner ordre aux intendants des machines d'en faire une qui puisse vous transporter commodément. Quand on vous aura conduits au revers des montagnes, personne ne pourra vous accompagner : car mes sujets ont fait vœu de ne jamais sortir de leur enceinte, et ils sont trop sages pour rompre leur vœu. Demandez-moi d'ailleurs tout ce qu'il vous plaira. — Nous ne demandons à Votre Majesté, dit Cacambo, que quelques moutons chargés de vivres, de cailloux, et de la boue du pays. » Le roi rit : « Je ne conçois pas, dit-il, quel goût vos gens d'Europe ont pour notre boue jaune ; mais emportez-en tant que vous voudrez, et grand bien vous fasse. »

Il donna l'ordre sur-le-champ à ses ingénieurs de faire une machine pour guinder ces deux hommes extraordinaires hors du royaume. Trois mille bons physiciens y travaillèrent ; elle fut prête au bout de quinze jours, et ne coûta pas plus de vingt millions de livres sterling, monnaie du pays. On mit sur la machine Candide et Cacambo ; il y avait deux grands moutons rouges sellés et bridés pour leur servir de monture quand ils auraient franchi les montagnes, vingt moutons de bât chargés de vivres, trente qui portaient des présents de ce que le pays a de plus curieux, et cinquante chargés d'or, de pierreries et de diamants. Le roi embrassa tendrement les deux vagabonds.

Ce fut un beau spectacle que leur départ, et la manière ingénieuse dont ils furent hissés, eux et leurs moutons, au haut des montagnes. Les physiciens prirent congé d'eux après les avoir mis en sûreté, et Candide n'eut plus d'autre désir et d'autre objet que d'aller présenter ses moutons à mademoiselle Cunégonde. « Nous avons, dit-il, de quoi payer le gouverneur de Buenos-Ayres, si mademoiselle Cunégonde peut être mise à prix. Marchons vers la Cayenne, embarquons-nous, et nous verrons ensuite quel royaume nous pourrons acheter. »

CHAPITRE DIX-NEUVIÈME

CE QUI LEUR ARRIVA A SURINAM, ET COMMENT CANDIDE FIT CONNAISSANCE AVEC MARTIN

La première journée de nos deux voyageurs fut assez agréable. Ils étaient encouragés par l'idée de se voir possesseurs de plus de trésors que l'Asie, l'Europe et l'Afrique n'en pouvaient rassembler. Candide, transporté, écrivit le nom de Cunégonde sur les arbres. A la seconde journée, deux de leurs moutons s'enfoncèrent dans des marais, et y furent abîmés avec leurs charges ; deux autres moutons moururent de fatigue quelques jours après ; sept ou huit périrent ensuite de faim dans un désert ; d'autres tombèrent au bout de quelques jours

dans des précipices. Enfin, après cent jours de marche,
il ne leur resta que deux moutons. Candide dit à Cacambo : « Mon ami, vous voyez comme les richesses de
ce monde sont périssables; il n'y a rien de solide que la
vertu et le bonheur de revoir mademoiselle Cunégonde.
— Je l'avoue, dit Cacambo; mais il nous reste encore
deux moutons avec plus de trésors que n'en aura jamais
le roi d'Espagne; et je vois de loin une ville que je soupçonne être Surinam, appartenante aux Hollandais. Nous
sommes au bout de nos peines et au commencement de
notre félicité. »

En approchant de la ville, ils rencontrèrent un nègre
étendu par terre, n'ayant plus que la moitié de son habit,
c'est-à-dire d'un caleçon de toile bleue; il manquait à ce
pauvre homme la jambe gauche et la main droite. « Eh!
mon Dieu! lui dit Candide en hollandais, que fais-tu là,
mon ami, dans l'état horrible où je te vois ? — J'attends
mon maître, M. Vanderdendur, le fameux négociant,
répondit le nègre. — Est-ce M. Vanderdendur, dit Candide, qui t'a traité ainsi ? — Oui, monsieur, dit le nègre,
c'est l'usage. On nous donne un caleçon de toile pour tout
vêtement deux fois l'année. Quand nous travaillons aux
sucreries, et que la meule nous attrape le doigt, on nous
coupe la main; quand nous voulons nous enfuir, on nous
coupe la jambe : je me suis trouvé dans les deux cas. C'est
à ce prix que vous mangez du sucre en Europe. Cependant, lorsque ma mère me vendit dix écus patagons sur
la côte de Guinée, elle me disait : « Mon cher enfant,
bénis nos fétiches, adore-les toujours, ils te feront vivre
heureux; tu as l'honneur d'être esclave de nos seigneurs
les blancs, et tu fais par là la fortune de ton père et de ta
mère. » Hélas! je ne sais pas si j'ai fait leur fortune, mais
ils n'ont pas fait la mienne. Les chiens, les singes et les
perroquets sont mille fois moins malheureux que nous;
les fétiches hollandais qui m'ont converti me disent
tous les dimanches que nous sommes tous enfants d'Adam,
blancs et noirs. Je ne suis pas généalogiste; mais si ces
prêcheurs disent vrai, nous sommes tous cousins issus de
germain. Or vous m'avouerez qu'on ne peut pas en user
avec ses parents d'une manière plus horrible.

— O Pangloss! s'écria Candide, tu n'avais pas deviné
cette abomination; c'en est fait, il faudra qu'à la fin je
renonce à ton optimisme. — Qu'est-ce qu'optimisme ?
disait Cacambo. — Hélas! dit Candide, c'est la rage de
soutenir que tout est bien quand on est mal »; et il versait

des larmes en regardant son nègre; et en pleurant, il entra dans Surinam.

La première chose dont ils s'informent, c'est s'il n'y a point au port quelque vaisseau qu'on pût envoyer à Buenos-Ayres. Celui à qui ils s'adressèrent était justement un patron espagnol qui s'offrit à faire avec eux un marché honnête. Il leur donna rendez-vous dans un cabaret. Candide et le fidèle Cacambo allèrent l'y attendre avec leurs deux moutons.

Candide, qui avait le cœur sur les lèvres, conta à l'Espagnol toutes ses aventures, et lui avoua qu'il voulait enlever mademoiselle Cunégonde. « Je me garderai bien de vous passer à Buenos-Ayres, dit le patron; je serais pendu, et vous aussi; la belle Cunégonde est la maîtresse favorite de monseigneur. » Ce fut un coup de foudre pour Candide, il pleura longtemps; enfin il tira à part Cacambo. « Voici, mon cher ami, lui dit-il, ce qu'il faut que tu fasses. Nous avons chacun dans nos poches pour cinq ou six millions de diamants; tu es plus habile que moi; va prendre mademoiselle Cunégonde à Buenos-Ayres. Si le gouverneur fait quelque difficulté, donne-lui un million; s'il ne se rend pas, donne-lui-en deux; tu n'as point tué d'inquisiteur, on ne se défiera point de toi. J'équiperai un autre vaisseau, j'irai t'attendre à Venise : c'est un pays libre où l'on n'a rien à craindre ni des Bulgares, ni des Abares, ni des Juifs, ni des inquisiteurs. » Cacambo applaudit à cette sage résolution. Il était au désespoir de se séparer d'un bon maître devenu son ami intime; mais le plaisir de lui être utile l'emporta sur la douleur de le quitter. Ils s'embrassèrent en versant des larmes : Candide lui recommanda de ne point oublier la bonne vieille. Cacambo partit dès le jour même : c'était un très bon homme que ce Cacambo.

Candide resta encore quelque temps à Surinam, et attendit qu'un autre patron voulût le mener en Italie, lui et les deux moutons qui lui restaient. Il prit des domestiques, et acheta tout ce qui lui était nécessaire pour un long voyage; enfin monsieur Vanderdendur, maître d'un gros vaisseau, vint se présenter à lui. « Combien voulez-vous, demanda-t-il à cet homme, pour me mener en droiture à Venise, moi, mes gens, mon bagage, et les deux moutons que voilà ? » Le patron s'accorda à dix mille piastres; Candide n'hésita pas.

« Oh! oh! dit à part soi le prudent Vanderdendur, cet étranger donne dix mille piastres tout d'un coup!

il faut qu'il soit bien riche. » Puis, revenant un moment
après, il signifia qu'il ne pouvait partir à moins de
vingt mille. « Eh! bien vous les aurez, dit Candide.

— Ouais, se dit tout bas le marchand, cet homme
donne vingt mille piastres aussi aisément que dix mille. »
Il revint encore, et dit qu'il ne pouvait le conduire à
Venise à moins de trente mille piastres. « Vous en aurez
donc trente mille, répondit Candide.

— Oh! oh! se dit encore le marchand hollandais,
trente mille piastres ne coûtent rien à cet homme-ci; sans
doute les deux moutons portent des trésors immenses :
n'insistons pas davantage; faisons-nous d'abord payer
les trente mille piastres, et puis nous verrons. » Candide
vendit deux petits diamants, dont le moindre valait plus
que tout l'argent que demandait le patron. Il le paya
d'avance. Les deux moutons furent embarqués. Candide
suivait dans un petit bateau pour joindre le vaisseau à
la rade; le patron prend son temps, met à la voile,
démarre; le vent le favorise. Candide, éperdu et stupéfait,
le perd bientôt de vue. « Hélas! cria-t-il, voilà un tour
digne de l'ancien monde. » Il retourne au rivage, abîmé
dans la douleur : car enfin il avait perdu de quoi faire la
fortune de vingt monarques.

Il se transporte chez le juge hollandais; et, comme il
était un peu troublé, il frappe rudement à la porte; il
entre, expose son aventure, et crie un peu plus haut
qu'il ne convenait. Le juge commença par lui faire payer
dix mille piastres pour le bruit qu'il avait fait; ensuite il
l'écouta patiemment, lui promit d'examiner son affaire
sitôt que le marchand serait revenu, et se fit payer
dix mille autres piastres pour les frais de l'audience.

Ce procédé acheva de désespérer Candide; il avait à la
vérité essuyé des malheurs mille fois plus douloureux;
mais le sang-froid du juge, et celui du patron dont il
était volé, alluma sa bile, et le plongea dans une noire
mélancolie. La méchanceté des hommes se présentait à
son esprit dans toute sa laideur, il ne se nourrissait que
d'idées tristes. Enfin un vaisseau français étant sur le
point de partir pour Bordeaux, comme il n'avait plus
de moutons chargés de diamants à embarquer, il loua
une chambre du vaisseau à juste prix, et fit signifier dans
la ville qu'il payerait le passage, la nourriture, et donnerait
deux mille piastres à un honnête homme qui voudrait faire
le voyage avec lui, à condition que cet homme serait le plus
dégoûté de son état et le plus malheureux de la province.

Il se présenta une foule de prétendants qu'une flotte n'aurait pu contenir. Candide voulant choisir entre les plus apparents, il distingua une vingtaine de personnes qui lui paraissaient assez sociables, et qui toutes prétendaient mériter la préférence. Il les assembla dans son cabaret, et leur donna à souper, à condition que chacun ferait serment de raconter fidèlement son histoire, promettant de choisir celui qui lui paraîtrait le plus à plaindre et le plus mécontent de son état, à plus juste titre, et de donner aux autres quelques gratifications.

La séance dura jusqu'à quatre heures du matin. Candide, en écoutant toutes leurs aventures, se ressouvenait de ce que lui avait dit la vieille en allant à Buenos-Ayres, et de la gageure qu'elle avait faite, qu'il n'y avait personne sur le vaisseau à qui il ne fût arrivé de très grands malheurs. Il songeait à Pangloss à chaque aventure qu'on lui contait. « Ce Pangloss, disait-il, serait bien embarrassé à démontrer son système. Je voudrais qu'il fût ici. Certainement si tout va bien, c'est dans Eldorado, et non pas dans le reste de la terre. » Enfin il se détermina en faveur d'un pauvre savant qui avait travaillé dix ans pour les libraires à Amsterdam. Il jugea qu'il n'y avait point de métier au monde dont on dût être plus dégoûté.

Ce savant, qui était d'ailleurs un bon homme, avait été volé par sa femme, battu par son fils, et abandonné de sa fille, qui s'était fait enlever par un Portugais. Il venait d'être privé d'un petit emploi duquel il subsistait; et les prédicants de Surinam le persécutaient parce qu'ils le prenaient pour un socinien. Il faut avouer que les autres étaient pour le moins aussi malheureux que lui; mais Candide espérait que le savant le désennuierait dans le voyage. Tous ses autres rivaux trouvèrent que Candide leur faisait une grande injustice; mais il les apaisa en leur donnant à chacun cent piastres.

CHAPITRE VINGTIÈME

CE QUI ARRIVA SUR MER A CANDIDE ET A MARTIN

Le vieux savant, qui s'appelait Martin, s'embarqua donc pour Bordeaux avec Candide. L'un et l'autre avaient beaucoup vu et beaucoup souffert; et quand le vaisseau aurait dû faire voile de Surinam au Japon par le cap de Bonne-Espérance, ils auraient eu de quoi s'en-

tretenir du mal moral et du mal physique pendant tout
le voyage.

Cependant Candide avait un grand avantage sur
Martin, c'est qu'il espérait toujours revoir mademoiselle
Cunégonde, et que Martin n'avait rien à espérer; de plus
il avait de l'or et des diamants; et quoiqu'il eût perdu
cent gros moutons rouges chargés des plus grands trésors
de la terre, quoiqu'il eût toujours sur le cœur la friponnerie du patron hollandais, cependant, quand il songeait
à ce qui lui restait dans ses poches, et quand il parlait
de Cunégonde, surtout à la fin du repas, il penchait alors
pour le système de Pangloss.

« Mais vous, monsieur Martin, dit-il au savant, que
pensez-vous de tout cela ? Quelle est votre idée sur le
mal moral et le mal physique ? — Monsieur, répondit
Martin, mes prêtres m'ont accusé d'être socinien; mais
la vérité du fait est que je suis manichéen. — Vous vous
moquez de moi, dit Candide; il n'y a plus de manichéens
dans le monde. — Il y a moi, dit Martin; je ne sais qu'y
faire, mais je ne peux penser autrement. — Il faut que
vous ayez le diable au corps, dit Candide. — Il se mêle
si fort des affaires de ce monde, dit Martin, qu'il pourrait
bien être dans mon corps, comme partout ailleurs; mais
je vous avoue qu'en jetant la vue sur ce globe, ou plutôt
sur ce globule, je pense que Dieu l'a abandonné à
quelque être malfaisant; j'en excepte toujours Eldorado.
Je n'ai guère vu de ville qui ne désirât la ruine de la ville
voisine, point de famille qui ne voulût exterminer
quelque autre famille. Partout les faibles ont en exécration
les puissants devant lesquels ils rampent, et les puissants
les traitent comme des troupeaux dont on vend la laine
et la chair. Un million d'assassins enrégimentés, courant
d'un bout de l'Europe à l'autre, exerce le meurtre et le
brigandage avec discipline pour gagner son pain, parce
qu'il n'a pas de métier plus honnête; et dans les villes
qui paraissent jouir de la paix, et où les arts fleurissent,
les hommes sont dévorés de plus d'envie, de soins et
d'inquiétudes qu'une ville assiégée n'éprouve de fléaux.
Les chagrins secrets sont encore plus cruels que les
misères publiques. En un mot, j'en ai tant vu et tant
éprouvé que je suis manichéen.

— Il y a pourtant du bon, répliquait Candide. — Cela
peut être, disait Martin; mais je ne le connais pas. »

Au milieu de cette dispute, on entendit un bruit de
canon. Le bruit redouble de moment en moment. Chacun

prend sa lunette. On aperçoit deux vaisseaux qui com-
battaient à la distance d'environ trois milles : le vent les
amena l'un et l'autre si près du vaisseau français qu'on
eut le plaisir de voir le combat tout à son aise. Enfin
l'un des deux vaisseaux lâcha à l'autre une bordée si bas
et si juste, qu'il le coula à fond. Candide et Martin
aperçurent distinctement une centaine d'hommes sur
le tillac du vaisseau qui s'enfonçait; ils levaient tous les
mains au ciel, et jetaient des clameurs effroyables : en
un moment tout fut englouti.

« Eh bien! dit Martin, voilà comme les hommes se
traitent les uns les autres. — Il est vrai, dit Candide,
qu'il y a quelque chose de diabolique dans cette affaire. »
En parlant ainsi, il aperçut je ne sais quoi d'un rouge
éclatant, qui nageait auprès de son vaisseau. On détacha
la chaloupe pour voir ce que ce pouvait être : c'était un
de ses moutons. Candide eut plus de joie de retrouver
ce mouton qu'il n'avait été affligé d'en perdre cent tous
chargés de gros diamants d'Eldorado.

Le capitaine français aperçut bientôt que le capitaine
du vaisseau submergeant était espagnol, et que celui du
vaisseau submergé était un pirate hollandais; c'était
celui-là même qui avait volé Candide. Les richesses
immenses dont ce scélérat s'était emparé furent enseve-
lies avec lui dans la mer, et il n'y eut qu'un mouton de
sauvé. « Vous voyez, dit Candide à Martin, que le crime
est puni quelquefois; ce coquin de patron hollandais a eu
le sort qu'il méritait. — Oui, dit Martin; mais fallait-il
que les passagers qui étaient sur son vaisseau périssent
aussi ? Dieu a puni ce fripon, le diable a noyé les autres. »

Cependant le vaisseau français et l'espagnol continuèrent leur route, et Candide continua ses conversations
avec Martin. Ils disputèrent quinze jours de suite, et au
bout de quinze jours ils étaient aussi avancés que le premier. Mais enfin ils parlaient, ils se communiquaient des
idées, ils se consolaient. Candide caressait son mouton.
« Puisque je t'ai retrouvé, dit-il, je pourrai bien retrouver
Cunégonde. »

CHAPITRE VINGT-UNIÈME

CANDIDE ET MARTIN
APPROCHENT DES COTES DE FRANCE,
ET RAISONNENT

On aperçut enfin les côtes de France. « Avez-vous
jamais été en France, monsieur Martin ? dit Candide. —
Oui, dit Martin, j'ai parcouru plusieurs provinces. Il y
en a où la moitié des habitants est folle, quelques-unes
où l'on est trop rusé, d'autres où l'on est communément
assez doux et assez bête, d'autres où l'on fait le bel
esprit; et, dans toutes, la principale occupation est
l'amour; la seconde, de médire; et la troisième, de dire
des sottises. — Mais, monsieur Martin, avez-vous vu
Paris ? — Oui, j'ai vu Paris; il tient de toutes ces es-
pèces-là; c'est un chaos, c'est une presse dans laquelle
tout le monde cherche le plaisir, et où presque personne
ne le trouve, du moins à ce qu'il m'a paru. J'y ai séjourné
peu; j'y fus volé, en arrivant, de tout ce que j'avais, par
des filous, à la foire St. Germain; on me prit moi-même
pour un voleur, et je fus huit jours en prison; après quoi
je me fis correcteur d'imprimerie pour gagner de quoi
retourner à pied en Hollande. Je connus la canaille écri-
vante, la canaille cabalante, et la canaille convulsionnaire.
On dit qu'il y a des gens fort polis dans cette ville-là : je
le veux croire.

— Pour moi, je n'ai nulle curiosité de voir la France,
dit Candide; vous devinez aisément que quand on a
passé un mois dans Eldorado, on ne se soucie plus de
rien voir sur la terre que mademoiselle Cunégonde : je
vais l'attendre à Venise; nous traverserons la France pour
aller en Italie; ne m'accompagnerez-vous pas ? — Très
volontiers, dit Martin; on dit que Venise n'est bonne
que pour les nobles vénitiens, mais que cependant on y
reçoit très bien les étrangers quand ils ont beaucoup
d'argent : je n'en ai point; vous en avez, je vous suivrai
partout. — A propos, dit Candide, pensez-vous que la
terre ait été originairement une mer, comme on l'assure
dans ce gros livre qui appartient au capitaine du vaisseau ?
— Je n'en crois rien du tout, dit Martin, non plus que
toutes les rêveries qu'on nous débite depuis quelque
temps. — Mais à quelle fin ce monde a-t-il donc été

formé ? dit Candide. — Pour nous faire enrager, répondit
Martin. — N'êtes-vous pas bien étonné, continua Candide, de l'amour que ces deux filles du pays des Oreillons
avaient pour ces deux singes, et dont je vous ai conté
l'aventure ? — Point du tout, dit Martin ; je ne vois pas
ce que cette passion a d'étrange : j'ai tant vu de choses
extraordinaires qu'il n'y a plus rien d'extraordinaire. —
Croyez-vous, dit Candide, que les hommes se soient toujours mutuellement massacrés comme ils font aujour-
d'hui ? qu'ils aient toujours été menteurs, fourbes, perfides, ingrats, brigands, faibles, volages, lâches, envieux,
gourmands, ivrognes, avares, ambitieux, sanguinaires,
calomniateurs, débauchés, fanatiques, hypocrites et
sots ? — Croyez-vous, dit Martin, que les éperviers aient
toujours mangé des pigeons quand ils en ont trouvé ? —
Oui, sans doute, dit Candide. — Eh bien ! dit Martin, si
les éperviers ont toujours eu le même caractère, pourquoi
voulez-vous que les hommes aient changé le leur ? —
Oh ! dit Candide, il y a bien de la différence, car le libre
arbitre... » En raisonnant ainsi, ils arrivèrent à Bordeaux.

CHAPITRE VINGT-DEUXIÈME

CE QUI ARRIVA EN FRANCE A CANDIDE ET A MARTIN

Candide ne s'arrêta dans Bordeaux qu'autant de temps
qu'il en fallait pour vendre quelques cailloux du Dorado,
et pour s'accommoder d'une bonne chaise à deux places ;
car il ne pouvait plus se passer de son philosophe Martin ;
il fut seulement très fâché de se séparer de son mouton,
qu'il laissa à l'Académie des sciences de Bordeaux,
laquelle proposa pour le sujet du prix de cette année de
trouver pourquoi la laine de ce mouton était rouge ; et le
prix fut adjugé à un savant du Nord, qui démontra par A,
plus B, moins C divisé par Z, que le mouton devait être
rouge, et mourir de la clavelée.

Cependant tous les voyageurs que Candide rencontra
dans les cabarets de la route lui disaient : « Nous allons
à Paris. » Cet empressement général lui donna enfin
l'envie de voir cette capitale ; ce n'était pas beaucoup se
détourner du chemin de Venise.

Il entra par le faubourg Saint-Marceau, et crut être
dans le plus vilain village de la Vestphalie.

A peine Candide fut-il dans son auberge, qu'il fut

attaqué d'une maladie légère, causée par ses fatigues.
Comme il avait au doigt un diamant énorme, et qu'on
avait aperçu dans son équipage une cassette prodigieusement pesante, il eut aussitôt auprès de lui deux médecins
qu'il n'avait pas mandés, quelques amis intimes qui ne le
quittèrent pas, et deux dévotes qui faisaient chauffer ses
bouillons. Martin disait : « Je me souviens d'avoir été
malade aussi à Paris dans mon premier voyage; j'étais
fort pauvre : aussi n'eus-je ni amis, ni dévotes, ni médecins, et je guéris. »

Cependant, à force de médecines et de saignées, la
maladie de Candide devint sérieuse. Un habitué du quartier vint avec douceur lui demander un billet payable au
porteur pour l'autre monde : Candide n'en voulut rien
faire. Les dévotes l'assurèrent que c'était une nouvelle
mode; Candide répondit qu'il n'était point homme à la
mode. Martin voulut jeter l'habitué par les fenêtres. Le
clerc jura qu'on n'enterrerait point Candide. Martin jura
qu'il enterrerait le clerc s'il continuait à les importuner.
La querelle s'échauffa : Martin le prit par les épaules, et
le chassa rudement; ce qui causa un grand scandale,
dont on fit un procès-verbal.

Candide guérit; et pendant sa convalescence il eut très
bonne compagnie à souper chez lui. On jouait gros jeu.
Candide était tout étonné que jamais les as ne lui
vinssent; et Martin ne s'en étonnait pas.

Parmi ceux qui lui faisaient les honneurs de la ville, il
y avait un petit abbé périgourdin, l'un de ces gens
empressés, toujours alertes, toujours serviables, effrontés,
caressants, accommodants, qui guettent les étrangers à
leur passage, leur content l'histoire scandaleuse de la
ville, et leur offrent des plaisirs à tout prix. Celui-ci mena
d'abord Candide et Martin à la comédie. On y jouait une
tragédie nouvelle. Candide se trouva placé auprès de
quelques beaux esprits. Cela ne l'empêcha pas de pleurer
à des scènes jouées parfaitement. Un des raisonneurs qui
étaient à ses côtés lui dit dans un entr'acte : « Vous avez
grand tort de pleurer, cette actrice est fort mauvaise;
l'acteur qui joue avec elle est plus mauvais acteur encore;
la pièce est encore plus mauvaise que les acteurs; l'auteur
ne sait pas un mot d'arabe, et cependant la scène est en
Arabie; et, de plus, c'est un homme qui ne croit pas aux
idées innées; je vous apporterai demain vingt brochures
contre lui. — Monsieur, combien avez-vous de pièces
de théâtre en France ? » dit Candide à l'abbé; lequel

répondit : « Cinq ou six mille. — C'est beaucoup, dit Candide ; combien y en a-t-il de bonnes ? — Quinze ou seize, répliqua l'autre. — C'est beaucoup », dit Martin.

Candide fut très content d'une actrice qui faisait la reine Élisabeth, dans une assez plate tragédie que l'on joue quelquefois. « Cette actrice, dit-il à Martin, me plaît beaucoup ; elle a un faux air de mademoiselle Cunégonde ; je serais bien aise de la saluer. » L'abbé périgourdin s'offrit à l'introduire chez elle. Candide, élevé en Allemagne, demanda quelle était l'étiquette, et comment on traitait en France les reines d'Angleterre. « Il faut distinguer, dit l'abbé ; en province, on les mène au cabaret ; à Paris, on les respecte quand elles sont belles, et on les jette à la voirie quand elles sont mortes. — Des reines à la voirie ! dit Candide. — Oui vraiment, dit Martin ; monsieur l'abbé a raison : j'étais à Paris quand mademoiselle Monime passa, comme on dit, de cette vie à l'autre ; on lui refusa ce que ces gens-ci appellent *les honneurs de la sépulture*, c'est-à-dire de pourrir avec tous les gueux du quartier dans un vilain cimetière ; elle fut enterrée toute seule de sa bande au coin de la rue de Bourgogne ; ce qui dut lui faire une peine extrême, car elle pensait très noblement. — Cela est bien impoli, dit Candide. — Que voulez-vous ? dit Martin ; ces gens-ci sont ainsi faits. Imaginez toutes les contradictions, toutes les incompatibilités possibles, vous les verrez dans le gouvernement, dans les tribunaux, dans les églises, dans les spectacles de cette drôle de nation. — Est-il vrai qu'on rit toujours à Paris ? dit Candide. — Oui, dit l'abbé ; mais c'est en enrageant : car on s'y plaint de tout avec de grands éclats de rire ; même on y fait en riant les actions les plus détestables. »

— Quel est, dit Candide, ce gros cochon qui me disait tant de mal de la pièce où j'ai tant pleuré, et des acteurs qui m'ont fait tant de plaisir ? — C'est un mal vivant, répondit l'abbé, qui gagne sa vie à dire du mal de toutes les pièces et de tous les livres ; il hait quiconque réussit, comme les eunuques haïssent les jouissants ; c'est un de ces serpents de la littérature qui se nourrissent de fange et de venin ; c'est un folliculaire. — Qu'appelez-vous folliculaire ? dit Candide. — C'est, dit l'abbé, un faiseur de feuilles, un Fréron. »

C'est ainsi que Candide, Martin, et le Périgourdin, raisonnaient sur l'escalier, en voyant défiler le monde au sortir de la pièce. « Quoique je sois très empressé de revoir mademoiselle Cunégonde, dit Candide, je voudrais pourtant souper avec mademoiselle Clairon, car elle m'a paru admirable. »

L'abbé n'était pas homme à approcher de mademoiselle Clairon, qui ne voyait que bonne compagnie. « Elle est engagée pour ce soir, dit-il; mais j'aurai l'honneur de vous mener chez une dame de qualité, et là vous connaîtrez Paris comme si vous y aviez été quatre ans. »

Candide, qui était naturellement curieux, se laissa mener chez la dame, au fond du faubourg St. Honoré; on y était occupé d'un pharaon; douze tristes pontes tenaient chacun en main un petit livre de cartes, registre cornu de leurs infortunes. Un profond silence régnait, la pâleur était sur le front des pontes, l'inquiétude sur celui du banquier; et la dame du logis, assise auprès de ce banquier impitoyable, remarquait avec des yeux de lynx tous les parolis, tous les sept-et-le-va de campagne, dont chaque joueur cornait ses cartes; elle les faisait décorner avec une attention sévère, mais polie, et ne se fâchait point, de peur de perdre ses pratiques. La dame se faisait appeler la marquise de Parolignac. Sa fille, âgée de quinze ans, était au nombre des pontes, et avertissait d'un clin d'œil des friponneries de ces pauvres gens qui tâchaient de réparer les cruautés du sort. L'abbé périgourdin, Candide, et Martin, entrèrent; personne ne se leva, ni les salua, ni les regarda; tous étaient profondément occupés de leurs cartes. « Madame la baronne de Thunder-ten-tronckh était plus civile », dit Candide.

Cependant l'abbé s'approcha de l'oreille de la marquise, qui se leva à moitié, honora Candide d'un sourire gracieux, et Martin d'un air de tête tout à fait noble; elle fit donner un siège et un jeu de cartes à Candide, qui perdit cinquante mille francs en deux tailles : après quoi on soupa très gaiement; et tout le monde était étonné que Candide ne fût pas ému de sa perte; les laquais disaient entre eux, dans leur langage de laquais : « Il faut que ce soit quelque milord anglais. »

Le souper fut comme la plupart des soupers de Paris : d'abord du silence, ensuite un bruit de paroles qu'on ne distingue point, puis des plaisanteries dont la plupart sont insipides, de fausses nouvelles, de mauvais raisonnements, un peu de politique, et beaucoup de médisance; on parla même de livres nouveaux. « Avez-vous vu, dit l'abbé périgourdin, le roman du sieur Gauchat, docteur en théologie ? — Oui, répondit un des convives; mais je n'ai pu l'achever. Nous avons une foule d'écrits impertinents; mais tous ensemble n'approchent pas de l'impertinence de Gauchat, docteur en théologie; je suis si rassasié de cette immensité de détestables livres qui nous inondent que je me suis mis à ponter au pharaon. — Et les *Mélanges* de l'archidiacre т..., qu'en dites-vous ? dit l'abbé. — Ah! dit madame de Parolignac, l'ennuyeux mortel! comme il vous dit curieusement ce que tout le monde sait! comme il discute pesamment ce qui ne vaut pas la peine d'être remarqué légèrement! comme il s'approprie, sans esprit, l'esprit des autres! comme il gâte ce qu'il pille! comme il me dégoûte! mais il ne me dégoûtera plus; c'est assez d'avoir lu quelques pages de l'archidiacre. »

Il y avait à table un homme savant et de goût qui appuya ce que disait la marquise. On parla ensuite de tragédies; la dame demanda pourquoi il y avait des tragédies qu'on jouait quelquefois, et qu'on ne pouvait lire. L'homme de goût expliqua très bien comment une pièce pouvait avoir quelque intérêt, et n'avoir presque aucun mérite; il prouva en peu de mots que ce n'était pas assez d'amener une ou deux de ces situations qu'on trouve dans tous les romans, et qui séduisent toujours les spectateurs, mais qu'il faut être neuf sans être bizarre, souvent sublime et toujours naturel; connaître le cœur humain et le faire parler; être grand poète sans que jamais aucun personnage de la pièce paraisse poète; savoir parfaitement sa langue, la parler avec pureté, avec une harmonie continue, sans que jamais la rime coûte rien au sens. « Quiconque, ajouta-t-il, n'observe pas toutes ces règles peut faire une ou deux tragédies applaudies au théâtre, mais il ne sera jamais compté au rang des bons écrivains; il y a très peu de bonnes tragédies : les unes sont des idylles en dialogues bien écrits et bien rimés; les autres, des raisonnements politiques qui endorment, ou des amplifications qui rebutent; les autres, des rêves d'énergumène, en style barbare, des propos interrompus, de longues apostrophes aux dieux, parce qu'on ne sait point parler aux hommes, des maximes fausses, des lieux communs ampoulés. »

Candide écouta ce propos avec attention, et conçut une grande idée du discoureur; et, comme la marquise avait eu soin de le placer à côté d'elle, il s'approcha de son oreille, et prit la liberté de lui demander qui était cet homme qui parlait si bien. « C'est un savant, dit la dame, qui ne ponte point, et que l'abbé m'amène quelquefois à souper : il se connaît parfaitement en tragédies et en livres, et il a fait une tragédie sifflée, et un livre dont on n'a jamais vu hors de la boutique de son libraire qu'un exemplaire, qu'il m'a dédié. — Le grand homme! dit Candide, c'est un autre Pangloss. »

Alors, se tournant vers lui, il lui dit : « Monsieur, vous pensez, sans doute, que tout est au mieux dans le monde physique et dans le moral, et que rien ne pouvait être autrement ? — Moi, monsieur, lui répondit le savant, je ne pense rien de tout cela : je trouve que tout va de travers chez nous; que personne ne sait ni quel est son rang, ni quelle est sa charge, ni ce qu'il fait, ni ce qu'il doit faire, et qu'excepté le souper, qui est assez gai, et où il paraît assez d'union, tout le reste du temps se passe en querelles impertinentes : jansénistes contre molinistes, gens du parlement contre gens d'église, gens de lettres contre gens de lettres, courtisans contre courtisans, financiers contre le peuple, femmes contre maris, parents contre parents; c'est une guerre éternelle. »

Candide lui répliqua : « J'ai vu pis : mais un sage, qui depuis a eu le malheur d'être pendu, m'apprit que tout cela est à merveille : ce sont des ombres à un beau tableau. — Votre pendu se moquait du monde, dit Martin; vos ombres sont des taches horribles. — Ce sont les hommes qui font les taches, dit Candide, et ils ne peuvent pas s'en dispenser. — Ce n'est donc pas leur faute, dit Martin. » La plupart des pontes, qui n'entendaient rien à ce langage, buvaient; et Martin raisonna avec le savant, et Candide raconta une partie de ses aventures à la dame du logis.

Après souper, la marquise mena Candide dans son cabinet, et le fit asseoir sur un canapé. « Eh bien! lui dit-elle, vous aimez donc toujours éperdument mademoiselle Cunégonde de Thunder-ten-tronckh ? — Oui madame », répondit Candide. La marquise lui répliqua avec un sourire tendre : « Vous me répondez comme un jeune homme de Vestphalie; un Français m'aurait dit : « Il est vrai que j'ai aimé mademoiselle Cunégonde; mais, en vous voyant, madame, je crains de ne la plus aimer. » — Hélas! madame, dit Candide, je répondrai comme vous voudrez. — Votre passion pour elle, dit la marquise, a commencé en ramassant son mouchoir; je veux que vous ramassiez ma jarretière. — De tout mon cœur », dit Candide; et il la ramassa. « Mais je veux que vous me la remettiez », dit la dame; et Candide la lui remit. « Voyez-

vous, dit la dame, vous êtes étranger; je fais quelquefois
languir mes amants de Paris quinze jours, mais je me
rends à vous dès la première nuit, parce qu'il faut faire
les honneurs de son pays à un jeune homme de Vestphalie. » La belle, ayant aperçu deux énormes diamants aux
deux mains de son jeune étranger, les loua de si bonne
foi que des doigts de Candide ils passèrent aux doigts
de la marquise.

Candide, en s'en retournant avec son abbé périgourdin,
sentit quelques remords d'avoir fait une infidélité à mademoiselle Cunégonde; monsieur l'abbé entra dans sa
peine; il n'avait qu'une légère part aux cinquante mille
livres perdues au jeu par Candide, et à la valeur des deux
brillants moitié donnés, moitié extorqués. Son dessein
était de profiter, autant qu'il le pourrait, des avantages
que la connaissance de Candide pouvait lui procurer. Il
lui parla beaucoup de Cunégonde, et Candide lui dit
qu'il demanderait bien pardon à cette belle de son infidélité, quand il la verrait à Venise.

Le Périgourdin redoublait de politesses et d'attentions,
et prenait un intérêt tendre à tout ce que Candide disait,
à tout ce qu'il faisait, à tout ce qu'il voulait faire.
« Vous avez donc, monsieur, lui dit-il, un rendez-vous
à Venise? — Oui, monsieur l'abbé, dit Candide; il faut
absolument que j'aille trouver mademoiselle Cunégonde.»
Alors, engagé par le plaisir de parler de ce qu'il aimait,
il conta, selon son usage, une partie de ses aventures avec
cette illustre Vestphalienne.

« Je crois, dit l'abbé, que mademoiselle Cunégonde a
bien de l'esprit, et qu'elle écrit des lettres charmantes.
— Je n'en ai jamais reçu, dit Candide; car, figurez-vous
qu'ayant été chassé du château pour l'amour d'elle, je ne
pus lui écrire; que bientôt après j'appris qu'elle était
morte, qu'ensuite je la retrouvai, et que je la perdis, et
que je lui ai envoyé à deux mille cinq cents lieues d'ici
un exprès dont j'attends la réponse. »

L'abbé écoutait attentivement, et paraissait un peu
rêveur. Il prit bientôt congé des deux étrangers, après
les avoir tendrement embrassés. Le lendemain Candide
reçut à son réveil une lettre conçue en ces termes :

« Monsieur mon très cher amant, il y a huit jours que
je suis malade en cette ville; j'apprends que vous y êtes.
Je volerais dans vos bras si je pouvais remuer. J'ai su
votre passage à Bordeaux; j'y ai laissé le fidèle Cacambo
et la vieille, qui doivent bientôt me suivre. Le gouver-

neur de Buenos-Ayres a tout pris, mais il me reste votre
cœur. Venez; votre présence me rendra la vie ou me fera
mourir de plaisir. »

Cette lettre charmante, cette lettre inespérée, transporta Candide d'une joie inexprimable; et la maladie de
sa chère Cunégonde l'accabla de douleur. Partagé entre
ces deux sentiments, il prend son or et ses diamants, et se
fait conduire avec Martin à l'hôtel où mademoiselle Cunégonde demeurait. Il entre en tremblant d'émotion, son
cœur palpite, sa voix sanglote; il veut ouvrir les rideaux
du lit; il veut faire apporter de la lumière. « Gardez-vous-en
bien, lui dit la suivante; la lumière la tue »; et soudain
elle referme le rideau. « Ma chère Cunégonde, dit Candide en pleurant, comment vous portez-vous? si vous ne
pouvez me voir, parlez-moi du moins. — Elle ne peut
parler », dit la suivante. La dame alors tire du lit une main
potelée que Candide arrose longtemps de ses larmes, et
qu'il remplit ensuite de diamants, en laissant un sac plein
d'or sur le fauteuil.

Au milieu de ses transports arrive un exempt suivi de
l'abbé périgourdin et d'une escouade. « Voilà donc, dit-il,
ces deux étrangers suspects? » Il les fait incontinent
saisir, et ordonne à ses braves de les traîner en prison.
« Ce n'est pas ainsi qu'on traite les voyageurs dans le
Dorado, dit Candide. — Je suis plus manichéen que
jamais, dit Martin. — Mais, monsieur, où nous menez-
vous? dit Candide. — Dans un cul-de-basse-fosse », dit
l'exempt.

Martin, ayant repris son sang-froid, jugea que la dame
qui se prétendait Cunégonde était une friponne, monsieur l'abbé périgourdin un fripon qui avait abusé au plus
vite de l'innocence de Candide, et l'exempt un autre
fripon dont on pouvait aisément se débarrasser.

Plutôt que de s'exposer aux procédures de la justice,
Candide, éclairé par son conseil, et d'ailleurs toujours
impatient de revoir la véritable Cunégonde, propose à
l'exempt trois petits diamants d'environ trois mille pistoles chacun. « Ah! monsieur, lui dit l'homme au bâton
d'ivoire, eussiez-vous commis tous les crimes imagi-
nables, vous êtes le plus honnête homme du monde.
Trois diamants! chacun de trois mille pistoles! Monsieur! je me ferais tuer pour vous, au lieu de vous mener
dans un cachot. On arrête tous les étrangers, mais laissez-
moi faire; j'ai un frère à Dieppe en Normandie; je vais
vous y mener; et si vous avez quelque diamant à lui don-

ner, il aura soin de vous comme moi-même. — Et pourquoi arrête-t-on tous les étrangers ? » dit Candide. L'abbé
périgourdin prit alors la parole, et dit : « C'est parce
qu'un gueux du pays d'Atrébatie a entendu dire des sottises : cela seul lui a fait commettre un parricide, non pas
tel que celui de 1610 au mois de mai, mais tel que celui
de 1594 au mois de décembre, et tel que plusieurs autres
commis dans d'autres années et dans d'autres mois par
d'autres gueux qui avaient entendu dire des sottises. »

L'exempt alors expliqua de quoi il s'agissait. « Ah ! les
monstres ! s'écria Candide ; quoi ! de telles horreurs chez
un peuple qui danse et qui chante ! Ne pourrai-je sortir
au plus vite de ce pays où des singes agacent des tigres ?
J'ai vu des ours dans mon pays ; je n'ai vu des hommes
que dans le Dorado. Au nom de Dieu, monsieur l'exempt,
menez-moi à Venise, où je dois attendre mademoiselle
Cunégonde. — Je ne peux vous mener qu'en Basse-Nor-
mandie », dit le barigel. Aussitôt il lui fait ôter ses fers,
dit qu'il s'est mépris, renvoie ses gens, et emmène à
Dieppe Candide et Martin, et les laisse entre les mains
de son frère. Il y avait un petit vaisseau hollandais à la
rade. Le Normand, à l'aide de trois autres diamants
devenu le plus serviable des hommes, embarque Candide
et ses gens dans le vaisseau qui allait faire voile pour
Portsmouth en Angleterre. Ce n'était pas le chemin de
Venise ; mais Candide croyait être délivré de l'enfer ; et
il comptait bien reprendre la route de Venise à la première occasion.

CHAPITRE VINGT-TROISIÈME

CANDIDE ET MARTIN VONT SUR LES COTES D'ANGLETERRE ; CE QU'ILS Y VOIENT

« Ah ! Pangloss ! Pangloss ! Ah ! Martin ! Martin ! Ah !
ma chère Cunégonde ! qu'est-ce que ce monde-ci ? disait
Candide sur le vaisseau hollandais. — Quelque chose de
bien fou et de bien abominable, répondait Martin. —
Vous connaissez l'Angleterre ; y est-on aussi fou qu'en
France ? — C'est une autre espèce de folie, dit Martin.
Vous savez que ces deux nations sont en guerre pour
quelques arpents de neige vers le Canada, et qu'elles
dépensent pour cette belle guerre beaucoup plus que tout
le Canada ne vaut. De vous dire précisément s'il y a plus

de gens à lier dans un pays que dans un autre, c'est ce que mes faibles lumières ne me permettent pas; je sais seulement qu'en général les gens que nous allons voir sont fort atrabilaires. »

En causant ainsi ils abordèrent à Portsmouth; une multitude de peuple couvrait le rivage, et regardait attentivement un assez gros homme qui était à genoux, les yeux bandés, sur le tillac d'un des vaisseaux de la flotte; quatre soldats, postés vis-à-vis de cet homme, lui tirèrent chacun trois balles dans le crâne, le plus paisiblement du monde; et toute l'assemblée s'en retourna extrêmement satisfaite. « Qu'est-ce donc que tout ceci ? dit Candide; et quel démon exerce partout son empire ? » Il demanda qui était ce gros homme qu'on venait de tuer en cérémonie. « C'est un amiral, lui répondit-on. — Et pourquoi tuer cet amiral ? — C'est, lui dit-on, parce qu'il n'a pas fait tuer assez de monde; il a livré un combat à un amiral français, et on a trouvé qu'il n'était pas assez près de lui. — Mais, dit Candide, l'amiral français était aussi loin de l'amiral anglais que celui-ci l'était de l'autre! — Cela est incontestable, lui répliqua-t-on; mais dans ce pays-ci il est bon de tuer de temps en temps un amiral pour encourager les autres. »

Candide fut si étourdi et si choqué de ce qu'il voyait et de ce qu'il entendait qu'il ne voulut pas seulement mettre pied à terre, et qu'il fit son marché avec le patron hollandais (dût-il le voler comme celui de Surinam) pour le conduire sans délai à Venise.

Le patron fut prêt au bout de deux jours. On côtoya la France; on passa à la vue de Lisbonne, et Candide frémit. On entra dans le détroit et dans la Méditerranée; enfin on aborda à Venise. « Dieu soit loué! dit Candide, en embrassant Martin; c'est ici que je reverrai la belle Cunégonde. Je compte sur Cacambo comme sur moi-même. Tout est bien, tout va bien, tout va le mieux qu'il soit possible. »

CHAPITRE VINGT-QUATRIÈME

DE PAQUETTE, ET DE FRÈRE GIROFLÉE

Dès qu'il fut à Venise, il fit chercher Cacambo dans tous les cabarets, dans tous les cafés, chez toutes les filles de joie, et ne le trouva point. Il envoyait tous les jours

à la découverte de tous les vaisseaux et de toutes les
barques : nulles nouvelles de Cacambo. « Quoi ! disait-il
à Martin, j'ai eu le temps de passer de Surinam à Bordeaux, d'aller de Bordeaux à Paris, de Paris à Dieppe, de
Dieppe à Portsmouth, de côtoyer le Portugal et l'Espagne,
de traverser toute la Méditerranée, de passer quelques
mois à Venise, et la belle Cunégonde n'est point venue !
Je n'ai rencontré au lieu d'elle qu'une drôlesse et un
abbé périgourdin ! Cunégonde est morte, sans doute ; je
n'ai plus qu'à mourir. Ah ! il valait mieux rester dans le
paradis du Dorado que de revenir dans cette maudite
Europe. Que vous avez raison, mon cher Martin ! tout
n'est qu'illusion et calamité. »

Il tomba dans une mélancolie noire, et ne prit aucune
part à l'opéra *alla moda*, ni aux autres divertissements du
carnaval ; pas une dame ne lui donna la moindre tentation.
Martin lui dit : « Vous êtes bien simple, en vérité, de
vous figurer qu'un valet métis qui a cinq ou six millions
dans ses poches ira chercher votre maîtresse au bout du
monde et vous l'amènera à Venise. Il la prendra pour
lui, s'il la trouve. S'il ne la trouve pas, il en prendra une
autre : je vous conseille d'oublier votre valet Cacambo
et votre maîtresse Cunégonde. » Martin n'était pas consolant. La mélancolie de Candide augmenta, et Martin ne
cessait de lui prouver qu'il y avait peu de vertu et peu de
bonheur sur la terre ; excepté peut-être dans Eldorado,
où personne ne pouvait aller.

En disputant sur cette matière importante, et en attendant Cunégonde, Candide aperçut un jeune théatin dans
la place St. Marc, qui tenait sous le bras une fille. Le
théatin paraissait frais, potelé, vigoureux ; ses yeux étaient
brillants, son air assuré, sa mine haute, sa démarche fière.
La fille était très jolie, et chantait ; elle regardait amou-
reusement son théatin, et de temps en temps lui pinçait
ses grosses joues. « Vous m'avouerez du moins, dit Candide à Martin, que ces gens-ci sont heureux. Je n'ai
trouvé jusqu'à présent dans toute la terre habitable,
excepté dans Eldorado, que des infortunés ; mais pour
cette fille et ce théatin, je gage que ce sont des créatures
très heureuses. — Je gage que non, dit Martin. — Il n'y
a qu'à les prier à dîner, dit Candide, et vous verrez si je
me trompe. »

Aussitôt il les aborde, il leur fait son compliment, et
les invite à venir à son hôtellerie manger des macaronis,
des perdrix de Lombardie, des œufs d'esturgeon, et à

boire du vin de Montepulciano, du lacryma-christi, du
chypre, et du samos. La demoiselle rougit, le théatin
accepta la partie, et la fille le suivit en regardant Candide
avec des yeux de surprise et de confusion, qui furent
obscurcis de quelques larmes. A peine fut-elle entrée
dans la chambre de Candide, qu'elle lui dit : « Eh quoi!
monsieur Candide ne reconnaît plus Paquette! » A ces
mots, Candide, qui ne l'avait pas considérée jusque-là
avec attention, parce qu'il n'était occupé que de Cunégonde, lui dit : « Hélas! ma pauvre enfant, c'est donc
vous qui avez mis le docteur Pangloss dans le bel état où
je l'ai vu ?

— Hélas! monsieur, c'est moi-même, dit Paquette; je
vois que vous êtes instruit de tout. J'ai su les malheurs
épouvantables arrivés à toute la maison de madame la
baronne et à la belle Cunégonde. Je vous jure que ma
destinée n'a guère été moins triste. J'étais fort innocente
quand vous m'avez vue. Un cordelier, qui était mon
confesseur, me séduisit aisément. Les suites en furent
affreuses; je fus obligée de sortir du château quelque
temps après que monsieur le baron vous eut renvoyé à
grands coups de pied dans le derrière. Si un fameux
médecin n'avait pas pris pitié de moi, j'étais morte. Je
fus quelque temps par reconnaissance la maîtresse de ce
médecin. Sa femme, qui était jalouse à la rage, me battait
tous les jours impitoyablement; c'était une furie. Ce
médecin était le plus laid de tous les hommes, et moi la
plus malheureuse de toutes les créatures d'être battue
continuellement pour un homme que je n'aimais pas.
Vous savez, monsieur, combien il est dangereux pour
une femme acariâtre d'être l'épouse d'un médecin.
Celui-ci, outré des procédés de sa femme, lui donna un
jour, pour la guérir d'un petit rhume, une médecine si
efficace qu'elle en mourut en deux heures de temps dans
des convulsions horribles. Les parents de madame inten-
tèrent à monsieur un procès criminel; il prit la fuite, et
moi, je fus mise en prison. Mon innocence ne m'aurait
pas sauvée si je n'avais été un peu jolie. Le juge m'élar-
git, à condition qu'il succéderait au médecin. Je fus bientôt supplantée par une rivale, chassée sans récompense,
et obligée de continuer ce métier abominable qui vous
paraît si plaisant à vous autres hommes, et qui n'est pour
nous qu'un abîme de misère. J'allai exercer la profession
à Venise. Ah! monsieur, si vous pouviez vous imaginer
ce que c'est que d'être obligée de caresser indifférem-

ment un vieux marchand, un avocat, un moine, un gondolier, un abbé; d'être exposée à toutes les insultes, à
toutes les avanies; d'être souvent réduite à emprunter
une jupe pour aller se la faire lever par un homme dégoûtant; d'être volée par l'un de ce qu'on a gagné avec l'autre;
d'être rançonnée par les officiers de justice, et de n'avoir
en perspective qu'une vieillesse affreuse, un hôpital, et
un fumier, vous concluriez que je suis une des plus mal-
heureuses créatures du monde. »

Paquette ouvrait ainsi son cœur au bon Candide, dans
un cabinet, en présence de Martin, qui disait à Candide :
« Vous voyez que j'ai déjà gagné la moitié de la gageure. »

Frère Giroflée était resté dans la salle à manger, et
buvait un coup en attendant le dîner. « Mais, dit Candide
à Paquette, vous aviez l'air si gai, si content, quand je
vous ai rencontrée; vous chantiez, vous caressiez le théatin avec une complaisance naturelle; vous m'avez paru
aussi heureuse que vous prétendez être infortunée. —
Ah! monsieur, répondit Paquette, c'est encore là une des
misères du métier. J'ai été hier volée et battue par un
officier, et il faut aujourd'hui que je paraisse de bonne
humeur pour plaire à un moine. »

Candide n'en voulut pas davantage; il avoua que
Martin avait raison. On se mit à table avec Paquette et
le théatin; le repas fut assez amusant, et sur la fin on se
parla avec quelque confiance. « Mon père, dit Candide
au moine, vous me paraissez jouir d'une destinée que
tout le monde doit envier; la fleur de la santé brille sur
votre visage, votre physionomie annonce le bonheur;
vous avez une très jolie fille pour votre récréation, et vous
paraissez très content de votre état de théatin.

— Ma foi, monsieur, dit frère Giroflée, je voudrais
que tous les théatins fussent au fond de la mer. J'ai été
tenté cent fois de mettre le feu au couvent, et d'aller me
faire turc. Mes parents me forcèrent, à l'âge de quinze ans,
d'endosser cette détestable robe, pour laisser plus de fortune à un maudit frère aîné que Dieu confonde! La
jalousie, la discorde, la rage, habitent dans le couvent. Il
est vrai que j'ai prêché quelques mauvais sermons qui
m'ont valu un peu d'argent dont le prieur me vole la
moitié : le reste me sert à entretenir des filles; mais quand
je rentre le soir dans le monastère, je suis prêt de me casser la tête contre les murs du dortoir; et tous mes confrères
sont dans le même cas. »

Martin se tournant vers Candide avec son sang-froid

ordinaire : « Eh bien! lui dit-il, n'ai-je pas gagné la
gageure tout entière ? » Candide donna deux mille piastres
à Paquette et mille piastres à frère Giroflée. « Je vous
réponds, dit-il, qu'avec cela ils seront heureux. — Je n'en
crois rien du tout, dit Martin ; vous les rendrez peut-être
avec ces piastres beaucoup plus malheureux encore. —
Il en sera ce qui pourra, dit Candide ; mais une chose me
console, je vois qu'on retrouve souvent les gens qu'on ne
croyait jamais retrouver : il se pourra bien faire qu'ayant
rencontré mon mouton rouge et Paquette, je rencontre
aussi Cunégonde. — Je souhaite, dit Martin, qu'elle
fasse un jour votre bonheur ; mais c'est de quoi je doute
fort. — Vous êtes bien dur, dit Candide. — C'est que
j'ai vécu, dit Martin.

— Mais regardez ces gondoliers, dit Candide ; ne
chantent-ils pas sans cesse ? — Vous ne les voyez pas
dans leur ménage, avec leurs femmes et leurs marmots
d'enfants, dit Martin. Le doge a ses chagrins, les gondoliers ont les leurs. Il est vrai qu'à tout prendre le sort
d'un gondolier est préférable à celui d'un doge ; mais je
crois la différence si médiocre que cela ne vaut pas la
peine d'être examiné.

— On parle, dit Candide, du sénateur Pococuranté,
qui demeure dans ce beau palais sur la Brenta, et qui
reçoit assez bien les étrangers. On prétend que c'est un
homme qui n'a jamais eu de chagrin. — Je voudrais voir
une espèce si rare », dit Martin. Candide aussitôt fit
demander au seigneur Pococuranté la permission de
venir le voir le lendemain.

CHAPITRE VINGT-CINQUIÈME

VISITE CHEZ LE SEIGNEUR POCOCURANTÉ, NOBLE VÉNITIEN

Candide et Martin allèrent en gondole sur la Brenta,
et arrivèrent au palais du noble Pococuranté. Les jardins
étaient bien entendus, et ornés de belles statues de
marbre ; le palais, d'une belle architecture. Le maître du
logis, homme de soixante ans, fort riche, reçut très poliment les deux curieux, mais avec très peu d'empressement, ce qui déconcerta Candide et ne déplut point à
Martin.

D'abord deux filles jolies et proprement mises ser-

virent du chocolat, qu'elles firent très bien mousser.
Candide ne put s'empêcher de les louer sur leur beauté,
sur leur bonne grâce, et sur leur adresse. « Ce sont
d'assez bonnes créatures, dit le sénateur Pococuranté; je
les fais quelquefois coucher dans mon lit : car je suis
bien las des dames de la ville, de leurs coquetteries, de
leurs jalousies, de leurs querelles, de leurs humeurs, de
leurs petitesses, de leur orgueil, de leurs sottises, et des
sonnets qu'il faut faire ou commander pour elles; mais,
après tout, ces deux filles commencent fort à m'ennuyer. »

Candide, après le déjeuner, se promenant dans une
longue galerie, fut surpris de la beauté des tableaux. Il
demanda de quel maître étaient les deux premiers. « Ils
sont de Raphaël, dit le sénateur; je les achetai fort cher
par vanité, il y a quelques années; on dit que c'est ce
qu'il y a de plus beau en Italie, mais ils ne me plaisent
point du tout : la couleur en est très rembrunie, les figures
ne sont pas assez arrondies, et ne sortent point assez; les
draperies ne ressemblent en rien à une étoffe : en un
mot, quoi qu'on en dise, je ne trouve point là une imitation vraie de la nature. Je n'aimerai un tableau que quand
je croirai voir la nature elle-même : il n'y en a point de
cette espèce. J'ai beaucoup de tableaux, mais je ne les
regarde plus. »

Pococuranté, en attendant le dîner, se fit donner un
concerto. Candide trouva la musique délicieuse. « Ce
bruit, dit Pococuranté, peut amuser une demi-heure;
mais s'il dure plus longtemps, il fatigue tout le monde,
quoique personne n'ose l'avouer. La musique aujour-
d'hui n'est plus que l'art d'exécuter des choses difficiles,
et ce qui n'est que difficile ne plaît point à la longue.

« J'aimerais peut-être mieux l'opéra, si on n'avait pas
trouvé le secret d'en faire un monstre qui me révolte. Ira
voir qui voudra de mauvaises tragédies en musique, où
les scènes ne sont faites que pour amener très mal à
propos deux ou trois chansons ridicules qui font valoir
le gosier d'une actrice; se pâmera de plaisir qui voudra
ou qui pourra en voyant un châtré fredonner le rôle de
César et de Caton, et se promener d'un air gauche sur
des planches; pour moi, il y a longtemps que j'ai renoncé
à ces pauvretés, qui font aujourd'hui la gloire de l'Italie,
et que des souverains payent si chèrement. » Candide
disputa un peu, mais avec discrétion. Martin fut entièrement de l'avis du sénateur.

On se mit à table; et, après un excellent dîner, on entra dans la bibliothèque. Candide, en voyant un Homère magnifiquement relié, loua l'illustrissime sur son bon goût. « Voilà, dit-il, un livre qui faisait les délices du grand Pangloss, le meilleur philosophe de l'Allemagne. — Il ne fait pas les miennes, dit froidement Pococuranté; on me fit accroire autrefois que j'avais du plaisir en le lisant; mais cette répétition continuelle de combats qui se ressemblent tous, ces dieux qui agissent toujours pour ne rien faire de décisif, cette Hélène qui est le sujet de la guerre, et qui à peine est une actrice de la pièce; cette Troie qu'on assiège, et qu'on ne prend point : tout cela me causait le plus mortel ennui. J'ai demandé quelquefois à des savants s'ils s'ennuyaient autant que moi à cette lecture : tous les gens sincères m'ont avoué que le livre leur tombait des mains, mais qu'il fallait toujours l'avoir dans sa bibliothèque, comme un monument de l'antiquité, et comme ces médailles rouillées qui ne peuvent être de commerce.

— Votre Excellence ne pense pas ainsi de Virgile ? dit Candide. — Je conviens, dit Pococuranté, que le second, le quatrième et le sixième livre de son *Enéide*, sont excellents; mais pour son pieux Enée, et le fort Cloanthe, et l'ami Achates, et le petit Ascanius, et l'imbécile roi Latinus, et la bourgeoise Amata, et l'insipide Lavinia, je ne crois pas qu'il y ait rien de si froid et de plus désagréable. J'aime mieux le Tasse et les contes à dormir debout de l'Arioste.

— Oserais-je vous demander, monsieur, dit Candide, si vous n'avez pas un grand plaisir à lire Horace ? — Il y a des maximes, dit Pococuranté, dont un homme du monde peut faire son profit, et qui, étant resserrées dans des vers énergiques, se gravent plus aisément dans la mémoire; mais je me soucie fort peu de son voyage à Brindes, et de sa description d'un mauvais dîner, et de la querelle de crocheteurs entre je ne sais quel Pupilus dont les paroles, dit-il, *étaient pleines de pus*, et un autre dont les paroles *étaient du vinaigre*. Je n'ai lu qu'avec un extrême dégoût ses vers grossiers contre des vieilles et contre des sorcières; et je ne vois pas quel mérite il peut y avoir à dire à son ami Mecenas, que, s'il est mis par lui au rang des poètes lyriques, il frappera les astres de son front sublime. Les sots admirent tout dans un auteur estimé. Je ne lis que pour moi; je n'aime que ce qui est à mon usage. » Candide, qui avait été élevé à ne jamais juger de rien par lui-même, était fort étonné de ce qu'il entendait; et Martin trouvait la façon de penser de Poco-curanté assez raisonnable.

« Oh! voici un Cicéron, dit Candide; pour ce grand homme-là, je pense que vous ne vous lassez point de le lire ? — Je ne le lis jamais, répondit le Vénitien. Que m'importe qu'il ait plaidé pour Rabirius ou pour Cluen-tius ? J'ai bien assez des procès que je juge; je me serais mieux accommodé de ses œuvres philosophiques; mais quand j'ai vu qu'il doutait de tout, j'ai conclu que j'en savais autant que lui, et que je n'avais besoin de personne pour être ignorant.

— Ah! voilà quatre-vingts volumes de recueils d'une académie des sciences, s'écria Martin; il se peut qu'il y ait là du bon. — Il y en aurait, dit Pococuranté, si un seul des auteurs de ces fatras avait inventé seulement l'art de faire des épingles; mais il n'y a dans tous ces livres que de vains systèmes, et pas une seule chose utile.

— Que de pièces de théâtre je vois là, dit Candide, en italien, en espagnol, en français! — Oui, dit le sénateur, il y en a trois mille, et pas trois douzaines de bonnes. Pour ces recueils de sermons, qui tous ensemble ne valent pas une page de Sénèque, et tous ces gros volumes de théologie, vous pensez bien que je ne les ouvre jamais, ni moi, ni personne. »

Martin aperçut des rayons chargés de livres anglais. « Je crois, dit-il, qu'un républicain doit se plaire à la plupart de ces ouvrages écrits si librement. — Oui, répon-dit Pococuranté; il est beau d'écrire ce qu'on pense : c'est le privilège de l'homme. Dans toute notre Italie, on n'écrit que ce qu'on ne pense pas; ceux qui habitent la patrie des Césars et des Antonins n'osent avoir une idée sans la permission d'un jacobin. Je serais content de la liberté qui inspire les génies anglais si la passion et l'esprit de parti ne corrompaient pas tout ce que cette précieuse liberté a d'estimable. »

Candide, apercevant un Milton, lui demanda s'il ne regardait pas cet auteur comme un grand homme. « Qui ? dit Pococuranté, ce barbare qui fait un long com-mentaire du premier chapitre de la *Genèse* en dix livres de vers durs ? ce grossier imitateur des Grecs, qui défigure la création, et qui, tandis que Moïse représente l'Etre éternel produisant le monde par la parole, fait prendre un grand compas par le Messiah dans une armoire du ciel pour tracer son ouvrage ? Moi, j'estimerais celui qui

a gâté l'enfer et le diable du Tasse; qui déguise Lucifer
tantôt en crapaud, tantôt en pygmée; qui lui fait rebattre
cent fois les mêmes discours; qui le fait disputer sur
la théologie; qui, en imitant sérieusement l'invention
comique des armes à feu de l'Arioste, fait tirer le canon
dans le ciel par les diables? Ni moi, ni personne en Italie
n'a pu se plaire à toutes ces tristes extravagances. Le
mariage du péché et de la mort, et les couleuvres dont le
péché accouche, font vomir tout homme qui a le goût un
peu délicat; et sa longue description d'un hôpital n'est
bonne que pour un fossoyeur. Ce poème obscur, bizarre
et dégoûtant, fut méprisé à sa naissance; je le traite
aujourd'hui comme il fut traité dans sa patrie par les
contemporains. Au reste, je dis ce que je pense, et je me
soucie fort peu que les autres pensent comme moi. »
Candide était affligé de ces discours; il respectait Homère,
il aimait un peu Milton. « Hélas! dit-il tout bas à Martin,
j'ai bien peur que cet homme-ci n'ait un souverain
mépris pour nos poètes allemands. — Il n'y aurait pas
grand mal à cela, dit Martin. — Oh! quel homme supérieur! disait encore Candide entre ses dents, quel grand
génie que ce Pococuranté! rien ne peut lui plaire. »

Après avoir fait ainsi la revue de tous les livres, ils
descendirent dans le jardin. Candide en loua toutes les
beautés. « Je ne sais rien de si mauvais goût, dit le maître :
nous n'avons ici que des colifichets, mais je vais dès
demain en faire planter un d'un dessin plus noble. »

Quand les deux curieux eurent pris congé de Son Excellence : « Or ça, dit Candide à Martin, vous conviendrez
que voilà le plus heureux de tous les hommes, car il est
au-dessus de tout ce qu'il possède. — Ne voyez-vous
pas, dit Martin, qu'il est dégoûté de tout ce qu'il possède? Platon a dit, il y a longtemps, que les meilleurs
estomacs ne sont pas ceux qui rebutent tous les aliments.
— Mais, dit Candide, n'y a-t-il pas du plaisir à tout critiquer, à sentir des défauts où les autres hommes croient
voir des beautés? — C'est-à-dire, reprit Martin, qu'il y
a du plaisir à n'avoir pas de plaisir? — Oh bien! dit
Candide, il n'y a donc d'heureux que moi, quand je reverrai mademoiselle Cunégonde. — C'est toujours bien fait
d'espérer », dit Martin.

Cependant les jours, les semaines s'écoulaient; Cacambo ne revenait point, et Candide était si abîmé dans
sa douleur qu'il ne fit pas même réflexion que Paquette et
frère Giroflée n'étaient pas venus seulement le remercier.

CHAPITRE VINGT-SIXIÈME

D'UN SOUPER QUE CANDIDE ET MARTIN
FIRENT AVEC SIX ÉTRANGERS,
ET QUI ILS ÉTAIENT

Un soir que Candide, suivi de Martin, allait se mettre à table avec les étrangers qui logeaient dans la même hôtellerie, un homme à visage couleur de suie l'aborda par-derrière, et, le prenant par le bras, lui dit : « Soyez prêt à partir avec nous, n'y manquez pas. » Il se retourne, et voit Cacambo. Il n'y avait que la vue de Cunégonde qui pût l'étonner et lui plaire davantage. Il fut sur le point de devenir fou de joie. Il embrasse son cher ami. « Cunégonde est ici, sans doute ? Où est-elle ? Mène-moi vers elle, que je meure de joie avec elle. — Cunégonde n'est point ici, dit Cacambo, elle est à Constantinople. — Ah ciel! à Constantinople! mais fût-elle à la Chine, j'y vole, partons. — Nous partirons après souper, reprit Cacambo; je ne peux vous en dire davantage; je suis esclave, mon maître m'attend; il faut que j'aille le servir à table : ne dites mot; soupez, et tenez-vous prêt. »

Candide, partagé entre la joie et la douleur, charmé d'avoir revu son agent fidèle, étonné de le voir esclave, plein de l'idée de retrouver sa maîtresse, le cœur agité, l'esprit bouleversé, se mit à table avec Martin, qui voyait de sang-froid toutes ces aventures, et avec six étrangers qui étaient venus passer le carnaval à Venise.

Cacambo, qui versait à boire à l'un de ces étrangers, s'approcha de l'oreille de son maître, sur la fin du repas, et lui dit : « Sire, Votre Majesté partira quand elle voudra, le vaisseau est prêt. » Ayant dit ces mots, il sortit. Les convives, étonnés, se regardaient sans proférer une seule parole, lorsqu'un autre domestique, s'approchant de son maître, lui dit : « Sire, la chaise de Votre Majesté est à Padoue, et la barque est prête. » Le maître fit un signe, et le domestique partit. Tous les convives se regardèrent encore, et la surprise commune redoubla. Un troisième valet, s'approchant aussi d'un troisième étranger, lui dit : « Sire, croyez-moi, Votre Majesté ne doit pas rester ici plus longtemps : je vais tout préparer »; et aussitôt il disparut.

Candide et Martin ne doutèrent pas alors que ce ne

fût une mascarade du carnaval. Un quatrième domestique dit au quatrième maître : « Votre Majesté partira
quand elle voudra », et sortit comme les autres. Le cinquième valet en dit autant au cinquième maître. Mais le
sixième valet parla différemment au sixième étranger, qui
était auprès de Candide ; il lui dit : « Ma foi, sire, on ne
veut plus faire crédit à Votre Majesté ni à moi non plus,
et nous pourrions bien être coffrés cette nuit, vous et
moi ; je vais pourvoir à mes affaires, adieu. »

Tous les domestiques ayant disparu, les six étrangers,
Candide et Martin, demeurèrent dans un profond silence.
Enfin Candide le rompit : « Messieurs, dit-il, voilà une
singulière plaisanterie. Pourquoi êtes-vous tous rois ?
Pour moi, je vous avoue que ni moi ni Martin nous ne
le sommes. »

Le maître de Cacambo prit alors gravement la parole,
et dit en italien : « Je ne suis point plaisant, je m'appelle
Achmet III ; j'ai été grand sultan plusieurs années ; je
détrônai mon frère ; mon neveu m'a détrôné ; on a coupé
le cou à mes vizirs ; j'achève ma vie dans le vieux sérail ;
mon neveu le grand sultan Mahmoud me permet de
voyager quelquefois pour ma santé ; et je suis venu passer
le carnaval à Venise. »

Un jeune homme qui était auprès d'Achmet parla
après lui, et dit : « Je m'appelle Ivan ; j'ai été empereur
de toutes les Russies ; j'ai été détrôné au berceau ; mon
père et ma mère ont été enfermés ; on m'a élevé en prison ; j'ai quelquefois la permission de voyager, accompagné de ceux qui me gardent ; et je suis venu passer le
carnaval à Venise. »

Le troisième dit : « Je suis Charles-Edouard, roi
d'Angleterre ; mon père m'a cédé ses droits au royaume ;
j'ai combattu pour les soutenir ; on a arraché le cœur à
huit cents de mes partisans, et on leur en a battu les
joues ; j'ai été mis en prison ; je vais à Rome faire une
visite au roi mon père, détrôné ainsi que moi et mon
grand-père ; et je suis venu passer le carnaval à Venise. »

Le quatrième prit alors la parole et dit : « Je suis roi
des Polaques ; le sort de la guerre m'a privé de mes Etats
héréditaires ; mon père a éprouvé les mêmes revers ; je
me résigne à la Providence comme le sultan Achmet,
l'empereur Ivan, et le roi Charles-Edouard, à qui Dieu
donne une longue vie ; et je suis venu passer le carnaval
à Venise. »

Le cinquième dit : « Je suis aussi roi des Polaques ; j'ai

perdu mon royaume deux fois; mais la Providence m'a donné un autre Etat dans lequel j'ai fait plus de bien que tous les rois des Sarmates ensemble n'en ont jamais pu faire sur les bords de la Vistule. Je me résigne aussi à la Providence; et je suis venu passer le carnaval à Venise. »

Il restait au sixième monarque à parler. « Messieurs, dit-il, je ne suis pas si grand seigneur que vous; mais enfin j'ai été roi tout comme un autre; je suis Théodore; on m'a élu roi en Corse; on m'a appelé *Votre Majesté*, et à présent à peine m'appelle-t-on *Monsieur ;* j'ai fait frapper de la monnaie, et je ne possède pas un denier; j'ai eu deux secrétaires d'Etat, et j'ai à peine un valet; je me suis vu sur un trône, et j'ai longtemps été à Londres en prison sur la paille; j'ai bien peur d'être traité de même ici, quoique je sois venu, comme Vos Majestés, passer le carnaval à Venise. »

Les cinq autres rois écoutèrent ce discours avec une noble compassion. Chacun d'eux donna vingt sequins au roi Théodore pour avoir des habits et des chemises; Candide lui fit présent d'un diamant de deux mille sequins. « Quel est donc, disaient les cinq rois, ce simple particulier qui est en état de donner cent fois autant que chacun de nous, et qui le donne ? »

Dans l'instant qu'on sortait de table, il arriva dans la même hôtellerie quatre altesses sérénissimes qui avaient aussi perdu leurs Etats par le sort de la guerre, et qui venaient passer le reste du carnaval à Venise. Mais Candide ne prit pas seulement garde à ces nouveaux venus. Il n'était occupé que d'aller trouver sa chère Cunégonde à Constantinople.

CHAPITRE VINGT-SEPTIÈME

VOYAGE DE CANDIDE A CONSTANTINOPLE

Le fidèle Cacambo avait déjà obtenu du patron turc qui allait reconduire le sultan Achmet à Constantinople qu'il recevrait Candide et Martin sur son bord. L'un et l'autre s'y rendirent après s'être prosternés devant Sa misérable Hautesse. Candide, chemin faisant, disait à Martin : « Voilà pourtant six rois détrônés avec qui nous avons soupé! et encore dans ces six rois il y en a un à qui j'ai fait l'aumône. Peut-être y a-t-il beaucoup d'autres princes plus infortunés. Pour moi, je n'ai perdu que

cent moutons, et je vole dans les bras de Cunégonde.
Mon cher Martin, encore une fois, Pangloss avait raison,
tout est bien. — Je le souhaite, dit Martin. — Mais, dit
Candide, voilà une aventure bien peu vraisemblable que
nous avons eue à Venise. On n'avait jamais vu ni ouï
conter que six rois détrônés soupassent ensemble au cabaret. — Cela n'est pas plus extraordinaire, dit Martin,
que la plupart des choses qui nous sont arrivées. Il est
très commun que des rois soient détrônés; et à l'égard
de l'honneur que nous avons eu de souper avec eux, c'est
une bagatelle qui ne mérite pas notre attention. »

A peine Candide fut-il dans le vaisseau qu'il sauta au
cou de son ancien valet, de son ami Cacambo. « Eh bien!
lui dit-il, que fait Cunégonde? Est-elle toujours un prodige de beauté? M'aime-t-elle toujours? Comment se
porte-t-elle? Tu lui as sans doute acheté un palais à
Constantinople?

— Mon cher maître, répondit Cacambo, Cunégonde
lave les écuelles sur le bord de la Propontide, chez un
prince qui a très peu d'écuelles; elle est esclave dans la
maison d'un ancien souverain, nommé Ragotski, à qui le
Grand Turc donne trois écus par jour dans son asile;
mais, ce qui est bien plus triste, c'est qu'elle a perdu sa
beauté, et qu'elle est devenue horriblement laide. — Ah!
belle ou laide, dit Candide, je suis honnête homme, et
mon devoir est de l'aimer toujours. Mais comment peut-
elle être réduite à un état si abject avec les cinq ou six millions que tu avais apportés? — Bon, dit Cacambo, ne
m'en a-t-il pas fallu donner deux millions au señor don
Fernando d'Ibaraa, y Figueora, y Mascarenes, y Lampourdos, y Souza, gouverneur de Buenos-Ayres, pour
avoir la permission de reprendre mademoiselle Cunégonde? Et un pirate ne nous a-t-il pas bravement
dépouillés de tout le reste? Ce pirate ne nous a-t-il
pas menés au cap de Matapan, à Milo, à Nicarie, à
Samos, à Petra, aux Dardanelles, à Marmora, à Scutari?
Cunégonde et la vieille servent chez ce prince dont je
vous ai parlé, et moi, je suis esclave du sultan détrôné.
— Que d'épouvantables calamités enchaînées les unes aux
autres! dit Candide. Mais, après tout, j'ai encore quelques
diamants; je délivrerai aisément Cunégonde. C'est bien
dommage qu'elle soit devenue si laide. »

Ensuite, se tournant vers Martin : « Que pensez-vous
dit-il, qui soit le plus à plaindre, de l'empereur Achmet,
de l'empereur Ivan, du roi Charles-Edouard, ou de moi?

— Je n'en sais rien, dit Martin; il faudrait que je fusse
dans vos cœurs pour le savoir. — Ah! dit Candide, si
Pangloss était ici, il le saurait, et nous l'apprendrait. —
Je ne sais, dit Martin, avec quelles balances votre Pangloss aurait pu peser les infortunes des hommes, et appré-
cier leurs douleurs. Tout ce que je présume, c'est qu'il
y a des millions d'hommes sur la terre cent fois plus à
plaindre que le roi Charles-Edouard, l'empereur Ivan,
et le sultan Achmet. — Cela pourrait bien être, dit Candide. »

On arriva en peu de jours sur le canal de la mer Noire.
Candide commença par racheter Cacambo fort cher; et,
sans perdre de temps, il se jeta dans une galère, avec ses
compagnons, pour aller sur le rivage de la Propontide
chercher Cunégonde, quelque laide qu'elle pût être.

Il y avait dans la chiourme deux forçats qui ramaient
fort mal, et à qui le levanti patron appliquait de temps
en temps quelques coups de nerf de bœuf sur leurs
épaules nues; Candide, par un mouvement naturel, les
regarda plus attentivement que les autres galériens, et
s'approcha d'eux avec pitié. Quelques traits de leurs
visages défigurés lui parurent avoir un peu de ressemblance avec Pangloss et avec ce malheureux jésuite, ce
baron, ce frère de mademoiselle Cunégonde. Cette idée
l'émut et l'attrista. Il les considéra encore plus attentivement. « En vérité, dit-il à Cacambo, si je n'avais pas vu
pendre maître Pangloss, et si je n'avais pas eu le malheur
de tuer le baron, je croirais que ce sont eux qui rament
dans cette galère. »

Au nom du baron et de Pangloss les deux forçats pous-
sèrent un grand cri, s'arrêtèrent sur leur banc, et laissèrent tomber leurs rames. Le levanti patron accourait
sur eux, et les coups de nerf de bœuf redoublaient.
« Arrêtez! arrêtez! seigneur, s'écria Candide; je vous donnerai tant d'argent que vous voudrez. — Quoi! c'est
Candide! disait l'un des forçats. — Quoi! c'est Candide!
disait l'autre. — Est-ce un songe? dit Candide; veillé-je?
suis-je dans cette galère? Est-ce là monsieur le baron,
que j'ai tué? Est-ce là maître Pangloss, que j'ai vu
pendre? — C'est nous-mêmes, c'est nous-mêmes, répon-
daient-ils. — Quoi! c'est là ce grand philosophe? disait
Martin. — Eh! monsieur le levanti patron, dit Candide,
combien voulez-vous d'argent pour la rançon de monsieur de Thunder-ten-tronckh, un des premiers barons de
l'empire, et de monsieur Pangloss, le plus profond méta-

physicien d'Allemagne ? — Chien de chrétien, répondit
le levanti patron, puisque ces deux chiens de forçats
chrétiens sont des barons et des métaphysiciens, ce qui
est sans doute une grande dignité dans leur pays, tu m'en
donneras cinquante mille sequins. — Vous les aurez,
monsieur; remenez-moi comme un éclair à Constantinople, et vous serez payé sur-le-champ. Mais non, menez-
moi chez mademoiselle Cunégonde. » Le levanti patron,
sur la première offre de Candide, avait déjà tourné la
proue vers la ville, et il faisait ramer plus vite qu'un
oiseau ne fend les airs.

Candide embrassa cent fois le baron et Pangloss. « Et
comment ne vous ai-je pas tué, mon cher baron ? et mon
cher Pangloss, comment êtes-vous en vie après avoir été
pendu ? et pourquoi êtes-vous tous deux aux galères en
Turquie ? — Est-il bien vrai que ma chère sœur soit dans
ce pays ? disait le baron. — Oui, répondait Cacambo. —
Je revois donc mon cher Candide », s'écriait Pangloss.
Candide leur présentait Martin et Cacambo. Ils s'embrassaient tous; ils parlaient tous à la fois. La galère volait, ils
étaient déjà dans le port. On fit venir un juif, à qui Candide vendit pour cinquante mille sequins un diamant de
la valeur de cent mille, et qui lui jura par Abraham qu'il
n'en pouvait donner davantage. Il paya incontinent la
rançon du baron et de Pangloss. Celui-ci se jeta aux pieds
de son libérateur, et les baigna de larmes; l'autre le remercia par un signe de tête, et lui promit de lui rendre cet
argent à la première occasion. « Mais est-il bien possible
que ma sœur soit en Turquie ? disait-il. — Rien n'est si
possible, reprit Cacambo, puisqu'elle écure la vaisselle
chez un prince de Transylvanie. » On fit aussitôt venir
deux juifs : Candide vendit encore des diamants; et ils
repartirent tous dans une autre galère pour aller délivrer
Cunégonde.

CHAPITRE VINGT-HUITIÈME

CE QUI ARRIVA A CANDIDE, A CUNÉGONDE,
A PANGLOSS, A MARTIN, ETC.

« Pardon, encore une fois, dit Candide au baron;
pardon, mon révérend père, de vous avoir donné un
grand coup d'épée au travers du corps. — N'en parlons
plus, dit le baron; je fus un peu trop vif, je l'avoue; mais

puisque vous voulez savoir par quel hasard vous m'avez
vu aux galères, je vous dirai qu'après avoir été guéri de
ma blessure par le frère apothicaire du collège, je fus
attaqué et enlevé par un parti espagnol; on me mit en
prison à Buenos-Ayres dans le temps que ma sœur venait
d'en partir. Je demandai à retourner à Rome auprès du
père général. Je fus nommé pour aller servir d'aumônier
à Constantinople auprès de monsieur l'ambassadeur de
France. Il n'y avait pas huit jours que j'étais entré en
fonction, quand je trouvai sur le soir un jeune icoglan
très bien fait. Il faisait fort chaud : le jeune homme voulut se baigner; je pris cette occasion de me baigner aussi.
Je ne savais pas que ce fût un crime capital pour un chrétien d'être trouvé tout nu avec un jeune musulman. Un
cadi me fit donner cent coups de bâton sous la plante
des pieds, et me condamna aux galères. Je ne crois pas
qu'on ait fait une plus horrible injustice. Mais je voudrais
bien savoir pourquoi ma sœur est dans la cuisine d'un
souverain de Transylvanie réfugié chez les Turcs.

— Mais vous, mon cher Pangloss, dit Candide, comment se peut-il que je vous revoie ? — Il est vrai, dit
Pangloss, que vous m'avez vu pendre; je devais naturellement être brûlé : mais vous vous souvenez qu'il plut
à verse lorsqu'on allait me cuire : l'orage fut si violent
qu'on désespéra d'allumer le feu; je fus pendu, parce
qu'on ne put mieux faire : un chirurgien acheta mon
corps, m'emporta chez lui, et me disséqua. Il me fit
d'abord une incision cruciale depuis le nombril jusqu'à
la clavicule. On ne pouvait pas avoir été plus mal pendu
que je l'avais été. L'exécuteur des hautes œuvres de la
sainte Inquisition, lequel était sous-diacre, brûlait à la
vérité les gens à merveille, mais il n'était pas accoutumé
à pendre : la corde était mouillée et glissa mal, elle fut
nouée; enfin je respirais encore : l'incision cruciale me
fit jeter un si grand cri que mon chirurgien tomba à la
renverse; et, croyant qu'il disséquait le diable, il s'enfuit
en mourant de peur, et tomba encore sur l'escalier en
fuyant. Sa femme accourut au bruit, d'un cabinet voisin :
elle me vit sur la table étendu avec mon incision cruciale; elle eut encore plus de peur que son mari, s'enfuit,
et tomba sur lui. Quand ils furent un peu revenus à eux,
j'entendis la chirurgienne qui disait au chirurgien :
« Mon bon, de quoi vous avisez-vous de disséquer un
hérétique ? Ne savez-vous pas que le diable est toujours
dans le corps de ces gens-là ? Je vais vite chercher un

prêtre pour l'exorciser. » Je frémis à ce propos, et je
ramassai le peu de forces qui me restaient pour crier :
« Ayez pitié de moi ! » Enfin le barbier portugais s'enhar-
dit : il recousit ma peau ; sa femme même eut soin de
moi ; je fus sur pied au bout de quinze jours. Le barbier
me trouva une condition, et me fit laquais d'un chevalier
de Malte qui allait à Venise ; mais mon maître n'ayant
pas de quoi me payer, je me mis au service d'un marchand
vénitien, et je le suivis à Constantinople.

« Un jour il me prit fantaisie d'entrer dans une mosquée ; il n'y avait qu'un vieux iman et une jeune dévote
très jolie qui disait ses patenôtres ; sa gorge était toute
découverte : elle avait entre ses deux tétons un beau bouquet de tulipes, de roses, d'anémones, de renoncules,
d'hyacinthes, et d'oreilles d'ours ; elle laissa tomber son
bouquet ; je le ramassai, et je le lui remis avec un empressement très respectueux. Je fus si longtemps à le lui
remettre que l'iman se mit en colère, et, voyant que
j'étais chrétien, il cria à l'aide. On me mena chez le cadi,
qui me fit donner cent coups de latte sur la plante des
pieds, et m'envoya aux galères. Je fus enchaîné précisément dans la même galère et au même banc que monsieur le baron. Il y avait dans cette galère quatre jeunes
gens de Marseille, cinq prêtres napolitains, et deux moines
de Corfou, qui nous dirent que de pareilles aventures
arrivaient tous les jours. Monsieur le baron prétendait
qu'il avait essuyé une plus grande injustice que moi ; je
prétendais, moi, qu'il était beaucoup plus permis de
remettre un bouquet sur la gorge d'une femme que d'être
tout nu avec un icoglan. Nous disputions sans cesse, et
nous recevions vingt coups de nerf de bœuf par jour,
lorsque l'enchaînement des événements de cet univers
vous a conduit dans notre galère, et que vous nous avez
rachetés.

— Eh bien ! mon cher Pangloss, lui dit Candide, quand
vous avez été pendu, disséqué, roué de coups, et que
vous avez ramé aux galères, avez-vous toujours pensé que
tout allait le mieux du monde ? — Je suis toujours de
mon premier sentiment, répondit Pangloss ; car enfin je
suis philosophe : il ne me convient pas de me dédire,
Leibnitz ne pouvant pas avoir tort, et l'harmonie préétablie étant d'ailleurs la plus belle chose du monde,
aussi bien que le plein et la matière subtile. »

CHAPITRE VINGT-NEUVIÈME

COMMENT CANDIDE RETROUVA CUNÉGONDE ET LA VIEILLE

Pendant que Candide, le baron, Pangloss, Martin, et Cacambo, contaient leurs aventures, qu'ils raisonnaient sur les événements contingents ou non contingents de cet univers, qu'ils disputaient sur les effets et les causes, sur le mal moral et sur le mal physique, sur la liberté et la nécessité, sur les consolations que l'on peut éprouver lorsqu'on est aux galères en Turquie, ils abordèrent sur le rivage de la Propontide, à la maison du prince de Transylvanie. Les premiers objets qui se présentèrent furent Cunégonde et la vieille, qui étendaient des serviettes sur des ficelles pour les faire sécher.

Le baron pâlit à cette vue. Le tendre amant Candide, en voyant sa belle Cunégonde rembrunie, les yeux éraillés, la gorge sèche, les joues ridées, les bras rouges et écaillés, recula trois pas, saisi d'horreur, et avança ensuite par bon procédé. Elle embrassa Candide et son frère; on embrassa la vieille : Candide les racheta toutes deux.

Il y avait une petite métairie dans le voisinage; la vieille proposa à Candide de s'en accommoder, en attendant que toute la troupe eût une meilleure destinée. Cunégonde ne savait pas qu'elle était enlaidie, personne ne l'en avait avertie : elle fit souvenir Candide de ses promesses avec un ton si absolu que le bon Candide n'osa pas la refuser. Il signifia donc au baron qu'il allait se marier avec sa sœur. « Je ne souffrirai jamais, dit le baron, une telle bassesse de sa part, et une telle insolence de la vôtre; cette infamie ne me sera jamais reprochée : les enfants de ma sœur ne pourraient entrer dans les chapitres d'Allemagne. Non, jamais ma sœur n'épousera qu'un baron de l'Empire. » Cunégonde se jeta à ses pieds, et les baigna de larmes; il fut inflexible. « Maître fou, lui dit Candide, je t'ai réchappé des galères, j'ai payé ta rançon, j'ai payé celle de ta sœur; elle lavait ici des écuelles, elle est laide, j'ai la bonté d'en faire ma femme; et tu prétends encore t'y opposer! Je te retuerais si j'en croyais ma colère. — Tu peux me tuer encore, dit le baron, mais tu n'épouseras pas ma sœur de mon vivant. »

CHAPITRE TRENTIÈME

CONCLUSION

Candide, dans le fond de son cœur, n'avait aucune envie d'épouser Cunégonde; mais l'impertinence extrême du baron le déterminait à conclure le mariage, et Cunégonde le pressait si vivement qu'il ne pouvait s'en dédire. Il consulta Pangloss, Martin, et le fidèle Cacambo. Pangloss fit un beau mémoire par lequel il prouvait que le baron n'avait nul droit sur sa sœur, et qu'elle pouvait, selon toutes les lois de l'Empire, épouser Candide de la main gauche. Martin conclut à jeter le baron dans la mer; Cacambo décida qu'il fallait le rendre au levanti patron, et le remettre aux galères, après quoi on l'enverrait à Rome au père général par le premier vaisseau. L'avis fut trouvé fort bon; la vieille l'approuva; on n'en dit rien à sa sœur; la chose fut exécutée pour quelque argent, et on eut le plaisir d'attraper un jésuite, et de punir l'orgueil d'un baron allemand.

Il était tout naturel d'imaginer qu'après tant de désastres Candide, marié avec sa maîtresse et vivant avec le philosophe Pangloss, le philosophe Martin, le prudent Cacambo, et la vieille, ayant d'ailleurs rapporté tant de diamants de la patrie des anciens Incas, mènerait la vie du monde la plus agréable; mais il fut tant friponné par les juifs qu'il ne lui resta plus rien que sa petite métairie; sa femme, devenant tous les jours plus laide, devint acariâtre et insupportable; la vieille était infirme, et fut encore de plus mauvaise humeur que Cunégonde. Cacambo, qui travaillait au jardin, et qui allait vendre des légumes à Constantinople, était excédé de travail, et maudissait sa destinée. Pangloss était au désespoir de ne pas briller dans quelque université d'Allemagne. Pour Martin, il était fermement persuadé qu'on est également mal partout; il prenait les choses en patience. Candide, Martin, et Pangloss, disputaient quelquefois de métaphysique et de morale. On voyait souvent passer sous les fenêtres de la métairie des bateaux chargés d'effendis, de bachas, de cadis, qu'on envoyait en exil à Lemnos, à Mytilène, à Erzeroum; on voyait venir d'autres cadis, d'autres bachas, d'autres effendis, qui prenaient la place des expulsés, et qui étaient expulsés à leur tour. On voyait des têtes pro-

prement empaillées qu'on allait présenter à la Sublime-
Porte. Ces spectacles faisaient redoubler les dissertations ;
et quand on ne disputait pas, l'ennui était si excessif que
la vieille osa un jour leur dire : « Je voudrais savoir lequel
est le pire, ou d'être violée cent fois par des pirates nègres,
d'avoir une fesse coupée, de passer par les baguettes chez
les Bulgares, d'être fouetté et pendu dans un auto-da-fé,
d'être disséqué, de ramer en galère, d'éprouver enfin
toutes les misères par lesquelles nous avons tous passé,
ou bien de rester ici à ne rien faire ? — C'est une grande
question », dit Candide.

Ce discours fit naître de nouvelles réflexions, et Martin
surtout conclut que l'homme était né pour vivre dans les
convulsions de l'inquiétude, ou dans la léthargie de
l'ennui. Candide n'en convenait pas, mais il n'assurait
rien. Pangloss avouait qu'il avait toujours horriblement
souffert ; mais ayant soutenu une fois que tout allait à
merveille, il le soutenait toujours, et n'en croyait rien.

Une chose acheva de confirmer Martin dans ses détestables principes, de faire hésiter plus que jamais Candide,
et d'embarrasser Pangloss. C'est qu'ils virent un jour
aborder dans leur métairie Paquette et le frère Giroflée,
qui étaient dans la plus extrême misère ; ils avaient bien
vite mangé leurs trois mille piastres, s'étaient quittés,
s'étaient raccommodés, s'étaient brouillés, avaient été mis
en prison ; s'étaient enfuis, et enfin frère Giroflée s'était
fait turc. Paquette continuait son métier partout, et n'y
gagnait plus rien. « Je l'avais bien prévu, dit Martin à
Candide, que vos présents seraient bientôt dissipés et
ne les rendraient que plus misérables. Vous avez regorgé
de millions de piastres, vous et Cacambo, et vous n'êtes
pas plus heureux que frère Giroflée et Paquette. — Ah !
ah ! dit Pangloss à Paquette, le Ciel vous ramène donc ici
parmi nous, ma pauvre enfant ! savez-vous bien que vous
m'avez coûté le bout du nez, un œil, et une oreille ?
Comme vous voilà faite ! eh ! qu'est-ce que ce monde ! »
Cette nouvelle aventure les engagea à philosopher plus
que jamais.

Il y avait dans le voisinage un derviche très fameux qui
passait pour le meilleur philosophe de la Turquie ; ils
allèrent le consulter ; Pangloss porta la parole, et lui dit :
« Maître, nous venons vous prier de nous dire pourquoi
un aussi étrange animal que l'homme a été formé. —
De quoi te mêles-tu ? lui dit le derviche ; est-ce là ton
affaire ? — Mais, mon révérend père, dit Candide, il y a

horriblement de mal sur la terre. — Qu'importe, dit le derviche, qu'il y ait du mal ou du bien ? Quand Sa Hautesse envoie un vaisseau en Egypte, s'embarrasse-t-elle si les souris qui sont dans le vaisseau sont à leur aise ou non ? — Que faut-il donc faire ? dit Pangloss. — Te taire, dit le derviche. — Je me flattais, dit Pangloss, de raisonner un peu avec vous des effets et des causes, du meilleur des mondes possibles, de l'origine du mal, de la nature de l'âme, et de l'harmonie préétablie. » Le derviche, à ces mots, leur ferma la porte au nez.

Pendant cette conversation, la nouvelle s'était répandue qu'on venait d'étrangler à Constantinople deux vizirs du banc et le muphti, et qu'on avait empalé plusieurs de leurs amis. Cette catastrophe faisait partout un grand bruit pendant quelques heures. Pangloss, Candide, et Martin, en retournant à la petite métairie, rencontrèrent un bon vieillard qui prenait le frais à sa porte sous un berceau d'orangers. Pangloss, qui était aussi curieux que raisonneur, lui demanda comment se nommait le muphti qu'on venait d'étrangler. « Je n'en sais rien, répondit le bonhomme; et je n'ai jamais su le nom d'aucun muphti ni d'aucun vizir. J'ignore absolument l'aventure dont vous me parlez; je présume qu'en général ceux qui se mêlent des affaires publiques périssent quelquefois misérablement, et qu'ils le méritent; mais je ne m'informe jamais de ce qu'on fait à Constantinople; je me contente d'y envoyer vendre les fruits du jardin que je cultive. » Ayant dit ces mots, il fit entrer les étrangers dans sa maison; ses deux filles et ses deux fils leur présentèrent plusieurs sortes de sorbets qu'ils faisaient eux-mêmes, du kaïmak piqué d'écorces de cédrat confit, des oranges, des citrons, des limons, des ananas, des pistaches, du café de Moka qui n'était point mêlé avec le mauvais café de Batavia et des îles. Après quoi les deux filles de ce bon musulman parfumèrent les barbes de Candide, de Pangloss, et de Martin.

« Vous devez avoir, dit Candide au Turc, une vaste et magnifique terre ? — Je n'ai que vingt arpents, répondit le Turc; je les cultive avec mes enfants; le travail éloigne de nous trois grands maux, l'ennui, le vice, et le besoin. »

Candide, en retournant dans sa métairie, fit de profondes réflexions sur le discours du Turc. Il dit à Pangloss et à Martin : « Ce bon vieillard me paraît s'être fait un sort bien préférable à celui des six rois avec qui nous avons eu l'honneur de souper. — Les grandeurs, dit Pangloss, sont fort dangereuses, selon le rapport de tous les philosophes : car enfin Eglon, roi des Moabites, fut assassiné par Aod ; Absalon fut pendu par les cheveux et percé de trois dards ; le roi Nadab, fils de Jéroboam, fut tué par Baasa ; le roi Ela, par Zambri ; Ochosias, par Jéhu ; Athalia, par Joïada ; les rois Joachim, Jéchonias, Sédécias, furent esclaves. Vous savez comment périrent Crésus, Astyage, Darius, Denys de Syracuse, Pyrrhus, Persée, Annibal, Jugurtha, Arioviste, César, Pompée, Néron, Othon, Vitellius, Domitien, Richard II d'Angleterre, Edouard II, Henri VI, Richard III, Marie Stuart, Charles Ier, les trois Henri de France, l'empereur Henri IV ? Vous savez... — Je sais aussi, dit Candide, qu'il faut cultiver notre jardin. — Vous avez raison, dit Pangloss ; car quand l'homme fut mis dans le jardin d'Eden, il y fut mis *ut operaretur eum*, pour qu'il travaillât : ce qui prouve que l'homme n'est pas né pour le repos. — Travaillons sans raisonner, dit Martin ; c'est le seul moyen de rendre la vie supportable. »

Toute la petite société entra dans ce louable dessein ; chacun se mit à exercer ses talents. La petite terre rapporta beaucoup. Cunégonde était, à la vérité, bien laide ; mais elle devint une excellente pâtissière ; Paquette broda ; la vieille eut soin du linge. Il n'y eut pas jusqu'à frère Giroflée qui ne rendît service ; il fut un très bon menuisier, et même devint honnête homme ; et Pangloss disait quelquefois à Candide : « Tous les événements sont enchaînés dans le meilleur des mondes possibles : car enfin si vous n'aviez pas été chassé d'un beau château à grands coups de pied dans le derrière pour l'amour de mademoiselle Cunégonde, si vous n'aviez pas été mis à l'Inquisition, si vous n'aviez pas couru l'Amérique à pied, si vous n'aviez pas donné un bon coup d'épée au baron, si vous n'aviez pas perdu tous vos moutons du bon pays d'Eldorado, vous ne mangeriez pas ici des cédrats confits et des pistaches. — Cela est bien dit, répondit Candide, mais il faut cultiver notre jardin. »

NOTE

HISTOIRE D'UN BON BRAMIN

De ce conte Mme du Deffand eut la primeur. Voltaire le lui envoie avec sa lettre du 13 octobre 1759. Il le fait imprimer en 1761, dans une *Seconde suite* de ses *Mélanges*. Il le présente à Mme du Deffand comme une « parabole » : il prend en effet comme donnée, non un événement, susceptible d'être raconté, mais une situation, prêtant aux réflexions d'un dialogue. Voltaire s'y entretient avec lui-même : son « je » questionne un bramin qui est « bon », car il ressemble au seigneur de Ferney (encore qu'on lui donne du « révérend père »). Le sage Indien agite les incertitudes qui seront celles du « philosophe ignorant » voltairien (dans l'ouvrage portant ce titre qui paraîtra en 1766).

Entre la raison insatisfaite du penseur et le bonheur stupide de la bigote, lequel choisir ? Dans sa réponse (28 octobre 1759) Mme du Deffand, poliment, avoue qu'elle hésite. Mais elle glisse une remarque qui remet en question le dilemme. Les êtres semblables à la bigote ont aussi leurs « grands chagrins », proportionnés à la petitesse de leur esprit : « Ils ne s'embarrassent pas, si vous voulez, de ce que c'est que leur âme, mais leur âme les tourmente. »

Ajoutera-t-on que le philosophe goûte quelque sorte de félicité dans les inquiétudes qui font son tourment ? Tant il est vrai « qu'il y a là de quoi parler beaucoup ».

R. P.

HISTOIRE D'UN BON BRAMIN

Je rencontrai dans mes voyages un vieux bramin, homme fort sage, plein d'esprit, et très savant; de plus, il était riche, et, partant, il en était plus sage encore : car, ne manquant de rien, il n'avait besoin de tromper personne. Sa famille était très bien gouvernée par trois belles femmes qui s'étudiaient à lui plaire; et, quand il ne s'amusait pas avec ses femmes, il s'occupait à philosopher.

Près de sa maison, qui était belle, ornée et accompagnée de jardins charmants, demeurait une vieille Indienne, bigote, imbécile, et assez pauvre.

Le bramin me dit un jour : « Je voudrais n'être jamais né. » Je lui demandai pourquoi. Il me répondit : « J'étudie depuis quarante ans, ce sont quarante années de perdues; j'enseigne les autres, et j'ignore tout : cet état porte dans mon âme tant d'humiliation et de dégoût que la vie m'est insupportable. Je suis né, je vis dans le temps, et je ne sais pas ce que c'est que le temps; je me trouve dans un point entre deux éternités, comme disent nos sages, et je n'ai nulle idée de l'éternité. Je suis composé de matière; je pense, je n'ai jamais pu m'instruire de ce qui produit la pensée; j'ignore si mon entendement est en moi une simple faculté, comme celle de marcher, de digérer, et si je pense avec ma tête comme je prends avec mes mains. Non seulement le principe de ma pensée m'est inconnu, mais le principe de mes mouvements m'est également caché : je ne sais pourquoi j'existe. Cependant on me fait chaque jour des questions sur tous ces points : il faut répondre; je n'ai rien de bon à dire; je parle beaucoup, et je demeure confus et honteux de moi-même après avoir parlé.

« C'est bien pis quand on me demande si Brama a été

produit par Vitsnou, ou s'ils sont tous deux éternels. Dieu m'est témoin que je n'en sais pas un mot, et il y paraît bien à mes réponses. « Ah! mon révérend père, me dit-on, apprenez-nous comment le mal inonde toute la terre. » Je suis aussi en peine que ceux qui me font cette question : je leur dis quelquefois que tout est le mieux du monde; mais ceux qui ont été ruinés et mutilés à la guerre n'en croient rien, ni moi non plus; je me retire chez moi accablé de ma curiosité et de mon ignorance. Je lis nos anciens livres, et ils redoublent mes ténèbres. Je parle à mes compagnons : les uns me répondent qu'il faut jouir de la vie, et se moquer des hommes; les autres croient savoir quelque chose, et se perdent dans des idées extravagantes; tout augmente le sentiment douloureux que j'éprouve. Je suis prêt quelquefois de tomber dans le désespoir, quand je songe qu'après toutes mes recherches je ne sais ni d'où je viens, ni ce que je suis, ni où j'irai, ni ce que je deviendrai. »

L'état de ce bon homme me fit une vraie peine : personne n'était ni plus raisonnable ni de meilleure foi que lui. Je conçus que plus il avait de lumières dans son entendement et de sensibilité dans son cœur, plus il était malheureux.

Je vis le même jour la vieille femme qui demeurait dans son voisinage : je lui demandai si elle avait jamais été affligée de ne savoir pas comment son âme était faite. Elle ne comprit seulement pas ma question : elle n'avait jamais réfléchi un seul moment de sa vie sur un seul des points qui tourmentaient le bramin; elle croyait aux métamorphoses de Vitsnou de tout son cœur, et pourvu qu'elle pût avoir quelquefois de l'eau du Gange pour se laver, elle se croyait la plus heureuse des femmes.

Frappé du bonheur de cette pauvre créature, je revins à mon philosophe, et je lui dis : « N'êtes-vous pas honteux d'être malheureux, dans le temps qu'à votre porte il y a un vieil automate qui ne pense à rien, et qui vit content ? — Vous avez raison, me répondit-il; je me suis dit cent fois que je serais heureux si j'étais aussi sot que ma voisine, et cependant je ne voudrais pas d'un tel bonheur. »

Cette réponse de mon bramin me fit une plus grande impression que tout le reste; je m'examinai moi-même, et je vis qu'en effet je n'aurais pas voulu être heureux à condition d'être imbécile.

Je proposai la chose à des philosophes, et ils furent de

mon avis. « Il y a pourtant, disais-je, une furieuse contradiction dans cette façon de penser : car enfin de quoi
s'agit-il ? D'être heureux. Qu'importe d'avoir de l'esprit
ou d'être sot ? Il y a bien plus : ceux qui sont contents de
leur être sont bien sûrs d'être contents; ceux qui raisonnent ne sont pas si sûrs de bien raisonner. Il est donc
clair, disais-je, qu'il faudrait choisir de n'avoir pas le
sens commun, pour peu que ce sens commun contribue
à notre mal-être. » Tout le monde fut de mon avis, et
cependant je ne trouvai personne qui voulût accepter le
marché de devenir imbécile pour devenir content. De là
je conclus que, si nous faisons cas du bonheur, nous
faisons encore plus de cas de la raison.

Mais, après y avoir réfléchi, il paraît que de préférer
la raison à la félicité, c'est être très insensé. Comment
donc cette contradiction peut-elle s'expliquer ? Comme
toutes les autres. Il y a là de quoi parler beaucoup.

NOTE

SUR

LE BLANC ET LE NOIR

En 1757 mourait le chansonnier Jean-Joseph Vadé, connu en son temps par ses vers en style « poissard ». Or en 1764 Voltaire impute à ce même personnage, ou à l'un de ses parents supposés, des *Contes de Guillaume Vadé* (à Genève, chez Cramer). En veine de générosité, il crée toute une famille Vadé : Antoine, Catherine leur sœur, chargée de publier les manuscrits du défunt, Jérôme Carré...

Le Blanc et le Noir, qui paraît dans le recueil du prétendu Vadé, n'a rien pourtant du genre « poissard ». Voltaire s'y complaît dans le merveilleux oriental. Mais son titre même annonce quelque chose de plus.

Le Blanc, le Noir, le Bien, le Mal : l'une des grandes philosophies religieuses de l'humanité, le dualisme iranien, connaît au XVIIIe siècle une de ses plus étonnantes résurgences (le dualisme avait reparu au IIIe siècle dans l'hérésie manichéenne, au XIe dans le catharisme). Un certain manichéisme se décèle dans la pensée de Pierre Bayle. En 1734, Beausobre publie une *Histoire critique de Manichée et du manichéisme*. Peu après, Jean-Philippe Rameau intéresse le public de l'Opéra au combat du Bien et du Mal par son *Zoroastre*, sur un livret de Cahusac (1749). La connaissance du mazdéisme et de son fondateur vaut à l'antique doctrine des deux principes un regain de faveur. Voltaire y voit une solution non déraisonnable au problème, pour lui si difficile, du Mal physique et métaphysique. Au passage le conte indique que la croyance au bon et au mauvais ange a, comme tant d'autres, des origines largement préchrétiennes. A tort « Guillaume Vadé » attribue un tel dogme à Platon, sur la foi du commentateur Dacier. Mais il ne se trompe pas quand il fait de Topaze et d'Ebène des génies compatriotes de Zoroastre.

R. P.

LE BLANC ET LE NOIR

Tout le monde dans la province de Candahar connaît l'aventure du jeune Rustan. Il était fils unique d'un mirza du pays : c'est comme qui dirait marquis parmi nous, ou baron chez les Allemands. Le mirza son père avait un bien honnête. On devait marier le jeune Rustan à une demoiselle, ou mirzasse de sa sorte. Les deux familles le désiraient passionnément. Il devait faire la consolation de ses parents, rendre sa femme heureuse, et l'être avec elle.

Mais par malheur il avait vu la princesse de Cachemire à la foire de Kaboul, qui est la foire la plus considérable du monde, et incomparablement plus fréquentée que celles de Bassora et d'Astracan; et voici pourquoi le vieux prince de Cachemire était venu à la foire avec sa fille.

Il avait perdu les deux plus rares pièces de son trésor : l'une était un diamant gros comme le pouce, sur lequel sa fille était gravée par un art que les Indiens possédaient alors, et qui s'est perdu depuis; l'autre était un javelot qui allait de lui-même où l'on voulait : ce qui n'est pas une chose bien extraordinaire parmi nous, mais qui l'était à Cachemire.

Un faquir de Son Altesse lui vola ces deux bijoux; il les porta à la princesse. « Gardez soigneusement ces deux pièces, lui dit-il; votre destinée en dépend. » Il partit alors, et on ne le revit plus. Le duc de Cachemire, au désespoir, résolut d'aller voir, à la foire de Kaboul, si de tous les marchands qui s'y rendent des quatre coins du monde il n'y en aurait pas un qui eût son diamant et son arme. Il menait sa fille avec lui dans tous ses voyages. Elle porta son diamant bien enfermé dans sa ceinture; mais pour le javelot, qu'elle ne pouvait si bien cacher, elle l'avait enfermé soigneusement à Cachemire dans son grand coffre de la Chine.

Rustan et elle se virent à Kaboul; ils s'aimèrent avec

toute la bonne foi de leur âge, et toute la tendresse de
leur pays. La princesse, pour gage de son amour, lui
donna son diamant, et Rustan lui promit à son départ
de l'aller voir secrètement à Cachemire.

Le jeune mirza avait deux favoris qui lui servaient de
secrétaires, d'écuyers, de maîtres d'hôtel et de valets de
chambre. L'un s'appelait Topaze : il était beau, bien fait,
blanc comme une Circassienne, doux et serviable comme
un Arménien, sage comme un Guèbre. L'autre se
nommait Ebène : c'était un nègre fort joli, plus empressé,
plus industrieux que Topaze, et qui ne trouvait rien de
difficile. Il leur communiqua le projet de son voyage.
Topaze tâcha de l'en détourner avec le zèle circonspect
d'un serviteur qui ne voulait pas lui déplaire; il lui
représenta tout ce qu'il hasardait. Comment laisser
deux familles au désespoir ? comment mettre le couteau
dans le cœur de ses parents ? Il ébranla Rustan; mais
Ebène le raffermit et leva tous ses scrupules.

Le jeune homme manquait d'argent pour un si long
voyage. Le sage Topaze ne lui en aurait pas fait prêter;
Ebène y pourvut. Il prit adroitement le diamant de son
maître, en fit faire un faux tout semblable, qu'il remit à
sa place, et donna le véritable en gage à un Arménien
pour quelques milliers de roupies.

Quand le marquis eut ses roupies, tout fut prêt pour
le départ. On chargea un éléphant de son bagage; on
monta à cheval. Topaze dit à son maître : « J'ai pris
la liberté de vous faire des remontrances sur votre entreprise; mais, après avoir remontré, il faut obéir; je suis
à vous, je vous aime, je vous suivrai jusqu'au bout du
monde; mais consultons en chemin l'oracle qui est à
deux parasanges d'ici. » Rustan y consentit. L'oracle
répondit : « Si tu vas à l'orient, tu seras à l'occident. »
Rustan ne comprit rien à cette réponse. Topaze soutint
qu'elle ne contenait rien de bon. Ebène, toujours complaisant, lui persuada qu'elle était très favorable.

Il y avait encore un autre oracle dans Kaboul; ils y
allèrent. L'oracle de Kaboul répondit en ces mots : « Si
tu possèdes, tu ne posséderas pas; si tu es vainqueur, tu
ne vaincras pas; si tu es Rustan, tu ne le seras pas. » Cet
oracle parut encore plus inintelligible que l'autre. « Prenez
garde à vous, disait Topaze. — Ne redoutez rien »,
disait Ebène; et ce ministre, comme on peut le croire,
avait toujours raison auprès de son maître, dont il encourageait la passion et l'espérance.

Au sortir de Kaboul, on marcha par une grande forêt, on s'assit sur l'herbe pour manger, on laissa les chevaux paître. On se préparait à décharger l'éléphant qui portait le dîner et le service, lorsqu'on s'aperçut que Topaze et Ebène n'étaient plus avec la petite caravane. On les appelle; la forêt retentit des noms d'Ebène et de Topaze. Les valets les cherchent de tous côtés, et remplissent la forêt de leurs cris; ils reviennent sans avoir rien vu, sans qu'on leur ait répondu. « Nous n'avons trouvé, dirent-ils à Rustan, qu'un vautour qui se battait avec un aigle, et qui lui ôtait toutes ses plumes. » Le récit de ce combat piqua la curiosité de Rustan; il alla à pied sur le lieu, il n'aperçut ni vautour ni aigle; mais il vit son éléphant, encore tout chargé de son bagage, qui était assailli par un gros rhinocéros. L'un frappait de sa corne, l'autre de sa trompe. Le rhinocéros lâcha prise à la vue de Rustan; on ramena son éléphant, mais on ne trouva plus les chevaux. « Il arrive d'étranges choses dans les forêts quand on voyage! » s'écriait Rustan. Les valets étaient consternés, et le maître au désespoir d'avoir perdu à la fois ses chevaux, son cher nègre, et le sage Topaze, pour lequel il avait toujours de l'amitié, quoiqu'il ne fût jamais de son avis.

L'espérance d'être bientôt aux pieds de la belle princesse de Cachemire le consolait, quand il rencontra un grand âne rayé, à qui un rustre vigoureux et terrible donnait cent coups de bâton. Rien n'est si beau, ni si rare, ni si léger à la course que les ânes de cette espèce. Celui-ci répondait aux coups redoublés du vilain par des ruades qui auraient pu déraciner un chêne. Le jeune mirza prit, comme de raison, le parti de l'âne, qui était une créature charmante. Le rustre s'enfuit en disant à l'âne : « Tu me le payeras. » L'âne remercia son libérateur en son langage, s'approcha, se laissa caresser, et caressa. Rustan monte dessus après avoir dîné, et prend le chemin de Cachemire avec ses domestiques, qui suivent, les uns à pied, les autres montés sur l'éléphant.

A peine était-il sur son âne que cet animal tourne vers Kaboul, au lieu de suivre la route de Cachemire. Son maître a beau tourner la bride, donner des saccades, serrer les genoux, appuyer des éperons, rendre la bride, tirer à lui, fouetter à droite et à gauche, l'animal opiniâtre courait toujours vers Kaboul.

Rustan suait, se démenait, se désespérait, quand il rencontra un marchand de chameaux qui lui dit : « Maître,

vous avez là un âne bien malin qui vous mène où vous ne
voulez pas aller; si vous voulez me le céder, je vous
donnerai quatre de mes chameaux à choisir. » Rustan
remercia la Providence de lui avoir procuré un si bon
marché. « Topaze avait grand tort, dit-il, de me dire que
mon voyage serait malheureux. » Il monte sur le plus
beau chameau, les trois autres suivent; il rejoint sa caravane, et se voit dans le chemin de son bonheur.

À peine a-t-il marché quatre parasanges qu'il est arrêté
par un torrent profond, large et impétueux, qui roulait
des rochers blanchis d'écume. Les deux rivages étaient
des précipices affreux qui éblouissaient la vue et glaçaient
le courage; nul moyen de passer, nul d'aller à droite ou à
gauche. « Je commence à craindre, dit Rustan, que Topaze
n'ait eu raison de blâmer mon voyage, et moi grand tort
de l'entreprendre; encore, s'il était ici, il me pourrait
donner quelques bons avis. Si j'avais Ebène, il me conso-
lerait, et il trouverait des expédients; mais tout me
manque. » Son embarras était augmenté par la consternation de sa troupe : la nuit était noire, on la passa à se
lamenter. Enfin la fatigue et l'abattement endormirent
l'amoureux voyageur. Il se réveille au point du jour, et
voit un beau pont de marbre élevé sur le torrent d'une
rive à l'autre.

Ce furent des exclamations, des cris d'étonnement et
de joie. « Est-il possible ? est-ce un songe ? quel prodige!
quel enchantement! oserons-nous passer ? » Toute la
troupe se mettait à genoux, se relevait, allait au pont,
baisait la terre, regardait le ciel, étendait les mains, posait
le pied en tremblant, allait, revenait, était en extase; et
Rustan disait : « Pour le coup le ciel me favorise :
Topaze ne savait ce qu'il disait; les oracles étaient en ma
faveur; Ebène avait raison; mais pourquoi n'est-il pas
ici ? »

À peine la troupe fut-elle au-delà du torrent que voilà
le pont qui s'abîme dans l'eau avec un fracas épouvantable. « Tant mieux! tant mieux! s'écria Rustan; Dieu
soit loué! le ciel soit béni! il ne veut pas que je retourne
dans mon pays, où je n'aurais été qu'un simple gentilhomme; il veut que j'épouse ce que j'aime. Je serai
prince de Cachemire; c'est ainsi qu'en *possédant* ma maîtresse, je ne *posséderai* pas mon petit marquisat à Candahar. *Je serai Rustan, et je ne le serai pas*, puisque je
deviendrai un grand prince : voilà une grande partie de
l'oracle expliquée nettement en ma faveur, le reste s'expli-

quera de même; je suis trop heureux. Mais pourquoi
Ébène n'est-il pas auprès de moi ? je le regrette mille fois
plus que Topaze. »

Il avança encore quelques parasanges avec la plus
grande allégresse; mais, sur la fin du jour, une enceinte
de montagnes plus roides qu'une contrescarpe, et plus
hautes que n'aurait été la tour de Babel si elle avait été
achevée, barra entièrement la caravane saisie de crainte.

Tout le monde s'écria : « Dieu veut que nous périssions
ici! il n'a brisé le pont que pour nous ôter tout espoir de
retour; il n'a élevé la montagne que pour nous priver de
tout moyen d'avancer. O Rustan! ô malheureux marquis!
nous ne verrons jamais Cachemire, nous ne rentrerons
jamais dans la terre de Candahar. »

La plus cuisante douleur, l'abattement le plus acca-
blant, succédaient dans l'âme de Rustan à la joie immo-
dérée qu'il avait ressentie, aux espérances dont il s'était
enivré. Il était bien loin d'interpréter les prophéties à son
avantage. « O ciel! ô Dieu paternel! faut-il que j'aie perdu
mon ami Topaze! »

Comme il prononçait ces paroles en poussant de profonds soupirs, et en versant des larmes au milieu de ses
suivants désespérés, voilà la base de la montagne qui
s'ouvre, une longue galerie en voûte, éclairée de cent mille
flambeaux, se présente aux yeux éblouis; et Rustan de
s'écrier, et ses gens de se jeter à genoux, et de tomber
d'étonnement à la renverse, et de crier miracle! et de
dire : « Rustan est le favori de Vitsnou, le bien-aimé de
Brama; il sera le maître du monde. » Rustan le croyait,
il était hors de lui, élevé au-dessus de lui-même. « Ah!
Ébène, mon cher Ébène! où êtes-vous ? que n'êtes-vous
témoin de toutes ces merveilles! comment vous ai-je
perdu ? belle princesse de Cachemire, quand reverrai-je
vos charmes ? »

Il avance avec ses domestiques, son éléphant, ses chameaux, sous la voûte de la montagne, au bout de laquelle
il entre dans une prairie émaillée de fleurs et bordée de
ruisseaux : et au bout de la prairie ce sont des allées
d'arbres à perte de vue; et au bout de ces allées, une
rivière, le long de laquelle sont mille maisons de plaisance,
avec des jardins délicieux. Il entend partout des concerts
de voix et d'instruments; il voit des danses; il se hâte de
passer un des ponts de la rivière; il demande au premier
homme qu'il rencontre quel est ce beau pays.

Celui auquel il s'adressait lui répondit : « Vous êtes

dans la province de Cachemire; vous voyez les habitants
dans la joie et dans les plaisirs; nous célébrons les noces
de notre belle princesse, qui va se marier avec le seigneur
Barbabou, à qui son père l'a promise; que Dieu perpétue
leur félicité! » A ces paroles Rustan tomba évanoui, et le
seigneur cachemirien crut qu'il était sujet à l'épilepsie; il
le fit porter dans sa maison, où il fut longtemps sans
connaissance. On alla chercher les deux plus habiles médecins du canton; ils tâtèrent le pouls du malade, qui,
ayant repris un peu ses esprits, poussait des sanglots, roulait les yeux, et s'écriait de temps en temps : « Topaze,
Topaze, vous aviez bien raison! »

L'un des deux médecins dit au seigneur cachemirien :
« Je vois à son accent que c'est un jeune homme de Candahar, à qui l'air de ce pays ne vaut rien; il faut le renvoyer chez lui; je vois à ses yeux qu'il est devenu fou;
confiez-le-moi, je le ramènerai dans sa patrie, et je le gué-
rirai. » L'autre médecin assura qu'il n'était malade que
de chagrin, qu'il fallait le mener aux noces de la princesse,
et le faire danser. Pendant qu'ils consultaient, le malade
reprit ses forces; les deux médecins furent congédiés, et
Rustan demeura tête à tête avec son hôte.

« Seigneur, lui dit-il, je vous demande pardon de
m'être évanoui devant vous, je sais que cela n'est pas
poli; je vous supplie de vouloir bien accepter mon éléphant en reconnaissance des bontés dont vous m'avez
honoré. » Il lui conta ensuite toutes ses aventures, en se
gardant bien de lui parler de l'objet de son voyage. « Mais,
au nom de Vitsnou et de Brama, lui dit-il, apprenez-moi
quel est cet heureux Barbabou qui épouse la princesse
de Cachemire; pourquoi son père l'a choisi pour gendre,
et pourquoi la princesse l'a accepté pour son époux. —
Seigneur, lui dit le Cachemirien, la princesse n'a point
du tout accepté Barbabou; au contraire, elle est dans les
pleurs, tandis que toute la province célèbre avec joie son
mariage; elle s'est enfermée dans la tour de son palais;
elle ne veut voir aucune des réjouissances qu'on fait pour
elle. » Rustan, en entendant ces paroles, se sentit renaître;
l'éclat de ses couleurs, que la douleur avait flétries, reparut sur son visage. « Dites-moi, je vous prie, continua-t-il,
pourquoi le prince de Cachemire s'obstine à donner sa
fille à un Barbabou dont elle ne veut pas.

— Voici le fait, répondit le Cachemirien. Savez-vous
que notre auguste prince avait perdu un gros diamant
et un javelot qui lui tenaient fort au cœur ? — Ah! je le

sais très bien, dit Rustan. — Apprenez donc, dit l'hôte, que notre prince, au désespoir de n'avoir point de nouvelles de ses deux bijoux, après les avoir fait longtemps chercher par toute la terre, a promis sa fille à quiconque lui rapporterait l'un ou l'autre. Il est venu un seigneur Barbabou qui était muni du diamant, et il épouse demain la princesse. »

Rustan pâlit, bégaya un compliment, prit congé de son hôte, et courut sur son dromadaire à la ville capitale où se devait faire la cérémonie. Il arrive au palais du prince; il dit qu'il a des choses importantes à lui communiquer; il demande une audience; on lui répond que le prince est occupé des préparatifs de la noce : « C'est pour cela même, dit-il, que je veux lui parler. » Il presse tant qu'il est introduit. « Monseigneur, dit-il, que Dieu couronne tous vos jours de gloire et de magnificence! votre gendre est un fripon.

— Comment un fripon! qu'osez-vous dire? est-ce ainsi qu'on parle à un duc de Cachemire du gendre qu'il a choisi? — Oui, un fripon, reprit Rustan; et pour le prouver à Votre Altesse, c'est que voici votre diamant que je vous rapporte. »

Le duc, tout étonné, confronta les deux diamants; et comme il ne s'y connaissait guère, il ne put dire quel était le véritable. « Voilà deux diamants, dit-il, et je n'ai qu'une fille; me voilà dans une étrange embarras! » Il fit venir Barbabou, et lui demanda s'il ne l'avait point trompé. Barbabou jura qu'il avait acheté son diamant d'un Arménien; l'autre ne disait pas de qui il tenait le sien, mais il proposa un expédient : ce fut qu'il plût à Son Altesse de le faire combattre sur-le-champ contre son rival. « Ce n'est pas assez que votre gendre donne un diamant, disait-il; il faut aussi qu'il donne des preuves de valeur : ne trouvez-vous pas bon que celui qui tuera l'autre épouse la princesse? — Très bon, répondit le prince, ce sera un fort beau spectacle pour la cour; battez-vous vite tous deux : le vainqueur prendra les armes du vaincu, selon l'usage de Cachemire, et il épousera ma fille. »

Les deux prétendants descendent aussitôt dans la cour. Il y avait sur l'escalier une pie et un corbeau. Le corbeau criait : « Battez-vous, battez-vous »; la pie : « Ne vous battez pas. » Cela fit rire le prince; les deux rivaux y prirent garde à peine : ils commencent le combat; tous les courtisans faisaient un cercle autour d'eux. La prin-

cesse, se tenant toujours renfermée dans sa tour, ne voulut
point assister à ce spectacle; elle était bien loin de se
douter que son amant fût à Cachemire, et elle avait tant
d'horreur pour Barbabou qu'elle ne voulait rien voir. Le
combat se passa le mieux du monde; Barbabou fut tué
roide, et le peuple en fut charmé, parce qu'il était laid,
et que Rustan était fort joli : c'est presque toujours ce qui
décide de la faveur publique.

Le vainqueur revêtit la cotte de mailles, l'écharpe, et
le casque du vaincu, et vint, suivi de toute la cour, au
son des fanfares, se présenter sous les fenêtres de sa maîtresse. Tout le monde criait : « Belle princesse, venez
voir votre beau mari qui a tué son vilain rival »; ses
femmes répétaient ces paroles. La princesse mit par
malheur la tête à la fenêtre, et voyant l'armure d'un
homme qu'elle abhorrait, elle courut en désespérée à son
coffre de la Chine, et tira le javelot fatal qui alla percer
son cher Rustan au défaut de la cuirasse; il jeta un grand
cri, et à ce cri la princesse crut reconnaître la voix de son
malheureux amant.

Elle descend échevelée, la mort dans les yeux et dans
le cœur. Rustan était déjà tombé tout sanglant dans les
bras de son père. Elle le voit : ô moment! ô vue! ô reconnaissance dont on ne peut exprimer ni la douleur, ni la
tendresse, ni l'horreur! Elle se jette sur lui, elle l'embrasse : « Tu reçois, lui dit-elle, les premiers et les derniers baisers de ton amante et de ta meurtrière. » Elle
retire le dard de la plaie, l'enfonce dans son cœur, et
meurt sur l'amant qu'elle adore. Le père, épouvanté,
éperdu, prêt à mourir comme elle, tâche en vain de la
rappeler à la vie; elle n'était plus; il maudit ce dard
fatal, le brise en morceaux, jette au loin ses deux diamants funestes; et, tandis qu'on prépare les funérailles
de sa fille au lieu de son mariage, il fait transporter dans
son palais Rustan ensanglanté, qui avait encore un reste
de vie.

On le porte dans un lit. La première chose qu'il voit
aux deux côtés de ce lit de mort, c'est Topaze et Ebène.
Sa surprise lui rendit un peu de force. « Ah! cruels, dit-il,
pourquoi m'avez-vous abandonné ? Peut-être la princesse vivrait encore, si vous aviez été près du malheureux
Rustan. — Je ne vous ai pas abandonné un seul moment,
dit Topaze. — J'ai toujours été près de vous, dit Ebène.
— Ah! que dites-vous ? pourquoi insulter à mes derniers
moments ? répondit Rustan d'une voix languissante. —

Vous pouvez m'en croire, dit Topaze; vous savez que je n'approuvai jamais ce fatal voyage dont je prévoyais les horribles suites. C'est moi qui étais l'aigle qui a combattu contre le vautour, et qu'il a déplumé; j'étais l'éléphant qui emportait le bagage pour vous forcer à retourner dans votre patrie; j'étais l'âne rayé qui vous ramenait malgré vous chez votre père; c'est moi qui ai égaré vos chevaux; c'est moi qui ai formé le torrent qui vous empêchait de passer; c'est moi qui ai élevé la montagne qui vous fermait un chemin si funeste; j'étais le médecin qui vous conseillait l'air natal; j'étais la pie qui vous criait de ne point combattre. — Et moi, dit Ebène, j'étais le vautour qui a déplumé l'aigle; le rhinocéros qui donnait cent coups de corne à l'éléphant, le vilain qui battait l'âne rayé; le marchand qui vous donnait des chameaux pour courir à votre perte; j'ai bâti le pont sur lequel vous avez passé; j'ai creusé la caverne que vous avez traversée; je suis le médecin qui vous encourageait à marcher; le corbeau qui vous criait de vous battre.

— Hélas! souviens-toi des oracles, dit Topaze : *Si tu vas à l'orient, tu seras à l'occident.* — Oui, dit Ebène, on ensevelit ici les morts le visage tourné à l'occident : l'oracle était clair, que ne l'as-tu compris ? *Tu as possédé, et tu ne possédais pas :* car tu avais le diamant, mais il était faux, et tu n'en savais rien. Tu es vainqueur, et tu meurs; tu es Rustan, et tu cesses de l'être : tout a été accompli. »

Comme il parlait ainsi, quatre ailes blanches couvrirent le corps de Topaze, et quatre ailes noires celui d'Ebène. « Que vois-je ? » s'écria Rustan. Topaze et Ebène répondirent ensemble : « Tu vois tes deux génies. — Eh! messieurs, leur dit le malheureux Rustan, de quoi vous mêliez-vous ? et pourquoi deux génies pour un pauvre homme ? — C'est la loi, dit Topaze; chaque homme a ses deux génies, c'est Platon qui l'a dit le premier, et d'autres l'ont répété ensuite; tu vois que rien n'est plus véritable : moi qui te parle, je suis ton bon génie, et ma charge était de veiller auprès de toi jusqu'au dernier moment de ta vie; je m'en suis fidèlement acquitté. — Mais, dit le mourant, si ton emploi était de me servir, je suis donc d'une nature fort supérieure à la tienne; et puis comment oses-tu dire que tu es mon bon génie, quand tu m'as laissé tromper dans tout ce que j'ai entrepris, et que tu me laisses mourir, moi et ma maîtresse, misérablement ? — Hélas! c'était ta destinée, dit Topaze. — Si c'est la destinée qui fait tout, dit le mourant, à quoi

un génie est-il bon ? Et toi, Ebène, avec tes quatre ailes
noires, tu es apparemment mon mauvais génie ? — Vous
l'avez dit, répondit Ebène. — Mais tu étais donc aussi le
mauvais génie de ma princesse ? — Non, elle avait le
sien, et je l'ai parfaitement secondé. — Ah ! maudit Ebène,
si tu es si méchant, tu n'appartiens donc pas au même
maître que Topaze ? vous avez été formés tous deux par
deux principes différents, dont l'un est bon, et l'autre
méchant de sa nature ? — Ce n'est pas une conséquence,
dit Ebène, mais c'est une grande difficulté. — Il n'est pas
possible, reprit l'agonisant, qu'un être favorable ait fait
un génie si funeste. — Possible ou non possible, repartit
Ebène, la chose est comme je te le dis. — Hélas ! dit
Topaze, mon pauvre ami, ne vois-tu pas que ce coquin-là
a encore la malice de te faire disputer pour allumer ton
sang et précipiter l'heure de ta mort ? — Va, je ne suis
guère plus content de toi que de lui, dit le triste Rustan :
il avoue du moins qu'il a voulu me faire du mal ; et toi,
qui prétendais me défendre, tu ne m'as servi de rien. —
J'en suis bien fâché, dit le bon génie. — Et moi aussi, dit
le mourant ; il y a quelque chose là-dessous que je ne
comprends pas. — Ni moi non plus, dit le pauvre bon
génie. — J'en serai instruit dans un moment, dit Rustan.
— C'est ce que nous verrons, dit Topaze. » Alors tout
disparut. Rustan se retrouva dans la maison de son père,
dont il n'était pas sorti, et dans son lit, où il avait dormi
une heure.

Il se réveille en sursaut, tout en sueur, tout égaré ; il se
tâte, il appelle, il crie, il sonne. Son valet de chambre,
Topaze, accourt en bonnet de nuit, et tout en bâillant.
« Suis-je mort, suis-je en vie ? s'écria Rustan ; la belle
princesse de Cachemire en réchappera-t-elle ?... — Monseigneur rêve-t-il ? répondit froidement Topaze.

— Ah ! s'écriait Rustan, qu'est donc devenu ce barbare Ebène avec ses quatre ailes noires ? c'est lui qui me
fait mourir d'une mort si cruelle. — Monseigneur, je l'ai
laissé là-haut, qui ronfle : voulez-vous qu'on le fasse descendre ? — Le scélérat ! il y a six mois entiers qu'il me
persécute ; c'est lui qui me mena à cette fatale foire de
Kaboul ; c'est lui qui m'escamota le diamant que m'avait
donné la princesse ; il est seul la cause de mon voyage,
de la mort de ma princesse, et du coup de javelot dont
je meurs à la fleur de mon âge.

— Rassurez-vous, dit Topaze ; vous n'avez jamais été
à Kaboul ; il n'y a point de princesse de Cachemire ; son

père n'a jamais eu que deux garçons qui sont actuellement au collège. Vous n'avez jamais eu de diamant; la princesse ne peut être morte, puisqu'elle n'est pas née; et vous vous portez à merveille.

— Comment! il n'est pas vrai que tu m'assistais à la mort dans le lit du prince de Cachemire? Ne m'as-tu pas avoué que, pour me garantir de tant de malheurs, tu avais été aigle, éléphant, âne rayé, médecin, et pie? — Monseigneur, vous avez rêvé tout cela: nos idées ne dépendent pas plus de nous dans le sommeil que dans la veille. Dieu a voulu que cette file d'idées vous ait passé par la tête, pour vous donner apparemment quelque instruction dont vous ferez votre profit.

— Tu te moques de moi, reprit Rustan; combien de temps ai-je dormi? — Monseigneur, vous n'avez encore dormi qu'une heure. — Eh bien! maudit raisonneur, comment veux-tu qu'en une heure de temps j'aie été à la foire de Kaboul il y a six mois, que j'en sois revenu, que j'aie fait le voyage de Cachemire, et que nous soyons morts, Barbabou, la princesse, et moi? — Monseigneur, il n'y a rien de plus aisé et de plus ordinaire, et vous auriez pu réellement faire le tour du monde, et avoir beaucoup plus d'aventures en bien moins de temps.

« N'est-il pas vrai que vous pouvez lire en une heure l'abrégé de l'histoire des Perses, écrite par Zoroastre? cependant cet abrégé contient huit cent mille années. Tous ces événements passent sous vos yeux l'un après l'autre en une heure; or vous m'avouerez qu'il est aussi aisé à Brama de les resserrer tous dans l'espace d'une heure que de les étendre dans l'espace de huit cent mille années; c'est précisément la même chose. Figurez-vous que le temps tourne sur une roue dont le diamètre est infini. Sous cette roue immense sont une multitude innombrable de roues les unes dans les autres; celle du centre est imperceptible, et fait un nombre infini de tours précisément dans le même temps que la grande roue n'en achève qu'un. Il est clair que tous les événements, depuis le commencement du monde, jusqu'à sa fin, peuvent arriver successivement en beaucoup moins de temps que la cent millième partie d'une seconde; et on peut dire même que la chose est ainsi.

— Je n'y entends rien, dit Rustan. — Si vous voulez, dit Topaze, j'ai un perroquet qui vous le fera aisément comprendre. Il est né quelque temps avant le déluge, il a été dans l'arche; il a beaucoup vu; cependant il n'a

encore qu'un an et demi : il vous contera son histoire, qui
est fort intéressante.

— Allez vite chercher votre perroquet, dit Rustan; il
m'amusera jusqu'à ce que je puisse me rendormir. — Il
est chez ma sœur la religieuse, dit Topaze; je vais le
chercher, vous en serez content; sa mémoire est fidèle, il
conte simplement, sans chercher à montrer de l'esprit à
tout propos, et sans faire des phrases. — Tant mieux,
dit Rustan, voilà comme j'aime les contes. » On lui
amena le perroquet, lequel parla ainsi.

*N. B. Mademoiselle Catherine Vadé n'a jamais pu trou-
ver l'histoire du perroquet dans le portefeuille de feu son
cousin Antoine Vadé, auteur de ce conte. C'est grand dommage, vu le temps auquel vivait ce perroquet.*

« Il fut vrai. T'as-t'alguer d'une enfant, un plait dans les.......................... fust une vers du v'Soone Vanine r.......................... à ma qu'la lenge vie re pre fa, qu.......................... ter pa »

NOTE
SUR
JEANNOT ET COLIN

Jeannot et Colin est encore l'un des *Contes* de « Guillaume Vadé » (Genève, 1764).

On admire la fécondité de cet auteur. Après l'oriental *Blanc et Noir*, à côté de contes en vers quelque peu scabreux insérés dans le même recueil, voici un « conte moral ». Marmontel avait obtenu du succès par ses *Contes moraux* de 1761, conformes à l'esprit du temps. Voltaire a l'habitude de s'essayer dans les genres à la mode : il écrit *Jeannot et Colin*, seul survivant aujourd'hui d'une espèce alors nombreuse.

La moralité (« que le bonheur n'est pas dans la vanité ») se dégage comme à l'improviste. L'intérêt se situe ailleurs. Une fois de plus Voltaire fait la satire de la vie parisienne. Lui si « Parisien », il n'a cessé d'accuser l'existence qu'on mène à Paris d'être légère, vide, follement dispendieuse. Il le fait avec un esprit très parisien, lançant un sujet promis à un long succès dans le secteur frivole des lettres françaises. Il ne craint pas d'opposer au bel air de la capitale le sérieux provincial. Son séjour dans la province (Genève pour lui paraissait telle) commence à le marquer. Il juge, lui aussi, qu'à l'écart du tourbillon parisien on mène une vie simple, plus « naturelle ». Mais il ne partage pas toutes les préventions de Jean-Jacques. L'Auvergne de Colin n'est point le vertueux paradis de la frugalité. Tout au contraire : on s'y enrichit, par le fructueux commerce de la quincaillerie. Surtout on sait y aimer ses amis. Voltaire a le génie de l'animosité. Il a aussi le don de l'amitié :

> *Quiconque avec moi s'entretient*
> *Semble disposer de mon âme.*

ROMANS ET CONTES

Il dit vrai. Une chaleur d'âme en lui se plaît dans les relations « bon enfant ». Jadis il avait, à côté du *Temple du Goût*, érigé un *Temple* en vers *de l'Amitié*. *Jeannot et Colin* est, de cette même Amitié, le temple en prose, qu'on ne se lasse pas de fréquenter.

R. P.

JEANNOT ET COLIN

Plusieurs personnes dignes de foi ont vu Jeannot et Colin à l'école dans la ville d'Issoire, en Auvergne, ville fameuse dans tout l'univers par son collège et par ses chaudrons. Jeannot était fils d'un marchand de mulets très renommé, et Colin devait le jour à un brave laboureur des environs, qui cultivait la terre avec quatre mulets, et qui, après avoir payé la taille, le taillon, les aides et gabelles, le sou pour livre, la capitation et les vingtièmes, ne se trouvait pas puissamment riche au bout de l'année.

Jeannot et Colin étaient fort jolis pour des Auvergnats; ils s'aimaient beaucoup, et ils avaient ensemble de petites privautés, de petites familiarités, dont on se ressouvient toujours avec agrément quand on se rencontre ensuite dans le monde.

Le temps de leurs études était sur le point de finir, quand un tailleur apporta à Jeannot un habit de velours à trois couleurs, avec une veste de Lyon de fort bon goût; le tout était accompagné d'une lettre à monsieur de La Jeannotière. Colin admira l'habit, et ne fut point jaloux; mais Jeannot prit un air de supériorité qui affligea Colin. Dès ce moment Jeannot n'étudia plus, se regarda au miroir, et méprisa tout le monde. Quelque temps après un valet de chambre arrive en poste, et apporte une seconde lettre à monsieur le marquis de La Jeannotière : c'était un ordre de monsieur son père de faire venir monsieur son fils à Paris. Jeannot monta en chaise en tendant la main à Colin avec un sourire de protection assez noble. Colin sentit son néant, et pleura. Jeannot partit dans toute la pompe de sa gloire.

Les lecteurs qui aiment à s'instruire doivent savoir que monsieur Jeannot le père avait acquis assez rapidement

des biens immenses dans les affaires. Vous demandez
comment on fait ces grandes fortunes ? C'est parce
qu'on est heureux. Monsieur Jeannot était bien fait, sa
femme aussi, et elle avait encore de la fraîcheur. Ils
allèrent à Paris pour un procès qui les ruinait, lorsque la
fortune, qui élève et qui abaisse les hommes à son gré,
les présenta à la femme d'un entrepreneur des hôpitaux
des armées, homme d'un grand talent, et qui pouvait se
vanter d'avoir tué plus de soldats en un an que le canon
n'en fait périr en dix. Jeannot plut à madame; la femme
de Jeannot plut à monsieur. Jeannot fut bientôt de
part dans l'entreprise; il entra dans d'autres affaires. Dès
qu'on est dans le fil de l'eau, il n'y a qu'à se laisser aller;
on fait sans peine une fortune immense. Les gredins, qui
du rivage vous regardent voguer à pleines voiles, ouvrent
des yeux étonnés; ils ne savent comment vous avez pu
parvenir; ils vous envient au hasard, et font contre vous
des brochures que vous ne lisez point. C'est ce qui arriva
à Jeannot le père, qui fut bientôt monsieur de La Jeannotière, et qui ayant acheté un marquisat au bout de
six mois, retira de l'école monsieur le marquis son fils,
pour le mettre à Paris dans le beau monde.

Colin, toujours tendre, écrivit une lettre de compliments à son ancien camarade, *et lui fit ces lignes pour le
congratuler*. Le petit marquis ne lui fit point de réponse :
Colin en fut malade de douleur.

Le père et la mère donnèrent d'abord un gouverneur
au jeune marquis : ce gouverneur, qui était un homme
du bel air, et qui ne savait rien, ne put rien enseigner à
son pupille. Monsieur voulait que son fils apprît le latin,
madame ne le voulait pas. Ils prirent pour arbitre un
auteur qui était célèbre alors par des ouvrages agréables.
Il fut prié à dîner. Le maître de la maison commença par
lui dire d'abord : « Monsieur comme vous savez le latin,
et que vous êtes un homme de la cour... — Moi, monsieur, du latin! je n'en sais pas un mot, répondit le bel
esprit, et bien m'en a pris; il est clair qu'on parle beaucoup mieux sa langue quand on ne partage pas son application entre elle et les langues étrangères. Voyez toutes
nos dames, elles ont l'esprit plus agréable que les
hommes; leurs lettres sont écrites avec cent fois plus de
grâce; elles n'ont sur nous cette supériorité que parce
qu'elles ne savent pas le latin.

— Eh bien! n'avais-je pas raison ? dit madame. Je
veux que mon fils soit un homme d'esprit, qu'il réussisse

dans le monde; et vous voyez bien que, s'il savait le latin, il serait perdu. Joue-t-on, s'il vous plaît, la comédie et l'opéra en latin ? Plaide-t-on en latin quand on a un procès ? Fait-on l'amour en latin ? » Monsieur, ébloui de ces raisons, passa condamnation, et il fut conclu que le jeune marquis ne perdrait point son temps à connaître Cicéron, Horace, et Virgile. Mais qu'apprendra-t-il donc ? car encore faut-il qu'il sache quelque chose; ne pourrait-on pas lui montrer un peu de géographie ? « A quoi cela lui servira-t-il ? répondit le gouverneur. Quand monsieur le marquis ira dans ses terres les postillons ne sauront-ils pas les chemins ? ils ne l'égareront certainement pas. On n'a pas besoin d'un quart de cercle pour voyager, et on va très commodément de Paris en Auvergne, sans qu'il soit besoin de savoir sous quelle latitude on se trouve.

— Vous avez raison, répliqua le père; mais j'ai entendu parler d'une belle science qu'on appelle, je crois, l'*astronomie*. — Quelle pitié! repartit le gouverneur; se conduit-on par les astres dans ce monde ? et faudra-t-il que monsieur le marquis se tue à calculer une éclipse, quand il la trouve à point nommé dans l'almanach, qui lui enseigne de plus les fêtes mobiles, l'âge de la lune, et celui de toutes les princesses de l'Europe ? »

Madame fut entièrement de l'avis du gouverneur. Le petit marquis était au comble de la joie; le père était très indécis. « Que faudra-t-il donc apprendre à mon fils ? disait-il. — À être aimable, répondit l'ami que l'on consultait; et s'il sait *les moyens de plaire*, il saura tout : c'est un art qu'il apprendra chez madame sa mère, sans que ni l'un ni l'autre se donnent la moindre peine. »

Madame, à ce discours, embrassa le gracieux ignorant, et lui dit : « On voit bien, monsieur, que vous êtes l'homme du monde le plus savant; mon fils vous devra toute son éducation : je m'imagine pourtant qu'il ne serait pas mal qu'il sût un peu d'histoire. — Hélas! madame, à quoi cela est-il bon ? répondit-il; il n'y a certainement d'agréable et d'utile que l'histoire du jour. Toutes les histoires anciennes, comme le disait un de nos beaux esprits, ne sont que des fables convenues; et pour les modernes, c'est un chaos qu'on ne peut débrouiller. Qu'importe à monsieur votre fils que Charlemagne ait institué les douze pairs de France, et que son successeur ait été bègue.

— Rien n'est mieux dit! s'écria le gouverneur : on étouffe l'esprit des enfants sous un amas de connaissances inutiles; mais de toutes les sciences la plus absurde, à mon avis, et celle qui est la plus capable d'étouffer toute espèce de génie, c'est la géométrie. Cette science ridicule a pour objet des surfaces, des lignes, et des points, qui n'existent pas dans la nature. On fait passer en esprit cent mille lignes courbes entre un cercle et une ligne droite qui le touche, quoique dans la réalité on n'y puisse pas passer un fétu. La géométrie, en vérité, n'est qu'une mauvaise plaisanterie. »

Monsieur et Madame n'entendaient pas trop ce que le gouverneur voulait dire; mais ils furent entièrement de son avis.

« Un seigneur comme monsieur le marquis, continua-t-il, ne doit pas se dessécher le cerveau dans ces vaines études. Si un jour il a besoin d'un géomètre sublime pour lever le plan de ses terres, il les fera arpenter pour son argent. S'il veut débrouiller l'antiquité de sa noblesse, qui remonte aux temps les plus reculés, il enverra chercher un bénédictin. Il en est de même de tous les arts. Un jeune seigneur heureusement né n'est ni peintre, ni musicien, ni architecte, ni sculpteur; mais il fait fleurir tous ces arts en les encourageant par sa magnificence. Il vaut sans doute mieux les protéger que de les exercer; il suffit que monsieur le marquis ait du goût; c'est aux artistes à travailler pour lui; et c'est en quoi on a très grande raison de dire que les gens de qualité (j'entends ceux qui sont très riches) savent tout sans avoir rien appris, parce qu'en effet ils savent à la longue juger de toutes les choses qu'ils commandent et qu'ils payent. »

L'aimable ignorant prit alors la parole, et dit : « Vous avez très bien remarqué, madame, que la grande fin de l'homme est de réussir dans la société. De bonne foi, est-ce par les sciences qu'on obtient ce succès ? S'est-on jamais avisé dans la bonne compagnie de parler de géométrie ? Demande-t-on jamais à un honnête homme quel astre se lève aujourd'hui avec le soleil ? S'informe-t-on à souper si Clodion le Chevelu passa le Rhin ? — Non, sans doute, s'écria la marquise de La Jeannotière, que ses charmes avaient initiée quelquefois dans le beau monde; et monsieur mon fils ne doit point éteindre son génie par l'étude de tous ces fatras, mais enfin que lui apprendra-t-on ? Car il est bon qu'un jeune seigneur puisse briller dans l'occasion, comme dit monsieur mon mari. Je me souviens d'avoir ouï dire à un abbé que la plus agréable des sciences était une chose dont j'ai oublié

le nom, mais qui commence par un *B*. — Par un *B*,
madame ? ne serait-ce point la botanique ? — Non, ce
n'était point de botanique qu'il me parlait ; elle commençait, vous dis-je, par un *B*, et finissait par un *on*. — Ah !
j'entends, madame ; c'est le blason : c'est, à la vérité, une
science fort profonde ; mais elle n'est plus à la mode
depuis qu'on a perdu l'habitude de faire peindre ses
armes aux portières de son carrosse ; c'était la chose du
monde la plus utile dans un Etat bien policé. D'ailleurs,
cette étude serait infinie : il n'y a point aujourd'hui de
barbier qui n'ait ses armoiries ; et vous savez que tout ce
qui devient commun est peu fêté. » Enfin, après avoir
examiné le fort et le faible des sciences, il fut décidé que
monsieur le marquis apprendrait à danser.

La nature, qui fait tout, lui avait donné un talent qui
se développa bientôt avec un succès prodigieux : c'était
de chanter agréablement des vaudevilles. Les grâces de
la jeunesse, jointes à ce don supérieur, le firent regarder
comme le jeune homme de la plus grande espérance. Il
fut aimé des femmes ; et ayant la tête toute pleine de
chansons, il en fit pour ses maîtresses. Il pillait *Bacchus
et l'Amour* dans un vaudeville, *la nuit et le jour* dans un
autre, *les charmes et les alarmes* dans un troisième ; mais,
comme il y avait toujours dans ses vers quelques pieds
de plus ou de moins qu'il ne fallait, il les faisait corriger
moyennant vingt louis d'or par chanson ; et il fut mis
dans *l'Année littéraire* au rang des La Fare, des Chaulieu,
des Hamilton, des Sarrasin et des Voiture.

Madame la marquise crut alors être la mère d'un bel
esprit, et donna à souper aux beaux esprits de Paris. La
tête du jeune homme fut bientôt renversée ; il acquit l'art
de parler sans s'entendre, et se perfectionna dans l'habitude de n'être propre à rien. Quand son père le vit si
éloquent, il regretta vivement de ne lui avoir pas fait
apprendre le latin, car il lui aurait acheté une grande
charge dans la robe. La mère, qui avait des sentiments
plus nobles, se chargea de solliciter un régiment pour son
fils ; et en attendant il fit l'amour. L'amour est quelquefois plus cher qu'un régiment. Il dépensa beaucoup, pendant que ses parents s'épuisaient encore davantage à
vivre en grands seigneurs.

Une jeune veuve de qualité, leur voisine, qui n'avait
qu'une fortune médiocre, voulut bien se résoudre à
mettre en sûreté les grands biens de monsieur et de
madame de La Jeannotière, en se les appropriant, et en

épousant le jeune marquis. Elle l'attira chez elle, se laissa
aimer, lui fit entrevoir qu'il ne lui était pas indifférent,
le conduisit par degrés, l'enchanta, le subjugua sans peine.
Elle lui donnait tantôt des éloges, tantôt des conseils ;
elle devint la meilleure amie du père et de la mère. Une
vieille voisine proposa le mariage ; les parents, éblouis de
la splendeur de cette alliance, acceptèrent avec joie la
proposition : ils donnèrent leur fils unique à leur amie
intime. Le jeune marquis allait épouser une femme qu'il
adorait et dont il était aimé ; les amis de la maison le féli-
citaient ; on allait rédiger les articles, en travaillant aux
habits de noce et à l'épithalame.

Il était, un matin, aux genoux de la charmante épouse
que l'amour, l'estime, et l'amitié, allaient lui donner ; ils
goûtaient, dans une conversation tendre et animée, les
prémices de leur bonheur ; ils s'arrangeaient pour mener
une vie délicieuse, lorsqu'un valet de chambre de madame
la mère arrive tout effaré. « Voici bien d'autres nouvelles,
dit-il ; des huissiers déménagent la maison de monsieur
et de madame ; tout est saisi par des créanciers ; on parle
de prise de corps, et je vais faire mes diligences pour être
payé de mes gages. — Voyons un peu, dit le marquis,
que c'est que ça, ce que c'est que cette aventure-là. —
Oui, dit la veuve, allez punir ces coquins-là, allez vite. »
Il y court, il arrive à la maison ; son père était déjà emprisonné : tous les domestiques avaient fui chacun de leur
côté, en emportant tout ce qu'ils avaient pu. Sa mère
était seule, sans secours, sans consolation, noyée dans les
larmes ; il ne lui restait rien que le souvenir de sa fortune,
de sa beauté, de ses fautes, et de ses folles dépenses.

Après que le fils eut longtemps pleuré avec la mère, il
lui dit enfin : « Ne nous désespérons pas ; cette jeune
veuve m'aime éperdument ; elle est plus généreuse encore
que riche, je réponds d'elle ; je vole à elle, et je vais vous
l'amener. » Il retourne donc chez sa maîtresse, il la trouve
tête à tête avec un jeune officier fort aimable. « Quoi !
c'est vous, monsieur de La Jeannotière ; que venez-vous
faire ici ? abandonne-t-on ainsi sa mère ? Allez chez cette
pauvre femme, et dites-lui que je lui veux toujours du
bien : j'ai besoin d'une femme de chambre, et je lui donnerai la préférence. — Mon garçon, tu me parais assez
bien tourné, lui dit l'officier ; si tu veux entrer dans ma
compagnie je te donnerai un bon engagement. »

Le marquis stupéfait, la rage dans le cœur, alla chercher son ancien gouverneur, déposa ses douleurs dans son

sein, et lui demanda des conseils. Celui-ci lui proposa de se faire, comme lui, gouverneur d'enfants. « Hélas! je ne sais rien, vous ne m'avez rien appris, et vous êtes la première cause de mon malheur »; et il sanglotait en lui parlant ainsi. « Faites des romans, lui dit un bel esprit qui était là; c'est une excellente ressource à Paris. »

Le jeune homme, plus désespéré que jamais, courut chez le confesseur de sa mère : c'était un théatin très accrédité, qui ne dirigeait que les femmes de la première considération; dès qu'il le vit, il se précipita vers lui. « Eh! mon Dieu! monsieur le marquis, où est votre carrosse ? comment se porte la respectable madame la marquise votre mère ? » Le pauvre malheureux lui conta le désastre de sa famille. A mesure qu'il s'expliquait, le théatin prenait une mine plus grave, plus indifférente, plus imposante : « Mon fils, voilà où Dieu vous voulait; les richesses ne servent qu'à corrompre le cœur; Dieu a donc fait la grâce à votre mère de la réduire à la mendicité ? — Oui monsieur. — Tant mieux, elle est sûre de son salut. — Mais, mon père, en attendant, n'y aurait-il pas moyen d'obtenir quelque secours dans ce monde ? — Adieu, mon fils; il y a une dame de la cour qui m'attend. »

Le marquis fut prêt à s'évanouir; il fut traité à peu près de même par ses amis, et apprit mieux à connaître le monde dans une demi-journée que dans tout le reste de sa vie.

Comme il était plongé dans l'accablement du désespoir, il vit avancer une chaise roulante à l'antique, espèce de tombereau couvert, accompagné de rideaux de cuir, suivi de quatre charrettes énormes toutes chargées. Il y avait dans la chaise un jeune homme grossièrement vêtu; c'était un visage rond et frais qui respirait la douceur et la gaieté. Sa petite femme brune, et assez grossièrement agréable, était cahotée à côté de lui. La voiture n'allait pas comme le char d'un petit-maître. Le voyageur eut tout le temps de contempler le marquis immobile, abîmé dans sa douleur. « Eh! mon Dieu! s'écria-t-il, je crois que c'est là Jeannot. » A ce nom, le marquis lève les yeux, la voiture s'arrête : « C'est Jeannot lui-même, c'est Jeannot. » Le petit homme rebondi ne fait qu'un saut, et court embrasser son ancien camarade. Jeannot reconnut Colin; la honte et les pleurs couvrirent son visage. « Tu m'as abandonné, dit Colin; mais tu as beau être grand seigneur, je t'aimerai toujours. » Jeannot, confus et attendri, lui conta en sanglotant, une partie de son histoire. « Viens dans l'hôtellerie où je loge me conter le reste, lui dit Colin ; embrasse ma petite femme, et allons dîner ensemble. »

Ils vont tous trois à pied, suivis du bagage. « Qu'est-ce donc que tout cet attirail ? vous appartient-il ? — Oui, tout est à moi et à ma femme. Nous arrivons du pays ; je suis à la tête d'une bonne manufacture de fer étamé et de cuivre. J'ai épousé la fille d'un riche négociant en ustensiles nécessaires aux grands et aux petits ; nous travaillons beaucoup ; Dieu nous bénit ; nous n'avons point changé d'état ; nous sommes heureux, nous aiderons notre ami Jeannot. Ne sois plus marquis ; toutes les grandeurs de ce monde ne valent pas un bon ami. Tu reviendras avec moi au pays, je t'apprendrai le métier, il n'est pas bien difficile ; je te mettrai de part, et nous vivrons gaiement dans le coin de terre où nous sommes nés. »

Jeannot, éperdu, se sentait partagé entre la douleur et la joie, la tendresse et la honte ; et il se disait tout bas : « Tous mes amis du bel air m'ont trahi, et Colin, que j'ai méprisé, vient seul à mon secours. Quelle instruction ! » La bonté d'âme de Colin développa dans le cœur de Jeannot le germe du bon naturel, que le monde n'avait pas encore étouffé. Il sentit qu'il ne pouvait abandonner son père et sa mère. « Nous aurons soin de ta mère, dit Colin ; et quant à ton bonhomme de père, qui est en prison, j'entends un peu les affaires ; ses créanciers, voyant qu'il n'a plus rien, s'accommoderont pour peu de chose ; je me charge de tout. » Colin fit tant qu'il tira le père de prison. Jeannot retourna dans sa patrie avec ses parents, qui reprirent leur première profession. Il épousa une sœur de Colin, laquelle, étant de même humeur que le frère, le rendit très heureux. Et Jeannot le père, et Jeannotte la mère, et Jeannot le fils, virent que le bonheur n'est pas dans la vanité.

NOTE

SUR

POT-POURRI

Dans sa bibliothèque de Ferney, Voltaire avait constitué des dizaines de « pots-pourris » : recueils factices reliant ensemble des brochures et fragments divers, parfois autour d'un titre. Il avait sur ses rayons un *Pot-pourri Ane littéraire* (ayant trait à *l'Année littéraire* de Fréron), un *Jésuites*, un *Rousseau*, d'autres encore.

Le conte *Pot-Pourri*, paru dans les *Nouveaux Mélanges* de 1765, pourrait s'intituler « Eglise ». Car on comprend vite que ce Brioché n'est pas celui des historiens du théâtre les frères Parfaict, lequel montra les marionnettes au Pont-Neuf sous Louis XIV. Le Brioché du conte a deux généalogies aussi différentes que celles de Jésus par saint Luc et saint Matthieu : preuve, disait, non pas le P. Daniel, mais Pascal, que « cela n'a pas été fait de concert ». On voit dès lors à qui fait allusion la vie de Polichinelle fils de Brioché. On traduit : le sieur Bienfait est le pape ; la mère Gigogne, l'Eglise de Rome ; leur domestique « cassé aux gages », Luther...

Voltaire a-t-il senti qu'une telle mascarade, par trop « voltairienne », heurterait le bon goût comme le bon sens, et déplairait même aux incroyants ? Il évite de la débiter tout d'un trait. Il fait en sorte que l'allégorie demeure obscure. Il la donne comme la production bizarre d'un Anglais, qu'il lit en l'entremêlant de réflexions et de propos, apparemment sans rapport avec l'histoire de Polichinelle. La forme du « pot-pourri » rend plus supportable une plaisanterie de ce genre.

Mais les digressions finissent par nous ramener au sujet. De quoi parle M. Husson, voisin du narrateur ? De l'expulsion des jésuites (compromis dans l'attentat contre le roi de Portugal), du Polyeucte fanatique de Corneille, des superstitions orientales. M. de Boucacous, autre

interlocuteur, s'indigne des persécutions contre les huguenots français. Il n'est pas jusqu'à Jean-Jacques qui ne
fournisse sa partie. Voltaire n'oublie pas de prendre ses
avantages. Ce Rousseau antiphilosophe, dont les antiphilosophes du Parlement de Paris font brûler l'*Emile*,
Voltaire se plaît à souligner qu'il est, lui aussi, quoique
dans une chapelle différente, un théiste.

                                              R. P.

POT-POURRI

I

Brioché fut le père de Polichinelle, non pas son propre père, mais père de génie. Le père de Brioché était Guillot Gorju, qui fut fils de Gilles, qui fut fils de Gros-René, qui tirait son origine du prince des sots et de la mère sotte : c'est ainsi que l'écrit l'auteur de l'Almanach de la Foire. Monsieur Parfaict, écrivain non moins digne de foi, donne pour père à Brioché Tabarin, à Tabarin Gros-Guillaume, à Gros-Guillaume Jean Boudin, mais en remontant toujours au prince des sots. Si ces deux historiens se contredisent, c'est une preuve de la vérité du fait pour le père Daniel, qui les concilie avec une merveilleuse sagacité, et qui détruit par là le pyrrhonisme de l'histoire.

II

Comme je finissais ce premier paragraphe des cahiers de Merri Hissing dans mon cabinet, dont la fenêtre donne sur la rue St. Antoine, j'ai vu passer les syndics des apothicaires, qui allaient saisir des drogues et du vert-de-gris que les jésuites de la rue St. Antoine vendaient en contrebande; mon voisin monsieur Husson, qui est une bonne tête, est venu chez moi, et m'a dit : « Mon ami, vous riez de voir les jésuites vilipendés; vous êtes bien aise de savoir qu'ils sont convaincus d'un parricide en Portugal, et d'une rébellion au Paraguai; le cri public qui s'élève en France contre eux, la haine qu'on leur porte, les opprobres multipliés dont ils sont couverts, semblent être pour vous une consolation; mais sachez

que, s'ils sont perdus comme tous les honnêtes gens le
désirent, vous n'y gagnerez rien : vous serez accablé par
la faction des jansénistes. Ce sont des enthousiastes
féroces, des âmes de bronze, pires que les presbytériens
qui renversèrent le trône de Charles Ier. Songez que les
fanatiques sont plus dangereux que les fripons. On ne
peut jamais faire entendre raison à un énergumène; les
fripons l'entendent. »

Je disputai longtemps contre monsieur Husson; je lui
dis enfin : « Monsieur, consolez-vous; peut-être que les
jansénistes seront un jour aussi adroits que les jésuites. »
Je tâchai de l'adoucir; mais c'est une tête de fer qu'on
ne fait jamais changer de sentiment.

III

Brioché, voyant que Polichinelle était bossu par-devant
et par-derrière, lui voulut apprendre à lire et à écrire.
Polichinelle, au bout de deux ans, épela assez passablement; mais il ne put jamais parvenir à se servir d'une
plume. Un des écrivains de sa vie remarque qu'il essaya
un jour d'écrire son nom, mais que personne ne put le
lire.

Brioché était fort pauvre; sa femme et lui n'avaient pas
de quoi nourrir Polichinelle, encore moins de quoi lui
faire apprendre un métier. Polichinelle leur dit : « Mon
père et ma mère, je suis bossu, et j'ai de la mémoire;
trois ou quatre de mes amis, et moi, nous pouvons établir
des marionnettes : je gagnerai quelque argent; les hommes
ont toujours aimé les marionnettes; il y a quelquefois de
la perte à en vendre de nouvelles, mais aussi il y a de
grands profits. »

Monsieur et madame Brioché admirèrent le bon sens
du jeune homme; la troupe se forma, et elle alla établir
ses petits tréteaux dans une bourgade suisse, sur le chemin d'Appenzel à Milan.

C'était justement dans ce village que les charlatans
d'Orviète avaient établi le magasin de leur orviétan. Ils
s'aperçurent qu'insensiblement la canaille allait aux
marionnettes, et qu'ils vendaient dans le pays la moitié
moins de savonnettes et d'onguent pour la brûlure. Ils
accusèrent Polichinelle de plusieurs mauvais déportements, et portèrent leurs plaintes devant le magistrat. La
requête disait que c'était un ivrogne dangereux; qu'un

jour il avait donné cent coups de pied dans le ventre, en plein marché, à des paysans qui vendaient des nèfles.

On prétendit aussi qu'il avait molesté un marchand de coqs d'Inde; enfin ils l'accusèrent d'être sorcier. Monsieur Parfaict, dans son *Histoire du Théâtre*, prétend qu'il fut avalé par un crapaud; mais le père Daniel pense, ou du moins parle autrement. On ne sait pas ce que devint Brioché. Comme il n'était que le père putatif de Polichinelle, l'historien n'a pas jugé à propos de nous dire de ses nouvelles.

IV

Feu monsieur du Marsais assurait que le plus grand des abus était la vénalité des charges. « C'est un grand malheur pour l'Etat, disait-il, qu'un homme de mérite, sans fortune, ne puisse parvenir à rien. Que de talents enterrés, et que de sots en place! Quelle détestable politique d'avoir éteint l'émulation! » Monsieur du Marsais, sans y penser, plaidait sa propre cause : il a été réduit à enseigner le latin, et il aurait rendu de grands services à l'Etat s'il avait été employé. Je connais des barbouilleurs de papier qui eussent enrichi une province, s'ils avaient été à la place de ceux qui l'ont volée. Mais, pour avoir cette place, il faut être fils d'un riche qui vous laisse de quoi acheter une charge, un office, et ce qu'on appelle *une dignité*.

Du Marsais assurait qu'un Montaigne, un Charron, un Descartes, un Gassendi, un Bayle, n'eussent jamais condamné aux galères des écoliers soutenant thèse contre la philosophie d'Aristote, ni n'auraient fait brûler le curé Urbain Grandier, le curé Gaufrédi, et qu'ils n'eussent point, etc., etc.

V

Il n'y a pas longtemps que le chevalier Roginante, gentilhomme ferrarois, qui voulait faire une collection de tableaux de l'école flamande, alla faire des emplettes dans Amsterdam. Il marchanda un assez beau Christ chez le sieur Vandergru. « Est-il possible, dit le Ferrarois au Batave, que vous qui n'êtes pas chrétien (car vous êtes Hollandais) vous ayez chez vous un Jésus ? — Je

suis chrétien et catholique », répondit monsieur Van-
dergru, sans se fâcher ; et il vendit son tableau assez cher.
« Vous croyez donc Jésus-Christ Dieu ? lui dit Roginante.
— Assurément », dit Vandergru.

Un autre curieux logeait à la porte attenante, c'était
un socinien ; il lui vendit une Sainte Famille. « Que
pensez-vous de l'enfant ? dit le Ferrarois. — Je pense,
répondit l'autre, que ce fut la créature la plus parfaite
que Dieu ait mise sur la terre. »

De là le Ferrarois alla chez Moïse Mansebo, qui n'avait
que de beaux paysages, et point de Sainte Famille. Roginante lui demanda pourquoi on ne trouvait pas chez lui
de pareils sujets. « C'est, dit-il, que nous avons cette
famille en exécration. »

Roginante passa chez un fameux anabaptiste, qui avait
les plus jolis enfants du monde ; il leur demanda dans
quelle église ils avaient été baptisés. « Fi donc ! monsieur,
lui dirent les enfants ; grâces à Dieu, nous ne sommes
point encore baptisés. »

Roginante n'était pas au milieu de la rue qu'il avait
déjà vu une douzaine de sectes entièrement opposées
les unes aux autres. Son compagnon de voyage, monsieur Sacrito, lui dit : « Enfuyons-nous vite, voilà l'heure
de la bourse ; tous ces gens-ci vont s'égorger sans doute,
selon l'antique usage, puisqu'ils pensent tous diverse-
ment ; et la populace nous assommera, pour être sujets
du pape. »

Il furent bien étonnés quand ils virent toutes ces bonnes
gens-là sortir de leurs maisons avec leurs commis, se
saluer civilement, et aller à la bourse de compagnie. Il
y avait ce jour-là, de compte fait, cinquante-trois religions
sur la place, en comptant les Arminiens et les jansénistes.
On fit pour cinquante-trois millions d'affaires le plus paisiblement du monde, et le Ferrarois retourna dans son
pays, où il trouva plus d'*Agnus Dei* que de lettres de
change.

On voit tous les jours la même scène à Londres, à
Hambourg, à Dantzick, à Venise même, etc. Mais ce que
j'ai vu de plus édifiant, c'est à Constantinople.

J'eus l'honneur d'assister, il y a cinquante ans, à l'ins-
tallation d'un patriarche grec par le sultan Achmet III,
dont Dieu veuille avoir l'âme. Il donna à ce prêtre chrétien l'anneau, et le bâton fait en forme de béquille. Il y
eut ensuite une procession de chrétiens dans la rue Cléo-
bule ; deux janissaires marchèrent à la tête de la proces-

sion. J'eus le plaisir de communier publiquement dans l'église patriarcale, et il ne tint qu'à moi d'obtenir un canonicat.

J'avoue qu'à mon retour à Marseille je fus fort étonné de ne point y trouver de mosquée. J'en marquai ma surprise à monsieur l'intendant et à monsieur l'évêque. Je leur dis que cela était fort incivil, et que si les chrétiens avaient des églises chez les musulmans on pouvait au moins faire aux Turcs la galanterie de quelques chapelles. Ils me promirent tous deux qu'ils en écriraient en cour; mais l'affaire en demeure là, à cause de la constitution *Unigenitus*.

Ô mes frères les jésuites! vous n'avez pas été tolérants, et on ne l'est pas pour vous. Consolez-vous; d'autres à leur tour deviendront persécuteurs, et à leur tour ils seront abhorrés.

VI

Je contais ces choses, il y a quelques jours, à monsieur de Boucacous, Languedocien très chaud et huguenot très zélé. « Cavalisque! me dit-il, on nous traite donc en France comme les Turcs; on leur refuse des mosquées, et on ne nous accorde point de temples! — Pour des mosquées, lui dis-je, les Turcs ne nous en ont encore point demandé, et j'ose me flatter qu'ils en obtiendront quand ils voudront, parce qu'ils sont nos bons alliés; mais je doute fort qu'on rétablisse vos temples, malgré toute la politesse dont nous nous piquons : la raison en est que vous êtes un peu nos ennemis. — Vos ennemis! s'écria monsieur de Boucacous, nous qui sommes les plus ardents serviteurs du roi! — Vous êtes fort ardents, lui répliquai-je, et si ardents que vous avez fait neuf guerres civiles, sans compter les massacres des Cévennes. — Mais, dit-il, si nous avons fait des guerres civiles, c'est que vous nous cuisiez en place publique; on se lasse à la longue d'être brûlé, il n'y a patience de saint qui puisse y tenir : qu'on nous laisse en repos, et je vous jure que nous serons des sujets très fidèles.

— C'est précisément ce qu'on fait, lui dis-je; on ferme les yeux sur vous, on vous laisse faire votre commerce, vous avez une liberté assez honnête. — Voilà une plaisante liberté! dit monsieur de Boucacous; nous ne pouvons nous assembler en pleine campagne quatre ou cinq mille seulement, avec des psaumes à quatre parties, que sur-le-champ il ne vienne un régiment de dragons qui nous fait rentrer chacun chez nous. Est-ce là vivre ? est-ce là être libre ? »

Alors je lui parlai ainsi : « Il n'y a aucun pays dans le monde où l'on puisse s'attrouper sans l'ordre du souverain ; tout attroupement est contre les lois. Servez Dieu à votre mode dans vos maisons ; n'étourdissez personne par des hurlements que vous appelez *musique*. Pensez-vous que Dieu soit bien content de vous quand vous chantez ses commandements sur l'air de *Réveillez-vous, belle endormie ?* et quand vous dites avec les Juifs, en parlant d'un peuple voisin :

> Heureux qui doit te détruire à jamais !
> Qui, t'arrachant les enfants des mamelles,
> Ecrasera leurs têtes infidèles !

« Dieu veut-il absolument qu'on écrase les cervelles des petits enfants ? Cela est-il humain ? De plus, Dieu aime-t-il tant les mauvais vers et la mauvaise musique ? »

Monsieur de Boucacous m'interrompit, et me demanda si le latin de cuisine de nos psaumes valait mieux. « Non, sans doute, lui dis-je ; je conviens même qu'il y a un peu de stérilité d'imagination à ne prier Dieu que dans une traduction très vicieuse de vieux cantiques d'un peuple que nous abhorrons ; nous sommes tous juifs à vêpres, comme nous sommes tous païens à l'Opéra.

« Ce qui me déplaît seulement, c'est que les *Métamorphoses* d'Ovide sont, par la malice du démon, bien mieux écrites, et plus agréables que les cantiques juifs : car il faut avouer que cette montagne de Sion, et ces gueules de basilic, et ces collines, qui sautent comme des béliers, et toutes ces répétitions fastidieuses, ne valent ni la poésie grecque, ni la latine, ni la française. Le froid petit Racine a beau faire, cet enfant dénaturé n'empêchera pas (profanement parlant) que son père ne soit un meilleur poète que David.

« Mais enfin, nous sommes la religion dominante chez nous ; il ne vous est pas permis de vous attrouper en Angleterre : pourquoi voudriez-vous avoir cette liberté en France ? Faites ce qu'il vous plaira dans vos maisons, et j'ai parole de monsieur le gouverneur et de monsieur l'intendant qu'en étant sages vous serez tranquilles : l'imprudence seule fit et fera les persécutions. Je trouve très mauvais que vos mariages, l'état de vos enfants, le droit d'héritage, souffrent la moindre difficulté. Il n'est pas juste de vous saigner et de vous purger parce que vos pères ont été malades; mais que voulez-vous ? ce monde est un grand Bedlam, où des fous enchaînent d'autres fous. »

Nous[1] *ignorions ainsi, monsieur de Boucacous et moi, quand nous vîmes passer Jean-Jacques Rousseau avec grande précipitation. « Eh! où allez-vous donc si vite, monsieur Jean-Jacques ? — Je m'enfuis, parce que maître Joly de Fleury a dit, dans un réquisitoire, que je prêchais contre l'intolé-rance et contre l'existence de la religion chrétienne. — Il a voulu dire évidence, lui répondis-je ; il ne faut pas prendre feu pour un mot. — Eh! mon Dieu, je n'ai que trop pris feu, dit Jean-Jacques; on brûle partout mon livre. Je sors de Paris comme monsieur d'Assouci de Montpellier, de peur qu'on ne brûle ma personne. — Cela était bon, lui dis-je, du temps d'Anne Dubourg et de Michel Servet, mais à présent on est plus humain. Qu'est-ce donc que ce livre qu'on a brûlé ?*

— J'élevais, dit-il, à ma manière un petit garçon en quatre tomes. Je sentais bien que j'ennuierais peut-être ; et j'ai voulu, pour égayer la matière, glisser adroitement une cinquantaine de pages en faveur du théisme. J'ai cru qu'en disant des injures aux philosophes, mon théisme passerait, et je me suis trompé. — Qu'est-ce que théisme ? fis-je. — C'est, me dit-il, l'adoration d'un Dieu, en attendant que je sois mieux instruit. — Ah! dis-je, si c'est là tout votre crime, consolez-vous. Mais pourquoi injurier les philosophes ?
— J'ai tort, fit-il. — Mais, monsieur Jean-Jacques, comment vous êtes-vous fait théiste ? quelle cérémonie faut-il pour cela ? — Aucune, nous dit Jean-Jacques. Je suis né protestant, j'ai retranché tout ce que les protestants condamnent dans la religion romaine. Ensuite, j'ai retranché tout ce que les autres religions condamnent dans le protes-tantisme : il ne m'est resté que Dieu; je l'ai adoré, et maître Joly de Fleury a présenté contre moi un réquisitoire. »

Alors nous parlâmes à fond du théisme avec Jean-Jacques, qui nous apprit qu'il y avait trois cent mille théistes à Londres et environ cinquante mille seulement à Paris, parce que les Parisiens n'arrivent jamais à rien que longtemps après les Anglais, témoin l'inoculation, la gravitation, le

---

1. Paragraphe paraissant pour la première fois dans l'édition Miger, 1818. (Note des éditeurs.)

*semoir, etc., etc. Il ajouta que le nord de l'Allemagne
fourmillait de théistes et de gens qui se battent bien.*

*Monsieur de Boucacous l'écouta attentivement, et promit
de se faire théiste. Pour moi, je restai ferme. Je ne sais
cependant si on ne brûlera pas ce petit écrit, comme un
ouvrage de Jean-Jacques, ou comme un mandement
d'évêque ; mais un mal qui nous menace n'empêche pas toujours d'être sensible au mal d'autrui, et comme j'ai le cœur
bon, je plaignis les tribulations de Jean-Jacques.*

VII

Les compagnons de Polichinelle réduits à la mendicité,
qui était leur état naturel, s'associèrent avec quelques
bohèmes, et coururent de village en village. Ils arrivèrent
dans une petite ville, et logèrent dans un quatrième étage,
où ils se mirent à composer des drogues dont la vente les
aida quelque temps à subsister. Ils guérirent même de la
gale l'épagneul d'une dame de considération; les voisins
crièrent au prodige, mais malgré toute leur industrie la
troupe ne fit pas fortune.

Ils se lamentaient de leur obscurité et de leur misère,
lorsqu'un jour ils entendirent un bruit sur leur tête,
comme celui d'une brouette qu'on roule sur le plancher.
Ils montèrent au cinquième étage, et y trouvèrent un
petit homme qui faisait des marionnettes pour son
compte : il s'appelait le sieur Bienfait; il avait tout juste
le génie qu'il fallait pour son art.

On n'entendait pas un mot de ce qu'il disait; mais il
avait un galimatias fort convenable, et il ne faisait pas mal
ses bamboches. Un compagnon, qui excellait aussi en
galimatias, lui parla ainsi :

« Nous croyons que vous êtes destiné à relever nos
marionnettes, car nous avons lu dans Nostradamus ces
propres paroles : *Nelle chi li po rate icsus res fait en bi,*
lesquelles prises à rebours font évidemment : *Bienfait
ressuscitera Polichinelle.* Le nôtre a été avalé par un
crapaud; mais nous avons retrouvé son chapeau, sa
bosse, et sa pratique. Vous fournirez le fil d'archal. Je
crois d'ailleurs qu'il vous sera aisé de lui faire une moustache toute semblable à celle qu'il avait, et quand nous
serons unis ensemble, il est à croire que nous aurons
beaucoup de succès. Nous ferons valoir Polichinelle par
Nostradamus, et Nostradamus par Polichinelle. »

Le sieur Bienfait accepta la proposition. On lui demanda ce qu'il voulait pour sa peine. « Je veux, dit-il, beaucoup d'honneurs et beaucoup d'argent. — Nous n'avons rien de cela, dit l'orateur de la troupe; mais avec le temps on a de tout. » Le sieur Bienfait se lia donc avec les bohèmes, et tous ensemble allèrent à Milan établir leur théâtre, sous la protection de madame Carminetta. On afficha que le même Polichinelle, qui avait été mangé par un crapaud du village du canton d'Appenzel, reparaîtrait sur le théâtre de Milan, et qu'il danserait avec madame Gigogne. Tous les vendeurs d'orviétan eurent beau s'y opposer, le sieur Bienfait, qui avait aussi le secret de l'orviétan, soutint que le sien était le meilleur : il en vendit beaucoup aux femmes, qui étaient folles de Polichinelle, et il devint si riche qu'il se mit à la tête de la troupe.

Dès qu'il eut ce qu'il voulait (et que tout le monde veut), des honneurs et du bien, il fut très ingrat envers madame Carminetta. Il acheta une belle maison vis-à-vis de celle de sa bienfaitrice, et il trouva le secret de la faire payer par ses associés. On ne le vit plus faire sa cour à madame Carminetta; au contraire, il voulut qu'elle vînt déjeuner chez lui, et un jour qu'elle daigna y venir il lui fit fermer la porte au nez, etc.

VIII

N'ayant rien entendu au précédent chapitre de Merri Hissing, je me transportai chez mon ami monsieur Husson, pour lui en demander l'explication. Il me dit que c'était une profonde allégorie sur le père La Valette, marchand banqueroutier d'Amérique, mais que d'ailleurs il y avait longtemps qu'il ne s'embarrassait plus de ces sottises, qu'il n'allait jamais aux marionnettes; qu'on jouait ce jour-là *Polyeucte*, et qu'il voulait l'entendre. Je l'accompagnai à la comédie.

Monsieur Husson, pendant le premier acte, branlait toujours la tête. Je lui demandai dans l'entr'acte pourquoi sa tête branlait tant. « J'avoue, dit-il, que je suis indigné contre ce sot Polyeucte et contre cet impudent Néarque. Que diriez-vous d'un gendre de monsieur le gouverneur de Paris, qui serait huguenot et qui, accompagnant son beau-père le jour de Pâques à Notre-Dame, irait mettre en pièces le ciboire et le calice, et donner des coups de

pied dans le ventre à monsieur l'archevêque et aux
chanoines ? Serait-il bien justifié, en nous disant que nous
sommes des idolâtres ; qu'il l'a entendu dire au sieur Lubo-
lier, prédicant d'Amsterdam, et au sieur Morfyé, compi-
lateur à Berlin, auteur de la *Bibliothèque germanique*, qui
le tenait du prédicant Urieju. C'est là le fidèle portrait
de la conduite de Polyeucte. Peut-on s'intéresser à ce
plat fanatique, séduit par le fanatique Néarque ? »

Monsieur Husson me disait ainsi son avis amicalement
dans les entr'actes. Il se mit à rire quand il vit Polyeucte
résigner sa femme à son rival ; et il la trouva un peu
bourgeoise quand elle dit à son amant qu'elle va dans
sa chambre, au lieu d'aller avec lui à l'église :

> Adieu, trop vertueux objet, et trop charmant ;
> Adieu, trop généreux et trop parfait amant ;
> Je vais seule en ma chambre enfermer mes regrets.

Mais il admira la scène où elle demande à son amant la
grâce de son mari.

« Il y a là, dit-il, un gouverneur d'Arménie qui est
bien le plus lâche, le plus bas des hommes ; ce père de
Pauline avoue même qu'il a les sentiments d'un coquin :

> Polyeucte est ici l'appui de ma famille ;
> Mais si par son trépas l'autre épousait ma fille,
> J'acquerrais bien par là de plus puissants appuis,
> Qui me mettraient plus haut cent fois que je ne suis.

« Un procureur au Châtelet ne pourrait guère ni penser
ni s'exprimer autrement. Il y a des bonnes âmes qui
avalent tout cela ; je ne suis pas du nombre. Si ces pauvretés peuvent entrer dans une tragédie du pays des
Gaules, il faut brûler l'*Œdipe* des Grecs. »

Monsieur Husson est un rude homme. J'ai fait ce que
j'ai pu pour l'adoucir ; mais je n'ai pu en venir à bout. Il
a persisté dans son avis, et moi dans le mien.

IX

Nous avons laissé le sieur Bienfait fort riche et fort
insolent. Il fit tant par ses menées qu'il fut reconnu pour
entrepreneur d'un grand nombre de marionnettes. Dès
qu'il fut revêtu de cette dignité, il fit promener Polichinelle dans toutes les villes, et afficha que tout le monde
serait tenu de l'appeler *Monsieur*, sans quoi il ne jouerait
point. C'est de là que, dans toutes les représentations des

marionnettes, il ne répond jamais à son compère que quand le compère l'appelle monsieur Polichinelle. Peu à peu Polichinelle devint si important qu'on ne donna plus aucun spectacle sans lui payer une rétribution, comme les Opéras des provinces en payent une à l'Opéra de Paris.

Un jour, un de ses domestiques, receveur des billets et ouvreur de loges, ayant été cassé aux gages, se souleva contre Bienfait, et institua d'autres marionnettes qui décrièrent toutes les danses de madame Gigogne et tous les tours de passe-passe de Bienfait. Il retrancha plus de cinquante ingrédients qui entraient dans l'orviétan, composa le sien de cinq ou six drogues; et, le vendant beaucoup meilleur marché, il enleva une infinité de pratiques à Bienfait; ce qui excita un furieux procès, et on se battit longtemps à la porte des marionnettes, dans le préau de la Foire.

X

Monsieur Husson me parlait hier de ses voyages : en effet, il a passé plusieurs années dans les Echelles du Levant, il est allé en Perse, il a demeuré longtemps dans les Indes, et a vu toute l'Europe. « J'ai remarqué, me disait-il, qu'il y a un nombre prodigieux de Juifs qui attendent le Messie, et qui se feraient empaler plutôt que de convenir qu'il est venu. J'ai vu mille Turcs persuadés que Mahomet avait mis la moitié de la lune dans sa manche. Le petit peuple, d'un bout du monde à l'autre, croit fermement les choses les plus absurdes. Cependant, qu'un philosophe ait un écu à partager avec le plus imbécile de ces malheureux, en qui la raison humaine est si horriblement obscurcie, il est sûr que s'il y a un sou à gagner l'imbécile l'emportera sur le philosophe. Comment des taupes, si aveugles sur le plus grand des intérêts, sont-elles lynx sur les plus petits ? Pourquoi le même juif qui vous égorge le vendredi ne voudrait-il pas voler un liard le jour du sabbat ? Cette contradiction de l'espèce humaine mérite qu'on l'examine.

— N'est-ce pas, dis-je à monsieur Husson, que les hommes sont superstitieux par coutume, et coquins par instinct ? — J'y rêverai, me dit-il; cette idée me paraît assez bonne. »

XI

Polichinelle, depuis l'aventure de l'ouvreur de loges, a essuyé bien des disgrâces. Les Anglais, qui sont raisonneurs et sombres, lui ont préféré Shakespeare; mais ailleurs ses farces ont été fort en vogue, et, sans l'opéra-comique, son théâtre était le premier des théâtres. Il a eu de grandes querelles avec Scaramouche et Arlequin, et on ne sait pas encore qui l'emportera. Mais...

XII

« Mais, mon cher monsieur, disais-je, comment peut-on être à la fois si barbare et si drôle ? Comment, dans l'histoire d'un peuple, trouve-t-on à la fois la Saint-Barthélemy et les *Contes* de La Fontaine, etc. ? Est-ce l'effet du climat ? Est-ce l'effet des lois ?

— Le genre humain, répondit M. Husson, est capable de tout. Néron pleura quand il fallut signer l'arrêt de mort d'un criminel, joua des farces, et assassina sa mère. Les singes font des tours extrêmement plaisants, et étouffent leurs petits. Rien n'est plus doux, plus timide qu'une levrette; mais elle déchire un lièvre, et baigne son long museau dans son sang.

— Vous devriez, lui dis-je, nous faire un beau livre qui développât toutes ces contradictions. — Ce livre est tout fait, dit-il; vous n'avez qu'à regarder une girouette; elle tourne tantôt au doux souffle du zéphyr, tantôt au vent violent du nord; voilà l'homme. »

XIII

Rien n'est souvent plus convenable que d'aimer sa cousine. On peut aussi aimer sa nièce; mais il en coûte dix-huit mille livres, payables à Rome, pour épouser une cousine, et quatre-vingt mille francs pour coucher avec sa nièce en légitime mariage.

Je suppose quarante nièces par an, mariées avec leurs oncles, et deux cents cousins et cousines conjoints, cela fait en sacrements six millions huit cent mille livres par an, qui sortent du royaume. Ajoutez-y environ six cent mille francs pour ce qu'on appelle *les annates des terres de France*, que le roi de France donne à des Français en bénéfices; joignez-y encore quelques menus frais : c'est environ huit millions quatre cent mille livres que nous donnons libéralement au St. Père par chacun an. Nous exagérons peut-être un peu; mais on conviendra que si nous avons beaucoup de cousines et de nièces jolies, et si la mortalité se met parmi les bénéficiers, la somme peut aller au double. Le fardeau serait lourd, tandis que nous avons des vaisseaux à construire, des armées et des rentiers à payer.

Je m'étonne que, dans l'énorme quantité de livres dont les auteurs ont gouverné l'Etat depuis vingt ans, aucun n'ait pensé à réformer ces abus. J'ai prié un docteur de Sorbonne, de mes amis, de me dire dans quel endroit de l'Ecriture on trouve que la France doive payer à Rome la somme susdite : il n'a jamais pu le trouver. J'en ai parlé à un jésuite : il m'a répondu que cet impôt fut mis par St. Pierre sur les Gaules, dès la première année qu'il vint à Rome; et comme je doutais que St. Pierre eût fait ce voyage, il m'en a convaincu en me disant qu'on voit encore à Rome les clefs du paradis qu'il portait toujours à sa ceinture. « Il est vrai, m'a-t-il dit, que nul auteur canonique ne parle de ce voyage de Simon Barjone; mais nous avons une belle lettre de lui, datée de *Babylone ;* or, certainement *Babylone* veut dire *Rome :* donc vous devez de l'argent au pape quand vous épousez vos cousines. » J'avoue que j'ai été frappé de la force de cet argument.

XIV

J'ai un vieux parent qui a servi le roi cinquante-deux ans. Il s'est retiré dans la haute Alsace, où il a une petite terre qu'il cultive, dans le diocèse de Porentru. Il voulut un jour faire donner le dernier labour à son champ; la saison avançait, l'ouvrage pressait. Ses valets refusèrent le service, et dirent pour raison que c'était la fête de Ste. Barbe, la sainte la plus fêtée à Porentru. « Eh! mes amis, leur dit mon parent, vous avez été à la messe en l'honneur de Barbe, vous avez rendu à Barbe ce qui lui appartient; rendez-moi ce que vous me devez : cultivez mon champ, au lieu d'aller au cabaret. Ste. Barbe ordonne-t-elle qu'on s'enivre pour lui faire honneur, et que je manque de blé cette année ? » Le maître-valet lui

dit : « Monsieur, vous voyez bien que je serais damné si
je travaillais dans un si saint jour. Ste. Barbe est la plus
grande sainte du paradis; elle grava le signe de la croix
sur une colonne de marbre avec le bout du doigt; et du
même doigt, et du même signe, elle fit tomber toutes les
dents d'un chien qui lui avait mordu les fesses : je ne
travaillerai point le jour de Ste. Barbe. »

Mon parent envoya chercher des laboureurs luthériens,
et son champ fut cultivé. L'évêque de Porentru l'excommunia. Mon parent en appela comme d'abus; le procès
n'est pas encore jugé. Personne assurément n'est plus persuadé que mon parent qu'il faut honorer les saints; mais
il prétend aussi qu'il faut cultiver la terre.

Je suppose en France environ cinq millions d'ouvriers,
soit manœuvres, soit artisans, qui gagnent chacun, l'un
portant l'autre, vingt sous par jour, et qu'on force sain-
tement de ne rien gagner pendant trente jours de l'année,
indépendamment des dimanches : cela fait cent cinquante
millions de moins dans la circulation, et cent cinquante
millions de moins en main-d'œuvre. Quelle prodigieuse
supériorité ne doivent point avoir sur nous les royaumes
voisins qui n'ont ni Ste. Barbe, ni d'évêque de Porentru!
On répondait à cette objection que les cabarets, ouverts
les saints jours de fête, produisent beaucoup aux fermes
générales. Mon parent en convenait; mais il prétendait
que c'est un léger dédommagement; et que d'ailleurs, si
on peut travailler après la messe, on peut aller au cabaret après le travail. Il soutient que cette affaire est pure-
ment de police, et point du tout épiscopale; il soutient
qu'il vaut encore mieux labourer que de s'enivrer. J'ai
bien peur qu'il ne perde son procès.

XV

Il y a quelques années qu'en passant par la Bourgogne
avec monsieur Evrard, que vous connaissez tous, nous
vîmes un vaste palais, dont une partie commençait à
s'élever. Je demandai à quel prince il appartenait. Un
maçon me répondit que c'était à monseigneur l'abbé de
Cîteaux; que le marché avait été fait à dix-sept cent mille
livres, mais que probablement il en coûterait bien davantage.

Je bénis Dieu qui avait mis son serviteur en état d'élever un si beau monument, et de répandre tant d'argent

dans le pays. « Vous moquez-vous ? dit monsieur Evrard; n'est-il pas abominable que l'oisiveté soit récompensée par deux cent cinquante mille livres de rente, et que la vigilance d'un pauvre curé de campagne soit punie par une portion congrue de cent écus ? Cette inégalité n'est-elle pas la chose du monde la plus injuste et la plus odieuse ? Qu'en reviendra-t-il à l'Etat quand un moine sera logé dans un palais de deux millions ? Vingt familles de pauvres officiers, qui partageraient ces deux millions, auraient chacune un bien honnête, et donneraient au roi de nouveaux officiers. Les petits moines, qui sont aujourd'hui les sujets inutiles d'un de leurs moines élu par eux, deviendraient des membres de l'Etat au lieu qu'ils ne sont que des chancres qui le rongent. »

Je répondis à monsieur Evrard : « Vous allez trop loin, et trop vite; ce que vous dites arrivera certainement dans deux ou trois cents ans; ayez patience. — Et c'est précisément, répondit-il, parce que la chose n'arrivera que dans deux ou trois siècles que je perds toute patience; je suis las de tous les abus que je vois : il me semble que je marche dans les déserts de la Libye, où notre sang est sucé par des insectes quand les lions ne nous dévorent pas.

« J'avais, continua-t-il, une sœur assez imbécile pour être janséniste de bonne foi, et non par esprit de parti. La belle aventure des billets de confession la fit mourir de désespoir. Mon frère avait un procès qu'il avait gagné en première instance; sa fortune en dépendait. Je ne sais comment il est arrivé que les juges ont cessé de rendre la justice, et mon frère a été ruiné. J'ai un vieil oncle criblé de blessures, qui faisait passer ses meubles et sa vaisselle d'une province à une autre; des commis alertes ont saisi le tout sur un petit manque de formalité; mon oncle n'a pu payer les trois vingtièmes, et il est mort en prison. »

Monsieur Evrard me conta des aventures de cette espèce pendant deux heures entières. Je lui dis : « Mon cher monsieur Evrard, j'en ai essuyé plus que vous; les hommes sont ainsi faits d'un bout du monde à l'autre : nous nous imaginons que les abus ne règnent que chez nous; nous sommes tous deux comme Astolphe et Joconde, qui pensaient d'abord qu'il n'y avait que leurs femmes d'infidèles; ils se mirent à voyager, et ils trouvèrent partout des gens de leur confrérie. — Oui, dit monsieur Evrard, mais ils eurent le plaisir de rendre par-

tout ce qu'on avait eu la bonté de leur prêter chez eux.
— Tâchez, lui dis-je, d'être seulement pendant trois
ans directeur de..., ou de..., ou de..., ou de..., et vous
vous vengerez avec usure. »

Monsieur Evrard me crut : c'est à présent l'homme de
France qui vole le roi, l'Etat et les particuliers, de la
manière la plus dégagée et la plus noble, qui fait la meilleure chère, et qui juge le plus fièrement d'une pièce nouvelle.

NOTE
SUR
PETITE DIGRESSION

Très petite en effet, cette *Digression* accompagne *le Philosophe ignorant* dans l'édition de Genève (1766). Les aveugles de l'hospice parisien des Quinze-Vingts (ainsi nommé du nombre de ses pensionnaires : trois cents) jugent des couleurs, les sourds s'instituent experts en matière de musique : ainsi les hommes se targuent d'accéder à des connaissances métaphysiques hors de portée de l'esprit humain. Mais, avec optimisme, Voltaire estime qu'ils ne se laissent pas entraîner d'eux-mêmes dans d'aussi extravagantes illusions. Il faut qu'un « dictateur » les y engage, par les prestiges de son verbe, consolidés bientôt par les coercitions d'une authentique tyrannie.

R. P.

PETITE DIGRESSION

Dans les commencements de la fondation des Quinze-Vingts, on sait qu'ils étaient tous égaux, et que leurs petites affaires se décidaient à la pluralité des voix. Ils distinguaient parfaitement au toucher la monnaie de cuivre de celle d'argent; aucun d'eux ne prit jamais du vin de Brie pour du vin de Bourgogne. Leur odorat était plus fin que celui de leurs voisins qui avaient deux yeux. Ils raisonnèrent parfaitement sur les quatre sens, c'est-à-dire qu'ils en connurent tout ce qu'il est permis d'en savoir; et ils vécurent paisibles et fortunés autant que des Quinze-Vingts peuvent l'être. Malheureusement un de leurs professeurs prétendit avoir des notions claires sur le sens de la vue; il se fit écouter, il intrigua, il forma des enthousiastes : enfin on le reconnut pour le chef de la communauté. Il se mit à juger souverainement des couleurs, et tout fut perdu.

Ce premier dictateur des Quinze-Vingts se forma d'abord un petit conseil, avec lequel il se rendit le maître de toutes les aumônes. Par ce moyen personne n'osa lui résister. Il décida que tous les habits des Quinze-Vingts étaient blancs : les aveugles le crurent; ils ne parlaient que de leurs beaux habits blancs, quoiqu'il n'y en eût pas un seul de cette couleur. Tout le monde se moqua d'eux, ils allèrent se plaindre au dictateur, qui les reçut fort mal; il les traita de novateurs, d'esprits forts, de rebelles, qui se laissaient séduire par les opinions erronées de ceux qui avaient des yeux, et qui osaient douter de l'infaillibilité de leur maître. Cette querelle forma deux partis.

Le dictateur, pour les apaiser, rendit un arrêt par lequel tous leurs habits étaient rouges. Il n'y avait pas un habit rouge aux Quinze-Vingts. On se moqua d'eux plus

que jamais. Nouvelles plaintes de la part de la communauté. Le dictateur entra en fureur, les autres aveugles
aussi : on se battit longtemps, et la concorde ne fut réta-
blie que lorsqu'il fut permis à tous les Quinze-Vingts de
suspendre leur jugement sur la couleur de leurs habits.

Un sourd, en lisant cette petite histoire, avoua que les
aveugles avaient eu tort de juger les couleurs; mais il
resta ferme dans l'opinion qu'il n'appartient qu'aux
sourds de juger de la musique.

NOTE
AVENTURE INDIENNE

Insérée de même que *Petite Digression* dans le volume du *Philosophe ignorant* (1766), *Aventure indienne* se rattache par un autre biais à la chronique de l'ignorance. La loi de tout ce qui vit est d'être dévoré, du brin d'herbe au philosophe. Les tribunaux du Saint-Office vérifient à leur manière cette loi biologique. Ils brûlent les gens en vertu de rêveries aussi mal fondées que les décisions des aveugles sur les couleurs. Voltaire installe le Saint-Office dans la religion indienne ; le dogme dont il s'agit est que pour faire son salut il convient de tenir en mourant une vache par la queue. Au lecteur de chercher l'application — ce qui n'était pas fort difficile l'année où le chevalier de La Barre fut décapité pour crime d'impiété.

R. P.

AVENTURE INDIENNE,

TRADUITE PAR L'IGNORANT

Pythagore, dans son séjour aux Indes, apprit, comme tout le monde sait, à l'école des gymnosophistes, le langage des bêtes et celui des plantes. Se promenant un jour dans une prairie assez près du rivage de la mer, il entendit ces paroles : « Que je suis malheureuse d'être née herbe! à peine suis-je parvenue à deux pouces de hauteur que voilà un monstre dévorant, un animal horrible, qui me foule sous ses larges pieds; sa gueule est armée d'une rangée de faux tranchantes, avec laquelle il me coupe, me déchire et m'engloutit. Les hommes nomment ce monstre un *mouton*. Je ne crois pas qu'il y ait au monde une plus abominable créature. »

Pythagore avança quelques pas; il trouva une huître qui bâillait sur un petit rocher; il n'avait point encore embrassé cette admirable loi par laquelle il est défendu de manger les animaux nos semblables. Il allait avaler l'huître, lorsqu'elle prononça ces mots attendrissants : « O nature! que l'herbe, qui est comme moi ton ouvrage, est heureuse! Quand on l'a coupée, elle renaît, elle est immortelle; et nous, pauvres huîtres, en vain sommes-nous défendues par une double cuirasse; des scélérats nous mangent par douzaines à leur déjeuner, et c'en est fait pour jamais. Quelle épouvantable destinée que celle d'une huître, et que les hommes sont barbares! »

Pythagore tressaillit; il sentit l'énormité du crime qu'il allait commettre : il demanda pardon à l'huître en pleurant, et la remit bien proprement sur son rocher.

Comme il rêvait profondément à cette aventure en retournant à la ville, il vit des araignées qui mangeaient des mouches, des hirondelles qui mangeaient des araignées, des éperviers qui mangeaient des hirondelles. « Tous ces gens-là, dit-il, ne sont pas philosophes. »

Pythagore, en entrant, fut heurté, froissé, renversé par

une multitude de gredins et de gredines qui couraient en criant : « C'est bien fait, c'est bien fait, ils l'ont bien mérité! — Qui ? quoi ? » dit Pythagore en se relevant; et les gens couraient toujours en disant : « Ah! que nous aurons de plaisir de les voir cuire! »

Pythagore crut qu'on parlait de lentilles ou de quelques autres légumes; point du tout, c'était de deux pauvres Indiens. « Ah! sans doute, dit Pythagore, ce sont deux grands philosophes qui sont las de la vie; ils sont bien aises de renaître sous une autre forme; il y a du plaisir à changer de maison, quoiqu'on soit toujours mal logé : il ne faut pas disputer des goûts. »

Il avança avec la foule jusqu'à la place publique, et ce fut là qu'il vit un grand bûcher allumé, et vis-à-vis de ce bûcher un banc qu'on appelait un *tribunal*, et sur ce banc des juges, et ces juges tenaient tous une queue de vache à la main, et ils avaient sur la tête un bonnet ressemblant parfaitement aux deux oreilles de l'animal qui porta Silène quand il vint autrefois au pays avec Bacchus, après avoir traversé la mer Erythrée à pied sec, et avoir arrêté le soleil et la lune, comme on le raconte fidèlement dans les *Orphiques*.

Il y avait parmi ces juges un honnête homme fort connu de Pythagore. Le sage de l'Inde expliqua au sage de Samos de quoi il était question dans la fête qu'on allait donner au peuple indou.

« Les deux Indiens, dit-il, n'ont nulle envie d'être brûlés; mes graves confrères les ont condamnés à ce supplice, l'un pour avoir dit que la substance de Xaca n'est pas la substance de Brama; et l'autre, pour avoir soupçonné qu'on pouvait plaire à l'Etre suprême par la vertu, sans tenir en mourant une vache par la queue; parce que, disait-il, on peut être vertueux en tout temps, et qu'on ne trouve pas toujours une vache à point nommé. Les bonnes femmes de la ville ont été si effrayées de ces deux propositions hérétiques qu'elles n'ont point donné de repos aux juges jusqu'à ce qu'ils aient ordonné le supplice de ces deux infortunés. »

Pythagore jugea que depuis l'herbe jusqu'à l'homme il y avait bien des sujets de chagrin. Il fit pourtant entendre raison aux juges, et même aux dévotes : et c'est ce qui n'est arrivé que cette seule fois.

Ensuite il alla prêcher la tolérance à Crotone; mais un intolérant mit le feu à sa maison : il fut brûlé, lui qui avait tiré deux Indous des flammes. *Sauve qui peut!*

NOTE

SUR

L'INGÉNU

La première mention de *l'Ingénu* se lit dans une lettre à d'Alembert, du 21 juillet 1767 : Voltaire mande à son ami qu'il a grande envie de lire ce roman dont on lui a parlé. Ce qui veut dire qu'il est sur le point de le publier. Cramer fait paraître l'édition originale à Genève, au début d'août. Simultanément une édition parisienne se prépare. L'entreprise ne rencontre plus autant de difficulté qu'à l'époque de *Candide*. En dix ans la surveillance des livres s'est sensiblement relâchée. L'opposition intellectuelle contrôle certains rouages de l'État monarchique. Voltaire dispose de la complicité de Marin, fonctionnaire de la police tout acquis aux philosophes : il lui adresse un manuscrit, à charge à lui de trouver un censeur complaisant. Ce qui fut fait : le 3 septembre est accordée l'autorisation dite « tacite » de publier *l'Ingénu*. Le jour même le livre paraît : Voltaire avait envoyé un autre manuscrit à un libraire audacieux, qui avait imprimé sans attendre la permission, décidé au besoin à s'en passer.

Le succès est immédiat. Quatre mille exemplaires se vendent en quelques jours, chiffre considérable pour l'époque. Mais le parti dévot, pris au dépourvu, réagit : le 17 septembre l'autorisation tacite est rapportée.

Pendant ces péripéties, Voltaire joue l'habituelle comédie du désaveu. Il donne à choisir : ou bien *l'Ingénu* n'existe pas (à Damilaville, 8 août : « Il est très triste qu'on m'impute tous les jours non seulement des ouvrages que je n'ai point faits, mais aussi des écrits qui n'existent point »); ou bien, s'il existe, il n'est point de lui. De qui donc, en ce cas ? Mais de Dulaurens, auteur scandaleux réfugié aux Pays-Bas. Voltaire est bien placé pour le savoir, car, annonce-t-il au libraire Lacombe (7 août),

« ce M. Dulaurens m'est venu voir : il m'a dit avant de
partir pour la Hollande que si vous pouviez imprimer ce
petit ouvrage, il vous l'enverrait de Lyon à Paris par la
poste »...

L'*Ingénu* n'avait pas besoin de cette publicité pour
réussir. On connaît neuf éditions de 1767; l'ouvrage
eut l'honneur des imitations, suites, parodies, adaptations
théâtrales, qui accompagnent les grands succès de librairie. Depuis lors, sa réputation s'est maintenue presque
égale à celle de *Candide*.

Les manuscrits de Voltaire à Leningrad conservent
un résumé autographe de *l'Ingénu*, manifestement antérieur à la version que nous connaissons. Voici ce texte
(nous complétons les abréviations, en normalisant l'or-
thographe et la ponctuation) :

« Histoire de l'Ingénu, élevé chez les sauvages, puis
chez les Anglais, instruit de la religion en Basse-Bretagne, tonsuré, confessé, se battant avec son confesseur.
Son voyage à Versailles chez frère Le Tellier son parent.
Volontaire deux campagnes, sa force incroyable, son
courage. Veut être capitaine de cavalerie, étonné du
refus. Se marie, ne veut pas que le mariage soit un sacrement. Trouve très bon que sa femme soit infidèle parce
qu'il l'a été. Meurt en défendant son pays. Un capitaine
anglais l'assiste à la mort, avec un jésuite et un janséniste.
Il les instruit en mourant. »

Ce schéma situe l'œuvre dans la tradition des voyages
en Europe d'étrangers plus ou moins primitifs; tradition représentée, après les *Lettres persanes*, par les
*Lettres d'un sauvage dépaysé à son correspondant en Amé-
rique* (1746) : les *Lettres iroquoises* de Maubert de Gou-
vest (1752) et, quelques mois avant *l'Ingénu*, *l'Espion
américain en Europe* (1766) : si l'on considère sa date et
les analogies avec notre conte (l'Espion est d'ascendance
européenne, parle le français et l'anglais, dit naïvement ce
qu'il pense), ce dernier ouvrage pourrait être à l'origine
de *l'Ingénu*.

Voltaire a enrichi son canevas en s'inspirant de l'actualité. Les jésuites, bien qu'étant supprimés depuis 1764,
continuent de passionner l'opinion. L'un de leurs adversaires les plus acharnés, le procureur au parlement de
Rennes La Chalotais, avait été enfermé à la Bastille, puis
libéré en décembre 1766 sans aucune explication; furieux,

il publia de virulents pamphlets accusant les fils de Loyola de préparer l'asservissement de la nation.

Voltaire connaît bien l'affaire La Chalotais. Il continue de s'intéresser aux jésuites : il publie lui-même à Genève l'histoire de leur *Destruction* par d'Alembert (début de 1767). En mars il apprend qu'un homme de Nancy a été « fourré à la Bastille sur la dénonciation d'un jésuite »; il écrit en sa faveur, car, dit-il, « rien ne rafraîchit le sang comme de secourir les malheureux ».

C'est alors, semble-t-il, qu'il modifie le schéma de *l'Ingénu* : l'action étant transportée à l'époque de la Révocation de l'Edit de Nantes, les jésuites y jouent un rôle de premier plan, combien odieux! L'intrigue se resserre autour des amours de l'Ingénu avec Mlle de Saint-Yves, et s'achève par la mort de la vertueuse Basse-Brette. Roman de formation encore, car le narrateur quitte son héros sur le seuil de la maturité, annonçant seulement qu'il deviendra « un guerrier et un philosophe intrépide ».

Plus qu'aucun autre conte de Voltaire, celui-ci a donné lieu à des interprétations divergentes. Quelle en est l'idée centrale ? Est-ce une réponse aux théories de Rousseau sur la nature ? Un pamphlet contre les jésuites ? Un conte politique, dirigé contre l'absolutisme de l'Ancien Régime ? Ou une mise au point de la doctrine sociale de Voltaire ?

D'autre part, n'existe-t-il pas une contradiction entre ce conte et l'ensemble de l'œuvre voltairienne ? Comment l'auteur du *Siècle de Louis XIV* a-t-il pu écrire cette satire du grand siècle ? L'auteur du *Mondain* ne rétracte-t-il pas ici ses idées sur les bienfaits de la civilisation ?

Le schéma primitif prouve que l'idée génératrice fut bien l'opposition entre la nature et la société : un « sauvage », subitement mêlé à la vie française, en accuse les conventions déraisonnables. Le thème ne vient pas de Rousseau : il appartient à la pensée de Voltaire depuis *Alzire* (1736) tout au moins; il s'exprimait dans *la Loi naturelle* (1756), et tout récemment dans la tragédie des *Scythes*, dont Voltaire s'occupe pendant les premiers mois de 1767. La thèse voltairienne s'oppose à Rousseau en ceci : l'apologie de la nature ne tourne pas au réquisitoire contre la culture. L'Ingénu dresse son innocence native contre la corruption d'une religion factice et les struc-

tures d'un Etat perverti. Le procès n'englobe pas les
sciences et les arts. Tout au contraire, l'Ingénu dans la
prison perfectionne sa nature par le commerce du savant
Gordon, par l'usage des belles-lettres. Une métamorphose s'opère en lui, comparable à celle de Pierre le
Grand sous l'influence de Lefort : la brute devient homme.
Voltaire n'a donc point changé d'opinion : la civilisation
enrichit la nature; mais les jésuites et les sous-ministres
la dépravent.

Toutefois, à cette idée centrale se sont adjointes en
cours d'élaboration plusieurs intentions annexes. Il est
bien exact que le conte devient en sa seconde partie un
pamphlet contre les jésuites : au moment de la Révocation de l'Edit de Nantes, la puissante compagnie a jeté
sur le pays un réseau serré d'agents secrets; par la corruption, la délation ou la terreur, elle tient toutes les
autorités; la France, bâillonnée, est perdue : les esprits
libres, les hommes de caractère, les cœurs généreux crou-
piront dans les geôles comme Gordon et l'Ingénu. Sinistre tableau, qui complète celui du *Siècle de Louis XIV*
plus qu'il ne le contredit : les chapitres sur les affaires
ecclésiastiques indiquaient assez fortement les ombres
du grand siècle; le conte de 1767 les accuse davantage. La sympathie pour un certain jansénisme, qui
se manifeste à travers le personnage de Gordon, n'est
pas nouvelle non plus. Dans le protestantisme ainsi que
dans un jansénisme moralisant et rationaliste, Voltaire a
toujours vu des formes d'évolution vers le théisme philosophique.

Il est certain aussi que *l'Ingénu* exprime les aspira-
tions libérales de l'aristocratie éclairée et de la bourgeoisie, marquant un moment important de l'évolution
sociale. Mais il n'en faudrait pas conclure que Voltaire
renonce à sa sympathie pour la politique qu'on a appelée
depuis du « despotisme éclairé ». Il continue d'applaudir
l'autoritarisme monarchique, par exemple dans ses
lettres à Catherine II, chaque fois que celui-ci paraît
servir la cause des lumières.

C'est moins la pensée que l'art qui distingue *l'Ingénu*
des œuvres précédentes.

Voltaire associe encore ici l'histoire d'un jeune homme
et celle d'un voyage. Mais le voyage se réduit à peu de
chose. La traversée qui conduit l'Ingénu du pays huron

jusqu'en Basse-Bretagne n'est évoquée que brièvement
dans l'exposition. Ensuite le héros se rend des bords de
la Rance sur ceux de la Seine, sans autre halte remarquable que celle de Saumur. Voyage qui pose le contraste
fondamental sur lequel est construit le récit : la province et Paris. Voltaire dans *le Siècle de Louis XIV*
avait dégagé l'importance de ce fait dans l'histoire de la
France contemporaine : la centralisation monarchique.
Il envisage ici le phénomène historique sous son aspect
romanesque. Il prend rang parmi ceux qui ont commencé à traiter le sujet que leur propose la structure de
la société française : l'homme de province à Paris, « parvenu » (Marivaux), ou « perverti » (Restif). Le contraste
était esquissé dans *Jeannot et Colin; l'Ingénu* équilibre
mieux la composition : sept chapitres en Bretagne, un
chapitre de transition (le voyage), douze chapitres à Paris.

   Voltaire traite donc un sujet du roman français, et
si l'une de ses œuvres mérite le titre de roman, c'est
l'Ingénu. Dans cette « histoire véritable », il se conforme
à un réalisme qui ne se rencontre dans aucun autre de
ses contes, *Jeannot et Colin* excepté. Après l'évocation
amusée de saint Dunstan naviguant sur sa montagne, il
prend congé du merveilleux : rien dans la suite qui
s'écarte du train ordinaire des choses, exception faite
du nom du père Tout-à-tous. « *L'Ingénu* vaut mieux
que *Candide*, écrivait Voltaire à son éditeur Cramer
(août 1767), en ce qu'il est infiniment plus vraisemblable. »

   C'est ici que s'exerce l'influence de Rousseau et de
quelques autres. Voltaire connaît la vogue des romans
imités de l'anglais, telle *la Nouvelle Héloïse*. Dans les
années 1760-1770, il s'efforce de suivre la mode, en la
corrigeant. Un roman à l'anglaise écrit avec goût, sans
outrance ni déclamation, n'est-ce pas *l'Ingénu*? L'esprit
critique inspire souvent ses créations. Il se pique de
donner un « corrigé » d'œuvres qu'il juge manquées :
« corrigés » de Corneille, de Shakespeare, de Crébillon.
« Corrigés » de Jean-Jacques : la visite de Candide chez
la marquise de Parolignac (addition de 1761) *corrige*
l'épisode de Saint-Preux chez les catins; l'agonie de
Mlle de Saint-Yves *corrige* celle de Julie. Se conformant
à l'évolution littéraire de son temps, il n'écrit pas d'abord
l'Ingénu, comme il avait écrit *Micromégas*, *Zadig*, *Candide*, pour divertir quelques amis de haut rang; il vise
cette fois le public plus large, bourgeois sinon populaire,
des liseurs de romans.

C'est de l'art romanesque que relève pareillement la progression qui nous fait vivre en sympathie de plus en plus étroite avec le héros. Nous nous amusons du petit monde bas-breton, comiquement confiné dans son coin de terre; nous sourions des naïvetés de l'Ingénu; puis nous compatissons aux malheurs dans lesquels nous le voyons s'engager étourdiment. Notre intérêt se fait plus sérieux à mesure que l'Ingénu se forme. Si l'on considère la succession des événements, le récit prend son tournant au moment où la scène se transporte de la province à Paris. Mais si l'on s'attache à l'histoire intérieure de l'Ingénu, le centre est constitué par les chapitres de la Bastille : en apparence, pause dans l'action comparable à celle d'Eldorado dans *Candide;* en réalité, dans cet intervalle, l'Ingénu se transforme : il « développe son jugement », il devient homme, achevant de gagner notre amitié. En ces chapitres nous sentons une chaleur secrète, un accent discrètement personnel. Voltaire se souvenait assurément qu'il avait, à l'âge de son héros, passé près d'une année à la Bastille. Rencontra-t-il un Gordon ? Son père pensait que la prison lui donnerait de la raison : ce qui arrive à l'Ingénu. Se forma-t-il comme son personnage par d'amples lectures ? Il a gardé le silence sur cet épisode de sa vie. Dans son roman il ne laisse échapper qu'une « confidence déguisée », dont il serait téméraire de deviner les éléments autobiographiques.

Puis un habile crescendo nous fait assister à la passion et à la mort de Mlle de Saint-Yves. L'auteur de *Zaïre*, de *Nanine*, de *l'Ecossaise*, conduit d'une main sûre ce cinquième acte. Il veut émouvoir. Y réussit-il ? On sent quelque froideur dans ce pathétique concerté : on est tenté de réagir comme l'Ingénu qui, à la lecture de *Cinna*, « ne pleura point mais admira ».

L'Ingénu se termine en roman. Le ton se rassérène avant le point final. M. de Saint-Pouange connaît le repentir; chacun reçoit sa récompense : distribution de prix qui nous ramène au niveau de la narration plaisante. Et le récit s'achève sur la perspective proprement romanesque de la vie qui continue sans histoire.

R. P.

L'INGÉNU

HISTOIRE VÉRITABLE

TIRÉE DES MANUSCRITS DU P. QUESNEL

CHAPITRE PREMIER

COMMENT LE PRIEUR DE NOTRE-DAME DE LA MONTAGNE ET MADEMOISELLE SA SŒUR RENCONTRÈRENT UN HURON

Un jour saint Dunstan, Irlandais de nation et saint de profession, partit d'Irlande sur une petite montagne qui vogua vers les côtes de France, et arriva par cette voiture à la baie de Saint-Malo. Quand il fut à bord, il donna la bénédiction à sa montagne, qui lui fit de profondes révérences et s'en retourna en Irlande par le même chemin qu'elle était venue.

Dunstan fonda un petit prieuré dans ces quartiers-là, et lui donna le nom de *prieuré de la Montagne*, qu'il porte encore, comme un chacun sait.

En l'année 1689, le 15 juillet au soir, l'abbé de Kerkabon, prieur de Notre-Dame de la Montagne, se promenait sur le bord de la mer avec mademoiselle de Kerkabon, sa sœur, pour prendre le frais. Le prieur, déjà un peu sur l'âge, était un très bon ecclésiastique, aimé de ses voisins, après l'avoir été autrefois de ses voisines. Ce qui lui avait donné surtout une grande considération, c'est qu'il était le seul bénéficier du pays qu'on ne fût pas obligé de porter dans son lit quand il avait soupé avec ses confrères. Il savait assez honnêtement de théologie; et quand il était las de lire St. Augustin, il s'amusait avec Rabelais : aussi tout le monde disait du bien de lui.

Mademoiselle de Kerkabon, qui n'avait jamais été mariée, quoiqu'elle eût grande envie de l'être, conservait de la fraîcheur à l'âge de quarante-cinq ans; son caractère était bon et sensible; elle aimait le plaisir et était dévote.

Le prieur disait à sa sœur, en regardant la mer :

« Hélas! c'est ici que s'embarqua notre pauvre frère avec notre chère belle-sœur madame de Kerkabon, sa femme, sur la frégate l'*Hirondelle*, en 1669, pour aller servir en Canada. S'il n'avait pas été tué, nous pourrions espérer de le revoir encore.

— Croyez-vous, disait mademoiselle de Kerkabon, que notre belle-sœur ait été mangée par les Iroquois, comme on nous l'a dit ? Il est certain que si elle n'avait pas été mangée, elle serait revenue au pays. Je la pleurerai toute ma vie : c'était une femme charmante; et notre frère, qui avait beaucoup d'esprit, aurait fait assurément une grande fortune. »

Comme ils s'attendrissaient l'un et l'autre à ce souvenir, ils virent entrer dans la baie de Rance un petit bâtiment qui arrivait avec la marée : c'étaient des Anglais qui venaient vendre quelques denrées de leur pays. Ils sautèrent à terre, sans regarder monsieur le prieur ni mademoiselle sa sœur, qui fut très choquée du peu d'attention qu'on avait pour elle.

Il n'en fut pas de même d'un jeune homme très bien fait qui s'élança d'un saut par-dessus la tête de ses compagnons, et se trouva vis-à-vis mademoiselle. Il lui fit un signe de tête, n'étant pas dans l'usage de faire la révérence. Sa figure et son ajustement attirèrent les regards du frère et de la sœur. Il était nu-tête et nu-jambes, les pieds chaussés de petites sandales, le chef orné de longs cheveux en tresses, un petit pourpoint qui serrait une taille fine et dégagée; l'air martial et doux. Il tenait dans sa main une petite bouteille d'eau des Barbades, et dans l'autre une espèce de bourse dans laquelle était un gobelet et de très bon biscuit de mer. Il parlait français fort intelligiblement. Il présenta de son eau des Barbades à mademoiselle de Kerkabon et à monsieur son frère; il en but avec eux; il leur en fit reboire encore, et tout cela d'un air si simple et si naturel que le frère et la sœur en furent charmés. Ils lui offrirent leurs services, en lui demandant qui il était et où il allait. Le jeune homme leur répondit qu'il n'en savait rien, qu'il était curieux, qu'il avait voulu voir comment les côtes de France étaient faites, qu'il était venu, et allait s'en retourner.

Monsieur le prieur, jugeant à son accent qu'il n'était pas Anglais, prit la liberté de lui demander de quel pays il était. « Je suis Huron », lui répondit le jeune homme.

Mademoiselle de Kerkabon, étonnée et enchantée de voir un Huron qui lui avait fait des politesses, pria le jeune homme à souper; il ne se fit pas prier deux fois, et tous trois allèrent de compagnie au prieuré de Notre-Dame de la Montagne.

La courte et ronde demoiselle le regardait de tous ses petits yeux, et disait de temps en temps au prieur : « Ce grand garçon-là a un teint de lis et de rose! qu'il a une belle peau pour un Huron! — Vous avez raison, ma sœur », disait le prieur. Elle faisait cent questions coup sur coup, et le voyageur répondait toujours fort juste.

Le bruit se répandit bientôt qu'il y avait un Huron au prieuré. La bonne compagnie du canton s'empressa d'y venir souper. L'abbé de St. Yves y vint avec mademoiselle sa sœur, jeune basse-brette, fort jolie et très bien élevée. Le bailli, le receveur des tailles, et leurs femmes, furent du souper. On plaça l'étranger entre mademoiselle de Kerkabon et mademoiselle de St. Yves. Tout le monde le regardait avec admiration; tout le monde lui parlait et l'interrogeait à la fois; le Huron ne s'en émouvait pas. Il semblait qu'il eût pris pour sa devise celle de milord Bolingbroke : *nihil admirari*. Mais à la fin, excédé de tant de bruit, il leur dit avec assez de douceur, mais avec un peu de fermeté : « Messieurs, dans mon pays on parle l'un après l'autre; comment voulez-vous que je vous réponde quand vous m'empêchez de vous entendre ? » La raison fait toujours rentrer les hommes en eux-mêmes pour quelques moments : il se fit un grand silence. Monsieur le bailli, qui s'emparait toujours des étrangers dans quelque maison qu'il se trouvât et qui était le plus grand questionneur de la province, lui dit en ouvrant la bouche d'un demi-pied : « Monsieur, comment vous nommez-vous ? — On m'a toujours appelé l'Ingénu, reprit le Huron, et on m'a confirmé ce nom en Angleterre, parce que je dis toujours naïvement ce que je pense, comme je fais tout ce que je veux.

— Comment, étant né Huron, avez-vous pu, monsieur, venir en Angleterre ? — C'est qu'on m'y a mené; j'ai été fait, dans un combat, prisonnier par les Anglais, après m'être assez bien défendu; et les Anglais, qui aiment la bravoure, parce qu'ils sont braves et qu'ils sont aussi honnêtes que nous, m'ayant proposé de me rendre à mes parents ou de venir en Angleterre, j'acceptai le dernier parti, parce que de mon naturel j'aime passionnément à voir du pays.

— Mais, monsieur, dit le bailli avec son ton imposant, comment avez-vous pu abandonner ainsi père et mère ?

— C'est que je n'ai jamais connu ni père ni mère », dit l'étranger. La compagnie s'attendrit, et tout le monde répétait : *Ni père, ni mère !* « Nous lui en servirons, dit la maîtresse de la maison à son frère le prieur; que ce monsieur le Huron est intéressant ! » L'Ingénu la remercia avec une cordialité noble et fière, et lui fit comprendre qu'il n'avait besoin de rien.

« Je m'aperçois, monsieur l'Ingénu, dit le grave bailli, que vous parlez mieux français qu'il n'appartient à un Huron. — Un Français, dit-il, que nous avions pris dans ma grande jeunesse en Huronie, et pour qui je conçus beaucoup d'amitié, m'enseigna sa langue; j'apprends très vite ce que je veux apprendre. J'ai trouvé en arrivant à Plymouth un de vos Français réfugiés que vous appelez *huguenots*, je ne sais pourquoi; il m'a fait faire quelques progrès dans la connaissance de votre langue; et dès que j'ai pu m'exprimer intelligiblement, je suis venu voir votre pays, parce que j'aime assez les Français quand ils ne font pas trop de questions. »

L'abbé de St. Yves, malgré ce petit avertissement, lui demanda laquelle des trois langues lui plaisait davantage, la huronne, l'anglaise, ou la française. « La huronne, sans contredit, répondit l'Ingénu. — Est-il possible ? s'écria mademoiselle de Kerkabon; j'avais toujours cru que le français était la plus belle de toutes les langues après le bas-breton. »

Alors ce fut à qui demanderait à l'Ingénu comment on disait en huron du tabac, et il répondait *taya ;* comment on disait manger, et il répondait *essenten*. Mademoiselle de Kerkabon voulut absolument savoir comment on disait faire l'amour; il lui répondit *trovander* [a], et soutint, non sans apparence de raison, que ces mots-là valaient bien les mots français et anglais qui leur correspondaient. *Trovander* parut très joli à tous les convives.

Monsieur le prieur, qui avait dans sa bibliothèque la grammaire huronne dont le révérend P. Sagar Théodat, récollet, fameux missionnaire, lui avait fait présent, sortit de table un moment pour l'aller consulter. Il revint tout haletant de tendresse et de joie; il reconnut l'Ingénu pour un vrai Huron. On disputa un peu sur la multiplicité des langues, et on convint que, sans l'aventure de la tour de Babel, toute la terre aurait parlé français.

L'interrogant bailli, qui jusque-là s'était défié un peu

_____

a. Tous ces noms sont en effet hurons.

du personnage, conçut pour lui un profond respect; il
lui parla avec plus de civilité qu'auparavant, de quoi
l'Ingénu ne s'aperçut pas.

Mademoiselle de St. Yves était fort curieuse de savoir
comment on faisait l'amour au pays des Hurons. « En
faisant de belles actions, répondit-il, pour plaire aux personnes qui vous ressemblent. » Tous les convives applaudirent avec étonnement. Mademoiselle de St. Yves rougit et fut fort aise. Mademoiselle de Kerkabon rougit
aussi, mais elle n'était pas si aise : elle fut un peu piquée
que la galanterie ne s'adressât pas à elle; mais elle était
si bonne personne que son affection pour le Huron n'en
fut point du tout altérée. Elle lui demanda, avec beaucoup de bonté, combien il avait eu de maîtresses en Huronie. « Je n'en ai jamais eu qu'une, dit l'Ingénu; c'était
mademoiselle Abacaba, la bonne amie de ma chère nourrice; les joncs ne sont pas plus droits, l'hermine n'est pas
plus blanche, les moutons sont moins doux, les aigles
moins fiers, et les cerfs ne sont pas si légers que l'était
Abacaba. Elle poursuivait un jour un lièvre dans notre
voisinage, environ à cinquante lieues de notre habitation; un Algonquin mal élevé, qui habitait cent lieues plus
loin, vint lui prendre son lièvre; je le sus, j'y courus, je
terrassai l'Algonquin d'un coup de massue, je l'amenai
aux pieds de ma maîtresse, pieds et poings liés. Les
parents d'Abacaba voulurent le manger; mais je n'eus
jamais de goût pour ces sortes de festins; je lui rendis sa
liberté, j'en fis un ami. Abacaba fut si touchée de mon
procédé qu'elle me préféra à tous ses amants. Elle m'aimerait encore si elle n'avait pas été mangée par un ours :
j'ai puni l'ours, j'ai porté longtemps sa peau; mais cela
ne m'a pas consolé. »

Mademoiselle de St. Yves, à ce récit, sentait un plaisir
secret d'apprendre que l'Ingénu n'avait eu qu'une maîtresse, et qu'Abacaba n'était plus; mais elle ne démêlait
pas la cause de son plaisir. Tout le monde fixait les yeux
sur l'Ingénu; on le louait beaucoup d'avoir empêché ses
camarades de manger un Algonquin.

L'impitoyable bailli, qui ne pouvait réprimer sa fureur
de questionner, poussa enfin la curiosité jusqu'à s'informer de quelle religion était monsieur le Huron; s'il avait
choisi la religion anglicane, ou la gallicane, ou la hugue-
note ? « Je suis de ma religion, dit-il, comme vous de la
vôtre. — Hélas! s'écria la Kerkabon, je vois bien que ces
malheureux Anglais n'ont pas seulement songé à le bap-

tiser. — Eh! mon Dieu, disait mademoiselle de St. Yves, comment se peut-il que les Hurons ne soient pas catholiques ? Est-ce que les RR. PP. jésuites ne les ont pas tous convertis ? » L'Ingénu l'assura que dans son pays on ne convertissait personne; que jamais un vrai Huron n'avait changé d'opinion, et que même il n'y avait point dans sa langue de terme qui signifiât *inconstance*. Ces derniers mots plurent extrêmement à mademoiselle de St. Yves.

« Nous le baptiserons, nous le baptiserons, disait la Kerkabon à monsieur le prieur; vous en aurez l'honneur, mon cher frère; je veux absolument être sa marraine : monsieur l'abbé de St. Yves le présentera sur les fonts; ce sera une cérémonie bien brillante; il en sera parlé dans toute la Basse-Bretagne, et cela nous fera un honneur infini. » Toute la compagnie seconda la maîtresse de la maison; tous les convives criaient : « Nous le baptiserons ! » L'Ingénu répondit qu'en Angleterre on laissait vivre les gens à leur fantaisie. Il témoigna que la proposition ne lui plaisait point du tout, et que la loi des Hurons valait pour le moins la loi des Bas-Bretons; enfin il dit qu'il repartait le lendemain. On acheva de vider sa bouteille d'eau des Barbades, et chacun s'alla coucher.

Quand on eut reconduit l'Ingénu dans sa chambre, mademoiselle de Kerkabon et son amie mademoiselle de St. Yves ne purent se tenir de regarder par le trou d'une large serrure pour voir comment dormait un Huron. Elles virent qu'il avait étendu la couverture du lit sur le plancher, et qu'il reposait dans la plus belle attitude du monde.

CHAPITRE SECOND

LE HURON, NOMMÉ L'INGÉNU, RECONNU DE SES PARENTS

L'Ingénu, selon sa coutume, s'éveilla avec le soleil, au chant du coq, qu'on appelle en Angleterre et en Huronie *la trompette du jour*. Il n'était pas comme la bonne compagnie, qui languit dans un lit oiseux jusqu'à ce que le soleil ait fait la moitié de son tour, qui ne peut ni dormir ni se lever, qui perd tant d'heures précieuses dans cet état mitoyen entre la vie et la mort, et qui se plaint encore que la vie est trop courte.

Il avait déjà fait deux ou trois lieues, il avait tué trente pièces de gibier à balle seule, lorsqu'en rentrant il trouva

monsieur le prieur de Notre-Dame de la Montagne et sa
discrète sœur, se promenant en bonnet de nuit dans leur
petit jardin. Il leur présenta toute sa chasse, et en tirant
de sa chemise une espèce de petit talisman qu'il portait
toujours à son cou, il les pria de l'accepter en reconnaissance de leur bonne réception. « C'est ce que j'ai de plus
précieux, leur dit-il; on m'a assuré que je serais toujours
heureux tant que je porterais ce petit brimborion sur
moi, et je vous le donne afin que vous soyez toujours heureux. »

Le prieur et mademoiselle sourirent avec attendrissement de la naïveté de l'Ingénu. Ce présent consistait en
deux petits portraits assez mal faits, attachés ensemble
avec une courroie fort grasse.

Mademoiselle de Kerkabon lui demanda s'il y avait
des peintres en Huronie. « Non, dit l'Ingénu; cette
rareté me vient de ma nourrice; son mari l'avait eue par
conquête, en dépouillant quelques Français du Canada
qui nous avaient fait la guerre; c'est tout ce que j'en ai
su. »

Le prieur regardait attentivement ces portraits; il
changea de couleur, il s'émut, ses mains tremblèrent.
« Par Notre-Dame de la Montagne, s'écria-t-il, je crois
que voilà le visage de mon frère le capitaine et de sa
femme! » Mademoiselle, après les avoir considérés avec
la même émotion, en jugea de même. Tous deux étaient
saisis d'étonnement et d'une joie mêlée de douleur; tous
deux s'attendrissaient; tous deux pleuraient; leur cœur
palpitait; ils poussaient des cris; ils s'arrachaient les portraits; chacun d'eux les prenait et les rendait vingt fois
en une seconde; ils dévoraient des yeux les portraits et
le Huron; ils lui demandaient l'un après l'autre, et tous
deux à la fois, en quel lieu, en quel temps, comment ces
miniatures étaient tombées entre les mains de sa nourrice; ils rapprochaient, ils comptaient les temps depuis
le départ du capitaine; ils se souvenaient d'avoir eu nouvelle qu'il avait été jusqu'au pays des Hurons, et que
depuis ce temps ils n'en avaient jamais entendu parler.

L'Ingénu leur avait dit qu'il n'avait connu ni père ni
mère. Le prieur, qui était homme de sens, remarqua que
l'Ingénu avait un peu de barbe; il savait très bien que les
Hurons n'en ont point. « Son menton est cotonné, il est
donc fils d'un homme d'Europe; mon frère et ma belle-
sœur ne parurent plus après l'expédition contre les
Hurons, en 1669; mon neveu devait alors être à la

mamelle; la nourrice huronne lui a sauvé la vie et lui a
servi de mère. » Enfin, après cent questions et cent
réponses, le prieur et sa sœur conclurent que le Huron
était leur propre neveu. Ils l'embrassaient en versant des
larmes; et l'Ingénu riait, ne pouvant s'imaginer qu'un
Huron fût neveu d'un prieur bas-breton.

Toute la compagnie descendit; monsieur de St. Yves,
qui était grand physionomiste, compara les deux portraits avec le visage de l'Ingénu; il fit très habilement
remarquer qu'il avait les yeux de sa mère, le front et le
nez de feu monsieur le capitaine de Kerkabon, et des
joues qui tenaient de l'un et de l'autre.

Mademoiselle de St. Yves, qui n'avait jamais vu le
père ni la mère, assura que l'Ingénu leur ressemblait parfaitement. Ils admiraient tous la Providence et l'enchaînement des événements de ce monde. Enfin on était si
persuadé, si convaincu de la naissance de l'Ingénu, qu'il
consentit lui-même à être neveu de monsieur le prieur,
en disant qu'il aimait autant l'avoir pour son oncle qu'un
autre.

On alla rendre grâce à Dieu dans l'église de Notre-
Dame de la Montagne, tandis que le Huron, d'un air
indifférent, s'amusait à boire dans la maison.

Les Anglais qui l'avaient amené, et qui étaient prêts à
mettre à la voile, vinrent lui dire qu'il était temps de
partir. « Apparemment, leur dit-il, que vous n'avez pas
retrouvé vos oncles et vos tantes : je reste ici; retournez
à Plymouth, je vous donne toutes mes hardes, je n'ai plus
besoin de rien au monde puisque je suis le neveu d'un
prieur. » Les Anglais mirent à la voile, en se souciant
fort peu que l'Ingénu eût des parents ou non en Basse-
Bretagne.

Après que l'oncle, la tante, et la compagnie, eurent
chanté le *Te Deum ;* après que le bailli eut encore accablé
l'Ingénu de questions; après qu'on eut épuisé tout ce que
l'étonnement, la joie, la tendresse, peuvent faire dire, le
prieur de la Montagne et l'abbé de St. Yves conclurent
à faire baptiser l'Ingénu au plus vite. Mais il n'en était
pas d'un grand Huron de vingt-deux ans comme d'un
enfant qu'on régénère sans qu'il en sache rien. Il fallait
l'instruire, et cela paraissait difficile : car l'abbé de
St. Yves supposait qu'un homme qui n'était pas né en
France n'avait pas le sens commun.

Le prieur fit observer à la compagnie que, si en effet
monsieur l'Ingénu, son neveu, n'avait pas eu le bonheur

de naître en Basse-Bretagne, il n'en avait pas moins
d'esprit; qu'on en pouvait juger par toutes ses réponses,
et que sûrement la nature l'avait beaucoup favorisé, tant
du côté paternel que du maternel.

On lui demanda d'abord s'il avait jamais lu quelque
livre. Il dit qu'il avait lu Rabelais traduit en anglais, et
quelques morceaux de Shakespeare qu'il savait par cœur;
qu'il avait trouvé ces livres chez le capitaine du vaisseau
qui l'avait amené de l'Amérique à Plymouth, et qu'il en
était fort content. Le bailli ne manqua pas de l'interroger
sur ces livres. « Je vous avoue, dit l'Ingénu, que j'ai cru en
deviner quelque chose, et que je n'ai pas entendu le reste. »

L'abbé de St. Yves, à ce discours, fit réflexion que
c'était ainsi que lui-même avait toujours lu, et que la
plupart des hommes ne lisaient guère autrement. « Vous
avez sans doute lu la *Bible* ? dit-il au Huron. — Point du
tout, monsieur l'abbé; elle n'était pas parmi les livres de
mon capitaine; je n'en ai jamais entendu parler. — Voilà
comme sont ces maudits Anglais, criait mademoiselle de
Kerkabon; ils feront plus de cas d'une pièce de Shakespeare, d'un plum-pudding et d'une bouteille de rhum
que du *Pentateuque*. Aussi n'ont-ils jamais converti personne en Amérique. Certainement ils sont maudits de
Dieu; et nous leur prendrons la Jamaïque et la Virginie
avant qu'il soit peu de temps. »

Quoi qu'il en soit, on fit venir le plus habile tailleur de
Saint-Malo pour habiller l'Ingénu de pied en cap. La
compagnie se sépara; le bailli alla faire ses questions
ailleurs. Mademoiselle de St. Yves, en partant, se
retourna plusieurs fois pour regarder l'Ingénu; et il lui
fit des révérences plus profondes qu'il n'en avait jamais
fait à personne en sa vie.

Le bailli, avant de prendre congé, présenta à mademoiselle de St. Yves un grand nigaud de fils qui sortait
du collège; mais à peine le regarda-t-elle, tant elle était
occupée de la politesse du Huron.

CHAPITRE TROISIÈME

LE HURON, NOMMÉ L'INGÉNU, CONVERTI

Monsieur le prieur, voyant qu'il était un peu sur l'âge,
et que Dieu lui envoyait un neveu pour sa consolation,
se mit en tête qu'il pourrait lui résigner son bénéfice s'il

réussissait à le baptiser, et à le faire entrer dans les ordres.

L'Ingénu avait une mémoire excellente. La fermeté des organes de Basse-Bretagne, fortifiée par le climat du Canada, avait rendu sa tête si vigoureuse que, quand on frappait dessus, à peine le sentait-il; et quand on gravait dedans, rien ne s'effaçait; il n'avait jamais rien oublié. Sa conception était d'autant plus vive et plus nette que, son enfance n'ayant point été chargée des inutilités et des sottises qui accablent la nôtre, les choses entraient dans sa cervelle sans nuage. Le prieur résolut enfin de lui faire lire le Nouveau Testament. L'Ingénu le dévora avec beaucoup de plaisir; mais, ne sachant ni dans quel temps ni dans quel pays toutes les aventures rapportées dans ce livre étaient arrivées, il ne douta point que le lieu de la scène ne fût en Basse-Bretagne; et il jura qu'il couperait le nez et les oreilles à Caïphe et à Pilate si jamais il rencontrait ces marauds-là.

Son oncle, charmé de ces bonnes dispositions, le mit au fait en peu de temps; il loua son zèle; mais il lui apprit que ce zèle était inutile, attendu que ces gens-là étaient morts il y avait environ seize cent quatre-vingt-dix années. L'Ingénu sut bientôt presque tout le livre par cœur. Il proposait quelquefois des difficultés qui mettaient le prieur fort en peine. Il était obligé souvent de consulter l'abbé de St. Yves, qui, ne sachant que répondre, fit venir un jésuite bas-breton pour achever la conversion du Huron.

Enfin la grâce opéra; l'Ingénu promit de se faire chrétien; il ne douta pas qu'il ne dût commencer par être circoncis; « car, disait-il, je ne vois pas dans le livre qu'on m'a fait lire un seul personnage qui ne l'ait été; il est donc évident que je dois faire le sacrifice de mon prépuce : le plus tôt c'est le mieux ». Il ne délibéra point : il envoya chercher le chirurgien du village, et le pria de lui faire l'opération, comptant réjouir infiniment mademoiselle de Kerkabon et toute la compagnie quand une fois la chose serait faite. Le frater, qui n'avait point encore fait cette opération, en avertit la famille, qui jeta les hauts cris. La bonne Kerkabon trembla que son neveu, qui paraissait résolu et expéditif, ne se fît lui-même l'opération très maladroitement, et qu'il n'en résultât de tristes effets auxquels les dames s'intéressent toujours par bonté d'âme.

Le prieur redressa les idées du Huron; il lui remontra

que la circoncision n'était plus de mode; que le baptême
était beaucoup plus doux et plus salutaire; que la loi de
grâce n'était pas comme la loi de rigueur. L'Ingénu, qui
avait beaucoup de bon sens et de droiture, disputa, mais
reconnut son erreur, ce qui est assez rare en Europe aux
gens qui disputent; enfin il promit de se faire baptiser
quand on voudrait.

Il fallait auparavant se confesser; et c'était là le plus
difficile. L'Ingénu avait toujours en poche le livre que
son oncle lui avait donné. Il n'y trouvait pas qu'un seul
apôtre se fût confessé, et cela le rendait très rétif. Le
prieur lui ferma la bouche en lui montrant, dans l'épître
de saint Jacques le Mineur, ces mots qui font tant de
peine aux hérétiques : *Confessez vos péchés les uns aux
autres*. Le Huron se tut, et se confessa à un récollet.
Quand il eut fini, il tira le récollet du confessionnal, et,
saisissant son homme d'un bras vigoureux, il se mit à sa
place, et le fit mettre à genoux devant lui : « Allons, mon
ami, il est dit : *Confessez-vous les uns aux autres* ; je t'ai
conté mes péchés, tu ne sortiras pas d'ici que tu ne m'aies
conté les tiens. » En parlant ainsi, il appuyait son large
genou contre la poitrine de son adverse partie. Le récollet
pousse des hurlements qui font retentir l'église. On accourt
au bruit, on voit le catéchumène qui gourmait le moine au
nom de saint Jacques le Mineur. La joie de baptiser un
Bas-Breton huron et anglais était si grande qu'on passa
par-dessus ces singularités. Il y eut même beaucoup
de théologiens qui pensèrent que la confession n'était pas
nécessaire, puisque le baptême tenait lieu de tout.

On prit jour avec l'évêque de Saint-Malo, qui, flatté
comme on peut le croire, de baptiser un Huron, arriva
dans un pompeux équipage, suivi de son clergé. Mademoiselle de St. Yves, en bénissant Dieu, mit sa plus
belle robe et fit venir une coiffeuse de Saint-Malo pour
briller à la cérémonie. L'interrogant bailli accourut avec
toute la contrée. L'église était magnifiquement parée;
mais quand il fallut prendre le Huron pour le mener aux
fonts baptismaux, on ne le trouva point.

L'oncle et la tante le cherchèrent partout. On crut qu'il
était à la chasse, selon sa coutume. Tous les conviés à la
fête parcoururent les bois et les villages voisins : point
de nouvelles du Huron.

On commençait à craindre qu'il ne fût retourné en
Angleterre. On se souvenait de lui avoir entendu dire
qu'il aimait fort ce pays-là. Monsieur le prieur et sa

sœur étaient persuadés qu'on n'y baptisait personne, et tremblaient pour l'âme de leur neveu. L'évêque était confondu et prêt à s'en retourner; le prieur et l'abbé de St. Yves se désespéraient; le bailli interrogeait tous les passants avec sa gravité ordinaire. Mademoiselle de Kerkabon pleurait. Mademoiselle de St. Yves ne pleurait pas, mais elle poussait de profonds soupirs qui semblaient témoigner son goût pour les sacrements. Elles se promenaient tristement le long des saules et des roseaux qui bordent la petite rivière de Rance, lorsqu'elles aperçurent au milieu de la rivière une grande figure assez blanche, les deux mains croisées sur la poitrine. Elles jetèrent un grand cri et se détournèrent. Mais, la curiosité l'emportant bientôt sur toute autre considération, elles se coulèrent doucement entre les roseaux; et quand elles furent bien sûres de n'être point vues, elles voulurent voir de quoi il s'agissait.

CHAPITRE QUATRIÈME

L'INGÉNU BAPTISÉ

Le prieur et l'abbé, étant accourus, demandèrent à l'Ingénu ce qu'il faisait là. « Eh parbleu! Messieurs, j'attends le baptême : il y a une heure que je suis dans l'eau jusqu'au cou et il n'est pas honnête de me laisser morfondre.

— Mon cher neveu, lui dit tendrement le prieur, ce n'est pas ainsi qu'on baptise en Basse-Bretagne; reprenez vos habits et venez avec nous. » Mademoiselle de St. Yves, en entendant ce discours, disait tout bas à sa compagne : « Mademoiselle, croyez-vous qu'il reprenne sitôt ses habits ? »

Le Huron cependant repartit au prieur : « Vous ne m'en ferez pas accroire cette fois-ci comme l'autre; j'ai bien étudié depuis ce temps-là, et je suis très certain qu'on ne se baptise pas autrement. L'eunuque de la reine Candace fut baptisé dans un ruisseau; je vous défie de me montrer dans le livre que vous m'avez donné qu'on s'y soit jamais pris d'une autre façon. Je ne serai point baptisé du tout, ou je le serai dans la rivière. » On eut beau lui remontrer que les usages avaient changé, l'Ingénu était têtu, car il était Breton et Huron. Il revenait toujours à l'eunuque de la reine Candace; et quoique

mademoiselle sa tante et mademoiselle de St. Yves, qui
l'avaient observé entre les saules, fussent en droit de lui
dire qu'il ne lui appartenait pas de citer un pareil homme,
elles n'en firent pourtant rien, tant était grande leur discrétion. L'évêque vint lui-même lui parler, ce qui est
beaucoup; mais il ne gagna rien : le Huron disputa
contre l'évêque.

« Montrez-moi, lui dit-il, dans le livre que m'a donné
mon oncle, un seul homme qui n'ait pas été baptisé dans
la rivière, et je ferai tout ce que vous voudrez. »

La tante, désespérée, avait remarqué que la première
fois que son neveu avait fait la révérence, il en avait fait
une plus profonde à mademoiselle de St. Yves qu'à
aucune autre personne de la compagnie, qu'il n'avait pas
même salué monsieur l'évêque avec ce respect mêlé de
cordialité qu'il avait témoigné à cette belle demoiselle.
Elle prit le parti de s'adresser à elle dans ce grand
embarras; elle la pria d'interposer son crédit pour engager
le Huron à se faire baptiser de la même manière que les
Bretons, ne croyant pas que son neveu pût jamais être
chrétien s'il persistait à vouloir être baptisé dans l'eau
courante.

Mademoiselle de St. Yves rougit du plaisir secret
qu'elle sentait d'être chargée d'une si importante commission. Elle s'approcha modestement de l'Ingénu, et,
lui serrant la main d'une manière tout à fait noble : « Est-
ce que vous ne ferez rien pour moi ? » lui dit-elle; et en
prononçant ces mots elle baissait les yeux, et les relevait
avec une grâce attendrissante. « Ah! tout ce que vous
voudrez, mademoiselle, tout ce que vous me comman-
derez : baptême d'eau, baptême de feu, baptême de sang,
il n'y a rien que je vous refuse. » Mademoiselle de St. Yves
eut la gloire de faire en deux paroles ce que ni les empressements du prieur, ni les interrogations réitérées du
bailli, ni les raisonnements même de monsieur l'évêque,
n'avaient pu faire. Elle sentit son triomphe; mais elle
n'en sentait pas encore toute l'étendue.

Le baptême fut administré et reçu avec toute la décence,
toute la magnificence, tout l'agrément possibles. L'oncle
et la tante cédèrent à monsieur l'abbé de St. Yves et à
sa sœur l'honneur de tenir l'Ingénu sur les fonts. Mademoiselle de St. Yves rayonnait de joie de se voir marraine.
Elle ne savait pas à quoi ce grand titre l'asservissait; elle
accepta cet honneur sans en connaître les fatales conséquences.

Comme il n'y a jamais eu de cérémonie qui ne fût suivie d'un grand dîner, on se mit à table au sortir du baptême. Les goguenards de Basse-Bretagne dirent qu'il ne fallait pas baptiser son vin. Monsieur le prieur disait que le vin, selon Salomon, réjouit le cœur de l'homme. Monsieur l'évêque ajoutait que le patriarche Juda devait lier son ânon à la vigne, et tremper son manteau dans le sang du raisin, et qu'il était bien triste qu'on n'en pût faire autant en Basse-Bretagne, à laquelle Dieu a dénié les vignes. Chacun tâchait de dire un bon mot sur le baptême de l'Ingénu, et des galanteries à la marraine. Le bailli, toujours interrogant, demandait au Huron s'il serait fidèle à ses promesses. « Comment voulez-vous que je manque à mes promesses, répondit le Huron, puisque je les ai faites entre les mains de mademoiselle de St. Yves ? »

Le Huron s'échauffa; il but beaucoup à la santé de sa marraine. « Si j'avais été baptisé de votre main, dit-il, je sens que l'eau froide qu'on m'a versée sur le chignon m'aurait brûlé. » Le bailli trouva cela trop poétique, ne sachant pas combien l'allégorie est familière au Canada. Mais la marraine en fut extrêmement contente.

On avait donné le nom d'Hercule au baptisé. L'évêque de Saint-Malo demandait toujours quel était ce patron dont il n'avait jamais entendu parler. Le jésuite, qui était fort savant, lui dit que c'était un saint qui avait fait douze miracles. Il y en avait un treizième qui valait les douze autres, mais dont il ne convenait pas à un jésuite de parler : c'était celui d'avoir changé cinquante filles en femmes en une seule nuit. Un plaisant qui se trouva là releva ce miracle avec énergie. Toutes les dames baissèrent les yeux, et jugèrent à la physionomie de l'Ingénu qu'il était digne du saint dont il portait le nom.

CHAPITRE CINQUIÈME

L'INGÉNU AMOUREUX

Il faut avouer que depuis ce baptême et ce dîner mademoiselle de St. Yves souhaita passionnément que monsieur l'évêque la fît encore participante de quelque beau sacrement avec monsieur Hercule l'Ingénu. Cependant, comme elle était bien élevée et fort modeste, elle n'osait convenir tout à fait avec elle-même de ses tendres sentiments; mais, s'il lui échappait un regard, un mot, un geste, une pensée, elle enveloppait tout cela d'un voile de pudeur infiniment aimable. Elle était tendre, vive et sage.

Dès que monsieur l'évêque fut parti, l'Ingénu et mademoiselle de St. Yves se rencontrèrent sans avoir fait réflexion qu'ils se cherchaient. Ils se parlèrent sans avoir imaginé ce qu'ils se diraient. L'Ingénu lui dit d'abord qu'il l'aimait de tout son cœur, et que la belle Abacaba, dont il avait été fou dans son pays, n'approchait pas d'elle. Mademoiselle lui répondit, avec sa modestie ordinaire, qu'il fallait en parler au plus vite à monsieur le prieur son oncle et à mademoiselle sa tante, et que de son côté elle en dirait deux mots à son cher frère l'abbé de St. Yves, et qu'elle se flattait d'un consentement commun.

L'Ingénu lui répond qu'il n'avait besoin du consentement de personne, qu'il lui paraissait extrêmement ridicule d'aller demander à d'autres ce qu'on devait faire; que, quand deux parties sont d'accord, on n'a pas besoin d'un tiers pour les accommoder. « Je ne consulte personne, dit-il, quand j'ai envie de déjeuner, ou de chasser, ou de dormir : je sais bien qu'en amour il n'est pas mal d'avoir le consentement de la personne à qui on en veut; mais, comme ce n'est ni de mon oncle ni de ma tante que je suis amoureux, ce n'est pas à eux que je dois m'adresser dans cette affaire, et, si vous m'en croyez, vous vous passerez aussi de monsieur l'abbé de St. Yves. »

On peut juger que la belle Bretonne employa toute la délicatesse de son esprit à réduire son Huron aux termes de la bienséance. Elle se fâcha même, et bientôt se radoucit. Enfin on ne sait comment aurait fini cette conversation si, le jour baissant, monsieur l'abbé n'avait ramené sa sœur à son abbaye. L'Ingénu laissa coucher son oncle et sa tante, qui étaient un peu fatigués de la cérémonie et de leur long dîner. Il passa une partie de la nuit à faire des vers en langue huronne pour sa bien-aimée : car il faut savoir qu'il n'y a aucun pays de la terre où l'amour n'ait rendu les amants poètes.

Le lendemain, son oncle lui parla ainsi après le déjeuner, en présence de mademoiselle de Kerkabon, qui était tout attendrie : « Le ciel soit loué de ce que vous avez l'honneur, mon cher neveu, d'être chrétien et Bas-Breton! Mais cela ne suffit pas; je suis un peu sur l'âge; mon frère n'a laissé qu'un petit coin de terre qui est très peu de chose; j'ai un bon prieuré : si vous voulez seulement

vous faire sous-diacre, comme je l'espère, je vous rési-
gnerai mon prieuré, et vous vivrez fort à votre aise,
après avoir été la consolation de ma vieillesse. »

L'Ingénu répondit : « Mon oncle, grand bien
vous fasse! vivez tant que vous pourrez. Je ne sais pas
ce que c'est que d'être sous-diacre ni que de résigner;
mais tout me sera bon pourvu que j'aie mademoiselle de
St. Yves à ma disposition. — Eh! mon Dieu! mon
neveu, que me dites-vous là? Vous aimez donc cette
belle demoiselle à la folie? — Oui, mon oncle. — Hélas!
mon neveu, il est impossible que vous l'épousiez. —
Cela est très possible, mon oncle; car non seulement elle
m'a serré la main en me quittant, mais elle m'a promis
qu'elle me demanderait en mariage; et assurément je
l'épouserai. — Cela est impossible, vous dis-je; elle est
votre marraine : c'est un péché épouvantable à une marraine de serrer la main de son filleul; il n'est pas permis
d'épouser sa marraine; les lois divines et humaines s'y
opposent. — Morbleu! mon oncle, vous vous moquez de
moi; pourquoi serait-il défendu d'épouser sa marraine,
quand elle est jeune et jolie? Je n'ai point vu dans le
livre que vous m'avez donné qu'il fût mal d'épouser les
filles qui ont aidé les gens à être baptisés. Je m'aperçois
tous les jours qu'on fait ici une infinité de choses qui ne
sont point dans votre livre, et qu'on n'y fait rien de tout
ce qu'il dit : je vous avoue que cela m'étonne et me fâche.
Si on me prive de la belle St. Yves, sous prétexte de
mon baptême, je vous avertis que je l'enlève, et que je
me débaptise. »

Le prieur fut confondu; sa sœur pleura. « Mon cher
frère, dit-elle, il ne faut pas que notre neveu se damne;
notre saint-père le pape peut lui donner dispense, et
alors il pourra être chrétiennement heureux avec ce qu'il
aime. » L'Ingénu embrassa sa tante. « Quel est donc,
dit-il, cet homme charmant qui favorise avec tant de
bonté les garçons et les filles dans leurs amours? Je
veux lui aller parler tout à l'heure. »

On lui expliqua ce que c'était que le pape; et l'Ingénu
fut encore plus étonné qu'auparavant. « Il n'y a pas un
mot de tout cela dans votre livre, mon cher oncle; j'ai
voyagé, je connais la mer; nous sommes ici sur la côte
de l'Océan; et je quitterais mademoiselle de St. Yves
pour aller demander la permission de l'aimer à un homme
qui demeure vers la Méditerranée, à quatre cents lieues
d'ici, et dont je n'entends point la langue! Cela est d'un

ridicule incompréhensible. Je vais sur-le-champ chez monsieur l'abbé de St. Yves, qui ne demeure qu'à une lieue de vous, et je vous réponds que j'épouserai ma maîtresse dans la journée. »

Comme il parlait encore, entra le bailli, qui, selon sa coutume, lui demanda où il allait. « Je vais me marier », dit l'Ingénu en courant; et au bout d'un quart d'heure il était déjà chez sa belle et chère basse-brette, qui dormait encore. « Ah! mon frère! disait mademoiselle de Kerkabon au prieur, jamais vous ne ferez un sous-diacre de notre neveu. »

Le bailli fut très mécontent de ce voyage : car il prétendait que son fils épousât la St. Yves : et ce fils était encore plus sot et plus insupportable que son père.

CHAPITRE SIXIÈME

L'INGÉNU COURT CHEZ SA MAITRESSE ET DEVIENT FURIEUX

A peine l'Ingénu était arrivé, qu'ayant demandé à une vieille servante où était la chambre de sa maîtresse, il avait poussé fortement la porte mal fermée, et s'était élancé vers le lit. Mademoiselle de St. Yves, se réveillant en sursaut, s'était écriée : « Quoi! c'est vous! ah! c'est vous! arrêtez-vous, que faites-vous ? » Il avait répondu : « Je vous épouse », et en effet il l'épousait, si elle ne s'était pas débattue avec toute l'honnêteté d'une personne qui a de l'éducation.

L'Ingénu n'entendait pas raillerie; il trouvait toutes ces façons-là extrêmement impertinentes. « Ce n'était pas ainsi qu'en usait mademoiselle Abacaba, ma première maîtresse; vous n'avez point de probité; vous m'avez promis mariage, et vous ne voulez point faire mariage : c'est manquer aux premières lois de l'honneur; je vous apprendrai à tenir votre parole, et je vous remettrai dans le chemin de la vertu. »

L'Ingénu possédait une vertu mâle et intrépide, digne de son patron Hercule, dont on lui avait donné le nom à son baptême; il allait l'exercer dans toute son étendue, lorsqu'aux cris perçants de la demoiselle plus discrètement vertueuse accourut le sage abbé de St. Yves, avec sa gouvernante, un vieux domestique dévot, et un prêtre de la paroisse. Cette vue modéra le courage de l'assaillant. « Eh, mon Dieu! mon cher voisin, lui dit l'abbé, que faites-vous là ? — Mon devoir, répliqua le jeune homme; je remplis mes promesses, qui sont sacrées. »

Mademoiselle de St. Yves se rajusta en rougissant. On emmena l'Ingénu dans un autre appartement. L'abbé lui remontra l'énormité du procédé. L'Ingénu se défendit sur les privilèges de la loi naturelle, qu'il connaissait parfaitement. L'abbé voulut prouver que la loi positive devait avoir tout l'avantage, et que sans les conventions faites entre les hommes, la loi de nature ne serait presque jamais qu'un brigandage naturel. « Il faut, lui disait-il, des notaires, des prêtres, des témoins, des contrats, des dispenses. » L'Ingénu lui répondit par la réflexion que les sauvages ont toujours faite : « Vous êtes donc de bien malhonnêtes gens, puisqu'il faut entre vous tant de précautions. »

L'abbé eut de la peine à résoudre cette difficulté. « Il y a, dit-il, je l'avoue, beaucoup d'inconstants et de fripons parmi nous; et il y en aurait autant chez les Hurons s'ils étaient rassemblés dans une grande ville; mais aussi il y a des âmes sages, honnêtes, éclairées, et ce sont ces hommes-là qui ont fait les lois. Plus on est homme de bien, plus on doit s'y soumettre : on donne l'exemple aux vicieux, qui respectent un frein que la vertu s'est donné elle-même. »

Cette réponse frappa l'Ingénu. On a déjà remarqué qu'il avait l'esprit juste. On l'adoucit par des paroles flatteuses; on lui donna des espérances : ce sont les deux pièges où les hommes des deux hémisphères se prennent; on lui présenta même mademoiselle de St. Yves, quand elle eut fait sa toilette. Tout se passa avec la plus grande bienséance; mais, malgré cette décence, les yeux étincelants de l'Ingénu Hercule firent toujours baisser ceux de sa maîtresse, et trembler la compagnie.

On eut une peine extrême à le renvoyer chez ses parents. Il fallut encore employer le crédit de la belle St. Yves; plus elle sentait son pouvoir sur lui, et plus elle l'aimait. Elle le fit partir, et en fut très affligée; enfin, quand il fut parti, l'abbé, qui non seulement était le frère très aîné de mademoiselle de St. Yves, mais qui était aussi son tuteur, prit le parti de soustraire sa pupille aux empressements de cet amant terrible. Il alla consulter le bailli, qui, destinant toujours son fils à la sœur de l'abbé, lui conseilla de mettre la pauvre fille dans une communauté. Ce fut un coup terrible : une indifférente qu'on

mettrait en couvent jetterait les hauts cris; mais une
amante, et une amante aussi sage que tendre, c'était de
quoi la mettre au désespoir.

L'Ingénu, de retour chez le prieur, raconta tout avec
sa naïveté ordinaire. Il essuya les mêmes remontrances,
qui firent quelque effet sur son esprit, et aucun sur ses
sens; mais le lendemain, quand il voulut retourner chez
sa belle maîtresse pour raisonner avec elle sur la loi
naturelle et sur la loi de convention, monsieur le bailli
lui apprit avec une joie insultante qu'elle était dans un
couvent. « Eh bien! dit-il, j'irai raisonner dans ce couvent. — Cela ne se peut », dit le bailli. Il lui expliqua
fort au long ce que c'était qu'un couvent ou un convent;
que ce mot venait du latin *conventus*, qui signifie
assemblée; et le Huron ne pouvait comprendre pourquoi il ne pouvait pas être admis dans l'assemblée.
Sitôt qu'il fut instruit que cette assemblée était une
espèce de prison où l'on tenait les filles renfermées,
chose horrible, inconnue chez les Hurons et chez les
Anglais, il devint aussi furieux que le fut son patron
Hercule lorsque Euryte, roi d'Œchalie, non moins cruel
que l'abbé de St. Yves, lui refusa la belle Iole sa fille,
non moins belle que la sœur de l'abbé. Il voulait aller
mettre le feu au couvent, enlever sa maîtresse, ou se
brûler avec elle. Mademoiselle de Kerkabon, épouvantée,
renonçait plus que jamais à toutes les espérances de voir
son neveu sous-diacre, et disait en pleurant qu'il avait
le diable au corps depuis qu'il était baptisé.

CHAPITRE SEPTIÈME

L'INGÉNU REPOUSSE LES ANGLAIS

L'Ingénu, plongé dans une sombre et profonde mélancolie, se promena vers le bord de la mer, son fusil à
deux coups sur l'épaule, son grand coutelas au côté,
tirant de temps en temps sur quelques oiseaux, et souvent tenté de tirer sur lui-même; mais il aimait encore
la vie, à cause de mademoiselle de St. Yves. Tantôt il
maudissait son oncle, sa tante, et toute la Basse-Bretagne,
et son baptême; tantôt il les bénissait, puisqu'ils lui
avaient fait connaître celle qu'il aimait. Il prenait sa
résolution d'aller brûler le couvent, et il s'arrêtait tout
court, de peur de brûler sa maîtresse. Les flots de la

Manche ne sont pas plus agités par les vents d'est et
d'ouest que son cœur l'était par tant de mouvements
contraires.

Il marchait à grands pas, sans savoir où, lorsqu'il
entendit le son du tambour. Il vit de loin tout un peuple
dont une moitié courait au rivage, et l'autre s'enfuyait.

Mille cris s'élèvent de tous côtés; la curiosité et le
courage le précipitent à l'instant vers l'endroit d'où
partaient ces clameurs : il y vole en quatre bonds. Le
commandant de la milice, qui avait soupé avec lui chez
le prieur, le reconnut aussitôt; il court à lui, les bras
ouverts : « Ah! c'est l'Ingénu, il combattra pour nous. »
Et les milices, qui mouraient de peur, se rassurèrent et
crièrent aussi : « C'est l'Ingénu! c'est l'Ingénu!

— Messieurs, dit-il, de quoi s'agit-il? Pourquoi êtes-
vous si effarés? A-t-on mis vos maîtresses dans des couvents ? » Alors cent voix confuses s'écrient : « Ne voyez-
vous pas les Anglais qui abordent ? — Eh bien! répliqua
le Huron, ce sont de braves gens; ils ne m'ont jamais
proposé de me faire sous-diacre; ils ne m'ont point
enlevé ma maîtresse. »

Le commandant lui fit entendre que les Anglais
venaient piller l'abbaye de la Montagne, boire le vin de
son oncle, et peut-être enlever mademoiselle de St. Yves;
que le petit vaisseau sur lequel il avait abordé en Bretagne n'était venu que pour reconnaître la côte; qu'ils
faisaient des actes d'hostilité sans avoir déclaré la guerre
au roi de France, et que la province était exposée. « Ah!
si cela est, ils violent la loi naturelle; laissez-moi faire;
j'ai demeuré longtemps parmi eux, je sais leur langue, je
leur parlerai; je ne crois pas qu'ils puissent avoir un si
méchant dessein. »

Pendant cette conversation, l'escadre anglaise approchait; voilà le Huron qui court vers elle, se jette dans un
petit bateau, arrive, monte au vaisseau amiral, et demande
s'il est vrai qu'ils viennent ravager le pays sans avoir
déclaré la guerre honnêtement. L'amiral et tout son bord
firent de grands éclats de rire, lui firent boire du punch,
et le renvoyèrent.

L'Ingénu, piqué, ne songea plus qu'à se bien battre
contre ses anciens amis, pour ses compatriotes et pour
monsieur le prieur. Les gentilshommes du voisinage
accouraient de toutes parts; il se joint à eux : on avait
quelques canons; il les charge, il les pointe, il les tire
l'un après l'autre. Les Anglais débarquent; il court à eux,

il en tue trois de sa main, il blesse même l'amiral, qui s'était moqué de lui. Sa valeur anime le courage de toute la milice; les Anglais se rembarquent, et toute la côte retentissait des cris de victoire : Vive le roi, vive l'Ingénu! Chacun l'embrassait, chacun s'empressait d'étancher le sang de quelques blessures légères qu'il avait reçues. « Ah! disait-il, si mademoiselle de St. Yves était là, elle me mettrait une compresse. »

Le bailli, qui s'était caché dans sa cave pendant le combat, vint lui faire compliment comme les autres. Mais il fut bien surpris quand il entendit Hercule l'Ingénu dire à une douzaine de jeunes gens de bonne volonté, dont il était entouré : « Mes amis, ce n'est rien d'avoir délivré l'abbaye de la Montagne; il faut délivrer une fille. » Toute cette bouillante jeunesse prit feu à ces seules paroles. On le suivait déjà en foule, on courait au couvent. Si le bailli n'avait pas sur-le-champ averti le commandant, si on n'avait pas couru après la troupe joyeuse, c'en était fait. On ramena l'Ingénu chez son oncle et sa tante, qui le baignèrent de larmes de tendresse.

« Je vois bien que vous ne serez jamais ni sous-diacre ni prieur, lui dit l'oncle; vous serez un officier encore plus brave que mon frère le capitaine, et probablement aussi gueux. » Et mademoiselle de Kerkabon pleurait toujours en l'embrassant, et en disant : « Il se fera tuer comme mon frère; il vaudrait bien mieux qu'il fût sous-diacre. »

L'Ingénu, dans le combat, avait ramassé une grosse bourse remplie de guinées, que probablement l'amiral avait laissé tomber. Il ne douta pas qu'avec cette bourse il ne pût acheter toute la Basse-Bretagne, et surtout faire mademoiselle de St. Yves grande dame. Chacun l'exhorta de faire le voyage de Versailles pour y recevoir le prix de ses services. Le commandant, les principaux officiers, le comblèrent de certificats. L'oncle et la tante approuvèrent le voyage du neveu. Il devait être, sans difficulté, présenté au roi : cela seul lui donnerait un prodigieux relief dans la province. Ces deux bonnes gens ajoutèrent à la bourse anglaise un présent considérable de leurs épargnes. L'Ingénu disait en lui-même : « Quand je verrai le roi, je lui demanderai mademoiselle de St. Yves en mariage et certainement il ne me refusera pas. » Il partit donc aux acclamations de tout le canton, étouffé d'embrassements, baigné des larmes de sa tante, béni par son oncle, et se recommandant à la belle St. Yves.

CHAPITRE HUITIÈME

L'INGÉNU VA EN COUR.
IL SOUPE EN CHEMIN AVEC DES HUGUENOTS

L'Ingénu prit le chemin de Saumur par le coche, parce qu'il n'y avait point alors d'autre commodité. Quand il fut à Saumur, il s'étonna de trouver la ville presque déserte, et de voir plusieurs familles qui déménageaient. On lui dit que, six ans auparavant, Saumur contenait plus de quinze mille âmes, et qu'à présent il n'y en avait pas six mille. Il ne manqua pas d'en parler à souper dans son hôtellerie. Plusieurs protestants étaient à table : les uns se plaignaient amèrement, d'autres frémissaient de colère, d'autres disaient en pleurant :

> . . . . Nos dulcia linquimus arva,
> Nos patriam fugimus.

L'Ingénu, qui ne savait pas le latin, se fit expliquer ces paroles, qui signifient : Nous abandonnons nos douces campagnes, nous fuyons notre patrie.

« Et pourquoi fuyez-vous votre patrie, messieurs ? — C'est qu'on veut que nous reconnaissions le pape. — Et pourquoi ne le reconnaîtriez-vous pas ? Vous n'avez donc point de marraines que vous vouliez épouser ? Car on m'a dit que c'était lui qui en donnait la permission. — Ah! monsieur, ce pape dit qu'il est le maître du domaine des rois. — Mais, messieurs, de quelle profession êtes-vous ? — Monsieur, nous sommes pour la plupart des drapiers et des fabricants. — Si votre pape dit qu'il est le maître de vos draps et de vos fabriques, vous faites très bien de ne le pas reconnaître; mais pour les rois, c'est leur affaire; de quoi vous mêlez-vous ? » Alors un petit homme noir prit la parole, et exposa très savamment les griefs de la compagnie. Il parla de la révocation de l'édit de Nantes avec tant d'énergie, il déplora d'une manière si pathétique le sort de cinquante mille familles fugitives et de cinquante mille autres converties par les dragons, que l'Ingénu à son tour versa des larmes. « D'où vient donc, disait-il, qu'un si grand roi, dont la gloire s'étend jusque chez les Hurons, se prive ainsi de tant de cœurs qui l'auraient aimé, et de tant de bras qui l'auraient servi ?

— C'est qu'on l'a trompé comme les autres grands rois, répondit l'homme noir. On lui a fait croire que, dès qu'il aurait dit un mot, tous les hommes penseraient comme lui; et qu'il nous ferait changer de religion comme son musicien Lulli fait changer en un moment les décorations de ses opéras. Non seulement il perd déjà cinq à six cent mille sujets très utiles, mais il s'en fait des ennemis; et le roi Guillaume, qui est actuellement maître de l'Angleterre, a composé plusieurs régiments de ces mêmes Français qui auraient combattu pour leur monarque.

« Un tel désastre est d'autant plus étonnant que le pape régnant, à qui Louis XIV sacrifie une partie de son peuple, est son ennemi déclaré. Ils ont encore tous deux, depuis neuf ans, une querelle violente. Elle a été poussée si loin que la France a espéré enfin de voir briser le joug qui la soumet depuis tant de siècles à cet étranger et surtout de ne lui plus donner d'argent, ce qui est le premier mobile des affaires de ce monde. Il paraît donc évident qu'on a trompé ce grand roi sur ses intérêts comme sur l'étendue de son pouvoir, et qu'on a donné atteinte à la magnanimité de son cœur. »

L'Ingénu, attendri de plus en plus, demanda quels étaient les Français qui trompaient ainsi un monarque si cher aux Hurons. « Ce sont les jésuites, lui répondit-on; c'est surtout le père de La Chaise, confesseur de Sa Majesté. Il faut espérer que Dieu les en punira un jour, et qu'ils seront chassés comme ils nous chassent. Y a-t-il un malheur égal aux nôtres ? Mons de Louvois nous envoie de tous côtés des jésuites et des dragons.

— Oh bien! messieurs, répliqua l'Ingénu, qui ne pouvait plus se contenir, je vais à Versailles recevoir la récompense due à mes services; je parlerai à ce mons de Louvois : on m'a dit que c'est lui qui fait la guerre, de son cabinet. Je verrai le roi, je lui ferai connaître la vérité; il est impossible qu'on ne se rende pas à cette vérité quand on la sent. Je reviendrai bientôt pour épouser mademoiselle de St. Yves, et je vous prie à la noce. » Ces bonnes gens le prirent alors pour un grand seigneur qui voyageait *incognito* par le coche. Quelques-uns le prirent pour le fou du roi.

Il y avait à table un jésuite déguisé qui servait d'espion au révérend père de La Chaise. Il lui rendait compte de tout, et le père de La Chaise en instruisait mons de Louvois. L'espion écrivit. L'Ingénu et la lettre arrivèrent presque en même temps à Versailles.

CHAPITRE NEUVIÈME

ARRIVÉE DE L'INGÉNU A VERSAILLES.
SA RÉCEPTION A LA COUR

L'Ingénu débarque en pot de chambre [a] dans la cour des cuisines. Il demande aux porteurs de chaise à quelle heure on peut voir le roi. Les porteurs lui rient au nez, tout comme avait fait l'amiral anglais. Il les traita de même, il les battit; ils voulurent le lui rendre, et la scène allait être sanglante s'il n'eût passé un garde du corps, gentilhomme breton, qui écarta la canaille. « Monsieur, lui dit le voyageur, vous me paraissez un brave homme; je suis le neveu de monsieur le prieur de Notre-Dame de la Montagne; j'ai tué des Anglais, je viens parler au roi; je vous prie de me mener dans sa chambre. » Le garde, ravi de trouver un brave de sa province, qui ne paraissait pas au fait des usages de la cour, lui apprit qu'on ne parlait pas ainsi au roi, et qu'il fallait être présenté par monseigneur de Louvois. « Eh bien! menez-moi donc chez ce monseigneur de Louvois, qui sans doute me conduira chez Sa Majesté. — Il est encore plus difficile, répliqua le garde, de parler à monseigneur de Louvois qu'à Sa Majesté; mais je vais vous conduire chez monsieur Alexandre, le premier commis de la guerre : c'est comme si vous parliez au ministre. » Ils vont donc chez ce monsieur Alexandre, premier commis, et ils ne purent être introduits; il était en affaire avec une dame de la cour, et il y avait ordre de ne laisser entrer personne. « Eh bien! dit le garde, il n'y a rien de perdu; allons chez le premier commis de monsieur Alexandre : c'est comme si vous parliez à monsieur Alexandre lui-même. »

Le Huron, tout étonné, le suit; ils restent ensemble une demi-heure dans une petite antichambre. « Qu'est-ce donc que tout ceci? dit l'Ingénu; est-ce que tout le monde est invisible dans ce pays-ci ? Il est bien plus aisé de se battre en Basse-Bretagne contre des Anglais que de rencontrer à Versailles les gens à qui on a affaire. » Il se désennuya en racontant ses amours à son compatriote.

---

a. C'est une voiture de Paris à Versailles, laquelle ressemble à un petit tombereau couvert.

Mais l'heure en sonnant rappela le garde du corps à son poste. Ils se promirent de se revoir le lendemain, et l'Ingénu resta encore une autre demi-heure dans l'anti-chambre, en rêvant à mademoiselle de St. Yves, et à la difficulté de parler aux rois et aux premiers commis.

Enfin le patron parut. « Monsieur, lui dit l'Ingénu, si j'avais attendu pour repousser les Anglais aussi long-temps que vous m'avez fait attendre mon audience, ils ravageraient actuellement la Basse-Bretagne tout à leur aise. » Ces paroles frappèrent le commis. Il dit enfin au Breton : « Que demandez-vous ? — Récompense, dit l'autre ; voici mes titres. » Il lui étala tous ses certificats. Le commis lut, et lui dit que probablement on lui accor-derait la permission d'acheter une lieutenance. « Moi ! que je donne de l'argent pour avoir repoussé les Anglais ? que je paye le droit de me faire tuer pour vous, pendant que vous donnez ici vos audiences tranquillement ? Je crois que vous voulez rire. Je veux une compagnie de cavalerie pour rien ; je veux que le roi fasse sortir made-moiselle de St. Yves du couvent, et qu'il me la donne par mariage ; je veux parler au roi en faveur de cin-quante mille familles que je prétends lui rendre. En un mot, je veux être utile ; qu'on m'emploie et qu'on m'avance.

— Comment vous nommez-vous, monsieur, qui parlez si haut ? — Oh ! oh ! reprit l'Ingénu, vous n'avez donc pas lu mes certificats ? C'est donc ainsi qu'on en use ? Je m'appelle Hercule de Kerkabon ; je suis baptisé, je loge au Cadran bleu, et je me plaindrai de vous au roi. » Le commis conclut comme les gens de Saumur, qu'il n'avait pas la tête bien saine, et n'y fit pas grande atten-tion.

Ce même jour, le révérend père de La Chaise, confesseur de Louis XIV, avait reçu la lettre de son espion, qui accusait le Breton Kerkabon de favoriser dans son cœur les huguenots, et de condamner la conduite des jésuites. Monsieur de Louvois, de son côté, avait reçu une lettre de l'interrogant bailli, qui dépeignait l'Ingénu comme un garnement qui voulait brûler les couvents et enlever les filles.

L'Ingénu, après s'être promené dans les jardins de Versailles, où il s'ennuya, après avoir soupé en Huron et en Bas-Breton, s'était couché dans la douce espérance de voir le roi le lendemain, d'obtenir mademoiselle de St. Yves en mariage, d'avoir au moins une compagnie de

cavalerie, et de faire cesser la persécution contre les huguenots. Il se berçait de ces flatteuses idées, quand la maré-
chaussée entra dans sa chambre. Elle se saisit d'abord de
son fusil à deux coups et de son grand sabre.

On fit un inventaire de son argent comptant, et on le
mena dans le château que fit construire le roi Charles V,
fils de Jean II, auprès de la rue St. Antoine, à la porte
des Tournelles.

Quel était en chemin l'étonnement de l'Ingénu, je
vous le laisse à penser. Il crut d'abord que c'était un
rêve. Il resta dans l'engourdissement, puis tout à coup
transporté d'une fureur qui redoublait ses forces, il
prend à la gorge deux de ses conducteurs, qui étaient
avec lui dans le carrosse, les jette par la portière, se jette
après eux, et entraîne le troisième, qui voulait le retenir.
Il tombe de l'effort, on le lie, on le remonte dans la voiture. « Voilà donc, disait-il, ce que l'on gagne à chasser
les Anglais de la Basse-Bretagne! Que dirais-tu, belle
St. Yves, si tu me voyais dans cet état ? »

On arrive enfin au gîte qui lui était destiné. On le porte
en silence dans la chambre où il devait être enfermé,
comme un mort qu'on porte dans un cimetière. Cette
chambre était déjà occupée par un vieux solitaire de
Port-Royal, nommé Gordon, qui y languissait depuis
deux ans. « Tenez, lui dit le chef des sbires, voilà de la
compagnie que je vous amène »; et sur-le-champ on
referma les énormes verrous de la porte épaisse, revêtue
de larges barres. Les deux captifs restèrent séparés de
l'univers entier.

CHAPITRE DIXIÈME

L'INGÉNU ENFERMÉ A LA BASTILLE AVEC UN JANSÉNISTE

M. Gordon était un vieillard frais et serein, qui savait
deux grandes choses : supporter l'adversité, et consoler
les malheureux. Il s'avança d'un air ouvert et compatissant vers son compagnon, et lui dit en l'embrassant :
« Qui que vous soyez, qui venez partager mon tombeau,
soyez sûr que je m'oublierai toujours moi-même pour
adoucir vos tourments dans l'abîme infernal où nous
sommes plongés. Adorons la Providence qui nous y a
conduits, souffrons en paix, et espérons. » Ces paroles
firent sur l'âme de l'Ingénu l'effet des gouttes d'Angle-

terre, qui rappellent un mourant à la vie, et lui font entr'ouvrir des yeux étonnés.

Après les premiers compliments, Gordon, sans le presser de lui apprendre la cause de son malheur, lui inspira, par la douceur de son entretien, et par cet intérêt que prennent deux malheureux l'un à l'autre, le désir d'ouvrir son cœur et de déposer le fardeau qui l'accablait; mais il ne pouvait deviner le sujet de son malheur : cela lui paraissait un effet sans cause; et le bonhomme Gordon était aussi étonné que lui-même.

« Il faut, dit le janséniste au Huron, que Dieu ait de grands desseins sur vous, puisqu'il vous a conduit du lac Ontario en Angleterre et en France, qu'il vous a fait baptiser en Basse-Bretagne, et qu'il vous a mis ici pour votre salut. — Ma foi, répondit l'Ingénu, je crois que le diable s'est mêlé seul de ma destinée. Mes compatriotes d'Amérique ne m'auraient jamais traité avec la barbarie que j'éprouve : ils n'en ont pas d'idée. On les appelle *sauvages ;* ce sont des gens de bien grossiers, et les hommes de ce pays-ci sont des coquins raffinés. Je suis, à la vérité, bien surpris d'être venu d'un autre monde pour être enfermé dans celui-ci sous quatre verrous avec un prêtre; mais je fais réflexion au nombre prodigieux d'hommes qui partent d'un hémisphère pour aller se faire tuer dans l'autre, ou qui font naufrage en chemin, et qui sont mangés des poissons : je ne vois pas les gracieux desseins de Dieu sur tous ces gens-là. »

On leur apporta à dîner par un guichet. La conversation roula sur la Providence, sur les lettres de cachet, et sur l'art de ne pas succomber aux disgrâces auxquelles tout homme est exposé dans ce monde. « Il y a deux ans que je suis ici, dit le vieillard, sans autre consolation que moi-même et des livres; je n'ai pas eu un moment de mauvaise humeur.

— Ah! monsieur Gordon, s'écria l'Ingénu, vous n'aimez donc pas votre marraine ? Si vous connaissiez comme moi mademoiselle de St. Yves, vous seriez au désespoir. » A ces mots il ne put retenir ses larmes, et il se sentit alors un peu moins oppressé. « Mais, dit-il, pourquoi donc les larmes soulagent-elles ? Il me semble qu'elles devraient faire un effet contraire.

— Mon fils, tout est physique en nous, dit le bon vieillard; toute sécrétion fait du bien au corps; et tout ce qui le soulage soulage l'âme : nous sommes les machines de la Providence. »

L'Ingénu, qui, comme nous l'avons dit plusieurs fois, avait un grand fonds d'esprit, fit de profondes réflexions sur cette idée, dont il semblait qu'il avait la semence en lui-même. Après quoi il demanda à son compagnon pourquoi sa machine était depuis deux ans sous quatre verrous. « Par la grâce efficace, répondit Gordon ; je passe pour janséniste : j'ai connu Arnauld et Nicole ; les jésuites nous ont persécutés. Nous croyons que le pape n'est qu'un évêque comme un autre ; et c'est pour cela que le père de la Chaise a obtenu du roi, son pénitent, un ordre de me ravir, sans aucune formalité de justice, le bien le plus précieux des hommes, la liberté.

— Voilà qui est bien étrange, dit l'Ingénu ; tous les malheureux que j'ai rencontrés ne le sont qu'à cause du pape. A l'égard de votre grâce efficace, je vous avoue que je n'y entends rien ; mais je regarde comme une grande grâce que Dieu m'ait fait trouver dans mon malheur un homme comme vous, qui verse dans mon cœur des consolations dont je me croyais incapable. »

Chaque jour la conversation devenait plus intéressante et plus instructive. Les âmes des deux captifs s'attachaient l'une à l'autre. Le vieillard savait beaucoup, et le jeune homme voulait beaucoup apprendre. Au bout d'un mois il étudia la géométrie ; il la dévorait. Gordon lui fit lire la *Physique* de Rohault, qui était encore à la mode, et il eut le bon esprit de n'y trouver que des incertitudes.

Ensuite il lut le premier volume de la *Recherche de la vérité*. Cette nouvelle lumière l'éclaira. « Quoi ! dit-il, notre imagination et nos sens nous trompent à ce point ! quoi ! les objets ne forment point nos idées, et nous ne pouvons nous les donner nous-mêmes. » Quand il eut lu le second volume, il ne fut plus si content, et il conclut qu'il est plus aisé de détruire que de bâtir.

Son confrère, étonné qu'un jeune ignorant fît cette réflexion, qui n'appartient qu'aux âmes exercées, conçut une grande idée de son esprit, et s'attacha à lui davantage.

« Votre Malebranche, lui dit un jour l'Ingénu, me paraît avoir écrit la moitié de son livre avec sa raison, et l'autre avec son imagination et ses préjugés. »

Quelques jours après, Gordon lui demanda : « Que pensez-vous donc de l'âme, de la manière dont nous recevons nos idées, de notre volonté, de la grâce, du libre arbitre ? — Rien, lui repartit l'Ingénu ; si je pensais quelque chose, c'est que nous sommes sous la puissance de l'Être éternel comme les astres et les éléments ; qu'il fait tout en nous, que nous sommes de petites roues de la machine immense dont il est l'âme; qu'il agit par des lois générales, et non par des vues particulières : cela seul me paraît intelligible; tout le reste est pour moi un abîme de ténèbres.

— Mais, mon fils, ce serait faire Dieu auteur du péché.

— Mais, mon père, votre grâce efficace ferait Dieu auteur du péché aussi : car il est certain que tous ceux à qui cette grâce serait refusée pécheraient; et qui nous livre au mal n'est-il pas l'auteur du mal ? »

Cette naïveté embarrassait fort le bonhomme; il sentait qu'il faisait de vains efforts pour se tirer de ce bourbier; et il entassait tant de paroles qui paraissaient avoir du sens et qui n'en avaient point (dans le goût de la prémotion physique), que l'Ingénu en avait pitié. Cette question tenait évidemment à l'origine du bien et du mal; et alors il fallait que le pauvre Gordon passât en revue la boîte de Pandore, l'œuf d'Orosmade percé par Arimane, l'inimitié entre Typhon et Osiris, et enfin le péché originel; et ils couraient l'un et l'autre dans cette nuit profonde, sans jamais se rencontrer. Mais enfin ce roman de l'âme détournait leur vue de la contemplation de leur propre misère, et, par un charme étrange, la foule des calamités répandues sur l'univers diminuait la sensation de leurs peines : ils n'osaient se plaindre quand tout souffrait.

Mais, dans le repos de la nuit, l'image de la belle St. Yves effaçait dans l'esprit de son amant toutes les idées de métaphysique et de morale. Il se réveillait les yeux mouillés de larmes; et le vieux janséniste oubliait sa grâce efficace, et l'abbé de Saint-Cyran, et Jansénius, pour consoler un jeune homme qu'il croyait en péché mortel.

Après leurs lectures, après leurs raisonnements, ils parlaient encore de leurs aventures; et, après en avoir inutilement parlé, ils lisaient ensemble ou séparément. L'esprit du jeune homme se fortifiait de plus en plus. Il serait surtout allé très loin en mathématiques sans les distractions que lui donnait mademoiselle de St. Yves.

Il lut des histoires, elles l'attristèrent. Le monde lui parut trop méchant et trop misérable. En effet, l'histoire n'est que le tableau des crimes et des malheurs. La foule des hommes innocents et paisibles disparaît toujours sur ces vastes théâtres. Les personnages ne sont que des ambitieux pervers. Il semble que l'histoire ne plaise que

comme la tragédie, qui languit si elle n'est animée par les
passions, les forfaits, et les grandes infortunes. Il faut
armer Clio du poignard, comme Melpomène.

Quoique l'histoire de France soit remplie d'horreurs,
ainsi que toutes les autres, cependant elle lui parut si
dégoûtante dans ses commencements, si sèche dans son
milieu, si petite enfin, même du temps de Henri IV, toujours si dépourvue de grands monuments, si étrangère à
ces belles découvertes qui ont illustré d'autres nations,
qu'il était obligé de lutter contre l'ennui pour lire tous
ces détails de calamités obscures resserrées dans un coin
du monde.

Gordon pensait comme lui. Tous deux riaient de pitié
quand il était question des souverains de Fezensac, de
Fesansaguet, et d'Astarac. Cette étude en effet ne serait
bonne que pour leurs héritiers, s'ils en avaient. Les beaux
siècles de la république romaine le rendirent quelque
temps indifférent pour le reste de la terre. Le spectacle
de Rome victorieuse et législatrice des nations occupait
son âme entière. Il s'échauffait en contemplant ce peuple
qui fut gouverné sept cents ans par l'enthousiasme de la
liberté et de la gloire.

Ainsi se passaient les jours, les semaines, les mois ; et
il se serait cru heureux dans le séjour du désespoir, s'il
n'avait point aimé.

Son bon naturel s'attendrissait encore sur le prieur de
Notre-Dame de la Montagne, et sur la sensible Kerkabon.
« Que penseront-ils, répétait-il souvent, quand ils n'au-
ront point de mes nouvelles ? Ils me croiront un ingrat. »
Cette idée le tourmentait ; il plaignait ceux qui l'aimaient,
beaucoup plus qu'il ne se plaignait lui-même.

CHAPITRE ONZIÈME

COMMENT L'INGÉNU DÉVELOPPE SON GÉNIE

La lecture agrandit l'âme, et un ami éclairé la console.
Notre captif jouissait de ces deux avantages, qu'il n'avait
pas soupçonnés auparavant. « Je serais tenté, dit-il, de
croire aux métamorphoses, car j'ai été changé de brute
en homme. » Il se forma une bibliothèque choisie d'une
partie de son argent dont on lui permettait de disposer.
Son ami l'encouragea à mettre par écrit ses réflexions.
Voici ce qu'il écrivit sur l'histoire ancienne :

« Je m'imagine que les nations ont été longtemps comme moi, qu'elles ne se sont instruites que fort tard, qu'elles n'ont été occupées pendant des siècles que du moment présent qui coulait, très peu du passé, et jamais de l'avenir. J'ai parcouru cinq ou six cents lieues du Canada, je n'y ai pas trouvé un seul monument; personne n'y sait rien de ce qu'a fait son bisaïeul. Ne serait-ce pas là l'état naturel de l'homme ? L'espèce de ce continent-ci me paraît supérieure à celle de l'autre. Elle a augmenté son être depuis plusieurs siècles par les arts et par les connaissances. Est-ce parce qu'elle a de la barbe au menton, et que Dieu a refusé la barbe aux Américains ? Je ne le crois pas : car je vois que les Chinois n'ont presque point de barbe, et qu'ils cultivent les arts depuis plus de cinq mille années. En effet, s'ils ont plus de quatre mille ans d'annales, il faut bien que la nation ait été rassemblée et florissante depuis plus de cinquante siècles.

« Une chose me frappe surtout dans cette ancienne histoire de la Chine, c'est que presque tout y est vraisemblable et naturel. Je l'admire en ce qu'il n'y a rien de merveilleux.

« Pourquoi toutes les autres nations se sont-elles donné des origines fabuleuses ? Les anciens chroniqueurs de l'histoire de France, qui ne sont pas fort anciens, font venir les Français d'un Francus, fils d'Hector; les Romains se disaient issus d'un Phrygien, quoiqu'il n'y eût pas dans leur langue un seul mot qui eût le moindre rapport à la langue de Phrygie; les dieux avaient habité dix mille ans en Egypte, et les diables, en Scythie, où ils avaient engendré les Huns. Je ne vois avant Thucydide que des romans semblables aux Amadis, et beaucoup moins amusants. Ce sont partout des apparitions, des oracles, des prodiges, des sortilèges, des métamorphoses, des songes expliqués, et qui font la destinée des plus grands empires et des plus petits Etats : ici des bêtes qui parlent, là des bêtes qu'on adore, des dieux transformés en hommes, et des hommes transformés en dieux. Ah! s'il nous faut des fables, que ces fables soient du moins l'emblème de la vérité! J'aime les fables des philosophes, je ris de celles des enfants, et je hais celles des imposteurs. »

Il tomba un jour sur une histoire de l'empereur Justinien. On y lisait que des apédeutes de Constantinople avaient donné, en très mauvais grec, un édit contre le plus grand capitaine du siècle, parce que ce héros avait

prononcé ces paroles dans la chaleur de la conversation :
« La vérité luit de sa propre lumière, et on n'éclaire pas
les esprits avec les flammes des bûchers. » Les apédeutes
assurèrent que cette proposition était hérétique, sentant
l'hérésie, et que l'axiome contraire était catholique, universel, et grec : « On n'éclaire les esprits qu'avec la
flamme des bûchers, et la vérité ne saurait luire de sa
propre lumière. » Ces linostoles condamnèrent ainsi plusieurs discours du capitaine, et donnèrent un édit.

« Quoi! s'écria l'Ingénu, des édits rendus par ces
gens-là!

— Ce ne sont point des édits, répliqua Gordon, ce
sont des contr'édits dont tout le monde se moquait à
Constantinople, et l'empereur tout le premier : c'était un
sage prince, qui avait su réduire les apédeutes linostoles
à ne pouvoir faire que du bien. Il savait que ces mes-
sieurs-là et plusieurs autres pastophores avaient lassé de
contr'édits la patience des empereurs ses prédécesseurs
en matière plus grave.

— Il fit fort bien, dit l'Ingénu; on doit soutenir les
pastophores et les contenir. »

Il mit par écrit beaucoup d'autres réflexions qui épou-
vantèrent le vieux Gordon. « Quoi! dit-il en lui-même,
j'ai consumé cinquante ans à m'instruire, et je crains de
ne pouvoir atteindre au bon sens naturel de cet enfant
presque sauvage! je tremble d'avoir laborieusement fortifié des préjugés; il n'écoute que la simple nature. »

Le bonhomme avait quelques-uns de ces petits livres
de critique, de ces brochures périodiques où des hommes
incapables de rien produire dénigrent les productions
des autres, où les Visé insultent aux Racine, et les Faydit
aux Fénelon. L'Ingénu en parcourut quelques-uns. « Je
les compare, disait-il, à certains moucherons qui vont
déposer leurs œufs dans le derrière des plus beaux chevaux : cela ne les empêche pas de courir. » A peine les
deux philosophes daignèrent-ils jeter les yeux sur ces
excréments de la littérature.

Ils lurent bientôt ensemble les éléments de l'astronomie; l'Ingénu fit venir des sphères : ce grand spectacle
le ravissait. « Qu'il est dur, disait-il, de ne commencer à
connaître le ciel que lorsqu'on me ravit le droit de le
contempler! Jupiter et Saturne roulent dans ces espaces
immenses; des millions de soleils éclairent des milliards
de mondes; et dans le coin de terre où je suis jeté, il se
trouve des êtres qui me privent, moi être voyant et pen-

sant, de tous ces mondes où ma vue pourrait atteindre, et de celui où Dieu m'a fait naître! La lumière faite pour tout l'univers est perdue pour moi. On ne me la cachait pas dans l'horizon septentrional où j'ai passé mon enfance et ma jeunesse. Sans vous, mon cher Gordon, je serais ici dans le néant. »

CHAPITRE DOUZIÈME

CE QUE L'INGÉNU PENSE DES PIÈCES DE THÉATRE

Le jeune Ingénu ressemblait à un de ces arbres vigoureux qui, nés dans un sol ingrat, étendent en peu de temps leurs racines et leurs branches quand ils sont transplantés dans un terrain favorable; et il était bien extraordinaire qu'une prison fût ce terrain.

Parmi les livres qui occupaient le loisir des deux captifs, il se trouva des poésies, des traductions de tragédies grecques, quelques pièces du théâtre français. Les vers qui parlaient d'amour portèrent à la fois dans l'âme de l'Ingénu le plaisir et la douleur. Ils lui parlaient tous de sa chère St. Yves. La fable des *Deux pigeons* lui perça le cœur; il était bien loin de pouvoir revenir à son colombier.

Molière l'enchanta. Il lui faisait connaître les mœurs de Paris et du genre humain. «A laquelle de ses comédies donnez-vous la préférence ? — Au *Tartuffe*, sans difficulté. — Je pense comme vous, dit Gordon; c'est un tartuffe qui m'a plongé dans ce cachot, et peut-être ce sont des tartuffes qui ont fait votre malheur. Comment trouvez-vous ces tragédies grecques ?

— Bonnes pour les Grecs, dit l'Ingénu. » Mais quand il lut l'*Iphigénie* moderne, *Phèdre*, *Andromaque*, *Athalie*, il fut en extase, il soupira, il versa des larmes, il les sut par cœur sans avoir envie de les apprendre.

« Lisez *Rodogune*, lui dit Gordon; on dit que c'est le chef-d'œuvre du théâtre; les autres pièces qui vous ont fait tant de plaisir sont peu de chose en comparaison. » Le jeune homme, dès la première page, lui dit : « Cela n'est pas du même auteur. — A quoi le voyez-vous ? — Je n'en sais rien encore; mais ces vers-là ne vont ni à mon oreille ni à mon cœur. — Oh! ce n'est rien que les vers », répliqua Gordon. L'Ingénu répondit : « Pourquoi donc en faire ? »

Après avoir lu très attentivement la pièce, sans autre dessein que celui d'avoir du plaisir, il regardait son ami avec des yeux secs et étonnés, et ne savait que dire. Enfin, pressé de rendre compte de ce qu'il avait senti, voici ce qu'il répondit : « Je n'ai guère entendu le commencement; j'ai été révolté du milieu; la dernière scène m'a beaucoup ému, quoiqu'elle me paraisse peu vraisemblable : je ne me suis intéressé pour personne, et je n'ai pas retenu vingt vers, moi qui les retiens tous quand ils me plaisent.

— Cette pièce passe pourtant pour la meilleure que nous ayons. — Si cela est, répliqua-t-il, elle est peut-être comme bien des gens qui ne méritent pas leurs places. Après tout, c'est ici une affaire de goût; le mien ne doit pas encore être formé : je peux me tromper; mais vous savez que je suis assez accoutumé à dire ce que je pense, ou plutôt ce que je sens. Je soupçonne qu'il y a souvent de l'illusion, de la mode, du caprice, dans les jugements des hommes. J'ai parlé d'après la nature; il se peut que chez moi la nature soit très imparfaite; mais il se peut aussi qu'elle soit quelquefois peu consultée par la plupart des hommes. » Alors il récita des vers d'*Iphigénie*, dont il était plein; et quoiqu'il ne déclamât pas bien, il y mit tant de vérité et d'onction qu'il fit pleurer le vieux janséniste. Il lut ensuite *Cinna* ; il ne pleura point, mais il admira.

CHAPITRE TREIZIÈME

LA BELLE ST. YVES VA A VERSAILLES

Pendant que notre infortuné s'éclairait plus qu'il ne se consolait; pendant que son génie, étouffé depuis si longtemps, se déployait avec tant de rapidité et de force; pendant que la nature, qui se perfectionnait en lui, le vengeait des outrages de la fortune, que devinrent monsieur le prieur et sa bonne sœur, et la belle recluse St. Yves ? Le premier mois, on fut inquiet, et au troisième on fut plongé dans la douleur : les fausses conjectures, les bruits mal fondés, alarmèrent; au bout de six mois, on le crut mort. Enfin monsieur et mademoiselle de Kerkabon apprirent, par une ancienne lettre qu'un garde du roi avait écrite en Bretagne, qu'un jeune homme semblable à l'Ingénu était arrivé un soir à Versailles, mais qu'il avait été enlevé pendant la nuit, et que depuis ce temps personne n'en avait entendu parler.

« Hélas! dit mademoiselle de Kerkabon, notre neveu aura fait quelque sottise, et se sera attiré de fâcheuses affaires. Il est jeune, il est Bas-Breton, il ne peut savoir comme on doit se comporter à la cour. Mon cher frère, je n'ai jamais vu Versailles ni Paris; voici une belle occasion, nous retrouverons peut-être notre pauvre neveu : c'est le fils de notre frère; notre devoir est de le secourir. Qui sait si nous ne pourrons point parvenir enfin à le faire sous-diacre, quand la fougue de la jeunesse sera amortie ? Il avait beaucoup de dispositions pour les sciences. Vous souvenez-vous comme il raisonnait sur l'Ancien et sur le Nouveau Testament ? Nous sommes responsables de son âme; c'est nous qui l'avons fait baptiser; sa chère maîtresse St. Yves passe les journées à pleurer. En vérité il faut aller à Paris. S'il est caché dans quelqu'une de ces vilaines maisons de joie dont on m'a fait tant de récits, nous l'en tirerons. » Le prieur fut touché des discours de sa sœur. Il alla trouver l'évêque de Saint-Malo, qui avait baptisé le Huron, et lui demanda sa protection et ses conseils. Le prélat approuva le voyage. Il donna au prieur des lettres de recommandation pour le père de La Chaise, confesseur du roi, qui avait la première dignité du royaume, pour l'archevêque de Paris Harlay, et pour l'évêque de Meaux Bossuet.

Enfin le frère et la sœur partirent; mais, quand ils furent arrivés à Paris, ils se trouvèrent égarés comme dans un vaste labyrinthe, sans fil et sans issue. Leur fortune était médiocre, il leur fallait tous les jours des voitures pour aller à la découverte, et ils ne découvraient rien.

Le prieur se présenta chez le révérend père de La Chaise : il était avec mademoiselle du Tron, et ne pouvait donner audience à des prieurs. Il alla à la porte de l'archevêque : le prélat était enfermé avec la belle madame de Lesdiguières pour les affaires de l'Eglise. Il courut à la maison de campagne de l'évêque de Meaux : celui-ci examinait, avec mademoiselle de Mauléon, l'amour mystique de madame Guyon. Cependant il parvint à se faire entendre de ces deux prélats; tous deux lui déclarèrent qu'ils ne pouvaient se mêler de son neveu, attendu qu'il n'était pas sous-diacre.

Enfin il vit le jésuite; celui-ci le reçut à bras ouverts, lui protesta qu'il avait toujours eu pour lui une estime

particulière, ne l'ayant jamais connu. Il jura que la
Société avait toujours été attachée aux Bas-Bretons.
« Mais, dit-il, votre neveu n'aurait-il pas le malheur d'être
huguenot ? — Non, assurément, mon révérend père. —
Serait-il point janséniste ? — Je puis assurer à Votre
Révérence qu'à peine est-il chrétien : il y a environ
onze mois que nous l'avons baptisé. — Voilà qui est bien,
voilà qui est bien; nous aurons soin de lui. Votre bénéfice
est-il considérable ? — Oh! fort peu de chose, et mon
neveu nous coûte beaucoup. — Y a-t-il quelques jansénistes dans le voisinage ? Prenez bien garde, mon cher
monsieur le prieur, ils sont plus dangereux que les huguenots et les athées. — Mon révérend père, nous n'en avons
point; on ne sait ce que c'est que le jansénisme à Notre-
Dame de la Montagne. — Tant mieux; allez, il n'y a
rien que je ne fasse pour vous. » Il congédia affectueuse-
ment le prieur, et n'y pensa plus.

Le temps s'écoulait, le prieur et la bonne sœur se
désespéraient.

Cependant le maudit bailli pressait le mariage de son
grand benêt de fils avec la belle St. Yves, qu'on avait fait
sortir exprès du couvent. Elle aimait toujours son cher
filleul autant qu'elle détestait le mari qu'on lui présentait. L'affront d'avoir été mise dans un couvent augmentait sa passion; l'ordre d'épouser le fils du bailli y mettait
le comble. Les regrets, la tendresse, et l'horreur boule-
versaient son âme. L'amour, comme on sait, est bien plus
ingénieux et plus hardi dans une jeune fille que l'amitié
ne l'est dans un vieux prieur et dans une tante de quarante-cinq ans passés. De plus, elle s'était bien formée
dans son couvent par les romans qu'elle avait lus à la
dérobée.

La belle St. Yves se souvenait de la lettre qu'un garde
du corps avait écrite en Basse-Bretagne, et dont on avait
parlé dans la province. Elle résolut d'aller elle-même
prendre des informations à Versailles; de se jeter aux
pieds des ministres si son mari était en prison, comme
on le disait, et d'obtenir justice pour lui. Je ne sais quoi
l'avertissait secrètement qu'à la cour on ne refuse rien à
une jolie fille; mais elle ne savait pas ce qu'il en coûtait.

Sa résolution prise, elle est consolée, elle est tranquille,
elle ne rebute plus son sot prétendu; elle accueille le
détestable beau-père, caresse son frère, répand l'allégresse dans la maison; puis, le jour destiné à la cérémonie,
elle part secrètement à quatre heures du matin avec ses

petits présents de noce, et tout ce qu'elle a pu rassembler. Ses mesures étaient si bien prises qu'elle était déjà à plus de dix lieues lorsqu'on entra dans sa chambre, vers le midi. La surprise et la consternation furent grandes. L'interrogant bailli fit ce jour-là plus de questions qu'il n'en avait fait dans toute la semaine; le mari resta plus sot qu'il ne l'avait jamais été. L'abbé de St. Yves, en colère, prit le parti de courir après sa sœur. Le bailli et son fils voulurent l'accompagner. Ainsi la destinée conduisait à Paris presque tout ce canton de la Basse-Bretagne.

La belle St. Yves se doutait bien qu'on la suivrait. Elle était à cheval; elle s'informait adroitement des courriers s'ils n'avaient point rencontré un gros abbé, un énorme bailli, et un jeune benêt, qui couraient sur le chemin de Paris. Ayant appris au troisième jour qu'ils n'étaient pas loin, elle prit une route différente, et eut assez d'habileté et de bonheur pour arriver à Versailles tandis qu'on la cherchait inutilement dans Paris.

Mais comment se conduire à Versailles ? Jeune, belle, sans conseil, sans appui, inconnue, exposée à tout, comment oser chercher un garde du roi ? Elle imagina de s'adresser à un jésuite du bas étage; il y en avait pour toutes les conditions de la vie, comme Dieu, disaient-ils, a donné différentes nourritures aux diverses espèces d'animaux. Il avait donné au roi son confesseur, que tous les solliciteurs de bénéfices appelaient *le chef de l'Eglise gallicane ;* ensuite venaient les confesseurs des princesses; les ministres n'en avaient point : ils n'étaient pas si sots. Il y avait les jésuites du grand commun, et surtout les jésuites des femmes de chambre par lesquelles on savait les secrets des maîtresses; et ce n'était pas un petit emploi. La belle St. Yves s'adressa à un de ces derniers, qui s'appelait le père Tout-à-tous. Elle se confessa à lui, lui exposa ses aventures, son état, son danger, et le conjura de la loger chez quelque bonne dévote qui la mît à l'abri des tentations.

Le père Tout-à-tous l'introduisit chez la femme d'un officier du gobelet, l'une de ses plus affidées pénitentes. Dès qu'elle y fut, elle s'empressa de gagner la confiance et l'amitié de cette femme; elle s'informa du garde breton, et le fit prier de venir chez elle. Ayant su de lui que son amant avait été enlevé après avoir parlé à un premier commis, elle court chez ce commis : la vue d'une belle femme l'adoucit, car il faut convenir que Dieu n'a créé les femmes que pour apprivoiser les hommes.

Le plumitif attendri lui avoua tout. « Votre amant est
à la Bastille depuis près d'un an, et sans vous il y serait
peut-être toute sa vie. » La tendre St. Yves s'évanouit.
Quand elle eut repris ses sens, le plumitif lui dit : « Je
suis sans crédit pour faire du bien; tout mon pouvoir se
borne à faire du mal quelquefois. Croyez-moi, allez chez
monsieur de St. Pouange, qui fait le bien et le mal,
cousin et favori de monseigneur de Louvois. Ce ministre
a deux âmes : monsieur de St. Pouange en est une;
madame du Belloy, l'autre; mais elle n'est pas à présent
à Versailles; il ne vous reste que de fléchir le protecteur
que je vous indique. »

La belle St. Yves, partagée entre un peu de joie et
d'extrêmes douleurs, entre quelque espérance et de
tristes craintes, poursuivie par son frère, adorant son
amant, essuyant ses larmes et en versant encore, tremblante, affaiblie, et reprenant courage, courut vite chez
monsieur de St. Pouange.

CHAPITRE QUATORZIÈME

PROGRÈS DE L'ESPRIT DE L'INGÉNU

L'Ingénu faisait des progrès rapides dans les sciences,
et surtout dans la science de l'homme. La cause du développement rapide de son esprit était due à son éducation
sauvage presque autant qu'à la trempe de son âme : car,
n'ayant rien appris dans son enfance, il n'avait point
appris de préjugés. Son entendement, n'ayant point été
courbé par l'erreur, était demeuré dans toute sa recti-
tude. Il voyait les choses comme elles sont, au lieu que
les idées qu'on nous donne dans l'enfance nous les font
voir toute notre vie comme elles ne sont point. « Vos persécuteurs sont abominables, disait-il à son ami Gordon.
Je vous plains d'être opprimé, mais je vous plains d'être
janséniste. Toute secte me paraît le ralliement de l'erreur.
Dites-moi s'il y a des sectes en géométrie ? — Non, mon
cher enfant, lui dit en soupirant le bon Gordon; tous les
hommes sont d'accord sur la vérité quand elle est démontrée, mais ils sont trop partagés sur les vérités obscures.
— Dites sur les faussetés obscures. S'il y avait eu une
seule vérité cachée dans vos amas d'arguments qu'on
ressasse depuis tant de siècles, on l'aurait découverte
sans doute; et l'univers aurait été d'accord au moins sur

ce point-là. Si cette vérité était nécessaire comme le soleil l'est à la terre, elle serait brillante comme lui. C'est une absurdité, c'est un outrage au genre humain, c'est un attentat contre l'Etre infini et suprême de dire : Il y a une vérité essentielle à l'homme, et Dieu l'a cachée. »

Tout ce que disait ce jeune ignorant, instruit par la nature, faisait une impression profonde sur l'esprit du vieux savant infortuné. « Serait-il bien vrai, s'écria-t-il, que je me fusse rendu malheureux pour des chimères ? Je suis bien plus sûr de mon malheur que de la grâce efficace. J'ai consumé mes jours à raisonner sur la liberté de Dieu et du genre humain; mais j'ai perdu la mienne; ni saint Augustin ni saint Prosper ne me tireront de l'abîme où je suis. »

L'Ingénu, livré à son caractère, dit enfin : « Voulez-vous que je vous parle avec une confiance hardie ? Ceux qui se font persécuter pour ces vaines disputes de l'école me semblent peu sages; ceux qui persécutent me paraissent des monstres. »

Les deux captifs étaient fort d'accord sur l'injustice de leur captivité. « Je suis cent fois plus à plaindre que vous, disait l'Ingénu; je suis né libre comme l'air; j'avais deux vies, la liberté et l'objet de mon amour : on me les ôte. Nous voici tous deux dans les fers, sans en savoir la raison et sans pouvoir la demander. J'ai vécu Huron vingt ans; on dit que ce sont des barbares, parce qu'ils se vengent de leurs ennemis; mais ils n'ont jamais opprimé leurs amis. A peine ai-je mis le pied en France, que j'ai versé mon sang pour elle; j'ai peut-être sauvé une province, et pour récompense je suis englouti dans ce tombeau des vivants, où je serais mort de rage sans vous. Il n'y a donc point de lois dans ce pays ? On condamne les hommes sans les entendre! Il n'en est pas ainsi en Angleterre. Ah! ce n'était pas contre les Anglais que je devais me battre. » Ainsi sa philosophie naissante ne pouvait dompter la nature outragée dans le premier de ses droits, et laissait un libre cours à sa juste colère.

Son compagnon ne le contredit point. L'absence augmente toujours l'amour qui n'est pas satisfait, et la philosophie ne le diminue pas. Il parlait aussi souvent de sa chère St. Yves que de morale et de métaphysique. Plus ses sentiments s'épuraient, et plus il aimait. Il lut quelques romans nouveaux; il en trouva peu qui lui peignissent la situation de son âme. Il sentait que son cœur allait toujours au-delà de ce qu'il lisait. « Ah! disait-il, presque

tous ces auteurs-là n'ont que de l'esprit et de l'art. »
Enfin le bon prêtre janséniste devenait insensiblement le
confident de sa tendresse. Il ne connaissait l'amour auparavant que comme un péché dont on s'accuse en confession. Il apprit à le connaître comme un sentiment aussi
noble que tendre, qui peut élever l'âme autant que l'amollir, et produire même quelquefois des vertus. Enfin, pour
dernier prodige, un Huron convertissait un janséniste.

CHAPITRE QUINZIÈME

LA BELLE ST. YVES
RÉSISTE A DES PROPOSITIONS DÉLICATES

La belle St. Yves, plus tendre encore que son amant,
alla donc chez monsieur de St. Pouange, accompagnée de
l'amie chez qui elle logeait, toutes deux cachées dans
leurs coiffes. La première chose qu'elle vit à la porte ce
fut l'abbé de St. Yves, son frère, qui en sortait. Elle fut
intimidée; mais la dévote amie la rassura. « C'est précisément parce qu'on a parlé contre vous qu'il faut que vous
parliez. Soyez sûre que dans ce pays les accusateurs ont
toujours raison si on ne se hâte de les confondre. Votre
présence d'ailleurs, ou je me trompe fort, fera plus d'effet
que les paroles de votre frère. »

Pour peu qu'on encourage une amante passionnée, elle
est intrépide. La St. Yves se présente à l'audience. Sa
jeunesse, ses charmes, ses yeux tendres, mouillés de
quelques pleurs, attirèrent tous les regards. Chaque courtisan du sous-ministre oublia un moment l'idole du pouvoir pour contempler celle de la beauté. Le St. Pouange
la fit entrer dans un cabinet; elle parla avec attendrissement et avec grâce. St. Pouange se sentit touché. Elle
tremblait, il la rassura. « Revenez ce soir, lui dit-il; vos
affaires méritent qu'on y pense et qu'on en parle à loisir;
il y a ici trop de monde; on expédie les audiences trop
rapidement : il faut que je vous entretienne à fond de
tout ce qui vous regarde. » Ensuite, ayant fait l'éloge de
sa beauté et de ses sentiments, il lui recommanda de
venir à sept heures du soir.

Elle n'y manqua pas; la dévote amie l'accompagna
encore, mais elle se tint dans le salon, et lut le *Pédagogue
chrétien*, pendant que le St. Pouange et la belle St. Yves
étaient dans l'arrière-cabinet. « Croiriez-vous bien,

mademoiselle, lui dit-il d'abord, que votre frère est venu
me demander une lettre de cachet contre vous ? En vérité
j'en expédierais plutôt une pour le renvoyer en Basse-
Bretagne. — Hélas! monsieur, on est donc bien libéral
de lettres de cachet dans vos bureaux, puisqu'on en vient
solliciter du fond du royaume, comme des pensions. Je
suis bien loin d'en demander une contre mon frère. J'ai
beaucoup à me plaindre de lui, mais je respecte la liberté
des hommes; je demande celle d'un homme que je veux
épouser, d'un homme à qui le roi doit la conservation
d'une province, qui peut le servir utilement, et qui est
fils d'un officier tué à son service. De quoi est-il accusé ?
Comment a-t-on pu le traiter si cruellement sans l'entendre ? »

Alors le sous-ministre lui montra la lettre du jésuite
espion et celle du perfide bailli. « Quoi! il y a de pareils
monstres sur la terre! et on veut me forcer ainsi à épouser
le fils ridicule d'un homme ridicule et méchant! et c'est
sur de pareils avis qu'on décide ici de la destinée des
citoyens! » Elle se jeta à genoux, elle demanda avec des
sanglots la liberté du brave homme qui l'adorait. Ses
charmes dans cet état parurent dans leur plus grand avantage. Elle était si belle que le St. Pouange, perdant toute
honte, lui insinua qu'elle réussirait si elle commençait
par lui donner les prémices de ce qu'elle réservait à son
amant. La St. Yves, épouvantée et confuse, feignit longtemps de ne le pas entendre; il fallut s'expliquer plus
clairement. Un mot lâché d'abord avec retenue en produisait un plus fort, suivi d'un autre plus expressif. On
offrit non seulement la révocation de la lettre de cachet,
mais des récompenses, de l'argent, des honneurs, des
établissements; et plus on promettait, plus le désir de
n'être pas refusé augmentait.

La St. Yves pleurait, elle était suffoquée, à demi renversée sur un sofa, croyant à peine ce qu'elle voyait, ce
qu'elle entendait. Le St. Pouange, à son tour, se jeta à
ses genoux. Il n'était pas sans agréments, et aurait pu ne
pas effaroucher un cœur moins prévenu; mais St. Yves
adorait son amant, et croyait que c'était un crime horrible
de le trahir pour le servir. St. Pouange redoublait les
prières et les promesses : enfin la tête lui tourna au point
qu'il lui déclara que c'était le seul moyen de tirer de sa
prison l'homme auquel elle prenait un intérêt si violent
et si tendre. Cet étrange entretien se prolongeait. La
dévote de l'antichambre, en lisant son *Pédagogue chré-*

tien, disait : « Mon Dieu! que peuvent-ils faire là depuis
deux heures ? Jamais monseigneur de St. Pouange n'a
donné une si longue audience; peut-être qu'il a tout refusé
à cette pauvre fille, puisqu'elle le prie encore. »

Enfin sa compagne sortit de l'arrière-cabinet, tout
éperdue, sans pouvoir parler, réfléchissant profondément
sur le caractère des grands et des demi-grands, qui sacrifient si légèrement la liberté des hommes et l'honneur
des femmes.

Elle ne dit pas un mot pendant tout le chemin. Arrivée
chez l'amie, elle éclata, elle lui conta tout. La dévote fit
de grands signes de croix. « Ma chère amie, il faut
consulter dès demain le père Tout-à-tous, notre directeur; il a beaucoup de crédit auprès de monsieur de
St. Pouange; il confesse plusieurs servantes de sa maison; c'est un homme pieux et accommodant, qui dirige
aussi des femmes de qualité : abandonnez-vous à lui,
c'est ainsi que j'en use, je m'en suis toujours bien trouvée.
Nous autres, pauvres femmes, nous avons besoin d'être
conduites par un homme. — Eh bien donc! ma chère
amie, j'irai trouver demain le père Tout-à-tous. »

CHAPITRE SEIZIÈME

ELLE CONSULTE UN JÉSUITE

Dès que la belle et désolée St. Yves fut avec son bon
confesseur, elle lui confia qu'un homme puissant et
voluptueux lui proposait de faire sortir de prison celui
qu'elle devait épouser légitimement, et qu'il demandait
un grand prix de son service; qu'elle avait une répugnance horrible pour une telle infidélité, et que, s'il ne
s'agissait que de sa propre vie, elle la sacrifierait plutôt
que de succomber.

« Voilà un abominable pécheur! lui dit le père Tout-
à-tous. Vous devriez bien me dire le nom de ce vilain
homme : c'est à coup sûr quelque janséniste; je le dénon-
cerai à sa révérence le père de La Chaise, qui le fera
mettre dans le gîte où est à présent la chère personne
que vous devez épouser. »

La pauvre fille, après un long embarras et de grandes
irrésolutions, lui nomma enfin St. Pouange.

« Monseigneur de St. Pouange! s'écria le jésuite; ah!
ma fille, c'est tout autre chose; il est cousin du plus grand

ministre que nous ayons jamais eu, homme de bien, protecteur de la bonne cause, bon chrétien; il ne peut avoir eu une telle pensée; il faut que vous ayez mal entendu. — Ah! mon père, je n'ai entendu que trop bien; je suis perdue, quoi que je fasse; je n'ai que le choix du malheur et de la honte : il faut que mon amant reste enseveli tout vivant, ou que je me rende indigne de vivre. Je ne puis le laisser périr, et je ne puis le sauver. »

Le père Tout-à-tous tâcha de la calmer par ces douces paroles :

« Premièrement, ma fille, ne dites jamais ce mot *mon amant*; il y a quelque chose de mondain qui pourrait offenser Dieu. Dites *mon mari*; car, bien qu'il ne le soit pas encore, vous le regardez comme tel; et rien n'est plus honnête.

« Secondement, bien qu'il soit votre époux en idée, en espérance, il ne l'est pas en effet : ainsi vous ne commettriez pas un adultère, péché énorme qu'il faut toujours éviter autant qu'il est possible.

« Troisièmement, les actions ne sont pas d'une malice de coulpe quand l'intention est pure, et rien n'est plus pur que de délivrer votre mari.

« Quatrièmement, vous avez des exemples dans la sainte antiquité, qui peuvent merveilleusement servir à votre conduite. Saint Augustin rapporte que sous le proconsulat de Septimius Acyndinus, en l'an 340 de notre salut, un pauvre homme, ne pouvant payer à César ce qui appartenait à César, fut condamné à mort, comme il est juste, malgré la maxime : *Où il n'y a rien le roi perd ses droits*. Il s'agissait d'une livre d'or; le condamné avait une femme en qui Dieu avait mis la beauté et la prudence. Un vieux richard promit de donner une livre d'or, et même plus, à la dame, à condition qu'il commettrait avec elle le péché immonde. La dame ne crut point mal faire en sauvant la vie à son mari. Saint Augustin approuve fort sa généreuse résignation. Il est vrai que le vieux richard la trompa, et peut-être même son mari n'en fut pas moins pendu; mais elle avait fait tout ce qui était en elle pour sauver sa vie.

« Soyez sûre, ma fille, que quand un jésuite vous cite saint Augustin, il faut que ce saint ait pleinement raison. Je ne vous conseille rien, vous êtes sage; il est à présumer que vous serez utile à votre mari. Monseigneur de St. Pouange est un honnête homme, il ne vous trompera pas : c'est tout ce que je puis vous dire; je prierai

Dieu pour vous, et j'espère que tout se passera à sa plus grande gloire. »

La belle St. Yves, non moins effrayée des discours du jésuite que des propositions du sous-ministre, s'en retourna éperdue chez son amie. Elle était tentée de se délivrer, par la mort, de l'horreur de laisser dans une captivité affreuse l'amant qu'elle adorait, et de la honte de le délivrer au prix de ce qu'elle avait de plus cher, et qui ne devait appartenir qu'à cet amant infortuné.

CHAPITRE DIX-SEPTIÈME

ELLE SUCCOMBE PAR VERTU

Elle priait son amie de la tuer ; mais cette femme, non moins indulgente que le jésuite, lui parla plus clairement encore. « Hélas ! dit-elle, les affaires ne se font guère autrement dans cette cour si aimable, si galante, et si renommée. Les places les plus médiocres et les plus considérables n'ont souvent été données qu'au prix qu'on exige de vous. Ecoutez, vous m'avez inspiré de l'amitié et de la confiance ; je vous avouerai que si j'avais été aussi difficile que vous l'êtes, mon mari ne jouirait pas du petit poste qui le fait vivre ; il le sait, et loin d'en être fâché, il voit en moi sa bienfaitrice, et il se regarde comme ma créature. Pensez-vous que tous ceux qui ont été à la tête des provinces, ou même des armées, aient dû leurs honneurs et leur fortune à leurs seuls services ? Il en est qui en sont redevables à mesdames leurs femmes. Les dignités de la guerre ont été sollicitées par l'amour, et la place a été donnée au mari de la plus belle.

« Vous êtes dans une situation bien plus intéressante : il s'agit de rendre votre amant au jour et de l'épouser ; c'est un devoir sacré qu'il vous faut remplir. On n'a point blâmé les belles et grandes dames dont je vous parle ; on vous applaudira, on dira que vous ne vous êtes permis une faiblesse que par un excès de vertu.

— Ah ! quelle vertu ! s'écria la belle St. Yves ; quel labyrinthe d'iniquités ! quel pays ! et que j'apprends à connaître les hommes ! Un père de La Chaise et un bailli ridicule font mettre mon amant en prison, ma famille me persécute, on ne me tend la main dans mon désastre que pour me déshonorer. Un jésuite a perdu un brave homme, un autre jésuite veut me perdre ; je ne suis entourée que de pièges, et je touche au moment de tomber dans la misère. Il faut que je me tue, ou que je parle au roi; je me jetterai à ses pieds sur son passage, quand il ira à la messe ou à la comédie.

— On ne vous laissera pas approcher, lui dit sa bonne amie; et si vous aviez le malheur de parler, mons de Louvois et le révérend père de La Chaise pourraient vous enterrer dans le fond d'un couvent pour le reste de vos jours. »

Tandis que cette brave personne augmentait ainsi les perplexités de cette âme désespérée, et enfonçait le poignard dans son cœur, arrive un exprès de monsieur de St. Pouange avec une lettre et deux beaux pendants d'oreilles. St. Yves rejeta le tout en pleurant; mais l'amie s'en chargea.

Dès que le messager fut parti, notre confidente lit la lettre dans laquelle on propose un petit souper aux deux amies pour le soir. St. Yves jure qu'elle n'ira point. La dévote veut lui essayer les deux boucles de diamants. St. Yves ne le put souffrir. Elle combattit la journée entière. Enfin, n'ayant en vue que son amant, vaincue, entraînée, ne sachant où on la mène, elle se laisse conduire au souper fatal. Rien n'avait pu la déterminer à se parer de ses pendants d'oreilles; la confidente les apporta, elle les lui ajusta malgré elle avant qu'on se mît à table. St. Yves était si confuse, si troublée, qu'elle se laissait tourmenter; et le patron en tirait un augure très favorable. Vers la fin du repas, la confidente se retira discrètement. Le patron montra alors la révocation de la lettre de cachet, le brevet d'une gratification considérable, celui d'une compagnie, et n'épargna pas les promesses. « Ah! lui dit St. Yves, que je vous aimerais si vous ne vouliez pas être tant aimé! »

Enfin, après une longue résistance, après des sanglots, des cris, des larmes, affaiblie du combat, éperdue, languissante, il fallut se rendre. Elle n'eut d'autre ressource que de se promettre de ne penser qu'à l'Ingénu, tandis que le cruel jouirait impitoyablement de la nécessité où elle était réduite.

CHAPITRE DIX-HUITIÈME

ELLE DÉLIVRE SON AMANT ET UN JANSÉNISTE

Au point du jour elle vole à Paris, munie de l'ordre du ministre. Il est difficile de peindre ce qui se passait dans son cœur pendant ce voyage. Qu'on imagine une âme vertueuse et noble, humiliée de son opprobre, enivrée de tendresse, déchirée des remords d'avoir trahi son amant, pénétrée du plaisir de délivrer ce qu'elle adore! Ses amertumes, ses combats, son succès, partageaient toutes ses réflexions. Ce n'était plus cette fille simple dont une éducation provinciale avait rétréci les idées. L'amour et le malheur l'avaient formée. Le sentiment avait fait autant de progrès en elle que la raison en avait fait dans l'esprit de son amant infortuné. Les filles apprennent à sentir plus aisément que les hommes n'apprennent à penser. Son aventure était plus instructive que quatre ans de couvent.

Son habit était d'une simplicité extrême. Elle voyait avec horreur les ajustements sous lesquels elle avait paru devant son funeste bienfaiteur; elle avait laissé ses boucles de diamants à sa compagne sans même les regarder. Confuse et charmée, idolâtre de l'Ingénu, et se haïssant elle-même, elle arrive enfin à la porte

> De cet affreux château, palais de la vengeance,
> Qui renferma souvent le crime et l'innocence.

Quand il fallut descendre du carrosse, les forces lui manquèrent; on l'aida; elle entra, le cœur palpitant, les yeux humides, le front consterné. On la présente au gouverneur; elle veut lui parler, sa voix expire; elle montre son ordre en articulant à peine quelques paroles. Le gouverneur aimait son prisonnier; il fut très aise de sa délivrance. Son cœur n'était pas endurci comme celui de quelques honorables geôliers ses confrères, qui, ne pensant qu'à la rétribution attachée à la garde de leurs captifs, fondant leurs revenus sur leurs victimes, et vivant du malheur d'autrui, se faisaient en secret une joie affreuse des larmes des infortunés.

Il fait venir le prisonnier dans son appartement. Les deux amants se voient, et tous deux s'évanouissent. La belle St. Yves resta longtemps sans mouvement et sans vie : l'autre rappela bientôt son courage. « C'est apparemment là madame votre femme, lui dit le gouverneur; vous ne m'aviez point dit que vous fussiez marié. On me mande que c'est à ses soins généreux que vous devez votre délivrance. — Ah! je ne suis pas digne d'être sa femme », dit la belle St. Yves d'une voix tremblante; et elle retomba encore en faiblesse.

Quand elle eut repris ses sens, elle présenta, toujours tremblante, le brevet de la gratification, et la promesse par écrit d'une compagnie. L'Ingénu, aussi étonné qu'attendri, s'éveillait d'un songe pour retomber dans un autre. « Pourquoi ai-je été enfermé ici ? comment avez-vous pu m'en tirer ? où sont les monstres qui m'y ont plongé ? Vous êtes une divinité qui descendez du ciel à mon secours. »

La belle St. Yves baissait la vue, regardait son amant, rougissait et détournait, le moment d'après, ses yeux mouillés de pleurs. Elle lui apprit enfin tout ce qu'elle savait, et tout ce qu'elle avait éprouvé, excepté ce qu'elle aurait voulu se cacher pour jamais, et ce qu'un autre que l'Ingénu, plus accoutumé au monde et plus instruit des usages de la cour, aurait deviné facilement.

« Est-il possible qu'un misérable comme ce bailli ait eu le pouvoir de me ravir ma liberté ? Ah! je vois bien qu'il en est des hommes comme des plus vils animaux; tous peuvent nuire. Mais est-il possible qu'un moine, un jésuite confesseur du roi, ait contribué à mon infortune autant que ce bailli, sans que je puisse imaginer sous quel prétexte ce détestable fripon m'a persécuté ? M'a-t-il fait passer pour un janséniste ? Enfin, comment vous êtes-vous souvenue de moi ? je ne le méritais pas, je n'étais alors qu'un sauvage. Quoi ? vous avez pu, sans conseil, sans secours, entreprendre le voyage de Versailles! Vous y avez paru, et on a brisé mes fers! Il est donc dans la beauté et dans la vertu un charme invincible qui fait tomber les portes de fer, et qui amollit les cœurs de bronze! »

A ce mot de *vertu*, des sanglots échappèrent à la belle St. Yves. Elle ne savait pas combien elle était vertueuse dans le crime qu'elle se reprochait.

Son amant continua ainsi : « Ange, qui avez rompu mes liens, si vous avez eu (ce que je ne comprends pas encore) assez de crédit pour me faire rendre justice, faites-la donc rendre aussi à un vieillard qui m'a le premier appris à penser, comme vous m'avez appris à aimer. La calamité nous a unis; je l'aime comme un père, je ne peux vivre ni sans vous ni sans lui.

— Moi ! que je sollicite le même homme qui... — Oui, je veux tout vous devoir, et je ne veux devoir jamais rien qu'à vous : écrivez à cet homme puissant ; comblez-moi de vos bienfaits, achevez ce que vous avez commencé, achevez vos prodiges. » Elle sentait qu'elle devait faire tout ce que son amant exigeait : elle voulut écrire, sa main ne pouvait obéir. Elle recommença trois fois sa lettre, la déchira trois fois ; elle écrivit enfin, et les deux amants sortirent après avoir embrassé le vieux martyr de la grâce efficace.

L'heureuse et désolée St. Yves savait dans quelle maison logeait son frère ; elle y alla ; son amant prit un appartement dans la même maison.

A peine y furent-ils arrivés que son protecteur lui envoya l'ordre de l'élargissement du bonhomme Gordon, et lui demanda un rendez-vous pour le lendemain. Ainsi, à chaque action honnête et généreuse qu'elle faisait, son déshonneur en était le prix. Elle regardait avec exécration cet usage de vendre le malheur et le bonheur des hommes. Elle donna l'ordre de l'élargissement à son amant, et refusa le rendez-vous d'un bienfaiteur qu'elle ne pouvait plus voir sans expirer de douleur et de honte. L'Ingénu ne pouvait se séparer d'elle que pour aller délivrer un ami : il y vola. Il remplit ce devoir en réfléchissant sur les étranges événements de ce monde, et en admirant la vertu courageuse d'une jeune fille à qui deux infortunés devaient plus que la vie.

CHAPITRE DIX-NEUVIÈME

L'INGÉNU, LA BELLE ST. YVES, ET LEURS PARENTS SONT RASSEMBLÉS

La généreuse et respectable infidèle était avec son frère l'abbé de St. Yves, le bon prieur de la Montagne, et la dame de Kerkabon. Tous étaient également étonnés ; mais leur situation et leurs sentiments étaient bien différents. L'abbé de St. Yves pleurait ses torts aux pieds de sa sœur, qui lui pardonnait. Le prieur et sa tendre sœur pleuraient aussi, mais de joie ; le vilain bailli et son insupportable fils ne troublaient point cette scène touchante. Ils étaient partis au premier bruit de l'élargissement de leur ennemi ; ils couraient ensevelir dans leur province leur sottise et leur crainte.

Les quatre personnages, agités de cent mouvements
divers, attendaient que le jeune homme revînt avec l'ami
qu'il devait délivrer. L'abbé de St. Yves n'osait lever les
yeux devant sa sœur; la bonne Kerkabon disait : « Je
reverrai donc mon cher neveu! — Vous le reverrez, dit
la charmante St. Yves, mais ce n'est plus le même
homme; son maintien, son ton, ses idées, son esprit, tout
est changé. Il est devenu aussi respectable qu'il était naïf
et étranger à tout. Il sera l'honneur et la consolation de
votre famille; que ne puis-je être aussi l'honneur de la
mienne! — Vous n'êtes point non plus la même, dit le
prieur; que vous est-il donc arrivé qui ait fait en vous un
si grand changement ? »

Au milieu de cette conversation l'Ingénu arrive,
tenant par la main son janséniste. La scène alors devint
plus neuve et plus intéressante. Elle commença par les
tendres embrassements de l'oncle et de la tante. L'abbé
de St. Yves se mettait presque aux genoux de l'Ingénu,
qui n'était plus l'*Ingénu*. Les deux amants se parlaient
par des regards qui exprimaient tous les sentiments dont
ils étaient pénétrés. On voyait éclater la satisfaction, la
reconnaissance, sur le front de l'un; l'embarras était
peint dans les yeux tendres et un peu égarés de l'autre.
On était étonné qu'elle mêlât de la douleur à tant de
joie.

Le vieux Gordon devint en peu de moments cher à
toute la famille. Il avait été malheureux avec le jeune prisonnier, et c'était un grand titre. Il devait sa délivrance
aux deux amants, cela seul le réconciliait avec l'amour;
l'âpreté de ses anciennes opinions sortait de son cœur :
il était changé en homme, ainsi que le Huron. Chacun
raconta ses aventures avant le souper. Les deux abbés, la
tante, écoutaient comme des enfants qui entendent des
histoires de revenants, et comme des hommes qui s'inté-
ressaient tous à tant de désastres. « Hélas! dit Gordon,
il y a peut-être plus de cinq cents personnes vertueuses
qui sont à présent dans les mêmes fers que mademoiselle de St. Yves a brisés : leurs malheurs sont inconnus.
On trouve assez de mains qui frappent sur la foule des
malheureux, et rarement une secourable. » Cette réflexion
si vraie augmentait sa sensibilité et sa reconnaissance :
tout redoublait le triomphe de la belle St. Yves; on admirait la grandeur et la fermeté de son âme. L'admiration
était mêlée de ce respect qu'on sent malgré soi pour une
personne qu'on croit avoir du crédit à la cour. Mais

l'abbé de St. Yves disait quelquefois : « Comment ma sœur a-t-elle pu faire pour obtenir sitôt ce crédit ? »

On allait se mettre à table de très bonne heure. Voilà que la bonne amie de Versailles arrive, sans rien savoir de tout ce qui s'était passé; elle était en carrosse à six chevaux, et on voit bien à qui appartenait l'équipage. Elle entre avec l'air imposant d'une personne de cour qui a de grandes affaires, salue très légèrement la compagnie, et tirant la belle St. Yves à l'écart : « Pourquoi vous faire tant attendre ? Suivez-moi; voilà vos diamants que vous aviez oubliés. » Elle ne put dire ces paroles si bas que l'Ingénu ne les entendît : il vit les diamants; le frère fut interdit; l'oncle et la tante n'éprouvèrent qu'une surprise de bonnes gens qui n'avaient jamais vu une telle magnificence. Le jeune homme, qui s'était formé par un an de réflexions, en fit malgré lui, et parut troublé un moment. Son amante s'en aperçut; une pâleur mortelle se répandit sur son beau visage, un frisson la saisit, elle se soutenait à peine. « Ah! madame, dit-elle à la fatale amie, vous m'avez perdue! vous me donnez la mort! » Ces paroles percèrent le cœur de l'Ingénu; mais il avait déjà appris à se posséder; il ne les releva point, de peur d'inquiéter sa maîtresse devant son frère; mais il pâlit comme elle.

St. Yves, éperdue de l'altération qu'elle apercevait sur le visage de son amant, entraîne cette femme hors de la chambre dans un petit passage, jette les diamants à terre devant elle. « Ah! ce ne sont pas eux qui m'ont séduite, vous le savez; mais celui qui les a donnés ne me reverra jamais. » L'amie les ramassait, et St. Yves ajoutait : « Qu'il les reprenne ou qu'il vous les donne; allez, ne me rendez plus honteuse de moi-même. » L'ambassadrice enfin s'en retourna, ne pouvant comprendre les remords dont elle était témoin.

La belle St. Yves, oppressée, éprouvant dans son corps une révolution qui la suffoquait, fut obligée de se mettre au lit; mais pour n'alarmer personne elle ne parla point de ce qu'elle souffrait, et, ne prétextant que sa lassitude, elle demanda la permission de prendre du repos; mais ce fut après avoir rassuré la compagnie par des paroles consolantes et flatteuses, et jeté sur son amant des regards qui portaient le feu dans son âme.

Le souper, qu'elle n'animait pas, fut triste dans le commencement, mais de cette tristesse intéressante qui fournit des conversations attachantes et utiles, si supérieures à la frivole joie qu'on recherche, et qui n'est d'ordinaire qu'un bruit importun.

Gordon fit en peu de mots l'histoire du jansénisme et du molinisme, des persécutions dont un parti accablait l'autre, et de l'opiniâtreté de tous les deux. L'Ingénu en fit la critique, et plaignit les hommes qui, non contents de tant de discordes que leurs intérêts allument, se font de nouveaux maux pour des intérêts chimériques, et pour des absurdités inintelligibles. Gordon racontait, l'autre jugeait; les convives écoutaient avec émotion, et s'éclairaient d'une lumière nouvelle. On parla de la longueur de nos infortunes et de la brièveté de la vie. On remarqua que chaque profession a un vice et un danger qui lui sont attachés, et que, depuis le prince jusqu'au dernier des mendiants, tout semble accuser la nature. Comment se trouve-t-il tant d'hommes qui, pour si peu d'argent, se font les persécuteurs, les satellites, les bourreaux des autres hommes? Avec quelle indifférence inhumaine un homme en place signe la destruction d'une famille, et avec quelle joie plus barbare des mercenaires l'exécutent!

« J'ai vu dans ma jeunesse, dit le bonhomme Gordon, un parent du maréchal de Marillac, qui, étant poursuivi dans sa province pour la cause de cet illustre malheureux, se cachait dans Paris sous un nom supposé. C'était un vieillard de soixante et douze ans. Sa femme, qui l'accompagnait, était à peu près de son âge. Ils avaient eu un fils libertin qui, à l'âge de quatorze ans, s'était enfui de la maison paternelle : devenu soldat, puis déserteur, il avait passé par tous les degrés de la débauche et de la misère; enfin, ayant pris un nom de terre, il était dans les gardes du cardinal de Richelieu (car ce prêtre, ainsi que le Mazarin, avait des gardes); il avait obtenu un bâton d'exempt dans cette compagnie de satellites. Cet aventurier fut chargé d'arrêter le vieillard et son épouse, et s'en acquitta avec toute la dureté d'un homme qui voulait plaire à son maître. Comme il les conduisait, il entendit ces deux victimes déplorer la longue suite des malheurs qu'elles avaient éprouvés depuis leur berceau. Le père et la mère comptaient parmi leurs plus grandes infortunes les égarements et la perte de leur fils. Il les reconnut; il ne les conduisit pas moins en prison, en les assurant que Son Eminence devait être servie de préférence à tout. Son Eminence récompensa son zèle.

« J'ai vu un espion du père de La Chaise trahir son

propre frère, dans l'espérance d'un petit bénéfice qu'il n'eut point; et je l'ai vu mourir, non de remords, mais de douleur d'avoir été trompé par le jésuite.

« L'emploi de confesseur, que j'ai longtemps exercé, m'a fait connaître l'intérieur des familles; je n'en ai guère vu qui ne fussent plongées dans l'amertume, tandis qu'au dehors, couvertes du masque du bonheur, elles paraissaient nager dans la joie; et j'ai toujours remarqué que les grands chagrins étaient le fruit de notre cupidité effrénée.

— Pour moi, dit l'Ingénu, je pense qu'une âme noble, reconnaissante et sensible, peut vivre heureuse; et je compte bien jouir d'une félicité sans mélange avec la belle et généreuse St. Yves : car je me flatte, ajouta-t-il, en s'adressant à son frère avec le sourire de l'amitié, que vous ne me refuserez pas, comme l'année passée, et que je m'y prendrai d'une manière plus décente. »

L'abbé se confondit en excuses du passé et en protestations d'un attachement éternel.

L'oncle Kerkabon dit que ce serait le plus beau jour de sa vie. La bonne tante, en s'extasiant et en pleurant de joie, s'écriait : « Je vous l'avais bien dit que vous ne seriez jamais sous-diacre! ce sacrement-ci vaut mieux que l'autre; plût à Dieu que j'en eusse été honorée! mais je vous servirai de mère. » Alors ce fut à qui renchérirait sur les louanges de la tendre St. Yves.

Son amant avait le cœur trop plein de ce qu'elle avait fait pour lui, il l'aimait trop pour que l'aventure des diamants eût fait sur son cœur une impression dominante. Mais ces mots qu'il avait trop entendus, *vous me donnez la mort*, l'effrayaient encore en secret, et corrompaient toute sa joie, tandis que les éloges de sa belle maîtresse augmentaient encore son amour. Enfin on n'était plus occupé que d'elle; on ne parlait que du bonheur que ces deux amants méritaient; on s'arrangeait pour vivre tous ensemble dans Paris; on faisait des projets de fortune et d'agrandissement; on se livrait à toutes ces espérances que la moindre lueur de félicité fait naître si aisément. Mais l'Ingénu, dans le fond de son cœur, éprouvait un sentiment secret qui repoussait cette illusion. Il relisait ces promesses signées St. Pouange, et les brevets signés Louvois; on lui dépeignit ces deux hommes tels qu'ils étaient, ou qu'on les croyait être. Chacun parla des ministres et du ministère avec cette liberté de table, regardée en France comme la plus précieuse liberté qu'on puisse goûter sur la terre.

« Si j'étais roi de France, dit l'Ingénu, voici le ministre de la guerre que je choisirais : je voudrais un homme de la plus haute naissance, par la raison qu'il donne des ordres à la noblesse. J'exigerais qu'il eût été lui-même officier, qu'il eût passé par tous les grades, qu'il fût au moins lieutenant général des armées, et digne d'être maréchal de France : car n'est-il pas nécessaire qu'il ait servi lui-même, pour mieux connaître les détails du service ? et les officiers n'obéiront-ils pas avec cent fois plus d'allégresse à un homme de guerre, qui aura comme eux signalé son courage, qu'à un homme de cabinet qui ne peut que deviner tout au plus les opérations d'une campagne, quelque esprit qu'il puisse avoir ? Je ne serais pas fâché que mon ministre fût généreux, quoique mon garde du trésor royal en fût quelquefois un peu embarrassé. J'aimerais qu'il eût un travail facile, et que même il se distinguât par cette gaieté d'esprit, partage d'un homme supérieur aux affaires qui plaît tant à la nation, et qui rend tous les devoirs moins pénibles. » Il désirait qu'un ministre eût ce caractère, parce qu'il avait toujours remarqué que cette belle humeur est incompatible avec la cruauté.

Mons de Louvois n'aurait peut-être pas été satisfait des souhaits de l'Ingénu; il avait une autre sorte de mérite.

Mais pendant qu'on était à table, la maladie de cette fille malheureuse prenait un caractère funeste; son sang s'était allumé, une fièvre dévorante s'était déclarée, elle souffrait et ne se plaignait point, attentive à ne pas troubler la joie des convives.

Son frère, sachant qu'elle ne dormait pas, alla au chevet de son lit; il fut surpris de l'état où elle était. Tout le monde accourut; l'amant se présentait à la suite du frère. Il était, sans doute, le plus alarmé et le plus attendri de tous; mais il avait appris à joindre la discrétion à tous les dons heureux que la nature lui avait prodigués, et le sentiment prompt des bienséances commençait à dominer dans lui.

On fit venir aussitôt un médecin du voisinage. C'était un de ceux qui visitent leurs malades en courant, qui confondent la maladie qu'ils viennent de voir avec celle qu'ils voient, qui mettent une pratique aveugle dans une science à laquelle toute la maturité d'un discernement sain et réfléchi ne peut ôter son incertitude et ses dangers. Il redoubla le mal par sa précipitation à prescrire un remède alors à la mode. De la mode jusque dans la médecine! Cette manie était trop commune dans Paris.

La triste St. Yves contribuait encore plus que son médecin à rendre sa maladie dangereuse. Son âme tuait son corps. La foule des pensées qui l'agitaient portait dans ses veines un poison plus dangereux que celui de la fièvre la plus brûlante.

CHAPITRE VINGTIÈME

LA BELLE ST. YVES MEURT, ET CE QUI EN ARRIVE

On appela un autre médecin : celui-ci, au lieu d'aider la nature et de la laisser agir dans une jeune personne dans qui tous les organes rappelaient la vie, ne fut occupé que de contrecarrer son confrère. La maladie devint mortelle en deux jours. Le cerveau, qu'on croit le siège de l'entendement, fut attaqué aussi violemment que le cœur, qui est, dit-on, le siège des passions.

Quelle mécanique incompréhensible a soumis les organes au sentiment et à la pensée ? Comment une seule idée douloureuse dérange-t-elle le cours du sang ? Et comment le sang à son tour porte-t-il ses irrégularités dans l'entendement humain ? Quel est ce fluide inconnu et dont l'existence est certaine, qui, plus prompt, plus actif que la lumière, vole, en moins d'un clin d'œil, dans tous les canaux de la vie, produit les sensations, la mémoire, la tristesse ou la joie, la raison ou le vertige, rappelle avec horreur ce qu'on voudrait oublier, et fait d'un animal pensant ou un objet d'admiration, ou un sujet de pitié et de larmes ?

C'était là ce que disait le bon Gordon; et cette réflexion si naturelle, que rarement font les hommes, ne dérobait rien à son attendrissement; car il n'était pas de ces malheureux philosophes qui s'efforcent d'être insensibles. Il était touché du sort de cette jeune fille, comme un père qui voit mourir lentement son enfant chéri. L'abbé de St. Yves était désespéré, le prieur et sa sœur répandaient des ruisseaux de larmes. Mais qui pourrait peindre l'état de son amant ? Nulle langue n'a des expressions qui répondent à ce comble des douleurs; les langues sont trop imparfaites.

La tante, presque sans vie, tenait la tête de la mourante dans ses faibles bras; son frère était à genoux au pied du lit; son amant pressait sa main, qu'il baignait de pleurs,

et éclatait en sanglots : il la nommait sa bienfaitrice, son
espérance, sa vie, la moitié de lui-même, sa maîtresse,
son épouse. A ce mot d'épouse elle soupira, le regarda
avec une tendresse inexprimable, et soudain jeta un cri
d'horreur ; puis, dans un de ces intervalles où l'accablement, et l'oppression des sens, et les souffrances suspen-
dues, laissent à l'âme sa liberté et sa force, elle s'écria :
« Moi, votre épouse ! Ah ! cher amant, ce nom, ce bonheur,
ce prix, n'étaient plus faits pour moi ; je meurs, et je le
mérite. O dieu de mon cœur ! ô vous que j'ai sacrifié à
des démons infernaux, c'en est fait, je suis punie, vivez
heureux. » Ces paroles tendres et terribles ne pouvaient
être comprises ; mais elles portaient dans tous les cœurs
l'effroi et l'attendrissement ; elle eut le courage de s'expliquer. Chaque mot fit frémir d'étonnement, de douleur
et de pitié, tous les assistants. Tous se réunissaient à
détester l'homme puissant qui n'avait réparé une horrible injustice que par un crime, et qui avait forcé la plus
respectable innocence à être sa complice.

« Qui ? vous coupable ! lui dit son amant ; non, vous ne
l'êtes pas ; le crime ne peut être que dans le cœur, le vôtre
est à la vertu et à moi. »

Il confirmait ce sentiment par des paroles qui semblaient ramener à la vie la belle St. Yves. Elle se sentit
consolée, et s'étonnait d'être aimée encore. Le vieux
Gordon l'aurait condamnée dans le temps qu'il n'était
que janséniste ; mais, étant devenu sage, il l'estimait, et
il pleurait.

Au milieu de tant de larmes et de craintes, pendant
que le danger de cette fille si chère remplissait tous les
cœurs, que tout était consterné, on annonce un courrier
de la cour. Un courrier ! et de qui ? et pourquoi ? C'était
de la part du confesseur du roi pour le prieur de la Montagne ; ce n'était pas le père de La Chaise qui écrivait,
c'était le frère Vadbled, son valet de chambre, homme
très important dans ce temps-là, qui lui mandait aux
archevêques les volontés du révérend père, lui qui donnait audience, lui qui promettait des bénéfices, lui qui
faisait quelquefois expédier des lettres de cachet. Il écrivait à l'abbé de la Montagne que « Sa Révérence était
informée des aventures de son neveu, que sa prison
n'était qu'une méprise, que ces petites disgrâces arrivaient fréquemment, qu'il ne fallait pas y faire attention,
et qu'enfin il convenait que lui prieur vînt lui présenter
son neveu le lendemain, qu'il devait amener avec lui le

bonhomme Gordon, que lui frère Vadbled les introdui-
rait chez Sa Révérence et chez mons de Louvois, lequel
leur dirait un mot dans son antichambre. »

Il ajoutait que l'histoire de l'Ingénu et son combat
contre les Anglais avaient été contés au roi, que sûrement
le roi daignerait le remarquer quand il passerait dans la
galerie, et peut-être même lui ferait un signe de tête. La
lettre finissait par l'espérance dont on le flattait, que
toutes les dames de la cour s'empresseraient de faire venir
son neveu à leur toilette, que plusieurs d'entre elles lui
diraient : « Bonjour, monsieur l'Ingénu »; et qu'assurément il serait question de lui au souper du roi. La lettre
était signée : « Votre affectionné Vadbled, frère jésuite. »

Le prieur ayant lu la lettre tout haut, son neveu
furieux, et commandant un moment à sa colère, ne dit
rien au porteur; mais se tournant vers le compagnon de
ses infortunes, il lui demanda ce qu'il pensait de ce style.
Gordon lui répondit : « C'est donc ainsi qu'on traite les
hommes comme des singes! On les bat et on les fait
danser. » L'Ingénu, reprenant son caractère, qui revient
toujours dans les grands mouvements de l'âme, déchira
la lettre par morceaux, et les jeta au nez du courrier :
« Voilà ma réponse. » Son oncle, épouvanté, crut voir le
tonnerre et vingt lettres de cachet tomber sur lui. Il alla
vite écrire et excuser, comme il put, ce qu'il prenait pour
l'emportement d'un jeune homme, et qui était la saillie
d'une grande âme.

Mais des soins plus douloureux s'emparaient de tous
les cœurs. La belle et infortunée St. Yves sentait déjà sa
fin approcher; elle était dans le calme, mais dans ce calme
affreux de la nature affaissée qui n'a plus la force de
combattre. « O mon cher amant! dit-elle d'une voix tom-
bante, la mort me punit de ma faiblesse; mais j'expire
avec la consolation de vous savoir libre. Je vous ai adoré
en vous trahissant, et je vous adore en vous disant un
éternel adieu. »

Elle ne se parait pas d'une vaine fermeté; elle ne conce-
vait pas cette misérable gloire de faire dire à quelques voisins : « Elle est morte avec courage. » Qui peut perdre
à vingt ans son amant, sa vie, et ce qu'on appelle l'*honneur*, sans regrets et sans déchirements? Elle sentait
toute l'horreur de son état, et le faisait sentir par ces mots
et par ces regards mourants qui parlent avec tant d'empire. Enfin elle pleurait comme les autres dans les
moments où elle eut la force de pleurer.

Que d'autres cherchent à louer les morts fastueuses de ceux qui entrent dans la destruction avec insensibilité : c'est le sort de tous les animaux. Nous ne mourons comme eux avec indifférence que quand l'âge ou la maladie nous rend semblables à eux par la stupidité de nos organes. Quiconque fait une grande perte a de grands regrets ; s'il les étouffe, c'est qu'il porte la vanité jusque dans les bras de la mort.

Lorsque le moment fatal fut arrivé, tous les assistants jetèrent des larmes et des cris. L'Ingénu perdit l'usage de ses sens. Les âmes fortes ont des sentiments bien plus violents que les autres quand elles sont tendres. Le bon Gordon le connaissait assez pour craindre qu'étant revenu à lui il ne se donnât la mort. On écarta toutes les armes ; le malheureux jeune homme s'en aperçut ; il dit à ses parents et à Gordon, sans pleurer, sans gémir, sans s'émouvoir : « Pensez-vous donc qu'il y ait quelqu'un sur la terre qui ait le droit et le pouvoir de m'empêcher de finir ma vie ? » Gordon se garda bien de lui étaler ces lieux communs fastidieux par lesquels on essaye de prouver qu'il n'est pas permis d'user de sa liberté pour cesser d'être quand on est horriblement mal, qu'il ne faut pas sortir de sa maison quand on ne peut plus y demeurer, que l'homme est sur la terre comme un soldat à son poste : comme s'il importait à l'Être des êtres que l'assemblage de quelques parties de matière fût dans un lieu ou dans un autre ; raisons impuissantes qu'un désespoir ferme et réfléchi dédaigne d'écouter, et auxquelles Caton ne répondit que par un coup de poignard.

Le morne et terrible silence de l'Ingénu, ses yeux sombres, ses lèvres tremblantes, les frémissements de son corps, portaient dans l'âme de tous ceux qui le regardaient ce mélange de compassion et d'effroi qui enchaîne toutes les puissances de l'âme, qui exclut tout discours, et qui ne se manifeste que par des mots entrecoupés. L'hôtesse et sa famille étaient accourues ; on tremblait de son désespoir, on le gardait à vue, on observait tous ses mouvements. Déjà le corps glacé de la belle St. Yves avait été porté dans une salle basse, loin des yeux de son amant, qui semblait la chercher encore, quoiqu'il ne fût plus en état de rien voir.

Au milieu de ce spectacle de la mort, tandis que le corps est exposé à la porte de la maison, que deux prêtres à côté d'un bénitier récitent des prières d'un air distrait, que des passants jettent quelques gouttes d'eau bénite

sur la bière par oisiveté, que d'autres poursuivent leur
chemin avec indifférence, que les parents pleurent, et
qu'un amant est prêt de s'arracher la vie, le St. Pouange
arrive avec l'amie de Versailles.

Son goût passager, n'ayant été satisfait qu'une fois,
était devenu de l'amour. Le refus de ses bienfaits l'avait
piqué. Le père de La Chaise n'aurait jamais pensé à
venir dans cette maison; mais St. Pouange ayant tous
les jours devant les yeux l'image de la belle St. Yves,
brûlant d'assouvir une passion qui par une seule jouissance avait enfoncé dans son cœur l'aiguillon des désirs,
ne balança pas à venir lui-même chercher celle qu'il
n'aurait pas peut-être voulu revoir trois fois si elle était
venue d'elle-même.

Il descend de carrosse; le premier objet qui se présente à lui est une bière; il détourne les yeux avec ce
simple dégoût d'un homme nourri dans les plaisirs, qui
pense qu'on doit lui épargner tout spectacle qui pourrait
le ramener à la contemplation de la misère humaine. Il
veut monter. La femme de Versailles demande par curiosité qui on va enterrer; on prononce le nom de mademoiselle de St. Yves. A ce nom, elle pâlit et poussa un cri
affreux; St. Pouange se retourne; la surprise et la douleur remplissent son âme. Le bon Gordon était là, les
yeux remplis de larmes. Il interrompt ses tristes prières
pour apprendre à l'homme de cour toute cette horrible
catastrophe. Il lui parle avec cet empire que donnent la
douleur et la vertu. St. Pouange n'était point né méchant;
le torrent des affaires et des amusements avait emporté
son âme, qui ne se connaissait pas encore. Il ne touchait
point à la vieillesse, qui endurcit d'ordinaire le cœur des
ministres; il écoutait Gordon, les yeux baissés, et il en
essuyait quelques pleurs qu'il était étonné de répandre :
il connut le repentir.

« Je veux voir absolument, dit-il, cet homme extraordinaire dont vous m'avez parlé; il m'attendrit presque
autant que cette innocente victime dont j'ai causé la
mort. » Gordon le suit jusqu'à la chambre où le prieur,
la Kerkabon, l'abbé de St. Yves, et quelques voisins, rappelaient à la vie le jeune homme retombé en défaillance.

« J'ai fait votre malheur, lui dit le sous-ministre, j'emploierai ma vie à le réparer. » La première idée qui vint
à l'Ingénu fut de le tuer, et de se tuer lui-même après.
Rien n'était plus à sa place; mais il était sans armes et
veillé de près. St. Pouange ne se rebuta point des refus

accompagnés du reproche, du mépris, et de l'horreur qu'il avait mérités, et qu'on lui prodigua. Le temps adoucit tout. Mons de Louvois vint enfin à bout de faire un excellent officier de l'Ingénu, qui a paru sous un autre nom à Paris et dans les armées, avec l'approbation de tous les honnêtes gens, et qui a été à la fois un guerrier et un philosophe intrépide.

Il ne parlait jamais de cette aventure sans gémir; et cependant sa consolation était d'en parler. Il chérit la mémoire de la tendre St. Yves jusqu'au dernier moment de sa vie. L'abbé de St. Yves et le prieur eurent chacun un bon bénéfice; la bonne Kerkabon aima mieux voir son neveu dans les honneurs militaires que dans le sous-diaconat. La dévote de Versailles garda les boucles de diamants, et reçut encore un beau présent. Le père Tout-à-tous eut des boîtes de chocolat, de café, de sucre candi, de citrons confits, avec les *Méditations du révérend père Croiset*, et *la Fleur des saints*, reliées en maroquin. Le bon Gordon vécut avec l'Ingénu jusqu'à sa mort dans la plus intime amitié; il eut un bénéfice aussi, et oublia pour jamais la grâce efficace et le concours concomitant. Il prit pour sa devise : *malheur est bon à quelque chose.* Combien d'honnêtes gens dans le monde ont pu dire : *malheur n'est bon à rien !*

NOTE

SUR

L'HOMME AUX QUARANTE ÉCUS

Les nouveaux économistes ont pris le pouvoir. Ils ont commencé à gouverner selon leur doctrine. Telle est la situation qu'imagine Voltaire au début de son *Homme aux quarante écus*. Nous sommes en 1768; le conte paraît en février, chez Cramer, sans nom d'auteur, mais sans qu'aucun puisse se méprendre sur l'identité de celui-ci. La physiocratie connaît alors la plus grande vogue. Le docteur Quesnay avait, quelque dix années plus tôt, fondé l'école. Le marquis de Mirabeau, auteur de *l'Ami des hommes*, Dupont de Nemours, législateur d'une *Constitution naturelle du gouvernement le plus avantageux au genre humain*, l'avaient illustrée.

Contentement de soi, assurance pédantesque, mépris des contingences : ces défauts habituels des théoriciens, dont n'étaient pas exempts les physiocrates, agaçaient passablement le vieillard de Ferney, quand il apprit qu'un des maîtres de la secte, Lemercier de La Rivière, allait être appelé en consultation à Pétersbourg par Catherine II. L'ambassadeur de Russie Galitzin lui signale comme un chef-d'œuvre le livre de Lemercier : *l'Ordre naturel et essentiel des sociétés politiques* (1767). Il lit le traité, et son irritation s'aiguise. « Cette essence, mande-t-il à l'un de ses familiers, m'a porté à la tête, et m'a mis de mauvaise humeur. » Pour passer son humeur il écrit *l'Homme aux quarante écus*.

Les physiocrates enseignent que toute richesse procède de l'agriculture. Erreur qui ne serait que ridicule si ces raisonneurs n'en tiraient une conclusion redoutable : que seuls les revenus agricoles doivent être frappés de l'impôt. Voltaire n'a pas de peine à faire ressortir l'absurdité de la proposition (dont il aurait personnellement beaucoup à souffrir). Il suppose le cas d'un Français « moyen »,

obtenu en divisant le revenu national par le nombre
d'habitants : son homme gagne, par la culture d'une
petite terre, la somme annuelle de quarante écus, soit
cent vingts francs ou livres, qui équivaudraient à peu
près à six cents francs de 1966. Par arrêt de Lemercier,
le malheureux doit verser en impôt la moitié d'un gain
aussi dérisoire. C'est ce qu'exige, pour soutenir la guerre
en cours, « la puissance législatrice et exécutrice » (cette
périphrase désigne le roi en langage physiocratique).
L'Homme aux quarante écus n'ayant pu s'acquitter, on
le mit en prison, « et on fit la guerre comme on put ».

Le famélique Monsieur André (ainsi se nomme
l'Homme aux quarante écus) constate qu'en application
du principe un fastueux financier, un opulent monastère,
sont dégrevés de tout impôt. Comme l'explique très bien
le financier, l'impôt « unique » ne se perçoit qu'une fois :
ces richissimes personnages ont fait fortune grâce à des
revenus de la terre qui, en d'autres mains, avaient déjà
payé redevance ; demander aux enrichis de contribuer eux
aussi aux dépenses de l'Etat serait tomber dans l'erreur
choquante du double emploi.

Voltaire finalement sauve son homme. Il en a besoin
pour d'autres conversations. Le philosophe de Ferney
reviendra plus tard à des sentiments plus favorables à
la physiocratie : il sera un fervent soutien de Turgot et de
ses ministres, nourris d'idées physiocratiques. Pour le
présent, il conduit son Monsieur André vers d'autres
systèmes. Il met en doute les imaginations du *Telliamed*
du consul de Maillet : à croire ce rêveur, toutes les espèces
terrestres proviendraient d'espèces aquatiques, par trans-
formisme. Les faluns de Touraine sont-ils constitués
(comme il a été prouvé par la suite) de calcaires d'origine maritime ? Voltaire ne parvient pas à se faire à
cette idée.

Il marie Monsieur André et lui fait naître un enfant.
Occasion d'examiner les querelles sur la génération entre
ovistes et animalculistes (les deux Hollandais mentionnés
par le Géomètre sont Leuwenhoeck et Hartsoeker) ; et de
tourner en ridicule la génération par attraction de Maupertuis, dans sa *Vénus physique* (1745). L'Homme aux
quarante écus « raisonne » sur les moines ; il demande
qu'on cesse de verser au pape une année de revenu des
bénéfices ecclésiastiques devenus vacants : le dialogue
tourne au « pot-pourri » des controverses entre philosophes et antiphilosophes.

Ce qui lui valut un succès qu'il n'eût pas remporté, s'il se fût cantonné dans l'économie politique. *L'Homme aux quarante écus* obtint dix éditions en un an. Il fut condamné par le parlement de Paris. Il fut mis à l'Index par la cour de Rome (1771).

R. P.

L'HOMME AUX QUARANTE ÉCUS

Un vieillard, qui *toujours plaint le présent et vante le passé*, me disait : « Mon ami, la France n'est pas aussi riche qu'elle l'a été sous Henri IV. Pourquoi ? C'est que les terres ne sont pas si bien cultivées; c'est que les hommes manquent à la terre, et que le journalier ayant enchéri son travail, plusieurs colons laissent leurs héritages en friche.

— D'où vient cette disette de manœuvres ?

— De ce que quiconque s'est senti un peu d'industrie a embrassé les métiers de brodeur, de ciseleur, d'horloger, d'ouvrier en soie, de procureur, ou de théologien. C'est que la révocation de l'édit de Nantes a laissé un très grand vide dans le royaume; que les religieuses et les mendiants se sont multipliés, et qu'enfin chacun a fui, autant qu'il a pu, le travail pénible de la culture, pour laquelle Dieu nous a fait naître, et que nous avons rendue ignominieuse, tant nous sommes sensés!

« Une autre cause de notre pauvreté est dans nos besoins nouveaux. Il faut payer à nos voisins quatre millions d'un article, et cinq ou six d'un autre, pour mettre dans notre nez une poudre puante venue de l'Amérique; le café, le thé, le chocolat, la cochenille, l'indigo, les épiceries, nous coûtent plus de soixante millions par an. Tout cela était inconnu du temps de Henri IV, aux épiceries près, dont la consommation était bien moins grande. Nous brûlons cent fois plus de bougie, et nous tirons plus de la moitié de notre cire de l'étranger, parce que nous négligeons les ruches. Nous voyons cent fois plus de diamants aux oreilles, au cou, aux mains de nos citoyennes de Paris et de nos grandes villes qu'il n'y en avait chez toutes les dames de la cour de Henri IV, en comptant la reine. Il a fallu payer presque toutes ces superfluités argent comptant.

« Observez surtout que nous payons plus de quinze millions de rentes sur l'Hôtel de Ville aux étrangers, et que Henri IV, à son avènement, en ayant trouvé pour deux millions en tout sur cet hôtel imaginaire, en remboursa sagement une partie pour délivrer l'Etat de ce fardeau.

« Considérez que nos guerres civiles avaient fait verser en France les trésors du Mexique, lorsque don *Phelippo el discreto* voulait acheter la France, et que depuis ce temps-là les guerres étrangères nous ont débarrassés de la moitié de notre argent.

« Voilà en partie les causes de notre pauvreté. Nous la cachons sous des lambris vernis, et par l'artifice des marchandes de modes : nous sommes pauvres avec goût. Il y a des financiers, des entrepreneurs, des négocians très riches; leurs enfants, leurs gendres, sont très riches; en général la nation ne l'est pas. »

Le raisonnement de ce vieillard, bon ou mauvais, fit sur moi une impression profonde : car le curé de ma paroisse, qui a toujours eu de l'amitié pour moi, m'a enseigné un peu de géométrie et d'histoire, et je commence à réfléchir, ce qui est très rare dans ma province. Je ne sais s'il avait raison en tout; mais, étant fort pauvre, je n'eus pas grand peine à croire que j'avais beaucoup de compagnons [a].

DÉSASTRE DE L'HOMME AUX QUARANTE ÉCUS

Je suis bien aise d'apprendre à l'univers que j'ai une terre qui me vaudrait net quarante écus de rente, n'était la taxe à laquelle elle est imposée.

Il parut plusieurs édits de quelques personnes qui, se

---

[a]. Madame de Maintenon, qui en tout genre était une femme fort entendue, excepté dans celui sur lequel elle consultait le trigaud et processif abbé Gobelin, son confesseur; Madame de Maintenon, dis-je, dans une de ses lettres, fait le compte du ménage de son frère et de sa femme, en 1680. Le mari et la femme avaient à payer le loyer d'une maison agréable; leurs domestiques étaient au nombre de dix; ils avaient quatre chevaux et deux cochers, un bon dîner tous les jours. Madame de Maintenon évalue le tout à neuf mille francs par an, et met trois mille livres pour le jeu, les spectacles, les fantaisies, et les magnificences de monsieur et de madame.

Il faudrait à présent environ quarante mille livres pour mener une telle vie dans Paris; il n'en eût fallu que six mille du temps de Henri IV. Cet exemple prouve assez que le vieux bonhomme ne radote pas absolument.

trouvant de loisir, gouvernent l'Etat au coin de leur feu. Le préambule de ces édits était que la puissance *législatrice et exécutrice est née de droit divin copropriétaire de ma terre*, et que je lui dois au moins la moitié de ce que je mange. L'énormité de l'estomac de la puissance législatrice et exécutrice me fit faire un grand signe de croix. Que serait-ce si cette puissance, qui préside à l'*ordre essentiel des sociétés*, avait ma terre en entier! L'un est encore plus divin que l'autre.

Monsieur le contrôleur général sait que je ne payais en tout que douze livres; que c'était un fardeau très pesant pour moi, et que j'y aurais succombé si Dieu ne m'avait donné le génie de faire des paniers d'osier, qui m'aidaient à supporter ma misère. Comment donc pourrai-je tout d'un coup donner au roi vingt écus ?

Les nouveaux ministres disaient encore dans leur préambule qu'on ne doit taxer que les terres, parce que tout vient de la terre, jusqu'à la pluie, et que par conséquent il n'y a que les fruits de la terre qui doivent l'impôt.

Un de leurs huissiers vint chez moi dans la dernière guerre; il me demanda pour ma quote-part trois setiers de blé et un sac de fèves, le tout valant vingt écus, pour soutenir la guerre qu'on faisait, et dont je n'ai jamais su la raison, ayant seulement entendu dire que, dans cette guerre, il n'y avait rien à gagner du tout pour mon pays, et beaucoup à perdre. Comme je n'avais alors ni blé, ni fèves, ni argent, la puissance législatrice et exécutrice me fit traîner en prison, et on fit la guerre comme on put.

En sortant de mon cachot, n'ayant que la peau sur les os, je rencontrai un homme joufflu et vermeil dans un carrosse à six chevaux; il avait six laquais, et donnait à chacun d'eux pour gages le double de mon revenu. Son maître d'hôtel, aussi vermeil que lui, avait deux mille francs d'appointements, et lui en volait par an vingt mille. Sa maîtresse lui coûtait quarante mille écus en six mois; je l'avais connu autrefois dans le temps qu'il était moins riche que moi : il m'avoua, pour me consoler, qu'il jouissait de quatre cent mille livres de rente. « Vous en payez donc deux cent mille à l'Etat, lui dis-je, pour soutenir la guerre avantageuse que nous avons; car moi, qui n'ai juste que mes cent vingt livres, il faut que j'en paye la moitié.

— Moi, dit-il, que je contribue aux besoins de l'Etat! Vous voulez rire, mon ami; j'ai hérité d'un oncle qui avait gagné huit millions à Cadix et à Surate; je n'ai pas

un pouce de terre, tout mon bien est en contrats, en
billets sur la place : je ne dois rien à l'Etat; c'est à vous
de donner la moitié de votre subsistance, vous qui êtes
un seigneur terrien. Ne voyez-vous pas que, si le ministre
des finances exigeait de moi quelques secours pour la
patrie, il serait un imbécile qui ne saurait pas calculer ?
Car tout vient de la terre; l'argent et les billets ne sont
que des gages d'échange : au lieu de mettre sur une carte
au pharaon cent setiers de blé, cent bœufs, mille moutons, et deux cents sacs d'avoine, je joue des rouleaux
d'or qui représentent ces denrées dégoûtantes. Si, après
avoir mis l'*impôt unique* sur ces denrées, on venait encore
me demander de l'argent, ne voyez-vous pas que ce serait
un double emploi ? que ce serait demander deux fois la
même chose ? Mon oncle vendit à Cadix pour deux millions de votre blé, et pour deux millions d'étoffes fabri-
quées avec votre laine : il gagna plus de cent pour cent
dans ces deux affaires. Vous concevez bien que ce profit
fut fait sur des terres déjà taxées : ce que mon oncle
achetait dix sous de vous, il le revendait plus de cinquante francs au Mexique; et, tous frais faits, il est revenu
avec huit millions.

« Vous sentez bien qu'il serait d'une horrible injustice
de lui redemander quelques oboles sur les dix sous qu'il
vous donna. Si vingt neveux comme moi, dont les
oncles auraient gagné dans le bon temps chacun huit millions au Mexique, à Buenos-Ayres, à Lima, à Surate ou
à Pondichéry, prêtaient seulement à l'Etat chacun
deux cent mille francs dans les besoins urgents de la
patrie, cela produirait quatre millions : quelle horreur!
Payez mon ami, vous qui jouissez en paix d'un revenu
clair et net de quarante écus; servez bien la patrie, et
venez quelquefois dîner avec ma livrée. »

Ce discours plausible me fit beaucoup réfléchir, et ne
me consola guère.

ENTRETIEN AVEC UN GÉOMÈTRE

Il arrive quelquefois qu'on ne peut rien répondre, et
qu'on n'est pas persuadé. On est atterré sans pouvoir
être convaincu. On sent dans le fond de son âme un
scrupule, une répugnance qui nous empêche de croire
ce qu'on nous a prouvé. Un géomètre vous démontre
qu'entre un cercle et une tangente vous pouvez faire

passer une infinité de lignes courbes, et que vous n'en
pouvez faire passer une droite : vos yeux, votre raison,
vous disent le contraire. Le géomètre vous répond gravement que c'est là un infini du second ordre. Vous vous
taisez, et vous vous en retournez tout stupéfait, sans
avoir aucune idée nette, sans rien comprendre, et sans
rien répliquer.

Vous consultez un géomètre de meilleure foi, qui vous
explique le mystère. « Nous supposons, dit-il, ce qui ne
peut être dans la nature, des lignes qui ont de la longueur
sans largeur : il est impossible, physiquement parlant,
qu'une ligne réelle en pénètre une autre. Nulle courbe,
ni nulle droite réelle ne peut passer entre deux lignes
réelles qui se touchent : ce ne sont là que des jeux de
l'entendement, des chimères idéales; et la véritable géométrie est l'art de mesurer les choses existantes. »

Je fus très content de l'aveu de ce sage mathématicien,
et je me mis à rire, dans mon malheur, d'apprendre qu'il
y avait de la charlatanerie jusque dans la science qu'on
appelle la *haute science*.

Mon géomètre était un citoyen philosophe qui avait
daigné quelquefois causer avec moi dans ma chaumière.
Je lui dis : « Monsieur, vous avez tâché d'éclairer les
badauds de Paris sur le plus grand intérêt des hommes,
la durée de la vie humaine. Le ministère a connu par
vous seul ce qu'il doit donner aux rentiers viagers, selon
leurs différents âges. Vous avez proposé de donner aux
maisons de la ville l'eau qui leur manque, et de nous
sauver enfin de l'opprobre et du ridicule d'entendre toujours crier *à l'eau*, et de voir des femmes enfermées dans
un cerceau oblong porter deux seaux d'eau, pesant
ensemble trente livres, à un quatrième étage auprès d'un
privé. Faites-moi, je vous prie, l'amitié de me dire
combien il y a d'animaux à deux mains et à deux pieds
en France.

LE GÉOMÈTRE

On prétend qu'il y en a environ vingt millions, et je
veux bien adopter ce calcul très probable [b], en attendant

---

b. Cela est prouvé par les mémoires des intendants, faits à la fin du
dix-septième siècle, combinés avec le dénombrement par feux, composé en 1753 par ordre de Monsieur le comte d'Argenson, et surtout
avec l'ouvrage très exact de Monsieur de Mezence, fait sous les yeux
de Monsieur l'intendant de la Michaudière, l'un des hommes les plus
éclairés.

qu'on le vérifie; ce qui serait très aisé, et qu'on n'a pas
encore fait, *parce qu'on ne s'avise jamais de tout.*

L'HOMME AUX QUARANTE ÉCUS

Combien croyez-vous que le territoire de France
contienne d'arpents ?

LE GÉOMÈTRE

Cent trente millions, dont presque la moitié est en
chemins, en villes, villages, landes, bruyères, marais,
sables, terres stériles, couvents inutiles, jardins de plaisance plus agréables qu'utiles, terrains incultes, mauvais
terrains mal cultivés. On pourrait réduire les terres d'un
bon rapport à soixante et quinze millions d'arpents carrés;
mais comptons-en quatre-vingts millions : on ne saurait
trop faire pour sa patrie.

L'HOMME AUX QUARANTE ÉCUS

Combien croyez-vous que chaque arpent rapporte l'un
dans l'autre, année commune, en blés, en semence de
toute espèce, vins, étangs, bois, métaux, bestiaux, fruits,
laines, soies, lait, huiles, tous frais faits, sans compter
l'impôt ?

LE GÉOMÈTRE

Mais, s'ils produisent chacun vingt-cinq livres, c'est
beaucoup; cependant mettons trente livres, pour ne pas
décourager nos concitoyens. Il y a des arpents qui produisent des valeurs renaissantes estimées trois cents
livres; il y en a qui produisent trois livres. La moyenne
proportionnelle entre trois et trois cents est trente : car
vous voyez bien que trois est à trente comme trente est à
trois cents. Il est vrai que, s'il y avait beaucoup d'arpents
à trente livres, et très peu à trois cents livres, notre
compte ne s'y trouverait pas; mais, encore une fois, je
ne veux point chicaner.

L'HOMME AUX QUARANTE ÉCUS

Eh bien! monsieur, combien les quatre-vingts millions
d'arpents donneront-ils de revenu, estimé en argent ?

LE GÉOMÈTRE

Le compte est tout fait : cela produit par an deux milliards quatre cents millions de livres numéraires au cours
de ce jour.

L'HOMME AUX QUARANTE ÉCUS

J'ai lu que Salomon possédait lui seul vingt-cinq milliards d'argent comptant; et certainement il n'y a pas deux milliards quatre cents millions d'espèces circulantes dans la France, qu'on m'a dit être beaucoup plus grande et plus riche que le pays de Salomon.

LE GÉOMÈTRE

C'est là le mystère: il y a peut-être à présent environ neuf cents millions d'argent circulant dans le royaume, et cet argent, passant de main en main, suffit pour payer toutes les denrées et tous les travaux; le même écu peut passer mille fois de la poche du cultivateur dans celle du cabaretier et du commis des aides.

L'HOMME AUX QUARANTE ÉCUS

J'entends. Mais vous m'avez dit que nous sommes vingt millions d'habitants, hommes et femmes, vieillards et enfants: combien pour chacun, s'il vous plaît.

LE GÉOMÈTRE

Cent vingt livres, ou quarante écus.

L'HOMME AUX QUARANTE ÉCUS

Vous avez deviné tout juste mon revenu: j'ai quatre arpents qui, en comptant les années de repos mêlées avec les années de produit, me valent cent vingt livres; c'est peu de chose.

Quoi! si chacun avait une portion égale, comme dans l'âge d'or, chacun n'aurait que cinq louis d'or par an?

LE GÉOMÈTRE

Pas davantage, suivant notre calcul, que j'ai un peu enflé. Tel est l'état de la nature humaine. La vie et la fortune sont bien bornées: on ne vit à Paris, l'un portant l'autre, que vingt-deux à vingt-trois ans; l'un portant l'autre, on n'a tout au plus que cent vingt livres par an à dépenser: c'est-à-dire que votre nourriture, votre vêtement, votre logement, vos meubles, sont représentés par la somme de cent vingt livres.

L'HOMME AUX QUARANTE ÉCUS

Hélas! que vous ai-je fait pour m'ôter ainsi la fortune et la vie? Est-il vrai que je n'aie que vingt-trois ans à vivre, à moins que je ne vole la part de mes camarades.

LE GÉOMÈTRE

Cela est incontestable dans la bonne ville de Paris ; mais de ces vingt-trois ans il en faut retrancher au moins dix de votre enfance : car l'enfance n'est pas une jouissance de la vie, c'est une préparation, c'est le vestibule de l'édifice, c'est l'arbre qui n'a pas encore donné de fruits, c'est le crépuscule d'un jour. Retranchez des treize années qui vous restent le temps du sommeil et celui de l'ennui, c'est au moins la moitié : reste six ans et demi que vous passez dans le chagrin, les douleurs, quelques plaisirs, et l'espérance.

L'HOMME AUX QUARANTE ÉCUS

Miséricorde ! votre compte ne va pas à trois ans d'une existence supportable.

LE GÉOMÈTRE

Ce n'est pas ma faute. La nature se soucie fort peu des individus. Il y a d'autres insectes qui ne vivent qu'un jour, mais dont l'espèce dure à jamais. La nature est comme ces grands princes qui comptent pour rien la perte de quatre cent mille hommes, pourvu qu'ils viennent à bout de leurs augustes desseins.

L'HOMME AUX QUARANTE ÉCUS

Quarante écus, et trois ans à vivre ! quelle ressource imagineriez-vous contre ces deux malédictions ?

LE GÉOMÈTRE

Pour la vie, il faudrait rendre dans Paris l'air plus pur, que les hommes mangeassent moins, qu'ils fissent plus d'exercice, que les mères allaitassent leurs enfants, qu'on ne fût plus assez malavisé pour craindre l'inoculation : c'est ce que j'ai déjà dit, et pour la fortune, il n'y a qu'à se marier, et faire des garçons et des filles.

L'HOMME AUX QUARANTE ÉCUS

Quoi ! le moyen de vivre commodément est d'associer ma misère à celle d'un autre ?

LE GÉOMÈTRE

Cinq ou six misères ensemble font un établissement très tolérable. Ayez une brave femme, deux garçons et deux filles seulement, cela fait sept cent vingt livres pour votre petit ménage, supposé que justice soit faite, et que chaque individu ait cent vingt livres de rente. Vos enfants en bas âge ne vous coûtent presque rien; devenus grands, ils vous soulagent; leurs secours mutuels vous sauvent presque toutes les dépenses, et vous vivez très heureusement en philosophe, pourvu que ces messieurs qui gouvernent l'État n'aient pas la barbarie de vous extorquer à chacun vingt écus par an; mais le malheur est que nous ne sommes plus dans l'âge d'or, où les hommes, nés tous égaux, avaient également part aux productions succulentes d'une terre non cultivée. Il s'en faut beaucoup aujourd'hui que chaque être à deux mains et à deux pieds possède un fonds de cent vingt livres de revenu.

L'HOMME AUX QUARANTE ÉCUS

Ah! vous nous ruinez. Vous nous disiez tout à l'heure que dans un pays où il y a quatre-vingts millions d'arpents de terre assez bonne, et vingt millions d'habitants, chacun doit jouir de cent vingt livres de rente, et vous nous les ôtez.

LE GÉOMÈTRE

Je comptais suivant les registres du siècle d'or, et il faut compter suivant le siècle de fer. Il y a beaucoup d'habitants qui n'ont que la valeur de dix écus de rente, d'autres qui n'en ont que quatre ou cinq, et plus de six millions d'hommes qui n'ont absolument rien.

L'HOMME AUX QUARANTE ÉCUS

Mais ils mourraient de faim au bout de trois jours.

LE GÉOMÈTRE

Point du tout : les autres qui possèdent leurs portions les font travailler, et partagent avec eux; c'est ce qui paye le théologien, le confiturier, l'apothicaire, le prédicateur, le comédien, le procureur et le fiacre. Vous vous êtes cru à plaindre de n'avoir que cent vingt livres à dépenser par an, réduites à cent huit livres à cause de votre taxe de douze francs; mais regardez les soldats qui donnent leur sang pour la patrie : ils ne disposent, à quatre sous par jour, que de soixante et treize livres, et ils vivent gaiement en s'associant par chambrées.

L'HOMME AUX QUARANTE ÉCUS

Ainsi donc un ex-jésuite a plus de cinq fois la paye du soldat. Cependant les soldats ont rendu plus de services

à l'Etat sous les yeux du roi à Fontenoy, à Laufelt, au
siège de Fribourg, que n'en a jamais rendu le révérend
père La Valette.

LE GÉOMÈTRE

Rien n'est plus vrai; et même chaque jésuite devenu
libre a plus à dépenser qu'il ne coûtait à son couvent : il
y en a même qui ont gagné beaucoup d'argent à faire
des brochures contre les parlements, comme le révérend
père Patouillet et le révérend père Nonotte. Chacun s'in-
génie dans ce monde : l'un est à la tête d'une manufacture d'étoffes; l'autre de porcelaine; un autre entreprend
l'opéra; celui-ci fait la gazette ecclésiastique; cet autre,
une tragédie bourgeoise, ou un roman dans le goût
anglais; il entretient le papetier, le marchand d'encre, le
libraire, le colporteur, qui sans lui demanderaient l'aumône. Ce n'est enfin que la restitution de cent vingt livres
à ceux qui n'ont rien qui fait fleurir l'Etat.

L'HOMME AUX QUARANTE ÉCUS

Parfaite manière de fleurir!

LE GÉOMÈTRE

Il n'y en a point d'autre : par tout pays le riche fait
vivre le pauvre. Voilà l'unique source de l'industrie du
commerce. Plus la nation est industrieuse, plus elle
gagne sur l'étranger. Si nous attrapions de l'étranger
dix millions par an pour la balance du commerce, il y
aurait dans vingt ans deux cents millions de plus dans
l'Etat : ce serait dix francs de plus à répartir loyalement
sur chaque tête, c'est-à-dire que les négociants feraient
gagner à chaque pauvre dix francs de plus, dans l'espérance de faire des gains encore plus considérables; mais
le commerce a ses bornes, comme la fertilité de la terre :
autrement la progression irait à l'infini; et puis il n'est
pas sûr que la balance de notre commerce nous soit toujours favorable : il y a des temps où nous perdons.

L'HOMME AUX QUARANTE ÉCUS

J'ai entendu parler beaucoup de population. Si nous
nous avisions de faire le double d'enfants de ce que nous
en faisons, si notre patrie était peuplée du double, si nous
avions quarante millions d'habitants au lieu de vingt,
qu'arriverait-il ?

LE GÉOMÈTRE

Il arriverait que chacun n'aurait à dépenser que vingt écus, l'un portant l'autre, ou qu'il faudrait que la terre rendît le double de ce qu'elle rend, ou qu'il y aurait le double de pauvres, ou qu'il faudrait avoir le double d'industrie, et gagner le double sur l'étranger, ou envoyer la moitié de la nation en Amérique, ou que la moitié de la nation mangeât l'autre.

L'HOMME AUX QUARANTE ÉCUS

Contentons-nous donc de nos vingt millions d'hommes, et de nos cent vingt livres par tête, réparties comme il plaît à Dieu; mais cette situation est triste, et votre siècle de fer est bien dur.

LE GÉOMÈTRE

Il n'y a aucune nation qui soit mieux, et il en est beaucoup qui sont plus mal. Croyez-vous qu'il y ait dans le Nord de quoi donner la valeur de cent vingt livres à chaque habitant? S'ils avaient eu l'équivalent, les Huns, les Goths, les Vandales et les Francs n'auraient pas déserté leur patrie pour aller s'établir ailleurs, le fer et la flamme à la main.

L'HOMME AUX QUARANTE ÉCUS

Si je vous laissais dire, vous me persuaderiez bientôt que je suis heureux avec mes cent vingt francs.

LE GÉOMÈTRE

Si vous pensiez être heureux, en ce cas vous le seriez.

L'HOMME AUX QUARANTE ÉCUS

On ne peut s'imaginer être ce qu'on n'est pas, à moins qu'on ne soit fou.

LE GÉOMÈTRE

Je vous ai déjà dit que, pour être plus à votre aise et plus heureux que vous n'êtes, il faut que vous preniez une femme; mais j'ajouterai qu'elle doit avoir comme vous cent vingt livres de rente, c'est-à-dire quatre arpents à dix écus l'arpent. Les anciens Romains n'en avaient chacun que trois. Si vos enfants sont industrieux, ils pourront en gagner chacun autant en travaillant pour les autres.

L'HOMME AUX QUARANTE ÉCUS

Ainsi ils ne pourront avoir de l'argent sans que d'autres en perdent.

LE GÉOMÈTRE

C'est la loi de toutes les nations; on ne respire qu'à ce prix.

L'HOMME AUX QUARANTE ÉCUS

Et il faudra que ma femme et moi nous donnions chacun la moitié de notre récolte à la puissance législatrice et exécutrice, et que les nouveaux ministres d'État nous enlèvent la moitié du prix de nos sueurs et de la substance de nos pauvres enfants avant qu'ils puissent gagner leur vie! Dites-moi, je vous prie, combien nos nouveaux ministres font entrer d'argent de droit divin dans les coffres du roi.

LE GÉOMÈTRE

Vous payez vingt écus pour quatre arpents qui vous en rapportent quarante. L'homme riche qui possède quatre cents arpents payera deux mille écus par ce nouveau tarif, et les quatre-vingts millions d'arpents rendront au roi douze cents millions de livres par année, ou quatre cents millions d'écus.

L'HOMME AUX QUARANTE ÉCUS

Cela me paraît impraticable et impossible.

LE GÉOMÈTRE

Vous avez très grande raison, et cette impossibilité est une démonstration géométrique qu'il y a un vice fondamental de raisonnement dans nos nouveaux ministres.

L'HOMME AUX QUARANTE ÉCUS

N'y a-t-il pas aussi une prodigieuse injustice démontrée à me prendre la moitié de mon blé, de mon chanvre, de la laine de mes moutons, etc., et de n'exiger aucun secours de ceux qui auront gagné dix ou vingt, ou trente mille livres de rente avec mon chanvre, dont ils ont tissu de la toile; avec ma laine, dont ils ont fabriqué des draps; avec mon blé, qu'ils auront vendu plus cher qu'ils ne l'ont acheté ?

LE GÉOMÈTRE

L'injustice de cette administration est aussi évidente

que son calcul est erroné. Il faut que l'industrie soit
favorisée; mais il faut que l'industrie opulente secoure
l'Etat. Cette industrie vous a certainement ôté une partie
de vos cent vingt livres, et se les est appropriées en vous
vendant vos chemises et votre habit vingt fois plus cher
qu'ils ne vous auraient coûté si vous les aviez faits vous-
même. Le manufacturier, qui s'est enrichi à vos dépens,
a, je l'avoue, donné un salaire à ses ouvriers, qui n'avaient
rien par eux-mêmes; mais il a retenu pour lui, chaque
année, une somme qui lui a valu enfin trente mille livres
de rente : il a donc acquis cette fortune à vos dépens;
vous ne pourrez jamais lui vendre vos denrées assez cher
pour vous rembourser de ce qu'il a gagné sur vous : car,
si vous tentiez ce surhaussement, il en ferait venir de
l'étranger à meilleur prix. Une preuve que cela est ainsi,
c'est qu'il reste toujours possesseur de ses trente mille
livres de rente, et vous restez avec vos cent vingt livres,
qui diminuent souvent, bien loin d'augmenter.

Il est donc nécessaire et équitable que l'industrie raffi-
née du négociant paye plus que l'industrie grossière du
laboureur. Il en est de même des receveurs des deniers
publics. Votre taxe avait été jusqu'ici de douze francs
avant que nos grands ministres vous eussent pris vingt
écus. Sur ces douze francs, le publicain retenait dix sols
pour lui. Si dans votre province il y a cinq cent mille
âmes, il aura gagné deux cent cinquante mille francs par
an. Qu'il en dépense cinquante, il est clair qu'au bout de
dix ans il aura deux millions de bien. Il est très juste
qu'il contribue à proportion, sans quoi tout serait perverti et bouleversé.

L'HOMME AUX QUARANTE ÉCUS

Je vous remercie d'avoir taxé ce financier, cela soulage
mon imagination; mais puisqu'il a si bien augmenté son
superflu, comment puis-je faire pour accroître aussi ma
petite fortune ?

LE GÉOMÈTRE

Je vous l'ai déjà dit, en vous mariant, en travaillant,
en tâchant de tirer de votre terre quelques gerbes de plus
que ce qu'elle vous produisait.

L'HOMME AUX QUARANTE ÉCUS

Je suppose que j'aie bien travaillé; que toute la nation
en ait fait autant; que la puissance législatrice et exécu-

trice en ait reçu un plus gros tribut : combien la nation
a-t-elle gagné au bout de l'année ?

LE GÉOMÈTRE

Rien du tout; à moins qu'elle n'ait fait un commerce
étranger utile; mais elle aura vécu plus commodément.
Chacun aura eu à proportion plus d'habits, de chemises,
de meubles, qu'il n'en avait auparavant. Il y aura eu
dans l'Etat une circulation plus abondante; les salaires
auront été augmentés avec le temps à peu près en proportion du nombre de gerbes de blé, de toisons de moutons, de cuirs de bœufs, de cerfs et de chèvres, qui
auront été employés, de grappes de raisin qu'on aura
foulées dans le pressoir. On aura payé au roi plus de
valeurs de denrées en argent, et le roi aura rendu plus de
valeurs à tous ceux qu'il aura fait travailler sous ses
ordres; mais il n'y aura pas un écu de plus dans le
royaume.

L'HOMME AUX QUARANTE ÉCUS

Que restera-t-il donc à la puissance au bout de l'année ?

LE GÉOMÈTRE

Rien, encore une fois; c'est ce qui arrive à toute puissance : elle ne thésaurise pas; elle a été nourrie, vêtue,
logée, meublée; tout le monde l'a été aussi, chacun suivant son état; et, si elle thésaurise, elle a arraché à la
circulation autant d'argent qu'elle en a entassé; elle a fait
autant de malheureux qu'elle a mis de fois quarante écus
dans ses coffres.

L'HOMME AUX QUARANTE ÉCUS

Mais ce grand Henri IV n'était donc qu'un vilain, un
ladre, un pillard : car on m'a conté qu'il avait encaqué
dans la Bastille plus de cinquante millions de notre
monnaie d'aujourd'hui ?

LE GÉOMÈTRE

C'était un homme aussi bon, aussi prudent que valeureux. Il allait faire une juste guerre, et en amassant dans
ses coffres vingt-deux millions de son temps, en ayant
encore à recevoir plus de vingt autres qu'il laissait cir-
culer, il épargnait à son peuple plus de cent millions qu'il
en aurait coûté s'il n'avait pas pris ces utiles mesures. Il
se rendait moralement sûr du succès contre un ennemi

qui n'avait pas les mêmes précautions. Le calcul des pro-
babilités était prodigieusement en sa faveur. Ces vingt-
deux millions encaissés prouvaient qu'il y avait alors
dans le royaume la valeur de vingt-deux millions d'excé-
dent dans les biens de la terre: ainsi personne ne souffrait.

L'HOMME AUX QUARANTE ÉCUS

Mon vieillard me l'avait bien dit qu'on était à proportion plus riche sous l'administration du duc de Sully
que sous celle des nouveaux ministres, qui ont mis
l'impôt unique, et qui m'ont pris vingt écus sur quarante.
Dites-moi, je vous prie, y a-t-il une nation au monde qui
jouisse de ce beau bénéfice de l'impôt unique?

LE GÉOMÈTRE

Pas une nation opulente. Les Anglais, qui ne rient
guère, se sont mis à rire quand ils ont appris que des
gens d'esprit avaient proposé parmi nous cette administration. Les Chinois exigent une taxe de tous les vaisseaux
marchands qui abordent à Kanton; les Hollandais payent
à Nangasaqui, quand ils sont reçus au Japon, sous prétexte qu'ils ne sont pas chrétiens; les Lapons et les
Samoyèdes, à la vérité, sont soumis à un impôt unique
en peaux de martres; la république de Saint-Marin ne
paye que des dîmes pour entretenir l'Etat dans sa splendeur.

Il y a dans notre Europe une nation célèbre par son
équité et par sa valeur qui ne paye aucune taxe: c'est le
peuple helvétien. Mais voici ce qui est arrivé: ce peuple
s'est mis à la place des ducs d'Autriche et de Zeringue;
les petits cantons sont démocratiques et très pauvres;
chaque habitant y paye une somme très modique pour les
besoins de la petite république. Dans les cantons riches,
on est chargé envers l'Etat des redevances que les archi-
ducs d'Autriche et les seigneurs fonciers exigeaient: les
cantons protestants sont à proportion du double plus
riches que les catholiques, parce que l'Etat y possède
les biens des moines. Ceux qui étaient sujets des archi-
ducs d'Autriche, des ducs de Zeringue, et des moines, le
sont aujourd'hui de la patrie; ils payent à cette patrie les
mêmes dîmes, les mêmes droits, les mêmes lods et ventes
qu'ils payaient à leurs anciens maîtres; et, comme les
sujets en général ont très peu de commerce, le négoce
n'est assujetti à aucune charge, excepté de petits droits
d'entrepôt: les hommes trafiquent de leur valeur avec

les puissances étrangères, et se vendent pour quelques
années, ce qui fait entrer quelque argent dans leur pays
à nos dépens; et c'est un exemple aussi unique dans le
monde policé que l'est l'impôt établi par vos nouveaux
législateurs.

L'HOMME AUX QUARANTE ÉCUS

Ainsi, monsieur, les Suisses ne sont pas de droit divin
dépouillés de la moitié de leurs biens; et celui qui possède quatre vaches n'en donne pas deux à l'Etat ?

LE GÉOMÈTRE

Non, sans doute. Dans un canton, sur treize tonneaux
de vin on en donne un et on en boit douze. Dans un
autre canton, on paye la douzième partie et on en boit
onze.

L'HOMME AUX QUARANTE ÉCUS

Ah! qu'on me fasse Suisse! Le maudit impôt que
l'impôt unique et inique qui m'a réduit à demander l'aumône! Mais trois ou quatre cents impôts, dont les noms
même me sont impossibles à retenir et à prononcer,
sont-ils plus justes et plus honnêtes ? Y a-t-il jamais eu
un législateur qui, en fondant un Etat, ait imaginé de
créer des conseillers du roi mesureurs de charbons, jau-
geurs de vin, mouleurs de bois, langueyeurs de porcs,
contrôleurs de beurre salé ? d'entretenir une armée de
faquins deux fois plus nombreuse que celle d'Alexandre,
commandée par soixante généraux qui mettent le pays à
contribution, qui remportent des victoires signalées tous
les jours, qui font des prisonniers, et qui quelquefois les
sacrifient en l'air ou sur un petit théâtre de planches,
comme faisaient les anciens Scythes, à ce que m'a dit
mon curé ?

Une telle législation, contre laquelle tant de cris s'élevaient, et qui faisait verser tant de larmes, valait-elle mieux
que celle qui m'ôte tout d'un coup nettement et paisiblement la moitié de mon existence ? J'ai peur qu'à bien
compter on ne m'en prît en détail les trois quarts sous
l'ancienne finance.

LE GÉOMÈTRE

Iliacos intra muros peccatur et extra.
Est modus in rebus. Caveas ne quid nimis.

L'HOMME AUX QUARANTE ÉCUS

J'ai appris un peu d'histoire et de géométrie, mais je ne sais pas le latin.

LE GÉOMÈTRE

Cela signifie à peu près : « On a tort des deux côtés. Gardez le milieu en tout. Rien de trop. »

L'HOMME AUX QUARANTE ÉCUS

Oui, rien de trop, c'est ma situation; mais je n'ai pas assez.

LE GÉOMÈTRE

Je conviens que vous périrez de faim, et moi aussi, et l'État aussi, supposé que la nouvelle administration dure seulement deux ans; mais il faut espérer que Dieu aura pitié de nous.

L'HOMME AUX QUARANTE ÉCUS

On passe sa vie à espérer, et on meurt en espérant. Adieu, monsieur; vous m'avez instruit, mais j'ai le cœur navré.

LE GÉOMÈTRE

C'est souvent le fruit de la science.

AVENTURE AVEC UN CARME

Quand j'eus bien remercié l'académicien de l'Académie des sciences de m'avoir mis au fait, je m'en allai tout pantois, louant la Providence, mais grommelant entre mes dents ces tristes paroles : « Vingt écus de rente seulement pour vivre, et n'avoir que vingt-deux ans à vivre! » Hélas! puisse notre vie être encore plus courte, puisqu'elle est si malheureuse!

Je me trouvai bientôt vis-à-vis d'une maison superbe. Je sentais déjà la faim; je n'avais pas seulement la cent vingtième partie de la somme qui appartient de droit à chaque individu; mais, dès qu'on m'eut appris que ce palais était le couvent des révérends pères carmes déchaussés, je conçus de grandes espérances, et je dis : « Puisque ces saints sont assez humbles pour marcher pieds nus, ils seront assez charitables pour me donner à dîner. »

Je sonnai; un carme vint : « Que voulez-vous, mon

fils ? — Du pain, mon révérend père; les nouveaux édits
m'ont tout ôté. — Mon fils, nous demandons nous-
mêmes l'aumône; nous ne la faisons pas. — Quoi! votre
saint institut vous ordonne de n'avoir pas de souliers, et
vous avez une maison de prince, et vous me refusez à
manger! — Mon fils, il est vrai que nous sommes sans
souliers et sans bas : c'est une dépense de moins; mais
nous n'avons pas plus froid aux pieds qu'aux mains; et
si notre saint institut nous avait ordonné d'aller cul nu,
nous n'aurions point froid au derrière. A l'égard de notre
belle maison, nous l'avons aisément bâtie, parce que nous
avons cent mille livres de rente en maisons dans la même
rue. — Ah! ah! vous me laissez mourir de faim, et vous
avez cent mille livres de rente! Vous en rendez donc cinquante mille au nouveau gouvernement ? — Dieu nous
préserve de payer une obole! Le seul produit de la terre
cultivée par des mains laborieuses, endurcies de calus et
mouillées de larmes, doit des tributs à la puissance législatrice et exécutrice. Les aumônes qu'on nous a données
nous ont mis en état de faire bâtir ces maisons, dont nous
tirons cent mille livres par an; mais ces aumônes venant
des fruits de la terre, ayant déjà payé le tribut, elles ne
doivent pas payer deux fois : elles ont sanctifié les fidèles
qui se sont appauvris en nous enrichissant, et nous
continuons à demander l'aumône et à mettre à contribution le faubourg St-Germain pour sanctifier encore les
fidèles. » Ayant dit ces mots, le carme me ferma la porte
au nez.

Je passai par-devant l'hôtel des mousquetaires gris; je
contai la chose à un de ces messieurs : ils me donnèrent
un bon dîner et un écu. L'un d'eux proposa d'aller brûler
le couvent; mais un mousquetaire plus sage lui montra
que le temps n'était pas encore venu, et le pria d'attendre
encore deux ou trois ans.

AUDIENCE DE MONSIEUR LE CONTROLEUR GÉNÉRAL

J'allai, avec mon écu, présenter un placet à monsieur
le contrôleur général, qui donnait audience ce jour-là.

Son antichambre était remplie de gens de toute espèce.
Il y avait surtout des visages encore plus pleins, des
ventres plus rebondis, des mines plus fières que mon
homme aux huit millions. Je n'osais m'approcher; je les
voyais, et ils ne me voyaient pas.

Un moine, gros décimateur, avait intenté un procès à des citoyens qu'il appelait *ses paysans*. Il avait déjà plus de revenu que la moitié de ses paroissiens ensemble, et de plus il était seigneur de fief. Il prétendait que ses vassaux, ayant converti avec des peines extrêmes leurs bruyères en vignes, ils lui devaient la dixième partie de leur vin, ce qui faisait, en comptant le prix du travail et des échalas, et des futailles, et du cellier, plus du quart de la récolte. « Mais comme les dîmes, disait-il, sont de droit divin, je demande le quart de la substance de mes paysans au nom de Dieu. » Le ministre lui dit : « Je vois combien vous êtes charitable ! »

Un fermier général, fort intelligent dans les aides, lui dit alors : « Monseigneur, ce village ne peut rien donner à ce moine : car, ayant fait payer aux paroissiens l'année passée trente-deux impôts pour leur vin, et les ayant fait condamner ensuite à payer le trop bu, ils sont entièrement ruinés. J'ai fait vendre leurs bestiaux et leurs meubles, ils sont encore mes redevables. Je m'oppose aux prétentions du révérend père.

— Vous avez raison d'être son rival, repartit le ministre ; vous aimez l'un et l'autre également votre prochain, et vous m'édifiez tous deux. »

Un troisième, moine et seigneur, dont les paysans sont mainmortables, attendait aussi un arrêt du conseil qui le mît en possession de tout le bien d'un badaud de Paris, qui, ayant par inadvertance demeuré un an et un jour dans une maison sujette à cette servitude et enclavée dans les Etats de ce prêtre, y était mort au bout de l'année. Le moine réclamait tout le bien du badaud, et cela de droit divin.

Le ministre trouva le cœur du moine aussi juste et aussi tendre que les deux premiers.

Un quatrième, qui était contrôleur du domaine, présenta un beau mémoire par lequel il se justifiait d'avoir réduit vingt familles à l'aumône. Elles avaient hérité de leurs oncles ou tantes, ou frères, ou cousins ; il avait fallu payer les droits. Le domanier leur avait prouvé généreusement qu'elles n'avaient pas assez estimé leurs héritages, qu'elles étaient beaucoup plus riches qu'elles ne croyaient, et, en conséquence, les ayant condamnées à l'amende du triple, les ayant ruinées en frais, et fait mettre en prison les pères de famille, il avait acheté leurs meilleures possessions sans bourse délier.

Le contrôleur général lui dit (d'un ton un peu amer à

la vérité) : « *Euge !* contrôleur *bone et fidelis ; quia supra pauca fuisti fidelis*, fermier général *te constituam* [c]. »
Cependant il dit tout bas à un maître des requêtes qui était à côté de lui : « Il faudra bien faire rendre gorge à ces sangsues sacrées et à ces sangsues profanes : il est temps de soulager le peuple, qui, sans nos soins et notre équité, n'aurait jamais de quoi vivre que dans l'autre monde [d]. »

Des hommes d'un génie profond lui présentèrent des projets. L'un avait imaginé de mettre des impôts sur l'esprit. « Tout le monde, disait-il, s'empressera de payer, personne ne voulant passer pour un sot. » Le ministre lui dit : « Je vous déclare exempt de la taxe. »

Un autre proposa d'établir l'impôt unique sur les chansons et sur le rire, attendu que la nation était la plus gaie du monde, et qu'une chanson la consolait de tout; mais le ministre observa que depuis quelque temps on ne faisait plus guère de chansons plaisantes, et il craignit que, pour échapper à la taxe, on ne devînt trop sérieux.

Vint un sage et brave citoyen qui offrit de donner au roi trois fois plus, en faisant payer par la nation trois fois moins. Le ministre lui conseilla d'apprendre l'arithmétique.

Un cinquième prouvait au roi, *par amitié*, qu'il ne pouvait recueillir que soixante et quinze millions; mais qu'il allait lui en donner deux cent vingt-cinq. « Vous me ferez plaisir, dit le ministre, quand nous aurons payé les dettes de l'Etat. »

Enfin arriva un commis de l'auteur nouveau qui fait la puissance législatrice copropriétaire de toutes nos terres par le droit divin, et qui donnait au roi douze cents millions de rente. Je reconnus l'homme qui m'avait mis en prison pour n'avoir pas payé mes vingt écus. Je me jetai aux pieds de monsieur le contrôleur général, et je lui demandai justice; il fit un grand éclat de rire, et me dit que c'était un tour qu'on m'avait joué. Il ordonna à ces mauvais plaisants de me donner cent écus de dédommagement, et m'exempta de taille pour le reste de ma vie. Je lui dis : « Monseigneur, Dieu vous bénisse! »

c. Je me fis expliquer ces paroles par un savant à quarante écus : elles me réjouirent.
d. Le cas à peu près semblable est arrivé dans la province que j'habite, et le contrôleur du domaine a été forcé à faire restitution; mais il n'a pas été puni.

LETTRE A L'HOMME AUX QUARANTE ÉCUS

Quoique je sois trois fois aussi riche que vous, c'est-à-dire quoique je possède trois cent soixante livres ou francs de revenu, je vous écris cependant comme d'égal à égal, sans affecter l'orgueil des grandes fortunes.

J'ai lu l'histoire de votre désastre et de la justice que monsieur le contrôleur général vous a rendue ; je vous en fais mon compliment ; mais par malheur je viens de lire le *Financier citoyen*, malgré la répugnance que m'avait inspirée le titre, qui paraît contradictoire à bien des gens. Ce citoyen vous ôte vingt francs de vos rentes, et à moi soixante : il n'accorde que cent francs à chaque individu sur la totalité des habitants ; mais, en récompense, un homme non moins illustre enfle nos rentes jusqu'à cent cinquante livres ; je vois que votre géomètre a pris un juste milieu. Il n'est point de ces magnifiques seigneurs qui d'un trait de plume peuplent Paris d'un million d'habitants, et vous font rouler quinze cents millions d'espèces sonnantes dans le royaume, après tout ce que nous en avons perdu dans nos guerres dernières.

Comme vous êtes grand lecteur, je vous prêterai le *Financier citoyen ;* mais n'allez pas le croire en tout : il cite le testament du grand ministre Colbert, et il ne sait pas que c'est une rapsodie ridicule faite par un Gatien de Courtilz ; il cite la *Dîme* du maréchal de Vauban, et il ne sait pas qu'elle est d'un Boisguilbert ; il cite le testament du cardinal de Richelieu, et il ne sait pas qu'il est de l'abbé de Bourzeis. Il suppose que ce cardinal assure que *quand la viande enchérit, on donne une paye plus forte au soldat.* Cependant la viande enchérit beaucoup sous son ministère, et la paye du soldat n'augmenta point : ce qui prouve, indépendamment de cent autres preuves, que ce livre reconnu pour supposé dès qu'il parut, et ensuite attribué au cardinal même, ne lui appartient pas plus que les testaments du cardinal Alberoni et du maréchal de Belle-Isle ne leur appartiennent.

Défiez-vous toute votre vie des testaments et des systèmes : j'en ai été la victime comme vous. Si les Solons et les Lycurgues modernes se sont moqués de vous, les nouveaux Triptolèmes se sont encore plus moqués de moi, et, sans une petite succession qui m'a ranimé, j'étais mort de misère.

J'ai cent vingt arpents labourables dans le plus beau pays de la nature, et le sol le plus ingrat. Chaque arpent ne rend, tous frais faits, dans mon pays, qu'un écu de trois livres. Dès que j'eus lu dans les journaux qu'un célèbre agriculteur avait inventé un nouveau semoir, et qu'il labourait sa terre par planches, afin qu'en semant moins il recueillît davantage, j'empruntai vite de l'argent, j'achetai un semoir, je labourai par planches; je perdis ma peine et mon argent, aussi bien que l'illustre agriculteur qui ne sème plus par planches.

Mon malheur voulut que je lusse le *Journal économique*, qui se vend à Paris chez Boudot. Je tombai sur l'expérience d'un Parisien ingénieux qui, pour se réjouir, avait fait labourer son parterre quinze fois, et y avait semé du froment, au lieu d'y planter des tulipes; il eut une récolte très abondante. J'empruntai encore de l'argent. « Je n'ai qu'à donner trente labours, me disais-je, j'aurai le double de la récolte de ce digne Parisien, qui s'est formé des principes d'agriculture à l'Opéra et à la Comédie; et me voilà enrichi par ses leçons et par son exemple. »

Labourer seulement quatre fois dans mon pays est une chose impossible; la rigueur et les changements soudains des saisons ne le permettent pas; et d'ailleurs le malheur que j'avais eu de semer par planches, comme l'illustre agriculteur dont j'ai parlé, m'avait forcé à vendre mon attelage. Je fais labourer trente fois mes cent vingt arpents par toutes les charrues qui sont à quatre lieues à la ronde. Trois labours pour chaque arpent coûtent douze livres, c'est un prix fait; il fallut donner trente façons par arpent; le labour de chaque arpent me coûta cent vingt livres : la façon de mes cent vingt arpents me revint à quatorze mille quatre cents livres. Ma récolte, qui se monte, année commune, dans mon maudit pays, à trois cents setiers, monta, il est vrai, à trois cent trente, qui, à vingt livres le setier, me produisirent six mille six cents livres : je perdis sept mille huit cents livres; il est vrai que j'eus la paille.

J'étais ruiné, abîmé, sans une vieille tante qu'un grand médecin dépêcha dans l'autre monde, en raisonnant aussi bien en médecine que moi en agriculture.

Qui croirait que j'eus encore la faiblesse de me laisser séduire par le *Journal* de Boudot? Cet homme-là, après tout, n'avait pas juré ma perte. Je lis dans son recueil qu'il n'y a qu'à faire une avance de quatre mille francs pour avoir quatre mille livres de rente en artichauts : cer-

tainement Boudot me rendra en artichauts ce qu'il m'a
fait perdre en blé. Voilà mes quatre mille francs dépen-
sés, et mes artichauts mangés par des rats de campagne.
Je fus hué dans mon canton comme le diable de Papefi-
guière.

J'écrivais une lettre de reproche fulminante à Boudot.
Pour toute réponse le traître s'égaya dans son *Journal* à
mes dépens. Il me nia impudemment que les Caraïbes
fussent nés rouges; je fus obligé de lui envoyer une
attestation d'un ancien procureur du roi de la Guade-
loupe, comme quoi Dieu a fait les Caraïbes rouges ainsi
que les Nègres noirs. Mais cette petite victoire ne m'empêcha pas de perdre jusqu'au dernier sou toute la succession de ma tante, pour avoir trop cru les nouveaux
systèmes. Mon cher monsieur, encore une fois, gardez-
vous des charlatans.

NOUVELLES DOULEURS OCCASIONNÉES
PAR LES NOUVEAUX SYSTÈMES

(Ce petit morceau est tiré des manuscrits d'un vieux solitaire)

Je vois que si de bons citoyens se sont amusés à gouverner les Etats, et à se mettre à la place des rois; si
d'autres se sont crus des Triptolèmes et des Cérès, il y
en a de plus fiers qui se sont mis sans façon à la place
de Dieu, et qui ont créé l'univers avec leur plume, comme
Dieu le créa autrefois par la parole.

Un des premiers qui se présenta à mes adorations fut
un descendant de Thalès, nommé Telliamed, qui m'apprit
que les montagnes et les hommes sont produits par les
eaux de la mer. Il y eut d'abord de beaux hommes marins
qui ensuite devinrent amphibies. Leur belle queue four-
chue se changea en cuisses et en jambes. J'étais encore
tout plein des *Métamorphoses* d'Ovide, et d'un livre où
il était démontré que la race des hommes était bâtarde
d'une race de babouins : j'aimais autant descendre d'un
poisson que d'un singe.

Avec le temps j'eus quelques doutes sur cette généalogie, et même sur la formation des montagnes. « Quoi!
me dit-il, vous ne savez pas que les courants de la mer,
qui jettent toujours du sable à droite et à gauche à dix
ou douze pieds de hauteur, tout au plus, ont produit,
dans une suite infinie de siècles, des montagnes de
vingt mille pieds de haut, lesquelles ne sont pas de sable ?

Apprenez que la mer a nécessairement couvert tout le globe. La preuve en est qu'on a vu des ancres de vaisseau sur le mont Saint-Bernard, qui étaient là plusieurs siècles avant que les hommes eussent des vaisseaux. Figurez-vous que la terre est un globe de verre qui a été longtemps tout couvert d'eau. »

Plus il m'endoctrinait, plus je devenais incrédule. « Quoi donc! me dit-il, n'avez-vous pas vu le falun de Touraine à trente-six lieues de la mer ? C'est un amas de coquilles avec lesquelles on engraisse la terre comme avec du fumier. Or, si la mer a déposé dans la succession des temps une mine entière de coquilles à trente-six lieues de l'Océan, pourquoi n'aura-t-elle pas été jusqu'à trois mille lieues pendant plusieurs siècles sur notre globe de verre ? »

Je lui répondis : « Monsieur Telliamed, il y a des gens qui font quinze lieues par jour à pied; mais ils ne peuvent en faire cinquante. Je ne crois pas que mon jardin soit de verre; et quant à votre falun, je doute encore qu'il soit un lit de coquilles de mer. Il se pourrait bien que ce ne fût qu'une mine de petites pierres calcaires qui prennent aisément la forme des fragments de coquilles, comme il y a des pierres qui sont figurées en langues, et qui ne sont point des langues; en étoiles, et qui ne sont point des astres; en serpents roulés sur eux-mêmes, et qui ne sont point des serpents; en parties naturelles du beau sexe, et qui ne sont point pourtant les dépouilles des dames. On voit des dendrites, des pierres figurées, qui représentent des arbres et des maisons, sans que jamais ces petites pierres aient été des maisons et des chênes.

« Si la mer avait déposé tant de lits de coquilles en Touraine, pourquoi aurait-elle négligé la Bretagne, la Normandie, la Picardie, et toutes les autres côtes ? J'ai bien peur que ce falun tant vanté ne vienne pas plus de la mer que les hommes. Et quand la mer se serait répandue à trente-six lieues, ce n'est pas à dire qu'elle ait été jusqu'à trois mille, et même jusqu'à trois cents, et que toutes les montagnes aient été produites par les eaux. J'aimerais autant dire que le Caucase a formé la mer, que de prétendre que la mer a fait le Caucase.

— Mais, monsieur l'incrédule, que répondrez-vous aux huîtres pétrifiées qu'on a trouvées sur le sommet des Alpes ?

— Je répondrai, monsieur le créateur, que je n'ai pas vu plus d'huîtres pétrifiées que d'ancres de vaisseau sur le haut du mont Cenis. Je répondrai ce qu'on a déjà dit, qu'on a trouvé des écailles d'huîtres (qui se pétrifient aisément) à de très grandes distances de la mer, comme on a déterré des médailles romaines à cent lieues de Rome; et j'aime mieux croire que des pèlerins de Saint-Jacques ont laissé quelques coquilles vers Saint-Maurice que d'imaginer que la mer a formé le mont Saint-Bernard.

« Il y a des coquillages partout; mais est-il bien sûr qu'ils ne soient pas les dépouilles des testacés et des crustacés de nos lacs et de nos rivières, aussi bien que des petits poissons marins ?

— Monsieur l'incrédule, je vous tournerai en ridicule dans le monde que je me propose de créer.

— Monsieur le créateur, à vous permis; chacun est le maître dans son monde; mais vous ne me ferez jamais croire que celui où nous sommes soit de verre, ni que quelques coquilles soient des démonstrations que la mer a produit les Alpes et le mont Taurus. Vous savez qu'il n'y a aucune coquille dans les montagnes d'Amérique. Il faut que ce ne soit pas vous qui ayez créé cet hémisphère, et que vous vous soyez contenté de former l'ancien monde : c'est bien assez.

— Monsieur, monsieur, si on n'a pas découvert de coquilles sur les montagnes d'Amérique, *on en découvrira*.

— Monsieur, c'est parler en créateur qui sait son secret, et qui est sûr de son fait. Je vous abandonne, si vous voulez, votre falun, pourvu que vous me laissiez mes montagnes. Je suis d'ailleurs le très humble et très obéissant serviteur de votre providence. »

Dans le temps que je m'instruisais ainsi avec Telliamed, un jésuite irlandais déguisé en homme, d'ailleurs grand observateur, et ayant de bons microscopes, fit des anguilles avec de la farine de blé ergoté. On ne douta pas alors qu'on ne fît des hommes avec de la farine de bon froment. Aussitôt on créa des particules organiques qui composèrent des hommes. Pourquoi non ? Le grand géomètre Fatio avait bien ressuscité des morts à Londres : on pouvait tout aussi aisément faire à Paris des vivants avec des particules organiques; mais, malheureusement les nouvelles anguilles de Needham ayant disparu, les nouveaux hommes disparurent aussi, et s'enfuirent chez les monades, qu'ils rencontrèrent dans le plein au milieu de la matière subtile, globuleuse, et cannelée.

Ce n'est pas que ces créateurs de systèmes n'aient rendu de grands services à la physique; à Dieu ne plaise que je méprise leurs travaux! On les a comparés à des alchimistes qui, en faisant de l'or (qu'on ne fait point), ont trouvé de bons remèdes, ou du moins des choses très curieuses. On peut être un homme d'un rare mérite, et se tromper sur la formation des animaux et sur la structure du globe.

Les poissons changés en hommes, et les eaux changées en montagnes, ne m'avaient pas fait autant de mal que M. Boudot. Je me bornais tranquillement à douter, lorsqu'un Lapon me prit sous sa protection. C'était un profond philosophe, mais qui ne pardonnait jamais aux gens qui n'étaient pas de son avis. Il me fit d'abord connaître clairement l'avenir en exaltant mon âme. Je fis de si prodigieux efforts d'exaltation que j'en tombai malade; mais il me guérit en m'enduisant de poix-résine de la tête aux pieds. A peine fus-je en état de marcher qu'il me proposa un voyage aux terres australes pour y disséquer des têtes de géants, ce qui nous ferait connaître clairement la nature de l'âme. Je ne pouvais supporter la mer; il eut la bonté de me mener par terre. Il fit creuser un grand trou dans le globe terraqué : ce trou allait droit chez les Patagons. Nous partîmes; je me cassai une jambe à l'entrée du trou; on eut beaucoup de peine à me redresser la jambe : il s'y forma un calus qui m'a beaucoup soulagé.

J'ai déjà parlé de tout cela dans une de mes diatribes pour instruire l'univers très attentif à ces grandes choses. Je suis bien vieux; j'aime quelquefois à répéter mes contes, afin de les inculquer mieux dans la tête des petits garçons pour lesquels je travaille depuis si longtemps.

MARIAGE DE L'HOMME AUX QUARANTE ÉCUS

L'homme aux quarante écus s'étant beaucoup formé, et ayant fait une petite fortune, épousa une jolie fille qui possédait cent écus de rente. Sa femme devint bientôt grosse. Il alla trouver son géomètre, et lui demanda si elle lui donnerait un garçon ou une fille. Le géomètre lui répondit que les sages-femmes, les femmes de chambre, le savaient pour l'ordinaire; mais que les physiciens, qui prédisent les éclipses, n'étaient pas si éclairés qu'elles.

Il voulut savoir ensuite si son fils ou sa fille avait déjà une âme. Le géomètre dit que ce n'était pas son affaire, et qu'il en fallait parler au théologien du coin.

L'homme aux quarante écus, qui était déjà l'homme aux deux cents écus pour le moins, demanda en quel endroit était son enfant. « Dans une petite poche, lui dit son ami, entre la vessie et l'intestin rectum. — O Dieu paternel! s'écria-t-il, l'âme immortelle de mon fils née et logée entre de l'urine et quelque chose de pis! — Oui, mon cher voisin, l'âme d'un cardinal n'a point eu d'autre berceau; et avec cela on fait le fier, on se donne des airs.

— Ah! monsieur le savant, ne pourriez-vous point me dire comment les enfants se font?

— Non, mon ami; mais, si vous voulez, je vous dirai ce que les philosophes ont imaginé, c'est-à-dire comment les enfants ne se font point.

« Premièrement, le révérend père Sanchez, dans son excellent livre *de Matrimonio*, est entièrement de l'avis d'Hippocrate; il croit comme un article de foi que les deux véhicules fluides de l'homme et de la femme s'élancent et s'unissent ensemble, et que dans le moment l'enfant est conçu par cette union; et il est si persuadé de ce système physique, devenu théologique, qu'il examine, chapitre XXI du livre second, *utrum virgo Maria semen emiserit in copulatione cum Spiritu Sancto*.

— Eh! monsieur, je vous ai déjà dit que je n'entends pas le latin; expliquez-moi en français l'oracle du père Sanchez. »

Le géomètre lui traduisit le texte, et tous deux frémirent d'horreur.

Le nouveau marié, en trouvant Sanchez prodigieusement ridicule, fut pourtant assez content d'Hippocrate; et il se flattait que sa femme avait rempli toutes les conditions imposées par ce médecin pour faire un enfant.

« Malheureusement, lui dit le voisin, il y a beaucoup de femmes qui ne répandent aucune liqueur, qui ne reçoivent qu'avec aversion les embrassements de leurs maris, et qui cependant en ont des enfants. Cela seul décide contre Hippocrate et Sanchez.

« De plus, il y a très grande apparence que la nature agit toujours dans les mêmes cas par les mêmes principes : or il y a beaucoup d'espèces d'animaux qui engendrent sans copulation, comme les poissons écaillés, les huîtres, les pucerons. Il a donc fallu que les physiciens cherchassent une mécanique de génération qui convînt à tous les animaux. Le célèbre Harvey, qui le premier démontra la circulation, et qui était digne de découvrir le secret de la nature, crut l'avoir trouvé dans

les poules : elles pondent des œufs; il jugea que les
femmes pondaient aussi. Les mauvais plaisants dirent
que c'est pour cela que les bourgeois, et même quelques
gens de cour, appellent leur femme ou leur maîtresse *ma
poule*, et qu'on dit que toutes les femmes sont coquettes,
parce qu'elles voudraient que les coqs les trouvassent
belles. Malgré ces railleries, Harvey ne changea point
d'avis, et il fut établi dans toute l'Europe que nous venons
d'un œuf.

L'HOMME AUX QUARANTE ÉCUS

Mais, monsieur, vous m'avez dit que la nature est toujours semblable à elle-même, qu'elle agit toujours par le
même principe dans le même cas : les femmes, les
juments, les ânesses, les anguilles, ne pondent point;
vous vous moquez de moi.

LE GÉOMÈTRE

Elles ne pondent point en dehors, mais elles pondent
en dedans; elles ont des ovaires comme tous les oiseaux;
les juments, les anguilles, en ont aussi. Un œuf se détache
de l'ovaire; il est couvé dans la matrice. Voyez tous les
poissons écaillés, les grenouilles : ils jettent des œufs, que
le mâle féconde. Les baleines et les autres animaux marins
de cette espèce font éclore leurs œufs dans leur matrice.
Les mites, les teignes, les plus vils insectes, sont visiblement formés d'un œuf : tout vient d'un œuf; et notre
globe est un grand œuf qui contient tous les autres.

L'HOMME AUX QUARANTE ÉCUS

Mais vraiment ce système porte tous les caractères de
la vérité; il est simple, il est uniforme, il est démontré
aux yeux dans plus de la moitié des animaux; j'en suis
fort content, je n'en veux point d'autre : les œufs de ma
femme me sont fort chers.

LE GÉOMÈTRE

On s'est lassé à la longue de ce système : on a fait les
enfants d'une autre façon.

L'HOMME AUX QUARANTE ÉCUS

Et pourquoi, puisque celle-là est si naturelle ?

LE GÉOMÈTRE

C'est qu'on a prétendu que nos femmes n'ont point
d'ovaire, mais seulement de petites glandes.

L'HOMME AUX QUARANTE ÉCUS

Je soupçonne que des gens qui avaient un autre système à débiter ont voulu décréditer les œufs.

LE GÉOMÈTRE

Cela pourrait bien être. Deux Hollandais s'avisèrent d'examiner la liqueur séminale au microscope, celle de l'homme, celle de plusieurs animaux, et ils crurent y apercevoir des animaux déjà tout formés qui couraient avec une vitesse inconcevable. Ils en virent même dans le fluide séminal du coq. Alors on jugea que les mâles faisaient tout, et les femelles rien; elles ne servirent plus qu'à porter le trésor que le mâle leur avait confié.

L'HOMME AUX QUARANTE ÉCUS

Voilà qui est bien étrange. J'ai quelques doutes sur tous ces petits animaux qui frétillent si prodigieusement dans une liqueur, pour être ensuite immobiles dans les œufs des oiseaux, et pour être non moins immobiles neuf mois, à quelques culbutes près, dans le ventre de la femme; cela ne me paraît pas conséquent. Ce n'est pas, autant que j'en puis juger, la marche de la nature. Comment sont faits, s'il vous plaît, ces petits hommes qui sont si bons nageurs dans la liqueur dont vous me parlez ?

LE GÉOMÈTRE

Comme des vermisseaux. Il y avait surtout un médecin, nommé Andry, qui voyait des vers partout, et qui voulait absolument détruire le système d'Harvey. Il aurait, s'il l'avait pu, anéanti la circulation du sang, parce qu'un autre l'avait découverte. Enfin deux Hollandais et monsieur Andry, à force de tomber dans le péché d'Onan et de voir les choses au microscope, réduisirent l'homme à être chenille. Nous sommes d'abord un ver comme elle; de là, dans notre enveloppe, nous devenons comme elle, pendant neuf mois, une vraie chrysalide, que les paysans appellent *fève*. Ensuite, si la chenille devient papillon, nous devenons hommes : voilà nos métamorphoses.

L'HOMME AUX QUARANTE ÉCUS

Eh bien! s'en est-on tenu là ? N'y a-t-il point eu depuis de nouvelle mode ?

LE GÉOMÈTRE

On s'est dégoûté d'être chenille. Un philosophe extrêmement plaisant a découvert dans une *Vénus physique* que l'attraction faisait les enfants; et voici comment la chose s'opère. Le germe étant tombé dans la matrice, l'œil droit attire l'œil gauche, qui arrive pour s'unir à lui en qualité d'œil; mais il en est empêché par le nez, qu'il rencontre en chemin, et qui l'oblige de se placer à gauche. Il en est de même des bras, des cuisses et des jambes, qui tiennent aux cuisses. Il est difficile d'expliquer, dans cette hypothèse, la situation des mamelles et des fesses. Ce grand philosophe n'admet aucun dessein de l'Etre créateur dans la formation des animaux; il est bien loin de croire que le cœur soit fait pour recevoir le sang et pour le chasser, l'estomac pour digérer, les yeux pour voir, les oreilles pour entendre : cela lui paraît trop vulgaire; tout se fait par attraction.

L'HOMME AUX QUARANTE ÉCUS

Voilà un maître fou. Je me flatte que personne n'a pu adopter une idée aussi extravagante.

LE GÉOMÈTRE

On en rit beaucoup; mais ce qu'il y eut de triste, c'est que cet insensé ressemblait aux théologiens, qui persécutent autant qu'ils le peuvent ceux qu'ils font rire.

D'autres philosophes ont imaginé d'autres manières qui n'ont pas fait une plus grande fortune : ce n'est plus le bras qui va chercher le bras; ce n'est plus la cuisse qui court après la cuisse; ce sont de petites molécules, de petites particules de bras et de cuisse qui se placent les unes sur les autres. On sera peut-être enfin obligé d'en revenir aux œufs, après avoir perdu bien du temps.

L'HOMME AUX QUARANTE ÉCUS

J'en suis ravi; mais quel a été le résultat de toutes ces disputes ?

LE GÉOMÈTRE

Le doute. Si la question avait été débattue entre des théologaux, il y aurait eu des excommunications et du sang répandu; mais entre des physiciens la paix est bientôt faite : chacun a couché avec sa femme, sans penser le moins du monde à son ovaire, ni à ses trompes de Fallope. Les femmes sont devenues grosses ou enceintes, sans demander seulement comment ce mystère s'opère. C'est ainsi que vous semez du blé, et que vous ignorez comment le blé germe en terre.

L'HOMME AUX QUARANTE ÉCUS

Oh! je le sais bien; on me l'a dit il y a longtemps : c'est par pourriture. Cependant il me prend quelquefois des envies de rire de tout ce qu'on m'a dit.

LE GÉOMÈTRE

C'est une fort bonne envie. Je vous conseille de douter de tout, excepté que les trois angles d'un triangle sont égaux à deux droits, et que les triangles qui ont même base et même hauteur sont égaux entre eux, ou autres propositions pareilles, comme, par exemple, que deux et deux font quatre.

L'HOMME AUX QUARANTE ÉCUS

Oui, je crois qu'il est fort sage de douter; mais je sens que je suis curieux depuis que j'ai fait fortune et que j'ai du loisir. Je voudrais, quand ma volonté remue mon bras ou ma jambe, découvrir le ressort par lequel ma volonté les remue : car sûrement il y en a un. Je suis quelquefois tout étonné de pouvoir lever et abaisser mes yeux, et de ne pouvoir dresser mes oreilles. Je pense, et je voudrais connaître un peu... là... toucher au doigt ma pensée. Cela doit être fort curieux. Je cherche si je pense par moi-même, si Dieu me donne mes idées, si mon âme est venue dans mon corps à six semaines ou à un jour, comment elle s'est logée dans mon cerveau; si je pense beaucoup quand je dors profondément, et quand je suis en léthargie. Je me creuse la cervelle pour savoir comment un corps en pousse un autre. Mes sensations ne m'étonnent pas moins : j'y trouve du divin, et surtout dans le plaisir.

J'ai fait quelquefois mes efforts pour imaginer un nouveau sens, et je n'ai jamais pu y parvenir. Les géomètres savent toutes ces choses; ayez la bonté de m'instruire.

LE GÉOMÈTRE

Hélas! nous sommes aussi ignorants que vous; adressez-vous à la Sorbonne. »

L'HOMME AUX QUARANTE ÉCUS, DEVENU PÈRE, RAISONNE SUR LES MOINES

Quand l'homme aux quarante écus se vit père d'un garçon, il commença à se croire un homme de quelque poids dans l'État; il espéra donner au moins dix sujets au roi, qui seraient tous utiles. C'était l'homme du monde qui faisait le mieux des paniers; et sa femme était une excellente couturière. Elle était née dans le voisinage d'une grosse abbaye de cent mille livres de rente. Son mari me demanda un jour pourquoi ces messieurs, qui étaient en petit nombre, avaient englouti tant de parts de quarante écus. « Sont-ils plus utiles que moi à la patrie ? — Non, mon cher voisin. — Servent-ils comme moi à la population du pays ? — Non, au moins en apparence. — Cultivent-ils la terre ? défendent-ils l'État quand il est attaqué ? — Non, ils prient Dieu pour vous. — Eh bien! je prierai Dieu pour eux, et partageons.

« Combien croyez-vous que les couvents renferment de ces gens utiles, soit en hommes, soit en filles, dans le royaume ?

— Par les mémoires des intendants, faits sur la fin du dernier siècle, il y en avait environ quatre-vingt-dix mille.

— Par notre ancien compte, ils ne devraient, à quarante écus par tête, posséder que dix millions huit cent mille livres : combien en ont-ils ?

— Cela va à cinquante millions, en comptant les messes et les quêtes des moines mendiants, qui mettent réellement un impôt considérable sur le peuple. Un frère quêteur d'un couvent de Paris s'est vanté publiquement que sa besace valait quatre-vingt mille livres de rente.

— Voyons combien cinquante millions répartis entre quatre-vingt-dix mille têtes tondues donnent à chacune.

— Cinq cent cinquante-cinq livres.

— C'est une somme considérable dans une société nombreuse, où les dépenses diminuent par la quantité même des consommateurs : car il en coûte bien moins à dix personnes pour vivre ensemble que si chacun avait séparément son logis et sa table.

« Les ex-jésuites, à qui on donne aujourd'hui quatre cents livres de pension, ont donc réellement perdu à ce marché ?

— Je ne le crois pas : car ils sont presque tous retirés

chez des parents qui les aident; plusieurs disent la messe
pour de l'argent, ce qu'ils ne faisaient pas auparavant;
d'autres se sont faits précepteurs; d'autres ont été soutenus par des dévotes; chacun s'est tiré d'affaire, et peut-
être y en a-t-il peu aujourd'hui qui, ayant goûté du
monde et de la liberté, voulussent reprendre leurs anciennes chaînes. La vie monacale, quoi qu'on en dise, n'est
point du tout à envier. C'est une maxime assez connue
que les moines sont des gens qui s'assemblent sans se
connaître, vivent sans s'aimer, et meurent sans se regretter.

— Vous pensez donc qu'on leur rendrait un très grand
service de les défroquer tous?

— Ils y gagneraient beaucoup sans doute, et l'État
encore davantage; on rendrait à la patrie des citoyens et
des citoyennes qui ont sacrifié témérairement leur liberté
dans un âge où les lois ne permettent pas qu'on dispose
d'un fonds de dix sous de rente; on tirerait ces cadavres
de leurs tombeaux : ce serait une vraie résurrection.
Leurs maisons deviendraient des hôtels de ville, des hôpitaux, des écoles publiques, ou seraient affectées à des
manufactures; la population deviendrait plus grande,
tous les arts seraient mieux cultivés. On pourrait du moins
diminuer le nombre de ces victimes volontaires en fixant
le nombre des novices : la patrie aurait plus d'hommes
utiles et moins de malheureux. C'est le sentiment de tous
les magistrats, c'est le vœu unanime du public, depuis
que les esprits sont éclairés. L'exemple de l'Angleterre
et de tant d'autres États est une preuve évidente de la
nécessité de cette réforme. Que ferait aujourd'hui l'Angleterre, si au lieu de quarante mille hommes de mer, elle
avait quarante mille moines? Plus les arts se sont multipliés, plus le nombre des sujets laborieux est devenu
nécessaire. Il y a certainement dans les cloîtres beaucoup de talents ensevelis qui sont perdus pour l'État. Il
faut, pour faire fleurir un royaume, le moins de prêtres
possible, et le plus d'artisans possible. L'ignorance et la
barbarie de nos pères, loin d'être une règle pour nous,
n'est qu'un avertissement de faire ce qu'ils feraient s'ils
étaient en notre place avec nos lumières.

— Ce n'est donc point par haine contre les moines
que vous voulez les abolir? C'est par pitié pour eux;
c'est par amour pour la patrie. Je pense comme vous. Je
ne voudrais point que mon fils fût moine; et si je croyais
que je dusse avoir des enfants pour le cloître, je ne cou-
cherais plus avec ma femme.

— Quel est en effet le bon père de famille qui ne
gémisse de voir son fils et sa fille perdus pour la société ?
Cela s'appelle *se sauver ;* mais un soldat qui se sauve
quand il faut combattre est puni. Nous sommes tous des
soldats de l'Etat; nous sommes à la solde de la société,
nous devenons des déserteurs quand nous la quittons.
Que dis-je ? les moines sont des parricides qui étouffent
une postérité tout entière. Quatre-vingt-dix mille cloîtrés,
qui braillent ou qui nasillent du latin, pourraient donner
à l'Etat chacun deux sujets : cela fait cent soixante mille
hommes qu'ils font périr dans leur germe. Au bout de
cent ans la perte est immense : cela est démontré.

« Pourquoi donc le monachisme a-t-il prévalu ? parce
que le gouvernement fut presque partout détestable et
absurde depuis Constantin; parce que l'empire romain
eut plus de moines que de soldats; parce qu'il y en avait
cent mille dans la seule Egypte; parce qu'ils étaient
exempts de travail et de taxe; parce que les chefs des
nations barbares qui détruisirent l'empire, s'étant faits
chrétiens pour gouverner des chrétiens, exercèrent la
plus horrible tyrannie; parce qu'on se jetait en foule
dans les cloîtres pour échapper aux fureurs de ces tyrans,
et qu'on se plongeait dans un esclavage pour en éviter
un autre; parce que les papes, en instituant tant d'ordres
différents de fainéants sacrés, se firent autant de sujets
dans les autres Etats; parce qu'un paysan aime mieux
être appelé *mon révérend père*, et donner des bénédictions,
que de conduire la charrue; parce qu'il ne sait pas que
la charrue est plus noble que le froc; parce qu'il aime
mieux vivre aux dépens des sots que par un travail honnête; enfin parce qu'il ne sait pas qu'en se faisant moine
il se prépare des jours malheureux, tissus d'ennui et de
repentir.

— Allons, monsieur, plus de moines, pour leur
bonheur et pour le nôtre. Mais je suis fâché d'entendre
dire au seigneur de mon village, père de quatre garçons
et de trois filles, qu'il ne saura où les placer s'il ne fait
pas ses filles religieuses.

— Cette allégation trop souvent répétée est inhumaine,
antipatriotique, destructive de la société.

« Toutes les fois qu'on peut dire d'un état de vie, quel
qu'il puisse être : si tout le monde embrassait cet état le
genre humain serait perdu, il est démontré que cet état
ne vaut rien, et que celui qui le prend nuit au genre
humain autant qu'il est en lui.

« Or il est clair que si tous les garçons et toutes les filles s'encloîtraient le monde périrait : donc la moinerie est par cela seul l'ennemie de la nature humaine, indépendamment des maux affreux qu'elle a causés quelquefois.

— Ne pourrait-on pas en dire autant des soldats ?

— Non assurément : car si chaque citoyen porte les armes à son tour, comme autrefois dans toutes les républiques, et surtout dans celle de Rome, le soldat n'en est que meilleur cultivateur; le soldat citoyen se marie, il combat pour sa femme et pour ses enfants. Plût à Dieu que tous les laboureurs fussent soldats et mariés! ils seraient d'excellents citoyens. Mais un moine, en tant que moine, n'est bon qu'à dévorer la substance de ses compatriotes. Il n'y a point de vérité plus reconnue.

— Mais les filles, monsieur, les filles des pauvres gentilshommes, qu'on ne peut marier, que feront-elles ?

— Elles feront, on l'a dit mille fois, comme les filles d'Angleterre, d'Ecosse, d'Irlande, de Suisse, de Hollande, de la moitié de l'Allemagne, de Suède, de Norvège, du Danemark, de Tartarie, de Turquie, d'Afrique, et de presque tout le reste de la terre; elles seront bien meilleures épouses, bien meilleures mères, quand on se sera accoutumé, ainsi qu'en Allemagne, à prendre des femmes sans dot. Une femme ménagère et laborieuse fera plus de bien dans une maison que la fille d'un financier, qui dépense plus en superfluités qu'elle n'a porté de revenu chez son mari.

« Il faut qu'il y ait des maisons de retraite pour la vieillesse, pour l'infirmité, pour la difformité. Mais, par le plus détestable des abus, les fondations ne sont que pour la jeunesse et pour les personnes bien conformées. On commence, dans le cloître, par faire étaler aux novices des deux sexes leur nudité, malgré toutes les lois de la pudeur; on les examine attentivement devant et derrière. Qu'une vieille bossue aille se présenter pour entrer dans un cloître, on la chassera avec mépris, à moins qu'elle ne donne une dot immense. Que dis-je ? toute religieuse doit être dotée, sans quoi elle est le rebut du couvent. Il n'y eut jamais d'abus plus intolérable.

— Allez, allez, monsieur, je vous jure que mes filles ne seront jamais religieuses. Elles apprendront à filer, à coudre, à faire de la dentelle, à broder, à se rendre utiles. Je regarde les vœux comme un attentat contre la patrie et contre soi-même. Expliquez-moi, je vous prie, com-

ment il se peut faire qu'un de mes amis, pour contredire
le genre humain, prétende que les moines sont très utiles
à la population d'un Etat, parce que leurs bâtiments sont
mieux entretenus que ceux des seigneurs, et leurs terres
mieux cultivées ?

— Eh! quel est donc votre ami qui avance une proposition si étrange ?

— C'est l'*Ami des hommes*, ou plutôt celui des moines.

— Il a voulu rire; il sait trop bien que dix familles qui
ont chacune cinq mille livres de rente en terre sont cent
fois, mille fois plus utiles qu'un couvent qui jouit d'un
revenu de cinquante mille livres, et qui a toujours un
trésor secret. Il vante les belles maisons bâties par les
moines, et c'est précisément ce qui irrite les citoyens :
c'est le sujet des plaintes de l'Europe. Le vœu de pauvreté
condamne les palais, comme le vœu d'humilité contredit
l'orgueil, et comme le vœu d'anéantir sa race contredit
la nature.

— Je commence à croire qu'il faut beaucoup se défier
des livres.

— Il faut en user avec eux comme avec les hommes :
choisir les plus raisonnables, les examiner, et ne se rendre
jamais qu'à l'évidence. »

DES IMPOTS PAYÉS A L'ÉTRANGER

Il y a un mois que l'homme aux quarante écus vint me
trouver en se tenant les côtés de rire, et il riait de si
grand cœur que je me mis à rire aussi sans savoir de quoi
il était question : tant l'homme est né imitateur! tant
l'instinct nous maîtrise! tant les grands mouvements de
l'âme sont contagieux!

> Ut ridentibus arrident, ita flentibus adflent [e]
> Humani vultus.

Quand il eut bien ri, il me dit qu'il venait de rencontrer un homme qui se disait protonotaire du St. Siège,
et que cet homme envoyait une grosse somme d'argent
à trois cents lieues d'ici, à un Italien, au nom d'un Français à qui le roi avait donné un petit fief, et que ce Français ne pourrait jamais jouir des bienfaits du roi s'il ne
donnait à cet Italien la première année de son revenu.

---

e. Le jésuite Sanadon a mis *adsunt* pour *adflent*. Un amateur
d'Horace prétend que c'est pour cela qu'on a chassé les jésuites.

« La chose est très vraie, lui dis-je; mais elle n'est pas si plaisante. Il en coûte à la France environ quatre cent mille livres par an en menus droits de cette espèce; et, depuis environ deux siècles et demi que cet usage dure, nous avons déjà porté en Italie quatre-vingts millions.

— Dieu paternel! s'écria-t-il, que de fois quarante écus! Cet Italien-là nous subjugua donc, il y a deux siècles et demi ? Il nous imposa ce tribut ?

— Vraiment, répondis-je, il nous en imposait autrefois d'une façon bien plus onéreuse. Ce n'est là qu'une bagatelle en comparaison de ce qu'il leva longtemps sur notre pauvre nation et sur les autres pauvres nations de l'Europe. » Alors je lui racontai comment ces saintes usurpations s'étaient établies. Il sait un peu d'histoire; il a du bon sens : il comprit aisément que nous avions été des esclaves auxquels il restait encore un petit bout de chaîne. Il parla longtemps avec énergie contre cet abus; mais avec quel respect pour la religion en général! Comme il révérait les évêques! comme il leur souhaitait beaucoup de quarante écus, afin qu'ils les dépensassent dans leurs diocèses en bonnes œuvres!

Il voulait aussi que tous les curés de campagne eussent un nombre de quarante écus suffisant pour les faire vivre avec décence. « Il est triste, disait-il, qu'un curé soit obligé de disputer trois gerbes de blé à son ouaille, et qu'il ne soit pas largement payé par la province. Il est honteux que ces messieurs soient toujours en procès avec leurs seigneurs. Ces contestations éternelles pour des droits imaginaires, pour des dîmes, détruisent la considération qu'on leur doit. Le malheureux cultivateur, qui a déjà payé aux préposés son dixième, et les deux sous pour livre, et la taille, et la capitation, et le rachat du logement des gens de guerre, après qu'il a logé des gens de guerre, etc., etc., etc.; cet infortuné, dis-je, qui se voit encore enlever le dixième de sa récolte par son curé, ne le regarde plus comme son pasteur, mais comme son écorcheur, qui lui arrache le peu de peau qui lui reste. Il sent bien qu'en lui enlevant la dixième gerbe de droit divin, on a la cruauté diabolique de ne pas lui tenir compte de ce qu'il lui en a coûté pour faire croître cette gerbe. Que lui reste-t-il, pour lui et pour sa famille ? Les pleurs, la disette, le découragement, le désespoir; et il meurt de fatigue et de misère. Si le curé était payé par la province, il serait la consolation de ses paroissiens, au lieu d'être regardé par eux comme leur ennemi. »

Ce digne homme s'attendrissait en prononçant ces paroles; il aimait sa patrie, et était idolâtre du bien public. Il s'écriait quelquefois : « Quelle nation que la française, si on voulait! »

Nous allâmes voir son fils, à qui sa mère, bien propre et bien lavée, donnait un gros téton blanc. L'enfant était fort joli. « Hélas! dit le père, te voilà donc, et tu n'as que vingt-trois ans de vie, et quarante écus à prétendre! »

DES PROPORTIONS

Le produit des extrêmes est égal au produit des moyens; mais deux sacs de blé volés ne sont pas à ceux qui les ont pris comme la perte de leur vie l'est à l'intérêt de la personne volée.

Le prieur de ***, à qui deux de ses domestiques de campagne avaient dérobé deux setiers de blé, vient de faire pendre les deux délinquants. Cette exécution lui a plus coûté que toute sa récolte ne lui a valu, et, depuis ce temps, il ne trouve plus de valets.

Si les lois avaient ordonné que ceux qui voleraient le blé de leur maître laboureraient son champ toute leur vie, les fers aux pieds et une sonnette au cou, attachée à un carcan, ce prieur aurait beaucoup gagné.

Il faut effrayer le crime : oui, sans doute; mais le travail forcé et la honte durable l'intimident plus que la potence.

Il y a quelques mois qu'à Londres un malfaiteur fut condamné à être transporté en Amérique pour y travailler aux sucreries avec les nègres. Tous les criminels en Angleterre, comme en bien d'autres pays, sont reçus à présenter requête au roi, soit pour obtenir grâce entière, soit pour diminution de peine. Celui-ci présenta requête pour être pendu : il alléguait qu'il haïssait mortellement le travail, et qu'il aimait mieux être étranglé une minute que de faire du sucre toute sa vie.

D'autres peuvent penser autrement, chacun a son goût; mais on a déjà dit, et il faut répéter, qu'un pendu n'est bon à rien, et que les supplices doivent être utiles.

Il y a quelques années que l'on condamna dans la Tartarie deux jeunes gens à être empalés, pour avoir regardé, leur bonnet sur la tête, passer une procession de lamas. L'empereur de la Chine, qui est un homme de beaucoup d'esprit, dit qu'il les aurait condamnés à marcher nu-tête à la procession pendant trois mois.

Proportionnez les peines aux délits, a dit le marquis Beccaria; ceux qui ont fait les lois n'étaient pas géomètres.

Si l'abbé Guyon, ou Cogé, ou l'ex-jésuite Nonotte, ou l'ex-jésuite Patouillet, ou le prédicant La Beaumelle, font de misérables libelles où il n'y a ni vérité, ni raison, ni esprit, irez-vous les faire pendre, comme le prieur de ✱✱✱ a fait pendre ses deux domestiques; et cela, sous prétexte que les calomniateurs sont plus coupables que les voleurs ?

Condamnerez-vous Fréron même aux galères, pour avoir insulté le bon goût, et pour avoir menti toute sa vie dans l'espérance de payer son cabaretier ?

Ferez-vous mettre au pilori le sieur Larcher, parce qu'il a été très pesant, parce qu'il a entassé erreur sur erreur, parce qu'il n'a jamais su distinguer aucun degré de probabilité, parce qu'il veut que, dans une antique et immense cité renommée par sa police et par la jalousie des maris, dans Babylone enfin, où les femmes étaient gardées par des eunuques, toutes les princesses allassent par dévotion donner publiquement leurs faveurs dans la cathédrale aux étrangers pour de l'argent ? Contentons-nous de l'envoyer sur les lieux courir les bonnes fortunes; soyons modérés en tout; mettons de la proportion entre les délits et les peines.

Pardonnons à ce pauvre Jean-Jacques, lorsqu'il n'écrit que pour se contredire, lorsqu'après avoir donné une comédie sifflée sur le théâtre de Paris, il injurie ceux qui en font jouer à cent lieues de là; lorsqu'il cherche des protecteurs, et qu'il les outrage; lorsqu'il déclame contre les romans, et qu'il fait des romans dont le héros est un sot précepteur qui reçoit l'aumône d'une Suissesse à laquelle il a fait un enfant, et qui va dépenser son argent dans un bordel de Paris; laissons-le croire qu'il a surpassé Fénelon et Xénophon, en élevant un jeune homme de qualité dans le métier de menuisier : ces extravagantes platitudes ne méritent pas un décret de prise de corps; les petites maisons suffisent avec de bons bouillons, de la saignée, et du régime.

Je hais les lois de Dracon, qui punissaient également les crimes et les fautes, la méchanceté et la folie. Ne traitons point le jésuite Nonotte, qui n'est coupable que d'avoir écrit des bêtises et des injures, comme on a traité les jésuites Malagrida, Oldcorn, Garnet, Guignard,

Gueret, et comme on devait traiter le jésuite Le Tellier, qui trompa son roi, et qui troubla la France. Distinguons principalement dans tout procès, dans toute contention, dans toute querelle, l'agresseur de l'outragé, l'oppresseur de l'opprimé. La guerre offensive est d'un tyran; celui qui se défend est un homme juste.

Comme j'étais plongé dans ces réflexions, l'homme aux quarante écus me vint voir tout en larmes. Je lui demandai avec émotion si son fils, qui devait vivre vingt-trois ans, était mort. « Non, dit-il, le petit se porte bien, et ma femme aussi; mais j'ai été appelé en témoignage contre un meunier à qui on a fait subir la question ordinaire et extraordinaire, et qui s'est trouvé innocent; je l'ai vu s'évanouir dans les tortures redoublées; j'ai entendu craquer ses os; j'entends encore ses cris et ses hurlements, ils me poursuivent; je pleure de pitié, et je tremble d'horreur. » Je me mis à pleurer et à frémir aussi, car je suis extrêmement sensible.

Ma mémoire alors me représenta l'aventure épouvantable des Calas : une mère vertueuse dans les fers, ses filles éplorées et fugitives, sa maison au pillage; un père de famille respectable brisé par la torture, agonisant sur la roue, et expirant dans les flammes; un fils chargé de chaînes, traîné devant les juges, dont un lui dit : « Nous venons de rouer votre père, nous allons vous rouer aussi. »

Je me souvins de la famille des Sirven, qu'un de mes amis rencontra dans des montagnes couvertes de glaces, lorsqu'elle fuyait la persécution d'un juge aussi inique qu'ignorant. « Ce juge, me dit-il, a condamné toute cette famille innocente au supplice, en supposant, sans la moindre apparence de preuve, que le père et la mère, aidés de deux de leurs filles, avaient égorgé et noyé la troisième, de peur qu'elle n'allât à la messe. » Je voyais à la fois, dans des jugements de cette espèce, l'excès de la bêtise, de l'injustice et de la barbarie.

Nous plaignions la nature humaine, l'homme aux quarante écus et moi. J'avais dans ma poche le discours d'un avocat général de Dauphiné, qui roulait en partie sur ces matières intéressantes; je lui en lus les endroits suivants :

« Certes, ce furent des hommes véritablement grands qui osèrent les premiers se charger de gouverner leurs semblables, et s'imposer le fardeau de la félicité publique; qui, pour le bien qu'ils voulaient faire aux hommes, s'exposèrent à leur ingratitude, et, pour le repos d'un peuple, renoncèrent au leur; qui se mirent, pour ainsi dire, entre les hommes et la Providence, pour leur composer, par artifice, un bonheur qu'elle semblait leur avoir refusé.

. . . .

« Quel magistrat, un peu sensible à ses devoirs, à la seule humanité, pourrait soutenir ces idées ? Dans la solitude d'un cabinet pourra-t-il, sans frémir d'horreur et de pitié, jeter les yeux sur ces papiers, monuments infortunés du crime ou de l'innocence ? Ne lui semble-t-il pas entendre des voix gémissantes sortir de ces fatales écritures, et le presser de décider du sort d'un citoyen, d'un époux, d'un père, d'une famille ? Quel juge impitoyable (s'il est chargé d'un seul procès criminel) pourra passer de sang-froid devant une prison ? C'est donc moi, dirat-il, qui retiens dans ce détestable séjour mon semblable, peut-être mon égal, mon concitoyen, un homme enfin! c'est moi qui le lie tous les jours, qui ferme sur lui ces odieuses portes! Peut-être le désespoir s'est emparé de son âme; il pousse vers le ciel mon nom avec des malédictions, et sans doute il atteste contre moi le grand Juge qui nous observe et doit nous juger tous les deux.

. . . .

« Ici un spectacle effrayant se présente tout à coup à mes yeux; le juge se lasse d'interroger par la parole; il veut interroger par les supplices : impatient dans ses recherches, et peut-être irrité de leur inutilité, on apporte des torches, des chaînes, des leviers, et tous ces instruments inventés pour la douleur. Un bourreau vient se mêler aux fonctions de la magistrature, et terminer par la violence un interrogatoire commencé par la liberté.

« Douce philosophie! toi qui ne cherches la vérité qu'avec l'attention et la patience, t'attendais-tu que, dans ton siècle, on employât de tels instruments pour la découvrir ?

« Est-il bien vrai que nos lois approuvent cette méthode inconcevable, et que l'usage la consacre ?

. . . .

« Leurs lois imitent leurs préjugés; les punitions publiques sont aussi cruelles que les vengeances particulières, et les actes de leur raison ne sont guère moins impitoyables que ceux de leurs passions. Quelle est donc la cause de cette bizarre opposition ? C'est que nos préjugés sont anciens, et que notre morale est nouvelle; c'est que

nous sommes aussi pénétrés de nos sentiments qu'inat-
tentifs à nos idées; c'est que l'avidité des plaisirs nous
empêche de réfléchir sur nos besoins, et que nous sommes
plus empressés de vivre que de nous diriger; c'est, en un
mot, que nos mœurs sont douces, et qu'elles ne sont pas
bonnes; c'est que nous sommes polis, et nous ne sommes
seulement pas humains. »

Ces fragments, que l'éloquence avait dictés à l'humanité, remplirent le cœur de mon ami d'une douce consolation. Il admirait avec tendresse. « Quoi! disait-il dans
son transport, on fait des chefs-d'œuvre en province! on
m'avait dit qu'il n'y a que Paris dans le monde.

— Il n'y a que Paris, lui dis-je, où l'on fasse des
opéras-comiques; mais il y a aujourd'hui dans les provinces beaucoup de magistrats qui pensent avec la même
vertu, et qui s'expriment avec la même force. Autrefois
les oracles de la justice, ainsi que ceux de la morale,
n'étaient que ridicules. Le docteur Balouard déclamait
au barreau, et Arlequin dans la chaire. La philosophie
est enfin venue, elle a dit : « Ne parlez en public que pour
dire des vérités neuves et utiles, avec l'éloquence du sentiment et de la raison.

« — Mais si nous n'avons rien de neuf à dire ? se sont
écriés les parleurs. — Taisez-vous alors, a répondu la
philosophie; tous ces vains discours d'appareil, qui ne
contiennent que des phrases, sont comme le feu de la
St. Jean, allumé le jour de l'année où l'on a le moins
besoin de se chauffer : il ne cause aucun plaisir, et il
n'en reste pas même la cendre.

« Que toute la France lise les bons livres. Mais, malgré
les progrès de l'esprit humain, on lit très peu; et, parmi
ceux qui veulent quelquefois s'instruire, la plupart lisent
très mal. Mes voisins et mes voisines jouent, après dîner,
un jeu anglais, que j'ai beaucoup de peine à prononcer,
car on l'appelle *wisk*. Plusieurs bons bourgeois, plusieurs
grosses têtes, qui se croient de bonnes têtes, vous disent
avec un air d'importance que les livres ne sont bons à
rien. Mais, messieurs les Velches, savez-vous que vous
n'êtes gouvernés que par des livres ? Savez-vous que
l'ordonnance civile, le code militaire, et l'Evangile,
sont des livres dont vous dépendez continuellement ?
Lisez, éclairez-vous; ce n'est que par la lecture qu'on
fortifie son âme; la conversation la dissipe, le jeu la
resserre.

— J'ai bien peu d'argent, me répondit l'homme aux
quarante écus; mais, si jamais je fais une petite fortune,
j'achèterai des livres chez Marc-Michel Rey. »

DE LA VÉROLE

L'homme aux quarante écus demeurait dans un petit
canton où l'on n'avait jamais mis de soldats en garnison
depuis cent cinquante années. Les mœurs, dans ce coin
de terre inconnu, étaient pures comme l'air qui l'environne. On ne savait pas qu'ailleurs l'amour pût être
infecté d'un poison destructeur, que les générations
fussent attaquées dans leur germe, et que la nature,
se contredisant elle-même, pût rendre la tendresse horrible et le plaisir affreux; on se livrait à l'amour avec la
sécurité de l'innocence. Des troupes vinrent, et tout
changea.

Deux lieutenants, l'aumônier du régiment, un caporal,
et un soldat de recrue qui sortait du séminaire, suffirent
pour empoisonner douze villages en moins de trois mois.
Deux cousines de l'homme aux quarante écus se virent
couvertes de pustules calleuses; leurs beaux cheveux tombèrent; leur voix devint rauque; les paupières de leurs
yeux, fixes et éteints, se chargèrent d'une couleur livide,
et ne se fermèrent plus pour laisser entrer le repos dans
des membres disloqués, qu'une carie secrète commençait
à ronger comme ceux de l'Arabe Job, quoique Job n'eût
jamais eu cette maladie.

Le chirurgien-major du régiment, homme d'une
grande expérience, fut obligé de demander des aides à
la cour pour guérir toutes les filles du pays. Le ministre
de la guerre, toujours porté d'inclination à soulager le
beau sexe, envoya une recrue de fraters, qui gâtèrent
d'une main ce qu'ils rétablirent de l'autre.

L'homme aux quarante écus lisait alors l'histoire philosophique de *Candide*, traduite de l'allemand du docteur
Ralph, qui prouve évidemment que tout est bien, et qu'il
était absolument *impossible*, dans le meilleur des mondes
possibles, que la vérole, la peste, la pierre, la gravelle, les
écrouelles, la chambre de Valence, et l'Inquisition, n'en-
trassent dans la composition de l'univers, de cet univers
uniquement fait pour l'homme, roi des animaux et image
de Dieu, auquel on voit bien qu'il ressemble comme
deux gouttes d'eau.

Il lisait, dans l'histoire véritable de *Candide*, que le fameux docteur Pangloss avait perdu dans le traitement un œil et une oreille. « Hélas ! dit-il, mes deux cousines, mes deux pauvres cousines, seront-elles borgnes ou borgnesses et essorillées ? — Non, lui dit le major consolateur ; les Allemands ont la main lourde ; mais, nous autres, nous guérissons les filles promptement, sûrement, et agréablement. »

En effet les deux jolies cousines en furent quittes pour avoir la tête enflée comme un ballon pendant six semaines, pour perdre la moitié de leurs dents, en tirant la langue d'un demi-pied, et pour mourir de la poitrine au bout de six mois.

Pendant l'opération, le cousin et le chirurgien-major raisonnèrent ainsi.

L'HOMME AUX QUARANTE ÉCUS

Est-il possible, monsieur, que la nature ait attaché de si épouvantables tourments à un plaisir si nécessaire, tant de honte à tant de gloire, et qu'il y ait plus de risque à faire un enfant qu'à tuer un homme ? Serait-il vrai au moins, pour notre consolation, que ce fléau diminue un peu sur la terre, et qu'il devienne moins dangereux de jour en jour ?

LE CHIRURGIEN-MAJOR

Au contraire, il se répand de plus en plus dans toute l'Europe chrétienne ; il s'est étendu jusqu'en Sibérie ; j'en ai vu mourir plus de cinquante personnes, et surtout un grand général d'armée et un ministre d'Etat fort sage. Peu de poitrines faibles résistent à la maladie et au remède. Les deux sœurs, la petite et la grosse, se sont liguées encore plus que les moines pour détruire le genre humain.

L'HOMME AUX QUARANTE ÉCUS

Nouvelle raison pour abolir les moines, afin que, remis au rang des hommes, ils réparent un peu le mal que font les deux sœurs. Dites-moi, je vous prie, si les bêtes ont la vérole.

LE CHIRURGIEN

Ni la petite, ni la grosse, ni les moines, ne sont connus chez elles.

L'HOMME AUX QUARANTE ÉCUS

Il faut donc avouer qu'elles sont plus heureuses et plus prudentes que nous dans ce meilleur des mondes.

LE CHIRURGIEN

Je n'en ai jamais douté; elles éprouvent bien moins de maladies que nous : leur instinct est bien plus sûr que notre raison; jamais ni le passé ni l'avenir ne les tourmentent.

L'HOMME AUX QUARANTE ÉCUS

Vous avez été chirurgien d'un ambassadeur de France en Turquie : y a-t-il beaucoup de vérole à Constantinople ?

LE CHIRURGIEN

Les Francs l'ont apportée dans le faubourg de Péra, où ils demeurent. J'y ai connu un capucin qui en était mangé comme Pangloss; mais elle n'est point parvenue dans la ville : les Francs n'y couchent presque jamais. Il n'y a presque point de filles publiques dans cette ville immense. Chaque homme riche a des femmes esclaves de Circassie, toujours gardées, toujours surveillées, dont la beauté ne peut être dangereuse. Les Turcs appellent la vérole *le mal chrétien*, et cela redouble le profond mépris qu'ils ont pour notre théologie; mais, en récompense, ils ont la peste, maladie d'Égypte, dont ils font peu de cas, et qu'ils ne se donnent jamais la peine de prévenir.

L'HOMME AUX QUARANTE ÉCUS

En quel temps croyez-vous que ce fléau commença dans l'Europe ?

LE CHIRURGIEN

Au retour du premier voyage de Christophe Colomb chez des peuples innocents qui ne connaissaient ni l'avarice ni la guerre, vers l'an 1494. Ces nations, simples et justes, étaient attaquées de ce mal de temps immémorial, comme la lèpre régnait chez les Arabes et chez les Juifs, et la peste chez les Égyptiens. Le premier fruit que les Espagnols recueillirent de cette conquête du nouveau monde fut la vérole; elle se répandit plus promptement que l'argent du Mexique, qui ne circula que longtemps après en Europe. La raison en est que, dans toutes les

villes, il y avait alors de belles maisons publiques appelées
bordels, établies par l'autorité des souverains pour conserver l'honneur des dames. Les Espagnols portèrent le
venin dans ces maisons privilégiées dont les princes et
les évêques tiraient les filles qui leur étaient nécessaires.
On a remarqué qu'à Constance il y a eu sept cent dix-
huit filles pour le service du concile qui fit brûler si
dévotement Jean Hus et Jérôme de Prague.

On peut juger par ce seul trait avec quelle rapidité le
mal parcourut tous les pays. Le premier seigneur qui en
mourut fut l'illustrissime et révérendissime évêque et
vice-roi de Hongrie, en 1499, que Bartholomeo Montana-
nagua, grand médecin de Padoue, ne put guérir. Gual-
tieri assure que l'archevêque de Mayence Berthold de
Henneberg, « attaqué de la grosse vérole, rendit son âme
à Dieu en 1504 ». On sait que notre roi François Ier en
mourut. Henri III la prit à Venise; mais le jacobin
Jacques Clément prévint l'effet de la maladie.

Le parlement de Paris, toujours zélé pour le bien
public, fut le premier qui donna un arrêt contre la vérole,
en 1497. Il défendit à tous les vérolés de rester dans Paris
sous peine de la hart ; mais, comme il n'était pas facile de
prouver juridiquement aux bourgeois et bourgeoises
qu'ils étaient en délit, cet arrêt n'eut pas plus d'effet que
ceux qui furent rendus depuis contre l'émétique; et,
malgré le parlement, le nombre des coupables augmenta
toujours. Il est certain que, si on les avait exorcisés, au
lieu de les faire pendre, il n'y en aurait plus aujourd'hui
sur la terre; mais c'est à quoi malheureusement on ne
pensa jamais.

L'HOMME AUX QUARANTE ÉCUS

Est-il bien vrai ce que j'ai lu dans *Candide*, que, parmi
nous, quand deux armées de trente mille hommes
chacune marchent ensemble en front de bandière,
on peut parier qu'il y a vingt mille vérolés de chaque
côté ?

LE CHIRURGIEN

Il n'est que trop vrai. Il en est de même dans les
licences de Sorbonne. Que voulez-vous que fassent de
jeunes bacheliers à qui la nature parle plus haut et plus
ferme que la théologie ? Je puis vous jurer que, proportion gardée, mes confrères et moi nous avons traité plus
de jeunes prêtres que de jeunes officiers.

L'HOMME AUX QUARANTE ÉCUS

N'y aurait-il point quelque manière d'extirper cette contagion qui désole l'Europe ? On a déjà tâché d'affaiblir le poison d'une vérole, ne pourra-t-on rien tenter sur l'autre ?

LE CHIRURGIEN

Il n'y aurait qu'un seul moyen, c'est que tous les princes de l'Europe se liguassent ensemble, comme dans les temps de Godefroy de Bouillon. Certainement une croisade contre la vérole serait beaucoup plus raisonnable que ne l'ont été celles qu'on entreprit autrefois si malheureusement contre Saladin, Melecsala, et les Albigeois. Il vaudrait bien mieux s'entendre pour repousser l'ennemi commun du genre humain que d'être continuellement occupé à guetter le moment favorable de dévaster la terre et de couvrir les champs de morts, pour arracher à son voisin deux ou trois villes et quelques villages. Je parle contre mes intérêts : car la guerre et la vérole font ma fortune ; mais il faut être homme avant d'être chirurgien-major.

C'est ainsi que l'homme aux quarante écus se formait, comme on dit, *l'esprit et le cœur*. Non seulement il hérita de ses deux cousines, qui moururent en six mois ; mais il eut encore la succession d'un parent fort éloigné, qui avait été sous-fermier des hôpitaux des armées, et qui s'était fort engraissé en mettant les soldats blessés à la diète. Cet homme n'avait jamais voulu se marier ; il avait un assez joli sérail. Il ne reconnut aucun de ses parents, vécut dans la crapule, et mourut à Paris d'indigestion. C'était un homme, comme on voit, fort utile à l'Etat.

Notre nouveau philosophe fut obligé d'aller à Paris pour recueillir l'héritage de son parent. D'abord les fermiers du domaine le lui disputèrent. Il eut le bonheur de gagner son procès, et la générosité de donner aux pauvres de son canton, qui n'avaient pas leur contingent de quarante écus de rente, une partie des dépouilles du richard. Après quoi il se mit à satisfaire sa grande passion d'avoir une bibliothèque.

Il lisait tous les matins, faisait des extraits, et le soir il consultait les savants pour savoir en quelle langue le serpent avait parlé à notre bonne mère ; si l'âme est dans le corps calleux ou dans la glande pinéale ; si St. Pierre avait demeuré vingt-cinq ans à Rome ; quelle différence spécifique est entre un trône et une domination, et pourquoi les nègres ont le nez épaté. D'ailleurs il se proposa de ne jamais gouverner l'Etat, et de ne faire aucune brochure contre les pièces nouvelles. On l'appelait monsieur André; c'était son nom de baptême. Ceux qui l'ont connu rendent justice à sa modestie et à ses qualités, tant acquises que naturelles. Il a bâti une maison commode dans son ancien domaine de quatre arpents. Son fils sera bientôt en âge d'aller au collège; mais il veut qu'il aille au collège d'Harcourt, et non à celui de Mazarin, à cause du professeur Cogé, qui fait des libelles, et parce qu'il ne faut pas qu'un professeur de collège fasse des libelles.

Madame André lui a donné une fille fort jolie, qu'il espère marier à un conseiller de la cour des aides, pourvu que ce magistrat n'ait pas la maladie que le chirurgien-major veut extirper dans l'Europe chrétienne.

GRANDE QUERELLE

Pendant le séjour de monsieur André à Paris, il y eut une querelle importante. Il s'agissait de savoir si Marc-Antonin était un honnête homme, et s'il était en enfer ou en purgatoire, ou dans les limbes, en attendant qu'il ressuscitât. Tous les honnêtes gens prirent le parti de Marc-Antonin. Ils disaient : « Antonin a toujours été juste, sobre, chaste, bienfaisant. Il est vrai qu'il n'a pas en paradis une place aussi belle que St. Antoine; car il faut des proportions, comme nous l'avons vu; mais certainement l'âme de l'empereur Antonin n'est point à la broche dans l'enfer. Si elle est en purgatoire, il faut l'en tirer; il n'y a qu'à dire des messes pour lui. Les jésuites n'ont plus rien à faire; qu'ils disent trois mille messes pour le repos de l'âme de Marc-Antonin; ils y gagneront, à quinze sous la pièce, deux mille deux cent cinquante livres. D'ailleurs, on doit du respect à une tête couronnée; il ne faut pas la damner légèrement. »

Les adversaires de ces bonnes gens prétendaient au contraire qu'il ne fallait accorder aucune composition à Marc-Antonin; qu'il était un hérétique; que les carpocratiens et les aloges n'étaient pas si méchants que lui; qu'il était mort sans confession; qu'il fallait faire un exemple; qu'il était bon de le damner pour apprendre à vivre aux empereurs de la Chine et du Japon, à ceux de Perse, de Turquie et de Maroc, aux rois d'Angleterre, de

Suède, de Danemark, de Prusse, au stathouder de Hollande, et aux avoyers du canton de Berne, qui n'allaient pas plus à confesse que l'empereur Marc-Antonin; et qu'enfin c'est un plaisir indicible de donner des décrets contre des souverains morts, quand on ne peut en lancer contre eux de leur vivant, de peur de perdre ses oreilles.

La querelle devint aussi sérieuse que le fut autrefois celle des Ursulines et des Annonciades, qui disputaient à qui porterait plus longtemps des œufs à la coque entre les fesses sans les casser. On craignit un schisme, comme du temps des cent et un contes de ma mère l'oie, et de certains billets payables au porteur dans l'autre monde. C'est une chose bien épouvantable qu'un schisme: cela signifie *division dans les opinions*, et, jusqu'à ce moment fatal, tous les hommes avaient pensé de même.

Monsieur André, qui est un excellent citoyen, pria les chefs des deux partis à souper. C'est un des bons convives que nous ayons; son humeur est douce et vive, sa gaieté n'est point bruyante; il est facile et ouvert; il n'a point cette sorte d'esprit qui semble vouloir étouffer celui des autres; l'autorité qu'il se concilie n'est due qu'à ses grâces, à sa modération, et à une physionomie ronde qui est tout à fait persuasive. Il aurait fait souper gaiement ensemble un Corse et un Génois, un représentant de Genève et un négatif, le muphti et un archevêque. Il fit tomber habilement les premiers coups que les disputants se portaient, en détournant la conversation, et en faisant un conte très agréable qui réjouit également les damnants et les damnés. Enfin, quand ils furent un peu en pointe de vin, il leur fit signer que l'âme de l'empereur Marc-Antonin resterait *in statu quo*, c'est-à-dire je ne sais où, en attendant un jugement définitif.

Les âmes des docteurs s'en retournèrent dans leurs limbes paisiblement après le souper: tout fut tranquille. Cet accommodement fit un très grand honneur à l'homme aux quarante écus; et toutes les fois qu'il s'élevait une dispute bien acariâtre, bien virulente entre des gens lettrés ou non lettrés, on disait aux deux partis: « Messieurs, allez souper chez monsieur André. »

Je connais deux factions acharnées qui, faute d'avoir été souper chez monsieur André, se sont attiré de grands malheurs.

SCÉLÉRAT CHASSÉ

La réputation qu'avait acquise monsieur André d'apaiser les querelles en donnant de bons soupers lui attira, la semaine passée, une singulière visite. Un homme noir, assez mal mis, le dos voûté, la tête penchée sur une épaule, l'œil hagard, les mains fort sales, vint le conjurer de lui donner à souper avec ses ennemis.

« Quels sont vos ennemis, lui dit monsieur André, et qui êtes-vous ? — Hélas ! dit-il, j'avoue, monsieur, qu'on me prend pour un de ces maroufles qui font des libelles pour gagner du pain, et qui crient : *Dieu, Dieu, Dieu, religion, religion*, pour attraper quelque petit bénéfice. On m'accuse d'avoir calomnié les citoyens les plus véritablement religieux, les plus sincères adorateurs de la Divinité, les plus honnêtes gens du royaume. Il est vrai, monsieur, que, dans la chaleur de la composition, il échappe souvent aux gens de mon métier de petites inadvertances qu'on prend pour des erreurs grossières, des écarts que l'on qualifie de mensonges impudents. Notre zèle est regardé comme un mélange affreux de friponnerie et de fanatisme. On assure que tandis que nous surprenons la bonne foi de quelques vieilles imbéciles, nous sommes le mépris et l'exécration de tous les honnêtes gens qui savent lire.

« Mes ennemis sont les principaux membres des plus illustres académies de l'Europe, des écrivains honorés, des citoyens bienfaisants. Je viens de mettre en lumière un ouvrage que j'ai intitulé *Antiphilosophique*. Je n'avais que de bonnes intentions mais personne n'a voulu acheter mon livre. Ceux à qui je l'ai présenté l'ont jeté dans le feu, en me disant qu'il n'était pas seulement antiraisonnable, mais antichrétien et très antihonnête.

— Eh bien ! lui dit monsieur André, imitez ceux à qui vous avez présenté votre libelle; jetez-le dans le feu, et qu'il n'en soit plus parlé. Je loue fort votre repentir; mais il n'est pas possible que je vous fasse souper avec des gens d'esprit qui ne peuvent être vos ennemis, attendu qu'ils ne vous liront jamais.

— Ne pourriez-vous pas du moins, monsieur, dit le cafard, me réconcilier avec les parents de feu monsieur de Montesquieu, dont j'ai outragé la mémoire pour glorifier le révérend père Routh, qui vint assiéger ses derniers moments, et qui fut chassé de sa chambre ?

— Morbleu! lui dit monsieur André, il y a longtemps que le révérend père Routh est mort; allez-vous-en souper avec lui. »

C'est un rude homme que monsieur André, quand il a affaire à cette espèce méchante et sotte. Il sentit que le cafard ne voulait souper chez lui avec des gens de mérite que pour engager une dispute, pour les aller ensuite calomnier, pour écrire contre eux, pour imprimer de nouveaux mensonges. Il le chassa de sa maison comme on avait chassé Routh de l'appartement du président de Montesquieu.

On ne peut guère tromper monsieur André. Plus il était simple et naïf quand il était l'homme aux quarante écus, plus il est devenu avisé quand il a connu les hommes.

LE BON SENS DE MONSIEUR ANDRÉ

Comme le bon sens de monsieur André s'est fortifié depuis qu'il a une bibliothèque! Il vit avec les livres comme avec les hommes; il choisit; et il n'est jamais la dupe des noms. Quel plaisir de s'instruire et d'agrandir son âme pour un écu, sans sortir de chez soi!

Il se félicite d'être né dans un temps où la raison humaine commence à se perfectionner.

« Que je serais malheureux, dit-il, si l'âge où je vis était celui du jésuite Garasse, du jésuite Guignard, ou du docteur Boucher, du docteur Aubry, du docteur Guincestre, ou du temps que l'on condamnait aux galères ceux qui écrivaient contre les catégories d'Aristote. »

La misère avait affaibli les ressorts de l'âme de monsieur André, le bien-être leur a rendu leur élasticité. Il y a mille Andrés dans le monde auxquels il n'a manqué qu'un tour de roue de la fortune pour en faire des hommes d'un vrai mérite.

Il est aujourd'hui au fait de toutes les affaires de l'Europe, et surtout des progrès de l'esprit humain.

« Il me semble, me disait-il mardi dernier, que la Raison voyage à petites journées, du nord au midi, avec ses deux intimes amies, l'Expérience et la Tolérance. L'Agriculture et le Commerce l'accompagnent. Elle s'est présentée en Italie; mais la Congrégation de l'*Indice* l'a repoussée. Tout ce qu'elle a pu faire a été d'envoyer secrètement quelques-uns de ses facteurs, qui ne laissent pas de faire du bien. Encore quelques années, et le pays des Scipions ne sera plus celui des Arlequins enfroqués.

« Elle a de temps en temps de cruels ennemis en France; mais elle y a tant d'amis qu'il faudra bien à la fin qu'elle y soit premier ministre.

« Quand elle s'est présentée en Bavière et en Autriche, elle a trouvé deux ou trois grosses têtes à perruque qui l'ont regardée avec des yeux stupides et étonnés. Ils lui ont dit : « Madame, nous n'avons jamais entendu parler de vous; nous ne vous connaissons pas. — Messieurs, leur a-t-elle répondu, avec le temps vous me connaîtrez et vous m'aimerez. Je suis très bien reçue à Berlin, à Moscou, à Copenhague, à Stockholm. Il y a longtemps que, par le crédit de Locke, de Gordon, de Trenchard, de milord Shaftesbury, et de tant d'autres, j'ai reçu mes lettres de naturalité en Angleterre. Vous m'en accorderez un jour. Je suis la fille du Temps, et j'attends tout de mon père. »

« Quand elle a passé sur les frontières de l'Espagne et du Portugal, elle a béni Dieu de voir que les bûchers de l'Inquisition n'étaient plus si souvent allumés; elle a espéré beaucoup en voyant chasser les jésuites, mais elle a craint qu'en purgeant le pays de renards on ne le laissât exposé aux loups.

« Si elle fait encore des tentatives pour entrer en Italie, on croit qu'elle commencera par s'établir à Venise, et qu'elle séjournera dans le royaume de Naples, malgré toutes les liquéfactions de ce pays-là, qui lui donnent des vapeurs. On prétend qu'elle a un secret infaillible pour détacher les cordons d'une couronne qui sont embarrassés, je ne sais comment, dans ceux d'une tiare, et pour empêcher les haquenées d'aller faire la révérence aux mules. »

Enfin la conversation de monsieur André me réjouit beaucoup; et plus je le vois, plus je l'aime.

D'UN BON SOUPER CHEZ MONSIEUR ANDRÉ

Nous soupâmes hier ensemble avec un docteur de Sorbonne, monsieur Pinto, célèbre juif, le chapelain de la chapelle réformée de l'ambassadeur batave, le secrétaire de monsieur le prince Gallitzin, du rite grec, un capitaine suisse calviniste, deux philosophes, et trois dames d'esprit.

Le souper fut fort long, et cependant on ne disputa pas plus sur la religion que si aucun des convives n'en avait jamais eu : tant il faut avouer que nous sommes devenus polis; tant on craint à souper de contrister ses frères! Il n'en est pas ainsi du régent Cogé, et de l'ex-jésuite Nonotte, et de l'ex-jésuite Patouillet, et de l'ex-jésuite Rotalier, et de tous les animaux de cette espèce. Ces croquants-là vous disent plus de sottises dans une brochure de deux pages que la meilleure compagnie de Paris ne peut dire de choses agréables et instructives dans un souper de quatre heures. Et, ce qu'il y a d'étrange, c'est qu'ils n'oseraient dire en face à personne ce qu'ils ont l'impudence d'imprimer.

La conversation roula d'abord sur une plaisanterie des *Lettres persanes*, dans laquelle on répète, d'après plusieurs graves personnages, que le monde va non seulement en empirant, mais en se dépeuplant tous les jours; de sorte que si le proverbe *plus on est de fous, plus on rit* a quelque vérité, le rire sera incessamment banni de la terre.

Le docteur de Sorbonne assura qu'en effet le monde était réduit presque à rien. Il cita le père Petau, qui démontre qu'en moins de trois cents ans un seul des fils de Noé (je ne sais si c'est Sem ou Japhet) avait procréé de son corps une série d'enfants qui se montait à six cent vingt-trois milliards six cent douze millions trois cent cinquante-huit mille fidèles, l'an 285 après le déluge universel.

Monsieur André demanda pourquoi, du temps de Philippe le Bel, c'est-à-dire environ trois cents ans après Hugues Capet, il n'y avait pas six cent vingt-trois milliards de princes de la maison royale ? « C'est que la foi est diminuée », dit le docteur de Sorbonne.

On parla beaucoup de Thèbes-aux-cent-portes, et du million de soldats qui sortait par ces portes avec vingt mille chariots de guerre. « Serrez, serrez, disait monsieur André; je soupçonne, depuis que je me suis mis à lire, que le même génie qui a écrit *Gargantua* écrivait autrefois toutes les histoires.

— Mais enfin, lui dit un des convives, Thèbes, Memphis, Babylone, Ninive, Troie, Séleucie, étaient de grandes villes, et n'existent plus. — Cela est vrai, répondit le secrétaire de monsieur le prince Gallitzin; mais Moscou, Constantinople, Londres, Paris, Amsterdam, Lyon qui vaut mieux que Troie, toutes les villes de

France, d'Allemagne, d'Espagne, et du Nord, étaient alors des déserts. »

Le capitaine suisse, homme très instruit, nous avoua que quand ses ancêtres voulurent quitter leurs montagnes et leurs précipices pour aller s'emparer, comme de raison, d'un pays plus agréable, César, qui vit de ses yeux le dénombrement de ces émigrants, trouva qu'il se montait à trois cent soixante et huit mille, en comptant les vieillards, les enfants, et les femmes. Aujourd'hui, le seul canton de Berne possède autant d'habitants : il n'est pas tout à fait la moitié de la Suisse, et je puis vous assurer que les treize cantons ont au-delà de sept cent vingt mille âmes, en comptant les natifs qui servent ou qui négocient en pays étrangers. Après cela, messieurs les savants, faites des calculs et des systèmes, ils seront aussi faux les uns que les autres.

Ensuite on agita la question si les bourgeois de Rome, du temps des Césars, étaient plus riches que les bourgeois de Paris, du temps de monsieur Silhouette.

« Ah ! ceci me regarde, dit monsieur André. J'ai été longtemps l'homme aux quarante écus ; je crois bien que les citoyens romains en avaient davantage. Ces illustres voleurs de grand chemin avaient pillé les plus beaux pays de l'Asie, de l'Afrique, et de l'Europe. Ils vivaient fort splendidement du fruit de leurs rapines ; mais enfin il y avait des gueux à Rome. Et je suis persuadé que parmi ces vainqueurs du monde il y eut des gens réduits à quarante écus de rente comme je l'ai été.

— Savez-vous bien, lui dit un savant de l'Académie des inscriptions et belles-lettres, que Lucullus dépensait, à chaque souper qu'il donnait dans le salon d'Apollon, trente-neuf mille trois cent soixante et douze livres treize sous de notre monnaie courante ? mais qu'Atticus, le célèbre épicurien Atticus, ne dépensait point par mois, pour sa table, au-delà de deux cent trente-cinq livres tournois ?

— Si cela est, dis-je, il était digne de présider à la confrérie de la lésine, établie depuis peu en Italie. J'ai lu comme vous, dans Florus, cette incroyable anecdote ; mais apparemment que Florus n'avait jamais soupé chez Atticus, ou que son texte a été corrompu, comme tant d'autres, par les copistes. Jamais Florus ne me fera croire que l'ami de César et de Pompée, de Cicéron et d'Antoine, qui mangeaient souvent chez lui, en fût quitte pour un peu moins de dix louis d'or par mois.

Et voilà justement comme on écrit l'histoire. »

Madame André, prenant la parole, dit au savant que, s'il voulait défrayer sa table pour dix fois autant, il lui ferait grand plaisir.

Je suis persuadé que cette soirée de monsieur André valait bien un mois d'Atticus; et les dames doutèrent fort que les soupers de Rome fussent plus agréables que ceux de Paris. La conversation fut très gaie, quoique un peu savante. Il ne fut parlé ni des modes nouvelles, ni des ridicules d'autrui, ni de l'histoire scandaleuse du jour.

La question du luxe fut traitée à fond. On demanda si c'était le luxe qui avait détruit l'empire romain, et il fut prouvé que les deux empires d'Occident et d'Orient n'avaient été détruits que par la controverse et par les moines. En effet, quand Alaric prit Rome, on n'était occupé que de disputes théologiques; et quand Mahomet II prit Constantinople, les moines défendaient beaucoup plus l'éternité de la lumière du Tabor, qu'ils voyaient à leur nombril, qu'ils ne défendaient la ville contre les Turcs.

Un de nos savants fit une réflexion qui me frappa beaucoup : c'est que ces deux grands empires sont anéantis, et que les ouvrages de Virgile, d'Horace, et d'Ovide, subsistent.

On ne fit qu'un saut du siècle d'Auguste au siècle de Louis XIV. Une dame demanda pourquoi, avec beaucoup d'esprit, on ne faisait plus guère aujourd'hui d'ouvrages de génie ?

Monsieur André répondit que c'est parce qu'on en avait fait dans le siècle passé. Cette idée était fine et pourtant vraie; elle fut approfondie. Ensuite on tomba rudement sur un Ecossais, qui s'est avisé de donner des règles de goût et de critiquer les plus admirables endroits de Racine sans savoir le français [f]. On traita encore plus

---

f. Ce Monsieur Home, grand juge d'Ecosse, enseigne la manière de faire parler les héros d'une tragédie avec esprit; et voici un exemple remarquable qu'il rapporte de la tragédie de *Henri IV*, du divin Shakespeare. Le divin Shakespeare introduit milord Falstaff, chef de justice, qui vient de prendre prisonnier le chevalier Jean Coleville, et qui le présente au roi :

« Sire, le voilà, je vous le livre; je supplie Votre Grâce de faire enregistrer ce fait d'armes parmi les autres de cette journée, ou pardieu je le ferai mettre dans une ballade avec mon portrait à la tête; on verra Coleville me baisant les pieds. Voilà ce que je ferai si vous

sévèrement un Italien nommé Denina, qui a dénigré
l'*Esprit des lois* sans le comprendre, et qui surtout a cen-
suré ce que l'on aime le mieux dans cet ouvrage.

Cela fit souvenir du mépris affecté que Boileau étalait
pour le Tasse. Quelqu'un des convives avança que le
Tasse, avec ses défauts, était autant au-dessus d'Homère,
que Montesquieu, avec ses défauts encore plus grands,
est au-dessus du fatras de Grotius. On s'éleva contre
ces mauvaises critiques, dictées par la haine nationale et
le préjugé. Le signor Denina fut traité comme il le méritait, et comme les pédants le sont par les gens d'esprit.

On remarqua surtout avec beaucoup de sagacité que
la plupart des ouvrages littéraires du siècle présent, ainsi
que les conversations, roulent sur l'examen des chefs-
d'œuvre du dernier siècle. Notre mérite est de discuter
leur mérite. Nous sommes comme des enfants déshérités
qui font le compte du bien de leurs pères. On avoua que
la philosophie avait fait de très grands progrès ; mais que
la langue et le style s'étaient un peu corrompus.

C'est le sort de toutes les conversations de passer d'un
sujet à un autre. Tous ces objets de curiosité, de science,
et de goût disparurent bientôt devant le grand spectacle
que l'impératrice de Russie et le roi de Pologne donnaient au monde. Ils venaient de relever l'humanité
écrasée, et d'établir la liberté de conscience dans une
partie de la terre beaucoup plus vaste que ne le fut jamais
l'empire romain. Ce service rendu au genre humain, cet
exemple donné à tant de cours qui se croient politiques,
fut célébré comme il devait l'être. On but à la santé de
l'impératrice, du roi philosophe, et du primat philosophe, et on leur souhaita beaucoup d'imitateurs. Le docteur de Sorbonne même les admira : car il y a quelques
gens de bon sens dans ce corps, comme il y eut autrefois
des gens d'esprit chez les Béotiens.

Le secrétaire russe nous étonna par le récit de tous les
grands établissements qu'on faisait en Russie. On

---

ne rendez pas ma gloire aussi brillante qu'une pièce de deux sous
dorée ; et alors vous me verrez, dans le clair ciel de la renommée,
ternir votre splendeur comme la pleine lune efface les charbons éteints
de l'élément de l'air, qui ne paraissent autour d'elle que comme des
têtes d'épingle. »

C'est cet absurde et abominable galimatias, très fréquent dans le
divin Shakespeare, que Monsieur Jean Home propose pour le modèle
du bon goût et de l'esprit dans la tragédie. Mais en récompense
Monsieur Home trouve l'*Iphigénie* et la *Phèdre* de Racine extrêmement ridicules.

demanda pourquoi on aimait mieux lire l'histoire de Charles XII, qui a passé sa vie à détruire, que celle de Pierre le Grand, qui a consumé la sienne à créer. Nous conclûmes que la faiblesse et la frivolité sont la cause de cette préférence; que Charles XII fut le don Quichotte du Nord, et que Pierre en fut le Solon; que les esprits superficiels préfèrent l'héroïsme extravagant aux grandes vues d'un législateur; que les détails de la fondation d'une ville leur plaisent moins que la témérité d'un homme qui brave dix mille Turcs avec ses seuls domestiques; et qu'enfin la plupart des lecteurs aiment mieux s'amuser que s'instruire. De là vient que cent femmes lisent les *Mille et une Nuits* contre une qui lit deux chapitres de Locke.

De quoi ne parla-t-on point dans ce repas, dont je me souviendrai longtemps! Il fallut bien enfin dire un mot des acteurs et des actrices, sujet éternel des entretiens de table de Versailles et de Paris. On convint qu'un bon déclamateur était aussi rare qu'un bon poète. Le souper finit par une chanson très jolie qu'un des convives fit pour les dames. Pour moi, j'avoue que le banquet de Platon ne m'aurait pas fait plus de plaisir que celui de monsieur et de madame André.

Nos petits-maîtres et nos petites-maîtresses s'y seraient ennuyés sans doute : ils prétendent être la bonne compagnie; mais ni monsieur André ni moi ne soupons jamais avec cette bonne compagnie-là.

NOTE
SUR
LA PRINCESSE DE BABYLONE

Un mois après *l'Homme aux quarante écus* paraît *la Princesse de Babylone*. A l'approche de sa soixante-quinzième année, Voltaire imprime à sa production une surprenante accélération. Simultanément il écrivait, outre les cinq chants de *la Guerre civile de Genève*, le *Dîner du comte de Boulainvilliers*, une *Lettre de l'archevêque de Cantorbéry*, le *Sermon prêché à Bâle*, la *Relation de la mort du chevalier de La Barre*, la *Relation du bannissement des jésuites de la Chine*, toutes œuvres passionnément « philosophiques ».

C'est pour l'apôtre de Ferney l'époque de la grande espérance. Les deux principales dynasties catholiques, les Bourbons et la Maison d'Autriche, lui paraissent gagnées à la cause des lumières. L'influence des ministres éclairés est devenue prépondérante à Vienne grâce à Joseph II, de même qu'à Parme, à Naples, à Madrid, à Lisbonne. En 1768 éclate l'affaire du « moniteur de Parme », conflit opposant le duc, un Bourbon, et la cour de Rome : pour contrecarrer une politique inspirée du « despotisme éclairé » le pape avait eu la malencontreuse idée de lancer contre Don Fernando et ses ministres l'archaïque sanction de l'anathème. La Maison de Bourbon fait front contre la papauté : Louis XV occupe Avignon, le roi de Naples Bénévent; le roi d'Espagne Charles III réaffirme les droits de la couronne contre le pouvoir ecclésiastique. Les choses s'aggravant, la catholicité n'allait-elle pas se morceler en une pluralité d'Eglises nationales, plus théistes que chrétiennes ? Voltaire pouvait croire imminente cette révolution que depuis longtemps il espérait ardemment.

Le moment était donc venu d'un nouveau tour d'horizon « philosophique ». Formosante poursuit Amazan,

puis Amazan Formosante : pur prétexte. Ces jeunes
gens, tous deux très beaux, très aimables, très amoureux,
ont aussi peu de consistance que possible. L'intérêt se
porte sur les pays qu'ils traversent. Comme ils n'ont pas
le temps de tout voir, volontiers le narrateur se substitue
à eux pour mettre le lecteur au fait. Il fait le bilan des
crimes et des ridicules. A Séville la princesse de Babylone
a failli être brûlée par les inquisiteurs, les « anthropo-
kaïes ». En France, en dépit du succès du livre de Beccaria sur *les Délits et les peines* (1764), la justice reste
barbare. On punit de mort une « étourderie de jeune
homme » (celle du chevalier de La Barre). Les fanatiques
continuent à faire du mal : les jésuites (les « ex-druides »)
dont la Compagnie a été interdite en France; les jansénistes convulsionnaires soutenus par le « gazetier
druide » des *Nouvelles ecclésiastiques*, périodique clandestin du parti; les évêques (les « archi-druides ») qui
prononcent contre la « philosophie » de virulents mande-
ments. A Rome, le régime ecclésiastique a plongé dans
la misère l'ancienne capitale du monde; Voltaire le
dénonce comme responsable des étranges propositions
dont est assailli le bel Amazan. En Angleterre, la rusticité
subsiste dans la *gentry* comme dans le peuple.

Mais une contrepartie apparaît que Scarmentado, une
vingtaine d'années plus tôt, n'avait pu découvrir. L'empire des « Cimmériens », sous la tsarine Catherine II,
offre aux regards du voyageur « les arts, la splendeur, la
gloire et la politesse ». Les « Sarmates » de Pologne
ont la chance d'être gouvernés par un roi philosophe :
Stanislas-Auguste Poniatowski. La liberté est établie
en Suède (mais Voltaire ne prévoyait pas que « le jeune
prince » Gustave III allait bientôt rétablir l'absolutisme); elle l'est au Danemark, par un « contrat » entre
le souverain « despotique » et le peuple; chez les Bataves
des Pays-Bas hollandais; chez les « Albioniens » ou Anglais,
célébrés en des termes repris des *Lettres philosophiques*.
L'Espagne même, pays « noir », s'éclaire. Le « vieux roi »
Charles III, entouré d'une équipe de ministres pro-
gressistes (Aranda, Campomanès), s'efforce de combattre les « monstres sacrés ».

Toute cette polémique s'appuie de principes dont
il serait très faux de prétendre qu'ils sont aujourd'hui
périmés. Mais on ne contestera pas qu'elle s'inscrivait
dans un contexte historique qui ne cesse de s'éloigner.
La caricature voltairienne obtient précisément ce résul-

tat de conserver l'agrément du Guignol à des scènes pour nous encombrées d'allusions obscures, ou pour le moins inactuelles. Voltaire a tant de vitalité qu'il ne peut s'enfermer dans ses querelles, poursuivies pourtant avec acharnement. Une admirable disponibilité demeure en lui, qui trop souvent a fait défaut aux voltairiens.

Ne goûtons-nous pas surtout, quant à nous, dans *la Princesse de Babylone* la débauche d'inventions orientales? Quel fabuleux empire que celui du roi Bélus! Voltaire se serait inspiré d'un ouvrage de colportage (l'*Histoire de Pierre de Provence*, d'après G. Bollème, *Livre et société dans la France du 18e siècle*, Paris et La Haye, 1965, p. 68). Les fêtes, avec joutes, jeux et tournois, appartenaient aussi bien aux mœurs de l'époque. Le comte de Provence accueillant Marie-Antoinette à Brunoy fit en sorte que la reine soudain découvrît dans un bosquet cinquante cavaliers endormis. Ceux-ci s'éveillent, se jettent sur leurs armes, enfourchent vingt-cinq chevaux noirs et vingt-cinq chevaux blancs, pour disputer des joutes où, comme bien l'on pense, les couleurs de la reine triomphent. Mais combien ces prodiges du siècle sont dépassés par ceux de *Zadig*, du *Blanc et Noir*, et ceux-là par les fêtes de Babylone.

Des cascades de six mille pieds (soit des Niagaras de plus de deux kilomètres de long), cent mille jets d'eau se perdant dans les nues, un amphithéâtre pour cinq cent mille spectateurs, auxquels vingt mille pages et vingt mille jeunes filles servent des rafraîchissements, étaient *en ce temps-là* choses toutes simples. Il n'est que trop vrai que depuis lors tout n'a fait que « dégénérer chez les hommes et chez les femmes ». Seuls les conteurs ont conservé la mémoire de ces merveilles.

R. P.

LA PRINCESSE DE BABYLONE

I

Le vieux Bélus, roi de Babylone, se croyait le premier homme de la terre : car tous ses courtisans le lui disaient, et ses historiographes le lui prouvaient. Ce qui pouvait excuser en lui ce ridicule, c'est qu'en effet ses prédécesseurs avaient bâti Babylone plus de trente mille ans avant lui, et qu'il l'avait embellie. On sait que son palais et son parc, situés à quelques parasanges de Babylone, s'étendaient entre l'Euphrate et le Tigre, qui baignaient ces rivages enchantés. Sa vaste maison, de trois mille pas de façade, s'élevait jusqu'aux nues. La plate-forme était entourée d'une balustrade de marbre blanc de cinquante pieds de hauteur, qui portait les statues colossales de tous les rois et de tous les grands hommes de l'empire. Cette plate-forme, composée de deux rangs de briques couvertes d'une épaisse surface de plomb d'une extrémité à l'autre, était chargée de douze pieds de terre, et sur cette terre on avait élevé des forêts d'oliviers, d'orangers, de citronniers, de palmiers, de gérofliers, de cocotiers, de cannelliers, qui formaient des allées impénétrables aux rayons du soleil.

Les eaux de l'Euphrate, élevées par des pompes dans cent colonnes creusées, venaient dans ces jardins remplir de vastes bassins de marbre, et, retombant ensuite par d'autres canaux, allaient former dans le parc des cascades de six mille pieds de longueur, et cent mille jets d'eau dont la hauteur pouvait à peine être aperçue : elles retournaient ensuite dans l'Euphrate, dont elles étaient parties. Les jardins de Sémiramis, qui étonnèrent l'Asie plusieurs siècles après, n'étaient qu'une faible imitation de ces antiques merveilles : car, du temps de Sémiramis, tout commençait à dégénérer chez les hommes et chez les femmes.

Mais ce qu'il y avait de plus admirable à Babylone, ce qui éclipsait tout le reste, était la fille unique du roi, nommée Formosante. Ce fut d'après ses portraits et ses statues que dans la suite des siècles Praxitèle sculpta son Aphrodite, et celle qu'on nomma *la Vénus aux belles fesses*. Quelle différence, ô ciel! de l'original aux copies! Aussi Bélus était plus fier de sa fille que de son royaume. Elle avait dix-huit ans : il lui fallait un époux digne d'elle; mais où le trouver? Un ancien oracle avait ordonné que Formosante ne pourrait appartenir qu'à celui qui tendrait l'arc de Nembrod. Ce Nembrod, le fort chasseur devant le Seigneur, avait laissé un arc de sept pieds babyloniques de haut, d'un bois d'ébène plus dur que le fer du mont Caucase, qu'on travaille dans les forges de Derbent; et nul mortel, depuis Nembrod, n'avait pu bander cet arc merveilleux.

Il était dit encore que le bras qui aurait tendu cet arc tuerait le lion le plus terrible et le plus dangereux qui serait lâché dans le cirque de Babylone. Ce n'était pas tout : le bandeur de l'arc, le vainqueur du lion devait terrasser tous ses rivaux; mais il devait surtout avoir beaucoup d'esprit, être le plus magnifique des hommes, le plus vertueux, et posséder la chose la plus rare qui fût dans l'univers entier.

Il se présenta trois rois qui osèrent disputer Formosante : le pharaon d'Egypte, le scha des Indes, et le grand kan des Scythes. Bélus assigna le jour, et le lieu du combat à l'extrémité de son parc, dans le vaste espace bordé par les eaux de l'Euphrate et du Tigre réunies. On dressa autour de la lice un amphithéâtre de marbre qui pouvait contenir cinq cent mille spectateurs. Vis-à-vis l'amphithéâtre était le trône du roi, qui devait paraître avec Formosante, accompagnée de toute la cour; et à droite et à gauche entre le trône et l'amphithéâtre, étaient d'autres trônes et d'autres sièges pour les trois rois et pour tous les autres souverains qui seraient curieux de venir voir cette auguste cérémonie.

Le roi d'Egypte arriva le premier, monté sur le bœuf Apis, et tenant en main le sistre d'Isis. Il était suivi de deux mille prêtres vêtus de robes de lin plus blanches que la neige, de deux mille eunuques, de deux mille magiciens, et de deux mille guerriers.

Le roi des Indes arriva bientôt après dans un char

traîné par douze éléphants. Il avait une suite encore plus nombreuse et plus brillante que le pharaon d'Egypte.

Le dernier qui parut était le roi des Scythes. Il n'avait auprès de lui que des guerriers choisis, armés d'arcs et de flèches. Sa monture était un tigre superbe qu'il avait dompté, et qui était aussi haut que les plus beaux chevaux de Perse. La taille de ce monarque, imposante et majestueuse, effaçait celle de ses rivaux; ses bras nus, aussi nerveux que blancs, semblaient déjà tendre l'arc de Nembrod.

Les trois princes se prosternèrent d'abord devant Bélus et Formosante. Le roi d'Egypte offrit à la princesse les deux plus beaux crocodiles du Nil, deux hippopotames, deux zèbres, deux rats d'Egypte, et deux momies, avec les livres du grand Hermès, qu'il croyait être ce qu'il y avait de plus rare sur la terre.

Le roi des Indes lui offrit cent éléphants qui portaient chacun une tour de bois doré, et mit à ses pieds le *Veidam*, écrit de la main de Xaca lui-même.

Le roi des Scythes, qui ne savait ni lire ni écrire, présenta cent chevaux de bataille couverts de housses de peaux de renards noirs.

La princesse baissa les yeux devant ses amants, et s'inclina avec des grâces aussi modestes que nobles.

Bélus fit conduire ces monarques sur les trônes qui leur étaient préparés. « Que n'ai-je trois filles ! leur dit-il, je rendrais aujourd'hui six personnes heureuses. » Ensuite il fit tirer au sort à qui essayerait le premier l'arc de Nembrod. On mit dans un casque d'or les noms des trois prétendants. Celui du roi d'Egypte sortit le premier; ensuite parut le nom du roi des Indes. Le roi Scythe, en regardant l'arc et ses rivaux, ne se plaignit point d'être le troisième.

Tandis qu'on préparait ces brillantes épreuves, vingt mille pages et vingt mille jeunes filles distribuaient sans confusion des rafraîchissements aux spectateurs entre les rangs des sièges. Tout le monde avouait que les dieux n'avaient établi les rois que pour donner tous les jours des fêtes, pourvu qu'elles fussent diversifiées; que la vie est trop courte pour en user autrement; que les procès, les intrigues, la guerre, les disputes des prêtres, qui consument la vie humaine, sont des choses absurdes et horribles; que l'homme n'est né que pour la joie; qu'il n'aimerait pas les plaisirs passionnément et continuellement s'il n'était pas formé pour eux; que l'essence de la nature humaine est de se réjouir, et que tout le reste est folie. Cette excellente morale n'a jamais été démentie que par les faits.

Comme on allait commencer ces essais, qui devaient décider de la destinée de Formosante, un jeune inconnu monté sur une licorne, accompagné de son valet monté de même, et portant sur le poing un gros oiseau, se présente à la barrière. Les gardes furent surpris de voir en cet équipage une figure qui avait l'air de la divinité. C'était, comme on a dit depuis, le visage d'Adonis sur le corps d'Hercule; c'était la majesté avec les grâces. Ses sourcils noirs et ses longs cheveux blonds, mélange de beauté inconnu à Babylone, charmèrent l'assemblée : tout l'amphithéâtre se leva pour le mieux regarder; toutes les femmes de la cour fixèrent sur lui des regards étonnés. Formosante elle-même, qui baissait toujours les yeux, les releva et rougit; les trois rois pâlirent; tous les spectateurs, en comparant Formosante avec l'inconnu, s'écriaient : « Il n'y a dans le monde que ce jeune homme qui soit aussi beau que la princesse. »

Les huissiers, saisis d'étonnement, lui demandèrent s'il était roi. L'étranger répondit qu'il n'avait pas cet honneur, mais qu'il était venu de fort loin par curiosité pour voir s'il y avait des rois qui fussent dignes de Formosante. On l'introduisit dans le premier rang de l'amphithéâtre, lui, son valet, ses deux licornes, et son oiseau. Il salua profondément Bélus, sa fille, les trois rois, et toute l'assemblée. Puis il prit place en rougissant. Ses deux licornes se couchèrent à ses pieds, son oiseau se percha sur son épaule, et son valet, qui portait un petit sac, se mit à côté de lui.

Les épreuves commencèrent. On tira de son étui d'or l'arc de Nembrod. Le grand maître des cérémonies, suivi de cinquante pages et précédé de vingt trompettes, le présenta au roi d'Egypte, qui le fit bénir par ses prêtres; et, l'ayant posé sur la tête du bœuf Apis, il ne douta pas de remporter cette première victoire. Il descend au milieu de l'arène, il essaie, il épuise ses forces, il fait des contorsions qui excitent le rire de l'amphithéâtre, et qui font même sourire Formosante.

Son grand aumônier s'approcha de lui : « Que Votre Majesté, lui dit-il, renonce à ce vain honneur, qui n'est que celui des muscles et des nerfs; vous triompherez dans tout le reste. Vous vaincrez le lion, puisque vous avez le sabre d'Osiris. La princesse de Babylone doit appartenir

au prince qui a le plus d'esprit, et vous avez deviné des
énigmes. Elle doit épouser le plus vertueux, vous l'êtes,
puisque vous avez été élevé par les prêtres d'Egypte. Le
plus généreux doit l'emporter, et vous avez donné les
deux plus beaux crocodiles et les deux plus beaux rats
qui soient dans le Delta. Vous possédez le bœuf Apis et
les livres d'Hermès, qui sont la chose la plus rare de
l'univers. Personne ne peut vous disputer Formosante.
— Vous avez raison, dit le roi d'Egypte », et il se remit
sur son trône.

On alla mettre l'arc entre les mains du roi des Indes.
Il en eut des ampoules pour quinze jours, et se consola
en présumant que le roi des Scythes ne serait pas plus
heureux que lui.

Le Scythe mania l'arc à son tour. Il joignait l'adresse
à la force : l'arc parut prendre quelque élasticité entre
ses mains ; il le fit un peu plier, mais jamais il ne put venir
à bout de le tendre. L'amphithéâtre, à qui la bonne mine
de ce prince inspirait des inclinations favorables, gémit
de son peu de succès, et jugea que la belle princesse ne
serait jamais mariée.

Alors le jeune inconnu descendit d'un saut dans
l'arène, et, s'adressant au roi des Scythes : « Que Votre
Majesté, lui dit-il, ne s'étonne point de n'avoir pas entièrement réussi. Ces arcs d'ébène se font dans mon pays ;
il n'y a qu'un certain tour à donner. Vous avez beaucoup plus de mérite à l'avoir fait plier que je n'en peux
avoir à le tendre. » Aussitôt il prit une flèche, l'ajusta sur
la corde, tendit l'arc de Nembrod, et fit voler la flèche
bien au-delà des barrières. Un million de mains applaudit
à ce prodige. Babylone retentit d'acclamations, et toutes
les femmes disaient : « Quel bonheur qu'un si beau
garçon ait tant de force ! »

Il tira ensuite de sa poche une petite lame d'ivoire,
écrivit sur cette lame avec une aiguille d'or, attacha la
tablette d'ivoire à l'arc, et présenta le tout à la princesse
avec une grâce qui ravissait tous les assistants. Puis il alla
modestement se remettre à sa place entre son oiseau et
son valet. Babylone entière était dans la surprise ; les
trois rois étaient confondus, et l'inconnu ne paraissait
pas s'en apercevoir.

Formosante fut encore plus étonnée en lisant sur la
tablette d'ivoire attachée à l'arc ces petits vers en beau
langage chaldéen :

L'arc de Nembrod est celui de la guerre;
L'arc de l'amour est celui du bonheur;
Vous le portez. Par vous ce dieu vainqueur
Est devenu le maître de la terre.
Trois rois puissants, trois rivaux aujourd'hui,
Osent prétendre à l'honneur de vous plaire :
Je ne sais pas qui votre cœur préfère,
Mais l'univers sera jaloux de lui.

Ce petit madrigal ne fâcha point la princesse. Il fut
critiqué par quelques seigneurs de la vieille cour, qui
dirent qu'autrefois dans le bon temps on aurait comparé
Bélus au soleil, et Formosante à la lune, son cou à une
tour, et sa gorge à un boisseau de froment. Ils dirent que
l'étranger n'avait point d'imagination, et qu'il s'écartait
des règles de la véritable poésie; mais toutes les dames
trouvèrent les vers fort galants. Elles s'émerveillèrent
qu'un homme qui bandait si bien un arc eût tant d'esprit.
La dame d'honneur de la princesse lui dit : « Madame,
voilà bien des talents en pure perte. De quoi servira à
ce jeune homme son esprit et l'arc de Bélus ? — A le
faire admirer, répondit Formosante. — Ah! dit la dame
d'honneur entre ses dents, encore un madrigal, et il
pourrait bien être aimé. »
Cependant Bélus, ayant consulté ses mages, déclara
qu'aucun des trois rois n'ayant pu bander l'arc de Nembrod, il n'en fallait pas moins marier sa fille, et qu'elle
appartiendrait à celui qui viendrait à bout d'abattre le
grand lion qu'on nourrissait exprès dans sa ménagerie. Le
roi d'Egypte, qui avait été élevé dans toute la sagesse de
son pays, trouva qu'il était fort ridicule d'exposer un roi
aux bêtes pour le marier. Il avouait que la possession de
Formosante était d'un grand prix; mais il prétendait que,
si le lion l'étranglait, il ne pourrait jamais épouser cette
belle Babylonienne. Le roi des Indes entra dans les sentiments de l'Egyptien; tous deux conclurent que le roi de
Babylone se moquait d'eux; qu'il fallait faire venir des
armées pour le punir; qu'ils avaient assez de sujets qui
se tiendraient fort honorés de mourir au service de leurs
maîtres, sans qu'il en coûtât un cheveu à leurs têtes
sacrées; qu'ils détrôneraient aisément le roi de Babylone,
et qu'ensuite ils tireraient au sort la belle Formosante.
Cet accord étant fait, les deux rois dépêchèrent chacun
dans leur pays un ordre exprès d'assembler une armée
de trois cent mille hommes pour enlever Formosante.
Cependant le roi des Scythes descendit seul dans
l'arène, le cimeterre à la main. Il n'était pas éperdument

épris des charmes de Formosante; la gloire avait été
jusque-là sa seule passion; elle l'avait conduit à Babylone. Il voulait faire voir que si les rois de l'Inde et de
l'Egypte étaient assez prudents pour ne se pas compromettre avec des lions, il était assez courageux pour ne
pas dédaigner ce combat, et qu'il réparerait l'honneur du
diadème. Sa rare valeur ne lui permit pas seulement de
se servir du secours de son tigre. Il s'avance seul, légèrement armé, couvert d'un casque d'acier garni d'or,
ombragé de trois queues de cheval blanches comme la
neige.

On lâche contre lui le plus énorme lion qui ait jamais
été nourri dans les montagnes de l'Anti-Liban. Ses terribles griffes semblaient capables de déchirer les trois rois
à la fois, et sa vaste gueule de les dévorer. Ses affreux
rugissements faisaient retentir l'amphithéâtre. Les deux
fiers champions se précipitent l'un contre l'autre d'une
course rapide. Le courageux Scythe enfonce son épée
dans le gosier du lion, mais la pointe, rencontrant une de
ces épaisses dents que rien ne peut percer, se brise en
éclats, et le monstre des forêts, furieux de sa blessure,
imprimait déjà ses ongles sanglants dans les flancs du
monarque.

Le jeune inconnu, touché du péril d'un si brave prince,
se jette dans l'arène plus prompt qu'un éclair; il coupe
la tête du lion avec la même dextérité qu'on a vu depuis
dans nos carrousels de jeunes chevaliers adroits enlever
des têtes de maures ou des bagues.

Puis, tirant une petite boîte, il la présente au roi
scythe, en lui disant : « Votre Majesté trouvera dans
cette petite boîte le véritable dictame qui croît dans mon
pays. Vos glorieuses blessures seront guéries en un
moment. Le hasard seul vous a empêché de triompher
du lion; votre valeur n'en est pas moins admirable. »

Le roi scythe, plus sensible à la reconnaissance qu'à
la jalousie, remercia son libérateur, et, après l'avoir tendrement embrassé, rentra dans son quartier pour appliquer le dictame sur ses blessures.

L'inconnu donna la tête du lion à son valet; celui-ci,
après l'avoir lavée à la grande fontaine qui était au-dessous de l'amphithéâtre, et en avoir fait écouler tout le
sang, tira un fer de son petit sac, arracha les quarante
dents du lion, et mit à leur place quarante diamants d'une
égale grosseur.

Son maître, avec sa modestie ordinaire, se remit à sa

place; il donna la tête du lion à son oiseau : « Bel oiseau,
dit-il, allez porter aux pieds de Formosante ce faible
hommage. » L'oiseau part, tenant dans une de ses serres
le terrible trophée; il le présente à la princesse en baissant humblement le cou, et en s'aplatissant devant elle.
Les quarante brillants éblouirent tous les yeux. On ne
connaissait pas encore cette magnificence dans la superbe
Babylone : l'émeraude, la topaze, le saphir, et le pyrope,
étaient regardés encore comme les plus précieux ornements. Bélus et toute la cour étaient saisis d'admiration.
L'oiseau qui offrait ce présent les surprit encore davantage. Il était de la taille d'un aigle, mais ses yeux étaient
aussi doux et aussi tendres que ceux de l'aigle sont fiers
et menaçants. Son bec était couleur de rose, et semblait
tenir quelque chose de la belle bouche de Formosante.
Son cou rassemblait toutes les couleurs de l'iris, mais plus
vives et plus brillantes. L'or en mille nuances éclatait sur
son plumage. Ses pieds paraissaient un mélange d'argent
et de pourpre; et la queue des beaux oiseaux qu'on attela
depuis au char de Junon n'approchait pas de la sienne.

L'attention, la curiosité, l'étonnement, l'extase de
toute la cour, se partageaient entre les quarante diamants
et l'oiseau. Il s'était perché sur la balustrade, entre Bélus
et sa fille Formosante; elle le flattait, le caressait, le baisait. Il semblait recevoir ses caresses avec un plaisir
mêlé de respect. Quand la princesse lui donnait des
baisers, il les rendait, et la regardait ensuite avec des
yeux attendris. Il recevait d'elle des biscuits et des pistaches, qu'il prenait de sa patte purpurine et argentée,
et qu'il portait à son bec avec des grâces inexprimables.

Bélus, qui avait considéré les diamants avec attention,
jugeait qu'une de ses provinces pouvait à peine payer
un présent si riche. Il ordonna qu'on préparât pour
l'inconnu des dons encore plus magnifiques que ceux qui
étaient destinés aux trois monarques. « Ce jeune homme,
disait-il, est sans doute le fils du roi de la Chine, ou de
cette partie du monde qu'on nomme *Europe*, dont j'ai
entendu parler, ou de l'Afrique, qui est, dit-on, voisine
du royaume d'Égypte. »

Il envoya sur-le-champ son grand écuyer complimenter l'inconnu, et lui demander s'il était souverain d'un
de ces empires, et pourquoi, possédant de si étonnants
trésors, il était venu avec un valet et un petit sac.

Tandis que le grand écuyer avançait vers l'amphithéâtre pour s'acquitter de sa commission, arriva un

autre valet sur une licorne. Ce valet, adressant la parole au jeune homme, lui dit : « Ormar, votre père touche à l'extrémité de sa vie, et je suis venu vous en avertir. » L'inconnu leva les yeux au ciel, versa des larmes, et ne répondit que par ce mot : « Partons. »

Le grand écuyer, après avoir fait les compliments de Bélus au vainqueur du lion, au donneur des quarante diamants, au maître du bel oiseau, demanda au valet de quel royaume était souverain le père de ce jeune héros. Le valet répondit : « Son père est un vieux berger qui est fort aimé dans le canton. »

Pendant ce court entretien l'inconnu était déjà monté sur sa licorne. Il dit au grand écuyer : « Seigneur, daignez me mettre aux pieds de Bélus et de sa fille. J'ose la supplier d'avoir grand soin de l'oiseau que je lui laisse; il est unique comme elle. » En achevant ces mots, il partit comme un éclair; les deux valets le suivirent, et on les perdit de vue.

Formosante ne put s'empêcher de jeter un grand cri. L'oiseau, se retournant vers l'amphithéâtre où son maître avait été assis, parut très affligé de ne le plus voir. Puis regardant fixement la princesse, et frottant doucement sa belle main de son bec, il sembla se vouer à son service.

Bélus, plus étonné que jamais, apprenant que ce jeune homme si extraordinaire était le fils d'un berger, ne put le croire. Il fit courir après lui; mais bientôt on lui rapporta que les licornes sur lesquelles ces trois hommes couraient ne pouvaient être atteintes, et qu'au galop dont elles allaient elles devaient faire cent lieues par jour.

II

Tout le monde raisonnait sur cette aventure étrange, et s'épuisait en vaines conjectures. Comment le fils d'un berger peut-il donner quarante gros diamants ? Pourquoi est-il monté sur une licorne ? On s'y perdait; et Formosante, en caressant son oiseau, était plongée dans une rêverie profonde.

La princesse Aldée, sa cousine issue de germaine, très bien faite, et presque aussi belle que Formosante, lui dit : « Ma cousine, je ne sais pas si ce jeune demi-dieu est le fils d'un berger; mais il me semble qu'il a rempli toutes les conditions attachées à votre mariage. Il a bandé l'arc

de Nembrod, il a vaincu le lion, il a beaucoup d'esprit
puisqu'il a fait pour vous un assez joli impromptu. Après
les quarante énormes diamants qu'il vous a donnés, vous
ne pouvez nier qu'il ne soit le plus généreux des hommes.
Il possédait dans son oiseau ce qu'il y a de plus rare sur
la terre. Sa vertu n'a point d'égale, puisque, pouvant
demeurer auprès de vous, il est parti sans délibérer dès
qu'il a su que son père était malade. L'oracle est accompli dans tous ses points, excepté dans celui qui exige
qu'il terrasse ses rivaux; mais il a fait plus, il a sauvé la
vie du seul concurrent qu'il pouvait craindre; et, quand
il s'agira de battre les deux autres, je crois que vous ne
doutez pas qu'il n'en vienne à bout aisément.

— Tout ce que vous dites est bien vrai, répondit Formosante; mais est-il possible que le plus grand des
hommes, et peut-être même le plus aimable, soit le fils
d'un berger ? »

La dame d'honneur, se mêlant de la conversation, dit
que très souvent ce mot de berger était appliqué aux
rois; qu'on les appelait *bergers*, parce qu'ils tondent de
fort près leur troupeau; que c'était sans doute une mauvaise plaisanterie de son valet; que ce jeune héros n'était
venu si mal accompagné que pour faire voir combien
son seul mérite était au-dessus du faste des rois, et pour
ne devoir Formosante qu'à lui-même. La princesse ne
répondit qu'en donnant à son oiseau mille tendres baisers.

On préparait cependant un grand festin pour les trois
rois et pour tous les princes qui étaient venus à la fête.
La fille et la nièce du roi devaient en faire les honneurs.
On portait chez les rois des présents dignes de la magnificence de Babylone. Bélus, en attendant qu'on servît,
assembla son conseil sur le mariage de la belle Formosante, et voici comme il parla en grand politique :

« Je suis vieux, je ne sais plus que faire, ni à qui
donner ma fille. Celui qui la méritait n'est qu'un vil berger, le roi des Indes et celui d'Egypte sont des poltrons;
le roi des Scythes me conviendrait assez, mais il n'a
rempli aucune des conditions imposées. Je vais encore
consulter l'oracle. En attendant, délibérez, et nous
conclurons suivant ce que l'oracle aura dit : car un roi
ne doit se conduire que par l'ordre exprès des dieux
immortels. »

Alors il va dans sa chapelle; l'oracle lui répond en peu
de mots, suivant sa coutume : « Ta fille ne sera mariée

que quand elle aura couru le monde. » Bélus, étonné, revient au conseil, et rapporte cette réponse.

Tous les ministres avaient un profond respect pour les oracles; tous convenaient ou feignaient de convenir qu'ils étaient le fondement de la religion; que la raison doit se taire devant eux; que c'est par eux que les rois règnent sur les peuples, et les mages sur les rois; que sans les oracles il n'y aurait ni vertu ni repos sur la terre. Enfin, après avoir témoigné la plus profonde vénération pour eux, presque tous conclurent que celui-ci était impertinent, qu'il ne fallait pas lui obéir; que rien n'était plus indécent pour une fille, et surtout pour celle du grand roi de Babylone, que d'aller courir sans savoir où; que c'était le vrai moyen de n'être point mariée, ou de faire un mariage clandestin, honteux et ridicule; qu'en un mot cet oracle n'avait pas le sens commun.

Le plus jeune des ministres, nommé Onadase, qui avait plus d'esprit qu'eux, dit que l'oracle entendait sans doute quelque pèlerinage de dévotion, et qu'il s'offrait à être le conducteur de la princesse. Le conseil revint à son avis, mais chacun voulut servir d'écuyer. Le roi décida que la princesse pourrait aller à trois cents parasanges sur le chemin de l'Arabie, à un temple dont le saint avait la réputation de procurer d'heureux mariages aux filles, et que ce serait le doyen du conseil qui l'accompagnerait. Après cette décision on alla souper.

III

Au milieu des jardins, entre deux cascades, s'élevait un salon ovale de trois cents pieds de diamètre, dont la voûte d'azur semée d'étoiles d'or représentait toutes les constellations avec les planètes, chacune à leur véritable place, et cette voûte tournait, ainsi que le ciel, par des machines aussi invisibles que le sont celles qui dirigent les mouvements célestes. Cent mille flambeaux enfermés dans des cylindres de cristal de roche éclairaient les dehors et l'intérieur de la salle à manger. Un buffet en gradins portait vingt mille vases ou plats d'or; et vis-à-vis le buffet d'autres gradins étaient remplis de musiciens. Deux autres amphithéâtres étaient chargés, l'un, des fruits de toutes les saisons; l'autre, d'amphores de cristal où brillaient tous les vins de la terre.

Les convives prirent leurs places autour d'une table

de compartiments qui figuraient des fleurs et des fruits,
tous en pierres précieuses. La belle Formosante fut placée entre le roi des Indes et celui d'Egypte, la belle
Aldée auprès du roi des Scythes. Il y avait une trentaine
de princes, et chacun d'eux était à côté d'une des plus
belles dames du palais. Le roi de Babylone au milieu, vis-
à-vis de sa fille, paraissait partagé entre le chagrin de
n'avoir pu la marier et le plaisir de la garder encore.
Formosante lui demanda la permission de mettre son
oiseau sur la table à côté d'elle. Le roi le trouva très bon.

La musique, qui se fit entendre, donna une pleine
liberté à chaque prince d'entretenir sa voisine. Le festin
parut aussi agréable que magnifique. On avait servi
devant Formosante un ragoût que le roi son père aimait
beaucoup. La princesse dit qu'il fallait le porter devant
Sa Majesté; aussitôt l'oiseau se saisit du plat avec une
dextérité merveilleuse et va le présenter au roi. Jamais
on ne fut plus étonné à souper. Bélus lui fit autant de
caresses que sa fille. L'oiseau reprit ensuite son vol pour
retourner auprès d'elle. Il déployait en volant une si
belle queue, ses ailes étendues étalaient tant de brillantes
couleurs, l'or de son plumage jetait un éclat si éblouis-
sant, que tous les yeux ne regardaient que lui. Tous les
concertants cessèrent leur musique et devinrent immobiles. Personne ne mangeait, personne ne parlait, on
n'entendait qu'un murmure d'admiration. La princesse
de Babylone le baisa pendant tout le souper, sans songer
seulement s'il y avait des rois dans le monde. Ceux des
Indes et d'Egypte sentirent redoubler leur dépit et leur
indignation, et chacun d'eux se promit bien de hâter la
marche de ses trois cent mille hommes pour se venger.

Pour le roi des Scythes, il était occupé à entretenir la
belle Aldée : son cœur altier, méprisant sans dépit les
inattentions de Formosante, avait conçu pour elle plus
d'indifférence que de colère. « Elle est belle, disait-il, je
l'avoue; mais elle me paraît de ces femmes qui ne sont
occupées que de leur beauté, et qui pensent que le genre
humain doit leur être bien obligé quand elles daignent
se laisser voir en public. On n'adore point des idoles
dans mon pays. J'aimerais mieux une laideron complaisante et attentive que cette belle statue. Vous avez,
madame, autant de charmes qu'elle, et vous daignez au
moins faire conversation avec les étrangers. Je vous
avoue, avec la franchise d'un Scythe, que je vous donne
la préférence sur votre cousine. » Il se trompait pourtant

sur le caractère de Formosante : elle n'était pas si dédaigneuse qu'elle le paraissait; mais son compliment fut très bien reçu de la princesse Aldée. Leur entretien devint fort intéressant : ils étaient très contents, et déjà sûrs l'un de l'autre avant qu'on sortît de table.

Après le souper, on alla se promener dans les bosquets. Le roi des Scythes et Aldée ne manquèrent pas de chercher un cabinet solitaire. Aldée, qui était la franchise même, parla ainsi à ce prince :

« Je ne hais point ma cousine, quoiqu'elle soit plus belle que moi, et qu'elle soit destinée au trône de Babylone : l'honneur de vous plaire me tient lieu d'attraits. Je préfère la Scythie avec vous à la couronne de Babylone sans vous; mais cette couronne m'appartient de droit, s'il y a des droits dans le monde : car je suis de la branche aînée de Nembrod, et Formosante n'est que de la cadette. Son grand-père détrôna le mien, et le fit mourir.

— Telle est donc la force du sang dans la maison de Babylone! dit le Scythe. Comment s'appelait votre grand-père ? — Il se nommait Aldée, comme moi. Mon père avait le même nom : il fut relégué au fond de l'empire avec ma mère; et Bélus, après leur mort, ne craignant rien de moi, voulut m'élever auprès de sa fille; mais il a décidé que je ne serais jamais mariée.

— Je veux venger votre père, et votre grand-père, et vous, dit le roi des Scythes. Je vous réponds que vous serez mariée; je vous enlèverai après-demain de grand matin, car il faut dîner demain avec le roi de Babylone, et je reviendrai soutenir vos droits avec une armée de trois cent mille hommes. — Je le veux bien », dit la belle Aldée; et, après s'être donné leur parole d'honneur, ils se séparèrent.

Il y avait longtemps que l'incomparable Formosante s'était allée coucher. Elle avait fait placer à côté de son lit un petit oranger dans une caisse d'argent pour y faire reposer son oiseau. Ses rideaux étaient fermés; mais elle n'avait nulle envie de dormir. Son cœur et son imagination étaient trop éveillés. Le charmant inconnu était devant ses yeux; elle le voyait tirant une flèche avec l'arc de Nembrod; elle le contemplait coupant la tête du lion; elle récitait son madrigal; enfin elle le voyait s'échapper de la foule, monté sur sa licorne; alors elle éclatait en sanglots; elle s'écriait avec larmes : « Je ne le reverrai donc plus; il ne reviendra pas.

— Il reviendra, madame, lui répondit l'oiseau du haut
de son oranger; peut-on vous avoir vue, et ne pas vous
revoir?

— O ciel! ô puissances éternelles! mon oiseau parle
le pur chaldéen! » En disant ces mots, elle tire ses
rideaux, lui tend les bras, se met à genoux sur son lit:
« Etes-vous un dieu descendu sur la terre? êtes-vous le
grand Orosmade caché sous ce beau plumage? Si vous
êtes un dieu, rendez-moi ce beau jeune homme.

— Je ne suis qu'une volatile, répliqua l'autre; mais je
naquis dans le temps que toutes les bêtes parlaient
encore, et que les oiseaux, les serpents, les ânesses, les
chevaux, et les griffons, s'entretenaient familièrement
avec les hommes. Je n'ai pas voulu parler devant le
monde, de peur que vos dames d'honneur ne me prissent
pour un sorcier: je ne veux me découvrir qu'à vous. »

Formosante, interdite, égarée, enivrée de tant de merveilles, agitée de l'empressement de faire cent questions
à la fois, lui demanda d'abord quel âge il avait. « Vingt-
sept mille neuf cents ans et six mois, madame; je suis de
l'âge de la petite révolution du ciel que vos mages
appellent *la précession des équinoxes* et qui s'accomplit en
près de vingt-huit mille de vos années. Il y a des révolutions infiniment plus longues: aussi nous avons des
êtres beaucoup plus vieux que moi. Il y a vingt-deux
mille ans que j'appris le chaldéen dans un de mes
voyages. J'ai toujours conservé beaucoup de goût pour
la langue chaldéenne; mais les autres animaux mes
confrères ont renoncé à parler dans vos climats. — Et
pourquoi cela, mon divin oiseau? — Hélas! c'est parce
que les hommes ont pris enfin l'habitude de nous manger, au lieu de converser et de s'instruire avec nous. Les
barbares! ne devaient-ils pas être convaincus qu'ayant les
mêmes organes qu'eux, les mêmes sentiments, les mêmes
besoins, les mêmes désirs, nous avions ce qui s'appelle
une âme tout comme eux; que nous étions leurs frères, et
qu'il ne fallait cuire et manger que les méchants? Nous
sommes tellement vos frères que le grand Etre, l'Etre
éternel et formateur, ayant fait un pacte avec les hommes[a],
nous comprit expressément dans le traité. Il vous défendit de vous nourrir de notre sang, et à nous, de sucer le
vôtre.

a. Voyez le chap. 9 de la *Genèse;* et les chap. 3, 18 et 19 de l'*Ecclé-
siaste.*

« Les fables de votre ancien Locman, traduites en tant
de langues, seront un témoignage éternellement subsistant
de l'heureux commerce que vous avez eu autrefois avec
nous. Elles commencent toutes par ces mots : *Du temps
que les bêtes parlaient.* Il est vrai qu'il y a beaucoup de
femmes parmi vous qui parlent toujours à leurs chiens;
mais ils ont résolu de ne point répondre depuis qu'on
les a forcés à coups de fouet d'aller à la chasse, et d'être
les complices du meurtre de nos anciens amis communs,
les cerfs, les daims, les lièvres et les perdrix.

« Vous avez encore d'anciens poèmes dans lesquels les
chevaux parlent, et vos cochers leur adressent la parole
tous les jours; mais c'est avec tant de grossièreté, et en
prononçant des mots si infâmes, que les chevaux, qui
vous aimaient tant autrefois, vous détestent aujourd'hui.

« Le pays où demeure votre charmant inconnu, le plus
parfait des hommes, est demeuré le seul où votre espèce
sache encore aimer la nôtre et lui parler; et c'est la seule
contrée de la terre où les hommes soient justes.

— Et où est-il ce pays de mon cher inconnu ? quel
est le nom de ce héros ? comment se nomme son empire ?
car je ne croirai pas plus qu'il est un berger que je ne
crois que vous êtes une chauve-souris.

— Son pays, madame, est celui des Gangarides,
peuple vertueux et invincible qui habite la rive orientale
du Gange. Le nom de mon ami est Amazan. Il n'est pas
roi, et je ne sais même s'il voudrait s'abaisser à l'être;
il aime trop ses compatriotes : il est berger comme eux.
Mais n'allez pas vous imaginer que ces bergers ressemblent aux vôtres, qui, couverts à peine de lambeaux
déchirés, gardent des moutons infiniment mieux habillés
qu'eux; qui gémissent sous le fardeau de la pauvreté, et
qui payent à un exacteur la moitié des gages chétifs qu'ils
reçoivent de leurs maîtres. Les bergers gangarides, nés
tous égaux, sont les maîtres des troupeaux innombrables
qui couvrent leurs prés éternellement fleuris. On ne les
tue jamais : c'est un crime horrible vers le Gange de
tuer et de manger son semblable. Leur laine, plus fine et
plus brillante que la plus belle soie, est le plus grand
commerce de l'Orient. D'ailleurs la terre des Gangarides
produit tout ce qui peut flatter les désirs de l'homme.
Ces gros diamants qu'Amazan a eu l'honneur de vous
offrir sont d'une mine qui lui appartient. Cette licorne
que vous l'avez vu monter est la monture ordinaire des
Gangarides. C'est le plus bel animal, le plus fier, le plus

terrible, et le plus doux qui orne la terre. Il suffirait de
cent Gangarides et de cent licornes pour dissiper des
armées innombrables. Il y a environ deux siècles qu'un
roi des Indes fut assez fou pour vouloir conquérir cette
nation : il se présenta suivi de dix mille éléphants et d'un
million de guerriers. Les licornes percèrent les éléphants,
comme j'ai vu sur votre table des mauviettes enfilées dans
des brochettes d'or. Les guerriers tombaient sous le sabre
des Gangarides comme les moissons de riz sont coupées
par les mains des peuples de l'Orient. On prit le roi prisonnier avec plus de six cent mille hommes. On le baigna dans les eaux salutaires du Gange; on le mit au
régime du pays, qui consiste à ne se nourrir que de végétaux prodigués par la nature pour nourrir tout ce qui
respire. Les hommes alimentés de carnage et abreuvés
de liqueurs fortes ont tous un sang aigri et aduste qui
les rend fous en cent manières différentes. Leur principale démence est la fureur de verser le sang de leurs
frères, et de dévaster des plaines fertiles pour régner sur
des cimetières. On employa six mois entiers à guérir le
roi des Indes de sa maladie. Quand les médecins eurent
enfin jugé qu'il avait le pouls plus tranquille et l'esprit
plus rassis, ils en donnèrent le certificat au conseil des
Gangarides. Ce conseil, ayant pris l'avis des licornes,
renvoya humainement le roi des Indes, sa sotte cour et
ses imbéciles guerriers dans leur pays. Cette leçon les
rendit sages, et, depuis ce temps, les Indiens respectèrent
les Gangarides, comme les ignorants qui voudraient s'instruire respectent parmi vous les philosophes chaldéens,
qu'ils ne peuvent égaler. — A propos, mon cher oiseau,
lui dit la princesse, y a-t-il une religion chez les Gangarides ? — S'il y en a une ? Madame, nous nous assemblons pour rendre grâces à Dieu, les jours de la pleine
lune, les hommes dans un grand temple de cèdre, les
femmes dans un autre, de peur des distractions; tous les
oiseaux dans un bocage, les quadrupèdes sur une belle
pelouse. Nous remercions Dieu de tous les biens qu'il
nous a faits. Nous avons surtout des perroquets qui
prêchent à merveille.

« Telle est la patrie de mon cher Amazan; c'est là que
je demeure; j'ai autant d'amitié pour lui qu'il vous a inspiré d'amour. Si vous m'en croyez, nous partirons
ensemble, et vous irez lui rendre sa visite.

— Vraiment, mon oiseau, vous faites là un joli métier,
répondit en souriant la princesse, qui brûlait d'envie de

faire le voyage, et qui n'osait le dire. — Je sers mon ami,
dit l'oiseau; et, après le bonheur de vous aimer, le plus
grand est celui de servir vos amours. »

Formosante ne savait plus où elle en était; elle se
croyait transportée hors de la terre. Tout ce qu'elle
avait vu dans cette journée, tout ce qu'elle voyait, tout
ce qu'elle entendait, et surtout ce qu'elle sentait dans son
cœur, la plongeait dans un ravissement qui passait de
bien loin celui qu'éprouvent aujourd'hui les fortunés
musulmans quand, dégagés de leurs liens terrestres, ils se
voient dans le neuvième ciel entre les bras de leurs houris,
environnés et pénétrés de la gloire et de la félicité célestes.

IV

Elle passa toute la nuit à parler d'Amazan. Elle ne
l'appelait plus que son *berger ;* et c'est depuis ce temps-là
que les noms de *berger* et d'*amant* sont toujours employés
l'un pour l'autre chez quelques nations.

Tantôt elle demandait à l'oiseau si Amazan avait eu
d'autres maîtresses. Il répondait que non, et elle était au
comble de la joie. Tantôt elle voulait savoir à quoi il
passait sa vie; et elle apprenait avec transport qu'il l'employait à faire du bien, à cultiver les arts, à pénétrer les
secrets de la nature, à perfectionner son être. Tantôt elle
voulait savoir si l'âme de son oiseau était de la même
nature que celle de son amant; pourquoi il avait vécu
près de vingt-huit mille ans, tandis que son amant n'en
avait que dix-huit ou dix-neuf. Elle faisait cent questions pareilles, auxquelles l'oiseau répondait avec une
discrétion qui irritait sa curiosité. Enfin, le sommeil ferma
leurs yeux, et livra Formosante à la douce illusion des
songes envoyés par les dieux, qui surpassent quelquefois
la réalité même, et que toute la philosophie des Chaldéens a bien de la peine à expliquer.

Formosante ne s'éveilla que très tard. Il était petit
jour chez elle quand le roi son père entra dans sa chambre.
L'oiseau reçut Sa Majesté avec une politesse respectueuse, alla au-devant de lui, battit des ailes, allongea son
cou, et se remit sur son oranger. Le roi s'assit sur le lit
de sa fille, que ses rêves avaient encore embellie. Sa
grande barbe s'approcha de ce beau visage, et après lui
avoir donné deux baisers, il lui parla en ces mots :

« Ma chère fille, vous n'avez pu trouver hier un mari,

comme je l'espérais; il vous en faut un pourtant : le
salut de mon empire l'exige. J'ai consulté l'oracle, qui,
comme vous savez, ne ment jamais, et qui dirige toute
ma conduite. Il m'a ordonné de vous faire courir le
monde. Il faut que vous voyagiez. — Ah! chez les Gangarides sans doute », dit la princesse; et en prononçant
ces mots, qui lui échappaient, elle sentit bien qu'elle
disait une sottise. Le roi, qui ne savait pas un mot de
géographie, lui demanda ce qu'elle entendait par des
Gangarides. Elle trouva aisément une défaite. Le roi lui
apprit qu'il fallait faire un pèlerinage; qu'il avait nommé
les personnes de sa suite, le doyen des conseillers d'Etat,
le grand aumônier, une dame d'honneur, un médecin,
un apothicaire, et son oiseau, avec tous les domestiques
convenables.

Formosante, qui n'était jamais sortie du palais du roi
son père, et qui jusqu'à la journée des trois rois et
d'Amazan n'avait mené qu'une vie très insipide dans
l'étiquette du faste et dans l'apparence des plaisirs, fut
ravie d'avoir un pèlerinage à faire. « Qui sait, disait-elle
tout bas à son cœur, si les dieux n'inspireront pas à mon
cher Gangaride le même désir d'aller à la même chapelle,
et si je n'aurai pas le bonheur de revoir le pèlerin ? »
Elle remercia tendrement son père, en lui disant qu'elle
avait eu toujours une secrète dévotion pour le saint chez
lequel on l'envoyait.

Bélus donna un excellent dîner à ses hôtes; il n'y avait
que des hommes. C'étaient tous gens fort mal assortis :
rois, princes, ministres, pontifes, tous jaloux les uns des
autres, tous pesant leurs paroles, tous embarrassés de
leurs voisins et d'eux-mêmes. Le repas fut triste, quoiqu'on y bût beaucoup. Les princesses restèrent dans leurs
appartements, occupées chacune de leur départ. Elles
mangèrent à leur petit couvert. Formosante ensuite alla
se promener dans les jardins avec son cher oiseau, qui,
pour l'amuser, vola d'arbre en arbre en étalant sa superbe
queue et son divin plumage.

Le roi d'Egypte, qui était chaud de vin, pour ne pas
dire ivre, demanda un arc et des flèches à un de ses
pages. Ce prince était à la vérité l'archer le plus maladroit de son royaume. Quand il tirait au blanc, la place
où l'on était le plus en sûreté était le but où il visait.
Mais le bel oiseau, en volant aussi rapidement que la
flèche, se présenta lui-même au coup, et tomba tout
sanglant entre les bras de Formosante. L'Egyptien, en

riant d'un sot rire, se retira dans son quartier. La princesse perça le ciel de ses cris, fondit en larmes, se meurtrit les joues et la poitrine. L'oiseau mourant lui dit tout bas : « Brûlez-moi, et ne manquez pas de porter mes cendres vers l'Arabie Heureuse, à l'orient de l'ancienne ville d'Aden ou d'Eden, et de les exposer au soleil sur un petit bûcher de gérofle et de cannelle. » Après avoir proféré ces paroles, il expira. Formosante resta longtemps évanouie et ne revit le jour que pour éclater en sanglots. Son père, partageant sa douleur et faisant des imprécations contre le roi d'Egypte, ne douta pas que cette aventure n'annonçât un avenir sinistre. Il alla vite consulter l'oracle de sa chapelle. L'oracle répondit : « Mélange de tout ; mort vivant, infidélité et constance, perte et gain, calamités et bonheur. » Ni lui ni son conseil n'y purent rien comprendre ; mais enfin il était satisfait d'avoir rempli ses devoirs de dévotion.

Sa fille, éplorée, pendant qu'il consultait l'oracle, fit rendre à l'oiseau les honneurs funèbres qu'il avait ordonnés, et résolut de le porter en Arabie au péril de ses jours. Il fut brûlé dans du lin incombustible avec l'oranger sur lequel il avait couché ; elle en recueillit la cendre dans un petit vase d'or tout entouré d'escarboucles et des diamants qu'on ôta de la gueule du lion. Que ne put-elle, au lieu d'accomplir ce devoir funeste, brûler tout en vie le détestable roi d'Egypte ! C'était là tout son désir. Elle fit tuer, dans son dépit, les deux crocodiles, ses deux hippopotames, ses deux zèbres, ses deux rats, et fit jeter ses deux momies dans l'Euphrate ; si elle avait tenu son bœuf Apis, elle ne l'aurait pas épargné.

Le roi d'Egypte, outré de cet affront, partit sur-le-champ pour faire avancer ses trois cent mille hommes. Le roi des Indes, voyant partir son allié, s'en retourna le jour même, dans le ferme dessein de joindre ses trois cent mille Indiens à l'armée égyptienne. Le roi de Scythie délogea dans la nuit avec la princesse Aldée, bien résolu de venir combattre pour elle à la tête de trois cent mille Scythes, et de lui rendre l'héritage de Babylone, qui lui était dû, puisqu'elle descendait de la branche aînée.

De son côté la belle Formosante se mit en route à trois heures du matin avec sa caravane de pèlerins, se flattant bien qu'elle pourrait aller en Arabie exécuter les dernières volontés de son oiseau, et que la justice des dieux immortels lui rendrait son cher Amazan sans qui elle ne pouvait plus vivre.

Ainsi, à son réveil, le roi de Babylone ne trouva plus personne. « Comme les grandes fêtes se terminent, disait-il, et comme elles laissent un vide étonnant dans l'âme, quand le fracas est passé. » Mais il fut transporté d'une colère vraiment royale lorsqu'il apprit qu'on avait enlevé la princesse Aldée. Il donna ordre qu'on éveillât tous ses ministres, et qu'on assemblât le conseil. En attendant qu'ils vinssent, il ne manqua pas de consulter son oracle ; mais il ne put jamais en tirer que ces paroles si célèbres depuis dans tout l'univers : *Quand on ne marie pas les filles, elles se marient elles-mêmes.*

Aussitôt l'ordre fut donné de faire marcher trois cent mille hommes contre le roi des Scythes. Voilà donc la guerre la plus terrible allumée de tous les côtés ; et elle fut produite par les plaisirs de la plus belle fête qu'on ait jamais donnée sur la terre. L'Asie allait être désolée par quatre armées de trois cent mille combattants chacune. On sent bien que la guerre de Troie, qui étonna le monde quelques siècles après, n'était qu'un jeu d'enfants en comparaison ; mais aussi on doit considérer que dans la querelle des Troyens il ne s'agissait que d'une vieille femme fort libertine qui s'était fait enlever deux fois, au lieu qu'ici il s'agissait de deux filles et d'un oiseau.

Le roi des Indes allait attendre son armée sur le grand et magnifique chemin qui conduisait alors en droiture de Babylone à Cachemire. Le roi des Scythes courait avec Aldée par la belle route qui menait au mont Immaüs. Tous ces chemins ont disparu dans la suite par le mauvais gouvernement. Le roi d'Egypte avait marché à l'occident, et côtoyait la petite mer Méditerranée, que les ignorants Hébreux ont depuis nommée *la Grande Mer*.

A l'égard de la belle Formosante, elle suivit le chemin de Bassora, planté de hauts palmiers qui fournissaient un ombrage éternel et des fruits dans toutes les saisons. Le temple où elle allait en pèlerinage était dans Bassora même. Le saint à qui ce temple avait été dédié était à peu près dans le goût de celui qu'on adora depuis à Lampsaque. Non seulement il procurait des maris aux filles, mais il tenait lieu souvent de mari. C'était le saint le plus fêté de toute l'Asie.

Formosante ne se souciait point du tout du saint de Bassora : elle n'invoquait que son cher berger gangaride, son bel Amazan. Elle comptait s'embarquer à Bassora, et entrer dans l'Arabie Heureuse pour faire ce que l'oiseau mort avait ordonné.

A la troisième couchée, à peine était-elle entrée dans
une hôtellerie où ses fourriers avaient tout préparé pour
elle, qu'elle apprit que le roi d'Egypte y entrait aussi.
Instruit de la marche de la princesse par ses espions, il
avait sur-le-champ changé de route, suivi d'une nombreuse escorte. Il arrive; il fait placer des sentinelles à
toutes les portes; il monte dans la chambre de la belle
Formosante, et lui dit : « Mademoiselle, c'est vous précisément que je cherchais; vous avez fait très peu de cas
de moi lorsque j'étais à Babylone; il est juste de punir
les dédaigneuses et les capricieuses : vous aurez, s'il vous
plaît, la bonté de souper avec moi ce soir; vous n'aurez
point d'autre lit que le mien, et je me conduirai avec vous
selon que j'en serai content. »

Formosante vit bien qu'elle n'était pas la plus forte;
elle savait que le bon esprit consiste à se conformer à sa
situation; elle prit le parti de se délivrer du roi d'Egypte
par une innocente adresse : elle le regarda du coin de
l'œil, ce qui plusieurs siècles après s'est appelé *lorgner ;*
et voici comme elle lui parla avec une modestie, une
grâce, une douceur, un embarras, et une foule de charmes
qui auraient rendu fou le plus sage des hommes, et aveuglé le plus clairvoyant :

« Je vous avoue, monsieur, que je baissai toujours les
yeux devant vous quand vous fîtes l'honneur au roi mon
père de venir chez lui. Je craignais mon cœur, je craignais ma simplicité trop naïve : je tremblais que mon
père et vos rivaux ne s'aperçussent de la préférence que
je vous donnais, et que vous méritez si bien. Je puis à
présent me livrer à mes sentiments. Je jure par le bœuf
Apis, qui est, après vous, tout ce que je respecte le plus
au monde, que vos propositions m'ont enchantée. J'ai
déjà soupé avec vous chez le roi mon père; j'y souperai
encore bien ici sans qu'il soit de la partie : tout ce que
je vous demande, c'est que votre grand aumônier boive
avec nous, il m'a paru à Babylone un très bon convive;
j'ai d'excellent vin de Chiraz, je veux vous en faire goûter
à tous deux. A l'égard de votre seconde proposition, elle
est très engageante; mais il ne convient pas à une fille
bien née d'en parler : qu'il vous suffise de savoir que je
vous regarde comme le plus grand des rois et le plus
aimable des hommes. »

Ce discours fit tourner la tête au roi d'Egypte; il voulut
bien que l'aumônier fût en tiers. « J'ai encore une grâce
à vous demander, lui dit la princesse; c'est de permettre

que mon apothicaire vienne me parler : les filles ont toujours de certaines petites incommodités qui demandent
de certains soins, comme vapeurs de tête, battements de
cœur, coliques, étouffements, auxquels il faut mettre un
certain ordre dans de certaines circonstances ; en un mot,
j'ai un besoin pressant de mon apothicaire, et j'espère
que vous ne me refuserez pas cette légère marque
d'amour.

— Mademoiselle, lui répondit le roi d'Egypte, quoiqu'un apothicaire ait des vues précisément opposées aux
miennes, et que les objets de son art soient le contraire
de ceux du mien, je sais trop bien vivre pour vous refuser
une demande si juste : je vais ordonner qu'il vienne vous
parler en attendant le souper ; je conçois que vous devez
être un peu fatiguée du voyage ; vous devez aussi avoir
besoin d'une femme de chambre, vous pourrez faire venir
celle qui vous agréera davantage ; j'attendrai ensuite vos
ordres et votre commodité. » Il se retira ; l'apothicaire et
la femme de chambre nommée Irla arrivèrent. La princesse avait en elle une entière confiance ; elle lui ordonna
de faire apporter six bouteilles de vin de Chiraz pour le
souper, et d'en faire boire de pareil à tous les sentinelles
qui tenaient ses officiers aux arrêts ; puis elle recommanda
à l'apothicaire de faire mettre dans toutes les bouteilles
certaines drogues de sa pharmacie qui faisaient dormir
les gens vingt-quatre heures, et dont il était toujours
pourvu. Elle fut ponctuellement obéie. Le roi revint
avec le grand aumônier au bout d'une demi-heure : le
souper fut très gai ; le roi et le prêtre vidèrent les six bouteilles, et avouèrent qu'il n'y avait pas de si bon vin en
Egypte ; la femme de chambre eut soin d'en faire boire
aux domestiques qui avaient servi. Pour la princesse, elle
eut grande attention de n'en point boire, disant que son
médecin l'avait mise au régime. Tout fut bientôt
endormi.

L'aumônier du roi d'Egypte avait la plus belle barbe
que pût porter un homme de sa sorte. Formosante la
coupa très adroitement ; puis, l'ayant fait coudre à un
petit ruban, elle l'attacha à son menton. Elle s'affubla de
la robe du prêtre et de toutes les marques de sa dignité,
habilla sa femme de chambre en sacristain de la déesse
Isis ; enfin, s'étant munie de son urne et de ses pierreries,
elle sortit de l'hôtellerie à travers les sentinelles, qui dormaient comme leur maître. La suivante avait eu soin de
faire tenir à la porte deux chevaux prêts. La princesse

ne pouvait mener avec elle aucun des officiers de sa suite : ils auraient été arrêtés par les grandes gardes.

Formosante et Irla passèrent à travers des haies de soldats qui, prenant la princesse pour le grand prêtre, l'appelaient *mon révérendissime père en Dieu*, et lui demandaient sa bénédiction. Les deux fugitives arrivent en vingt-quatre heures à Bassora, avant que le roi fût éveillé. Elles quittèrent alors leur déguisement, qui eût pu donner des soupçons. Elles frétèrent au plus vite un vaisseau qui les porta, par le détroit d'Ormus, au beau rivage d'Eden, dans l'Arabie Heureuse. C'est cet Eden dont les jardins furent si renommés qu'on en fit depuis la demeure des justes ; ils furent le modèle des Champs Elysées, des jardins des Hespérides, et de ceux des îles Fortunées : car, dans ces climats chauds, les hommes n'imaginèrent point de plus grande béatitude que les ombrages et les murmures des eaux. Vivre éternellement dans les cieux avec l'Etre suprême, ou aller se promener dans le jardin, dans le paradis, fut la même chose pour les hommes, qui parlent toujours sans s'entendre, et qui n'ont pu guère avoir encore d'idées nettes ni d'expressions justes.

Dès que la princesse se vit dans cette terre, son premier soin fut de rendre à son cher oiseau les honneurs funèbres qu'il avait exigés d'elle. Ses belles mains dressèrent un petit bûcher de gérofle et de cannelle. Quelle fut sa surprise lorsqu'ayant répandu les cendres de l'oiseau sur ce bûcher, elle le vit s'enflammer de lui-même ! Tout fut bientôt consumé. Il ne parut, à la place des cendres, qu'un gros œuf dont elle vit sortir son oiseau plus brillant qu'il ne l'avait jamais été. Ce fut le plus beau des moments que la princesse eût éprouvés dans toute sa vie ; il n'y en avait qu'un qui pût lui être plus cher : elle le désirait, mais elle ne l'espérait pas.

« Je vois bien, dit-elle à l'oiseau, que vous êtes le phénix dont on m'avait tant parlé. Je suis prête à mourir d'étonnement et de joie. Je ne croyais point à la résurrection ; mais mon bonheur m'en a convaincue. — La résurrection, madame, lui dit le phénix, est la chose du monde la plus simple. Il n'est pas plus surprenant de naître deux fois qu'une. Tout est résurrection dans ce monde ; les chenilles ressuscitent en papillons ; un noyau mis en terre ressuscite en arbre ; tous les animaux ensevelis dans la terre ressuscitent en herbes, en plantes, et nourrissent d'autres animaux dont ils font bientôt une partie de la substance : toutes les particules qui composaient

les corps sont changées en différents êtres. Il est vrai que
je suis le seul à qui le puissant Orosmade ait fait la grâce
de ressusciter dans sa propre nature. »

Formosante, qui, depuis le jour qu'elle vit Amazan et
le phénix pour la première fois, avait passé toutes ses
heures à s'étonner, lui dit : « Je conçois bien que le grand
Etre ait pu former de vos cendres un phénix à peu près
semblable à vous; mais que vous soyez précisément la
même personne, que vous ayez la même âme, j'avoue
que je ne le comprends pas bien clairement. Qu'est
devenue votre âme pendant que je vous portais dans ma
poche après votre mort ?

— Eh! mon Dieu! madame, n'est-il pas aussi facile au
grand Orosmade de continuer son action sur une petite
étincelle de moi-même que de commencer cette action ?
Il m'avait accordé auparavant le sentiment, la mémoire
et la pensée : il me les accorde encore; qu'il ait attaché
cette faveur à un atome de feu élémentaire caché dans
moi, ou à l'assemblage de mes organes, cela ne fait rien
au fond : les phénix et les hommes ignoreront toujours
comment la chose se passe; mais la plus grande grâce
que l'Etre suprême m'ait accordée est de me faire
renaître pour vous. Que ne puis-je passer les vingt-huit
mille ans que j'ai encore à vivre jusqu'à ma prochaine
résurrection entre vous et mon cher Amazan!

— Mon phénix, lui repartit la princesse, songez que
les premières paroles que vous me dîtes à Babylone, et
que je n'oublierai jamais, me flattèrent de l'espérance de
revoir ce cher berger que j'idolâtre : il faut absolument
que nous allions ensemble chez les Gangarides, et que
je le ramène à Babylone. — C'est bien mon dessein, dit
le phénix; il n'y a pas un moment à perdre. Il faut aller
trouver Amazan par le plus court chemin, c'est-à-dire
par les airs. Il y a dans l'Arabie Heureuse deux griffons,
mes amis intimes, qui ne demeurent qu'à cent cinquante milles d'ici : je vais leur écrire par la poste aux
pigeons; ils viendront avant la nuit. Nous aurons tout le
temps de vous faire travailler un petit canapé commode
avec des tiroirs où l'on mettra vos provisions de bouche.
Vous serez très à votre aise dans cette voiture avec votre
demoiselle. Les deux griffons sont les plus vigoureux de
leur espèce; chacun d'eux tiendra un des bras du canapé
entre ses griffes; mais, encore une fois, les moments sont
chers. » Il alla sur-le-champ avec Formosante commander le canapé à un tapissier de sa connaissance. Il fut

achevé en quatre heures. On mit dans les tiroirs des petits pains à la reine, des biscuits meilleurs que ceux de Babylone, des poncires, des ananas, des cocos, des pistaches, et du vin d'Eden, qui l'emporte sur le vin de Chiras autant que celui de Chiras est au-dessus de celui de Surenne.

Le canapé était aussi léger que commode et solide. Les deux griffons arrivèrent dans Eden à point nommé. Formosante et Irla se placèrent dans la voiture. Les deux griffons l'enlevèrent comme une plume. Le phénix tantôt volait auprès, tantôt se perchait sur le dossier. Les deux griffons cinglèrent vers le Gange avec la rapidité d'une flèche qui fend les airs. On ne se reposait que la nuit pendant quelques moments pour manger, et pour faire boire un coup aux deux voituriers.

On arriva enfin chez les Gangarides. Le cœur de la princesse palpitait d'espérance, d'amour et de joie. Le phénix fit arrêter la voiture devant la maison d'Amazan : il demande à lui parler ; mais il y avait trois heures qu'il en était parti, sans qu'on sût où il était allé.

Il n'y a point de termes dans la langue même des Gangarides qui puissent exprimer le désespoir dont Formosante fut accablée. « Hélas ! voilà ce que j'avais craint, dit le phénix ; les trois heures que vous avez passées dans votre hôtellerie sur le chemin de Bassora avec ce malheureux roi d'Egypte vous ont enlevé peut-être pour jamais le bonheur de votre vie : j'ai bien peur que nous n'ayons perdu Amazan sans retour. »

Alors il demanda aux domestiques si on pouvait saluer madame sa mère. Ils répondirent que son mari était mort l'avant-veille et qu'elle ne voyait personne. Le phénix, qui avait du crédit dans la maison, ne laissa pas de faire entrer la princesse de Babylone dans un salon dont les murs étaient revêtus de bois d'oranger à filets d'ivoire ; les sous-bergers et sous-bergères, en longues robes blanches ceintes de garnitures aurore, lui servirent dans cent corbeilles de simple porcelaine cent mets délicieux, parmi lesquels on ne voyait aucun cadavre déguisé : c'était du riz, du sagou, de la semoule, du vermicelle, des macaronis, des omelettes, des œufs au lait, des fromages à la crème, des pâtisseries de toute espèce, des légumes, des fruits d'un parfum et d'un goût dont on n'a point d'idée dans les autres climats ; c'était une profusion de liqueurs rafraîchissantes, supérieures aux meilleurs vins.

Pendant que la princesse mangeait, couchée sur un lit

de roses, quatre pavons, ou paons, ou pans, heureusement muets, l'éventaient de leurs brillantes ailes; deux
cents oiseaux, cent bergers et cent bergères, lui donnèrent
un concert à deux chœurs; les rossignols, les serins, les
fauvettes, les pinsons, chantaient le dessus avec les bergères; les bergers faisaient la haute-contre et la basse :
c'était en tout la belle et simple nature. La princesse
avoua que, s'il y avait plus de magnificence à Babylone,
la nature était mille fois plus agréable chez les Gangarides; mais, pendant qu'on lui donnait cette musique si
consolante et si voluptueuse, elle versait des larmes; elle
disait à la jeune Irla sa compagne : « Ces bergers et ces
bergères, ces rossignols et ces serins font l'amour, et moi,
je suis privée du héros gangaride, digne objet de mes très
tendres et très impatients désirs. »

Pendant qu'elle faisait ainsi cette collation, qu'elle
admirait et qu'elle pleurait, le phénix disait à la mère
d'Amazan : « Madame, vous ne pouvez vous dispenser
de voir la princesse de Babylone; vous savez... — Je sais
tout, dit-elle, jusqu'à son aventure dans l'hôtellerie sur
le chemin de Bassora; un merle m'a tout conté ce matin;
et ce cruel merle est cause que mon fils, au désespoir,
est devenu fou, et a quitté la maison paternelle. — Vous ne
savez donc pas, reprit le phénix, que la princesse m'a
ressuscité ? — Non, mon cher enfant; je savais par le merle
que vous étiez mort, et j'en étais inconsolable. J'étais si
affligée de cette perte, de la mort de mon mari, et du
départ précipité de mon fils, que j'avais fait défendre ma
porte. Mais puisque la princesse de Babylone me fait
l'honneur de me venir voir, faites-la entrer au plus vite;
j'ai des choses de la dernière conséquence à lui dire, et
je veux que vous y soyez présent. » Elle alla aussitôt dans
un autre salon au-devant de la princesse. Elle ne marchait
pas facilement : c'était une dame d'environ trois cents
années; mais elle avait encore de beaux restes, et on
voyait bien que vers les deux cent trente à quarante ans
elle avait été charmante. Elle reçut Formosante avec une
noblesse respectueuse, mêlée d'un air d'intérêt et de douleur qui fit sur la princesse une vive impression.

Formosante lui fit d'abord ses tristes compliments sur
la mort de son mari. « Hélas! dit la veuve, vous devez
vous intéresser à sa perte plus que vous ne pensez. —
J'en suis touchée sans doute, dit Formosante; il était le
père de... » A ces mots elle pleura. « Je n'étais venue que
pour lui et à travers bien des dangers. J'ai quitté pour lui

mon père et la plus brillante cour de l'univers; j'ai été
enlevée par un roi d'Egypte, que je déteste. Echappée à
ce ravisseur, j'ai traversé les airs pour venir voir ce que
j'aime; j'arrive, et il me fuit! » Les pleurs et les sanglots
l'empêchèrent d'en dire davantage.

La mère lui dit alors : « Madame, lorsque le roi
d'Egypte vous ravissait, lorsque vous soupiez avec lui
dans un cabaret sur le chemin de Bassora, lorsque vos
belles mains lui versaient du vin de Chiras, vous souvenez-vous d'avoir vu un merle qui voltigeait dans la
chambre ? — Vraiment oui, vous m'en rappelez la
mémoire; je n'y avais pas fait d'attention; mais, en recueillant mes idées, je me souviens très bien qu'au moment
que le roi d'Egypte se leva de table pour me donner un
baiser, le merle s'envola par la fenêtre en jetant un grand
cri, et ne reparut plus.

— Hélas! madame, reprit la mère d'Amazan, voilà ce
qui fait précisément le sujet de nos malheurs; mon fils
avait envoyé ce merle s'informer de l'état de votre santé
et de tout ce qui se passait à Babylone; il comptait revenir bientôt se mettre à vos pieds et vous consacrer sa vie.
Vous ne savez pas à quel excès il vous adore. Tous les
Gangarides sont amoureux et fidèles; mais mon fils est
le plus passionné et le plus constant de tous. Le merle
vous rencontra dans un cabaret; vous buviez très gaiement avec le roi d'Egypte et un vilain prêtre; il vous vit
enfin donner un tendre baiser à ce monarque, qui avait
tué le phénix, et pour qui mon fils conserve une horreur
invincible. Le merle à cette vue fut saisi d'une juste indignation; il s'envola en maudissant vos funestes amours;
il est revenu aujourd'hui, il a tout conté; mais dans
quels moments, juste ciel! dans le temps où mon fils
pleurait avec moi la mort de son père et celle du phénix;
dans le temps qu'il apprenait de moi qu'il est votre
cousin issu de germain!

— O ciel! mon cousin! madame, est-il possible ? par
quelle aventure ? comment ? quoi! je serais heureuse à ce
point! et je serais en même temps assez infortunée pour
l'avoir offensé!

— Mon fils est votre cousin, vous dis-je, reprit la
mère, et je vais bientôt vous en donner la preuve; mais
en devenant ma parente vous m'arrachez mon fils; il ne
pourra survivre à la douleur que lui a causée votre baiser
donné au roi d'Egypte.

— Ah! ma tante, s'écria la belle Formosante, je jure

par lui et par le puissant Orosmade que ce baiser funeste,
loin d'être criminel, était la plus forte preuve d'amour
que je pusse donner à votre fils. Je désobéissais à mon
père pour lui. J'allais pour lui de l'Euphrate au Gange.
Tombée entre les mains de l'indigne pharaon d'Egypte,
je ne pouvais lui échapper qu'en le trompant. J'en atteste
les cendres et l'âme du phénix, qui étaient alors dans ma
poche; il peut me rendre justice; mais comment votre
fils, né sur les bords du Gange, peut-il être mon cousin,
moi dont la famille règne sur les bords de l'Euphrate
depuis tant de siècles ?

— Vous savez, lui dit la vénérable Gangaride, que
votre grand-oncle Aldée était roi de Babylone, et qu'il
fut détrôné par le père de Bélus. — Oui, madame. —
Vous savez que son fils Aldée avait eu de son mariage
la princesse Aldée, élevée dans votre cour. C'est ce prince,
qui, étant persécuté par votre père, vint se réfugier dans
notre heureuse contrée, sous un autre nom; c'est lui qui
m'épousa; j'en ai eu le jeune prince Aldée-Amazan, le
plus beau, le plus fort, le plus courageux, le plus vertueux
des mortels, et aujourd'hui le plus fou. Il alla aux fêtes
de Babylone sur la réputation de votre beauté : depuis
ce temps-là il vous idolâtre, et peut-être je ne reverrai
jamais mon cher fils. »

Alors elle fit déployer devant la princesse tous les titres
de la maison des Aldées; à peine Formosante daigna les
regarder. « Ah! madame, s'écria-t-elle, examine-t-on ce
qu'on désire ? Mon cœur vous en croit assez. Mais où
est Aldée-Amazan ? où est mon parent, mon amant, mon
roi ? où est ma vie ? quel chemin a-t-il pris ? J'irais le
chercher dans tous les globes que l'Eternel a formés, et
dont il est le plus bel ornement. J'irais dans l'étoile
Canope, dans Sheat, dans Aldébaran; j'irais le convaincre
de mon amour et de mon innocence. »

Le phénix justifia la princesse du crime que lui impu-
tait le merle d'avoir donné par amour un baiser au roi
d'Egypte; mais il fallait détromper Amazan et le ramener.
Il envoie des oiseaux sur tous les chemins; il met en
campagne les licornes : on lui rapporte enfin qu'Amazan
a pris la route de la Chine. « Eh bien! allons à la Chine,
s'écria la princesse; le voyage n'est pas long; j'espère
bien vous ramener votre fils dans quinze jours au plus
tard. » A ces mots, que de larmes de tendresse versèrent
la mère gangaride et la princesse de Babylone! que d'embrassements! que d'effusion de cœur!

Le phénix commanda sur-le-champ un carrosse à six licornes. La mère fournit deux cents cavaliers, et fit présent à la princesse, sa nièce, de quelques milliers des plus beaux diamants du pays. Le phénix, affligé du mal que l'indiscrétion du merle avait causé, fit ordonner à tous les merles de vider le pays; et c'est depuis ce temps qu'il ne s'en trouve plus sur les bords du Gange.

V

Les licornes, en moins de huit jours, amenèrent Formosante, Irla, et le phénix, à Cambalu, capitale de la Chine. C'était une ville plus grande que Babylone, et d'une espèce de magnificence toute différente. Ces nouveaux objets, ces mœurs nouvelles, auraient amusé Formosante si elle avait pu être occupée d'autre chose que d'Amazan.

Dès que l'empereur de la Chine eut appris que la princesse de Babylone était à une porte de la ville, il lui dépêcha quatre mille mandarins en robes de cérémonie; tous se prosternèrent devant elle, et lui présentèrent chacun un compliment écrit en lettres d'or sur une feuille de soie pourpre. Formosante leur dit que si elle avait quatre mille langues, elle ne manquerait pas de répondre sur-le-champ à chaque mandarin; mais que, n'en ayant qu'une, elle les priait de trouver bon qu'elle s'en servît pour les remercier tous en général. Ils la conduisirent respectueusement chez l'empereur.

C'était le monarque de la terre le plus juste, le plus poli, et le plus sage. Ce fut lui qui, le premier, laboura un petit champ de ses mains impériales, pour rendre l'agriculture respectable à son peuple. Il établit, le premier, des prix pour la vertu. Les lois, partout ailleurs, étaient honteusement bornées à punir les crimes. Cet empereur venait de chasser de ses Etats une troupe de bonzes étrangers qui étaient venus du fond de l'Occident, dans l'espoir insensé de forcer toute la Chine à penser comme eux, et qui, sous prétexte d'annoncer des vérités, avaient acquis déjà des richesses et des honneurs. Il leur avait dit, en les chassant, ces propres paroles enregistrées dans les annales de l'empire :

« Vous pourriez faire ici autant de mal que vous en avez fait ailleurs : vous êtes venus prêcher des dogmes d'intolérance chez la nation la plus tolérante de la terre.

Je vous renvoie pour n'être jamais forcé de vous punir. Vous serez reconduits honorablement sur mes frontières; on vous fournira tout pour retourner aux bornes de l'hémisphère dont vous êtes partis. Allez en paix si vous pouvez être en paix, et ne revenez plus. »

La princesse de Babylone apprit avec joie ce jugement et ce discours; elle en était plus sûre d'être bien reçue à la cour, puisqu'elle était très éloignée d'avoir des dogmes intolérants. L'empereur de la Chine, en dînant avec elle tête à tête, eut la politesse de bannir l'embarras de toute étiquette gênante; elle lui présenta le phénix, qui fut très caressé de l'empereur, et qui se percha sur son fauteuil. Formosante, sur la fin du repas, lui confia ingénument le sujet de son voyage, et le pria de faire chercher dans Cambalu le bel Amazan, dont elle lui conta l'aventure, sans lui rien cacher de la fatale passion dont son cœur était enflammé pour ce jeune héros. « A qui en parlez-vous ? lui dit l'empereur de la Chine; il m'a fait le plaisir de venir dans ma cour; il m'a enchanté, cet aimable Amazan : il est vrai qu'il est profondément affligé; mais ses grâces n'en sont que plus touchantes; aucun de mes favoris n'a plus d'esprit que lui; nul mandarin de robe n'a de plus vastes connaissances; nul mandarin d'épée n'a l'air plus martial et plus héroïque; son extrême jeunesse donne un nouveau prix à tous ses talents; si j'étais assez malheureux, assez abandonné du Tien et du Changti pour vouloir être conquérant, je prierais Amazan de se mettre à la tête de mes armées, et je serais sûr de triompher de l'univers entier. C'est bien dommage que son chagrin lui dérange quelquefois l'esprit.

— Ah! monsieur, lui dit Formosante avec un air enflammé et un ton de douleur, de saisissement et de reproche, pourquoi ne m'avez-vous pas fait dîner avec lui ? Vous me faites mourir; envoyez-le prier tout à l'heure. — Madame il est parti ce matin, et il n'a point dit dans quelle contrée il portait ses pas. » Formosante se tourna vers le phénix : « Eh bien, dit-elle, phénix, avez-vous jamais vu une fille plus malheureuse que moi ? Mais, monsieur, continua-t-elle, comment, pourquoi a-t-il pu quitter si brusquement une cour aussi polie que la vôtre, dans laquelle il me semble qu'on voudrait passer sa vie ?

— Voici, madame, ce qui est arrivé. Une princesse du sang, des plus aimables, s'est éprise de passion pour lui, et lui a donné un rendez-vous chez elle à midi; il est parti au point du jour, et il a laissé ce billet, qui a coûté bien des larmes à ma parente.

« Belle princesse du sang de la Chine, vous méritez un cœur qui n'ait jamais été qu'à vous; j'ai juré aux dieux immortels de n'aimer jamais que Formosante, princesse de Babylone, et de lui apprendre comment on peut dompter ses désirs dans ses voyages; elle a eu le malheur de succomber avec un indigne roi d'Egypte : je suis le plus malheureux des hommes; j'ai perdu mon père et le phénix, et l'espérance d'être aimé de Formosante; j'ai quitté ma mère affligée, ma patrie, ne pouvant vivre un moment dans les lieux où j'ai appris que Formosante en aimait un autre que moi; j'ai juré de parcourir la terre et d'être fidèle. Vous me mépriseriez, et les dieux me puniraient, si je violais mon serment; prenez un amant, madame, et soyez aussi fidèle que moi. »

— Ah! laissez-moi cette étonnante lettre, dit la belle Formosante, elle fera ma consolation; je suis heureuse dans mon infortune. Amazan m'aime; Amazan renonce pour moi à la possession des princesses de la Chine; il n'y a que lui sur la terre capable de remporter une telle victoire; il me donne un grand exemple; le phénix sait que je n'en avais pas besoin; il est bien cruel d'être privée de son amant pour le plus innocent des baisers donné par pure fidélité. Mais enfin où est-il allé ? quel chemin a-t-il pris ? daignez me l'enseigner, et je pars. »

L'empereur de la Chine lui répondit qu'il croyait, sur les rapports qu'on lui avait faits, que son amant avait suivi une route qui menait en Scythie. Aussitôt les licornes furent attelées, et la princesse, après les plus tendres compliments, prit congé de l'empereur avec le phénix, sa femme de chambre Irla, et toute sa suite.

Dès qu'elle fut en Scythie, elle vit plus que jamais combien les hommes et les gouvernements diffèrent, et différeront toujours jusqu'au temps où quelque peuple plus éclairé que les autres communiquera la lumière de proche en proche après mille siècles de ténèbres, et qu'il se trouvera dans des climats barbares des âmes héroïques qui auront la force et la persévérance de changer les brutes en hommes. Point de villes en Scythie, par conséquent point d'arts agréables. On ne voyait que de vastes prairies et des nations entières sous des tentes et sur des chars. Cet aspect imprimait la terreur. Formosante demanda dans quelle tente ou dans quelle charrette logeait le roi. On lui dit que depuis huit jours il s'était

mis en marche à la tête de trois cent mille hommes de
cavalerie pour aller à la rencontre du roi de Babylone,
dont il avait enlevé la nièce, la belle princesse Aldée. « Il
a enlevé ma cousine! s'écria Formosante; je ne m'attendais pas à cette nouvelle aventure. Quoi! ma cousine, qui
était trop heureuse de me faire la cour, est devenue reine,
et je ne suis pas encore mariée. » Elle se fit conduire
incontinent aux tentes de la reine.

Leur réunion inespérée dans ces climats lointains, les
choses singulières qu'elles avaient mutuellement à
s'apprendre, mirent dans leur entrevue un charme qui
leur fit oublier qu'elles ne s'étaient jamais aimées; elles
se revirent avec transport; une douce illusion se mit à
la place de la vraie tendresse; elles s'embrassèrent en
pleurant, et il y eut même entre elles de la cordialité ét
de la franchise, attendu que l'entrevue ne se faisait pas
dans un palais.

Aldée reconnut le phénix et la confidente Irla; elle
donna des fourrures de zibeline à sa cousine, qui lui
donna des diamants. On parla de la guerre que les deux
rois entreprenaient; on déplora la condition des hommes,
que des monarques envoient par fantaisie s'égorger pour
des différends que deux honnêtes gens pourraient concilier en une heure; mais surtout on s'entretint du bel
étranger vainqueur des lions, donneur des plus gros diamants de l'univers, faiseur de madrigaux, possesseur du
phénix, devenu le plus malheureux des hommes sur le
rapport d'un merle. « C'est mon cher frère, disait Aldée.
— C'est mon amant! s'écriait Formosante; vous l'avez
vu sans doute, il est peut-être encore ici; car, ma cousine,
il sait qu'il est votre frère; il ne vous aura pas quittée
brusquement comme il a quitté le roi de la Chine.

— Si je l'ai vu, grands dieux! reprit Aldée; il a passé
quatre jours entiers avec moi. Ah! ma cousine, que mon
frère est à plaindre! Un faux rapport l'a rendu absolument fou; il court le monde sans savoir où il va. Figurez-vous qu'il a poussé la démence jusqu'à refuser les
faveurs de la plus belle Scythe de toute la Scythie. Il
partit hier après lui avoir écrit une lettre dont elle a été
désespérée. Pour lui, il est allé chez les Cimmériens. —
Dieu soit loué! s'écria Formosante; encore un refus en
ma faveur! mon bonheur a passé mon espoir, comme
mon malheur a surpassé toutes mes craintes. Faites-moi
donner cette lettre charmante, que je parte, que je le
suive, les mains pleines de ses sacrifices. Adieu, ma

cousine; Amazan est chez les Cimmériens : j'y vole. »

Aldée trouva que la princesse sa cousine était encore plus folle que son frère Amazan. Mais comme elle avait senti elle-même les atteintes de cette épidémie, comme elle avait quitté les délices et la magnificence de Babylone pour le roi des Scythes, comme les femmes s'intéressent toujours aux folies dont l'amour est cause, elle s'attendrit véritablement pour Formosante, lui souhaita un heureux voyage, et lui promit de servir sa passion si jamais elle était assez heureuse pour revoir son frère.

VI

Bientôt la princesse de Babylone et le phénix arrivèrent dans l'empire des Cimmériens, bien moins peuplé, à la vérité, que la Chine, mais deux fois plus étendu; autrefois semblable à la Scythie, et devenu depuis quelque temps aussi florissant que les royaumes qui se vantaient d'instruire les autres Etats.

Après quelques jours de marche on entra dans une très grande ville que l'impératrice régnante faisait embellir; mais elle n'y était pas : elle voyageait alors des frontières de l'Europe à celles de l'Asie pour connaître ses Etats par ses yeux, pour juger des maux et porter les remèdes, pour accroître les avantages, pour semer l'instruction.

Un des principaux officiers de cette ancienne capitale, instruit de l'arrivée de la Babylonienne et du phénix, s'empressa de rendre ses hommages à la princesse, et de lui faire les honneurs du pays, bien sûr que sa maîtresse, qui était la plus polie et la plus magnifique des reines, lui saurait gré d'avoir reçu une si grande dame avec les mêmes égards qu'elle aurait prodigués elle-même.

On logea Formosante au palais, dont on écarta une foule importune de peuple; on lui donna des fêtes ingénieuses. Le seigneur cimmérien, qui était un grand naturaliste, s'entretint beaucoup avec le phénix dans les temps où la princesse était retirée dans son appartement. Le phénix lui avoua qu'il avait autrefois voyagé chez les Cimmériens, et qu'il ne reconnaissait plus le pays. « Comment de si prodigieux changements, disait-il, ont-ils pu être opérés dans un temps si court ? Il n'y a pas trois cents ans que je vis ici la nature sauvage dans toute son horreur; j'y trouve aujourd'hui les arts, la splendeur,

la gloire et la politesse. — Un seul homme a commencé
ce grand ouvrage, répondit le Cimmérien; une femme
l'a perfectionné; une femme a été meilleure législatrice
que l'Isis des Egyptiens et la Cérès des Grecs. La plupart
des législateurs ont eu un génie étroit et despotique qui
a resserré leurs vues dans le pays qu'ils ont gouverné;
chacun a regardé son peuple comme étant seul sur la
terre, ou comme devant être l'ennemi du reste de la
terre. Ils ont formé des institutions pour ce seul peuple,
introduit des usages pour lui seul, établi une religion pour
lui seul. C'est ainsi que les Egyptiens, si fameux par des
monceaux de pierres, se sont abrutis et déshonorés par
leurs superstitions barbares. Ils croient les autres nations
profanes, ils ne communiquent point avec elles; et,
excepté la cour, qui s'élève quelquefois au-dessus des préjugés vulgaires, il n'y a pas un Egyptien qui voulût manger dans un plat dont un étranger se serait servi. Leurs
prêtres sont cruels et absurdes. Il vaudrait mieux n'avoir
point de lois, et n'écouter que la nature, qui a gravé dans
nos cœurs les caractères du juste et de l'injuste, que de
soumettre la société à des lois si insociables.

« Notre impératrice embrasse des projets entièrement
opposés : elle considère son vaste Etat, sur lequel tous
les méridiens viennent se joindre, comme devant corres-
pondre à tous les peuples qui habitent sous ces différents
méridiens. La première de ses lois a été la tolérance de
toutes les religions, et la compassion pour toutes les
erreurs. Son puissant génie a connu que si les cultes sont
différents, la morale est partout la même; par ce principe elle a lié sa nation à toutes les nations du monde,
et les Cimmériens vont regarder le Scandinavien et le
Chinois comme leurs frères. Elle a fait plus : elle a voulu
que cette précieuse tolérance, le premier lien des hommes,
s'établît chez ses voisins; ainsi elle a mérité le titre de
mère de la patrie, et elle aura celui de bienfaitrice du
genre humain, si elle persévère.

« Avant elle, des hommes malheureusement puissants
envoyaient des troupes de meurtriers ravir à des peu-
plades inconnues et arroser de leur sang les héritages de
leurs pères : on appelait ces assassins des héros; leur brigandage était de la gloire. Notre souveraine a une autre
gloire : elle a fait marcher des armées pour apporter la
paix, pour empêcher les hommes de se nuire, pour les
forcer à se supporter les uns les autres; et ses étendards
ont été ceux de la concorde publique. »

Le phénix, enchanté de tout ce que lui apprenait ce seigneur, lui dit : « Monsieur, il y a vingt-sept mille neuf cents années et sept mois que je suis au monde; je n'ai encore rien vu de comparable à ce que vous me faites entendre. » Il lui demanda des nouvelles de son ami Amazan; le Cimmérien lui conta les mêmes choses qu'on avait dites à la princesse chez les Chinois et chez les Scythes. Amazan s'enfuyait de toutes les cours qu'il visitait sitôt qu'une dame lui avait donné un rendez-vous auquel il craignait de succomber. Le phénix instruisit bientôt Formosante de cette nouvelle marque de fidélité qu'Amazan lui donnait, fidélité d'autant plus étonnante qu'il ne pouvait pas soupçonner que sa princesse en fût jamais informée.

Il était parti pour la Scandinavie. Ce fut dans ces climats que des spectacles nouveaux frappèrent encore ses yeux. Ici la royauté et la liberté subsistaient ensemble par un accord qui paraît impossible dans d'autres Etats; les agriculteurs avaient part à la législation, aussi bien que les grands du royaume; et un jeune prince donnait les plus grandes espérances d'être digne de commander à une nation libre. Là c'était quelque chose de plus étrange : le seul roi qui fût despotique de droit sur la terre par un contrat formel avec son peuple était en même temps le plus jeune et le plus juste des rois.

Chez les Sarmates, Amazan vit un philosophe sur le trône : on pouvait l'appeler *le roi de l'anarchie*, car il était le chef de cent mille petits rois dont un seul pouvait d'un mot anéantir les résolutions de tous les autres. Eole n'avait pas plus de peine à contenir tous les vents qui se combattent sans cesse, que ce monarque n'en avait à concilier les esprits : c'était un pilote environné d'un éternel orage; et cependant le vaisseau ne se brisait pas, car le prince était un excellent pilote.

En parcourant tous ces pays si différents de sa patrie, Amazan refusait constamment toutes les bonnes fortunes qui se présentaient à lui, toujours désespéré du baiser que Formosante avait donné au roi d'Egypte, toujours affermi dans son inconcevable résolution de donner à Formosante l'exemple d'une fidélité unique et inébranlable.

La princesse de Babylone avec le phénix le suivait partout à la piste, et ne le manquait jamais que d'un jour ou deux, sans que l'un se lassât de courir, et sans que l'autre perdît un moment à le suivre.

Ils traversèrent ainsi toute la Germanie; ils admirèrent

les progrès que la raison et la philosophie faisaient dans
le Nord : tous les princes y étaient instruits, tous auto-
risaient la liberté de penser; leur éducation n'avait point
été confiée à des hommes qui eussent intérêt de les tromper, ou qui fussent trompés eux-mêmes : on les avait
élevés dans la connaissance de la morale universelle, et
dans le mépris des superstitions; on avait banni dans
tous ces Etats un usage insensé, qui énervait et dépeu-
plait plusieurs pays méridionaux : cette coutume était
d'enterrer tout vivants, dans de vastes cachots, un nombre
infini des deux sexes éternellement séparés l'un de
l'autre, et de leur faire jurer de n'avoir jamais de communication ensemble. Cet excès de démence, accrédité
pendant des siècles, avait dévasté la terre autant que les
guerres les plus cruelles.

Les princes du Nord avaient à la fin compris que, si
on voulait avoir des haras, il ne fallait pas séparer les
plus forts chevaux des cavales. Ils avaient détruit aussi
des erreurs non moins bizarres et non moins perni-
cieuses. Enfin les hommes osaient être raisonnables dans
ces vastes pays, tandis qu'ailleurs on croyait encore qu'on
ne peut les gouverner qu'autant qu'ils sont imbéciles.

VII

Amazan arriva chez les Bataves; son cœur éprouva
une douce satisfaction dans son chagrin d'y retrouver
quelque faible image du pays des heureux Gangarides :
la liberté, l'égalité, la propreté, l'abondance, la tolérance;
mais les dames du pays étaient si froides qu'aucune ne
lui fit d'avances comme on lui en avait fait partout ailleurs; il n'eut pas la peine de résister. S'il avait voulu
attaquer ces dames, il les aurait toutes subjuguées l'une
après l'autre, sans être aimé d'aucune; mais il était bien
éloigné de songer à faire des conquêtes.

Formosante fut sur le point de l'attraper chez cette
nation insipide : il ne s'en fallut que d'un moment.

Amazan avait entendu parler chez les Bataves avec tant
d'éloges d'une certaine île, nommée Albion, qu'il s'était
déterminé à s'embarquer, lui et ses licornes, sur un vaisseau qui, par un vent d'orient favorable, l'avait porté en
quatre heures au rivage de cette terre plus célèbre que
Tyr et que l'île Atlantide.

La belle Formosante, qui l'avait suivi au bord de la

Duina, de la Vistule, de l'Elbe, du Véser, arrive enfin
aux bouches du Rhin, qui portait alors ses eaux rapides
dans la mer Germanique.

Elle apprend que son cher amant a vogué aux côtes
d'Albion; elle croit voir son vaisseau; elle pousse des cris
de joie dont toutes les dames bataves furent surprises,
n'imaginant pas qu'un jeune homme pût causer tant de
joie; et à l'égard du phénix, elles n'en firent pas grand
cas, parce qu'elles jugèrent que ses plumes ne pourraient
probablement se vendre aussi bien que celles des canards
et des oisons de leurs marais. La princesse de Babylone
loua ou nolisa deux vaisseaux pour la transporter avec
tout son monde dans cette bienheureuse île, qui allait
posséder l'unique objet de tous ses désirs, l'âme de sa vie,
le dieu de son cœur.

Un vent funeste d'occident s'éleva tout à coup dans le
moment même où le fidèle et malheureux Amazan mettait pied à terre en Albion : les vaisseaux de la princesse
de Babylone ne purent démarrer. Un serrement de cœur,
une douleur amère, une mélancolie profonde, saisirent
Formosante : elle se mit au lit, dans sa douleur, en attendant que le vent changeât; mais il souffla huit jours
entiers avec une violence désespérante. La princesse,
pendant ce siècle de huit jours, se faisait lire par Irla
des romans : ce n'est pas que les Bataves en sussent faire;
mais, comme ils étaient les facteurs de l'univers, ils vendaient l'esprit des autres nations, ainsi que leurs denrées.
La princesse fit acheter chez Marc-Michel Rey tous les
contes que l'on avait écrits chez les Ausoniens et chez
les Velches, et dont le débit était défendu sagement chez
ces peuples pour enrichir les Bataves; elle espérait
qu'elle trouverait dans ces histoires quelque aventure qui
ressemblerait à la sienne, et qui charmerait sa douleur.
Irla lisait, le phénix disait son avis, et la princesse ne
trouvait rien dans *la Paysanne parvenue*, ni dans *le Sopha*,
ni dans *les Quatre Facardins*, qui eût le moindre rapport
à ses aventures; elle interrompait à tout moment la lecture pour demander de quel côté venait le vent.

VIII

Cependant Amazan était déjà sur le chemin de la capitale d'Albion, dans son carrosse à six licornes, et rêvait
à sa princesse. Il aperçut un équipage versé dans un

fossé; les domestiques s'étaient écartés pour aller chercher du secours; le maître de l'équipage restait tranquillement dans sa voiture, ne témoignant pas la plus légère
impatience, et s'amusant à fumer, car on fumait alors :
il se nommait milord *What-then*, ce qui signifie à peu
près milord *Qu'importe* en la langue dans laquelle je tra-
duis ces mémoires.

Amazan se précipita pour lui rendre service; il releva
tout seul la voiture, tant sa force était supérieure à celle
des autres hommes. Milord Qu'importe se contenta de
dire : « Voilà un homme bien vigoureux. » Des rustres
du voisinage, étant accourus, se mirent en colère de ce
qu'on les avait fait venir inutilement, et s'en prirent à
l'étranger : ils le menacèrent en l'appelant *chien d'étranger*, et ils voulurent le battre.

Amazan en saisit deux de chaque main, et les jeta à
vingt pas; les autres le respectèrent, le saluèrent, lui
demandèrent pour boire : il leur donna plus d'argent
qu'ils n'en avaient jamais vu. Milord Qu'importe lui
dit : « Je vous estime; venez dîner avec moi dans ma
maison de campagne, qui n'est qu'à trois milles »; il
monta dans la voiture d'Amazan, parce que la sienne
était dérangée par la secousse.

Après un quart d'heure de silence, il regarda un
moment Amazan, et lui dit : *How dye do ;* à la lettre :
Comment faites-vous faire ? et dans la langue du traducteur : *Comment vous portez-vous ?* ce qui ne veut rien dire
du tout en aucune langue; puis il ajouta : « Vous avez
là six jolies licornes »; et il se remit à fumer.

Le voyageur lui dit que ses licornes étaient à son service; qu'il venait avec elles du pays des Gangarides; et
il en prit occasion de lui parler de la princesse de Babylone, et du fatal baiser qu'elle avait donné au roi d'Egypte;
à quoi l'autre ne répliqua rien du tout, se souciant très
peu qu'il y eût dans le monde un roi d'Egypte et une
princesse de Babylone. Il fut encore un quart d'heure
sans parler; après quoi il redemanda à son compagnon
comment il faisait faire, et si on mangeait du bon *roast-
beef* dans le pays des Gangarides. Le voyageur lui répondit avec sa politesse ordinaire qu'on ne mangeait point
ses frères sur les bords du Gange. Il lui expliqua le système qui fut, après tant de siècles, celui de Pythagore,
de Porphyre, de Iamblique. Sur quoi milord s'endormit,
et ne fit qu'un somme jusqu'à ce qu'on fût arrivé à sa
maison.

Il avait une femme jeune et charmante, à qui la nature avait donné une âme aussi vive et aussi sensible que celle de son mari était indifférente. Plusieurs seigneurs albioniens étaient venus ce jour-là dîner avec elle. Il y avait des caractères de toutes les espèces : car le pays n'ayant presque jamais été gouverné que par des étrangers, les familles venues avec ces princes avaient toutes apporté des mœurs différentes. Il se trouva dans la compagnie des gens très aimables, d'autres d'un esprit supérieur, quelques-uns d'une science profonde.

La maîtresse de la maison n'avait rien de cet air emprunté et gauche, de cette roideur, de cette mauvaise honte qu'on reprochait alors aux jeunes femmes d'Albion ; elle ne cachait point, par un maintien dédaigneux et par un silence affecté, la stérilité de ses idées et l'embarras humiliant de n'avoir rien à dire : nulle femme n'était plus engageante. Elle reçut Amazan avec la politesse et les grâces qui lui étaient naturelles. L'extrême beauté de ce jeune étranger, et la comparaison soudaine qu'elle fit entre lui et son mari, la frappèrent d'abord sensiblement.

On servit. Elle fit asseoir Amazan à côté d'elle, et lui fit manger des poudings de toute espèce, ayant su de lui que les Gangarides ne se nourrissaient de rien qui eût reçu des dieux le don céleste de la vie. Sa beauté, sa force, les mœurs des Gangarides, les progrès des arts, la religion et le gouvernement, furent le sujet d'une conversation aussi agréable qu'instructive pendant le repas, qui dura jusqu'à la nuit, et pendant lequel milord Qu'importe but beaucoup et ne dit mot.

Après le dîner, pendant que milady versait du thé et qu'elle dévorait des yeux le jeune homme, il s'entretenait avec un membre du parlement : car chacun sait que dès lors il y avait un parlement, et qu'il s'appelait *wittenagemoth*, ce qui signifie *l'assemblée des gens d'esprit*. Amazan s'informait de la constitution, des mœurs, des lois, des forces, des usages, des arts, qui rendaient ce pays si recommandable ; et ce seigneur lui parlait en ces termes :

« Nous avons longtemps marché tout nus, quoique le climat ne soit pas chaud. Nous avons été longtemps traités en esclaves par des gens venus de l'antique terre de Saturne, arrosée des eaux du Tibre ; mais nous nous sommes fait nous-mêmes beaucoup plus de maux que nous n'en avions essuyé de nos premiers vainqueurs. Un de nos rois poussa la bassesse jusqu'à se déclarer sujet d'un prêtre qui demeurait aussi sur les bords du Tibre,

et qu'on appelait *le Vieux des sept montagnes* : tant la
destinée de ces sept montagnes a été longtemps de dominer sur une grande partie de l'Europe habitée alors par
des brutes!

« Après ces temps d'avilissement sont venus des siècles
de férocité et d'anarchie. Notre terre, plus orageuse que
les mers qui l'environnent, a été saccagée et ensanglantée
par nos discordes. Plusieurs têtes couronnées ont péri
par le dernier supplice. Plus de cent princes du sang des
rois ont fini leurs jours sur l'échafaud; on a arraché le
cœur de tous leurs adhérents, et on en a battu leurs joues.
C'était au bourreau qu'il appartenait d'écrire l'histoire
de notre île, puisque c'était lui qui avait terminé toutes
les grandes affaires.

« Il n'y a pas longtemps que, pour comble d'horreur,
quelques personnes portant un manteau noir, et d'autres
qui mettaient une chemise blanche par-dessus leur
jaquette, ayant été mordues par des chiens enragés com-
muniquèrent la rage à la nation entière. Tous les citoyens
furent ou meurtriers ou égorgés, ou bourreaux ou sup-
pliciés, ou déprédateurs ou esclaves, au nom du ciel et
en cherchant le Seigneur.

« Qui croirait que de cet abîme épouvantable, de ce
chaos de dissensions, d'atrocités, d'ignorance et de fanatisme, il est enfin résulté le plus parfait gouvernement
peut-être qui soit aujourd'hui dans le monde ? Un roi
honoré et riche, tout-puissant pour faire le bien, impuissant pour faire le mal, est à la tête d'une nation libre,
guerrière, commerçante et éclairée. Les grands d'un côté,
et les représentants des villes de l'autre, partagent la
législation avec le monarque.

« On avait vu, par une fatalité singulière, le désordre,
les guerres civiles, l'anarchie et la pauvreté, désoler le
pays quand les rois affectaient le pouvoir arbitraire. La
tranquillité, la richesse, la félicité publique, n'ont régné
chez nous que quand les rois ont reconnu qu'ils n'étaient
pas absolus. Tout était subverti quand on disputait sur
des choses inintelligibles; tout a été dans l'ordre quand
on les a méprisées. Nos flottes victorieuses portent notre
gloire sur toutes les mers; et les lois mettent en sûreté
nos fortunes : jamais un juge ne peut les expliquer arbi-
trairement; jamais on ne rend un arrêt qui ne soit motivé.
Nous punirions comme des assassins des juges qui oseraient envoyer à la mort un citoyen sans manifester les
témoignages qui l'accusent et la loi qui le condamne.

« Il est vrai qu'il y a toujours chez nous deux partis qui se combattent avec la plume et avec des intrigues; mais aussi ils se réunissent toujours quand il s'agit de prendre les armes pour défendre la patrie et la liberté. Ces deux partis veillent l'un sur l'autre; ils s'empêchent mutuellement de violer le dépôt sacré des lois; ils se haïssent, mais ils aiment l'Etat : ce sont des amants jaloux qui servent à l'envi la même maîtresse.

« Du même fonds d'esprit qui nous a fait connaître et soutenir les droits de la nature humaine nous avons porté les sciences au plus haut point où elles puissent parvenir chez les hommes. Vos Egyptiens, qui passent pour de si grands mécaniciens; vos Indiens, qu'on croit de si grands philosophes; vos Babyloniens, qui se vantent d'avoir observé les astres pendant quatre cent trente mille années; les Grecs, qui ont écrit tant de phrases et si peu de choses, ne savent précisément rien en comparaison de nos moindres écoliers, qui ont étudié les découvertes de nos grands maîtres. Nous avons arraché plus de secrets à la nature dans l'espace de cent années que le genre humain n'en avait découvert dans la multitude des siècles.

« Voilà au vrai l'état où nous sommes. Je ne vous ai caché ni le bien, ni le mal, ni nos opprobres, ni notre gloire; et je n'ai rien exagéré. »

Amazan, à ce discours, se sentit pénétré du désir de s'instruire dans ces sciences sublimes dont on lui parlait; et si sa passion pour la princesse de Babylone, son respect filial pour sa mère, qu'il avait quittée, et l'amour de sa patrie, n'eussent fortement parlé à son cœur déchiré, il aurait voulu passer sa vie dans l'île d'Albion; mais ce malheureux baiser donné par sa princesse au roi d'Egypte ne lui laissait pas assez de liberté dans l'esprit pour étudier les hautes sciences.

« Je vous avoue, dit-il, que m'ayant imposé la loi de courir le monde et de m'éviter moi-même, je serais curieux de voir cette antique terre de Saturne, ce peuple du Tibre et des sept montagnes à qui vous avez obéi autrefois; il faut, sans doute, que ce soit le premier peuple de la terre. — Je vous conseille de faire ce voyage, lui répondit l'Albionien, pour peu que vous aimiez la musique et la peinture. Nous allons très souvent nous-mêmes porter quelquefois notre ennui vers les sept montagnes. Mais vous serez bien étonné en voyant les descendants de nos vainqueurs. »

Cette conversation fut longue. Quoique le bel Amazan
eût la cervelle un peu attaquée, il parlait avec tant d'agréments, sa voix était si touchante, son maintien si noble
et si doux, que la maîtresse de la maison ne put s'empêcher de l'entretenir à son tour tête à tête. Elle lui serra
tendrement la main en lui parlant, et en le regardant
avec des yeux humides et étincelants qui portaient les
désirs dans tous les ressorts de la vie. Elle le retint à
souper et à coucher. Chaque instant, chaque parole,
chaque regard, enflammèrent sa passion. Dès que tout
le monde fut retiré, elle lui écrivit un petit billet, ne dou-
tant pas qu'il ne vînt lui faire la cour dans son lit, tandis
que milord Qu'importe dormait dans le sien. Amazan
eut encore le courage de résister : tant un grain de folie
produit d'effets miraculeux dans une âme forte et profondément blessée.

Amazan, selon sa coutume, fit à la dame une réponse
respectueuse, par laquelle il lui représentait la sainteté
de son serment, et l'obligation étroite où il était d'apprendre à la princesse de Babylone à dompter ses passions ; après quoi il fit atteler ses licornes, et repartit pour
la Batavie, laissant toute la compagnie émerveillée de lui,
et la dame du logis désespérée. Dans l'excès de sa douleur, elle laissa traîner la lettre d'Amazan ; milord
Qu'importe la lut le lendemain matin. « Voilà, dit-il en
levant les épaules, de bien plates niaiseries » ; et il alla
chasser au renard avec quelques ivrognes du voisinage.

Amazan voguait déjà sur la mer, muni d'une carte
géographique dont lui avait fait présent le savant Albionien qui s'était entretenu avec lui chez milord Qu'importe. Il voyait avec surprise une grande partie de la
terre sur une feuille de papier.

Ses yeux et son imagination s'égaraient dans ce petit
espace ; il regardait le Rhin, le Danube, les Alpes du
Tyrol, marqués alors par d'autres noms, et tous les pays
par où il devait passer avant d'arriver à la ville des sept
montagnes ; mais surtout il jetait les yeux sur la contrée
des Gangarides, sur Babylone, où il avait vu sa chère
princesse, et sur le fatal pays de Bassora, où elle avait
donné un baiser au roi d'Egypte. Il soupirait, il versait
des larmes ; mais il convenait que l'Albionien, qui lui
avait fait présent de l'univers en raccourci, n'avait pas eu
tort en disant qu'on était mille fois plus instruit sur les
bords de la Tamise que sur ceux du Nil, de l'Euphrate,
et du Gange.

Comme il retournait en Batavie, Formosante volait vers Albion avec ses deux vaisseaux, qui cinglaient à pleines voiles; celui d'Amazan et celui de la princesse se croisèrent, se touchèrent presque : les deux amants étaient près l'un de l'autre, et ne pouvaient s'en douter. Ah, s'ils l'avaient su! Mais l'impérieuse destinée ne le permit pas.

IX

Sitôt qu'Amazan fut débarqué sur le terrain égal et fangeux de la Batavie, il partit comme un éclair pour la ville aux sept montagnes. Il fallut traverser la partie méridionale de la Germanie. De quatre milles en quatre milles on trouvait un prince et une princesse, des filles d'honneur, et des gueux. Il était étonné des coquetteries que ces dames et ces filles d'honneur lui faisaient partout avec la bonne foi germanique, et il n'y répondait que par de modestes refus. Après avoir franchi les Alpes, il s'embarqua sur la mer de Dalmatie, et aborda dans une ville qui ne ressemblait à rien du tout de ce qu'il avait vu jusqu'alors. La mer formait les rues, les maisons étaient bâties dans l'eau. Le peu de places publiques qui ornaient cette ville était couvert d'hommes et de femmes qui avaient un double visage, celui que la nature leur avait donné, et une face de carton mal peint, qu'ils appliquaient par-dessus : en sorte que la nation semblait composée de spectres. Les étrangers qui venaient dans cette contrée commençaient par acheter un visage, comme on se pourvoit ailleurs de bonnets et de souliers. Amazan dédaigna cette mode contre nature; il se présenta tel qu'il était. Il y avait dans la ville douze mille filles enregistrées dans le grand livre de la république : filles utiles à l'Etat, chargées du commerce le plus avantageux et le plus agréable qui ait jamais enrichi une nation. Les négociants ordinaires envoyaient à grands frais et à grands risques des étoffes dans l'Orient; ces belles négociantes faisaient sans aucun risque un trafic toujours renaissant de leurs attraits. Elles vinrent toutes se présenter au bel Amazan, et lui offrir le choix. Il s'enfuit au plus vite en prononçant le nom de l'incomparable princesse de Babylone, et en jurant par les dieux immortels qu'elle était plus belle que toutes les douze mille filles vénitiennes. « Sublime friponne, s'écriait-il dans ses transports, je vous apprendrai à être fidèle! »

Enfin les ondes jaunes du Tibre, des marais empestés, des habitants hâves, décharnés et rares, couverts de vieux manteaux troués qui laissaient voir leur peau sèche et tannée, se présentèrent à ses yeux, et lui annoncèrent qu'il était à la porte de la ville aux sept montagnes, de cette ville de héros et de législateurs qui avaient conquis et policé une grande partie du globe.

Il s'était imaginé qu'il verrait à la porte triomphale cinq cents bataillons commandés par des héros, et, dans le sénat, une assemblée de demi-dieux, donnant des lois à la terre; il trouva, pour toute armée, une trentaine de gredins montant la garde avec un parasol, de peur du soleil. Ayant pénétré jusqu'à un temple qui lui parut très beau, mais moins que celui de Babylone, il fut assez surpris d'y entendre une musique exécutée par des hommes qui avaient des voix de femmes.

« Voilà, dit-il, un plaisant pays que cette antique terre de Saturne! J'ai vu une ville où personne n'avait son visage; en voici une autre où les hommes n'ont ni leur voix ni leur barbe. » On lui dit que ces chantres n'étaient plus hommes, qu'on les avait dépouillés de leur virilité afin qu'ils chantassent plus agréablement les louanges d'une prodigieuse quantité de gens de mérite. Amazan ne comprit rien à ce discours. Ces messieurs le prièrent de chanter; il chanta un air gangaride avec sa grâce ordinaire.

Sa voix était une très belle haute-contre. « Ah! monsignor, lui dirent-ils, quel charmant soprano vous auriez! Ah! si... — Comment, si ? Que prétendez-vous dire ? — Ah! monsignor!... — Eh bien ? — Si vous n'aviez point de barbe! » Alors ils lui expliquèrent très plaisamment, et avec des gestes fort comiques, selon leur coutume, de quoi il était question. Amazan demeura tout confondu. « J'ai voyagé, dit-il, et jamais je n'ai entendu parler d'une telle fantaisie. »

Lorsqu'on eut bien chanté, le *Vieux des sept montagnes* alla en grand cortège à la porte du temple; il coupa l'air en quatre avec le pouce élevé, deux doigts étendus et deux autres pliés, en disant ces mots dans une langue qu'on ne parlait plus : *A la ville et à l'univers* [b]. Le Gangaride ne pouvait comprendre que deux doigts pussent atteindre si loin.

Il vit bientôt défiler toute la cour du maître du monde :

_____

b. *Urbi et orbi.*

elle était composée de graves personnages, les uns en robes rouges, les autres en violet; presque tous regardaient le bel Amazan en adoucissant les yeux; ils lui faisaient des révérences, et se disaient l'un à l'autre : *San Martino, che bel ragazzo ! San Pancratio, che bel fanciullo !*

Les ardents, dont le métier était de montrer aux étrangers les curiosités de la ville, s'empressèrent de lui faire voir des masures où un muletier ne voudrait pas passer la nuit, mais qui avaient été autrefois de dignes monuments de la grandeur d'un peuple roi. Il vit encore des tableaux de deux cents ans, et des statues de plus de vingt siècles, qui lui parurent des chefs-d'œuvre. « Faites-vous encore de pareils ouvrages ?

— Non, Votre Excellence, lui répondit un des ardents; mais nous méprisons le reste de la terre, parce que nous conservons ces raretés. Nous sommes des espèces de fripiers qui tirons notre gloire des vieux habits qui restent dans nos magasins. »

Amazan voulut voir le palais du prince : on l'y conduisit. Il vit des hommes en violet qui comptaient l'argent des revenus de l'Etat : tant d'une terre située sur le Danube, tant d'une autre sur la Loire, ou sur le Guadalquivir, ou sur la Vistule. « Oh! oh! dit Amazan après avoir consulté sa carte de géographie, votre maître possède donc toute l'Europe comme ces anciens héros des sept montagnes ? — Il doit posséder l'univers entier de droit divin, lui répondit un violet; et même il a été un temps où ses prédécesseurs ont approché de la monarchie universelle; mais leurs successeurs ont la bonté de se contenter aujourd'hui de quelque argent que les rois leurs sujets leur font payer en forme de tribut.

— Votre maître est donc en effet le roi des rois ? C'est donc là son titre ? dit Amazan. — Non, Votre Excellence; son titre est *serviteur des serviteurs ;* il est originairement poissonnier et portier, et c'est pourquoi les emblèmes de sa dignité sont des clefs et des filets; mais il donne toujours des ordres à tous les rois. Il n'y a pas longtemps qu'il envoya cent et un commandements à un roi du pays des Celtes, et le roi obéit.

— Votre poissonnier, dit Amazan, envoya donc cinq ou six cent mille hommes pour faire exécuter ses cent et une volontés ?

— Point du tout, Votre Excellence; notre saint maître n'est point assez riche pour soudoyer dix mille soldats;

mais il a quatre à cinq cent mille prophètes divins distri-
bués dans les autres pays. Ces prophètes de toutes couleurs sont, comme de raison, nourris aux dépens des
peuples ; ils annoncent de la part du ciel que mon maître
peut avec ses clefs ouvrir et fermer toutes les serrures,
et surtout celles des coffres-forts. Un prêtre normand,
qui avait auprès du roi dont je vous parle la charge de
confident de ses pensées, le convainquit qu'il devait
obéir sans réplique aux cent et une pensées de mon
maître : car il faut que vous sachiez qu'une des préroga-
tives du *Vieux des sept montagnes* est d'avoir toujours
raison, soit qu'il daigne parler, soit qu'il daigne écrire.

— Parbleu, dit Amazan, voilà un singulier homme !
je serais curieux de dîner avec lui. — Votre Excellence,
quand vous seriez roi, vous ne pourriez manger à sa
table ; tout ce qu'il pourrait faire pour vous, ce serait de
vous en faire servir une à côté de lui plus petite et plus
basse que la sienne. Mais, si vous voulez avoir l'honneur
de lui parler, je lui demanderai audience pour vous,
moyennant la *buona mancia*, que vous aurez la bonté de
me donner. — Très volontiers », dit le Gangaride. Le
violet s'inclina. « Je vous introduirai demain, dit-il ; vous
ferez trois génuflexions, et vous baiserez les pieds du
Vieux des sept montagnes. » A ces mots, Amazan fit de si
prodigieux éclats de rire qu'il fut près de suffoquer ; il
sortit en se tenant les côtés, et rit aux larmes pendant
tout le chemin, jusqu'à ce qu'il fût arrivé à son hôtellerie,
où il rit encore très longtemps.

A son dîner, il se présenta vingt hommes sans barbe
et vingt violons qui lui donnèrent un concert. Il fut
courtisé le reste de la journée par les seigneurs les plus
importants de la ville : ils lui firent des propositions
encore plus étranges que celle de baiser les pieds du
Vieux des sept montagnes. Comme il était extrêmement
poli, il crut d'abord que ces messieurs le prenaient pour
une dame, et les avertit de leur méprise avec l'honnêteté
la plus circonspecte. Mais, étant pressé un peu vivement
par deux ou trois des plus déterminés violets, il les jeta
par les fenêtres, sans croire faire un grand sacrifice à la
belle Formosante. Il quitta au plus vite cette ville des
maîtres du monde, où il fallait baiser un vieillard à
l'orteil, comme si sa joue était à son pied, et où l'on
n'abordait les jeunes gens qu'avec des cérémonies encore
plus bizarres.

X

De province en province, ayant toujours repoussé les agaceries de toute espèce, toujours fidèle à la princesse de Babylone, toujours en colère contre le roi d'Egypte, ce modèle de constance parvint à la capitale nouvelle des Gaules. Cette ville avait passé, comme tant d'autres, par tous les degrés de la barbarie, de l'ignorance, de la sottise et de la misère. Son premier nom avait été *la boue* et *la crotte;* ensuite elle avait pris celui d'Isis, du culte d'Isis parvenu jusque chez elle. Son premier sénat avait été une compagnie de bateliers. Elle avait été longtemps esclave des héros déprédateurs des sept montagnes; et, après quelques siècles, d'autres héros brigands, venus de la rive ultérieure du Rhin, s'étaient emparés de son petit terrain.

Le temps, qui change tout, en avait fait une ville dont la moitié était très noble et très agréable, l'autre un peu grossière et ridicule : c'était l'emblème de ses habitants. Il y avait dans son enceinte environ cent mille personnes au moins qui n'avaient rien à faire qu'à jouer et à se divertir. Ce peuple d'oisifs jugeait des arts que les autres cultivaient. Ils ne savaient rien de ce qui se passait à la cour; quoiqu'elle ne fût qu'à quatre petits milles d'eux, il semblait qu'elle en fût à six cents milles au moins. La douceur de la société, la gaieté, la frivolité, étaient leur importante et leur unique affaire; on les gouvernait comme des enfants à qui l'on prodigue des jouets pour les empêcher de crier. Si on leur parlait des horreurs qui avaient, deux siècles auparavant, désolé leur patrie, et des temps épouvantables où la moitié de la nation avait massacré l'autre pour des sophismes, ils disaient qu'en effet cela n'était pas bien, et puis ils se mettaient à rire et à chanter des vaudevilles.

Plus les oisifs étaient polis, plaisants, et aimables, plus on observait un triste contraste entre eux et des compagnies d'occupés.

Il était, parmi ces occupés, ou qui prétendaient l'être, une troupe de sombres fanatiques, moitié absurdes, moitié fripons, dont le seul aspect contristait la terre, et qui l'auraient bouleversée, s'ils l'avaient pu, pour se donner un peu de crédit; mais la nation des oisifs, en dansant et en chantant, les faisait rentrer dans leurs

cavernes, comme les oiseaux obligent les chats-huants à
se replonger dans les trous des masures.

D'autres occupés, en plus petit nombre, étaient les
conservateurs d'anciens usages barbares contre lesquels
la nature effrayée réclamait à haute voix; ils ne consultaient que leurs registres rongés des vers. S'ils y voyaient
une coutume insensée et horrible, ils la regardaient
comme une loi sacrée. C'est par cette lâche habitude de
n'oser penser par eux-mêmes, et de puiser leurs idées
dans les débris des temps où l'on ne pensait pas, que,
dans la ville des plaisirs, il était encore des mœurs
atroces. C'est par cette raison qu'il n'y avait nulle proportion entre les délits et les peines. On faisait quelquefois souffrir mille morts à un innocent pour lui faire
avouer un crime qu'il n'avait pas commis.

On punissait une étourderie de jeune homme comme
on aurait puni un empoisonnement ou un parricide. Les
oisifs en poussaient des cris perçants, et le lendemain ils
n'y pensaient plus, et ne parlaient que de modes nouvelles.

Ce peuple avait vu s'écouler un siècle entier pendant
lequel les beaux-arts s'élevèrent à un degré de perfection
qu'on n'aurait jamais osé espérer; les étrangers venaient
alors, comme à Babylone, admirer les grands monuments
d'architecture, les prodiges des jardins, les sublimes
efforts de la sculpture et de la peinture. Ils étaient
enchantés d'une musique qui allait à l'âme sans étonner
les oreilles.

La vraie poésie, c'est-à-dire celle qui est naturelle et
harmonieuse, celle qui parle au cœur autant qu'à l'esprit,
ne fut connue de la nation que dans cet heureux siècle.
De nouveaux genres d'éloquence déployèrent des beautés
sublimes. Les théâtres surtout retentirent de chefs-
d'œuvre dont aucun peuple n'approcha jamais. Enfin le
bon goût se répandit dans toutes les professions, au point
qu'il y eut de bons écrivains même chez les druides.

Tant de lauriers, qui avaient levé leurs têtes jusqu'aux
nues, se séchèrent bientôt dans une terre épuisée. Il n'en
resta qu'un très petit nombre dont les feuilles étaient
d'un vert pâle et mourant. La décadence fut produite par
la facilité de faire et par la paresse de bien faire, par la
satiété du beau et par le goût du bizarre. La vanité pro-
tégea des artistes qui ramenaient les temps de la barbarie;
et cette même vanité, en persécutant les talents véritables,
les força de quitter leur patrie; les frelons firent disparaître les abeilles.

Presque plus de véritables arts, presque plus de génie ;
le mérite consistait à raisonner à tort et à travers sur le
mérite du siècle passé : le barbouilleur des murs d'un
cabaret critiquait savamment les tableaux des grands
peintres ; les barbouilleurs de papier défiguraient les
ouvrages des grands écrivains. L'ignorance et le mauvais
goût avaient d'autres barbouilleurs à leurs gages ; on répétait les mêmes choses dans cent volumes sous des titres
différents. Tout était ou dictionnaire ou brochure. Un
gazetier druide écrivait deux fois par semaine les annales
obscures de quelques énergumènes ignorés de la nation,
et de prodiges célestes opérés dans des galetas par de
petits gueux et de petites gueuses ; d'autres ex-druides,
vêtus de noir, prêts de mourir de colère et de faim, se
plaignaient dans cent écrits qu'on ne leur permît plus
de tromper les hommes, et qu'on laissât ce droit à des
boucs vêtus de gris. Quelques archi-druides imprimaient
des libelles diffamatoires.

Amazan ne savait rien de tout cela ; et, quand il l'aurait
su, il ne s'en serait guère embarrassé, n'ayant la tête remplie que de la princesse de Babylone, du roi de l'Egypte,
et de son serment inviolable de mépriser toutes les coquetteries des dames, dans quelque pays que le chagrin
conduisît ses pas.

Toute la populace légère, ignorante, et toujours poussant à l'excès cette curiosité naturelle au genre humain,
s'empressa longtemps autour de ses licornes ; les femmes,
plus sensées, forcèrent les portes de son hôtel pour
contempler sa personne.

Il témoigna d'abord à son hôte quelque désir d'aller à
la cour ; mais des oisifs de bonne compagnie, qui se trouvèrent là par hasard, lui dirent que ce n'était plus la
mode, que les temps étaient bien changés, et qu'il n'y
avait plus de plaisirs qu'à la ville. Il fut invité le soir
même à souper par une dame dont l'esprit et les talents
étaient connus hors de sa patrie, et qui avait voyagé dans
quelques pays où Amazan avait passé. Il goûta fort cette
dame et la société rassemblée chez elle. La liberté y était
décente, la gaieté n'y était point bruyante, la science n'y
avait rien de rebutant, et l'esprit rien d'apprêté. Il vit
que le nom de bonne compagnie n'est pas un vain nom,
quoiqu'il soit souvent usurpé. Le lendemain il dîna dans
une société non moins aimable, mais beaucoup plus
voluptueuse. Plus il fut satisfait des convives, plus on fut
content de lui. Il sentait son âme s'amollir et se dis-

soudre comme les aromates de son pays se fondent doucement à un feu modéré, et s'exhalent en parfums délicieux.

Après le dîner, on le mena à un spectacle enchanteur,
condamné par les druides parce qu'il leur enlevait les
auditeurs dont ils étaient les plus jaloux. Ce spectacle
était un composé de vers agréables, de chants délicieux,
de danses qui exprimaient les mouvements de l'âme, et
de perspectives qui charmaient les yeux en les trompant.
Ce genre de plaisir, qui rassemblait tant de genres, n'était
connu que sous un nom étranger : il s'appelait *Opéra*, ce
qui signifiait autrefois dans la langue des sept montagnes
*travail, soin, occupation, industrie, entreprise, besogne,
affaire*. Cette affaire l'enchanta. Une fille surtout le
charma par sa voix mélodieuse et par les grâces qui
l'accompagnaient : cette fille d'*affaire*, après le spectacle,
lui fut présentée par ses nouveaux amis. Il lui fit présent
d'une poignée de diamants. Elle en fut si reconnaissante
qu'elle ne put le quitter du reste du jour. Il soupa avec
elle, et, pendant le repas, il oublia sa sobriété; et, après
le repas, il oublia son serment d'être toujours insensible
à la beauté, et inexorable aux tendres coquetteries. Quel
exemple de la faiblesse humaine !

La belle princesse de Babylone arrivait alors avec le
phénix, sa femme de chambre Irla, et ses deux cents cavaliers gangarides montés sur leurs licornes. Il fallut
attendre assez longtemps pour qu'on ouvrît les portes.
Elle demanda d'abord si le plus beau des hommes, le
plus courageux, le plus spirituel et le plus fidèle, était
encore dans cette ville. Les magistrats virent bien qu'elle
voulait parler d'Amazan. Elle se fit conduire à son hôtel;
elle entra, le cœur palpitant d'amour : toute son âme était
pénétrée de l'inexprimable joie de revoir enfin dans son
amant le modèle de la constance. Rien ne put l'empêcher
d'entrer dans sa chambre; les rideaux étaient ouverts;
elle vit le bel Amazan dormant entre les bras d'une jolie
brune. Ils avaient tous deux un très grand besoin de
repos.

Formosante jeta un cri de douleur qui retentit dans
toute la maison, mais qui ne put éveiller ni son cousin
ni la fille d'*affaire*. Elle tomba pâmée entre les bras d'Irla.
Dès qu'elle eut repris ses sens, elle sortit de cette chambre
fatale avec une douleur mêlée de rage. Irla s'informa
quelle était cette jeune demoiselle qui passait des heures
si douces avec le bel Amazan. On lui dit que c'était une

fille d'*affaire* fort complaisante, qui joignait à ses talents celui de chanter avec assez de grâce. « O juste ciel, ô puissant Orosmade! s'écriait la belle princesse de Babylone tout en pleurs, par qui suis-je trahie, et pour qui! Ainsi donc celui qui a refusé pour moi tant de princesses m'abandonne pour une farceuse des Gaules! Non, je ne pourrai survivre à cet affront.

— Madame, lui dit Irla, voilà comme sont faits tous les jeunes gens d'un bout du monde à l'autre : fussent-ils amoureux d'une beauté descendue du ciel, ils lui feraient, dans de certains moments, des infidélités pour une servante de cabaret.

— C'en est fait, dit la princesse, je ne le reverrai de ma vie; partons dans l'instant même, et qu'on attelle mes licornes. » Le phénix la conjura d'attendre au moins qu'Amazan fût éveillé, et qu'il pût lui parler. « Il ne le mérite pas, dit la princesse; vous m'offenseriez cruellement : il croirait que je vous ai prié de lui faire des reproches, et que je veux me raccommoder avec lui. Si vous m'aimez, n'ajoutez pas cette injure à l'injure qu'il m'a faite. » Le phénix, qui après tout devait la vie à la fille du roi de Babylone, ne put lui désobéir. Elle repartit avec tout son monde. « Où allons-nous, madame ? lui demandait Irla. — Je n'en sais rien, répondait la princesse; nous prendrons le premier chemin que nous trouverons : pourvu que je fuie Amazan pour jamais, je suis contente. »

Le phénix, qui était plus sage que Formosante, parce qu'il était sans passion, la consolait en chemin; il lui remontrait avec douceur qu'il était triste de se punir pour les fautes d'un autre; qu'Amazan lui avait donné des preuves assez éclatantes et assez nombreuses de fidélité pour qu'elle pût lui pardonner de s'être oublié un moment; que c'était un juste à qui la grâce d'Orosmade avait manqué; qu'il n'en serait que plus constant désormais dans l'amour et dans la vertu; que le désir d'expier sa faute le mettrait au-dessus de lui-même; qu'elle n'en serait que plus heureuse : que plusieurs grandes princesses avant elle avaient pardonné de semblables écarts, et s'en étaient bien trouvées; il lui en rapportait des exemples, et il possédait tellement l'art de conter que le cœur de Formosante fut enfin plus calme et plus paisible; elle aurait voulu n'être point sitôt partie : elle trouvait que ses licornes allaient trop vite, mais elle n'osait revenir sur ses pas; combattue entre l'envie de pardonner et celle de

montrer sa colère, entre son amour et sa vanité, elle laissait aller ses licornes; elle courait le monde selon la prédiction de l'oracle de son père.

Amazan, à son réveil, apprend l'arrivée et le départ de
Formosante et du phénix; il apprend le désespoir et le
courroux de la princesse; on lui dit qu'elle a juré de ne
lui pardonner jamais. « Il ne me reste plus, s'écria-t-il,
qu'à la suivre et à me tuer à ses pieds. »

Ses amis de la bonne compagnie des oisifs accoururent
au bruit de cette aventure; tous lui remontrèrent qu'il
valait infiniment mieux demeurer avec eux; que rien
n'était comparable à la douce vie qu'ils menaient dans le
sein des arts et d'une volupté tranquille et délicate; que
plusieurs étrangers et des rois mêmes avaient préféré ce
repos, si agréablement occupé et si enchanteur, à leur
patrie et à leur trône; que d'ailleurs sa voiture était brisée,
et qu'un sellier lui en faisait une à la nouvelle mode; que
le meilleur tailleur de la ville lui avait déjà coupé une
douzaine d'habits du dernier goût; que les dames les plus
spirituelles et les plus aimables de la ville, chez qui on
jouait très bien la comédie, avaient retenu chacune leur
jour pour lui donner des fêtes. La fille d'*affaire*, pendant
ce temps-là, prenait son chocolat à sa toilette, riait, chantait, et faisait des agaceries au bel Amazan, qui s'aperçut
enfin qu'elle n'avait pas le sens d'un oison.

Comme la sincérité, la cordialité, la franchise, ainsi que
la magnanimité et le courage, composaient le caractère de
ce grand prince, il avait conté ses malheurs et ses voyages
à ses amis; ils savaient qu'il était cousin issu de germain
de la princesse; ils étaient informés du baiser funeste
donné par elle au roi d'Egypte. « On se pardonne, lui
dirent-ils, ces petites frasques entre parents, sans quoi il
faudrait passer sa vie dans d'éternelles querelles. » Rien
n'ébranla son dessein de courir après Formosante; mais,
sa voiture n'étant pas prête, il fut obligé de passer trois
jours parmi les oisifs dans les fêtes et dans les plaisirs;
enfin il prit congé d'eux en les embrassant, en leur faisant accepter les diamants de son pays les mieux montés,
en leur recommandant d'être toujours légers et frivoles,
puisqu'ils n'en étaient que plus aimables et plus heureux.
« Les Germains, disait-il, sont les vieillards de l'Europe;
les peuples d'Albion sont les hommes faits; les habitants
de la Gaule sont les enfants, et j'aime à jouer avec eux. »

XI

Ses guides n'eurent pas de peine à suivre la route de la princesse; on ne parlait que d'elle et de son gros oiseau. Tous les habitants étaient encore dans l'enthousiasme de l'admiration. Les peuples de la Dalmatie et de la Marche d'Ancône éprouvèrent depuis une surprise moins délicieuse quand ils virent une maison voler dans les airs; les bords de la Loire, de la Dordogne, de la Garonne, de la Gironde, retentissaient encore d'acclamations.

Quand Amazan fut au pied des Pyrénées, les magistrats et les druides du pays lui firent danser malgré lui un tambourin; mais sitôt qu'il eut franchi les Pyrénées, il ne vit plus de gaieté et de joie. S'il entendit quelques chansons de loin à loin, elles étaient toutes sur un ton triste : les habitants marchaient gravement avec des grains enfilés et un poignard à leur ceinture. La nation, vêtue de noir, semblait être en deuil. Si les domestiques d'Amazan interrogeaient les passants, ceux-ci répondaient par signes; si on entrait dans une hôtellerie, le maître de la maison enseignait aux gens en trois paroles qu'il n'y avait rien dans la maison, et qu'on pouvait envoyer chercher à quelques milles les choses dont on avait un besoin pressant.

Quand on demandait à ces silenciaires s'ils avaient vu passer la belle princesse de Babylone, ils répondaient avec moins de brièveté : « Nous l'avons vue, elle n'est pas si belle : il n'y a de beau que les teints basanés; elle étale une gorge d'albâtre qui est la chose du monde la plus dégoûtante, et qu'on ne connaît presque point dans nos climats. »

Amazan avançait vers la province arrosée du Bétis. Il ne s'était pas écoulé plus de douze mille années depuis que ce pays avait été découvert par les Tyriens, vers le même temps qu'ils firent la découverte de la grande île Atlantique, submergée quelques siècles après. Les Tyriens cultivèrent la Bétique, que les naturels du pays laissaient en friche, prétendant qu'ils ne devaient se mêler de rien, et que c'était aux Gaulois leurs voisins à venir cultiver leurs terres. Les Tyriens avaient amené avec eux des Palestins, qui, dès ce temps-là, couraient dans tous les climats, pour peu qu'il y eût de l'argent à gagner. Ces

Palestins, en prêtant sur gages à cinquante pour cent, avaient attiré à eux presque toutes les richesses du pays. Cela fit croire aux peuples de la Bétique que les Palestins étaient sorciers; et tous ceux qui étaient accusés de magie étaient brûlés sans miséricorde par une compagnie de druides qu'on appelait *les rechercheurs*, ou *les anthropokaies*. Ces prêtres les revêtaient d'abord d'un habit de masque, s'emparaient de leurs biens, et récitaient dévotement les propres prières des Palestins tandis qu'on les cuisait à petit feu *por l'amor de Dios*.

La princesse de Babylone avait mis pied à terre dans la ville qu'on appela depuis *Sevilla*. Son dessein était de s'embarquer sur le Bétis pour retourner par Tyr à Babylone revoir le roi Bélus son père, et oublier, si elle pouvait, son infidèle amant, ou bien le demander en mariage. Elle fit venir chez elle deux Palestins qui faisaient toutes les affaires de la cour. Ils devaient lui fournir trois vaisseaux. Le phénix fit avec eux tous les arrangements nécessaires, et convint du prix après avoir un peu disputé.

L'hôtesse était fort dévote, et son mari, non moins dévot, était familier, c'est-à-dire espion des druides rechercheurs anthropokaies; il ne manqua pas de les avertir qu'il avait dans sa maison une sorcière et deux Palestins qui faisaient un pacte avec le diable, déguisé en gros oiseau doré. Les rechercheurs, apprenant que la dame avait une prodigieuse quantité de diamants, la jugèrent incontinent sorcière; ils attendirent la nuit pour enfermer les deux cents cavaliers et les licornes, qui dormaient dans de vastes écuries, car les rechercheurs sont poltrons.

Après avoir bien barricadé les portes, ils se saisirent de la princesse et d'Irla; mais ils ne purent prendre le phénix, qui s'envola à tire d'ailes: il se doutait bien qu'il trouverait Amazan sur le chemin des Gaules à Sevilla.

Il le rencontra sur la frontière de la Bétique, et lui apprit le désastre de la princesse. Amazan ne put parler: il était trop saisi, trop en fureur. Il s'arme d'une cuirasse d'acier damasquinée d'or, d'une lance de douze pieds, de deux javelots, et d'une épée tranchante, appelée *la fulminante*, qui pouvait fendre d'un seul coup des arbres, des rochers et des druides; il couvre sa belle tête d'un casque d'or ombragé de plumes de héron et d'autruche. C'était l'ancienne armure de Magog, dont sa sœur Aldée lui avait fait présent dans son voyage en Scythie; le peu de

suivants qui l'accompagnaient montent comme lui chacun sur sa licorne.

Amazan, en embrassant son cher phénix, ne lui dit que
ces tristes paroles : « Je suis coupable; si je n'avais pas
couché avec une fille d'*affaire* dans la ville des oisifs, la
belle princesse de Babylone ne serait pas dans cet état
épouvantable; courons aux anthropokaies. »

Il entre bientôt dans Sevilla : quinze cents alguazils
gardaient les portes de l'enclos où les deux cents Gangarides et leurs licornes étaient renfermés sans avoir à manger; tout était préparé pour le sacrifice qu'on allait faire
de la princesse de Babylone, de sa femme de chambre Irla,
et des deux riches Palestins.

Le grand anthropokaie, entouré de ses petits anthropokaies, était déjà sur son tribunal sacré; une foule de
Sévillois portant des grains enfilés à leurs ceintures joi-
gnaient les deux mains sans dire un mot, et l'on amenait
la belle princesse, Irla, et les deux Palestins, les mains
liées derrière le dos et vêtus d'un habit de masque.

Le phénix entre par une lucarne dans la prison où les
Gangarides commençaient déjà à enfoncer les portes.
L'invincible Amazan les brisait en dehors. Ils sortent tout
armés, tous sur leurs licornes; Amazan se met à leur tête.
Il n'eut pas de peine à renverser les alguazils, les familiers, les prêtres anthropokaies; chaque licorne en perçait
des douzaines à la fois. La fulminante d'Amazan coupait
en deux tous ceux qu'il rencontrait; le peuple fuyait en
manteau noir et en fraise sale, toujours tenant à la main
ses grains bénits *por l'amor de Dios*.

Amazan saisit de sa main le grand rechercheur sur
son tribunal, et le jette sur le bûcher qui était préparé à
quarante pas; il y jeta aussi les autres petits rechercheurs
l'un après l'autre. Il se prosterne ensuite aux pieds de
Formosante. « Ah! que vous êtes aimable, dit-elle, et que
je vous adorerais si vous ne m'aviez pas fait une infidélité
avec une fille d'*affaire!* »

Tandis qu'Amazan faisait sa paix avec la princesse,
tandis que ses Gangarides entassaient dans le bûcher les
corps de tous les anthropokaies, et que les flammes s'élevaient jusqu'aux nues, Amazan vit de loin comme une
armée qui venait à lui. Un vieux monarque, la couronne
en tête, s'avançait sur un char traîné par huit mules
attelées avec des cordes; cent autres chars suivaient. Ils
étaient accompagnés de graves personnages en manteau
noir et en fraise, montés sur de très beaux chevaux; une

multitude de gens à pied suivait en cheveux gras et en silence.

D'abord Amazan fit ranger autour de lui ses Gangarides, et s'avança, la lance en arrêt. Dès que le roi l'aperçut, il ôta sa couronne, descendit de son char, embrassa l'étrier d'Amazan, et lui dit : « Homme envoyé de Dieu, vous êtes le vengeur du genre humain, le libérateur de ma patrie, mon protecteur. Ces monstres sacrés dont vous avez purgé la terre étaient mes maîtres au nom du *Vieux des sept montagnes* ; j'étais forcé de souffrir leur puissance criminelle. Mon peuple m'aurait abandonné si j'avais voulu seulement modérer leurs abominables atrocités. D'aujourd'hui je respire, je règne, et je vous le dois. »

Ensuite il baisa respectueusement la main de Formosante, et la supplia de vouloir bien monter avec Amazan, Irla, et le phénix, dans son carrosse à huit mules. Les deux Palestins, banquiers de la cour, encore prosternés à terre de frayeur et de reconnaissance, se relevèrent, et la troupe des licornes suivit le roi de la Bétique dans son palais.

Comme la dignité du roi d'un peuple grave exigeait que ses mules allassent au petit pas, Amazan et Formosante eurent le temps de lui conter leurs aventures. Il entretint aussi le phénix; il l'admira et le baisa cent fois. Il comprit combien les peuples d'Occident, qui mangeaient les animaux, et qui n'entendaient plus leur langage, étaient ignorants, brutaux et barbares; que les seuls Gangarides avaient conservé la nature et la dignité primitive de l'homme; mais il convenait surtout que les plus barbares des mortels étaient ces rechercheurs anthropokaies, dont Amazan venait de purger le monde. Il ne cessait de le bénir et de le remercier. La belle Formosante oubliait déjà l'aventure de la fille d'*affaire*, et n'avait l'âme remplie que de la valeur du héros qui lui avait sauvé la vie. Amazan, instruit de l'innocence du baiser donné au roi d'Egypte, et de la résurrection du phénix, goûtait une joie pure, et était enivré du plus violent amour.

On dîna au palais, et on y fit assez mauvaise chère. Les cuisiniers de la Bétique étaient les plus mauvais de l'Europe. Amazan conseilla d'en faire venir des Gaules. Les musiciens du roi exécutèrent pendant le repas cet air célèbre qu'on appela dans la suite des siècles *les Folies d'Espagne*. Après le repas on parla d'affaires.

Le roi demanda au bel Amazan, à la belle Formosante et au beau phénix, ce qu'ils prétendaient devenir. « Pour moi, dit Amazan, mon intention est de retourner à Babylone, dont je suis l'héritier présomptif, et de demander à mon oncle Bélus ma cousine issue de germaine, l'incomparable Formosante, à moins qu'elle n'aime mieux vivre avec moi chez les Gangarides.

— Mon dessein, dit la princesse, est assurément de ne jamais me séparer de mon cousin issu de germain. Mais je crois qu'il convient que je me rende auprès du roi mon père, d'autant plus qu'il ne m'a donné permission que d'aller en pèlerinage à Bassora, et que j'ai couru le monde. — Pour moi, dit le phénix, je suivrai partout ces deux tendres et généreux amants.

— Vous avez raison, dit le roi de la Bétique; mais le retour à Babylone n'est pas si aisé que vous le pensez. Je sais tous les jours des nouvelles de ce pays-là par les vaisseaux tyriens, et par mes banquiers palestins, qui sont en correspondance avec tous les peuples de la terre. Tout est en armes vers l'Euphrate et le Nil. Le roi de Scythie redemande l'héritage de sa femme, à la tête de trois cent mille guerriers tous à cheval. Le roi d'Egypte et le roi des Indes désolent aussi les bords du Tigre et de l'Euphrate, chacun à la tête de trois cent mille hommes, pour se venger de ce qu'on s'est moqué d'eux. Pendant que le roi d'Egypte est hors de son pays, son ennemi le roi d'Ethiopie ravage l'Egypte avec trois cent mille hommes, et le roi de Babylone n'a encore que six cent mille hommes sur pied pour se défendre.

« Je vous avoue, continua le roi, que lorsque j'entends parler de ces prodigieuses armées que l'Orient vomit de son sein, et de leur étonnante magnificence; quand je les compare à nos petits corps de vingt à trente mille soldats, qu'il est si difficile de vêtir et de nourrir, je suis tenté de croire que l'Orient a été fait bien longtemps avant l'Occident. Il semble que nous soyons sortis avant-hier du chaos, et hier de la barbarie.

— Sire, dit Amazan, les derniers venus l'emportent quelquefois sur ceux qui sont entrés les premiers dans la carrière. On pense dans mon pays que l'homme est originaire de l'Inde, mais je n'en ai aucune certitude.

— Et vous, dit le roi de la Bétique au phénix, qu'en pensez-vous ? — Sire, répondit le phénix, je suis encore trop jeune pour être instruit de l'antiquité. Je n'ai vécu qu'environ vingt-sept mille ans; mais mon père, qui avait vécu cinq fois cet âge, me disait qu'il avait appris de son père que les contrées de l'Orient avaient toujours été plus peuplées et plus riches que les autres. Il tenait de ses ancêtres que les générations de tous les animaux avaient commencé sur les bords du Gange. Pour moi, je n'ai pas la vanité d'être de cette opinion. Je ne puis croire que les renards d'Albion, les marmottes des Alpes, et les loups de la Gaule, viennent de mon pays; de même que je ne crois pas que les sapins et les chênes de vos contrées descendent des palmiers et des cocotiers des Indes.

— Mais d'où venons-nous donc? dit le roi. — Je n'en sais rien, dit le phénix; je voudrais seulement savoir où la belle princesse de Babylone et mon cher ami Amazan pourront aller. — Je doute fort, repartit le roi, qu'avec ses deux cents licornes il soit en état de percer à travers tant d'armées de trois cent mille hommes chacune. — Pourquoi non? » dit Amazan.

Le roi de la Bétique sentit le sublime du *Pourquoi non*; mais il crut que le sublime seul ne suffisait pas contre des armées innombrables. « Je vous conseille, dit-il, d'aller trouver le roi d'Ethiopie; je suis en relation avec ce prince noir par le moyen de mes Palestins. Je vous donnerai des lettres pour lui. Puisqu'il est l'ennemi du roi d'Egypte, il sera trop heureux d'être fortifié par votre alliance. Je puis vous aider de deux mille hommes très sobres et très braves; il ne tiendra qu'à vous d'en engager autant chez les peuples qui demeurent, ou plutôt qui sautent au pied des Pyrénées, et qu'on appelle *Vasques* ou *Vascons*. Envoyez un de vos guerriers sur une licorne avec quelques diamants : il n'y a point de Vascon qui ne quitte le castel, c'est-à-dire la chaumière de son père, pour vous servir. Ils sont infatigables, courageux et plaisants; vous en serez très satisfait. En attendant qu'ils soient arrivés, nous vous donnerons des fêtes et nous vous préparerons des vaisseaux. Je ne puis trop reconnaître le service que vous m'avez rendu. »

Amazan jouissait du bonheur d'avoir retrouvé Formosante, et de goûter en paix dans sa conversation tous les charmes de l'amour réconcilié, qui valent presque ceux de l'amour naissant.

Bientôt une troupe fière et joyeuse de Vascons arriva en dansant un tambourin; l'autre troupe fière et sérieuse de Bétiquois était prête. Le vieux roi tanné embrassa tendrement les deux amants; il fit charger leurs vaisseaux d'armes, de lits, de jeux d'échecs, d'habits noirs, de golilles, d'oignons, de moutons, de poules, de farine, et de beaucoup d'ail, en leur souhaitant une heureuse traversée, un amour constant, et des victoires.

La flotte aborda le rivage où l'on dit que tant de siècles après la Phénicienne Didon, sœur d'un Pygmalion, épouse d'un Sichée, ayant quitté cette ville de Tyr, vint fonder la superbe ville de Carthage, en coupant un cuir de bœuf en lanières, selon le témoignage des plus graves auteurs de l'antiquité, lesquels n'ont jamais conté de fables, et selon les professeurs qui ont écrit pour les petits garçons; quoique après tout il n'y ait jamais eu personne à Tyr qui se soit appelé Pygmalion, ou Didon, ou Sichée, qui sont des noms entièrement grecs, et quoique enfin il n'y eût point de roi à Tyr en ces temps-là.

La superbe Carthage n'était point encore un port de mer; il n'y avait là que quelques Numides qui faisaient sécher des poissons au soleil. On côtoya la Byzacène et les Syrtes, les bords fertiles où furent depuis Cyrène et la grande Chersonèse.

Enfin on arriva vers la première embouchure du fleuve sacré du Nil. C'est à l'extrémité de cette terre fertile que le port de Canope recevait déjà les vaisseaux de toutes les nations commerçantes, sans qu'on sût si le dieu Canope avait fondé le port, ou si les habitants avaient fabriqué le dieu, ni si l'étoile Canope avait donné son nom à la ville, ou si la ville avait donné le sien à l'étoile. Tout ce qu'on en savait, c'est que la ville et l'étoile étaient fort anciennes, et c'est tout ce qu'on peut savoir de l'origine des choses, de quelque nature qu'elles puissent être.

Ce fut là que le roi d'Ethiopie, ayant ravagé toute l'Egypte, vit débarquer l'invincible Amazan et l'adorable Formosante. Il prit l'un pour le dieu des combats, et l'autre pour la déesse de la beauté. Amazan lui présenta la lettre de recommandation d'Espagne. Le roi d'Ethiopie donna d'abord des fêtes admirables, suivant la coutume indispensable des temps héroïques; ensuite on parla d'aller exterminer les trois cent mille hommes du roi d'Egypte, les trois cent mille de l'empereur des Indes, et les trois cent mille du grand kan des Scythes, qui assiégeaient l'immense, l'orgueilleuse, la voluptueuse ville de Babylone.

Les deux mille Espagnols qu'Amazan avait amenés avec lui dirent qu'ils n'avaient que faire du roi d'Ethiopie

pour secourir Babylone; que c'était assez que leur roi
leur eût ordonné d'aller la délivrer; qu'il suffisait d'eux
pour cette expédition.

Les Vascons dirent qu'ils en avaient bien fait d'autres;
qu'ils battraient tout seuls les Egyptiens, les Indiens et
les Scythes, et qu'ils ne voulaient marcher avec les Espagnols qu'à condition que ceux-ci seraient à l'arrière-
garde.

Les deux cents Gangarides se mirent à rire des prétentions de leurs alliés, et ils soutinrent qu'avec cent licornes
seulement ils feraient fuir tous les rois de la terre. La
belle Formosante les apaisa par sa prudence et par ses
discours enchanteurs. Amazan présenta au monarque
noir ses Gangarides, ses licornes, les Espagnols, les
Vascons, et son bel oiseau.

Tout fut prêt bientôt pour marcher par Memphis, par
Héliopolis, par Arsinoé, par Pétra, par Artémite, par
Sora, par Apamée, pour aller attaquer les trois rois, et
pour faire cette guerre mémorable devant laquelle toutes
les guerres que les hommes ont faites depuis n'ont été
que des combats de coqs et de cailles.

Chacun sait comment le roi d'Ethiopie devint amoureux de la belle Formosante, et comment il la surprit au
lit, lorsqu'un doux sommeil fermait ses longues paupières. On se souvient qu'Amazan, témoin de ce spectacle, crut voir le jour et la nuit couchant ensemble. On
n'ignore pas qu'Amazan, indigné de l'affront, tira soudain sa fulminante, qu'il coupa la tête perverse du nègre
insolent, et qu'il chassa tous les Ethiopiens d'Egypte.
Ces prodiges ne sont-ils pas écrits dans le livre des chroniques d'Egypte ? La renommée a publié de ses cent
bouches les victoires qu'il remporta sur les trois rois
avec ses Espagnols, ses Vascons et ses licornes. Il rendit
la belle Formosante à son père; il délivra toute la suite
de sa maîtresse, que le roi d'Egypte avait réduite en esclavage. Le grand kan des Scythes se déclara son vassal, et
son mariage avec la princesse Aldée fut confirmé. L'invincible et généreux Amazan, reconnu pour héritier du
royaume de Babylone, entra dans la ville en triomphe
avec le phénix, en présence de cent rois tributaires. La
fête de son mariage surpassa en tout celle que le roi Bélus
avait donnée. On servit à table le bœuf Apis rôti. Le roi
d'Egypte et celui des Indes donnèrent à boire aux deux
époux, et ces noces furent célébrées par cinq cents grands
poètes de Babylone.

O muses! qu'on invoque toujours au commencement de son ouvrage, je ne vous implore qu'à la fin. C'est en vain qu'on me reproche de dire grâces sans avoir dit *benedicite*. Muses! vous n'en serez pas moins mes protectrices. Empêchez que des continuateurs téméraires ne gâtent par leurs fables les vérités que j'ai enseignées aux mortels dans ce fidèle récit, ainsi qu'ils ont osé falsifier *Candide*, *l'Ingénu*, et les chastes aventures de la chaste Jeanne, qu'un ex-capucin a défigurées par des vers dignes des capucins, dans des éditions bataves. Qu'ils ne fassent pas ce tort à mon typographe, chargé d'une nombreuse famille, et qui possède à peine de quoi avoir des caractères, du papier et de l'encre.

O muses! imposez silence au détestable Cogé, professeur de bavarderie au collège Mazarin, qui n'a pas été content des discours moraux de Bélisaire et de l'empereur Justinien, et qui a écrit de vilains libelles diffamatoires contre ces deux grands hommes.

Mettez un bâillon au pédant Larcher, qui, sans savoir un mot de l'ancien babylonien, sans avoir voyagé comme moi sur les bords de l'Euphrate et du Tigre, a eu l'imprudence de soutenir que la belle Formosante, fille du plus grand roi du monde, et la princesse Aldée, et toutes les femmes de cette respectable cour, allaient coucher avec tous les palefreniers de l'Asie pour de l'argent, dans le grand temple de Babylone, par principe de religion. Ce libertin de collège, votre ennemi et celui de la pudeur, accuse les belles Egyptiennes de Mendès de n'avoir aimé que des boucs, se proposant en secret, par cet exemple, de faire un tour en Egypte pour avoir enfin de bonnes aventures.

Comme il ne connaît pas plus le moderne que l'antique, il insinue, dans l'espérance de s'introduire auprès de quelque vieille, que notre incomparable Ninon, à l'âge de quatre-vingts ans, coucha avec l'abbé Gédoin, de l'Académie française et de celle des inscriptions et belles-lettres. Il n'a jamais entendu parler de l'abbé de Châteauneuf, qu'il prend pour l'abbé Gédoin. Il ne connaît pas plus Ninon que les filles de Babylone.

Muses, filles du ciel, votre ennemi Larcher fait plus : il se répand en éloges sur la pédérastie; il ose dire que tous les bambins de mon pays sont sujets à cette infamie. Il croit se sauver en augmentant le nombre des coupables.

Nobles et chastes muses, qui détestez également le

pédantisme et la pédérastie, protégez-moi contre maître Larcher !

Et vous, maître Aliboron, dit Fréron, ci-devant soi-disant jésuite, vous dont le Parnasse est tantôt à Bicêtre et tantôt au cabaret du coin ; vous à qui l'on a rendu tant de justice sur tous les théâtres de l'Europe dans l'honnête comédie de *l'Ecossaise ;* vous, digne fils du prêtre Desfontaines, qui naquîtes de ses amours avec un de ces beaux enfants qui portent un fer et un bandeau comme le fils de Vénus, et qui s'élancent comme lui dans les airs, quoiqu'ils n'aillent jamais qu'au haut des cheminées ; mon cher Aliboron, pour qui j'ai toujours eu tant de tendresse, et qui m'avez fait rire un mois de suite du temps de cette *Ecossaise,* je vous recommande ma princesse de Babylone ; dites-en bien du mal afin qu'on la lise.

Je ne vous oublierai point ici, gazetier ecclésiastique, illustre orateur des convulsionnaires, père de l'Eglise fondée par l'abbé Bécherand et par Abraham Chaumeix ; ne manquez pas de dire dans vos feuilles, aussi pieuses qu'éloquentes et sensées, que la *Princesse de Babylone* est hérétique, déiste et athée. Tâchez surtout d'engager le sieur Riballier à faire condamner la *Princesse de Babylone* par la Sorbonne ; vous ferez grand plaisir à mon libraire, à qui j'ai donné cette petite histoire pour ses étrennes.

NOTE

SUR

LES LETTRES D'AMABED

L'indianisme naît au XVIIIe siècle. La colonisation française, le conflit entre Français et Anglais, l'abandon par Louis XV de la plupart des établissements au traité de Paris (1763), avaient porté l'Inde au premier plan de l'actualité. Historien de son temps, Voltaire suivait ces événements qu'il relate dans son *Précis du Siècle de Louis XV*. Redresseur des torts judiciaires, il combat longuement pour la réhabilitation de l'ex-gouverneur Lally-Tollendal, exécuté à la suite d'un procès inique.

Il s'intéresse aussi à l'Inde ancienne : vieille civilisation, indépendante des traditions judaïque et grécolatine, et antérieure à celles-ci. Il croit que les Indiens sont le plus ancien peuple du monde. Sur la religion des brahmanes, sur le *Shasta*, il vient de s'informer dans un ouvrage riche de détails, par l'Anglais Holwell : *Interesting historical events relative to the provinces of Bengal and the empire of Indostan* (1766).

L'idée lui vient donc d'établir un parallèle entre la religion des brahmanes et celle des chrétiens, comme jadis dans sa tragédie de *Zaïre* il avait confronté le christianisme avec l'Islam. Il choisit cette fois-ci le roman par lettres : il écrit *les Lettres d'Amabed* qu'il publie à Genève, en juin 1769.

Depuis longtemps, il méditait de composer un ouvrage dans le genre épistolaire mis à la mode par Richardson (il en parle dans ses lettres à Mme Denis de 1753). Avec cet *Amabed*, il se flatte d'avoir surpassé le romancier anglais. Car, mande-t-il à Thiriot, « dans les six tomes de *Paméla* il n'y a rien : ce n'est qu'une petite fille qui ne veut pas coucher avec son maître à moins qu'il ne l'épouse, et *les Lettres d'Amabed* sont le tableau du monde entier, depuis les rives du Gange jusqu'au Vatican ».

Mais le tableau est peint par Voltaire, non par ses personnages. Un genre qui exige du narrateur qu'il se fasse oublier lui convient mal. On sent trop que derrière Amabed, Adaté, Shastasid, se tient l'auteur qui dirige leur plume, leur prêtant son savoir encyclopédique, leur soufflant ses plaisanteries sur la Bible, les moines, Rome.

Artificielles, manquant de substance humaine, *les Lettres d'Amabed* n'ont jamais connu la faveur. Diderot n'y voyait qu'un « rabâchage de toutes les vieilles polissonneries » de l'auteur, confessant : « Je n'aime pas la religion, mais je ne la hais pas assez pour trouver cela bon. » Dans l'édition critique qu'il en a donnée, M. Alexandre Jovicevich n'a pu qu'enregistrer ce long mépris (Paris, 1961).

« C'est pourtant Voltaire », reconnaissait Diderot. Comme la plupart des œuvres manquées de Voltaire, celle-ci éveille un intérêt de curiosité. L'auteur d'*Amabed* prend rang parmi les fondateurs de la thèse « aryaniste » : selon Shastasid et ses correspondants, la civilisation serait née dans l'Inde, et notamment la religion. Mais Voltaire n'est pas assez injuste pour refuser toute sorte de mérite à l'Europe policée. La Rome pontificale que découvrent les jeunes Indiens a bien des agréments : c'est la Rome de Léon X, capitale de l'un des « grands siècles » voltairiens. Le meilleur et le pire s'y côtoient, comme dans le Paris de *Babouc*. Aussi, comme Babouc, Amabed se laisse-t-il gagner par la « douceur de vivre ». Renonçant aux partis pris sommaires, le roman finit mieux qu'il n'avait commencé.

Dans le début même, on remarque les scènes où s'exprime le baroquisme des lumières : un composé d'érotisme, de cruauté, d'anticléricalisme délirant. Dans des cachots souterrains, des moines lubriques, suppôts d'Inquisition, violentent des jeunes femmes, aussi belles qu'innocentes. On imagine que les lettres seconde, quatrième et cinquième durent avoir au moins un lecteur attentif, en la personne de Louis-Aldonse-Donatien, marquis de Sade.

R. P.

LES LETTRES D'AMABED, ETC.

TRADUITES PAR L'ABBÉ TAMPONET

PREMIÈRE LETTRE

D'AMABED A SHASTASID, GRAND BRAME DE MADURÉ

A Bénarès, le second du mois de la souris,
l'an du renouvellement du monde 115652 [a].

Lumière de mon âme, père de mes pensées, toi qui conduis les hommes dans les voies de l'Eternel, à toi, savant Shastasid, respect et tendresse.

Je me suis déjà rendu la langue chinoise si familière, suivant tes sages conseils, que je lis avec fruit leurs cinq Kings, qui me semblent égaler en antiquité notre *Shasta*, dont tu es l'interprète, les sentences du premier Zoroastre, et les livres de l'Egyptien Thaut.

Il paraît à mon âme, qui s'ouvre toujours devant toi, que ces écrits et ces cultes n'ont rien pris les uns des autres : car nous sommes les seuls à qui Brama, confident de l'Eternel, ait enseigné la rébellion des créatures célestes, le pardon que l'Eternel leur accorde, et la formation de l'homme; les autres peuples n'ont rien dit, ce me semble, de ces choses sublimes.

Je crois surtout que nous ne tenons rien, ni nous, ni les Chinois, des Egyptiens. Ils n'ont pu former une

---

a. Cette date répond à l'année de notre ère vulgaire 1512, deux ans après qu'Alphonse d'Albuquerque eut pris Goa. Il faut savoir que les brames comptaient 111100 années depuis la rébellion et la chute des êtres célestes, et 4552 ans depuis la promulgation du *Shasta*, leur premier livre sacré : ce qui faisait 115652 pour l'année correspondante à notre année 1512, temps auquel régnaient : Babar, dans le Mogol; Ismaël Sophi, en Perse; Sélim, en Turquie; Maximilien Ier, en Allemagne; Louis XII, en France; Jules II, à Rome; Jeanne la Folle, en Espagne; Emmanuel, en Portugal.

société policée et savante que longtemps après nous, puisqu'il leur a fallu dompter leur Nil avant de pouvoir cultiver les campagnes et bâtir leurs villes.

Notre *Shasta* divin n'a, je l'avoue, que quatre mille cinq cent cinquante-deux ans d'antiquité; mais il est prouvé par nos monuments que cette doctrine avait été enseignée de père en fils plus de cent siècles avant la publication de ce sacré livre. J'attends sur cela les instructions de ta paternité.

Depuis la prise de Goa par les Portugais, il est venu quelques docteurs d'Europe à Bénarès. Il y en a un à qui j'enseigne la langue indienne; il m'apprend en récompense un jargon qui a cours dans l'Europe, et qu'on nomme l'*italien*. C'est une plaisante langue. Presque tous les mots se terminent en *a*, en *e*, en *i*, en *o*; je l'apprends facilement, et j'aurai bientôt le plaisir de lire les livres européens.

Ce docteur s'appelle le père Fa tutto; il paraît poli et insinuant; je l'ai présenté à *Charme des yeux*, la belle Adaté, que mes parents et les siens me destinent pour épouse; elle apprend l'italien avec moi. Nous avons conjugué ensemble le verbe *j'aime* dès le premier jour. Il nous a fallu deux jours pour tous les autres verbes. Après elle, tu es le mortel le plus près de mon cœur. Je prie Birmah et Brama de conserver tes jours jusqu'à l'âge de cent trente ans, passé lequel la vie n'est plus qu'un fardeau.

RÉPONSE

DE SHASTASID

J'ai reçu ta lettre, esprit enfant de mon esprit. Puisse Drugha[a], montée sur son dragon, étendre toujours sur toi ses dix bras vainqueurs des vices!

Il est vrai (et nous n'en devons tirer aucune vanité) que nous sommes le peuple de la terre le plus anciennement policé. Les Chinois eux-mêmes n'en disconviennent pas. Les Egyptiens sont un peuple tout nouveau qui fut lui-

---

a. Drugha est le mot indien qui signifie *vertu*. Elle est représentée avec dix bras, et montée sur un dragon pour combattre les vices, qui sont l'intempérance, l'incontinence, le larcin, le meurtre, l'injure, la médisance, la calomnie, la fainéantise, la résistance à ses père et mère, l'ingratitude. C'est cette figure que plusieurs missionnaires ont prise pour le diable.

même enseigné par les Chaldéens. Ne nous glorifions pas d'être les plus anciens, et songeons à être toujours les plus justes.

Tu sauras, mon cher Amabed, que depuis très peu de temps une faible image de notre révélation sur la chute des êtres célestes et le renouvellement du monde a pénétré jusqu'aux Occidentaux. Je trouve, dans une traduction arabe d'un livre syriaque, qui n'est composé que depuis environ quatorze cents ans, ces propres paroles : *L'Eternel tient liées de chaînes éternelles, jusqu'au grand jour du jugement, les puissances célestes qui ont souillé leur dignité première* [b]. L'auteur cite en preuve un livre composé par un de leurs premiers hommes, nommé Enoch. Tu vois par là que les nations barbares n'ont jamais été éclairées que par un rayon faible et trompeur qui s'est égaré vers eux du sein de notre lumière.

Mon cher fils, je crains mortellement l'irruption des barbares d'Europe dans nos heureux climats. Je sais trop quel est cet Albuquerque qui est venu des bords de l'Occident dans ce pays cher à l'astre du jour. C'est un des plus illustres brigands qui aient désolé la terre. Il s'est emparé de Goa contre la foi publique. Il a noyé dans leur sang des hommes justes et paisibles. Ces Occidentaux habitent un pays pauvre qui ne leur produit que très peu de soie : point de coton, point de sucre, nulle épicerie. La terre même dont nous fabriquons la porcelaine leur manque. Dieu leur a refusé le cocotier, qui ombrage, loge, vêtit, nourrit, abreuve les enfants de Brama. Ils ne connaissent qu'une liqueur qui leur fait perdre la raison. Leur vraie divinité est l'or; ils vont chercher ce dieu à une autre extrémité du monde.

Je veux croire que ton docteur est un homme de bien; mais l'Eternel nous permet de nous défier de ces étrangers. S'ils sont moutons à Bénarès, on dit qu'ils sont tigres dans les contrées où les Européens se sont établis.

Puissent ni la belle Adaté ni toi n'avoir jamais à se plaindre du père Fa tutto! Mais un secret pressentiment m'alarme. Adieu. Que bientôt Adaté, unie à toi par un saint mariage, puisse goûter dans tes bras les joies célestes.

Cette lettre te parviendra par un banian, qui ne partira qu'à la pleine lune de l'éléphant.

b. On voit que Shastasid avait lu notre Bible en arabe, et qu'il a en vue l'épître de St. Jude, où se trouvent en effet ces paroles au verset 6. Le livre apocryphe qui n'a jamais existé est celui d'Enoch, cité par St. Jude au verset 14.

SECONDE LETTRE

D'AMABED A SHASTASID

Père de mes pensées, j'ai eu le temps d'apprendre ce
jargon d'Europe avant que ton marchand banian ait pu
arriver sur le rivage du Gange. Le père Fa tutto me
témoigne toujours une amitié sincère. En vérité je commence à croire qu'il ne ressemble point aux perfides dont
tu crains, avec raison, la méchanceté. La seule chose qui
pourrait me donner de la défiance, c'est qu'il me loue
trop, et qu'il ne loue jamais assez Charme des yeux;
mais d'ailleurs il me paraît rempli de vertu et d'onction.
Nous avons lu ensemble un livre de son pays, qui m'a
paru bien étrange. C'est une histoire universelle du
monde entier, dans laquelle il n'est pas dit un mot de
notre antique empire, rien des immenses contrées au-delà
du Gange, rien de la Chine, rien de la vaste Tartarie. Il
faut que les auteurs, dans cette partie de l'Europe, soient
bien ignorants. Je les compare à des villageois qui
parlent avec emphase de leurs chaumières, et qui ne
savent pas où est la capitale; ou plutôt à ceux qui pensent
que le monde finit aux bornes de leur horizon.

Ce qui m'a le plus surpris, c'est qu'ils comptent les
temps depuis la création de leur monde tout autrement
que nous. Mon docteur européan m'a montré un de ses
almanachs sacrés, par lequel ses compatriotes sont à présent dans l'année de leur création 5552, ou dans l'année
6244, ou bien dans l'année 6940 [a], comme on voudra.
Cette bizarrerie m'a surpris. Je lui ai demandé comment
on pouvait avoir trois époques différentes de la même
aventure. « Tu ne peux, lui ai-je dit, avoir à la fois
trente ans, quarante ans, et cinquante ans. Comment ton
monde peut-il avoir trois dates qui se contrarient ? » Il
m'a répondu que ces trois dates se trouvent dans le même
livre, et qu'on est obligé chez eux de croire les contradictions pour humilier la superbe de l'esprit.

Ce même livre traite d'un premier homme qui s'appelait Adam, d'un Caïn, d'un Mathusalem, d'un Noé qui
planta des vignes après que l'océan eut submergé tout le
globe; enfin d'une infinité de choses dont je n'ai jamais

---

[a]. C'est la différence du texte hébreu, du samaritain et des Septante.

entendu parler et que je n'ai lues dans aucun de nos livres. Nous en avons ri, la belle Adaté et moi, en l'absence du père Fa tutto : car nous sommes trop bien élevés et trop pénétrés de tes maximes pour rire des gens en leur présence.

Je plains ces malheureux d'Europe, qui n'ont été créés que depuis 6940 ans tout au plus, tandis que notre ère est de 115652 années. Je les plains davantage de manquer de poivre, de cannelle, de gérofle, de thé, de café, de soie, de coton, de vernis, d'encens, d'aromates, et de tout ce qui peut rendre la vie agréable : il faut que la Providence les ait longtemps oubliés. Mais je les plains encore plus de venir de si loin, parmi tant de périls, ravir nos denrées, les armes à la main. On dit qu'ils ont commis à Calicut des cruautés épouvantables pour du poivre : cela fait frémir la nature indienne, qui est en tout différente de la leur, car leurs poitrines et leurs cuisses sont velues. Ils portent de longues barbes, leurs estomacs sont carnassiers. Ils s'enivrent avec· le jus fermenté de la vigne, plantée, disent-ils, par leur Noé. Le père Fa tutto lui-même, tout poli qu'il est, a égorgé deux petits poulets; il les a fait cuire dans une chaudière, et il les a mangés impitoyablement. Cette action barbare lui a attiré la haine de tout le voisinage, que nous n'avons apaisé qu'avec peine. Dieu me pardonne! je crois que cet étranger aurait mangé nos vaches sacrées, qui nous donnent du lait, si on l'avait laissé faire. Il a bien promis qu'il ne commettrait plus de meurtres envers les poulets, et qu'il se contenterait d'œufs frais, de laitage, de riz, de nos excellents légumes, de pistaches, de dattes, de cocos, de gâteaux, d'amandes, de biscuits, d'ananas, d'oranges, et de tout ce que produit notre climat béni de l'Eternel.

Depuis quelques jours, il paraît plus attentif auprès de Charme des yeux. Il a même fait pour elle deux vers italiens qui finissent en *o*. Cette politesse me plaît beaucoup, car je sais que mon bonheur est qu'on rende justice à ma chère Adaté.

Adieu. Je me mets à tes pieds, qui t'ont toujours conduit dans la voie droite, et je baise tes mains, qui n'ont jamais écrit que la vérité.

RÉPONSE

DE SHASTASID

Mon cher fils en Birmah, en Brama, je n'aime point ton Fa tutto, qui tue des poulets, et qui fait des vers pour ta chère Adaté. Veuille Birmah rendre vains mes soupçons!

Je puis te jurer qu'on n'a jamais connu son Adam ni son Noé dans aucune partie du monde, tout récents qu'ils sont. La Grèce même, qui était le rendez-vous de toutes les fables quand Alexandre approcha de nos frontières, n'entendit jamais parler de ces noms-là. Je ne m'étonne pas que des amateurs du vin, tels que les peuples occidentaux, fassent un si grand cas de celui qui, selon eux, planta la vigne; mais sois sûr que Noé a été ignoré de toute l'antiquité connue.

Il est vrai que du temps d'Alexandre il y avait dans un coin de la Phénicie un petit peuple de courtiers et d'usuriers, qui avait été longtemps esclave à Babylone. Il se forgea une histoire pendant sa captivité, et c'est dans cette seule histoire qu'il ait jamais été question de Noé. Quand ce petit peuple obtint depuis des privilèges dans Alexandrie, il y traduisit ses annales en grec. Elles furent ensuite traduites en arabe, et ce n'est que dans nos derniers temps que nos savants en ont eu quelque connaissance; mais cette histoire est aussi méprisée par eux que la misérable horde qui l'a écrite [a].

Il serait plaisant, en effet, que tous les hommes, qui sont frères, eussent perdu leurs titres de famille, et que ces titres ne se retrouvassent que dans une petite branche composée d'usuriers et de lépreux. J'ai peur, mon cher ami, que les concitoyens de ton père Fa tutto, qui ont, comme tu me le mandes, adopté ces idées, ne soient aussi insensés, aussi ridicules, qu'ils sont intéressés, perfides, et cruels.

Epouse au plus tôt ta charmante Adaté, car, encore une fois, je crains les Fa tutto plus que les Noé.

---

a. On voit bien que Shastasid parle ici en brame qui n'a pas le don de la foi, et à qui la grâce a manqué.

TROISIÈME LETTRE

D'AMABED A SHASTASID

Béni soit à jamais Birmah, qui a fait l'homme pour la femme! Sois béni, ô cher Shastasid, qui t'intéresses tant à mon bonheur! Charme des yeux est à moi; je l'ai épousée. Je ne touche plus à la terre; je suis dans le ciel: il n'a manqué que toi à cette divine cérémonie. Le docteur Fa tutto a été témoin de nos saints engagements; et, quoiqu'il ne soit pas de notre religion, il n'a fait nulle difficulté d'écouter nos chants et nos prières : il a été fort gai au festin des noces. Je succombe à ma félicité. Tu jouis d'un autre bonheur : tu possèdes la sagesse; mais l'incomparable Adaté me possède. Vis longtemps heureux, sans passions, tandis que la mienne m'absorbe dans une mer de voluptés. Je ne puis t'en dire davantage : je revole dans les bras d'Adaté.

QUATRIÈME LETTRE

D'AMABED A SHASTASID

Cher ami, cher père, nous partons, la tendre Adaté et moi, pour te demander ta bénédiction. Notre félicité serait imparfaite si nous ne remplissions pas ce devoir de nos cœurs; mais, le croirais-tu ? nous passons par Goa, dans la compagnie de Coursom, le célèbre marchand, et de sa femme. Fa tutto dit que Goa est devenue la plus belle ville de l'Inde; que le grand Albuquerque nous recevra comme des ambassadeurs; qu'il nous donnera un vaisseau à trois voiles pour nous conduire à Maduré. Il a persuadé ma femme, et j'ai voulu le voyage dès qu'elle l'a voulu. Fa tutto nous assure qu'on parle italien plus que portugais à Goa. Charme des yeux brûle d'envie de faire usage d'une langue qu'elle vient d'apprendre. Je partage tous ses goûts. On dit qu'il y a des gens qui ont eu deux volontés; mais Adaté et moi nous n'en avons qu'une, parce que nous n'avons qu'une âme à nous deux. Enfin nous partons demain avec la douce espérance de verser dans tes bras, avant deux mois, des larmes de joie et de tendresse.

PREMIÈRE LETTRE

D'ADATÉ A SHASTASID

A Goa, le 5 du mois du tigre, l'an
du renouvellement du monde 115652.

Birmah, entends mes cris, vois mes pleurs, sauve mon
cher époux! Brama, fils de Birmah, porte ma douleur et
ma crainte à ton père! Généreux Shastasid, plus sage
que nous, tu avais prévu nos malheurs. Mon cher Amabed, ton disciple, mon tendre époux, ne t'écrira plus; il
est dans une fosse que les barbares appellent *prison*. Des
gens que je ne puis définir, on les nomme ici *inquisitori*,
je ne sais ce que ce mot signifie; ces monstres, le lendemain de notre arrivée, saisirent mon mari et moi, et nous
mirent chacun dans une fosse séparée comme si nous
étions morts. Mais si nous l'étions, il fallait du moins
nous ensevelir ensemble. Je ne sais ce qu'ils ont fait de
mon cher Amabed. J'ai dit à mes anthropophages : « Où
est Amabed ? Ne le tuez pas, et tuez-moi. » Ils ne m'ont
rien répondu. « Où est-il ? pourquoi m'avez-vous séparée
de lui! » Ils ont gardé le silence : ils m'ont enchaînée. J'ai
depuis une heure un peu plus de liberté; le marchand
Coursom a trouvé moyen de me faire tenir du papier,
du coton, un pinceau et de l'encre. Mes larmes imbibent
tout, ma main tremble, mes yeux s'obscurcissent, je me
meurs.

SECONDE LETTRE

D'ADATÉ A SHASTASID

ÉCRITE DE LA PRISON DE L'INQUISITION

Divin Shastasid, je fus hier longtemps évanouie; je ne
pus achever ma lettre : je la pliai quand je repris un peu
mes sens; je la mis dans mon sein, qui n'allaitera pas les
enfants que j'espérais avoir d'Amabed; je mourrai avant
que Birmah m'ait accordé la fécondité.

Ce matin au point du jour, sont entrés dans ma fosse
deux spectres armés de hallebardes, portant au cou des
grains enfilés, et ayant sur la poitrine quatre petites

bandes rouges croisées. Ils m'ont prise par les mains, toujours sans me rien dire, et m'ont menée dans une chambre où il y avait pour tous meubles une grande table, cinq chaises, et un grand tableau qui représentait un homme tout nu, les bras étendus et les pieds joints.

Aussitôt entrent cinq personnages vêtus de robes noires avec une chemise par-dessus leur robe, et deux longs pendants d'étoffe bigarrée par-dessus leur chemise. Je suis tombée à terre de frayeur. Mais quelle a été ma surprise! J'ai vu le père Fa tutto parmi ces cinq fantômes. Je l'ai vu, il a rougi; mais il m'a regardée d'un air de douceur et de compassion qui m'a un peu rassurée pour un moment. « Ah! père Fa tutto, ai-je dit, où suis-je? Qu'est devenu Amabed? dans quel gouffre m'avez-vous jetée? On dit qu'il y a des nations qui se nourrissent de sang humain : va-t-on nous tuer? va-t-on nous dévorer? » Il ne m'a répondu qu'en levant les yeux et les mains au ciel; mais avec une attitude si douloureuse et si tendre que je ne savais plus que penser.

Le président de ce conseil de muets a enfin délié sa langue, et m'a adressé la parole; il m'a dit ces mots : « Est-il vrai que vous avez été baptisée? » J'étais si abîmée dans mon étonnement et dans ma douleur que d'abord je n'ai pu répondre. Il a recommencé la même question d'une voix terrible. Mon sang s'est glacé, et ma langue s'est attachée à mon palais. Il a répété les mêmes mots pour la troisième fois, et à la fin j'ai dit *oui* ; car il ne faut jamais mentir. J'ai été baptisée dans le Gange comme tous les fidèles enfants de Brama le sont, comme tu le fus, divin Shastasid, comme l'a été mon cher et malheureux Amabed. Oui, je suis baptisée, c'est ma consolation, c'est ma gloire. Je l'ai avoué devant ces spectres.

A peine cette parole *oui*, symbole de la vérité, est sortie de ma bouche, qu'un des cinq monstres noirs et blancs s'est écrié : *Apostata !* Les autres ont répété : *Apostata !* Je ne sais ce que ce mot veut dire; mais ils l'ont prononcé d'un ton si lugubre et si épouvantable que mes trois doigts sont en convulsion en te l'écrivant.

Alors le père Fa tutto, prenant la parole et me regardant toujours avec des yeux bénins, les a assurés que j'avais dans le fond de bons sentiments, qu'il répondait de moi, que la grâce opérerait, qu'il se chargeait de ma conscience; et il a fini son discours, auquel je ne comprenais rien, par ces paroles : *Io la convertero*. Cela signifie en italien, autant que j'en puis juger : *Je la retournerai.*

« Quoi! disais-je en moi-même, il me retournera!
Qu'entend-il par me retourner! Veut-il dire qu'il me
rendra à ma patrie? Ah! père Fa tutto, lui ai-je dit,
retournez donc le jeune Amabed, mon tendre époux,
rendez-moi mon âme, rendez-moi ma vie. »

Alors il a baissé les yeux; il a parlé en secret aux
quatre fantômes dans un coin de la chambre. Ils sont
partis avec les deux hallebardiers. Tous ont fait une profonde révérence au tableau qui représente un homme
tout nu; et le père Fa tutto est resté seul avec moi.

Il m'a conduite dans une chambre assez propre, et
m'a promis que, si je voulais m'abandonner à ses conseils,
je ne serais plus enfermée dans une fosse. « Je suis
désespéré comme vous, m'a-t-il dit, de tout ce qui est
arrivé. Je m'y suis opposé autant que j'ai pu, mais nos
saintes lois m'ont lié les mains; enfin, grâces au ciel et à
moi, vous êtes libre dans une bonne chambre, dont vous
ne pouvez pas sortir. Je viendrai vous y voir souvent; je
vous consolerai, je travaillerai à votre félicité présente et
future.

— Ah! lui ai-je répondu, il n'y a que mon cher
Amabed qui puisse la faire, cette félicité, et il est dans
une fosse! Pourquoi y ai-je été plongée? qui sont ces
spectres qui m'ont demandé si j'avais été baignée?
où m'avez-vous conduite? m'avez-vous trompée?
est-ce vous qui êtes la cause de ces horribles cruautés?
Faites-moi venir le marchand Coursom, qui est de mon
pays et homme de bien. Rendez-moi ma suivante, ma
compagne, mon amie Déra, dont on m'a séparée. Est-elle
aussi dans un cachot pour avoir été baignée? Qu'elle
vienne; que je revoie Amabed, ou que je meure! »

Il a répondu à mes discours et aux sanglots qui les
entrecoupaient par des protestations de service et de zèle
dont j'ai été touchée. Il m'a promis qu'il m'instruirait
des causes de toute cette épouvantable aventure, et qu'il
obtiendrait qu'on me rendît ma pauvre Déra, en attendant qu'il pût parvenir à délivrer mon mari. Il m'a
plainte; j'ai vu même ses yeux un peu mouillés. Enfin,
au son d'une cloche, il est sorti de ma chambre en me
prenant la main, et en la mettant sur son cœur. C'est le
signe visible, comme tu le sais, de la sincérité, qui est
invisible. Puisqu'il a mis ma main sur son cœur, il ne
me trompera pas. Eh! pourquoi me tromperait-il? que
lui ai-je fait pour me persécuter? nous l'avons si bien
traité à Bénarès, mon mari et moi! je lui ai fait tant de

présents quand il m'enseignait l'italien ! Il a fait des vers italiens pour moi, il ne peut pas me haïr. Je le regarderai comme mon bienfaiteur s'il me rend mon malheureux époux, si nous pouvons tous deux sortir de cette terre envahie et habitée par des anthropophages, si nous pouvons venir embrasser tes genoux à Maduré, et recevoir tes saintes bénédictions.

TROISIÈME LETTRE

D'ADATÉ A SHASTASID

Tu permets sans doute, généreux Shastasid, que je t'envoie le journal de mes infortunes inouïes ; tu aimes Amabed, tu prends pitié de mes larmes, tu lis avec intérêt dans un cœur percé de toutes parts, qui te déploie ses inconsolables afflictions.

On m'a rendu mon amie Déra, et je pleure avec elle. Les monstres l'avaient descendue dans une fosse, comme moi. Nous n'avons nulle nouvelle d'Amabed. Nous sommes dans la même maison, et il y a entre nous un espace infini, un chaos impénétrable. Mais voici des choses qui vont faire frémir ta vertu, et qui déchireront ton âme juste.

Ma pauvre Déra a su, par un de ces deux satellites qui marchent toujours devant les cinq anthropophages, que cette nation a un baptême comme nous. J'ignore comment nos sacrés rites ont pu parvenir jusqu'à eux. Ils ont prétendu que nous avions été baptisés suivant les rites de leur secte. Ils sont si ignorants qu'ils ne savent pas qu'ils tiennent de nous le baptême depuis très peu de siècles. Ces barbares se sont imaginé que nous étions de leur secte, et que nous avions renoncé à leur culte. Voilà ce que voulait dire ce mot *apostata*, que les anthropophages faisaient retentir à mes oreilles avec tant de férocité. Ils disent que c'est un crime horrible et digne des plus grands supplices d'être d'une autre religion que la leur. Quand le père Fa tutto leur disait : *Io la convertero*, je la retournerai, il entendait qu'il me ferait retourner à la religion des brigands. Je n'y conçois rien ; mon esprit est couvert d'un nuage, comme mes yeux. Peut-être mon désespoir trouble mon entendement ; mais je ne puis comprendre comment ce Fa tutto, qui me connaît si bien, a pu dire qu'il me ramènerait à une reli-

gion que je n'ai jamais connue, et qui est aussi ignorée
dans nos climats que l'étaient les Portugais quand ils sont
venus pour la première fois dans l'Inde chercher du
poivre les armes à la main. Nous nous perdons dans nos
conjectures, la bonne Déra et moi. Elle soupçonne le père
Fa tutto de quelques desseins secrets; mais me préserve
Birmah de former un jugement téméraire!

J'ai voulu écrire au grand brigand Albuquerque pour
implorer sa justice, et pour lui demander la liberté de
mon cher mari; mais on m'a dit qu'il était parti pour
aller surprendre Bombay et le piller! Quoi! Venir de si
loin dans le dessein de ravager nos habitations et de nous
tuer! et cependant ces monstres sont baptisés comme
nous! On dit pourtant que cet Albuquerque a fait
quelques belles actions. Enfin je n'ai plus d'espérance
que dans l'Etre des êtres, qui doit punir le crime et protéger l'innocence. Mais j'ai vu ce matin un tigre qui
dévorait deux agneaux. Je tremble de n'être pas assez
précieuse devant l'Etre des êtres pour qu'il daigne me
secourir.

QUATRIÈME LETTRE

D'ADATÉ A SHASTASID

Il sort de ma chambre, ce père Fa tutto : quelle entrevue! quelle complication de perfidies, de passions, et de
noirceurs! Le cœur humain est donc capable de réunir
tant d'atrocités! Comment les écrirai-je à un juste ?

Il tremblait quand il est entré. Ses yeux étaient baissés; j'ai tremblé plus que lui. Bientôt il s'est rassuré. « Je
ne sais pas, m'a-t-il dit, si je pourrai sauver votre mari.
Les juges ont ici quelquefois de la compassion pour les
jeunes femmes; mais ils sont bien sévères pour les
hommes. — Quoi! la vie de mon mari n'est pas en
sûreté ? » Je suis tombée en faiblesse. Il a cherché des
eaux spiritueuses pour me faire revenir; il n'y en avait
point. Il a envoyé ma bonne Déra en acheter à l'autre
bout de la rue chez un banian. Cependant il m'a délacée
pour donner passage aux vapeurs qui m'étouffaient. J'ai
été étonnée, en revenant à moi, de trouver ses mains sur
ma gorge et sa bouche sur la mienne. J'ai jeté un cri
affreux, je me suis reculée d'horreur. Il m'a dit : « Je
prenais de vous un soin que la charité commande. Il fal-

lait que votre gorge fût en liberté, et je m'assurais de votre respiration.

— Ah! prenez soin que mon mari respire. Est-il encore dans cette fosse horrible? — Non, m'a-t-il répondu. J'ai eu, avec bien de la peine, le crédit de le faire transférer dans un cachot plus commode. — Mais, encore une fois, quel est son crime? quel est le mien? d'où vient cette épouvantable inhumanité? pourquoi violer envers nous les droits de l'hospitalité, celui des gens, celui de la nature? — C'est notre sainte religion qui exige de nous ces petites sévérités. Vous et votre mari vous êtes accusés d'avoir renoncé tous deux à votre baptême. »

Je me suis écriée alors : « Que voulez-vous dire? Nous n'avons jamais été baptisés à votre mode; nous l'avons été dans le Gange, au nom de Brama. Est-ce vous qui avez persuadé cette exécrable imposture aux spectres qui m'ont interrogée? Quel pouvait être votre dessein? »

Il a rejeté bien loin cette idée. Il m'a parlé de vertu, de vérité, de charité; il a presque dissipé un moment mes soupçons, en m'assurant que ces spectres sont des gens de bien, des hommes de Dieu, des juges de l'âme, qui ont partout de saints espions, et principalement auprès des étrangers qui abordent dans Goa. Ces espions ont, dit-il, juré à ses confrères, les juges de l'âme, devant le tableau de l'homme tout nu, qu'Amabed et moi nous avons été baptisés à la mode des brigands portugais, qu'Amabed est *apostato*, et que je suis *apostata*.

O vertueux Shastasid! ce que j'entends, ce que je vois de moment en moment me saisit d'épouvante depuis la racine des cheveux jusqu'à l'ongle du petit doigt du pied.

« Quoi! vous êtes, ai-je dit au père Fa tutto, un des cinq hommes de Dieu, un des juges de l'âme? — Oui, ma chère Adaté, oui, Charme des yeux, je suis un des cinq dominicains délégués par le vice-Dieu de l'univers pour disposer souverainement des âmes et des corps. — Qu'est-ce qu'un dominicain? qu'est-ce qu'un vice-Dieu? — Un dominicain est un prêtre, enfant de St. Dominique, inquisiteur pour la foi; et un vice-Dieu est un prêtre que Dieu a choisi pour le représenter, pour jouir de dix millions de roupies par an, et pour envoyer dans toute la terre des dominicains vicaires du vicaire de Dieu. »

J'espère, grand Shastasid, que tu m'expliqueras ce gali-

matias infernal, ce mélange incompréhensible d'absurdités et d'horreurs, d'hypocrisie et de barbarie.

Fa tutto me disait tout cela avec un air de componc-
tion, avec un ton de vérité qui, dans un autre temps,
aurait pu produire quelque effet sur mon âme simple et
ignorante. Tantôt il levait les yeux au ciel, tantôt il les
arrêtait sur moi. Ils étaient animés et remplis d'attendrissement. Mais cet attendrissement jetait dans tout mon
corps un frissonnement d'horreur et de crainte. Amabed
est continuellement dans ma bouche comme dans mon
cœur. « Rendez-moi mon cher Amabed ! » c'était le commencement, le milieu, et la fin de tous mes discours.

Ma bonne Déra arrive dans ce moment ; elle m'apporte
des eaux de cinnamum et d'amomum. Cette charmante
créature a trouvé le moyen de remettre au marchand
Coursom mes trois lettres précédentes. Coursom part
cette nuit ; il sera dans peu de jours à Maduré. Je serai
plainte du grand Shastasid ; il versera des pleurs sur le
sort de mon mari ; il me donnera des conseils ; un rayon
de sa sagesse pénétrera dans la nuit de mon tombeau.

RÉPONSE

DU BRAME SHASTASID
AUX TROIS LETTRES PRÉCÉDENTES D'ADATÉ

Vertueuse et infortunée Adaté, épouse de mon cher
disciple Amabed, Charme des yeux, les miens ont versé
sur tes trois lettres des ruisseaux de larmes. Quel démon
ennemi de la nature a déchaîné du fond des ténèbres de
l'Europe les monstres à qui l'Inde est en proie ! Quoi !
tendre épouse de mon cher disciple, tu ne vois pas que
le père Fa tutto est un scélérat qui t'a fait tomber dans
le piège ! Tu ne vois pas que c'est lui seul qui a fait
enfermer ton mari dans une fosse, et qui t'y a plongée
toi-même pour que tu lui eusses l'obligation de t'en avoir
tirée ! Que n'exigera-t-il pas de ta reconnaissance ! Je
tremble avec toi : je donne part de cette violation du
droit des gens à tous les pontifes de Brama, à tous les
omras, à tous les raïas, aux nababs, au grand empereur
des Indes lui-même, le sublime Babar, roi des rois,
cousin du soleil et de la lune, fils de Mirsamachamed, fils
de Semcor, fils d'Abouchaïd, fils de Miracha, fils de
Timur, afin qu'on s'oppose de tous côtés aux brigan-

dages des voleurs d'Europe. Quelle profondeur de scélératesse! Jamais les prêtres de Timur, de Gengis-kan, d'Alexandre, d'Ogus-kan, de Sésac, de Bacchus, qui tour à tour vinrent subjuguer nos saintes et paisibles contrées, ne permirent de pareilles horreurs hypocrites; au contraire, Alexandre laissa partout des marques éternelles de sa générosité. Bacchus ne fit que du bien : c'était le favori du ciel; une colonne de feu conduisait son armée pendant la nuit, et une nuée marchait devant elle pendant le jour [a]; il traversait la mer Rouge à pied sec; il commandait au soleil et à la lune de s'arrêter quand il le fallait; deux gerbes de rayons divins sortaient de son front; l'ange exterminateur était debout à ses côtés, mais il employait toujours l'ange de la joie. Votre Albuquerque, au contraire, n'est venu qu'avec des moines, des fripons de marchands, et des meurtriers. Coursom le juste m'a confirmé le malheur d'Amabed et le vôtre. Puissé-je avant ma mort vous sauver tous deux, ou vous venger! Puisse l'éternel Birmah vous tirer des mains du moine Fa tutto! Mon cœur saigne des blessures du vôtre.

N. B. Cette lettre ne parvint à Charme des yeux que longtemps après, lorsqu'elle partit de la ville de Goa.

---

a. Il est indubitable que les fables concernant Bacchus étaient fort communes en Arabie et en Grèce, longtemps avant que les nations fussent informées si les Juifs avaient une histoire ou non. Josèphe avoue même que les Juifs tinrent toujours leurs livres cachés à leurs voisins. Bacchus était révéré en Egypte, en Arabie, en Grèce, longtemps avant que le nom de Moïse pénétrât dans ces contrées. Les anciens vers orphiques appellent Bacchus *Misa ou Mosa*. Il fut élevé sur la montagne de Nisa, qui est précisément le mont Sina. Il s'enfuit vers la mer Rouge; il y rassembla une armée, et passa avec elle cette mer à pied sec. Il arrêta le soleil et la lune; son chien le suivit dans toutes ses expéditions, et le nom de *Caleb*, l'un des conquérants hébreux, signifie *chien*.

Les savants ont beaucoup disputé, et ne sont pas convenus si Moïse est antérieur à Bacchus, ou Bacchus à Moïse. Ils sont tous deux de grands hommes; mais Moïse, en frappant un rocher avec sa baguette, n'en fit sortir que de l'eau; au lieu que Bacchus, en frappant la terre de son thyrse, en fit sortir du vin. C'est de là que toutes les chansons de table célèbrent Bacchus, et qu'il n'y a peut-être pas deux chansons en faveur de Moïse.

CINQUIÈME LETTRE

D'ADATÉ AU GRAND BRAME SHASTASID

De quels termes oserai-je me servir pour t'exprimer mon nouveau malheur ? comment la pudeur pourra-t-elle parler de la honte ? Birmah a vu le crime, et il l'a souffert! que deviendrai-je ? La fosse où j'étais enterrée est bien moins horrible que mon état.

Le père Fa tutto est entré ce matin dans ma chambre, tout parfumé, et couvert d'une simarre de soie légère. J'étais dans mon lit. « Victoire! m'a-t-il dit, l'ordre de délivrer votre mari est signé. » A ces mots, les transports de la joie se sont emparés de tous mes sens; je l'ai nommé *mon protecteur, mon père*. Il s'est penché vers moi : il m'a embrassée. J'ai cru d'abord que c'était une caresse innocente, un témoignage chaste de ses bontés pour moi; mais, dans le même instant, écartant ma couverture, dépouillant sa simarre, se jetant sur moi comme un oiseau de proie sur une colombe, me pressant du poids de son corps, ôtant de ses bras nerveux tout mouvement à mes faibles bras, arrêtant sur mes lèvres ma voix plaintive par des baisers criminels, enflammé, invincible, inexorable... quel moment! et pourquoi ne suis-je pas morte!

Déra, presque nue, est venue à mon secours; mais lorsque rien ne pouvait plus me secourir qu'un coup de tonnerre. O Providence de Birmah! il n'a point tonné, et le détestable Fa tutto a fait pleuvoir dans mon sein la brûlante rosée de son crime. Non, Drugha elle-même, avec ses dix bras célestes, n'aurait pu déranger ce Mosasor [a] indomptable.

Ma chère Déra le tirait de toutes ses forces; mais figurez-vous un passereau qui becquèterait le bout des plumes d'un vautour acharné sur une tourterelle : c'est l'image du père Fa tutto, de Déra, et de la pauvre Adaté.

Pour se venger des importunités de Déra, il la saisit elle-même, la renverse d'une main en me retenant de

---

a. Ce Mosasor est l'un des principaux anges rebelles qui combattirent contre l'Eternel, comme le rapporte l'*Autorashasta*, le plus ancien livre des brahmanes; et c'est là probablement l'origine de la guerre des Titans et de toutes les fables imaginées depuis sur ce modèle.

l'autre; il la traite comme il m'a traitée, sans miséricorde; ensuite il sort fièrement comme un maître qui a châtié deux esclaves, et nous dit : « Sachez que je vous punirai ainsi toutes deux quand vous ferez les mutines. »

Nous sommes restées, Déra et moi, un quart d'heure sans oser dire un mot, sans oser nous regarder. Enfin Déra s'est écriée : « Ah! ma chère maîtresse, quel homme! Tous les gens de son espèce sont-ils aussi cruels que lui ? »

Pour moi, je ne pensais qu'au malheureux Amabed. On m'a promis de me le rendre, et on ne me le rend point. Me tuer, c'était l'abandonner; ainsi je ne me suis pas tuée.

Je ne m'étais nourrie depuis un jour que de ma douleur. On ne nous a point apporté à manger à l'heure accoutumée. Déra s'en étonnait, et s'en plaignait. Il me paraissait bien honteux de manger après ce qui nous était arrivé. Cependant nous avions un appétit dévorant; rien ne venait, et après nous être pâmées de douleur nous nous évanouissions de faim.

Enfin, sur le soir, on nous a servi une tourte de pigeonneaux, une poularde et deux perdrix, avec un seul petit pain; et, pour comble d'outrage, une bouteille de vin sans eau. C'est le tour le plus sanglant qu'on puisse jouer à deux femmes comme nous, après tout ce que nous avions souffert; mais que faire ? je me suis mise à genoux : « O Birmah! ô Visnou! ô Brama! vous savez que l'âme n'est point souillée de ce qui entre dans le corps. Si vous m'avez donné une âme, pardonnez-lui la nécessité funeste où est mon corps de n'être pas réduit aux légumes; je sais que c'est un péché horrible de manger du poulet; mais on nous y force. Puissent tant de crimes retomber sur la tête du père Fa tutto! Qu'il soit, après sa mort, changé en une jeune malheureuse Indienne; que je sois changée en dominicain; que je lui rende tous les maux qu'il m'a faits, et que je sois plus impitoyable encore pour lui qu'il ne l'a été pour moi! » Ne sois point scandalisé; pardonne, vertueux Shastasid! Nous nous sommes mises à table. Qu'il est dur d'avoir des plaisirs qu'on se reproche!

Postscrit. Immédiatement après dîner, j'écris au modérateur de Goa, qu'on appelle le corrégidor. Je lui demande la liberté d'Amabed et la mienne; je l'instruis de tous les crimes du père Fa tutto. Ma chère Déra dit qu'elle lui fera parvenir ma lettre par cet alguazil des inquisiteurs

pour la foi, qui vient quelquefois la voir dans mon antichambre, et qui a pour elle beaucoup d'estime. Nous
verrons ce que cette démarche hardie pourra produire.

SIXIÈME LETTRE

D'ADATÉ

Le croirais-tu, sage instructeur des hommes ? Il y a
des justes à Goa! et don Jéronimo le corrégidor en est
un. Il a été touché de mon malheur et de celui d'Amabed.
L'injustice le révolte, le crime l'indigne. Il s'est transporté avec des officiers de justice à la prison qui nous renferme. J'apprends qu'on appelle ce repaire *le palais du
St. Office*. Mais, ce qui t'étonnera, on lui a refusé l'entrée.
Les cinq spectres, suivis de leurs hallebardiers, se sont
présentés à la porte, et on a dit à la justice : « Au nom
de Dieu tu n'entreras pas. — J'entrerai au nom du roi,
a dit le corrégidor; c'est un cas royal. — C'est un cas
sacré », ont répondu les spectres. Don Jéronimo le juste
a dit : « Je dois interroger Amabed, Adaté, Déra, et le
père Fa tutto. — Interroger un inquisiteur, un dominicain! s'est écrié le chef des spectres; c'est un sacrilège :
scommunicao, scommunicao. » On dit que ce sont des mots
terribles, et qu'un homme sur qui on les a prononcés
meurt ordinairement au bout de trois jours.

Les deux partis se sont échauffés; ils étaient prêts d'en
venir aux mains; enfin ils s'en sont rapportés à l'obispo
de Goa. Un obispo est à peu près parmi ces barbares ce
que tu es chez les enfants de Brama; c'est un intendant
de leur religion; il est vêtu de violet, et il porte aux mains
des souliers violets. Il a sur la tête, les jours de cérémonie,
un pain de sucre fendu en deux. Cet homme a décidé
que les deux partis avaient également tort, et qu'il
n'appartenait qu'à leur vice-Dieu de juger le père Fa
tutto. Il a été convenu qu'on l'enverrait par-devant sa
divinité avec Amabed et moi, et ma fidèle Déra.

Je ne sais où demeure ce vice, si c'est dans le voisinage
du grand-lama, ou en Perse, mais n'importe. Je vais
revoir Amabed; j'irais avec lui au bout du monde, au
ciel, en enfer. J'oublie dans ce moment ma fosse, ma prison, les violences de Fa tutto, ses perdrix, que j'ai eu la
lâcheté de manger, et son vin, que j'ai eu la faiblesse de
boire.

SEPTIÈME LETTRE

D'ADATÉ

Je l'ai revu, mon tendre époux; on nous a réunis, je l'ai tenu dans mes bras. Il a effacé la tache du crime dont cet abominable Fa tutto m'avait souillée; semblable à l'eau sainte du Gange, qui lave toutes les macules des âmes, il m'a rendu une nouvelle vie. Il n'y a que cette pauvre Déra qui reste encore profanée; mais tes prières et tes bénédictions remettront son innocence dans tout son éclat.

On nous fait partir demain sur un vaisseau qui fait voile pour Lisbonne. C'est la patrie du fier Albuquerque. C'est là sans doute qu'habite ce vice-Dieu qui doit juger entre Fa tutto et nous. S'il est vice-Dieu, comme tout le monde l'assure ici, il est bien certain qu'il damnera Fa tutto. C'est une petite consolation, mais je cherche bien moins la punition de ce terrible coupable que le bonheur du tendre Amabed.

Quelle est donc la destinée des faibles mortels, de ces feuilles que les vents emportent! Nous sommes nés, Amabed et moi, sur les bords du Gange; on nous emmène en Portugal; on va nous juger dans un monde inconnu, nous qui sommes nés libres! Reverrons-nous jamais notre patrie? pourrons-nous accomplir le pèlerinage que nous méditions vers ta personne sacrée?

Comment pourrons-nous, moi et ma chère Déra, être enfermées dans le même vaisseau avec le père Fa tutto? cette idée me fait trembler. Heureusement j'aurai mon brave époux pour me défendre. Mais que deviendra Déra, qui n'a point de mari? Enfin nous nous recommandons à la Providence.

Ce sera désormais mon cher Amabed qui t'écrira: il fera le journal de nos destins; il te peindra la nouvelle terre et les nouveaux cieux que nous allons voir. Puisse Brama conserver longtemps ta tête rase et l'entendement divin qu'il a placé dans la moelle de ton cerveau!

PREMIÈRE LETTRE

Je suis donc encore au nombre des vivants! C'est
donc moi qui t'écris, divin Shastasid! J'ai tout su, et tu
sais tout. Charme des yeux n'a point été coupable; elle
ne peut l'être. La vertu est dans le cœur, et non ailleurs.
Ce rhinocéros de Fa tutto, qui avait cousu à sa peau
celle du renard, soutient hardiment qu'il nous a baptisés,
Adaté et moi, dans Bénarès, à la mode de l'Europe; que
je suis *apostato*, et que Charme des yeux est *apostata*. Il
jure, par l'homme nu qui est peint ici sur presque toutes
les murailles, qu'il est injustement accusé d'avoir violé
ma chère épouse et ta jeune Déra. Charme des yeux, de
son côté, et la douce Déra, jurent qu'elles ont été violées.
Les esprits européans ne peuvent percer ce sombre
abîme : ils disent tous qu'il n'y a que leur vice-Dieu qui
puisse y rien connaître, attendu qu'il est infaillible.

Don Jéronimo, le corrégidor, nous fait tous embarquer
demain pour comparaître devant cet être extraordinaire
qui ne se trompe jamais. Ce grand juge des barbares ne
siège point à Lisbonne, mais beaucoup plus loin, dans
une ville magnifique qu'on nomme Roume. Ce nom est
absolument inconnu chez nos Indiens. Voilà un terrible
voyage. A quoi les enfants de Brama sont-ils exposés
dans cette courte vie!

Nous avons pour compagnons de voyage des marchands d'Europe, des chanteuses, deux vieux officiers
des troupes du roi de Portugal, qui ont gagné beaucoup
d'argent dans notre pays, des prêtres du vice-Dieu, et
quelques soldats.

C'est un grand bonheur pour nous d'avoir appris l'italien, qui est la langue courante de tous ces gens-là : car
comment pourrions-nous entendre le jargon portugais?
Mais, ce qui est horrible, c'est d'être dans la même
barque avec un Fa tutto. On nous fait coucher ce soir à
bord, pour démarrer demain au lever du soleil. Nous
aurons une petite chambre de six pieds de long sur
quatre de large pour ma femme et pour Déra. On dit
que c'est une faveur insigne. Il faut faire ses petites provisions de toute espèce. C'est un bruit, c'est un tinta-
marre inexprimable. La foule du peuple se précipite

pour nous regarder. Charme des yeux est en larmes;
Déra tremble : il faut s'armer de courage. Adieu; adresse
pour nous tes saintes prières à l'Eternel, qui créa les malheureux mortels il y a juste cent quinze mille six cent
cinquante-deux révolutions annuelles du soleil autour de
la terre, ou de la terre autour du soleil.

SECONDE LETTRE

D'AMABED, PENDANT SA ROUTE

Après un jour de navigation, le vaisseau s'est trouvé
vis-à-vis Bombay, dont l'exterminateur Albuquerque,
qu'on appelle ici *le grand*, s'est emparé. Aussitôt un bruit
infernal s'est fait entendre : notre vaisseau a tiré neuf
coups de canon; on lui en a répondu autant des remparts
de la ville. Charme des yeux et la jeune Déra ont cru être
à leur dernier jour. Nous étions couverts d'une fumée
épaisse. Croirais-tu, sage Shastasid, que ce sont là des
politesses ? C'est la façon dont ces barbares se saluent.
Une chaloupe a apporté des lettres pour le Portugal :
alors nous avons fait voile dans la grande mer, laissant à
notre droite les embouchures du grand fleuve Zonbou-
dipo, que les barbares appellent l'Indus.

Nous ne voyons plus que les airs, nommés *ciel* par ces
brigands, si peu dignes du ciel, et cette grande mer que
l'avarice et la cruauté leur ont fait traverser.

Cependant le capitaine paraît un homme honnête et
prudent. Il ne permet pas que le père Fa tutto soit sur
le tillac quand nous y prenons le frais; et lorsqu'il est
en haut, nous nous tenons en bas. Nous sommes comme
le jour et la nuit, qui ne paraissent jamais ensemble sur
le même horizon. Je ne cesse de réfléchir sur la destinée
qui se joue des malheureux mortels. Nous voguons sur
la mer des Indes avec un dominicain, pour aller être jugés
dans Roume, à six mille lieues de notre patrie.

Il y a dans le vaisseau un personnage considérable
qu'on nomme l'*aumônier*. Ce n'est pas qu'il fasse l'aumône; au contraire on lui donne de l'argent pour dire
des prières dans une langue qui n'est ni la portugaise ni
l'italienne, et que personne de l'équipage n'entend; peut-
être ne l'entend-il pas lui-même; car il est toujours en
dispute sur le sens des paroles avec le père Fa tutto. Le
capitaine m'a dit que cet aumônier est franciscain, et que,

l'autre étant dominicain, ils sont obligés en conscience de
n'être jamais du même avis. Leurs sectes sont ennemies
jurées l'une de l'autre; aussi sont-ils vêtus tout différemment pour marquer la différence de leurs opinions.

Ce franciscain s'appelle Fa molto. Il me prête des
livres italiens concernant la religion du vice-Dieu devant
qui nous comparaîtrons. Nous lisons ces livres, ma chère
Adaté et moi. Déra assiste à la lecture. Elle y a eu d'abord
de la répugnance, craignant de déplaire à Brama; mais
plus nous lisons, plus nous nous fortifions dans l'amour
des saints dogmes que tu enseignes aux fidèles.

TROISIÈME LETTRE

DU JOURNAL D'AMABED

Nous avons lu avec l'aumônier des épîtres d'un des
grands saints de la religion italienne et portugaise. Son
nom est Pual. Toi, qui possèdes la science universelle, tu
connais Pual sans doute. C'est un grand homme : il a
été renversé de cheval par une voix, et aveuglé par un
trait de lumière; il se vante d'avoir été comme moi au
cachot; il ajoute qu'il a eu cinq fois trente-neuf coups
de fouet, ce qui fait en tout cent quatre-vingt-quinze
écourgées sur les fesses; plus, trois fois des coups de
bâton, sans spécifier le nombre; plus, il dit qu'il a été
lapidé une fois : cela est violent, car on n'en revient
guère; plus, il jure qu'il a été un jour et une nuit au fond
de la mer. Je le plains beaucoup; mais, en récompense, il
a été ravi au troisième ciel. Je t'avoue, illuminé Shastasid,
que je voudrais en faire autant, dussé-je acheter cette
gloire par cent quatre-vingt-quinze coups de verges bien
appliqués sur le derrière :

> Il est beau qu'un mortel jusques aux cieux s'élève;
> Il est beau même d'en tomber,

comme dit un de nos plus aimables poètes indiens, qui
est quelquefois sublime.

Enfin je vois qu'on a conduit comme moi Pual à
Roume pour être jugé. Quoi donc! mon cher Shastasid,
Roume a donc jugé tous les mortels dans tous les temps ?
Il faut certainement qu'il y ait dans cette ville quelque
chose de supérieur au reste de la terre : tous les gens qui
sont dans le vaisseau ne jurent que par Roume; on faisait
tout à Goa au nom de Roume.

Je te dirai bien plus. Le Dieu de notre aumônier Fa molto, qui est le même que celui de Fa tutto, naquit et mourut dans un pays dépendant de Roume, et il paya le tribut au zamorin qui régnait dans cette ville. Tout cela ne te paraît-il pas bien surprenant ? Pour moi, je crois rêver, et que tous les gens qui m'entourent rêvent aussi.

Notre aumônier Fa molto nous a lu des choses encore plus merveilleuses. Tantôt c'est un âne qui parle, tantôt c'est un de leurs saints qui passe trois jours et trois nuits dans le ventre d'une baleine, et qui en sort de fort mauvaise humeur. Ici c'est un prédicateur qui s'en va prêcher dans le ciel, monté sur un char de feu traîné par quatre chevaux de feu. Un docteur passe la mer à pied sec, suivi de deux ou trois millions d'hommes qui s'enfuient avec lui. Un autre docteur arrête le soleil et la lune; mais cela ne me surprend point : tu m'as appris que Bacchus en avait fait autant.

Ce qui me fait le plus de peine, à moi qui me pique de propreté et d'une grande pudeur, c'est que le dieu de ces gens-là ordonne à un de ses prédicateurs de manger de la matière louable sur son pain; et à un autre, de coucher pour de l'argent avec des filles de joie, et d'en avoir des enfants.

Il y a bien pis. Ce savant homme nous a fait remarquer deux sœurs, Oolla et Ooliba. Tu les connais bien, puisque tu as tout lu. Cet article a fort scandalisé ma femme : le blanc de ses yeux en a rougi. J'ai remarqué que la bonne Déra était tout en feu à ce paragraphe. Il faut certainement que ce franciscain Fa molto soit un gaillard. Cependant il a fermé son livre dès qu'il a vu combien Charme des yeux et moi nous étions effarouchés, et il est sorti pour aller méditer sur le texte.

Il m'a laissé son livre sacré; j'en ai lu quelques pages au hasard. O Brama ! ô justice éternelle ! quels hommes que tous ces gens-là ! ils couchent tous avec leurs servantes dans leur vieillesse. L'un fait des infamies à sa belle-mère, l'autre à sa belle-fille. Ici c'est une ville tout entière qui veut absolument traiter un pauvre prêtre comme une jolie fille, là deux demoiselles de condition enivrent leur père, couchent avec lui l'une après l'autre et en ont des enfants.

Mais ce qui m'a le plus épouvanté, le plus saisi d'horreur, c'est que les habitants d'une ville magnifique à qui leur Dieu députa deux êtres éternels qui sont sans cesse

au pied de son trône, deux esprits purs, resplendissants
d'une lumière divine... ma plume frémit comme mon
âme... le dirai-je ? oui, ces habitants firent tout ce qu'ils
purent pour violer ces messagers de Dieu. Quel péché
abominable avec des hommes ! mais avec des anges, cela
est-il possible ? Cher Shastasid, bénissons Birmah,
Visnou, et Brama ; remercions-les de n'avoir jamais
connu ces inconcevables turpitudes. On dit que le
conquérant Alexandre voulut autrefois introduire cette
coutume superstitieuse parmi nous ; qu'il polluait publiquement son mignon Ephestion. Le ciel l'en punit.
Éphestion et lui périrent à la fleur de leur âge. Je te
salue, maître de mon âme, esprit de mon esprit. Adaté,
la triste Adaté, se recommande à tes prières.

QUATRIÈME LETTRE

D'AMABED A SHASTASID

Du cap qu'on appelle Bonne-Espérance,
le quinze du mois du rhinocéros.

Il y a longtemps que je n'ai étendu mes feuilles de
coton sur une planche, et trempé mon pinceau dans la
laque noire délayée, pour te rendre un compte fidèle.
Nous avons laissé loin derrière nous à notre droite le
golfe de Babelmandel, qui entre dans la fameuse mer
Rouge, dont les flots se séparèrent autrefois, et s'amon-
celèrent comme des montagnes pour laisser passer Bacchus et son armée. Je regrettais qu'on n'eût point mouillé
aux côtes de l'Arabie Heureuse, ce pays presque aussi
beau que le nôtre, dans lequel Alexandre voulait établir
le siège de son empire et l'entrepôt du commerce du
monde. J'aurais voulu voir cet Aden ou Eden, dont les
jardins sacrés furent si renommés dans l'antiquité ; ce
Moka fameux par le café, qui ne croît jusqu'à présent que
dans cette province ; Mecca, où le grand prophète des
musulmans établit le siège de son empire, et où tant de
nations de l'Asie, de l'Afrique et de l'Europe, viennent
tous les ans baiser une pierre noire descendue du ciel qui
n'envoie pas souvent de pareilles pierres aux mortels ;
mais il ne nous est pas permis de contenter notre curiosité. Nous voguons toujours pour arriver à Lisbonne, et
de là à Roume.

Nous avons déjà passé la ligne équinoxiale; nous sommes descendus à terre au royaume de Mélinde, où les Portugais ont un port considérable. Notre équipage y a embarqué de l'ivoire, de l'ambre gris, du cuivre, de l'argent, et de l'or. Nous voici parvenus au grand Cap : c'est le pays des Hottentots. Ces peuples ne paraissent pas descendus des enfants de Brama. La nature y a donné aux femmes un tablier que forme leur peau; ce tablier couvre leur joyau, dont les Hottentots sont idolâtres, et pour lequel ils font des madrigaux et des chansons. Ces peuples vont tout nus. Cette mode est fort naturelle; mais elle ne me paraît ni honnête ni habile. Un Hottentot est bien malheureux : il n'a plus rien à désirer quand il a vu sa Hottentote par-devant et par-derrière. Le charme des obstacles lui manque. Il n'y a plus rien de piquant pour lui. Les robes de nos Indiennes, inventées pour être troussées, marquent un génie bien supérieur. Je suis persuadé que le sage Indien à qui nous devons le jeu des échecs et celui du trictrac imagina aussi les ajustements des dames pour notre félicité.

Nous resterons deux jours à ce cap, qui est la borne du monde, et qui semble séparer l'Orient de l'Occident. Plus je réfléchis sur la couleur de ces peuples, sur le glossement dont ils se servent pour se faire entendre au lieu d'un langage articulé, sur leur figure, sur le tablier de leurs dames, plus je suis convaincu que cette race ne peut avoir la même origine que nous.

Notre aumônier prétend que les Hottentots, les Nègres et les Portugais, descendent du même père. Cette idée est bien ridicule; j'aimerais autant qu'on me dît que les poules, les arbres, et l'herbe de ce pays-là, viennent des poules, des arbres et de l'herbe de Bénarès ou de Pékin.

CINQUIÈME LETTRE

D'AMABED

Du 16 au soir, au cap dit de Bonne-Espérance.

Voici bien une autre aventure. Le capitaine se promenait avec Charme des yeux et moi sur un grand plateau au pied duquel la mer du Midi vient briser ses vagues. L'aumônier Fa molto a conduit notre jeune Déra tout doucement dans une petite maison nouvellement bâtie,

qu'on appelle *un cabaret*. La pauvre fille n'y entendait
point finesse, et croyait qu'il n'y avait rien à craindre,
parce que cet aumônier n'est pas dominicain. Bientôt
nous avons entendu des cris. Figure-toi que le père
Fa tutto a été jaloux de ce tête-à-tête. Il est entré dans
le cabaret en furieux; il y avait deux matelots qui ont été
jaloux aussi. C'est une terrible passion que la jalousie.
Les deux matelots et les deux prêtres avaient beaucoup
bu de cette liqueur qu'ils disent avoir été inventée par
leur Noé, et dont nous prétendons que Bacchus est l'auteur : présent funeste, qui pourrait être utile s'il n'était
pas si facile d'en abuser. Les Européans disent que ce
breuvage leur donne de l'esprit : comment cela peut-il
être, puisqu'il leur ôte la raison ?

Les deux hommes de mer et les deux bonzes d'Europe
se sont gourmés violemment, un matelot donnant sur
Fa tutto, celui-ci sur l'aumônier, ce franciscain sur l'autre
matelot qui rendait ce qu'il recevait; tous quatre changeant de main à tout moment, deux contre deux, trois
contre un, tous contre tous, chacun jurant, chacun tirant
à soi notre infortunée, qui jetait des cris lamentables. Le
capitaine est accouru au bruit; il a frappé indifféremment
sur les quatre combattants; et pour mettre Déra en
sûreté, il l'a menée dans son quartier, où elle est enfermée avec lui depuis deux heures. Les officiers et les passagers, qui sont tous fort polis, se sont assemblés autour
de nous, et nous ont assuré que les deux moines (c'est
ainsi qu'ils les appellent) seraient punis sévèrement par
le vice-Dieu dès qu'ils seraient arrivés à Roume. Cette
espérance nous a un peu consolés.

Au bout de deux heures le capitaine est revenu en
nous ramenant Déra avec des civilités et des compliments
dont ma chère femme a été très contente. O Brama! qu'il
arrive d'étranges choses dans les voyages, et qu'il serait
bien plus sage de rester chez soi!

SIXIÈME LETTRE

D'AMABED, PENDANT SA ROUTE

Je ne t'ai point écrit depuis l'aventure de notre petite
Déra. Le capitaine, pendant la traversée, a toujours eu
pour elle des bontés très distinguées. J'avais peur qu'il

ne redoublât de civilités pour ma femme; mais elle a feint
d'être grosse de quatre mois. Les Portugais regardent les
femmes grosses comme des personnes sacrées qu'il n'est
pas permis de chagriner. C'est du moins une bonne coutume qui met en sûreté le cher honneur d'Adaté. Le
dominicain a eu ordre de ne se présenter jamais devant
nous, et il a obéi.

Le franciscain, quelques jours après la scène du
cabaret, vint nous demander pardon. Je le tirai à part.
Je lui demandai comment, ayant fait vœu de chasteté, il
avait pu s'émanciper à ce point. Il me répondit : « Il est
vrai que j'ai fait ce vœu; mais si j'avais promis que mon
sang ne coulerait jamais dans mes veines, que mes
ongles et mes cheveux ne croîtraient pas, vous m'avouerez que je ne pourrais accomplir cette promesse. Au lieu
de nous faire jurer d'être chastes, il fallait nous forcer à
l'être, et rendre tous les moines eunuques. Tant qu'un
oiseau a ses plumes, il vole. Le seul moyen d'empêcher
un cerf de courir est de lui couper les jambes. Soyez très
sûr que les prêtres vigoureux comme moi, et qui n'ont
point de femmes, s'abandonnent malgré eux à des excès
qui font rougir la nature, après quoi ils vont célébrer les
saints mystères. »

J'ai beaucoup appris dans la conversation avec cet
homme. Il m'a instruit de tous ces mystères de sa religion, qui m'ont tous étonné. « Le révérend père Fa tutto,
m'a-t-il dit, est un fripon qui ne croit pas un mot de
tout ce qu'il enseigne; pour moi, j'ai des doutes violents;
mais je les écarte, je me mets un bandeau sur les yeux,
je repousse mes pensées et je marche comme je puis
dans la carrière que je cours. Tous les moines sont
réduits à cette alternative : ou l'incrédulité leur fait
détester leur profession, ou la stupidité la leur rend
supportable. »

Croirais-tu bien qu'après ces aveux, il m'a proposé de
me faire chrétien ? Je lui ai dit : « Comment pouvez-vous
me présenter une religion dont vous n'êtes pas persuadé
vous-même, à moi qui suis né dans la plus ancienne religion du monde, à moi dont le culte existait cent quinze
mille trois cents ans pour le moins, de votre aveu, avant
qu'il y eût des franciscains dans le monde ?

— Ah! mon cher Indien, m'a-t-il dit, si je pouvais
réussir à vous rendre chrétien, vous et la belle Adaté, je
ferais crever de dépit ce maraud de dominicain, qui ne
croit pas à l'immaculée conception de la Vierge! Vous

feriez ma fortune; je pourrais devenir *obispo* [a]; ce serait
une bonne action, et Dieu vous en saurait gré. »

C'est ainsi, divin Shastasid, que parmi ces barbares
d'Europe on trouve des hommes qui sont un composé
d'erreur, de faiblesse, de cupidité et de bêtise, et d'autres
qui sont des coquins conséquents et endurcis. J'ai fait
part de ces conversations à Charme des yeux : elle a souri
de pitié. Qui l'eût cru que ce serait dans un vaisseau, en
voguant vers les côtes d'Afrique, que nous apprendrions
à connaître les hommes!

SEPTIÈME LETTRE

D'AMABED

Quel beau climat que ces côtes méridionales! mais
quels vilains habitants! quelles brutes! Plus la nature a
fait pour nous, moins nous faisons pour elle. Nul art
n'est connu chez tous ces peuples. C'est une grande
question parmi eux s'ils sont descendus des singes, ou
si les singes sont venus d'eux. Nos sages ont dit que
l'homme est l'image de Dieu : voilà une plaisante image
de l'Etre éternel qu'un nez noir épaté, avec peu ou point
d'intelligence! Un temps viendra, sans doute, où ces animaux sauront bien cultiver la terre, l'embellir par des
maisons et par des jardins, et connaître la route des
astres. Il faut du temps pour tout. Nous datons, nous
autres, notre philosophie de cent quinze mille six cent
cinquante-deux ans : en vérité, sauf le respect que je te
dois, je pense que nous nous trompons; il me semble
qu'il faut bien plus de temps pour être arrivés au point
où nous sommes. Mettons seulement vingt mille ans
pour inventer un langage tolérable, autant pour écrire
par le moyen d'un alphabet, autant pour la métallurgie,
autant pour la charrue et la navette, autant pour la navigation; et combien d'autres arts encore exigent-ils de
siècles! Les Chaldéens datent de quatre cent mille ans,
et ce n'est pas encore assez.

Le capitaine a acheté, sur un rivage qu'on nomme
Angola, six nègres qu'on lui a vendus pour le prix courant de six bœufs. Il faut que ce pays-là soit bien plus

---

a. *Obispo* est le mot portugais qui signifie *episcopus*, évêque, en langage gaulois. Ce mot n'est dans aucun des quatre Evangiles.

peuplé que le nôtre puisqu'on y vend les hommes si bon marché. Mais aussi comment une si abondante population s'accorde-t-elle avec tant d'ignorance ?

Le capitaine a quelques musiciens auprès de lui : il leur a ordonné de jouer de leurs instruments, et aussitôt ces pauvres nègres se sont mis à danser avec presque autant de justesse que nos éléphants. Est-il possible qu'aimant la musique ils n'aient pas su inventer le violon, pas même la musette ? Tu me diras, grand Shastasid, que l'industrie des éléphants mêmes n'a pas pu parvenir à cet effort, et qu'il faut attendre. A cela je n'ai rien à répliquer.

HUITIÈME LETTRE

D'AMABED

L'année est à peine révolue, et nous voici à la vue de Lisbonne, sur le fleuve du Tage, qui depuis longtemps a la réputation de rouler de l'or dans ses flots. S'il est ainsi, d'où vient donc que les Portugais vont en chercher si loin ? Tous ces gens d'Europe répondent qu'on n'en peut trop avoir. Lisbonne est, comme tu me l'avais dit, la capitale d'un très petit royaume. C'est la patrie de cet Albuquerque qui nous a fait tant de mal. J'avoue qu'il y a quelque chose de grand dans ces Portugais, qui ont subjugué une partie de nos belles contrées. Il faut que l'envie d'avoir du poivre donne de l'industrie et du courage.

Nous espérions, Charme des yeux et moi, entrer dans la ville; mais on ne l'a pas permis, parce qu'on dit que nous sommes prisonniers du vice-Dieu, et que le dominicain Fa tutto, le franciscain aumônier Fa molto, Déra, Adaté et moi, nous devons tous être jugés à Roume.

On nous a fait passer sur un autre vaisseau qui part pour la ville du vice-Dieu.

Le capitaine est un vieux Espagnol différent en tout du Portugais, qui en usait si poliment avec nous. Il ne parle que par monosyllabes, et encore très rarement; il porte à sa ceinture des grains enfilés qu'il ne cesse de compter : on dit que c'est une grande marque de vertu.

Déra regrette fort l'autre capitaine; elle trouve qu'il était bien plus civil. On a remis à l'Espagnol une grosse liasse de papiers, pour instruire notre procès en cour de

Roume. Un scribe du vaisseau l'a lue à haute voix. Il prétend que le père Fa tutto sera condamné à ramer dans une des galères du vice-Dieu, et que l'aumônier Fa molto aura le fouet en arrivant. Tout l'équipage est de cet avis; le capitaine a serré les papiers sans rien dire. Nous mettons à la voile. Que Brama ait pitié de nous, et qu'il te comble de ses faveurs! Brama est juste; mais c'est une chose bien singulière qu'étant né sur le rivage du Gange j'aille être jugé à Roume. On assure pourtant que la même chose est arrivée à plus d'un étranger.

NEUVIÈME LETTRE

D'AMABED

Rien de nouveau; tout l'équipage est silencieux et morne comme le capitaine. Tu connais le proverbe indien: *Tout se conforme aux mœurs du maître*. Nous avons passé une mer qui n'a que neuf mille pas de large entre deux montagnes; nous sommes entrés dans une autre mer semée d'îles. Il y en a une fort singulière: elle est gouvernée par des religieux chrétiens qui portent un habit court et un chapeau, et qui font vœu de tuer tous ceux qui portent un bonnet et une robe. Ils doivent aussi faire l'oraison. Nous avons mouillé dans une île plus grande et fort jolie, qu'on nomme *Sicile*; elle était bien plus belle autrefois: on parle de villes admirables dont on ne voit plus que les ruines. Elle fut habitée par des dieux, des déesses, des géants, des héros; on y forgeait la foudre. Une déesse nommée Cérès la couvrit de riches moissons. Le vice-Dieu a changé tout cela; on y voit beaucoup de processions et de coupeurs de bourse.

DIXIÈME LETTRE

D'AMABED

Enfin nous voici sur la terre sacrée du vice-Dieu. J'avais lu dans le livre de l'aumônier que ce pays était d'or et d'azur; que les murailles étaient d'émeraudes et de rubis; que les ruisseaux étaient d'huile, les fontaines, de lait, les campagnes couvertes de vignes dont chaque cep produisait cent tonneaux de vin [a]. Peut-être trouverons-nous tout cela quand nous serons auprès de Roume.

Nous avons abordé avec beaucoup de peine dans un petit port fort incommode, qu'on appelle *la cité vieille*. Elle tombe en ruines, et est fort bien nommée.

On nous a donné, pour nous conduire, des charrettes attelées par des bœufs. Il faut que ces bœufs viennent de loin, car la terre à droite et à gauche n'est point cultivée : ce ne sont que des marais infects, des bruyères, des landes stériles. Nous n'avons vu dans le chemin que des gens couverts de la moitié d'un manteau, sans chemise, qui nous demandaient l'aumône fièrement. Ils ne se nourrissent, nous a-t-on dit, que de petits pains très plats qu'on leur donne gratis le matin, et ne s'abreuvent que d'eau bénite.

Sans ces troupes de gueux qui font cinq ou six mille pas pour obtenir, par leurs lamentations, la trentième partie d'une roupie, ce canton serait un désert affreux. On nous avertit même que quiconque y passe la nuit est en danger de mort. Apparemment que Dieu est fâché contre son vicaire, puisqu'il lui a donné un pays qui est le cloaque de la nature. J'apprends que cette contrée a été autrefois très belle et très fertile, et qu'elle n'est devenue si misérable que depuis le temps où ces vicaires s'en sont mis en possession.

Je t'écris, sage Shastasid, sur ma charrette, pour me désennuyer. Adaté est bien étonnée. Je t'écrirai dès que je serai dans Roume.

ONZIÈME LETTRE

D'AMABED

Nous y voilà, nous y sommes, dans cette ville de Roume. Nous arrivâmes hier en plein jour, *le trois du mois de la brebis*, qu'on dit ici le 15 mars 1513. Nous avons d'abord éprouvé tout le contraire de ce que nous attendions.

---

a. Il veut apparemment parler de la sainte Jérusalem décrite dans le livre exact de l'*Apocalypse*, dans Justin, dans Tertullien, Irénée, et autres grands personnages; mais on voit bien que ce pauvre brame n'en avait qu'une idée très imparfaite.

A peine étions-nous à la porte dite de Saint-Pancrace [a],
que nous avons vu deux troupes de spectres, dont l'une
est vêtue comme notre aumônier, et l'autre comme le père
Fa tutto. Elles avaient chacune une bannière à leur tête,
et un grand bâton sur lequel était sculpté un homme tout
nu, dans la même attitude que celui de Goa. Elles marchaient deux à deux, et chantaient un air à faire bâiller
toute une province. Quand cette procession fut parvenue
à notre charrette, une troupe cria : « C'est saint Fa tutto! »,
l'autre : « C'est saint Fa molto! » On baisa leurs robes, le
peuple se mit à genoux. « Combien avez-vous converti
d'Indiens, mon révérend père ? — Quinze mille sept
cents, disait l'un. — Onze mille neuf cents, disait l'autre.
— Bénie soit la vierge Marie! » Tout le monde avait les
yeux sur nous, tout le monde nous entourait. « Sont-ce
là de vos catéchumènes, mon révérend père ? — Oui,
nous les avons baptisés. — Vraiment ils sont bien jolis.
Gloire dans les hauts! Gloire dans les hauts! »

Le père Fa tutto et le père Fa molto furent conduits,
chacun par sa procession, dans une maison magnifique;
et pour nous, nous allâmes à l'auberge. Le peuple nous
y suivit en criant *Cazzo, Cazzo*, en nous donnant des
bénédictions, en nous baisant les mains, en donnant
mille éloges à ma chère Adaté, à Déra, et à moi-même.
Nous ne revenions pas de notre surprise.

A peine fûmes-nous dans notre auberge qu'un homme
vêtu d'une robe violette, accompagné de deux autres en
manteau noir, vint nous féliciter sur notre arrivée. La
première chose qu'il fit fut de nous offrir de l'argent de
la part de la *Propaganda*, si nous en avions besoin. Je ne
sais pas ce que c'est que cette propagande. Je lui répondis
qu'il nous en restait encore avec beaucoup de diamants
(en effet, j'avais eu le soin de cacher toujours ma bourse
et une boîte de brillants dans mon caleçon). Aussitôt cet
homme se prosterna presque devant moi, et me traita
d'*excellence*. « Son Excellence la signora Adaté, n'est-elle
pas bien fatiguée du voyage ? Ne va-t-elle pas se coucher ? Je crains de l'incommoder, mais je serai toujours
à ses ordres. Le signor Amabed peut disposer de moi, je
lui enverrai un Cicéron [b] qui sera à son service; il n'a

a. C'était autrefois la porte du Janicule; voyez comme la nouvelle
Roume l'emporte sur l'ancienne.
b. On sait qu'on appelle à Rome *Cicérons* ceux qui font métier de
montrer aux étrangers les antiquailles.

qu'à commander. Veulent-ils tous deux, quand ils seront
reposés, me faire l'honneur de venir prendre le rafraî-
chissement chez moi ? j'aurai l'honneur de leur envoyer
un carrosse. »

Il faut avouer, mon divin Shastasid, que les Chinois ne
sont pas plus polis que cette nation occidentale. Ce seigneur se retira. Nous dormîmes six heures, la belle Adaté
et moi. Quand il fut nuit, le carrosse vint nous prendre.
Nous allâmes chez cet homme civil. Son appartement
était illuminé et orné de tableaux bien plus agréables que
celui de l'homme tout nu que nous avions vu à Goa.
Une très nombreuse compagnie nous accabla de caresses,
nous admira d'être Indiens, nous félicita d'être baptisés,
et nous offrit ses services pour tout le temps que nous
voudrions rester à Roume.

Nous voulions demander justice du père Fa tutto; on
ne nous donna pas le temps d'en parler. Enfin nous
fûmes reconduits, étonnés, confondus d'un tel accueil, et
n'y comprenant rien.

DOUZIÈME LETTRE

D'AMABED

Aujourd'hui nous avons reçu des visites sans nombre,
et une princesse de Piombino nous a envoyé deux écuyers
nous prier de venir dîner chez elle. Nous y sommes allés
dans un équipage magnifique. L'homme violet s'y est
trouvé. J'ai su que c'est un des seigneurs, c'est-à-dire un
des valets du vice-Dieu, qu'on appelle préférés, *prelati*.
Rien n'est plus aimable, plus honnête que cette princesse de Piombino. Elle m'a placé à table à côté d'elle.
Notre répugnance à manger des pigeons romains et des
perdrix l'a fort surprise. Le *préféré* nous a dit que,
puisque nous étions baptisés, il fallait manger des perdrix
et boire du vin de Montepulciano; que tous les vice-
Dieu en usaient ainsi; que c'était la marque essentielle
d'un véritable chrétien.

La belle Adaté a répondu avec sa naïveté ordinaire
qu'elle n'était pas chrétienne, qu'elle avait été baptisée
dans le Gange. « Eh! mon Dieu! madame, a dit le *préféré*,
dans le Gange, ou dans le Tibre, ou dans un bain, qu'importe ? Vous êtes des nôtres. Vous avez été convertie par
le père Fa tutto; c'est pour nous un honneur que nous

ne voulons pas perdre. Voyez quelle supériorité notre
religion a sur la vôtre! » Et aussitôt il a couvert nos
assiettes d'ailes de gelinottes. La princesse a bu à notre
santé et à notre salut. On nous a pressés avec tant de
grâce, on a dit tant de bons mots, on a été si poli, si gai,
si séduisant, qu'enfin, ensorcelés par le plaisir (j'en
demande pardon à Brama), nous avons fait, Adaté et moi,
la meilleure chère du monde, avec un ferme propos de
nous laver dans le Gange jusqu'aux oreilles, à notre
retour, pour effacer notre péché. On n'a pas douté que
nous ne fussions chrétiens. « Il faut, disait la princesse,
que ce père Fa tutto soit un grand missionnaire; j'ai envie
de le prendre pour mon confesseur. » Nous rougissions
et nous baissions les yeux, ma pauvre femme et moi.

De temps en temps la signora Adaté faisait entendre
que nous venions pour être jugés par le vice-Dieu, et
qu'elle avait la plus grande envie de le voir. « Il n'y en
a point, nous a dit la princesse; il est mort, et on est
occupé à présent à en faire un autre : dès qu'il sera fait
on vous présentera à Sa Sainteté. Vous serez témoin de
la plus auguste fête que les hommes puissent jamais voir,
et vous en serez le plus bel ornement. » Adaté a répondu
avec esprit; et la princesse s'est prise d'un grand goût
pour elle.

Sur la fin du repas nous avons eu une musique qui
était (si j'ose le dire) supérieure à celle de Bénarès et de
Maduré.

Après dîner, la princesse a fait atteler quatre chars
dorés : elle nous a fait monter dans le sien. Elle nous a
fait voir de beaux édifices, des statues, des peintures. Le
soir, on a dansé. Je comparais secrètement cette réception charmante avec le cul-de-basse-fosse où nous avions
été renfermés dans Goa, et je comprenais à peine comment le même gouvernement, la même religion, pouvaient
avoir tant de douceur et d'agrément dans Roume, et
exercer au loin tant d'horreurs.

TREIZIÈME LETTRE

D'AMABED

Tandis que cette ville est partagée sourdement en
petites factions pour élire un vice-Dieu, que ces factions,
animées de la plus forte haine, se ménagent toutes avec

une politesse qui ressemble à l'amitié, que le peuple regarde les pères Fa tutto et Fa molto comme les favoris de la Divinité, qu'on s'empresse autour de nous avec une curiosité respectueuse, je fais, mon cher Shastasid, de profondes réflexions sur le gouvernement de Roume.

Je le compare au repas que nous a donné la princesse de Piombino. La salle était propre, commode, et parée; l'or et l'argent brillaient sur les buffets; la gaieté, l'esprit et les grâces, animaient les convives; mais, dans les cuisines, le sang et la graisse coulaient; les peaux des quadrupèdes, les plumes des oiseaux et leurs entrailles, pêle-mêle amoncelées, soulevaient le cœur, et répandaient l'infection.

Telle est, ce me semble, la cour romaine. Polie et flatteuse chez elle, ailleurs brouillonne et tyrannique. Quand nous disons que nous espérons avoir justice de Fa tutto, on se met doucement à rire; on nous dit que nous sommes trop au-dessus de ces bagatelles; que le gouvernement nous considère trop pour souffrir que nous gardions le souvenir d'une telle *facétie ;* que les Fa tutto et les Fa molto sont des espèces de singes élevés avec soin pour faire des tours de passe-passe devant le peuple; et on finit par des protestations de respect et d'amitié pour nous. Quel parti veux-tu que nous prenions grand Shastasid ? Je crois que le plus sage est de rire comme les autres, et d'être poli comme eux. Je veux étudier Roume, elle en vaut la peine.

QUATORZIÈME LETTRE

D'AMABED

Il y a un assez grand intervalle entre ma dernière lettre et la présente. J'ai lu, j'ai vu, j'ai conversé, j'ai médité. Je te jure qu'il n'y eut jamais sur la terre une contradiction plus énorme qu'entre le gouvernement romain et sa religion. J'en parlais hier à un théologien du vice-Dieu. Un théologien est, dans cette cour, ce que sont les derniers valets dans une maison : ils font la grosse besogne, portent les ordures, et, s'ils y trouvent quelque chiffon qui puisse servir, ils le mettent à part pour le besoin.

Je lui disais : « Votre Dieu est né dans une étable entre un bœuf et un âne; il a été élevé, a vécu, est mort dans la pauvreté; il a ordonné expressément la pauvreté à ses

disciples; il leur a déclaré qu'il n'y aurait parmi eux ni
premier ni dernier, et que celui qui voudrait commander
aux autres les servirait.

« Cependant je vois ici qu'on fait exactement tout le
contraire de ce que veut votre Dieu. Votre culte même
est tout différent du sien. Vous obligez les hommes à
croire des choses dont il n'a pas dit un seul mot.

— Tout cela est vrai, m'a-t-il répondu. Notre Dieu
n'a pas commandé à nos maîtres formellement de s'enrichir aux dépens des peuples, et de ravir le bien d'autrui;
mais il l'a commandé virtuellement. Il est né entre un
bœuf et un âne; mais trois rois sont venus l'adorer dans
une écurie. Les bœufs et les ânes figurent les peuples que
nous enseignons, et les trois rois figurent tous les monarques qui sont à nos pieds. Ses disciples étaient dans
l'indigence : donc nos maîtres doivent aujourd'hui regor-
ger de richesses. Car, si ces premiers vice-Dieu n'eurent
besoin que d'un écu, ceux d'aujourd'hui ont un besoin
pressant de dix millions d'écus. Or, être pauvre, c'est
n'avoir précisément que le nécessaire. Donc nos maîtres,
n'ayant pas même le nécessaire, accomplissent la loi de
la pauvreté à la rigueur.

« Quant aux dogmes, notre Dieu n'écrivit jamais rien,
et nous savons écrire : donc c'est à nous d'écrire les
dogmes; aussi les avons-nous fabriqués avec le temps
selon le besoin. Par exemple nous avons fait du mariage
le signe visible d'une chose invisible : cela fait que tous
les procès suscités pour cause de mariage ressortissant de
tous les coins de l'Europe à notre tribunal de Roume,
parce que nous seuls pouvons voir des choses invisibles.
C'est une source abondante de trésors qui coule dans
notre chambre sacrée des finances pour étancher la soif
de notre pauvreté. »

Je lui demandai si la chambre sacrée n'avait pas encore
d'autres ressources. « Nous n'y avons pas manqué, dit-il;
nous tirons parti des vivants et des morts. Par exemple,
dès qu'une âme est trépassée, nous l'envoyons dans une
infirmerie; nous lui faisons prendre médecine dans l'apothicairerie des âmes; et vous ne sauriez croire combien
cette apothicairerie nous vaut d'argent. — Comment
cela, monsignor? car il me semble que la bourse d'une
âme est d'ordinaire assez mal garnie. — Cela est vrai,
signor; mais elles ont des parents qui sont bien aises de
retirer leurs parents morts de l'infirmerie, et de les faire
placer dans un lieu plus agréable. Il est triste pour une

âme de passer toute une éternité à prendre médecine. Nous composons avec les vivants : ils achètent la santé des âmes de leurs défunts parents, les uns plus cher, les autres à meilleur compte, selon leurs facultés. Nous leur délivrons des billets pour l'apothicairerie. Je vous assure que c'est un de nos meilleurs revenus.

— Mais, monsignor, comment ces billets parviennent-ils aux âmes ? » Il se met à rire. « C'est l'affaire des parents, dit-il ; et puis ne vous ai-je pas dit que nous avons un pouvoir incontestable sur les choses invisibles ? »

Ce monsignor me paraît bien dessalé ; je me forme beaucoup avec lui, et je me sens déjà tout autre.

QUINZIÈME LETTRE

D'AMABED

Tu dois savoir, mon cher Shastasid, que le Cicéron à qui monsignor m'a recommandé, et dont je t'ai dit un mot dans mes précédentes lettres, est un homme fort intelligent qui montre aux étrangers les curiosités de l'ancienne Roume et de la nouvelle. L'une et l'autre, comme tu le vois, ont commandé aux rois ; mais les premiers Romains acquirent leur pouvoir par leur épée, et les derniers par leur plume. La discipline militaire donna l'empire aux Césars, dont tu connais l'histoire ; la discipline monastique donne une autre espèce d'empire à ces vice-Dieu qu'on appelle *Papes*. On voit des processions dans la même place où l'on voyait autrefois des triomphes. Les Cicérons expliquent tout cela aux étrangers ; ils leur fournissent des livres et des filles. Pour moi, je ne veux pas faire d'infidélité à ma belle Adaté (tout jeune que je suis) je me borne aux livres ; et j'étudie principalement la religion du pays, qui me divertit beaucoup.

Je lisais avec mon Cicéron l'histoire de la vie du Dieu du pays. Elle est fort extraordinaire. C'était un homme qui séchait des figuiers d'une seule parole, qui changeait l'eau en vin, et qui noyait des cochons. Il avait beaucoup d'ennemis. Tu sais qu'il était né dans une bourgade appartenante à l'empereur de Roume. Ses ennemis étaient malins ; ils lui demandèrent un jour s'ils devaient payer le tribut à l'empereur ; il leur répondit : « Rendez au prince ce qui est au prince ; mais rendez à Dieu ce qui est à Dieu. » Cette réponse me paraît sage ; nous en par-

lions, mon Cicéron et moi, lorsque monsignor est entré.
Je lui ai dit beaucoup de bien de son Dieu, et je l'ai prié
de m'expliquer comment sa chambre des finances observait ce précepte en prenant tout pour elle, et en ne donnant rien à l'empereur. Car tu dois savoir que, bien que
les Romains aient un vice-Dieu, ils ont un empereur
aussi auquel même ils donnent le titre de *roi des Romains*.
Voici ce que cet homme très avisé m'a répondu :

« Il est vrai que nous avons un empereur; mais il ne
l'est qu'en peinture. Il est banni de Roume; il n'y a pas
seulement une maison; nous le laissons habiter auprès
d'un grand fleuve qui est gelé quatre mois de l'année,
dans un pays dont le langage écorche nos oreilles. Le
véritable empereur est le pape, puisqu'il règne dans la
capitale de l'empire. Ainsi *Rendez à l'empereur* veut dire
Rendez au pape ; *Rendez à Dieu* signifie encore *Rendez
au pape*, puisqu'en effet il est vice-Dieu. Il est seul le
maître de tous les cœurs et de toutes les bourses. Si
l'autre empereur qui demeure sur un grand fleuve osait
seulement dire un mot, alors nous soulèverions contre
lui tous les habitants des rives du grand fleuve, qui sont
pour la plupart de gros corps sans esprit, et nous arme-
rions contre lui les autres rois, qui partageraient avec lui
ses dépouilles. »

Te voilà au fait, divin Shastasid, de l'esprit de Roume.
Le pape est en grand ce que le dalaï-lama est en petit :
s'il n'est pas immortel comme le lama, il est tout-puissant
pendant sa vie, ce qui vaut bien mieux. Si quelquefois on
lui résiste, si on le dépose, si on lui donne des soufflets,
ou si même on le tue [a] entre les bras de sa maîtresse,
comme il est arrivé quelquefois, ces inconvénients
n'attaquent jamais son divin caractère. On peut lui donner cent coups d'étrivières; mais il faut toujours croire
tout ce qu'il dit. Le pape meurt; la papauté est immortelle. Il y a eu trois ou quatre vice-Dieu à la fois qui disputaient cette place. Alors la divinité était partagée entre

---

a. Jean VIII, assassiné à coups de marteau par un mari jaloux.
Jean X, amant de Théodora, étranglé dans son lit.
Etienne VIII, enfermé au château qu'on appelle aujourd'hui *St.-Ange*.
Etienne IX, sabré au visage par les Romains.
Jean XII, déposé par l'empereur Othon I, assassiné chez une de ses
maîtresses.
Benoît V, exilé par l'empereur Othon I.
Benoît VII, étranglé par le bâtard de Jean X.
Benoît IX, qui acheta le pontificat, lui troisième, et revendit sa
part, etc., etc. Ils étaient tous infaillibles.

eux : chacun en avait sa part; chacun était infaillible dans son parti.

J'ai demandé à monsignor par quel art sa cour est parvenue à gouverner toutes les autres cours. « Il faut peu d'art, me dit-il, aux gens d'esprit pour conduire les sots. » J'ai voulu savoir si on ne s'était jamais révolté contre les décisions du vice-Dieu. Il m'a avoué qu'il y avait eu des hommes assez téméraires pour lever les yeux; mais qu'on les leur avait crevés aussitôt, ou qu'on avait exterminé ces misérables, et que ces révoltes n'avaient jamais servi jusqu'à présent qu'à mieux affermir l'infaillibilité sur le trône de la vérité.

On vient de nommer un nouveau vice-Dieu. Les cloches sonnent, on frappe les tambours, les trompettes éclatent, le canon tire, cent mille voix lui répondent. Je t'informerai de tout ce que j'aurai vu.

SEIZIÈME LETTRE

D'AMABED

Ce fut le 25 du mois du crocodile, et le 13 de la planète de Mars, comme on dit ici, que des hommes vêtus de rouge et inspirés élurent l'homme infaillible devant qui je dois être jugé, aussi bien que Charme des yeux, en qualité d'*apostata*.

Ce dieu en terre s'appelle *Leone*, dixième du nom. C'est un très bel homme de trente-quatre à trente-cinq ans, et fort aimable; les femmes sont folles de lui. Il était attaqué d'un mal immonde qui n'est bien connu encore qu'en Europe, mais dont les Portugais commencent à faire part à l'Indoustan. On croyait qu'il en mourrait, et c'est pourquoi on l'a élu, afin que cette sublime place fût bientôt vacante; mais il est guéri, et il se moque de ceux qui l'ont nommé.

Rien n'a été si magnifique que son couronnement; il y a dépensé cinq millions de roupies pour subvenir aux nécessités de son Dieu, qui a été si pauvre! Je n'ai pu t'écrire dans le fracas de nos fêtes : elles se sont succédé si rapidement, il a fallu passer par tant de plaisirs, que le loisir a été impossible.

Le vice-Dieu Leone a donné des divertissements dont tu n'as point d'idée. Il y en a un surtout, qu'on appelle *comédie*, qui me plaît beaucoup plus que tous les autres

ensemble. C'est une représentation de la vie humaine;
c'est un tableau vivant : les personnages parlent et
agissent; ils exposent leurs intérêts; ils développent leurs
passions; ils remuent l'âme des spectateurs.

La comédie que je vis avant-hier chez le pape est intitulée *la Mandragore*. Le sujet de la pièce est un jeune
homme adroit qui veut coucher avec la femme de son
voisin. Il engage avec de l'argent un moine, un Fa tutto
ou un Fa molto, à séduire sa maîtresse et à faire tomber
son mari dans un piège ridicule. On se moque tout le
long de la pièce de la religion que l'Europe professe, dont
Roume est le centre, et dont le siège papal est le trône.
De tels plaisirs te paraîtront peut-être indécents, mon
cher et pieux Shastasid. Charme des yeux en a été scan-
dalisée; mais la comédie est si jolie que le plaisir l'a
emporté sur le scandale.

Les festins, les bals, les belles cérémonies de la religion,
les danseurs de corde, se sont succédé tour à tour sans
interruption. Les bals surtout sont fort plaisants. Chaque
personne invitée au bal met un habit étranger et un visage
de carton par-dessus le sien. On tient sous ce déguisement
des propos à faire éclater de rire. Pendant les repas il y
a toujours une musique très agréable; enfin, c'est un
enchantement.

On m'a conté qu'un vice-Dieu prédécesseur de Leone,
nommé Alexandre, sixième du nom, avait donné aux
noces d'une de ses bâtardes une fête bien plus extraordinaire. Il y fit danser cinquante filles toutes nues. Les
bracmanes n'ont jamais institué de pareilles danses : tu
vois que chaque pays a ses coutumes. Je t'embrasse avec
respect, et je te quitte pour aller danser avec ma belle
Adaté. Que Birmah te comble de bénédictions.

DIX-SEPTIÈME LETTRE

D'AMABED

Vraiment, mon grand brame, tous les vice-Dieu n'ont
pas été si plaisants que celui-ci. C'est un plaisir de vivre
sous sa domination. Le défunt, nommé Jules, était d'un
caractère différent; c'était un vieux soldat turbulent qui
aimait la guerre comme un fou; toujours à cheval, toujours le casque en tête, distribuant des bénédictions et
des coups de sabre, attaquant tous ses voisins, damnant

leurs âmes, et tuant leurs corps, autant qu'il le pouvait : il est mort d'un accès de colère. Quel diable de vice-Dieu on avait là! Croirais-tu bien qu'avec un morceau de papier il s'imaginait dépouiller les rois de leurs royaumes ? Il s'avisa de détrôner de cette manière le roi d'un pays assez beau, qu'on appelle *la France*. Ce roi était un fort bon homme. Il passe ici pour un sot, parce qu'il n'a pas été heureux. Ce pauvre prince fut obligé d'assembler un jour les plus savants hommes de son royaume [a] pour leur demander s'il lui était permis de se défendre contre un vice-Dieu qui le détrônait avec du papier. C'est être bien bon que de faire une question pareille! J'en témoignais ma surprise au monsignor violet qui m'a pris en amitié. « Est-il possible, lui disais-je, qu'on soit si sot en Europe ? — J'ai bien peur, me dit-il, que les vice-Dieu n'abusent tant de la complaisance des hommes qu'à la fin ils leur donneront de l'esprit. »

Il faudra donc qu'il y ait des révolutions dans la religion de l'Europe. Ce qui te surprendra, docte et pénétrant Shastasid, c'est qu'il ne s'en fit point sous le vice-Dieu Alexandre, qui régnait avant Jules. Il faisait assassiner, pendre, noyer, empoisonner impunément tous les seigneurs ses voisins. Un de ses cinq bâtards fut l'instrument de cette foule de crimes à la vue de toute l'Italie. Comment les peuples persistèrent-ils dans la religion de ce monstre! c'est celui-là même qui faisait danser les filles sans aucun ornement superflu. Ses scandales devaient inspirer le mépris, ses barbaries devaient aiguiser contre lui mille poignards : cependant il vécut honoré et paisible dans sa cour. La raison en est, à mon avis, que les prêtres gagnaient à tous ses crimes, et que les peuples n'y perdaient rien. Dès qu'on vexera trop les peuples, ils brise-

---

a. Le pape Jules II excommunia le roi de France Louis XII, en 1510. Il mit le royaume de France en interdit, et le donna au premier qui voudrait s'en saisir. Cette excommunication et cette interdiction furent réitérées en 1512. On a peine à concevoir aujourd'hui cet excès d'insolence et de ridicule. Mais depuis Grégoire VII, il n'y eut presque aucun évêque de Rome qui ne fît ou qui ne voulût faire et défaire des souverains, selon son bon plaisir. Tous les souverains méritaient cet infâme traitement, puisqu'ils avaient été assez imbéciles pour fortifier eux-mêmes chez leurs sujets l'opinion de l'infaillibilité du pape et son pouvoir sur toutes les Eglises. Ils s'étaient donné eux-mêmes des fers qu'il était très difficile de briser. Le gouvernement fut partout un chaos formé par la superstition. La raison n'a pénétré que très tard chez les peuples de l'Occident : elle a guéri quelques blessures que cette superstition, ennemie du genre humain, avait faites aux hommes; mais il en reste encore de profondes cicatrices.

ront leurs liens. Cent coups de bélier n'ont pu ébranler le colosse, un caillou le jettera par terre. C'est ce que disent ici les gens déliés qui se piquent de prévoir.

Enfin les fêtes sont finies; il n'en faut pas trop : rien ne lasse comme les choses extraordinaires devenues communes. Il n'y a que les besoins renaissants qui puissent donner du plaisir tous les jours. Je me recommande à tes saintes prières.

DIX-HUITIÈME LETTRE

D'AMABED

L'infaillible nous a voulu voir en particulier, Charme des yeux et moi. Notre monsignor nous a conduits dans son palais. Il nous a fait mettre à genoux trois fois. Le vice-Dieu nous a fait baiser son pied droit en se tenant les côtés de rire. Il nous a demandé si le père Fa tutto nous avait convertis, et si en effet nous étions chrétiens. Ma femme a répondu que le père Fa tutto était un insolent, et le pape s'est mis à rire encore plus fort. Il a donné deux baisers à ma femme et à moi aussi.

Ensuite il nous a fait asseoir à côté de son petit lit de baise-pieds. Il nous a demandé comment on faisait l'amour à Bénarès, à quel âge on mariait communément les filles, si le grand Brama avait un sérail. Ma femme rougissait; je répondais avec une modestie respectueuse. Ensuite il nous a congédiés, en nous recommandant le christianisme, en nous embrassant, et en nous donnant de petites claques sur les fesses en signe de bonté. Nous avons rencontré en sortant les pères Fa tutto et Fa molto, qui nous ont baisé le bas de la robe. Le premier moment, qui commande toujours à l'âme, nous a fait d'abord reculer avec horreur, ma femme et moi. Mais le violet nous a dit : « Vous n'êtes pas encore entièrement formés; ne manquez pas de faire mille caresses à ces bons pères : c'est un devoir essentiel dans ce pays-ci d'embrasser ses plus grands ennemis; vous les ferez empoisonner, si vous pouvez, à la première occasion; mais, en attendant, vous ne pouvez leur marquer trop d'amitié. » Je les embrassai donc, mais Charme des yeux leur fit une révérence fort sèche, et Fa tutto la lorgnait du coin de l'œil en s'inclinant jusqu'à terre devant elle. Tout ceci est un enchantement. Nous passons nos jours à nous étonner. En vérité je doute que Maduré soit plus agréable que Roume.

DIX-NEUVIÈME LETTRE

D'AMABED

Point de justice du père Fa tutto. Hier notre jeune Déra s'avisa d'aller le matin, par curiosité, dans un petit temple. Le peuple était à genoux; un brame du pays, vêtu magnifiquement, se courbait sur une table; il tournait le derrière au peuple. On dit qu'il faisait Dieu. Dès qu'il eut fait Dieu, il se montra par-devant. Déra fit un cri, et dit : « Voilà le coquin qui m'a violée! » Heureusement, dans l'excès de sa douleur et de sa surprise, elle prononça ces paroles en indien. On m'assure que si le peuple les avait comprises, la canaille se serait jetée sur elle comme sur une sorcière. Fa tutto lui répondit en italien : « Ma fille, la grâce de la vierge Marie soit avec vous! parlez plus bas. » Elle revint tout éperdue nous conter la chose. Nos amis nous ont conseillé de ne nous jamais plaindre. Ils nous ont dit que Fa tutto est un saint et qu'il ne faut jamais mal parler des saints. Que veux-tu! ce qui est fait est fait. Nous prenons en patience tous les agréments qu'on nous fait goûter dans ce pays-ci. Chaque jour nous apprend des choses dont nous ne nous doutions pas. On se forme beaucoup par les voyages.

Il est venu à la cour de Leone un grand poète; son nom est messer Ariosto : il n'aime pas les moines; voici comme il parle d'eux :

> Non sa quel che sia amor, non sa che vaglia
> La caritate; e quindi avvien che i frati
> Sono si ingorda e si crudel canaglia.

Cela veut dire en indien :

> Modermen sebar eso
> La te ben sofa meso.

Tu sens quelle supériorité la langue indienne, qui est si antique, conservera toujours sur tous les jargons nouveaux de l'Europe : nous exprimons en quatre mots ce qu'ils ont de la peine à faire entendre en dix. Je conçois bien que cet Arioste dise que les moines sont de la canaille; mais je ne sais pourquoi il prétend qu'ils ne connaissent point l'amour. Hélas! nous en savons des nouvelles. Peut-être entend-il qu'ils jouissent et qu'ils n'aiment point.

VINGTIÈME LETTRE

D'AMABED

Il y a quelques jours, mon cher grand brame, que je ne t'ai écrit. Les empressements dont on nous honore en sont la cause. Notre monsignor nous donna un excellent repas, avec deux jeunes gens vêtus de rouge de la tête aux pieds. Leur dignité est *cardinal*, comme qui dirait *gond de porte* : l'un est le cardinal Sacripante, et l'autre le cardinal Faquinetti. Ils sont les premiers de la terre après le vice-Dieu : aussi sont-ils intitulés *vicaires du vicaire*. Leur droit, qui est sans doute droit divin, est d'être égaux aux rois et supérieurs aux princes, et d'avoir surtout d'immenses richesses. Ils méritent bien tout cela, vu la grande utilité dont ils sont au monde.

Ces deux gentilshommes, en dînant avec nous, proposèrent de nous mener passer quelques jours à leurs maisons de campagne : car c'est à qui nous aura. Après s'être disputé la préférence le plus plaisamment du monde, Faquinetti s'est emparé de la belle Adaté, et j'ai été le partage de Sacripante, à condition qu'ils changeraient le lendemain, et que le troisième jour nous nous rassemblerions tous quatre. Déra était du voyage. Je ne sais comment te conter ce qui nous est arrivé; je vais pourtant essayer de m'en tirer.

Ici finit le manuscrit des lettres d'Amabed. On a cherché dans toutes les bibliothèques de Maduré et de Bénarès la suite de ces lettres. Il est sûr qu'elle n'existe pas.

Ainsi, supposé que quelque malheureux faussaire imprime jamais le reste des aventures des deux jeunes Indiens, *nouvelles Lettres d'Amabed, nouvelles Lettres de Charme des yeux, réponses du grand brame Shastasid*, le lecteur peut être sûr qu'on le trompe et qu'on l'ennuie, comme il est arrivé cent fois en cas pareil.

NOTE
SUR
LE TAUREAU BLANC

D'après une tradition de la famille Galitzin, le conte remonterait à 1772. En juin de cette année le jeune prince Féodor Galitzin fut reçu à Ferney : « Un jour le domestique de Voltaire [lui] apporta un cahier qui renfermait le conte du *Taureau blanc*. Voltaire en faisait présent à son hôte; mais ce dernier ne voulut pas l'emporter et, après son départ, le cahier fut trouvé sur une table dans la chambre qu'il occupait. » (M. P. Alexeyeff, *Voltaire et Schouvaloff*, Odessa, 1928, p. 8.)

L'année suivante, Voltaire fait paraître *le Taureau blanc* dans la *Correspondance littéraire*, périodique manuscrit servi par abonnement aux princes et hauts personnages de l'Europe éclairée. Grimm, hostile à Voltaire, venait d'en remettre la direction à Meister, lequel accueille le conte dans ses livraisons de novembre, décembre 1773 et janvier 1774.

Le Taureau blanc de la *Correspondance littéraire* était présenté comme « traduit du syriaque », sans plus; il comportait onze chapitres. Simultanément Cramer, l'éditeur de Voltaire à Genève, publie un *Taureau blanc* « traduit du syriaque par Dom Calmet, à Memphis », en huit chapitres seulement : version indubitablement archaïque. Voltaire, par mégarde, avait dû remettre à son éditeur un texte non révisé (celui de 1772 ?). La confrontation des deux textes confirme ce qu'on sait d'autre part sur les corrections et additions que Voltaire apportait à ses contes (voir l'édition critique du *Taureau blanc*, par R. Pomeau, Paris, Nizet, 1956).

Dom Calmet méritait de figurer au titre de l'œuvre. Depuis Cirey, Voltaire n'a cessé de pratiquer le grand ouvrage du bénédictin, excellent homme (qu'il avait connu personnellement), immensément érudit et naïf :

les vingt-quatre tomes in-quarto du *Commentaire littéral sur tous les livres de l'Ancien et du Nouveau Testament*
ont fourni à Voltaire la plus grande partie de son érudition biblique, laquelle est plus étendue et plus sûre qu'on
ne croit communément.

Pour les *Questions sur l'Encyclopédie*, qu'il publie depuis
1770, il compulse à nouveau la Bible et Dom Calmet. De
ce travail sortira en 1776 *la Bible enfin expliquée*, com-
mentaire « littéral » selon la méthode de Dom Calmet,
quoique d'un esprit assez différent. En marge, il a imaginé la facétie du *Taureau blanc*.

Dom Calmet avait consacré une *Dissertation* de son
Commentaire à la métamorphose de Nabuchodonosor en
bœuf, dont parle le *Livre de Daniel*. Il ressortait que certains exégètes interprétaient l'événement comme un accès
de folie « lycanthropique »; d'autres croyaient que Nabuchodonosor avait été, réellement, transformé d'homme
en bœuf, et de bœuf en homme. Voltaire adopte ce
second parti, qui offre des ressources plus intéressantes
pour le conteur comme pour le critique.

Autour du puissant conquérant devenu taureau et de
la toute charmante et conventionnelle Amaside, il ras-
semble le petit monde humain et animal de l'Histoire
sainte, y adjoignant le sage Mambrès (dont le nom est
ignoré de l'Ancien Testament, mais connu, on se
demande comment, par saint Paul, *II Tim.*, III, 8). Il
confie au serpent, conversant avec Amaside, le soin de
définir le conte philosophique : il faut, lisons-nous, que
« sous le voile de la fable » le récit « laisse entrevoir
aux yeux exercés quelque vérité fine qui échappe au
vulgaire ». Mais quelle est donc la « vérité fine » du
Taureau blanc ? Elle se laisse assez clairement « entrevoir » :
les merveilles de la Bible appartiennent à l'ordre du
légendaire mythologique, au même titre que les *Métamorphoses* d'Ovide. Vérité d'historien des religions — et
de conteur. Que les hommes aiment les fables, Voltaire le
sait, qui a écrit, pour son plaisir et celui des autres, *le
Taureau blanc*.

                                                  R. P.

LE TAUREAU BLANC,

TRADUIT DU SYRIAQUE PAR MR. MAMAKI,

INTERPRÈTE DU ROI D'ANGLETERRE POUR LES LANGUES ORIENTALES

CHAPITRE PREMIER

COMMENT LA PRINCESSE AMASIDE
RENCONTRE UN BŒUF

La jeune princesse Amaside, fille d'Amasis, roi de Tanis en Egypte, se promenait sur le chemin de Péluse avec les dames de sa suite. Elle était plongée dans une tristesse profonde; les larmes coulaient de ses beaux yeux. On sait quel était le sujet de sa douleur, et combien elle craignait de déplaire au roi son père par sa douleur même. Le vieillard Mambrès, ancien mage et eunuque des pharaons, était auprès d'elle, et ne la quittait presque jamais. Il la vit naître, il l'éleva, il lui enseigna tout ce qu'il est permis à une belle princesse de savoir des sciences de l'Egypte. L'esprit d'Amaside égalait sa beauté; elle était aussi sensible, aussi tendre que charmante, et c'était cette sensibilité qui lui coûtait tant de pleurs.

La princesse était âgée de vingt-quatre ans; le mage Mambrès en avait environ treize cents. C'était lui, comme on sait, qui avait eu avec le grand Moïse cette dispute fameuse dans laquelle la victoire fut longtemps balancée entre ces deux profonds philosophes. Si Mambrès succomba, ce ne fut que par la protection visible des puissances célestes, qui favorisèrent son rival : il fallut des dieux pour vaincre Mambrès.

Amasis le fit surintendant de la maison de sa fille, et il s'acquittait de cette charge avec sa sagesse ordinaire : la belle Amaside l'attendrissait par ses soupirs. « O mon amant! mon jeune et cher amant! s'écriait-elle quelquefois; ô le plus grand des vainqueurs, le plus accompli, le plus beau des hommes! quoi! depuis près de sept ans tu

as disparu de la terre! Quel dieu t'a enlevé à ta tendre
Amaside? tu n'es point mort, les savants prophètes de
l'Egypte en conviennent; mais tu es mort pour moi, je
suis seule sur la terre, elle est déserte. Par quel étrange
prodige as-tu abandonné ton trône et ta maîtresse? Ton
trône! il était le premier du monde, et c'est peu de chose;
mais moi, qui t'adore, ô mon cher Na...! » Elle allait
achever. « Tremblez de prononcer ce nom fatal, lui dit le
sage Mambrès, ancien eunuque et mage des pharaons.
Vous seriez peut-être décelée par quelqu'une de vos
dames du palais. Elles vous sont toutes dévouées, et
toutes les belles dames se font sans doute un mérite de
servir les nobles passions des belles princesses; mais enfin
il peut se trouver une indiscrète, et même à toute force
une perfide. Vous savez que le roi votre père, qui d'ailleurs vous aime, a juré de vous faire couper le cou si vous
prononciez ce nom terrible, toujours prêt à vous échapper. Pleurez, mais taisez-vous. Cette loi est bien dure,
mais vous n'avez pas été élevée dans la sagesse égyptienne pour ne savoir pas commander à votre langue.
Songez qu'Harpocrate, l'un de nos plus grands dieux, a
toujours le doigt sur la bouche. » La belle Amaside pleura,
et ne parla plus.

Comme elle avançait en silence vers les bords du Nil,
elle aperçut de loin, sous un bocage baigné par le fleuve,
une vieille femme couverte de lambeaux gris, assise sur
un tertre. Elle avait auprès d'elle une ânesse, un chien,
un bouc. Vis-à-vis d'elle était un serpent qui n'était pas
comme les serpents ordinaires, car ses yeux étaient aussi
tendres qu'animés; sa physionomie était noble et intéressante; sa peau brillait des couleurs les plus vives et les
plus douces. Un énorme poisson, à moitié plongé dans
le fleuve, n'était pas la moins étonnante personne de la
compagnie. Il y avait sur une branche un corbeau et un
pigeon. Toutes ces créatures semblaient avoir ensemble
une conversation assez animée.

« Hélas! dit la princesse tout bas, ces gens-là parlent
sans doute de leurs amours, et il ne m'est pas permis de
prononcer le nom de ce que j'aime! »

La vieille tenait à la main une chaîne légère d'acier,
longue de cent brasses, à laquelle était attaché un taureau
qui paissait dans la prairie. Ce taureau était blanc, fait
au tour, potelé, léger même, ce qui est bien rare. Ses
cornes étaient d'ivoire. C'était ce qu'on vit jamais de
plus beau dans son espèce. Celui de Pasiphaé, celui dont

Jupiter prit la figure pour enlever Europe, n'approchaient
pas de ce superbe animal. La charmante génisse en
laquelle Isis fut changée aurait à peine été digne de lui.

Dès qu'il vit la princesse, il courut vers elle avec la
rapidité d'un jeune cheval arabe qui franchit les vastes
plaines et les fleuves de l'antique Saana, pour s'approcher
de la brillante cavale qui règne dans son cœur, et qui
fait dresser ses oreilles. La vieille faisait ses efforts pour
le retenir; le serpent semblait l'épouvanter par ses siffle-
ments; le chien le suivait et lui mordait ses belles jambes;
l'ânesse traversait son chemin et lui détachait des ruades
pour le faire retourner. Le gros poisson remontait le Nil,
et, s'élançant hors de l'eau, menaçait de le dévorer; le
bouc restait immobile et saisi de crainte; le corbeau voltigeait autour de la tête du taureau, comme s'il eût voulu
s'efforcer de lui crever les yeux. La colombe seule
l'accompagnait par curiosité, et lui applaudissait par un
doux murmure.

Un spectacle si extraordinaire rejeta Mambrès dans ses
sérieuses pensées. Cependant le taureau blanc, tirant après
lui sa chaîne et la vieille, était déjà parvenu auprès de
la princesse, qui était saisie d'étonnement et de peur. Il
se jette à ses pieds, il les baise, il verse des larmes, il la
regarde avec des yeux où régnait un mélange inouï de
douleur et de joie. Il n'osait mugir, de peur d'effaroucher la belle Amaside. Il ne pouvait parler. Un faible
usage de la voix accordé par le ciel à quelques animaux
lui était interdit; mais toutes ses actions étaient éloquentes. Il plut beaucoup à la princesse. Elle sentit qu'un
léger amusement pouvait suspendre pour quelques
moments les chagrins les plus douloureux. « Voilà, disait-
elle, un animal bien aimable; je voudrais l'avoir dans
mon écurie. »

A ces mots, le taureau plia les quatre genoux, et baisa
la terre. « Il m'entend! s'écria la princesse; il me témoigne
qu'il veut m'appartenir. Ah! divin mage, divin eunuque,
donnez-moi cette consolation, achetez ce beau chérubin [a]; faites le prix avec la vieille, à laquelle il appartient
sans doute. Je veux que cet animal soit à moi; ne me
refusez pas cette consolation innocente. » Toutes les
dames du palais joignirent leurs instances aux prières de
la princesse. Mambrès se laissa toucher, et alla parler à
la vieille.

---

a. *Chérub*, en chaldéen et en syriaque, signifie un bœuf.

CHAPITRE SECOND

COMMENT LE SAGE MAMBRÈS,
CI-DEVANT SORCIER DE PHARAON, RECONNUT UNE VIEILLE,
ET COMME IL FUT RECONNU PAR ELLE

« Madame, lui dit-il, vous savez que les filles, et sur-tout les princesses, ont besoin de se divertir. La fille du roi est folle de votre taureau; je vous prie de nous le vendre, vous serez payée argent comptant.

— Seigneur, lui répondit la vieille, ce précieux animal n'est point à moi. Je suis chargée, moi et toutes les bêtes que vous avez vues, de le garder avec soin, d'observer toutes ses démarches, et d'en rendre compte. Dieu me préserve de vouloir jamais vendre cet animal impayable! »

Mambrès, à ce discours, se sentit éclairé de quelques traits d'une lumière confuse qu'il ne démêlait pas encore. Il regarda la vieille au manteau gris avec plus d'attention : « Respectable dame, lui dit-il, ou je me trompe, ou je vous ai vue autrefois. — Je ne me trompe pas, répondit la vieille, je vous ai vu, seigneur, il y a sept cents ans, dans un voyage que je fis de Syrie en Egypte, quelques mois après la destruction de Troie, lorsque Hiram régnait à Tyr, et Néphel Kerès sur l'antique Egypte.

— Ah! madame, s'écria le vieillard, vous êtes l'auguste pythonisse d'Endor. — Et vous, seigneur, lui dit la pythonisse en l'embrassant, vous êtes le grand Mambrès d'Egypte.

— O rencontre imprévue! jour mémorable! décrets éternels! dit Mambrès. Ce n'est pas, sans doute, sans un ordre de la Providence universelle que nous nous retrouvons dans cette prairie sur les rivages du Nil, près de la superbe ville de Tanis. Quoi! c'est vous, madame, qui êtes si fameuse sur les bords de votre petit Jourdain, et la première personne du monde pour faire venir des ombres. — Quoi! c'est vous, Seigneur, qui êtes si fameux pour changer les baguettes en serpents, le jour en ténèbres, et les rivières en sang. — Oui, madame; mais mon grand âge affaiblit une partie de mes lumières et de ma puissance. J'ignore d'où vous vient ce beau taureau blanc, et qui sont ces animaux qui veillent avec vous autour de lui. » La vieille se recueillit, leva les yeux au ciel, puis répondit en ces termes :

« Mon cher Mambrès, nous sommes de la même profession ; mais il m'est expressément défendu de vous dire quel est ce taureau. Je puis vous satisfaire sur les autres animaux. Vous les reconnaîtrez aisément aux marques qui les caractérisent. Le serpent est celui qui persuada Ève de manger une pomme, et d'en faire manger à son mari. L'ânesse est celle qui parla dans un chemin creux à Balaam, votre contemporain. Le poisson qui a toujours sa tête hors de l'eau, est celui qui avala Jonas il y a quelques années. Ce chien est celui qui suivit l'ange Raphaël et le jeune Tobie dans le voyage qu'ils firent à Ragès en Médie, du temps du grand Salmanazar. Ce bouc est celui qui expie tous les péchés d'une nation. Ce corbeau et ce pigeon sont ceux qui étaient dans l'arche de Noé, grand événement, catastrophe universelle, que presque toute la terre ignore encore ! Vous voilà au fait. Mais pour le taureau, vous n'en saurez rien. »

Mambrès écoutait avec respect. Puis il dit : « L'Eternel révèle ce qu'il veut et à qui il veut, illustre pythonisse. Toutes ces bêtes, qui sont commises avec vous à la garde du taureau blanc, ne sont connues que de votre généreuse et agréable nation, qui est elle-même inconnue à presque tout le monde. Les merveilles que vous et les vôtres, et moi et les miens, nous avons opérées, seront un jour un grand sujet de doute et de scandale pour les faux sages. Heureusement elles trouveront croyance chez les sages véritables qui seront soumis aux voyants dans une petite partie du monde, et c'est tout ce qu'il faut. »

Comme il prononçait ces paroles, la princesse le tira par la manche, et lui dit : « Mambrès, est-ce que vous ne m'achèterez pas mon taureau ? » Le mage, plongé dans une rêverie profonde, ne répondit rien ; et Amaside versa des larmes.

Elle s'adressa alors elle-même à la vieille, et lui dit : « Ma bonne, je vous conjure par tout ce que vous avez de plus cher au monde, par votre père, par votre mère, par votre nourrice, qui sans doute vivent encore, de me vendre non seulement votre taureau, mais aussi votre pigeon, qui lui paraît fort affectionné. Pour vos autres bêtes, je n'en veux point ; mais je suis fille à tomber malade de vapeurs si vous ne me vendez ce charmant taureau blanc, qui fera toute la douceur de ma vie. »

La vieille lui baisa respectueusement les franges de sa robe de gaze, et lui dit : « Princesse, mon taureau n'est point à vendre, votre illustre mage en est instruit. Tout

ce que je pourrais faire pour votre service, ce serait de
le mener paître tous les jours près de votre palais ; vous
pourriez le caresser, lui donner des biscuits, le faire danser
à votre aise. Mais il faut qu'il soit continuellement sous
les yeux de toutes les bêtes qui m'accompagnent, et qui
sont chargées de sa garde. S'il ne veut point s'échapper,
elles ne lui feront point de mal ; mais s'il essaye encore de
rompre sa chaîne, comme il a fait dès qu'il vous a vue,
malheur à lui ! je ne répondrais pas de sa vie. Ce gros
poisson que vous voyez l'avalerait infailliblement, et le
garderait plus de trois jours dans son ventre ; ou bien ce
serpent, qui vous a paru peut-être assez doux et assez
aimable, lui pourrait faire une piqûre mortelle. »

Le taureau blanc, qui entendait à merveille tout ce que
disait la vieille, mais qui ne pouvait parler, accepta toutes
ses propositions d'un air soumis. Il se coucha à ses pieds,
mugit doucement ; et, regardant Amaside avec tendresse,
il semblait lui dire : « Venez me voir quelquefois sur
l'herbe. » Le serpent prit alors la parole, et dit : « Princesse, je vous conseille de faire aveuglément tout ce que
mademoiselle d'Endor vient de vous dire. » L'ânesse dit
aussi son mot, et fut de l'avis du serpent. Amaside était
affligée que ce serpent et cette ânesse parlassent si bien,
et qu'un beau taureau, qui avait les sentiments si nobles
et si tendres, ne pût les exprimer. « Hélas ! rien n'est
plus commun à la cour, disait-elle tout bas ; on y voit
tous les jours de beaux seigneurs qui n'ont point de
conversation, et des malotrus qui parlent avec assurance.

— Ce serpent n'est point un malotru, dit Mambrès ;
ne vous y trompez pas. C'est peut-être la personne de la
plus grande considération. »

Le jour baissait, la princesse fut obligée de s'en retourner, après avoir bien promis de revenir le lendemain à la
même heure. Ses dames du palais étaient émerveillées,
et ne comprenaient rien à ce qu'elles avaient vu et
entendu. Mambrès faisait ses réflexions. La princesse,
songeant que le serpent avait appelé la vieille *mademoiselle*, conclut au hasard qu'elle était pucelle, et sentit
quelque affliction de l'être encore : affliction respectable,
qu'elle cachait avec autant de scrupule que le nom de son
amant.

CHAPITRE TROISIÈME

COMMENT LA BELLE AMASIDE
EUT UN SECRET ENTRETIEN
AVEC UN BEAU SERPENT

La belle princesse recommanda le secret à ses dames
sur ce qu'elles avaient vu. Elles le promirent toutes et
en effet le gardèrent un jour entier. On peut croire
qu'Amaside dormit peu cette nuit. Un charme inexplicable lui rappelait sans cesse l'idée de son beau taureau.
Dès qu'elle put être en liberté avec son sage Mambrès,
elle lui dit : « O sage! cet animal me tourne la tête. — Il
occupe beaucoup la mienne, dit Mambrès. Je vois clairement que ce chérubin est fort au-dessus de son espèce.
Je vois qu'il y a là un grand mystère, mais je crains un
événement funeste. Votre père Amasis est violent et
soupçonneux; toute cette affaire exige que vous vous
conduisiez avec la plus grande prudence.

— Ah! dit la princesse, j'ai trop de curiosité pour être
prudente; c'est la seule passion qui puisse se joindre
dans mon cœur à celle qui me dévore pour l'amant
que j'ai perdu. Quoi! ne pourrai-je savoir ce que c'est
que ce taureau blanc qui excite dans moi un trouble si
inouï ?

— Madame, lui répondit Mambrès, je vous ai avoué
déjà que ma science baisse à mesure que mon âge avance;
mais je me trompe fort, ou le serpent est instruit de ce
que vous avez tant d'envie de savoir. Il a de l'esprit,
il s'explique en bons termes, il est accoutumé depuis
longtemps à se mêler des affaires des dames. — Ah! sans
doute, dit Amaside, c'est ce beau serpent de l'Egypte,
qui, en se mettant la queue dans la bouche, est le symbole de l'éternité, qui éclaire le monde dès qu'il ouvre
les yeux, et qui l'obscurcit dès qu'il les ferme. — Non,
madame. — C'est donc le serpent d'Esculape ? — Encore
moins. — C'est peut-être Jupiter sous la forme d'un serpent ? — Point du tout. — Ah! je vois, c'est votre
baguette, que vous changeâtes autrefois en serpent ? —
Non, vous dis-je, madame; mais tous ces serpents-là
sont de la même famille. Celui-là a beaucoup de réputation dans son pays : il y passe pour le plus habile serpent
qu'on ait jamais vu. Adressez-vous à lui. Toutefois je

vous avertis que c'est une entreprise fort dangereuse. Si j'étais à votre place, je laisserais là le taureau, l'ânesse, le serpent, le poisson, le chien, le bouc, le corbeau, et la colombe. Mais la passion vous emporte; tout ce que je puis faire est d'en avoir pitié, et de trembler. »

La princesse le conjura de lui procurer un tête-à-tête avec le serpent. Mambrès, qui était bon, y consentit; et, en réfléchissant toujours profondément, il alla trouver sa pythonisse. Il lui exposa la fantaisie de sa princesse avec tant d'insinuation qu'il la persuada.

La vieille lui dit donc qu'Amaside était la maîtresse; que le serpent savait très bien vivre, qu'il était fort poli avec les dames; qu'il ne demandait pas mieux que de les obliger, et qu'il se trouverait au rendez-vous.

Le vieux mage revint apporter à la princesse cette bonne nouvelle; mais il craignait encore quelque malheur, et faisait toujours ses réflexions. « Vous voulez parler au serpent, madame; ce sera quand il plaira à Votre Altesse. Souvenez-vous qu'il faut beaucoup le flatter, car tout animal est pétri d'amour-propre, et surtout lui. On dit même qu'il fut chassé autrefois d'un beau lieu pour son excès d'orgueil. — Je ne l'ai jamais ouï dire, repartit la princesse. — Je le crois bien », reprit le vieillard. Alors il lui apprit tous les bruits qui avaient couru sur ce serpent si fameux. « Mais, madame, quelque aventure singulière qui lui soit arrivée, vous ne pouvez arracher son secret qu'en le flattant. Il passe dans un pays voisin pour avoir joué autrefois un tour pendable aux femmes; il est juste qu'à son tour une femme le séduise. — J'y ferai mon possible », dit la princesse.

Elle partit donc avec ses dames du palais et le bon mage eunuque. La vieille alors faisait paître le taureau blanc assez loin. Mambrès laissa Amaside en liberté, et alla entretenir sa pythonisse. La dame d'honneur causa avec l'ânesse; les dames de compagnie s'amusèrent avec le bouc, le chien, le corbeau, et la colombe; pour le gros poisson, qui faisait peur à tout le monde, il se replongea dans le Nil par ordre de la vieille.

Le serpent alla aussitôt au-devant de la belle Amaside dans le bocage, et ils eurent ensemble cette conversation :

LE SERPENT

Vous ne sauriez croire combien je suis flatté, madame, de l'honneur que Votre Altesse daigne me faire.

LA PRINCESSE

Monsieur, votre grande réputation, la finesse de votre physionomie et le brillant de vos yeux, m'ont aisément déterminée à rechercher ce tête-à-tête. Je sais, par la voix publique (si elle n'est point trompeuse), que vous avez été un grand seigneur dans le ciel empyrée.

LE SERPENT

Il est vrai, madame, que j'y avais une place assez distinguée. On prétend que je suis un favori disgracié : c'est un bruit qui a couru d'abord dans l'Inde [a]. Les bracmanes sont les premiers qui ont donné une longue histoire de mes aventures. Je ne doute pas que des poètes du Nord n'en fassent un jour un poème épique bien bizarre, car, en vérité, c'est tout ce qu'on en peut faire. Mais je ne suis pas tellement déchu que je n'aie encore dans ce globe-ci un domaine très considérable. J'oserais presque dire que toute la terre m'appartient.

LA PRINCESSE

Je le crois, monsieur, car on dit que vous avez le talent de persuader tout ce que vous voulez, et c'est régner que de plaire.

LE SERPENT

J'éprouve, madame, en vous voyant et en vous écoutant, que vous avez sur moi cet empire qu'on m'attribue sur tant d'autres âmes.

LA PRINCESSE

Vous êtes, je le crois, un aimable vainqueur. On prétend que vous avez subjugué bien des dames, et que vous commençâtes par notre mère commune, dont j'ai oublié le nom.

LE SERPENT

On me fait tort : je lui donnai le meilleur conseil du monde. Elle m'honorait de sa confiance. Mon avis fut qu'elle et son mari devaient se gorger du fruit de l'arbre de la science. Je crus plaire en cela au maître des choses. Un arbre si nécessaire au genre humain ne me paraissait

---

a. Les bracmanes furent en effet les premiers qui imaginèrent une révolte dans le ciel, et cette fable servit longtemps après de canevas à l'histoire de la guerre des géants contre les dieux, et à quelques autres histoires.

pas planté pour être inutile. Le maître aurait-il voulu être servi par des ignorants et des idiots ? L'esprit n'est-il pas fait pour s'éclairer, pour se perfectionner ? Ne faut-il pas connaître le bien et le mal pour faire l'un et pour éviter l'autre ? Certainement on me devait des remercie-ments.

LA PRINCESSE

Cependant on dit qu'il vous en arriva mal. C'est appa-remment depuis ce temps-là que tant de ministres ont été punis d'avoir donné de bons conseils, et que tant de vrais savants et de grands génies ont été persécutés pour avoir écrit des choses utiles au genre humain.

LE SERPENT

Ce sont apparemment mes ennemis, madame, qui vous ont fait ces contes. Ils vont criant que je suis mal en cour. Une preuve que j'y ai un très grand crédit, c'est qu'eux-mêmes avouent que j'entrai dans le conseil quand il fut question d'éprouver le bonhomme Job, et que j'y fus encore appelé quand on y prit la résolution de tromper un certain roitelet nommé Achab [b] : ce fut moi seul qu'on chargea de cette noble commission.

LA PRINCESSE

Ah! monsieur, je ne crois pas que vous soyez fait pour tromper. Mais, puisque vous êtes toujours dans le minis-tère, puis-je vous demander une grâce ? J'espère qu'un seigneur si aimable ne me refusera pas.

LE SERPENT

Madame, vos prières sont des lois. Qu'ordonnez-vous ?

LA PRINCESSE

Je vous conjure de me dire ce que c'est que ce beau taureau blanc pour qui j'éprouve dans moi des sentiments incompréhensibles, qui m'attendrissent, et qui m'épou-vantent. On m'a dit que vous daigneriez m'en instruire.

---

b. Troisième livre des *Rois*, chap. XXII, v. 21 et 22. « Le Seigneur dit : « Qui trompera Achab, roi d'Israël, afin qu'il marche en Ramoth de Galaad, et qu'il y tombe ? » Et un esprit s'avança et se présenta devant le Seigneur, et lui dit : « C'est moi qui le tromperai. » Et le Seigneur lui dit : « Comment ? Oui, tu le tromperas; et tu prévaudras. Va, et fais ainsi. »

LE SERPENT

Madame, la curiosité est nécessaire à la nature humaine, et surtout à votre aimable sexe : sans elle on croupirait dans la plus honteuse ignorance. J'ai toujours satisfait, autant que je l'ai pu, la curiosité des dames. On m'accuse de n'avoir eu cette complaisance que pour faire dépit au maître des choses. Je vous jure que mon seul but serait de vous obliger; mais la vieille a dû vous avertir qu'il y a quelque danger pour vous dans la révélation de ce secret.

LA PRINCESSE

Ah! c'est ce qui me rend encore plus curieuse.

LE SERPENT

Je reconnais là toutes les belles dames à qui j'ai rendu service.

LA PRINCESSE

Si vous êtes sensible, si tous les êtres se doivent des secours mutuels, si vous avez pitié d'une infortunée, ne me refusez pas.

LE SERPENT

Vous me fendez le cœur; il faut vous satisfaire; mais ne m'interrompez pas.

LA PRINCESSE

Je vous le promets.

LE SERPENT

Il y avait un jeune roi, beau, fait à peindre, amoureux, aimé...

LA PRINCESSE

Un jeune roi! beau, fait à peindre, amoureux, aimé! et de qui ? et quel était ce roi ? quel âge avait-il ? qu'est-il devenu ? où est-il ? où est son royaume ? quel est son nom ?

LE SERPENT

Ne voilà-t-il pas que vous m'interrompez, quand j'ai commencé à peine. Prenez garde : si vous n'avez pas plus de pouvoir sur vous-même, vous êtes perdue.

LA PRINCESSE

Ah! pardon, monsieur, cette indiscrétion ne m'arrivera plus; continuez, de grâce.

LE SERPENT

Ce grand roi, le plus aimable et le plus valeureux des hommes, victorieux partout où il avait porté ses armes, rêvait souvent en dormant; et, quand il oubliait ses rêves, il voulait que ses mages s'en ressouvinssent, et qu'ils lui apprissent ce qu'il avait rêvé, sans quoi il les faisait tous pendre, car rien n'est plus juste. Or il y a bientôt sept ans qu'il songea un beau songe dont il perdit la mémoire en se réveillant; et un jeune Juif, plein d'expérience, lui ayant expliqué son rêve, cet aimable roi fut soudain changé en bœuf [c]; car...

LA PRINCESSE

Ah! c'est mon cher Nabu...

Elle ne put achever; elle tomba évanouie. Mambrès, qui écoutait de loin, la vit tomber, et la crut morte.

CHAPITRE QUATRIÈME

COMMENT ON VOULUT SACRIFIER LE BŒUF ET EXORCISER LA PRINCESSE

Mambrès court à elle en pleurant. Le serpent est attendri : il ne peut pleurer, mais il siffle d'un ton lugubre; il crie : « Elle est morte! » L'ânesse répète : « Elle est morte! » Le corbeau le redit; tous les autres animaux paraissent saisis de douleur, excepté le poisson de Jonas, qui a toujours été impitoyable. La dame d'honneur, les dames du palais, arrivent et s'arrachent les cheveux. Le taureau blanc, qui paissait au loin, et qui entend leurs clameurs, court au bosquet, et entraîne la vieille avec lui en poussant des mugissements dont les échos retentissent. En vain toutes les dames versaient sur Amaside expirante leurs flacons d'eau de rose, d'œillet, de myrte, de benjoin, de baume de la Mecque, de cannelle, d'amomon, de gérofle, de muscade, d'ambre gris. Elle n'avait

---

c. Toute l'antiquité employait indifféremment les termes de *bœuf* et de *taureau*.

donné aucun signe de vie; mais, dès qu'elle sentit le beau
taureau blanc à ses côtés, elle revint à elle plus fraîche,
plus belle, plus animée que jamais. Elle donna cent baisers à cet animal charmant, qui penchait languissamment
sa tête sur son sein d'albâtre. Elle l'appelle : « Mon
maître, mon roi, mon cœur, ma vie. » Elle passe ses bras
d'ivoire autour de ce cou plus blanc que la neige. La
paille légère s'attache moins fortement à l'ambre, la vigne
à l'ormeau, le lierre au chêne. On entendait le doux murmure de ses soupirs; on voyait ses yeux, tantôt étincelants
d'une tendre flamme, tantôt offusqués par ces larmes précieuses que l'amour fait répandre.

On peut juger dans quelle surprise la dame d'honneur
d'Amaside et les dames de compagnie étaient plongées.
Dès qu'elles furent rentrées au palais, elles racontèrent
toutes à leurs amants cette aventure étrange, et chacune
avec des circonstances différentes, qui en augmentaient
la singularité, et qui contribuent toujours à la variété de
toutes les histoires.

Dès qu'Amasis, roi de Tanis, en fut informé, son cœur
royal fut saisi d'une juste colère. Tel fut le courroux de
Minos quand il sut que sa fille Pasiphaé prodiguait ses
tendres faveurs au père du minotaure. Ainsi frémit
Junon lorsqu'elle vit Jupiter son époux caresser la belle
vache Io, fille du fleuve Inachus. Amasis fit enfermer la
belle Amaside dans sa chambre, et mit une garde d'eunuques noirs à sa porte; puis il assembla son conseil secret.

Le grand mage Mambrès y présidait, mais il n'avait
plus le même crédit qu'autrefois. Tous les ministres
d'Etat conclurent que le taureau blanc était un sorcier.
C'était tout le contraire : il était ensorcelé; mais on se
trompe toujours à la cour dans ces affaires délicates.

On conclut à la pluralité des voix qu'il fallait exorciser
la princesse, et sacrifier le taureau blanc et la vieille.

Le sage Mambrès ne voulut point choquer l'opinion
du roi et du conseil. C'était à lui qu'appartenait le droit
de faire les exorcismes; il pouvait les différer sous un prétexte très plausible. Le dieu Apis venait de mourir à
Memphis. Un dieu bœuf meurt comme un autre. Il
n'était permis d'exorciser personne en Egypte jusqu'à ce
qu'on eût trouvé un autre bœuf qui pût remplacer le
défunt.

Il fut donc arrêté dans le conseil qu'on attendrait la
nomination qu'on devait faire du nouveau dieu à Memphis.

Le bon vieillard Mambrès sentait à quel péril sa chère princesse était exposée : il voyait quel était son amant. Les syllabes *Nabu*, qui lui étaient échappées, avaient décelé tout le mystère aux yeux de ce sage.

La dynastie [a] de Memphis appartenait alors aux Babyloniens : ils conservaient ce reste de leurs conquêtes passées, qu'ils avaient faites sous le plus grand roi du monde, dont Amasis était l'ennemi mortel. Mambrès avait besoin de toute sa sagesse pour se bien conduire parmi tant de difficultés. Si le roi Amasis découvrait l'amant de sa fille, elle était morte : il l'avait juré. Le grand, le jeune, le beau roi dont elle était éprise, avait détrôné son père, qui n'avait repris son royaume de Tanis que depuis près de sept ans qu'on ne savait ce qu'était devenu l'adorable monarque, le vainqueur et l'idole des nations, le tendre et généreux amant de la charmante Amaside. Mais aussi, en sacrifiant le taureau, on faisait mourir infailliblement la belle Amaside de douleur.

Que pouvait faire Mambrès dans des circonstances si épineuses ? Il va trouver sa chère nourrissonne au sortir du conseil, et lui dit : « Ma belle enfant, je vous servirai ; mais je vous le répète, on vous coupera le cou si vous prononcez jamais le nom de votre amant.

— Ah! que m'importe mon cou, dit la belle Amaside, si je ne puis embrasser celui de Nabucho!... Mon père est un bien méchant homme! Non seulement il refusa de me donner au beau prince que j'idolâtre, mais il lui déclara la guerre ; et, quand il a été vaincu par mon amant, il a trouvé le secret de le changer en bœuf. A-t-on jamais vu une malice plus effroyable ? Si mon père n'était pas mon père, je ne sais ce que je lui ferais.

— Ce n'est pas votre père qui lui a joué ce cruel tour, dit le sage Mambrès, c'est un Palestin, un de nos anciens ennemis, un habitant d'un petit pays compris dans la foule des Etats que votre auguste amant a domptés pour les policer. Ces métamorphoses ne doivent point vous surprendre ; vous savez que j'en faisais autrefois de plus belles : rien n'était plus commun alors que ces changements qui étonnent aujourd'hui les sages. L'histoire véritable que nous avons lue ensemble nous a enseigné que Lycaon, roi d'Arcadie, fut changé en loup. La belle Cal-

---

a. Dynastie signifie proprement puissance. Ainsi on peut se servir de ce mot, malgré les cavillations de Larcher. Dynastie vient du phénicien *dunast* et Larcher est un ignorant qui ne sait ni le phénicien, ni le syriaque, ni le cophte.

listo, sa fille, fut changée en ourse ; Io, fille d'Inachus, notre vénérable Isis, en vache ; Daphné, en laurier ; Syrinx, en flûte. La belle Edith, femme de Loth, le meilleur, le plus tendre père qu'on ait jamais vu, n'est-elle pas devenue dans notre voisinage une grande statue de sel très belle et très piquante, qui a conservé toutes les marques de son sexe, et qui a régulièrement ses ordinaires [b] chaque mois, comme l'attestent les grands hommes qui l'ont vue ? J'ai été témoin de ce changement dans ma jeunesse. J'ai vu cinq puissantes villes, dans le séjour du monde le plus sec et le plus aride, transformées tout à coup en un beau lac. On ne marchait dans mon jeune temps que sur des métamorphoses.

« Enfin madame, si les exemples peuvent adoucir votre peine, souvenez-vous que Vénus a changé les Cérastes en bœufs. — Je le sais, dit la malheureuse princesse, mais les exemples consolent-ils ? Si mon amant était mort, me consolerais-je par l'idée que tous les hommes meurent ? — Votre peine peut finir, dit le sage ; et puisque votre tendre amant est devenu bœuf, vous voyez bien que de bœuf il peut devenir homme. Pour moi, il faudrait que je fusse changé en tigre ou en crocodile, si je n'employais pas le peu de pouvoir qui me reste pour le service d'une princesse digne des adorations de la terre, pour la belle Amaside, que j'ai élevée sur mes genoux, et que sa fatale destinée met à des épreuves si cruelles. »

CHAPITRE CINQUIÈME

COMMENT LE SAGE MAMBRÈS SE CONDUISIT SAGEMENT

Le divin Mambrès ayant dit à la princesse tout ce qu'il fallait pour la consoler, et ne l'ayant point consolée, courut aussitôt à la vieille. « Ma camarade, lui dit-il, notre métier est beau, mais il est bien dangereux ; vous courez risque d'être pendue, et votre bœuf d'être brûlé, ou noyé, ou mangé. Je ne sais pas ce qu'on fera de vos autres bêtes, car, tout prophète que je suis, je sais bien peu de choses ; mais cachez soigneusement le serpent et

b. Tertullien, dans son poème de *Sodome*, dit :
Dicitur et vivens alio sub corpore sexus
Munificos solito dispungere sanguine menses.
Saint Irénée, liv. IV, dit : *Per naturalia ea quæ sunt consuetudinis feminæ ostendens.*

le poisson; que l'un ne mette pas la tête hors de l'eau, et
que l'autre ne sorte pas de son trou. Je placerai le bœuf
dans une de mes écuries à la campagne; vous y serez
avec lui, puisque vous dites qu'il ne vous est pas permis
de l'abandonner. Le bouc émissaire pourra dans l'occasion servir d'expiatoire; nous l'enverrons dans le désert
chargé des péchés de la troupe; il est accoutumé à cette
cérémonie, qui ne lui fait aucun mal; et l'on sait que
tout s'expie avec un bouc qui se promène. Je vous prie
seulement de me prêter tout à l'heure le chien de Tobie,
qui est un lévrier fort agile, l'ânesse de Balaam, qui court
mieux qu'un dromadaire, le corbeau et le pigeon de
l'arche, qui volent très rapidement. Je veux les envoyer
en ambassade à Memphis pour une affaire de la dernière
conséquence. »

La vieille repartit au mage : « Seigneur, vous pouvez
disposer à votre gré du chien de Tobie, de l'ânesse de
Balaam, du corbeau et du pigeon de l'arche, et du bouc
émissaire; mais mon bœuf ne peut coucher dans une
écurie. Il est dit qu'il doit être attaché à une chaîne
d'acier, « être toujours mouillé de la rosée, et brouter
l'herbe sur la terre [a], et que sa portion sera avec les bêtes
sauvages ». Il m'est confié, je dois obéir. Que penseraient
de moi Daniel, Ezéchiel et Jérémie, si je confiais mon
bœuf à d'autres qu'à moi-même ? Je vois que vous savez
le secret de cet étrange animal. Je n'ai pas à me reprocher de vous l'avoir révélé. Je vais le conduire loin de
cette terre impure, vers le lac Sirbon, loin des cruautés
du roi de Tanis. Mon poisson et mon serpent me défen-
dront : je ne crains personne quand je sers mon maître. »

Le sage Mambrès repartit ainsi : « Ma bonne, la
volonté de Dieu soit faite! Pourvu que je retrouve notre
taureau blanc, il ne m'importe ni du lac de Sirbon, ni du
lac de Mœris, ni du lac de Sodome; je ne veux que lui
faire du bien, et à vous aussi. Mais pourquoi m'avez-vous
parlé de Daniel, d'Ezéchiel et de Jérémie ?

— Ah! seigneur, reprit la vieille, vous savez aussi bien
que moi l'intérêt qu'ils ont eu dans cette grande affaire.
Mais je n'ai pas de temps à perdre; je ne veux point être
pendue; je ne veux point que mon taureau soit brûlé, ou
noyé, ou mangé. Je m'en vais auprès du lac de Sirbon par
Canope, avec mon serpent et mon poisson. Adieu! »

Le taureau la suivit tout pensif, après avoir témoigné

_____

a. Daniel, chap. v.

au bienfaisant Mambrès la reconnaissance qu'il lui devait.

Le sage Mambrès était dans une cruelle inquiétude. Il voyait bien qu'Amasis, roi de Tanis, désespéré de la folle passion de sa fille pour cet animal, et la croyant ensorcelée, ferait poursuivre partout le malheureux taureau, et qu'il serait infailliblement brûlé, en qualité de sorcier, dans la place publique de Tanis, ou livré au poisson de Jonas, ou rôti, ou servi sur table. Il voulait, à quelque prix que ce fût, épargner ce désagrément à la princesse.

Il écrivit une lettre au grand prêtre de Memphis, son ami, en caractères sacrés, sur du papier d'Egypte qui n'était pas encore en usage. Voici les propres mots de sa lettre :

« Lumière du monde, lieutenant d'Isis, d'Osiris, et d'Horus, chef des circoncis, vous dont l'autel est élevé, comme de raison, au-dessus de tous les trônes ; j'apprends que votre dieu le bœuf Apis est mort. J'en ai un autre à votre service. Venez vite avec vos prêtres le reconnaître, l'adorer, et le conduire dans l'écurie de votre temple. Qu'Isis, Osiris et Horus vous aient en leur sainte et digne garde ; et vous, messieurs les prêtres de Memphis, en leur sainte garde !

« Votre affectionné ami,

« MAMBRÈS. »

Il fit quatre duplicata de cette lettre, de crainte d'accident, et les enferma dans des étuis de bois d'ébène le plus dur. Puis appelant à lui quatre courriers qu'il destinait à ce message (c'étaient l'ânesse, le chien, le corbeau et le pigeon), il dit à l'ânesse : « Je sais avec quelle fidélité vous avez servi Balaam, mon confrère ; servez-moi de même. Il n'y a point d'onocrotale qui vous égale à la course ; allez, ma chère amie, rendez ma lettre en main propre, et revenez. » L'ânesse lui répondit : « Comme j'ai servi Balaam, je servirai monseigneur ; j'irai et je reviendrai. » Le sage lui mit le bâton d'ébène dans la bouche, et elle partit comme un trait.

Puis il fit venir le chien de Tobie, et lui dit : « Chien fidèle, et plus prompt à la course qu'Achille aux pieds légers, je sais ce que vous avez fait pour Tobie, fils de Tobie, lorsque vous et l'ange Raphaël vous l'accompagnâtes de Ninive à Ragès en Médie et de Ragès à Ninive,

et qu'il rapporta à son père dix talents [b] que l'esclave
Tobie père avait prêtés à l'esclave Gabelus; car ces
esclaves étaient fort riches. Portez à son adresse cette
lettre, qui est plus précieuse que dix talents d'argent. »
Le chien lui répondit : « Seigneur, si j'ai suivi autrefois
le messager Raphaël, je puis tout aussi bien faire votre
commission. » Mambrès lui mit la lettre dans la gueule.
Il en dit autant à la colombe. Elle lui répondit : « Seigneur, si j'ai rapporté un rameau dans l'arche, je vous
apporterai de même votre réponse. » Elle prit la lettre
dans son bec. On les perdit tous trois de vue en un instant.

Puis il dit au corbeau : « Je sais que vous avez nourri
le grand prophète Elie [c], lorsqu'il était caché auprès du
torrent Carith, si fameux dans toute la terre. Vous lui
apportiez tous les jours de bon pain et des poulardes
grasses; je ne vous demande que de porter cette lettre à
Memphis. »

Le corbeau répondit en ces mots : « Il est vrai, seigneur, que je portais tous les jours à dîner au grand prophète Elie le Thesbite, que j'ai vu monter dans l'atmosphère sur un char de feu traîné par quatre chevaux de
feu, quoique ce ne soit pas la coutume; mais je prenais
toujours la moitié du dîner pour moi. Je veux bien porter
votre lettre, pourvu que vous m'assuriez de deux bons
repas chaque jour, et que je sois payé d'avance en argent
comptant pour ma commission. »

Mambrès, en colère, dit à cet animal : « Gourmand et
malin, je ne suis pas étonné qu'Apollon, de blanc que tu
étais comme un cygne, t'ait rendu noir comme une taupe,
lorsque dans les plaines de Thessalie tu trahis la belle
Coronis, malheureuse mère d'Esculape. Eh! dis-moi
donc, mangeais-tu tous les jours des aloyaux et des poulardes quand tu fus dix mois dans l'arche ? — Monsieur,
nous y faisions très bonne chère, repartit le corbeau. On
servait du rôti deux fois par jour à toutes les volatiles de
mon espèce, qui ne vivent que de chair, comme à vautours, milans, aigles, buses, éperviers, ducs, émouchets,
faucons, hiboux, et à la foule innombrable des oiseaux
de proie. On garnissait avec une profusion bien plus
grande les tables des lions, des léopards, des tigres, des
panthères, des onces, des hyènes, des loups, des ours,
des renards, des fouines et de tous les quadrupèdes car-

_b._ Vingt mille écus argent de France, au cours de ce jour.
_c._ Troisième livre des _Rois_, chap. XVII.

nivores. Il y avait dans l'arche huit personnes de marque, et les seules qui fussent alors au monde, continuellement occupées du soin de notre table, et de notre garde-robe; savoir : Noé et sa femme, qui n'avaient guère plus de six cents ans, leurs trois fils et leurs trois épouses. C'était un plaisir de voir avec quel soin, quelle propreté nos huit domestiques servaient plus de quatre mille convives du plus grand appétit, sans compter les peines prodigieuses qu'exigeaient dix à douze mille autres personnes, depuis l'éléphant et la girafe jusqu'aux vers à soie et aux mouches. Tout ce qui m'étonne, c'est que notre pourvoyeur Noé soit inconnu à toutes les nations, dont il est la tige; mais je ne m'en soucie guère. Je m'étais déjà trouvé à une pareille fête [d] chez le roi de Thrace Xissutre. Ces choses-là arrivent de temps en temps pour l'instruction des corbeaux. En un mot, je veux faire bonne chère, et être très bien payé en argent comptant. »

Le sage Mambrès se garda bien de donner sa lettre à une bête si difficile et si bavarde. Ils se séparèrent fort mécontents l'un de l'autre.

Il fallait cependant savoir ce que deviendrait le beau taureau, et ne pas perdre la piste de la vieille et du serpent. Mambrès ordonna à des domestiques intelligents et affidés de les suivre; et, pour lui, il s'avança en litière sur le bord du Nil, toujours faisant des réflexions.

« Comment se peut-il, disait-il en lui-même, que ce serpent soit le maître de presque toute la terre, comme il s'en vante, et comme tant de doctes l'avouent, et que cependant il obéisse à une vieille ? Comment est-il quelquefois appelé au conseil de là-haut, tandis qu'il rampe sur la terre ? Pourquoi entre-t-il tous les jours dans le corps des gens par sa seule vertu, et que tant de sages prétendent l'en déloger avec des paroles ? Enfin comment passe-t-il chez un petit peuple du voisinage pour avoir perdu le genre humain, et comment le genre humain n'en sait-il rien ? Je suis bien vieux, j'ai étudié toute ma vie : mais je vois là une foule d'incompatibilités que je ne puis concilier. Je ne saurais expliquer ce qui m'est arrivé à moi-même, ni les grandes choses que j'ai faites autrefois, ni celles dont j'ai été témoin. Tout bien

---

d. Bérose, auteur chaldéen, rapporte en effet que la même aventure advint au roi de Thrace Xissutre : elle était même encore plus merveilleuse, car son arche avait cinq stades de long sur deux de large. Il s'est élevé une grande dispute entre les savants pour démêler lequel est le plus ancien, du roi Xissutre ou de Noé.

pesé, je commence à soupçonner que ce monde-ci subsiste de contradictions : *Rerum concordia discors*, comme
disait autrefois mon maître Zoroastre en sa langue. »

Tandis qu'il était plongé dans cette métaphysique
obscure, comme l'est toute métaphysique, un batelier,
en chantant une chanson à boire, amarra un petit bateau
près de la rive. On en vit sortir trois graves personnages
à demi vêtus de lambeaux crasseux et déchirés, mais
conservant sous ces livrées de la pauvreté l'air le plus
majestueux et le plus auguste. C'étaient Daniel, Ezéchiel,
et Jérémie.

CHAPITRE SIXIÈME

COMMENT MAMBRÈS RENCONTRA TROIS PROPHÈTES,
ET LEUR DONNA UN BON DINER

Ces trois grands hommes, qui avaient la lumière pro-
phétique sur le visage, reconnurent le sage Mambrès
pour un de leurs confrères, à quelques traits de cette
même lumière qui lui restaient encore, et se prosternèrent devant son palanquin. Mambrès les reconnut
aussi pour prophètes encore plus à leurs habits qu'aux
traits de feu qui partaient de leurs têtes augustes. Il se
douta bien qu'ils venaient savoir des nouvelles du taureau blanc ; et, usant de sa prudence ordinaire, il descendit de sa voiture, et avança quelques pas au-devant d'eux
avec une politesse mêlée de dignité. Il les releva, fit dresser des tentes et apprêter un dîner dont il jugea que les
trois prophètes avaient grand besoin.

Il fit inviter la vieille, qui n'était encore qu'à cinq cents
pas. Elle se rendit à l'invitation, et arriva menant toujours le taureau blanc en laisse.

On servit deux potages, l'un de bisque, l'autre à la
reine ; les entrées furent une tourte de langues de carpes,
des foies de lottes et de brochets, des poulets aux pistaches, des innocents aux truffes et aux olives, deux din-
donneaux au coulis d'écrevisses, de mousserons et de
morilles, et un chipolata. Le rôti fut composé de faisan-
deaux, de perdreaux, de gelinottes, de cailles et d'ortolans,
avec quatre salades. Au milieu était un surtout dans le
dernier goût. Rien ne fut plus délicat que l'entremets ;
rien de plus magnifique, de plus brillant et de plus ingénieux que le dessert.

Au reste, le discret Mambrès avait eu grand soin que dans ce repas il n'y eût ni pièce de bouilli, ni aloyau, ni langue, ni palais de bœuf, ni tétines de vache, de peur que l'infortuné monarque, assistant de loin au dîner, ne crût qu'on lui insultât.

Ce grand et malheureux prince broutait l'herbe auprès de la tente. Jamais il ne sentit plus cruellement la fatale révolution qui l'avait privé du trône pour sept années entières. « Hélas! disait-il en lui-même, ce Daniel, qui m'a changé en taureau, et cette sorcière de pythonisse, qui me garde, font la meilleure chère du monde; et moi, le souverain de l'Asie, je suis réduit à manger du foin et à boire de l'eau. »

On but beaucoup de vin d'Engaddi, de Tadmor et de Chiraz. Quand les prophètes et la pythonisse furent un peu en pointe de vin, on se parla avec plus de confiance qu'aux premiers services. « J'avoue, dit Daniel, que je ne faisais pas si bonne chère quand j'étais dans la fosse aux lions. — Quoi! monsieur, on vous a mis dans la fosse aux lions? dit Mambrès; et comment n'avez-vous pas été mangé? — Monsieur, dit Daniel, vous savez que les lions ne mangent jamais de prophètes. — Pour moi, dit Jérémie, j'ai passé toute ma vie à mourir de faim; je n'ai jamais fait un bon repas qu'aujourd'hui. Si j'avais à renaître, et si je pouvais choisir mon état, j'avoue que j'aimerais cent fois mieux être contrôleur général, ou évêque à Babylone, que prophète à Jérusalem. »

Ezéchiel dit : « Il me fut ordonné une fois de dormir trois cent quatre-vingt-dix jours de suite sur le côté gauche, et de manger pendant tout ce temps-là du pain d'orge, de millet, de vesces, de fèves et de froment, couvert de *[a]* ... je n'ose pas dire. Tout ce que je pus obtenir, ce fut de ne le couvrir que de bouse de vache. J'avoue que la cuisine du seigneur Mambrès est plus délicate. Cependant le métier de prophète a du bon; et la preuve en est que mille gens s'en mêlent.

— A propos, dit Mambrès, expliquez-moi ce que vous entendez par votre Oolla et par votre Ooliba, qui faisaient tant de cas des chevaux et des ânes. — Ah! répondit Ezéchiel, ce sont des fleurs de rhétorique. »

Après ces ouvertures de cœur, Mambrès parla d'affaires. Il demanda aux trois pèlerins pourquoi ils étaient venus dans les Etats du roi de Tanis. Daniel prit

a. Ezéchiel, chap. IV.

la parole : il dit que le royaume de Babylone avait été en combustion depuis que Nabuchodonosor avait disparu; qu'on avait persécuté tous les prophètes, selon l'usage de la cour; qu'ils passaient leur vie tantôt à voir des rois à leurs pieds, tantôt à recevoir cent coups d'étrivières; qu'enfin ils avaient été obligés de se réfugier en Egypte, de peur d'être lapidés. Ezéchiel et Jérémie parlèrent aussi très longtemps dans un fort beau style, qu'on pouvait à peine comprendre. Pour la pythonisse, elle avait toujours l'œil sur son animal. Le poisson de Jonas se tenait dans le Nil, vis-à-vis de la tente, et le serpent se jouait sur l'herbe.

Après le café, on alla se promener sur le bord du Nil. Alors le taureau blanc, apercevant les trois prophètes ses ennemis, poussa des mugissements épouvantables; il se jeta impétueusement sur eux, il les frappa de ses cornes, et, comme les prophètes n'ont jamais que la peau sur les os, il les aurait percés d'outre en outre, et leur aurait ôté la vie; mais le maître des choses, qui voit tout et qui remédie à tout, les changea sur-le-champ en pies; et ils continuèrent à parler comme auparavant. La même chose arriva depuis aux Piérides, tant la fable a imité l'histoire.

Ce nouvel incident produisait de nouvelles réflexions dans l'esprit du sage Mambrès. « Voilà, disait-il, trois grands prophètes changés en pies : cela doit nous apprendre à ne pas trop parler, et à garder toujours une discrétion convenable. » Il concluait que sagesse vaut mieux qu'éloquence, et pensait profondément selon sa coutume, lorsqu'un grand et terrible spectacle vint frapper ses regards.

CHAPITRE SEPTIÈME

LE ROI TANIS ARRIVE. SA FILLE ET LE TAUREAU
VONT ÊTRE SACRIFIÉS

Des tourbillons de poussière s'élevaient du midi au nord. On entendait le bruit des tambours, des trompettes, des fifres, des psaltérions, des cythares, des sambuques; plusieurs escadrons avec plusieurs bataillons s'avançaient, et Amasis, roi de Tanis, était à leur tête sur un cheval caparaçonné d'une housse écarlate brochée d'or; et les hérauts criaient : « Qu'on prenne le taureau blanc, qu'on le lie, qu'on le jette dans le Nil, et qu'on le donne à manger au poisson de Jonas; car le roi mon seigneur, qui est juste, veut se venger du taureau blanc, qui a ensorcelé sa fille. »

Le bon vieillard Mambrès fit plus de réflexions que jamais. Il vit bien que le malin corbeau était allé tout dire au roi, et que la princesse courait grand risque d'avoir le cou coupé. Il dit au serpent : « Mon cher ami, allez vite consoler la belle Amaside, ma nourrissonne; dites-lui qu'elle ne craigne rien, quelque chose qui arrive, et faites-lui des contes pour charmer son inquiétude, car les contes amusent toujours les filles, et ce n'est que par des contes qu'on réussit dans le monde. »

Puis il se prosterna devant Amasis, roi de Tanis, et lui dit : « O roi! vivez à jamais. Le taureau blanc doit être sacrifié, car Votre Majesté a toujours raison; mais le maître des choses a dit : « Ce taureau ne doit être mangé par le poisson de Jonas qu'après que Memphis aura trouvé un dieu pour mettre à la place de son dieu qui est mort. » Alors vous serez vengé, et votre fille sera exorcisée, car elle est possédée. Vous avez trop de piété pour ne pas obéir aux ordres du maître des choses. »

Amasis, roi de Tanis, resta tout pensif; puis il dit : « Le bœuf Apis est mort; Dieu veuille avoir son âme! Quand croyez-vous qu'on aura trouvé un autre bœuf pour régner sur la féconde Egypte ? — Sire, dit Mambrès, je ne vous demande que huit jours. » Le roi, qui était très dévot, dit : « Je les accorde, et je veux rester ici huit jours; après quoi je sacrifierai le séducteur de ma fille. » Et il fit venir ses tentes, ses cuisiniers, ses musiciens, et resta huit jours en ce lieu, comme il est dit dans Manéthon.

La vieille était au désespoir de voir que le taureau qu'elle avait en garde n'avait plus que huit jours à vivre. Elle faisait apparaître toutes les nuits des ombres au roi pour le détourner de sa cruelle résolution. Mais le roi ne se souvenait plus le matin des ombres qu'il avait vues la nuit, de même que Nabuchodonosor avait oublié ses songes.

CHAPITRE HUITIÈME

COMMENT LE SERPENT FIT DES CONTES A LA PRINCESSE, POUR LA CONSOLER

Cependant le serpent contait des histoires à la belle Amaside pour calmer ses douleurs. Il lui disait comment il avait guéri autrefois tout un peuple de la morsure de certains petits serpents, en se montrant seulement au bout d'un bâton. Il lui apprenait les conquêtes d'un héros qui fit un si beau contraste avec Amphion, architecte de Thèbes en Béotie. Cet Amphion faisait venir les pierres de taille au son du violon : un rigodon et un menuet lui suffisaient pour bâtir une ville; mais l'autre les détruisait au son du cornet à bouquin; il fit pendre trente et un rois très puissants dans un canton de quatre lieues de long et de large; il fit pleuvoir de grosses pierres du haut du ciel sur un bataillon d'ennemis fuyant devant lui; et, les ayant ainsi exterminés, il arrêta le soleil et la lune en plein midi, pour les exterminer encore entre Gabaon et Aïalon sur le chemin de Bethoron, à l'exemple de Bacchus, qui avait arrêté le soleil et la lune dans son voyage aux Indes.

La prudence que tout serpent doit avoir ne lui permit pas de parler à la belle Amaside du puissant bâtard Jephté, qui coupa le cou à sa fille parce qu'il avait gagné une bataille; il aurait jeté trop de terreur dans le cœur de la belle princesse; mais il lui conta les aventures du grand Samson, qui tuait mille Philistins avec une mâchoire d'âne, qui attachait ensemble trois cents renards par la queue, et qui tomba dans les filets d'une fille moins belle, moins tendre et moins fidèle que la charmante Amaside.

Il lui racontait les amours malheureux de Sichem et de l'agréable Dina, âgée de six ans, et les amours plus fortunés de Booz et de Ruth, ceux de Juda avec sa bru Thamar, ceux de Loth avec ses deux filles qui ne voulaient pas que le monde finît, ceux d'Abraham et de Jacob avec leurs servantes, ceux de Ruben avec sa mère, ceux de David et de Bethsabée, ceux du grand roi Salomon, enfin tout ce qui pouvait dissiper la douleur d'une belle princesse.

CHAPITRE NEUVIÈME

COMMENT LE SERPENT NE LA CONSOLA POINT

« Tous ces contes-là m'ennuient, répondit la belle Amaside, qui avait de l'esprit et du goût. Ils ne sont bons que pour être commentés chez les Irlandais par ce fou d'Abbadie, ou chez les Velches par ce phrasier d'Houteville. Les contes qu'on pouvait faire à la quadrisaïeule de la quadrisaïeule de ma grand-mère ne sont plus bons pour moi, qui ai été élevée par le sage Mambrès, et qui ai lu l'*Entendement humain* du philosophe égyptien nommé Locke, et la *Matrone d'Ephèse*. Je veux qu'un conte soit fondé sur la vraisemblance, et qu'il ne ressemble pas toujours à un rêve. Je désirc qu'il n'ait rien de trivial ni d'extravagant. Je voudrais surtout que, sous le voile de la fable, il laissât entrevoir aux yeux exercés quelque vérité fine qui échappe au vulgaire. Je suis lasse du soleil et de la lune dont une vieille dispose à son gré, des montagnes qui dansent, des fleuves qui remontent à leur source, et des morts qui ressuscitent; mais surtout quand ces fadaises sont écrites d'un style ampoulé et inintelligible, cela me dégoûte horriblement. Vous sentez qu'une fille qui craint de voir avaler son amant par un gros poisson, et d'avoir elle-même le cou coupé par son propre père, a besoin d'être amusée; mais tâchez de m'amuser selon mon goût.

— Vous m'imposez là une tâche bien difficile, répondit le serpent. J'aurais pu autrefois vous faire passer quelques quarts d'heure assez agréables; mais j'ai perdu depuis quelque temps l'imagination et la mémoire. Hélas! où est le temps où j'amusais les filles! Voyons cependant si je pourrai me souvenir de quelque conte moral pour vous plaire.

« Il y a vingt-cinq mille ans que le roi Gnaof et la reine Patra étaient sur le trône de Thèbes aux cent portes. Le roi Gnaof était fort beau, et la reine Patra encore plus belle; mais ils ne pouvaient avoir d'enfants. Le roi Gnaof proposa un prix pour celui qui enseignerait la meilleure méthode de perpétuer la race royale.

« La faculté de médecine et l'académie de chirurgie firent d'excellents traités sur cette question importante : pas un ne réussit. On envoya la rcinc aux eaux; elle fit

des neuvaines; elle donna beaucoup d'argent au temple
de Jupiter Ammon, dont vient le sel ammoniac : tout fut
inutile. Enfin un jeune prêtre de vingt-cinq ans se présenta au roi, et lui dit : « Sire, je crois savoir faire la conju-
ration qui opère ce que Votre Majesté désire avec tant
d'ardeur. Il faut que je parle en secret à l'oreille de
madame votre femme; et, si elle ne devient féconde, je
consens d'être pendu. — J'accepte votre proposition »,
dit le roi Gnaof. On ne laissa la reine et le prêtre qu'un
quart d'heure ensemble. La reine devint grosse, et le roi
voulut faire pendre le prêtre.

— Mon Dieu! dit la princesse, je vois où cela mène :
ce conte est trop commun; je vous dirai même qu'il
alarme ma pudeur. Contez-moi quelque fable bien vraie,
bien avérée, et bien morale, dont je n'aie jamais entendu
parler, pour achever *de me former l'esprit et le cœur*,
comme dit le professeur égyptien Linro.

— En voici une, madame, dit le beau serpent, qui est
des plus authentiques.

« Il y avait trois prophètes, tous trois également ambitieux et dégoûtés de leur état. Leur folie était de vouloir
être rois : car il n'y a qu'un pas du rang de prophète à
celui de monarque; et l'homme aspire toujours à monter
tous les degrés de l'échelle de la fortune. D'ailleurs leurs
goûts, leurs plaisirs, étaient absolument différents. Le
premier prêchait admirablement ses frères assemblés, qui
lui battaient des mains; le second était fou de la musique,
et le troisième aimait passionnément les filles. L'ange
Ituriel vint se présenter à eux, un jour qu'ils étaient
à table, et qu'ils s'entretenaient des douceurs de la
royauté.

« Le maître des choses, leur dit l'ange, m'envoie vers
vous pour récompenser votre vertu. Non seulement vous
serez rois, mais vous satisferez continuellement vos passions dominantes. Vous, premier prophète, je vous fais
roi d'Egypte, et vous tiendrez toujours votre conseil, qui
applaudira à votre éloquence et à votre sagesse. Vous,
second prophète, vous régnerez sur la Perse, et vous
entendrez continuellement une musique divine. Et vous,
troisième prophète, je vous fais roi de l'Inde, et je vous
donne une maîtresse charmante, qui ne vous quittera
jamais. »

« Celui qui eut l'Egypte en partage commença par
assembler son conseil privé, qui n'était composé que de
deux cents sages. Il leur fit, selon l'étiquette, un long dis-

cours, qui fut très applaudi, et le monarque goûta la
douce satisfaction de s'enivrer de louanges qui n'étaient
corrompues par aucune flatterie.

« Le conseil des affaires étrangères succéda au conseil
privé. Il fut beaucoup plus nombreux; et un nouveau
discours reçut encore plus d'éloges. Il en fut de même
des autres conseils. Il n'y eut pas un moment de relâche
aux plaisirs et à la gloire du prophète roi d'Egypte. Le
bruit de son éloquence remplit toute la terre.

« Le prophète roi de Perse commença par se faire
donner un opéra italien dont les chœurs étaient chantés
par quinze cents châtrés. Leurs voix lui remuaient l'âme
jusqu'à la moelle des os, où elle réside. A cet opéra en
succédait un autre, et à ce second un troisième, sans interruption.

« Le roi de l'Inde s'enferma avec sa maîtresse, et goûta
une volupté parfaite avec elle. Il regardait comme le souverain bonheur la nécessité de la caresser toujours, et il
plaignait le triste sort de ses deux confrères, dont l'un
était réduit à tenir toujours son conseil, et l'autre à être
toujours à l'opéra.

« Chacun d'eux, au bout de quelques jours, entendit
par la fenêtre des bûcherons qui sortaient d'un cabaret
pour aller couper du bois dans la forêt voisine, et qui
tenaient sous le bras leurs douces amies dont ils pouvaient changer à volonté. Nos rois prièrent Ituriel de vouloir bien intercéder pour eux auprès du maître des
choses, et de les faire bûcherons.

— Je ne sais pas, interrompit la tendre Amaside, si le
maître des choses leur accorda leur requête, et je ne m'en
soucie guère; mais je sais bien que je ne demanderais rien
à personne si j'étais enfermée tête à tête avec mon amant,
avec mon cher Nabuchodonosor. »

Les voûtes du palais retentirent de ce grand nom.
D'abord Amaside n'avait prononcé que Na, ensuite
Nabu, puis Nabucho; mais, à la fin, la passion l'emporta,
elle prononça le nom fatal tout entier, malgré le serment
qu'elle avait fait au roi son père. Toutes les dames du
palais répétèrent Nabuchodonosor, et le malin corbeau
ne manqua pas d'en aller avertir le roi. Le visage d'Amasis, roi de Tanis, fut troublé, parce que son cœur était
plein de trouble. Et voilà comment le serpent, qui était
le plus prudent et le plus subtil des animaux, faisait toujours du mal aux femmes en croyant bien faire.

Or Amasis en courroux envoya sur-le-champ chercher

sa fille Amaside par douze de ses alguazils, qui sont toujours prêts à exécuter toutes les barbaries que le roi commande, et qui disent pour raison : « Nous sommes payés
pour cela. »

CHAPITRE DIXIÈME

COMMENT ON VOULUT COUPER LE COU A LA PRINCESSE, ET COMMENT ON NE LE LUI COUPA POINT

Dès que la princesse fut arrivée toute tremblante au
camp du roi son père, il lui dit : « Ma fille, vous savez
qu'on fait mourir toutes les princesses qui désobéissent
aux rois leurs pères, sans quoi un royaume ne pourrait
être bien gouverné. Je vous avais défendu de proférer le
nom de votre amant Nabuchodonosor, mon ennemi mortel, qui m'avait détrôné, il y a bientôt sept ans, et qui a
disparu de la terre. Vous avez choisi à sa place un taureau
blanc, et vous avez crié Nabuchodonosor! Il est juste
que je vous coupe le cou. »

La princesse lui répondit : « Mon père, soit fait selon
votre volonté; mais donnez-moi du temps pour pleurer
ma virginité. — Cela est juste, dit le roi Amasis; c'est
une loi établie chez tous les princes éclairés et prudents.
Je vous donne toute la journée pour pleurer votre virginité, puisque vous dites que vous l'avez. Demain, qui est
le huitième jour de mon campement, je ferai avaler le
taureau blanc par le poisson, et je vous couperai le cou
à neuf heures du matin. »

La belle Amaside alla donc pleurer le long du Nil,
avec ses dames du palais, tout ce qui lui restait de virginité. Le sage Mambrès réfléchissait à côté d'elle, et
comptait les heures et les moments. « Eh bien! mon cher
Mambrès, lui dit-elle, vous avez changé les eaux du Nil
en sang, selon la coutume, et vous ne pouvez changer le
cœur d'Amasis mon père, roi de Tanis! Vous souffrirez
qu'il me coupe le cou demain à neuf heures du matin ?
— Cela dépendra, répondit le réfléchissant Mambrès,
de la diligence de mes courriers. »

Le lendemain, dès que les ombres des obélisques et
des pyramides marquèrent sur la terre la neuvième heure
du jour, on lia le taureau blanc pour le jeter au poisson
de Jonas, et on apporta au roi son grand sabre. « Hélas!
hélas! disait Nabuchodonosor dans le fond de son cœur,

moi, le roi, je suis bœuf depuis près de sept ans, et à peine j'ai retrouvé ma maîtresse qu'on me fait manger par un poisson. »

Jamais le sage Mambrès n'avait fait des réflexions si profondes. Il était absorbé dans ses tristes pensées, lorsqu'il vit de loin tout ce qu'il attendait. Une foule innombrable approchait. Les trois figures d'Isis, d'Osiris, et d'Horus, unies ensemble, avançaient portées sur un brancard d'or et de pierreries par cent sénateurs de Memphis, et précédées de cent filles jouant du sistre sacré. Quatre mille prêtres, la tête rasée et couronnée de fleurs, étaient montés chacun sur un hippopotame. Plus loin paraissaient dans la même pompe la brebis de Thèbes, le chien de Bubaste, le chat de Phœbé, le crocodile d'Arsinoé, le bouc de Mendès, et tous les dieux inférieurs de l'Egypte, qui venaient rendre hommage au grand bœuf, au grand dieu Apis, aussi puissant qu'Isis, Osiris, et Horus, réunis ensemble.

Au milieu de tous ces demi-dieux, quarante prêtres portaient une énorme corbeille remplie d'oignons sacrés, qui n'étaient pas tout à fait des dieux, mais qui leur ressemblaient beaucoup.

Aux deux côtés de cette file de dieux suivis d'un peuple innombrable, marchaient quarante mille guerriers, le casque en tête, le cimeterre sur la cuisse gauche, le carquois sur l'épaule, l'arc à la main.

Tous les prêtres chantaient en chœur, avec une harmonie qui élevait l'âme et qui l'attendrissait :

> Notre bœuf est au tombeau,
> Nous en aurons un plus beau.

Et, à chaque pause, on entendait résonner les sistres, les castagnettes, les tambours de basque, les psaltérions, les cornemuses, les harpes, et les sambuques.

CHAPITRE ONZIÈME

COMMENT LA PRINCESSE ÉPOUSA SON BŒUF

Amasis, roi de Tanis, surpris de ce spectacle, ne coupa point le cou à sa fille : il remit son cimeterre dans son fourreau. Mambrès lui dit : « Grand roi! l'ordre des choses est changé; il faut que Votre Majesté donne l'exemple. O roi! déliez vous-même promptement le tau-

reau blanc, et soyez le premier à l'adorer. » Amasis obéit,
et se prosterna avec tout son peuple. Le grand prêtre de
Memphis présenta au nouveau bœuf Apis la première
poignée de foin. La princesse Amaside attachait à ses
belles cornes des festons de roses, d'anémones, de renoncules, de tulipes, d'œillets, et d'hyacinthes. Elle prenait
la liberté de le baiser, mais avec un profond respect. Les
prêtres jonchaient de palmes et de fleurs le chemin par
lequel on le conduisait à Memphis. Et le sage Mambrès,
faisant toujours ses réflexions, disait tout bas à son ami
le serpent : « Daniel a changé cet homme en bœuf, et j'ai
changé ce bœuf en dieu. »

On s'en retournait à Memphis dans le même ordre. Le
roi de Tanis, tout confus, suivait la marche. Mambrès,
l'air serein et recueilli, était à son côté. La vieille suivait
tout émerveillée ; elle était accompagnée du serpent, du
chien, de l'ânesse, du corbeau, de la colombe, et du bouc
émissaire. Le grand poisson remontait le Nil. Daniel,
Ezéchiel, et Jérémie, transformés en pies, fermaient la
marche.

Quand on fut arrivé aux frontières du royaume, qui
n'étaient pas fort loin, le roi Amasis prit congé du bœuf
Apis, et dit à sa fille : « Ma fille, retournons dans nos
Etats, afin que je vous y coupe le cou, ainsi qu'il a été
résolu dans mon cœur royal, parce que vous avez prononcé le nom de Nabuchodonosor, mon ennemi, qui
m'avait détrôné il y a sept ans. Lorsqu'un père a juré de
couper le cou à sa fille, il faut qu'il accomplisse son serment, sans quoi il est précipité pour jamais dans les
enfers, et je ne veux pas me damner pour l'amour de
vous. » La belle princesse répondit en ces mots au roi
Amasis : « Mon cher père, allez couper le cou à qui vous
voudrez ; mais ce ne sera pas à moi. Je suis sur les terres
d'Isis, d'Osiris, d'Horus, et d'Apis ; je ne quitterai point
mon beau taureau blanc ; je le baiserai tout le long du
chemin, jusqu'à ce que j'aie vu son apothéose dans la
grande écurie de la sainte ville de Memphis : c'est une
faiblesse pardonnable à une fille bien née. »

A peine eut-elle prononcé ces paroles que le bœuf Apis
s'écria : « Ma chère Amaside, je t'aimerai toute ma vie ! »
C'était pour la première fois qu'on avait entendu parler
Apis en Egypte depuis quarante mille ans qu'on l'adorait.
Le serpent et l'ânesse s'écrièrent : « Les sept années sont
accomplies ! » et les trois pies répétèrent : « Les sept
années sont accomplies ! » Tous les prêtres d'Egypte

levèrent les mains au ciel. On vit tout d'un coup le dieu
perdre ses deux jambes de derrière; ses deux jambes de
devant se changèrent en deux jambes humaines; deux
beaux bras charnus, musculeux et blancs, sortirent de ses
épaules; son mufle de taureau fit place au visage d'un
héros charmant; il redevint le plus bel homme de la
terre, et dit : « J'aime mieux être l'amant d'Amaside que
dieu. Je suis Nabuchodonosor, roi des rois. »

Cette nouvelle métamorphose étonna tout le monde,
hors le réfléchissant Mambrès. Mais, ce qui ne surprit
personne, c'est que Nabuchodonosor épousa sur-le-
champ la belle Amaside en présence de cette grande
assemblée.

Il conserva le royaume de Tanis à son beau-père, et
fit de belles fondations pour l'ânesse, le serpent, le chien,
la colombe, et même pour le corbeau, les trois pies et le
gros poisson; montrant à tout l'univers qu'il savait pardonner comme triompher. La vieille eut une grosse pension. Le bouc émissaire fut envoyé pour un jour dans le
désert, afin que tous les péchés passés fussent expiés;
après quoi, on lui donna douze chèvres pour sa récompense. Le sage Mambrès retourna dans son palais faire
des réflexions. Nabuchodonosor, après l'avoir embrassé,
gouverna tranquillement le royaume de Memphis, celui
de Babylone, de Damas, de Balbec, de Tyr, la Syrie,
l'Asie Mineure, la Scythie, les contrées de Chiraz, de
Mosok, du Tubal, de Madaï, de Gog, de Magog, de
Javan, la Sogdiane, la Bactriane, les Indes, et les îles.

Les peuples de cette vaste monarchie criaient tous les
matins : « Vive le grand Nabuchodonosor, roi des rois,
qui n'est plus bœuf! » Et depuis ce fut une coutume dans
Babylone que toutes les fois que le souverain, ayant été
grossièrement trompé par ses satrapes, ou par ses mages,
ou par ses trésoriers, ou par ses femmes, reconnaissait
enfin ses erreurs, et corrigeait sa mauvaise conduite, tout
le peuple criait à sa porte : « Vive notre grand roi, qui
n'est plus bœuf! »

NOTE

SUR
LE CROCHETEUR BORGNE

Le Crocheteur borgne fut imprimé pour la première fois dans le *Journal des dames* (mars 1774). L'édition de Kehl (1784) en donne une version assez différente, vraisemblablement plus authentique. Le texte du *Journal des dames* semble avoir été édulcoré. Mais le journaliste y avait adjoint un avertissement intéressant :

« J'insère ici un petit conte qui est l'ouvrage d'un homme très célèbre qui ne l'a jamais fait imprimer. Il fut fait dans la société d'une princesse qui réunissait chez elle les talents qu'elle protégeait. Toute faute, dans cette société, devait être réparée par un conte fait sur-le-champ : c'était une espèce de pensum. On sait que le pensum de la société de Boileau était la lecture de quelques vers de *la Pucelle* de Chapelain. J'ai cru que celui-ci serait fort agréable par la gaieté qui règne dans les idées et dans la manière dont elles sont rendues. »

Si la présente édition, au lieu de suivre l'ordre chronologique de la publication, avait adopté celui, quelque peu incertain, de la rédaction, *le Crocheteur* eût pris place dans la première série des *Contes*, écrits en 1746 et 1747. On a reconnu dans la princesse qui « protégeait les talents » la duchesse du Maine : Voltaire séjourna chez elle, à Anet, en septembre 1746, à Sceaux, pendant l'automne de 1747.

Mesrour figure dans la galerie singulière des borgnes voltairiens. On constate que la perte d'un œil fut liée pour eux à quelque aventure galante, ou mésaventure. Zadig, menacé de perdre l'œil gauche, est abandonné par la capricieuse Sémire. Les belles dames de la cour se moquent de l'éborgné Memnon. Et l'on sait comment le mal importé d'Amérique coûta au docteur Pangloss l'un de ses deux yeux.

L'infortune de Mesrour donne davantage à penser. Est-il vrai que, quand on est, non seulement crocheteur, mais borgne, « il ne faut point être amoureux » ? Il est sûr en tout cas que Mesrour darde avec concupiscence son œil unique : c'est celui-ci qu'il tourne vers Mélinade, tandis qu'il court près du char de la princesse. La dame ayant fait une chute, cet œil voit ce qu'on ne doit point voir. Devenu possesseur de la beauté qu'il convoite, Mesrour recouvre l'usage de son second œil, en même temps qu'il revêt le corps même de l'Amour. Devant lui, « maître de l'anneau », maître de Mélinade, s'ouvre un palais merveilleux.

Si quelque jour de hardis critiques tentent une psychanalyse de Voltaire, on présume qu'ils scruteront son *Crocheteur borgne* avec non moins d'attention que son *Œdipe*. Que conclura-t-on du fait que l'aventure se situe en un rêve ? Le rêve, comme le conte de fées, ou le conte oriental, allège le récit des servitudes de la réalité. Mais n'est-il ici qu'un procédé ? Mesrour réveillé redevient le pauvre borgne auquel les balayeuses refusent leurs faveurs.

R. P.

LE CROCHETEUR BORGNE

Nos deux yeux ne rendent pas notre condition meilleure; l'un nous sert à voir les biens, et l'autre les maux de la vie. Bien des gens ont la mauvaise habitude de fermer le premier, et bien peu ferment le second; voilà pourquoi il y a tant de gens qui aimeraient mieux être aveugles que de voir tout ce qu'ils voient. Heureux les borgnes qui ne sont privés que de ce mauvais œil qui gâte tout ce qu'on regarde! Mesrour en est un exemple.

Il aurait fallu être aveugle pour ne pas voir que Mesrour était borgne. Il l'était de naissance, mais c'était un borgne si content de son état qu'il ne s'était jamais avisé de désirer un autre œil. Ce n'étaient point les dons de la fortune qui le consolaient des torts de la nature, car il était simple crocheteur, et n'avait d'autre trésor que ses épaules; mais il était heureux, et il montrait qu'un œil de plus et de la peine de moins contribuent bien peu au bonheur. L'argent et l'appétit lui venaient toujours en proportion de l'exercice qu'il faisait; il travaillait le matin, mangeait et buvait le soir, dormait la nuit, et regardait tous ses jours comme autant de vies séparées, en sorte que le soin de l'avenir ne le troublait jamais dans la jouissance du présent. Il était (comme vous le voyez) tout à la fois borgne, crocheteur, et philosophe.

Il vit par hasard passer dans un char brillant une grande princesse qui avait un œil de plus que lui, ce qui ne l'empêcha pas de la trouver fort belle, et, comme les borgnes ne diffèrent des autres hommes qu'en ce qu'ils ont un œil de moins, il en devint éperdument amoureux. On dira peut-être que, quand on est crocheteur et borgne, il ne faut point être amoureux, surtout d'une grande princesse, et, qui plus est, d'une princesse qui a deux yeux. Je conviens qu'on a bien à craindre de ne pas

plaire; cependant, comme il n'y a point d'amour sans
espérance, et que notre crocheteur aimait, il espéra.

Comme il avait plus de jambes que d'yeux, et qu'elles
étaient bonnes, il suivit l'espace de quatre lieues le char
de sa déesse, que six grands chevaux blancs traînaient
avec une grande rapidité. La mode dans ce temps-là,
parmi les dames, était de voyager sans laquais et sans
cocher, et de se mener elles-mêmes. Les maris voulaient
qu'elles fussent toujours toutes seules afin d'être plus
sûrs de leur vertu, ce qui est directement opposé au sentiment des moralistes, qui disent qu'il n'y a point de
vertu dans la solitude.

Mesrour courait toujours à côté des roues du char,
tournant son bon œil du côté de la dame, qui était
étonnée de voir un borgne de cette agilité. Pendant qu'il
prouvait ainsi qu'on est infatigable pour ce qu'on aime,
une bête fauve, poursuivie par des chasseurs, traversa le
grand chemin et effraya les chevaux, qui, ayant pris le
mors aux dents, entraînaient la belle dans un précipice.
Son nouvel amant, plus effrayé encore qu'elle, quoiqu'elle le fût beaucoup, coupa les traits avec une adresse
merveilleuse. Les six chevaux blancs firent seuls le saut
périlleux, et la dame, qui n'était pas moins blanche
qu'eux, en fut quitte pour la peur. « Qui que vous soyez,
lui dit-elle, je n'oublierai jamais que je vous dois la vie;
demandez-moi tout ce que vous voudrez; tout ce que j'ai
est à vous. — Ah! je puis avec bien plus de raison,
répondit Mesrour, vous en offrir autant; mais, en vous
l'offrant, je vous en offrirai toujours moins : car je n'ai
qu'un œil, et vous en avez deux; mais un œil qui vous
regarde vaut mieux que deux yeux qui ne voient point
les vôtres. » La dame sourit, car les galanteries d'un
borgne sont toujours des galanteries; et les galanteries
font toujours sourire. « Je voudrais bien pouvoir vous
donner un autre œil, lui dit-elle, mais votre mère pouvait
seule vous faire ce présent-là; suivez-moi toujours. » A
ces mots elle descend de son char et continue sa route à
pied; son petit chien descendit aussi, et marchait à pied
à côté d'elle, aboyant après l'étrange figure de son écuyer.
J'ai tort de lui donner le titre d'écuyer, car il eut beau
offrir son bras, la dame ne voulut jamais l'accepter, sous
prétexte qu'il était trop sale; et vous allez voir qu'elle
fut la dupe de sa propreté. Elle avait de fort petits pieds,
et des souliers encore plus petits que ses pieds, en sorte
qu'elle n'était ni faite ni chaussée de manière à soutenir

une longue marche. De jolis pieds consolent d'avoir de
mauvaises jambes, lorsqu'on passe sa vie sur sa chaise
longue au milieu d'une foule de petits-maîtres; mais à
quoi servent des souliers brodés en paillettes dans un
chemin pierreux, où ils ne peuvent être vus que par un
crocheteur, et encore par un crocheteur qui n'a qu'un
œil?

Mélinade (c'est le nom de la dame, que j'ai eu mes
raisons pour ne pas dire jusqu'ici, parce qu'il n'était pas
encore fait) avançait comme elle pouvait, maudissant son
cordonnier, déchirant ses souliers, écorchant ses pieds, et
se donnant des entorses à chaque pas. Il y avait environ
une heure et demie qu'elle marchait du train des grandes
dames, c'est-à-dire qu'elle avait déjà fait près d'un quart
de lieue, lorsqu'elle tomba de fatigue sur la place.

Le Mesrour, dont elle avait refusé les secours pendant
qu'elle était debout, balançait à les lui offrir, dans la
crainte de la salir en la touchant : car il savait bien qu'il
n'était pas propre, la dame le lui avait assez clairement
fait entendre, et la comparaison qu'il avait faite en
chemin entre lui et sa maîtresse le lui avait fait voir
encore plus clairement. Elle avait une robe d'une légère
étoffe d'argent, semée de guirlandes de fleurs, qui laissait
briller la beauté de sa taille; et lui avait un sarrau brun,
taché en mille endroits, troué, et rapiécé en sorte que les
pièces étaient à côté des trous, et point dessus, où elles
auraient pourtant été plus à leur place; il avait comparé
ses mains nerveuses et couvertes de durillons avec deux
petites mains plus blanches et plus délicates que les lis;
enfin il avait vu les beaux cheveux blonds de Mélinade,
qui paraissaient à travers un léger voile de gaze, relevés
les uns en tresse et les autres en boucles, et il n'avait à
mettre à côté de cela que des crins noirs, hérissés, crépus,
et n'ayant pour tout ornement qu'un turban déchiré.

Cependant Mélinade essaye de se relever, mais elle
retombe bientôt, et si malheureusement que ce qu'elle
laissa voir à Mesrour lui ôta le peu de raison que la vue
du visage de la princesse avait pu lui laisser. Il oublia
qu'il était crocheteur, qu'il était borgne, et il ne songea
plus à la distance que la fortune avait mise entre Mélinade et lui; à peine se souvint-il qu'il était amant, car il
manqua à la délicatesse qu'on dit inséparable d'un véritable amour, et qui en fait quelquefois le charme, et, plus
souvent, l'ennui; il se servit des droits que son état de
crocheteur lui donnait à la brutalité, il fut brutal et heu-

reux. La princesse alors était sans doute évanouie, ou bien elle gémissait sur son sort; mais, comme elle était juste, elle bénissait sûrement le destin de ce que toute infortune porte avec elle sa consolation.

La nuit avait étendu ses voiles sur l'horizon, et elle cachait de son ombre le véritable bonheur de Mesrour, et les prétendus malheurs de Mélinade; Mesrour goûtait les plaisirs des parfaits amants, et il les goûtait en crocheteur, c'est-à-dire (à la honte de l'humanité) de la manière la plus parfaite; les faiblesses de Mélinade lui reprenaient à chaque instant, et à chaque instant son amant reprenait des forces. « Puissant Mahomet, dit-il une fois en homme transporté, mais en mauvais catholique, il ne manque à ma félicité que d'être sentie par celle qui la cause; pendant que je suis dans ton paradis, divin prophète, accorde-moi encore une faveur, c'est d'être aux yeux de Mélinade ce qu'elle serait à mon œil s'il faisait jour »; il finit de prier, et continua de jouir. L'aurore, toujours trop diligente pour les amants, surprit Mesrour et Mélinade dans l'attitude où elle aurait pu être surprise elle-même un moment auparavant avec Tithon. Mais quel fut l'étonnement de Mélinade quand, ouvrant les yeux aux premiers rayons du jour, elle se vit dans un lieu enchanté, avec un jeune homme d'une taille noble, dont le visage ressemblait à l'astre dont la terre attendait le retour! Il avait des joues de rose, des lèvres de corail; ses grands yeux tendres et vifs tout à la fois exprimaient et inspiraient la volupté; son carquois d'or, orné de pierreries, était suspendu à ses épaules, et le plaisir faisait seul sonner ses flèches; sa longue chevelure, retenue par une attache de diamants, flottait librement sur ses reins, et une étoffe transparente, brodée de perles, lui servait d'habillement, et ne cachait rien de la beauté de son corps. « Où suis-je, et qui êtes-vous ? s'écria Mélinade dans l'excès de sa surprise. — Vous êtes, répondit-il, avec le misérable qui a eu le bonheur de vous sauver la vie, et qui s'est si bien payé de ses peines. » Mélinade, aussi aise qu'étonnée, regretta que la métamorphose de Mesrour n'eût pas commencé plus tôt. Elle s'approche d'un palais brillant qui frappait sa vue, et lit cette inscription sur la porte : « Éloignez-vous, profanes; ces portes ne s'ouvriront que pour le maître de l'anneau. »

Mesrour s'approche à son tour pour lire la même inscription; mais il vit d'autres caractères, et lut ces mots : « Frappe sans crainte. » Il frappa, et aussitôt les portes s'ouvrirent d'elles-mêmes avec un grand bruit. Les deux amants entrèrent, au son de mille voix et de mille instruments, dans un vestibule de marbre de Paros; de là ils passèrent dans une salle superbe, où un festin délicieux les attendait depuis douze cent cinquante ans, sans qu'aucun des plats fût encore refroidi : ils se mirent à table et furent servis chacun par mille esclaves de la plus grande beauté; le repas fut entremêlé de concerts et de danses; et, quand il fut fini, tous les génies vinrent dans le plus grand ordre, partagés en différentes troupes, avec des habits aussi magnifiques que singuliers, prêter serment de fidélité au maître de l'anneau, et baiser le doigt sacré auquel il le portait.

Cependant il y avait à Bagdad un musulman fort dévot qui, ne pouvant aller se laver dans la mosquée, faisait venir l'eau de la mosquée chez lui, moyennant une légère rétribution qu'il payait au prêtre. Il venait de faire la cinquième ablution, pour se disposer à la cinquième prière, et sa servante, jeune étourdie très peu dévote, se débarrassa de l'eau sacrée en la jetant par la fenêtre. Elle tomba sur un malheureux endormi profondément au coin d'une borne qui lui servait de chevet. Il fut inondé, et s'éveilla. C'était le pauvre Mesrour, qui, revenant de son séjour enchanté, avait perdu dans son voyage l'anneau de Salomon. Il avait quitté ses superbes vêtements, et repris son sarrau; son beau carquois d'or était changé en crochets de bois, et il avait, pour comble de malheur, laissé un de ses yeux en chemin. Il se ressouvint alors qu'il avait bu la veille une grande quantité d'eau-de-vie qui avait assoupi ses sens et échauffé son imagination. Il avait jusque-là aimé cette liqueur par goût, il commença à l'aimer par reconnaissance, et il retourna avec gaieté à son travail, bien résolu d'en employer le salaire à acheter les moyens de retrouver sa chère Mélinade. Un autre se serait désolé d'être un vilain borgne, après avoir eu deux beaux yeux; d'éprouver les refus des balayeuses du palais, après avoir joui des faveurs d'une princesse plus belle que les maîtresses du calife, et d'être au service de tous les bourgeois de Bagdad, après avoir régné sur tous les génies; mais Mesrour n'avait point l'œil qui voit le mauvais côté des choses.

NOTE

SUR

ELOGE HISTORIQUE DE LA RAISON

L'« éloge historique » est au XVIIIᵉ siècle une apologie
en forme de biographie. Voltaire avait écrit un *Eloge historique de Madame du Châtelet* pour être imprimé à la tête
des *Œuvres* de son amie. En 1775 il publie sous cette forme
consacrée une histoire de la Raison et de sa fille la Vérité.
La Raison, c'est-à-dire la « Philosophie », n'est sortie que
d'hier du puits où elle se cachait. Ce n'est que depuis
1760, ou environ, que la société recueille les bienfaisants effets de son influence.

Sur les pas de la Raison, Voltaire recommence un tour
d'Europe. Il y rencontre plus de sujets de satisfaction
qu'au temps de *la Princesse de Babylone*. Le pape vient de
renoncer à fulminer chaque année, le jour du Jeudi-
Saint, la bulle *In Cœna Domini* contre quiconque res-
treindrait la juridiction ecclésiastique. Le même Clément XIV a dissous la Société de Jésus. A Venise,
patrie de Pietro Sarpi, dit Fra Paolo, auteur antipapiste
de l'*Histoire du Concile de Trente* (1619), l'Inquisition
est affaiblie. En passant, hommage est rendu à Aranda,
ministre philosophe d'Espagne, devenu ambassadeur à
Paris ; à l'impératrice Marie-Thérèse (malgré « quelques
usages » choquants : l'impératrice est dévote) et à son
fils Joseph II ; au roi de Suède Gustave III, « despote
éclairé » ; à celui de Pologne, Stanislas Auguste Poniatowski, faisant face à une situation quasi désespérée
depuis le premier partage de son royaume ; à Louis XVI,
qui a renoncé aux impôts extraordinaires ordinairement
offerts au roi en don de joyeux avènement. La Raison se
félicite des réformes entreprises : tolérance en faveur
des protestants (mais l'édit ne sera octroyé qu'en 1787) ;
humanisation de la justice (l'allusion aux « enfants indiscrets et imprudents » vise le chevalier de La Barre et ses

compagnons). La Raison applaudit aux applications utiles de la science : l'inoculation, ou vaccination d'homme à homme contre la variole; la technique des soins aux noyés de Nicolas Pia; le paratonnerre de Franklin.

Au soir d'une longue existence, Voltaire apparaît bien éloigné d'un état d'esprit révolutionnaire. Il avait le sentiment qu'il laisserait derrière lui, sinon « le meilleur des mondes », du moins un monde meilleur. Mais il craint que dans l'avenir de nouveaux orages ne renvoient la Raison à son puits.

R. P.

ÉLOGE HISTORIQUE
DE LA RAISON

PRONONCÉ DANS UNE ACADÉMIE DE PROVINCE

PAR M...

MESSIEURS,

Érasme fit, au XVIe siècle, l'éloge de la Folie. Vous m'ordonnez de vous faire l'éloge de la Raison. Cette Raison n'est fêtée en effet tout au plus que deux cents ans après son ennemie, souvent beaucoup plus tard; et il y a des nations chez lesquelles on ne l'a point encore vue.

Elle était si inconnue chez nous du temps de nos druides qu'elle n'avait pas même de nom dans notre langue. César ne l'apporta ni en Suisse, ni à Autun, ni à Paris, qui n'était alors qu'un hameau de pêcheurs, et lui-même ne la connut guère.

Il avait tant de grandes qualités que la Raison ne put trouver de place dans la foule. Ce magnanime insensé sortit de notre pays dévasté pour aller dévaster le sien, et pour se faire donner vingt-trois coups de poignard par vingt-trois autres illustres enragés qui ne le valaient pas à beaucoup près.

Le Sicambre Clodvich ou Clovis vint environ cinq cents années après exterminer une partie de notre nation, et subjuguer l'autre. On n'entendit parler de raison ni dans son armée ni dans nos malheureux petits villages, si ce n'est de la raison du plus fort.

Nous croupîmes longtemps dans cette horrible et avilissante barbarie. Les croisades ne nous en tirèrent pas. Ce fut à la fois la folie la plus universelle, la plus atroce, la plus ridicule et la plus malheureuse. L'abominable folie de la guerre civile et sacrée qui extermina tant de gens de la langue de *oc* et de la langue de *oueil* succéda à ces croisades lointaines. La Raison n'avait garde de se trouver là. Alors la Politique régnait à Rome; elle avait pour ministres ses deux sœurs, la Fourberie et l'Avarice. On voyait l'Ignorance, le Fanatisme, la Fureur, courir sous ses ordres dans l'Europe; la Pauvreté les suivait par-

tout; la Raison se cachait dans un puits avec la Vérité sa
fille. Personne ne savait où était ce puits; et, si on s'en
était douté, on y serait descendu pour égorger la fille et
la mère.

Après que les Turcs eurent pris Constantinople et
redoublé les malheurs épouvantables de l'Europe, deux
ou trois Grecs, en s'enfuyant, tombèrent dans ce puits,
ou plutôt dans cette caverne, demi-morts de fatigue, de
faim et de peur.

La Raison les reçut avec humanité, leur donna à manger sans distinction des viandes (chose qu'ils n'avaient
jamais connue à Constantinople). Ils reçurent d'elle
quelques instructions en petit nombre : car la Raison
n'est pas prolixe. Elle leur fit jurer qu'ils ne découvri-
raient pas le lieu de sa retraite. Ils partirent, et arrivèrent,
après bien des courses, à la cour de Charles-Quint et de
François premier.

On les y reçut comme des jongleurs qui venaient faire
des tours de souplesse pour amuser l'oisiveté des courtisans et des dames dans les intervalles de leurs rendez-
vous. Les ministres daignèrent les regarder dans les
moments de relâche qu'ils pouvaient donner au torrent
des affaires. Ils furent même accueillis par l'empereur et
par le roi de France, qui jetèrent sur eux un coup d'œil
en passant, lorsqu'ils allaient chez leurs maîtresses. Mais
ils firent plus de fruit dans de petites villes où ils trouvèrent de bons bourgeois, qui avaient encore, je ne sais
comment, quelque lueur de sens commun.

Ces faibles lueurs s'éteignirent dans toute l'Europe
parmi les guerres civiles qui la désolèrent. Deux ou trois
étincelles de raison ne pouvaient pas éclairer le monde
au milieu des torches ardentes et des bûchers que le
fanatisme alluma pendant tant d'années. La Raison et sa
fille se cachèrent plus que jamais.

Les disciples de leurs premiers apôtres se turent,
excepté quelques-uns qui furent assez inconsidérés pour
prêcher la raison déraisonnablement et à contre-temps :
il leur en coûta la vie comme à Socrate; mais personne
n'y fit attention. Rien n'est si désagréable que d'être
pendu obscurément. On fut occupé si longtemps des
Saint-Barthélemy, des massacres d'Irlande, des écha-
fauds de la Hongrie, des assassinats des rois, qu'on n'avait
ni assez de temps ni assez de liberté d'esprit pour penser
aux menus crimes et aux calamités secrètes qui inondaient
le monde d'un bout à l'autre.

La Raison, informée de ce qui se passait par quelques exilés qui se réfugièrent dans sa retraite, fut touchée de pitié, quoiqu'elle ne passe pas pour être fort tendre. Sa fille, qui est plus hardie qu'elle, l'encouragea à voir le monde, et à tâcher de le guérir. Elles parurent, elles parlèrent; mais elles trouvèrent tant de méchants intéressés à les contredire, tant d'imbéciles aux gages de ces méchants, tant d'indifférents uniquement occupés d'eux-mêmes et du moment présent, qui ne s'embarrassaient ni d'elles ni de leurs ennemis, qu'elles regagnèrent sagement leur asile.

Cependant quelques semences des fruits qu'elles portent toujours avec elles, et qu'elles avaient répandues, germèrent sur la terre, et même sans pourrir.

Enfin il y a quelque temps qu'il leur prit envie d'aller à Rome en pèlerinage, déguisées et cachant leur nom, de peur de l'Inquisition. Dès qu'elles furent arrivées, elles s'adressèrent au cuisinier du pape Ganganelli, Clément XIV. Elles savaient que c'était le cuisinier de Rome le moins occupé. On peut dire même qu'il était, après vos confesseurs, messieurs, l'homme le plus désœuvré de sa profession.

Ce bonhomme, après avoir donné aux deux pèlerines un dîner presque aussi frugal que celui du pape, les introduisit chez Sa Sainteté, qu'elles trouvèrent lisant les *Pensées de Marc-Aurèle*. Le pape reconnut les masques, les embrassa cordialement, malgré l'étiquette. « Mesdames, leur dit-il, si j'avais pu imaginer que vous fussiez sur la terre, je vous aurais fait la première visite. »

Après les compliments, on parla d'affaires. Dès le lendemain, Ganganelli abolit la bulle *In cœna Domini*, l'un des plus grands monuments de la folie humaine, qui avait si longtemps outragé tous les potentats. Le surlendemain, il prit la résolution de détruire la compagnie de Garasse, de Guignard, de Garnet, de Busembaum, de Malagrida, de Paulian, de Patouillet, de Nonotte; et l'Europe battit des mains. Le surlendemain, il diminua les impôts, dont le peuple se plaignait. Il encouragea l'agriculture et tous les arts; il se fit aimer de tous ceux qui passaient pour les ennemis de sa place. On eût dit alors dans Rome qu'il n'y avait qu'une nation et qu'une loi dans le monde.

Les deux pèlerines, très étonnées et très satisfaites, prirent congé du pape, qui leur fit présent non d'agnus et de reliques, mais d'une bonne chaise de poste pour continuer leur voyage. La Raison et la Vérité n'avaient pas été jusque-là dans l'habitude d'avoir leurs aises.

Elles visitèrent toute l'Italie, et furent surprises d'y trouver, au lieu du machiavélisme, une émulation entre les princes et les républiques, depuis Parme jusqu'à Turin, à qui rendrait ses sujets plus gens de bien, plus riches et plus heureux.

« Ma fille, disait la Raison à la Vérité, voici, je crois, notre règne qui pourrait bien commencer à advenir après notre longue prison. Il faut que quelques-uns des prophètes qui sont venus nous visiter dans notre puits aient été bien puissants en paroles et en œuvres, pour changer ainsi la face de la terre. Vous voyez que tout vient tard; il fallait passer par les ténèbres de l'ignorance et du mensonge avant de rentrer dans votre palais de lumière, dont vous avez été chassée avec moi pendant tant de siècles. Il nous arrivera ce qui est arrivé à la Nature : elle a été couverte d'un méchant voile, et toute défigurée pendant des siècles innombrables. A la fin il est venu un Galilée, un Copernic, un Newton, qui l'ont montrée presque nue, et qui en ont rendu les hommes amoureux. »

En conversant ainsi, elles arrivèrent à Venise. Ce qu'elles y considérèrent avec le plus d'attention, ce fut un procurateur de St. Marc, qui tenait une grande paire de ciseaux devant une table toute couverte de griffes, de becs, et de plumes noires. « Ah! s'écria la Raison, Dieu me pardonne, *lustrissimo signor*, je crois que voilà une de mes paires de ciseaux que j'avais apportés dans mon puits, lorsque je m'y réfugiai avec ma fille! Comment Votre Excellence les a-t-elle eus, et qu'en faites-vous ? — *Lustrissima signora*, lui répondit le procurateur, il se peut que les ciseaux aient appartenu autrefois à Votre Excellence; mais ce fut un nommé Fra-Paolo qui nous les apporta il y a longtemps, et nous nous en servons pour couper les griffes de l'Inquisition, que vous voyez étalées sur cette table.

« Ces plumes noires appartenaient à des harpies qui venaient manger le dîner de la république; nous leur rognons tous les jours les ongles et le bout du bec. Sans cette précaution elles auraient fini par tout avaler : il ne serait rien resté pour les sages grands, ni pour les *pregadi*, ni pour les citadins.

« Si vous passez par la France, vous trouverez peut-être à Paris votre autre paire de ciseaux chez un ministre espagnol qui s'en servait au même usage que nous dans son pays, et qui sera un jour béni du genre humain. »

Les voyageuses, après avoir assisté à l'opéra vénitien, partirent pour l'Allemagne. Elles virent avec satisfaction ce pays, qui du temps de Charlemagne n'était qu'une forêt immense entrecoupée de marais, maintenant couverte de villes florissantes et tranquilles; ce pays, peuplé de souverains autrefois barbares et pauvres, devenus tous polis et magnifiques; ce pays, qui n'avait eu dans les temps antiques que des sorcières pour prêtres, immolant alors des hommes sur des pierres grossièrement creusées; ce pays, qui ensuite avait été inondé de son sang pour savoir au juste si la chose était *in*, *cum*, *sub*, ou non; ce pays, qui enfin recevait dans son sein trois religions ennemies, étonnées de vivre paisiblement ensemble. « Dieu soit béni! dit la Raison; ces gens-ci sont venus enfin à moi, à force de démence. »

On les introduisit chez une impératrice qui était bien plus que raisonnable, car elle était bienfaisante. Les pèlerines furent si contentes d'elle qu'elles ne prirent pas garde à quelques usages qui les choquèrent; mais elles furent toutes deux amoureuses de l'empereur son fils.

Leur étonnement redoubla quand elles furent en Suède. « Quoi! disaient-elles, une révolution si difficile, et cependant si prompte! si périlleuse, et pourtant si paisible! et depuis ce grand jour pas un seul jour perdu sans faire du bien, et tout cela dans l'âge qui est si rarement celui de la raison! Que nous avons bien fait de sortir de notre cache quand ce grand événement saisissait d'admiration l'Europe entière! »

De là elles passèrent vite par la Pologne. « Ah! ma mère quel contraste! s'écria la Vérité. Il me prend envie de regagner mon puits. Voilà ce que c'est que d'avoir écrasé toujours la portion du genre humain la plus utile, et d'avoir traité les cultivateurs plus mal qu'ils ne traitent leurs animaux de labourage. Ce chaos de l'anarchie ne pouvait se débrouiller autrement que par une ruine : on l'avait assez clairement prédite. Je plains un monarque vertueux, sage, et humain; et j'ose espérer qu'il sera heureux, puisque les autres rois commencent à l'être, et que vos lumières se communiquent de proche en proche.

« Allons voir, continua-t-elle, un changement plus favorable et plus surprenant. Allons dans cette immense région hyperborée qui était si barbare il y a quatre-vingts ans, et qui est aujourd'hui si éclairée et si invincible. Allons contempler celle qui a achevé le miracle d'une création nouvelle... » Elles y coururent, et avouèrent qu'on ne leur en avait pas assez dit.

Elles ne cessaient d'admirer combien le monde était changé depuis quelques années. Elles en concluaient que peut-être un jour le Chili et les Terres Australes seraient le centre de la politesse et du bon goût, et qu'il faudrait aller au pôle antarctique pour apprendre à vivre.

Quand elles furent en Angleterre, la Vérité dit à sa mère : « Il me semble que le bonheur de cette nation n'est point fait comme celui des autres ; elle a été plus folle, plus fanatique, plus cruelle, et plus malheureuse qu'aucune de celles que je connais ; et la voilà qui s'est fait un gouvernement unique, dans lequel on a conservé tout ce que la monarchie a d'utile, et tout ce qu'une république a de nécessaire. Elle est supérieure dans la guerre, dans les lois, dans les arts, dans le commerce. Je la vois seulement embarrassée de l'Amérique septentrionale, qu'elle a conquise à un bout de l'univers, et des plus belles provinces de l'Inde, subjuguées à l'autre bout. Comment portera-t-elle ces deux fardeaux de sa félicité ? — Le poids est lourd, dit la Raison ; mais, pour peu qu'elle m'écoute, elle trouvera des leviers qui le rendront très léger. »

Enfin la Raison et la Vérité passèrent par la France : elles y avaient fait déjà quelques apparitions, et en avaient été chassées. « Vous souvient-il, disait la Vérité à sa mère, de l'extrême envie que nous eûmes de nous établir chez les Français dans les beaux jours de Louis XIV ? Mais les querelles impertinentes des jésuites et des jansénistes nous firent enfuir bientôt. Les plaintes continuelles des peuples ne nous rappelèrent pas. J'entends à présent les acclamations de vingt millions d'hommes qui bénissent le ciel. Les uns disent : « Cet événement est d'autant plus joyeux que nous n'en payons pas la joie. » Les autres crient : « Le luxe n'est que vanité. Les doubles emplois, les dépenses superflues, les profits excessifs, vont être retranchés » ; et ils ont raison. « Tout impôt nouveau va être aboli » ; et ils ont tort, car il faut que chaque particulier paye pour le bonheur général.

« Les lois vont être uniformes. » Rien n'est plus à désirer ; mais rien n'est plus difficile. « On va répartir aux indigents qui travaillent, et surtout aux pauvres officiers, les biens immenses de certains oisifs qui ont fait vœu de pauvreté. Ces gens de main-morte n'auront plus eux-mêmes des esclaves de main-morte. On ne verra plus des huissiers de moines chasser de la maison paternelle des orphelins réduits à la mendicité, pour enrichir de leurs dépouilles un couvent jouissant des droits seigneuriaux, qui sont les droits des anciens conquérants. On ne verra plus des familles entières demandant vainement l'aumône à la porte de ce couvent qui les dépouille. » Plût à Dieu ! rien n'est plus digne d'un roi. Le roi de Sardaigne a détruit chez lui cet abus abominable. Fasse le ciel que cet abus soit exterminé en France !

« N'entendez-vous pas, ma mère, toutes ces voix qui disent : « Les mariages de cent mille familles utiles à l'Etat ne seront plus réputés concubinages ; et les enfants ne seront plus déclarés bâtards par la loi » ? La nature, la justice, et vous, ma mère, tout demande sur ce grand objet un règlement sage qui soit compatible avec le repos de l'Etat et avec les droits de tous les hommes.

« On rendra la profession de soldat si honorable que l'on ne sera plus tenté de déserter. » La chose est possible, mais délicate.

« Les petites fautes ne seront point punies comme de grands crimes, parce qu'il faut de la proportion à tout. Une loi barbare, obscurément énoncée, mal interprétée, ne fera plus périr sous des barres de fer et dans les flammes des enfants indiscrets et imprudents, comme s'ils avaient assassiné leurs pères et leurs mères. » Ce devrait être le premier axiome de la justice criminelle.

« Les biens d'un père de famille ne seront plus confisqués, parce que les enfants ne doivent point mourir de faim pour les fautes de leur père, et que le roi n'a nul besoin de cette misérable confiscation. » A merveille ! et cela est digne de la magnanimité du souverain.

« La torture, inventée autrefois par les voleurs de grands chemins pour forcer les volés à découvrir leurs trésors, et employée aujourd'hui chez un petit nombre de nations pour sauver le coupable robuste, et pour perdre l'innocent faible de corps et d'esprit, ne sera plus en usage que dans les crimes de lèse-société au premier chef, et seulement pour avoir révélation des complices. Mais ces crimes ne se commettront jamais. » On ne peut mieux. Voilà les vœux que j'entends faire partout ; et j'écrirai tous ces grands changements dans mes annales, moi qui suis la Vérité.

« J'entends encore proférer autour de moi, dans tous les tribunaux, ces paroles remarquables : « Nous ne citerons plus jamais les deux puissances, parce qu'il ne peut

en exister qu'une : celle du roi ou de la loi dans une
monarchie ; celle de la nation dans une république. La
puissance divine est d'une nature si différente et si supérieure qu'elle ne doit pas être compromise par un mélange
profane avec les lois humaines. L'infini ne peut se joindre
au fini. Grégoire VII fut le premier qui osa appeler
l'infini à son secours dans ses guerres jusqu'alors inouïes
contre Henri IV, empereur trop fini ; j'entends trop
borné. Ces guerres ont ensanglanté l'Europe bien longtemps ; mais enfin on a séparé ces deux êtres vénérables
qui n'ont rien de commun, et c'est le seul moyen d'être
en paix. »

« Ces discours, que tiennent tous les ministres des lois,
me paraissent bien forts. Je sais qu'on ne reconnaît deux
puissances ni à la Chine, ni dans l'Inde, ni en Perse,
ni à Constantinople, ni à Moscou, ni à Londres, etc...
Mais je m'en rapporte à vous, ma mère. Je n'écrirai rien
que ce que vous aurez dicté. »

La Raison lui répondit : « Ma fille, vous sentez bien
que je désire à peu près les mêmes choses et bien d'autres.
Tout cela demande du temps et de la réflexion. J'ai toujours été très contente quand, dans mes chagrins, j'ai
obtenu une partie des soulagements que je voulais. Je
suis aujourd'hui trop heureuse.

« Vous souvenez-vous du temps où presque tous les
rois de la terre, étant dans une profonde paix, s'amu-
saient à jouer aux énigmes ; et où la belle reine de Saba
venait proposer tête-à-tête des logogriphes à Salomon ?
— Oui, ma mère ; c'était un bon temps, mais il n'a pas
duré. — Eh bien ! reprit la mère, celui-ci est infiniment
meilleur. On ne songeait alors qu'à montrer un peu
d'esprit ; et je vois que depuis dix à douze ans on s'est
appliqué, dans l'Europe, aux arts et aux vertus nécessaires, qui adoucissent l'amertume de la vie. Il semble
en général qu'on se soit donné le mot pour penser plus
solidement qu'on n'avait fait pendant des milliers de
siècles. Vous, qui n'avez jamais pu mentir, dites-moi quel
temps vous auriez choisi ou préféré au temps où nous
sommes pour vous habituer en France.

— J'ai la réputation, répondit la fille, d'aimer à dire
des choses assez dures aux gens chez qui je me trouve,
et vous savez bien que j'y ai toujours été forcée ; mais
j'avoue que je n'ai que du bien à dire du temps présent,
en dépit de tant d'auteurs qui ne louent que le passé.

« Je dois instruire la postérité que c'est dans cet âge

que les hommes ont appris à se garantir d'une maladie affreuse et mortelle, en se la donnant moins funeste, à rendre la vie à ceux qui la perdent dans les eaux, à gouverner et à braver le tonnerre; à suppléer au point fixe qu'on désire en vain d'occident en orient. On a fait plus en morale : on a osé demander justice aux lois contre des lois qui avaient condamné la vertu au supplice; et cette justice a été quelquefois obtenue. Enfin on a osé prononcer le mot de tolérance.

— Eh bien! ma chère fille, jouissons de ces beaux jours; restons ici, s'ils durent; et, si les orages surviennent, retournons dans notre puits. »

que les hommes ont appris à se guérir d'une maladie, attaché ce moyen ... et le donnant ... Mais ...

...

— ... dans notre ville.

NOTE

SUR

HISTOIRE DE JENNI

Voltaire avait toujours considéré l'athéisme comme une doctrine erronée, philosophiquement parlant, et en outre dangereuse pour la société. Depuis 1770, la campagne menée par d'Holbach (auteur du *Système de la Nature*) et ses amis, parmi lesquels Diderot, l'alarme. Il combat désormais sur deux fronts : contre « l'infâme » et contre le « quatrième imposteur », auquel il oppose, dans une *Epître* en vers, que
        Si Dieu n'existait pas, il faudrait l'inventer.
L'*Histoire de Jenni* répète, sous la forme du conte, en 1775 (première édition à Genève, chez Cramer), les raisons du théisme voltairien : preuves de l'existence de Dieu, et nécessité, morale et sociale, de la croyance en un Etre suprême, « rémunérateur et vengeur ».

Voltaire craint de passer pour un « bigot », selon le mot qui circule dans la « coterie holbachique ». Il place donc, en prologue du conte, une scène d'Inquisition, suivie d'un entretien du sage Freind avec un bachelier de Salamanque, lequel ne manque pas, conformément au procédé polémique bien connu, de prononcer précisément les paroles qui le condamnent.

Après quoi Voltaire se sent plus à l'aise pour raconter comment Jenni sombre dans la débauche et ses compagnons dans le crime, pour avoir cru « qu'il n'y a ni Dieu, ni vice, ni vertu »; comment le bon sauvage Parouba confesse sous la voûte céleste d'Amérique le credo voltairien; comment les raisonnements de Freind convertissent le jeune héros et ce coquin de Birton, à défaut de la Clive-Hart (« Fend-le-cœur »), mangée, selon ses mérites, par les cannibales des Montagnes bleues.

Histoire édifiante, attribuée à un Anglais, « M. Sherloc », qui mouille de larmes son papier. Le voyage de

Jenni en Amérique et retour fait regretter celui de Candide, sur un itinéraire analogue. Au moins Voltaire a-t-il senti juste, par rapport au goût de son temps, en choisissant pour l'apologie romancée du théisme le genre moral et sensible, entremêlé d'aventures américaines qui ne sont pas sans rappeler le *Cleveland* de l'abbé Prévost.

R. P.

HISTOIRE DE JENNI
OU L'ATHÉE ET LE SAGE,

PAR MR. SHERLOC,

TRADUIT PAR MR. DE LA CAILLE

CHAPITRE PREMIER

Vous me demandez, monsieur, quelques détails sur notre ami le respectable Freind, et sur son étrange fils. Le loisir dont je jouis enfin après la retraite de milord Peterborou me permet de vous satisfaire. Vous serez aussi étonné que je l'ai été, et vous partagerez tous mes sentiments.

Vous n'avez guère vu ce jeune et malheureux Jenni, ce fils unique de Freind, que son père mena avec lui en Espagne lorsqu'il était chapelain de notre armée, en 1705. Vous partîtes pour Alep avant que milord assiégeât Barcelone; mais vous avez raison de me dire que Jenni était de la figure la plus aimable et la plus engageante, et qu'il annonçait du courage et de l'esprit. Rien n'est plus vrai; on ne pouvait le voir sans l'aimer. Son père l'avait d'abord destiné à l'Eglise; mais le jeune homme ayant marqué de la répugnance pour cet état, qui demande tant d'art, de ménagement, et de finesse, ce père sage aurait cru faire un crime et une sottise de forcer la nature.

Jenni n'avait pas encore vingt ans. Il voulut absolument servir en volontaire à l'attaque du Mont-Jouy, que nous emportâmes, et où le prince de Hesse fut tué. Notre pauvre Jenni, blessé, fut prisonnier et mené dans la ville. Voici un récit très fidèle de ce qui lui arriva depuis l'attaque de Mont-Jouy jusqu'à la prise de Barcelone. Cette relation est d'une Catalane un peu trop libre et trop naïve; de tels écrits ne vont point jusqu'au cœur du sage. Je pris cette relation chez elle lorsque j'entrai dans Barcelone à la suite de milord Peterborou. Vous la lirez sans scandale comme un portrait fidèle des mœurs du pays.

AVENTURE D'UN JEUNE ANGLAIS
NOMME JENNI,

ÉCRITE DE LA MAIN DE DONA LAS NALGAS

Lorsqu'on nous dit que les mêmes sauvages qui
étaient venus, par l'air, d'une île inconnue, nous prendre
Gibraltar, venaient assiéger notre belle ville de Barcelone, nous commençâmes par faire des neuvaines à la
sainte Vierge de Manreze; ce qui est assurément la meilleure manière de se défendre.

Ce peuple, qui venait nous attaquer de si loin, s'appelle
d'un nom qu'il est difficile de prononcer, car c'est
English. Notre révérend père inquisiteur don Jeronimo
Bueno Caracucarador prêcha contre ces brigands. Il
lança contre eux une excommunication majeure dans
Notre-Dame d'Elpino. Il nous assura que les English
avaient des queues de singes, des pattes d'ours, et des
têtes de perroquets; qu'à la vérité ils parlaient quelquefois comme les hommes, mais qu'ils sifflaient presque
toujours; que de plus ils étaient notoirement hérétiques;
que la Ste. Vierge, qui est très favorable aux autres
pécheurs et pécheresses, ne pardonnait jamais aux hérétiques, et que par conséquent ils seraient tous infailliblement exterminés, surtout s'ils se présentaient devant le
Mont-Jouy. A peine avait-il fini son sermon que nous
apprîmes que le Mont-Jouy était pris d'assaut.

Le soir, on nous conta qu'à cet assaut nous avions
blessé un jeune English, et qu'il était entre nos mains.
On cria dans toute la ville : *Vittoria, vittoria,* et on fit des
illuminations.

La dona Boca Vermeja, qui avait l'honneur d'être maîtresse du révérend père inquisiteur, eut une extrême
envie de voir comment un animal english et hérétique
était fait. C'était mon intime amie. J'étais aussi curieuse
qu'elle. Mais il fallut attendre qu'il fût guéri de sa blessure; ce qui ne tarda pas.

Nous sûmes bientôt après qu'il devait prendre les bains
chez mon cousin germain Elvob, le baigneur, qui est,
comme on sait, le meilleur chirurgien de la ville. L'impatience de voir ce monstre redoubla dans mon amie Boca
Vermeja. Nous n'eûmes point de cesse, point de repos,
nous n'en donnâmes point à mon cousin le baigneur,

jusqu'à ce qu'il nous eût cachées dans une petite garde-robe, derrière une jalousie par laquelle on voyait la baignoire. Nous y entrâmes sur la pointe du pied, sans faire aucun bruit, sans parler, sans oser respirer, précisément dans le temps que l'English sortait de l'eau. Son visage n'était pas tourné vers nous; il ôta un petit bonnet sous lequel étaient renoués ses cheveux blonds, qui descendirent en grosses boucles sur la plus belle chute de reins que j'aie vue de ma vie; ses bras, ses cuisses, ses jambes, me parurent d'un charnu, d'un fini, d'une élégance qui approche, à mon gré, l'Apollon du Belvédère de Rome, dont la copie est chez mon oncle le sculpteur.

Dona Boca Vermeja était extasiée de surprise et d'enchantement. J'étais saisie comme elle; je ne pus m'empêcher de dire : *Oh que hermoso muchacho!* Ces paroles, qui m'échappèrent, firent tourner le jeune homme. Ce fut bien pis alors; nous vîmes le visage d'Adonis sur le corps d'un jeune Hercule. Il s'en fallut peu que dona Boca Vermeja ne tombât à la renverse, et moi aussi. Ses yeux s'allumèrent et se couvrirent d'une légère rosée, à travers laquelle on entrevoyait des traits de flamme. Je ne sais ce qui arriva aux miens.

Quand elle fut revenue à elle : « St. Jacques, me dit-elle, et Ste. Vierge! est-ce ainsi que sont faits les hérétiques ? Eh! qu'on nous a trompées! »

Nous sortîmes le plus tard que nous pûmes. Boca Vermeja fut bientôt éprise du plus violent amour pour le monstre hérétique. Elle est plus belle que moi, je l'avoue; et j'avoue aussi que je me sentis doublement jalouse. Je lui représentai qu'elle se damnait en trahissant le révérend père inquisiteur don Jeronimo Bueno Caracucarador pour un English. « Ah! ma chère Las Nalgas, me dit-elle (car Las Nalgas est mon nom), je trahirais Melchisédech pour ce beau jeune homme. » Elle n'y manqua pas, et, puisqu'il faut tout dire, je donnai secrètement plus de la dîme des offrandes.

Un des familiers de l'Inquisition, qui entendait quatre messes par jour pour obtenir de Notre-Dame de Manreze la destruction des English, fut instruit de nos actes de dévotion. Le révérend père don Caracucarador nous donna le fouet à toutes deux. Il fit saisir notre cher English par vingt-quatre alguazils de la Ste. Hermandad. Jenni en tua cinq, et fut pris par les dix-neuf qui restaient. On le fit reposer dans un caveau bien frais. Il fut destiné à être brûlé le dimanche suivant en cérémonie,

orné d'un grand san-benito et d'un bonnet en pain de
sucre, en l'honneur de notre Sauveur et de la vierge
Marie sa mère. Don Caracucarador prépara un beau sermon; mais il ne put le prononcer, car le dimanche même
la ville fut prise à quatre heures du matin.

Ici finit le récit de dona Las Nalgas. C'était une femme
qui ne manquait pas d'un certain esprit que les Espagnols appellent *agudezza*.

CHAPITRE SECOND

SUITE DES AVENTURES DU JEUNE ANGLAIS JENNI
ET DE CELLES DE MR. SON PÈRE, DOCTEUR EN THÉOLOGIE,
MEMBRE DU PARLEMENT ET DE LA SOCIÉTÉ ROYALE

Vous savez quelle admirable conduite tint le comte de
Peterborou dès qu'il fut maître de Barcelone; comme il
empêcha le pillage; avec quelle sagacité prompte il mit
ordre à tout; comme il arracha la duchesse de Popoli des
mains de quelques soldats allemands ivres, qui la volaient
et qui la violaient. Mais vous peindrez-vous bien la surprise, la douleur, l'anéantissement, la colère, les larmes,
les transports de notre ami Freind, quand il apprit que
Jenni était dans les cachots du saint-office, et que son
bûcher était préparé ? Vous savez que les têtes les plus
froides sont les plus animées dans les grandes occasions.
Vous eussiez vu ce père, que vous avez connu si grave et
si imperturbable, voler à l'antre de l'Inquisition plus
vite que nos chevaux de race ne courent à Newmarket.
Cinquante soldats, qui le suivaient hors d'haleine, étaient
toujours à deux cents pas de lui. Il arrive, il entre dans
la caverne. Quel moment! que de pleurs et que de joie!
Vingt victimes destinées à la même cérémonie que Jenni
sont délivrées. Tous ces prisonniers s'arment; tous se
joignent à nos soldats; ils démolissent le saint-office en
dix minutes et déjeunent sur ses ruines avec le vin et les
jambons des inquisiteurs.

Au milieu de ce fracas, et des fanfares, et des tambours,
et du retentissement de quatre cents canons qui annonçaient notre victoire à la Catalogne, notre ami Freind
avait repris la tranquillité que vous lui connaissez. Il
était calme comme l'air dans un beau jour après un

orage. Il élevait à Dieu un cœur aussi serein que son
visage, lorsqu'il vit sortir du soupirail d'une cave un
spectre noir en surplis, qui se jeta à ses pieds et qui lui
criait miséricorde. « Qui es-tu ? lui dit notre ami; viens-tu
de l'enfer ? — A peu près, répondit l'autre; je suis
don Jeronimo Bueno Caracucarador, inquisiteur pour la
foi; je vous demande très humblement pardon d'avoir
voulu cuire monsieur votre fils en place publique : je le
prenais pour un juif.

— Eh! quand il serait juif, répondit notre ami avec
son sang-froid ordinaire, vous sied-il bien, monsieur Caracucarador, de cuire des gens parce qu'ils sont descendus
d'une race qui habitait autrefois un petit canton pierreux
tout près du désert de Syrie ? Que vous importe qu'un
homme ait un prépuce ou qu'il n'en ait pas, et qu'il
fasse sa pâque dans la pleine lune rousse, ou le dimanche
d'après ? Cet homme est juif, donc il faut que je le brûle,
et tout son bien m'appartient : voilà un très mauvais
argument; on ne raisonne point ainsi dans la Société
royale de Londres.

« Savez-vous bien, monsieur Caracucarador, que Jésus-
Christ était juif, qu'il naquit, vécut, et mourut juif; qu'il
fit sa pâque en juif dans la pleine lune; que tous ses
apôtres étaient juifs; qu'ils allèrent dans le temple juif
après son malheur, comme il est dit expressément; que
les quinze premiers évêques secrets de Jérusalem étaient
juifs ? Mon fils ne l'est pas, il est anglican : quelle idée
vous a passé par la tête de le brûler ? »

L'inquisiteur Caracucarador, épouvanté de la science
de Mr. Freind, et toujours prosterné à ses pieds, lui dit :
« Hélas! nous ne savions rien de tout cela dans l'université de Salamanque. Pardon, encore une fois; mais la
véritable raison est que monsieur votre fils m'a pris ma
maîtresse Boca Vermeja. — Ah! s'il vous a pris votre
maîtresse, repartit Freind, c'est autre chose : il ne faut
jamais prendre le bien d'autrui. Il n'y a pourtant pas là
une raison suffisante comme dit Leibnitz pour brûler un
jeune homme. Il faut proportionner les peines aux délits.
Vous autres, chrétiens de delà la mer britannique en
tirant vers le sud, vous avez plus tôt fait cuire un de vos
frères, soit le conseiller Anne Dubourg, soit Michel Servet, soit tous ceux qui furent ards sous Philippe second
surnommé *le discret*, que nous ne faisons rôtir un rostbif
à Londres. Mais qu'on m'aille chercher mademoiselle
Boca Vermeja, et que je sache d'elle la vérité. »

Boca Vermeja fut amenée pleurante, et embellie par ses larmes comme c'est l'usage. « Est-il vrai, mademoiselle, que vous aimiez tendrement don Caracucarador, et que mon fils Jenni vous ait prise à force ? — A force! monsieur l'Anglais! c'était assurément du meilleur de mon cœur. Je n'ai jamais rien vu de si beau et de si aimable que monsieur votre fils; et je vous trouve bien heureux d'être son père. C'est moi qui lui ai fait toutes les avances; il les mérite bien : je le suivrai jusqu'au bout du monde, si le monde a un bout. J'ai toujours, dans le fond de mon âme, détesté ce vilain inquisiteur; il m'a fouettée presque jusqu'au sang, moi et mademoiselle Las Nalgas. Si vous voulez me rendre la vie douce, vous ferez pendre ce scélérat de moine à ma fenêtre, tandis que je jurerai à monsieur votre fils un amour éternel : heureuse si je pouvais jamais lui donner un fils qui vous ressemble! »

En effet, pendant que Boca Vermeja prononçait ces paroles naïves, milord Peterborou envoyait chercher l'inquisiteur Caracucarador pour le faire pendre. Vous ne serez pas surpris quand je vous dirai que Mr. Freind s'y opposa fortement. « Que votre juste colère, dit-il, respecte votre générosité : il ne faut jamais faire mourir un homme que quand la chose est absolument nécessaire pour le salut du prochain. Les Espagnols diraient que les Anglais sont des barbares qui tuent tous les prêtres qu'ils rencontrent. Cela pourrait faire grand tort à monsieur l'archiduc, pour lequel vous venez de prendre Barcelone. Je suis assez content que mon fils soit sauvé, et que ce coquin de moine soit hors d'état d'exercer ses fonctions inquisitoriales. » Enfin le sage et charitable Freind en dit tant que milord se contenta de faire fouetter Caracucarador, comme ce misérable avait fouetté miss Boca Vermeja et miss Las Nalgas.

Tant de clémence toucha le cœur des Catalans. Ceux qui avaient été délivrés des cachots de l'Inquisition conçurent que notre religion valait infiniment mieux que la leur. Ils demandèrent presque tous à être reçus dans l'Eglise anglicane; et même quelques bacheliers de l'université de Salamanque, qui se trouvaient dans Barcelone, voulurent être éclairés. La plupart le furent bientôt. Il n'y en eut qu'un seul nommé don Inigo y Medroso y Comodios y Papalamiendo, qui fut un peu rétif.

Voici le précis de la dispute honnête que notre cher ami Freind et le bachelier don Papalamiendo eurent ensemble en présence de milord Peterborou. On appela cette conversation familière le dialogue des *Mais*. Vous verrez aisément pourquoi, en le lisant.

CHAPITRE TROISIÈME

PRÉCIS DE LA CONTROVERSE DES MAIS ENTRE MR. FREIND ET DON INIGO Y MEDROSO Y PAPALAMIENDO, BACHELIER DE SALAMANQUE

LE BACHELIER

Mais, monsieur, malgré toutes les belles choses que vous venez de me dire, vous m'avouerez que votre Eglise anglicane, si respectable, n'existait pas avant don Luther et avant don Oecolampade. Vous êtes tout nouveaux, donc vous n'êtes pas de la maison.

FREIND

C'est comme si on me disait que je ne suis pas le fils de mon grand-père, parce qu'un collatéral, demeurant en Italie, s'était emparé de son testament et de mes titres. Je les ai heureusement retrouvés, et il est clair que je suis le petit-fils de mon grand-père. Nous sommes, vous et moi, de la même famille, à cela près que nous autres Anglais nous lisons le testament de notre grand-père dans notre propre langue, et qu'il vous est défendu de le lire dans la vôtre. Vous êtes esclaves d'un étranger, et nous ne sommes soumis qu'à notre raison.

LE BACHELIER

Mais si votre raison vous égare ?... car enfin vous ne croyez point à notre université de Salamanque, laquelle a déclaré l'infaillibilité du pape, et son droit incontestable sur le passé, le présent, le futur, et le paulo-post-futur.

FREIND

Hélas! les apôtres n'y croyaient pas non plus. Il est écrit que ce Pierre, qui renia son maître Jésus, fut sévèrement tancé par Paul. Je n'examine point ici lequel des deux avait tort; ils l'avaient peut-être tous deux, comme il arrive dans presque toutes les querelles; mais enfin il n'y a pas un seul endroit dans les *Actes des apôtres* où Pierre soit regardé comme le maître de ses compagnons et du paulo-post-futur.

LE BACHELIER

Mais certainement St. Pierre fut archevêque de Rome, car Sanchez nous enseigne que ce grand homme y arriva du temps de Néron, et qu'il y occupa le trône archiépiscopal pendant vingt-cinq ans sous ce même Néron, qui n'en régna que treize. De plus il est de foi, et c'est don Grillandus, le prototype de l'Inquisition, qui l'affirme (car nous ne lisons jamais la sainte Bible), il est de foi, dis-je, que St. Pierre était à Rome une certaine année; car il date une de ses lettres de Babylone; car, puisque Babylone est visiblement l'anagramme de Rome, il est clair que le pape est de droit divin le maître de toute la terre; car, de plus, tous les licenciés de Salamanque ont démontré que Simon Vertu-Dieu, premier sorcier, conseiller d'Etat de l'empereur Néron, envoya faire des compliments par son chien à St. Simon Barjone, autrement dit St. Pierre, dès qu'il fut à Rome; que St. Pierre, n'étant pas moins poli, envoya aussi son chien complimenter Simon Vertu-Dieu; qu'ensuite ils jouèrent à qui ressusciterait le plus tôt un cousin germain de Néron, que Simon Vertu-Dieu ne ressuscita son mort qu'à moitié, et que Simon Barjone gagna la partie en ressuscitant le cousin tout à fait; que Vertu-Dieu voulut avoir sa revanche en volant dans les airs comme St. Dédale, et que St. Pierre lui cassa les deux jambes en le faisant tomber. C'est pourquoi St. Pierre reçut la couronne du martyre, la tête en bas et les jambes en haut [a]; donc il est démontré *a posteriori* que notre saint-père le pape doit régner sur tous ceux qui ont des couronnes sur la tête, et qu'il est le maître du passé, du présent, et de tous les futurs du monde.

FREIND

Il est clair que toutes ces choses arrivèrent dans le temps où Hercule, d'un tour de main, sépara les deux montagnes, Calpée et Abila, et passa le détroit de Gibraltar dans son gobelet; mais ce n'est pas sur ces histoires, tout authentiques qu'elles sont, que nous fondons notre religion : c'est sur l'Evangile.

LE BACHELIER

Mais, monsieur, sur quels endroits de l'Evangile ? Car

---

a. Toute cette histoire est racontée par Abdias, Marcel et Hégésippe; Eusèbe en rapporte une partie.

j'ai lu une partie de cet Evangile dans nos cahiers de théologie. Est-ce sur l'ange descendu des nuées pour annoncer à Marie qu'elle sera engrossée par le St. Esprit ? Est-ce sur le voyage des trois rois et d'une étoile ? sur le massacre de tous les enfants du pays ? sur la peine que prit le diable d'emporter Dieu dans le désert, au faîte du temple et à la cime d'une montagne, dont on découvrait tous les royaumes de la terre ? sur le miracle de l'eau changée en vin à une noce de village ? sur le miracle de deux mille cochons que le diable noya dans un lac par ordre de Jésus ? sur...

FREIND

Monsieur, nous respectons toutes ces choses, parce qu'elles sont dans l'Evangile, et nous n'en parlons jamais, parce qu'elles sont trop au-dessus de la faible raison humaine.

LE BACHELIER

Mais on dit que vous n'appelez jamais la Ste. Vierge mère de Dieu.

FREIND

Nous la révérons, nous la chérissons; mais nous croyons qu'elle se soucie peu des titres qu'on lui donne ici-bas. Elle n'est jamais nommée mère de Dieu dans l'Evangile. Il y eut une grande dispute, en 431, à un concile d'Ephèse, pour savoir si Marie était *théotocos*, et si, Jésus-Christ étant Dieu à la fois et fils de Marie, il se pouvait que Marie fût à la fois mère de Dieu le Père et de Dieu le Fils. Nous n'entrons point dans ces querelles d'Ephèse, et la Société royale de Londres ne s'en mêle pas.

LE BACHELIER

Mais, monsieur, vous me donnez là du *théotocos* ! qu'est-ce que *théotocos*, s'il vous plaît ?

FREIND

Cela signifie mère de Dieu. Quoi! vous êtes bachelier de Salamanque, et vous ne savez pas le grec ?

LE BACHELIER

Mais le grec, le grec! de quoi cela peut-il servir à un Espagnol ? Mais, monsieur, croyez-vous que Jésus ait

une nature, une personne et une volonté ? ou deux
natures, deux personnes, et deux volontés ? ou une
volonté, une nature, et deux personnes ? ou deux volontés, deux personnes, et une nature ? ou...

FREIND

Ce sont encore les affaires d'Ephèse; cela ne nous
importe en rien.

LE BACHELIER

Mais qu'est-ce donc qui vous importe ? Pensez-vous
qu'il n'y ait que trois personnes en Dieu, ou qu'il y ait
trois dieux en une personne ? La seconde personne pro-
cède-t-elle de la première personne, et la troisième pro-
cède-t-elle des deux autres, ou de la seconde *intrinsecus*,
ou de la première seulement ? Le Fils a-t-il tous les attributs du Père, excepté la paternité ? et cette troisième
personne vient-elle par infusion, ou par identification, ou
par spiration ?

FREIND

L'Evangile n'agite pas cette question, et jamais
saint Paul n'écrit le nom de Trinité.

LE BACHELIER

Mais vous me parlez toujours de l'Evangile, et jamais
de St. Bonaventure, ni d'Albert le Grand, ni de Tam-
bourini, ni de Grillandus, ni d'Escobar.

FREIND

C'est que je ne suis ni dominicain, ni cordelier, ni
jésuite; je me contente d'être chrétien.

LE BACHELIER

Mais si vous êtes chrétien, dites-moi, en conscience,
croyez-vous que le reste des hommes soit damné éternellement ?

FREIND

Ce n'est point à moi à mesurer la justice de Dieu et sa
miséricorde.

LE BACHELIER

Mais enfin, si vous êtes chrétien, que croyez-vous
donc ?

FREIND

Je crois, avec Jésus-Christ, qu'il faut aimer Dieu et son prochain, pardonner les injures et réparer ses torts. Croyez-moi, adorez Dieu, soyez juste et bienfaisant : voilà tout l'homme. Ce sont là les maximes de Jésus. Elles sont si vraies qu'aucun législateur, aucun philosophe n'a jamais eu d'autres principes avant lui, et qu'il est impossible qu'il y en ait d'autres. Ces vérités n'ont jamais eu et ne peuvent avoir pour adversaires que nos passions.

LE BACHELIER

Mais... ah! ah! à propos de passions, est-il vrai que vos évêques, vos prêtres, et vos diacres, vous êtes tous mariés ?

FREIND

Cela est très vrai. St. Joseph, qui passa pour être père de Jésus, était marié. Il eut pour fils Jacques le Mineur, surnommé *Oblia*, frère de notre Seigneur; lequel, après la mort de Jésus, passa sa vie dans le temple. St. Paul, le grand St. Paul, était marié.

LE BACHELIER

Mais Grillandus et Molina disent le contraire.

FREIND

Molina et Grillandus diront tout ce qu'ils voudront, j'aime mieux croire St. Paul lui-même, car il dit dans sa première aux Corinthiens [b] : « N'avons-nous pas le droit de boire et de manger à vos dépens ? N'avons-nous pas le droit de mener avec nous nos femmes, notre sœur, comme font les autres apôtres et les frères de notre Seigneur et Céphas ? Va-t-on jamais à la guerre à ses dépens ? Quand on a planté une vigne, n'en mange-t-on pas le fruit ? etc. »

LE BACHELIER

Mais, monsieur, est-il bien vrai que St. Paul ait dit cela ?

FREIND

Oui, il a dit cela, et il en a dit bien d'autres.

b. Chap. IX.

LE BACHELIER

Mais quoi! ce prodige, cet exemple de la grâce efficace!...

FREIND

Il est vrai, monsieur, que sa conversion était un grand
prodige. J'avoue que, suivant les *Actes des apôtres*, il
avait été le plus cruel satellite des ennemis de Jésus. Les
Actes disent qu'il servit à lapider St. Etienne; il dit lui-
même que, quand les Juifs faisaient mourir un suivant
de Jésus, c'était lui qui portait la sentence, *detuli senten-
tiam* [c]. J'avoue qu'Abdias, son disciple, et Jules Africain,
son traducteur, l'accusent aussi d'avoir fait mourir
Jacques Oblia, frère de notre Seigneur [d]; mais ses
fureurs rendent sa conversion plus admirable, et ne l'ont
pas empêché de trouver une femme. Il était marié, vous
dis-je, comme St. Clément d'Alexandrie le déclare
expressément.

LE BACHELIER

Mais c'était donc un digne homme, un brave homme
que St. Paul! Je suis fâché qu'il ait assassiné St. Jacques
et St. Etienne, et fort surpris qu'il ait voyagé au troisième
ciel; mais poursuivez, je vous prie.

FREIND

St. Pierre, au rapport de St. Clément d'Alexandrie, eut
des enfants, et même on compte parmi eux une Ste. Pé-
tronille. Eusèbe, dans son *Histoire de l'Eglise*, dit que
St. Nicolas, l'un des premiers disciples, avait une très
belle femme, et que les apôtres lui reprochèrent d'en être
trop occupé, et d'en paraître jaloux... « Messieurs, leur
dit-il, la prenne qui voudra, je vous la cède [e]. »

Dans l'économie juive, qui devait durer éternellement,
et à laquelle cependant a succédé l'économie chrétienne,
le mariage était non seulement permis, mais expressément ordonné aux prêtres, puisqu'ils devaient être de la
même race; et le célibat était une espèce d'infamie.

Il faut bien que le célibat ne fût pas regardé comme un
état bien pur et bien honorable par les premiers chré-

c. *Actes*, chap. XXVI.
d. *Histoire apostolique d'Abdias*. Traduction de Jules Africain,
liv. VI, p. 395 et suiv.
e. Eusèbe, liv. III, chap. XXX.

tiens, puisque parmi les hérétiques anathématisés dans les premiers conciles, on trouve principalement ceux qui s'élevaient contre le mariage des prêtres, comme saturniens, basilidiens, montanistes, encratistes, et autres *ens* et *istes*. Voilà pourquoi la femme d'un St. Grégoire de Nazianze accoucha d'un autre saint Grégoire de Nazianze, et qu'elle eut le bonheur inestimable d'être femme et mère d'un canonisé, ce qui n'est pas même arrivé à Ste. Monique, mère de St. Augustin.

Voilà pourquoi je pourrais vous nommer autant et plus d'anciens évêques mariés que vous n'avez autrefois eu d'évêques et de papes concubinaires, adultères, ou pédérastes : ce qu'on ne trouve plus aujourd'hui en aucun pays. Voilà pourquoi l'Eglise grecque, mère de l'Eglise latine, veut encore que les curés soient mariés. Voilà enfin pourquoi, moi qui vous parle, je suis marié, et j'ai le plus bel enfant du monde.

Et dites-moi, mon cher bachelier, n'avez-vous pas dans votre Eglise sept sacrements de compte fait, qui sont tous des signes visibles d'une chose invisible ? Or un bachelier de Salamanque jouit des agréments du baptême dès qu'il est né; de la confirmation dès qu'il a des culottes; de la confession dès qu'il a fait quelques fredaines ou qu'il entend celles des autres; de la communion, quoique un peu différente de la nôtre, dès qu'il a treize ou quatorze ans; de l'ordre quand il est tondu sur le haut de la tête, et qu'on lui donne un bénéfice de vingt, ou trente, ou quarante mille piastres de rente; enfin de l'extrême-onction quand il est malade. Faut-il le priver du sacrement de mariage quand il se porte bien ? surtout après que Dieu lui-même a marié Adam et Eve; Adam, le premier des bacheliers du monde, puisqu'il avait la science infuse, selon votre école; Eve, la première bachelette, puisqu'elle tâta de l'arbre de la science avant son mari.

LE BACHELIER

Mais, s'il est ainsi, je ne dirai plus *mais*. Voilà qui est fait, je suis de votre religion : je me fais anglican. Je veux me marier à une femme honnête qui fera toujours semblant de m'aimer, tant que je serai jeune, qui aura soin de moi dans ma vieillesse, et que j'enterrerai proprement si je lui survis : cela vaut mieux que de cuire des hommes et de déshonorer des filles, comme a fait mon cousin don Caracucarador, inquisiteur pour la foi.

Tel est le précis fidèle de la conversation qu'eurent
ensemble le docteur Freind et le bachelier don Papalamiendo, nommé depuis par nous Papa Dexando. Cet
entretien curieux fut rédigé par Jacob Hulf, l'un des
secrétaires de milord.

Après cet entretien, le bachelier me tira à part et me
dit : « Il faut que cet Anglais, que j'avais cru d'abord
anthropophage, soit un bien bon homme, car il est théologien, et il ne m'a point dit d'injures. » Je lui appris
que Mr. Freind était tolérant, et qu'il descendait de la
fille de Guillaume Penn, le premier des tolérants, et le
fondateur de Philadelphie. « Tolérant et Philadelphie ! s'écria-t-il ; je n'avais jamais entendu parler
de ces sectes-là. » Je le mis au fait : il ne pouvait me
croire, il pensait être dans un autre univers, et il avait
raison.

CHAPITRE QUATRIÈME

RETOUR A LONDRES;
JENNI COMMENCE A SE CORROMPRE

Tandis que notre digne philosophe Freind éclairait
ainsi les Barcelonais, et que son fils Jenni enchantait les
Barcelonaises, milord Peterborou fut perdu dans l'esprit
de la reine Anne, et dans celui de l'archiduc, pour leur
avoir donné Barcelone. Les courtisans lui reprochèrent
d'avoir pris cette ville contre toutes les règles, avec une
armée moins forte de moitié que la garnison. L'archiduc
en fut d'abord très piqué, et l'ami Freind fut obligé
d'imprimer l'apologie du général. Cependant cet archiduc, qui était venu conquérir le royaume d'Espagne,
n'avait pas de quoi payer son chocolat. Tout ce que la
reine Anne lui avait donné était dissipé. Montecuculli
dit dans ses Mémoires qu'il faut trois choses pour faire
la guerre : 1º de l'argent; 2º de l'argent; 3º de l'argent.
L'archiduc écrivit de Guadalaxara, où il était le 11 auguste 1706, à milord Peterborou, une grande lettre signée
yo el rey, par laquelle il le conjurait d'aller sur-le-champ
à Gênes lui chercher, sur son crédit, cent mille livres
sterling pour régner [a]. Voilà donc notre Sertorius devenu

a. Elle est imprimée dans l'*Apologie du comte de Peterborou*, par
le docteur Friend, p. 143, chez Jonas Bourer.

banquier génois de général d'armée. Il confia sa détresse
à l'ami Freind : tous deux allèrent à Gênes ; je les suivis,
car vous savez que mon cœur me mène. J'admirai l'habileté et l'esprit de conciliation de mon ami dans cette
affaire délicate. Je vis qu'un bon esprit peut suffire à
tout ; notre grand Locke était médecin : il fut le seul
métaphysicien de l'Europe, et il rétablit les monnaies
d'Angleterre.

Freind, en trois jours, trouva les cent mille livres
sterling, que la cour de Charles VI mangea en moins de
trois semaines. Après quoi il fallut que le général, accompagné de son théologien, allât se justifier à Londres, en
plein parlement, d'avoir conquis la Catalogne contre les
règles, et de s'être ruiné pour le service de la cause commune. L'affaire traîna en longueur et en aigreur, comme
tous les affaires de parti.

Vous savez que Mr. Freind avait été député en parlement avant d'être prêtre, et qu'il est le seul à qui l'on
ait permis d'exercer ces deux fonctions incompatibles.
Or, un jour que Freind méditait un discours qu'il devait
prononcer dans la chambre des communes, dont il était
un digne membre, on lui annonça une dame espagnole
qui demandait à lui parler pour affaire pressante. C'était
dona Boca Vermeja elle-même. Elle était tout en pleurs ;
notre bon ami lui fit servir à déjeuner. Elle essuya ses
larmes, déjeuna, et lui parla ainsi :

« Il vous souvient, mon cher monsieur, qu'en allant à
Gênes vous ordonnâtes à monsieur votre fils Jenni de
partir de Barcelone pour Londres, et d'aller s'installer
dans l'emploi de clerc de l'Echiquier que votre crédit lui
a fait obtenir. Il s'embarqua sur le *Triton* avec le jeune
bachelier don Papa Dexando, et quelques autres que
vous aviez convertis. Vous jugez bien que je fus du
voyage avec ma bonne amie Las Nalgas. Vous savez que
vous m'avez permis d'aimer monsieur votre fils, et que
je l'adore...

— Moi, mademoiselle ! je ne vous ai point permis ce
petit commerce ; je l'ai toléré : cela est bien différent. Un
bon père ne doit être ni le tyran de son fils ni son mercure. La fornication entre deux personnes libres a été
peut-être autrefois une espèce de droit naturel dont
Jenni peut jouir avec discrétion sans que je m'en mêle ;
je ne le gêne pas plus sur ses maîtresses que sur son dîner
et sur son souper : s'il s'agissait d'un adultère, j'avoue
que je serais plus difficile, parce que l'adultère est un

larcin; mais pour vous, mademoiselle, qui ne faites tort
à personne, je n'ai rien à vous dire.

— Eh bien! monsieur, c'est d'adultère qu'il s'agit. Le
beau Jenni m'abandonne pour une jeune mariée qui n'est
pas si belle que moi. Vous sentez bien que c'est une
injure atroce. — Il a tort », dit alors Mr. Freind. Boca
Vermeja, en versant quelques larmes, lui conta comment
Jenni avait été jaloux, ou fait semblant d'être jaloux du
bachelier; comment madame Clive-Hart, jeune mariée
très effrontée, très emportée, très masculine, très méchante, s'était emparée de son esprit; comment il vivait
avec des libertins non craignant Dieu; comment enfin il
méprisait sa fidèle Boca Vermeja pour la coquine de
Clive-Hart, parce que la Clive-Hart avait une nuance
ou deux de blancheur et d'incarnat au-dessus de la pauvre
Boca Vermeja.

« J'examinerai cette affaire-là à loisir, dit le bon Freind.
Il faut que j'aille en parlement pour celle de milord Peterborou. » Il alla donc en parlement : je l'y entendis prononcer un discours ferme et serré, sans aucun lieu commun, sans épithète, sans ce que nous appelons des
phrases; il n'*invoquait* point un témoignage, une loi; il
les attestait, il les citait, il les réclamait; il ne disait point
qu'on avait *surpris la religion* de la cour en accusant
milord Peterborou d'avoir hasardé les troupes de la reine
Anne, parce que ce n'était pas une affaire de religion;
il ne prodiguait pas à une conjecture le nom de démonstration; il ne manquait pas de respect à l'auguste assemblée du parlement par de fades plaisanteries bourgeoises;
il n'appelait pas milord Peterborou son client, parce que
le mot de client signifie un homme de la bourgeoisie pro-
tégé par un sénateur. Freind parlait avec autant de
modestie que de fermeté : on l'écoutait en silence; on ne
l'interrompait qu'en disant : « *Hear him, hear him :* écoutez-le, écoutez-le. » La Chambre des Communes vota
qu'on remercierait le comte de Peterborou au lieu de le
condamner. Milord obtint la même justice de la Cour
des Pairs, et se prépara à repartir avec son cher Freind
pour aller donner le royaume d'Espagne à l'archiduc :
ce qui n'arriva pourtant pas, par la raison que rien n'arrive dans ce monde précisément comme on le veut.

Au sortir du parlement nous n'eûmes rien de plus
pressé que d'aller nous informer de la conduite de Jenni.
Nous apprîmes en effet qu'il menait une vie débordée et
crapuleuse avec madame Clive-Hart et une troupe de

jeunes athées, d'ailleurs gens d'esprit, à qui leurs débauches avaient persuadé que « l'homme n'a rien au-dessus de la bête; qu'il naît et meurt comme la bête; qu'ils
sont également formés de terre; qu'ils retournent également à la terre; et qu'il n'y a rien de bon et de sage que
de se réjouir dans ses œuvres, et de vivre avec celle que
l'on aime, comme le conclut Salomon à la fin de son chapitre troisième du *Coheleth*, que nous nommons *Ecclé-
siastès* ».

Ces idées leur étaient principalement insinuées par un
nommé Wirburton, méchant garnement très impudent.
J'ai lu quelque chose des manuscrits de ce fou : Dieu
nous préserve de les voir imprimés un jour! Wirburton
prétend que Moïse ne croyait pas à l'immortalité de
l'âme; et comme en effet Moïse n'en parla jamais, il en
conclut que c'est la seule preuve que sa mission était
divine. Cette conclusion absurde fait malheureusement
conclure que la secte juive était fausse; les impies en
concluent par conséquent que la nôtre, fondée sur la
juive, est fausse aussi, et que cette nôtre, qui est la meilleure de toutes, étant fausse, toutes les autres sont encore
plus fausses; qu'ainsi il n'y a point de religion. De là
quelques gens viennent à conclure qu'il n'y a point de
Dieu; ajoutez à ces conclusions que ce petit Wirburton
est un intrigant et un calomniateur. Voyez quel danger!

Un autre fou nommé Needham, qui est en secret
jésuite, va bien plus loin. Cet animal, comme vous le
savez d'ailleurs, et comme on vous l'a tant dit, s'imagine
qu'il a créé des anguilles avec de la farine de seigle et du
jus de mouton; que sur-le-champ ces anguilles en ont
produit d'autres sans accouplement. Aussitôt nos philosophes décident qu'on peut faire des hommes avec de la
farine de froment et du jus de perdrix, parce qu'ils
doivent avoir une origine plus noble que celle des
anguilles; ils prétendent que ces hommes en produiront
d'autres incontinent; qu'ainsi ce n'est point Dieu qui a
fait l'homme; que tout s'est fait de soi-même; qu'on
peut très bien se passer de Dieu; qu'il n'y a point de
Dieu. Juger quels ravages le *Coheleth* mal entendu, et
Wirburton et Needham bien entendus, peuvent faire dans
de jeunes cœurs tout pétris de passions, et qui ne raisonnent que d'après elles.

Mais, ce qu'il y avait de pis, c'est que Jenni avait des
dettes par-dessus les oreilles; il les payait d'une étrange
façon. Un de ses créanciers était venu le jour même lui

demander cent guinées pendant que nous étions en parlement. Le beau Jenni, qui jusque-là paraissait très doux
et très poli, s'était battu avec lui, et lui avait donné pour
tout payement un bon coup d'épée. On craignait que le
blessé n'en mourût : Jenni allait être mis en prison et risquait d'être pendu, malgré la protection de milord Peterborou.

CHAPITRE CINQUIÈME

ON VEUT MARIER JENNI

Il nous souvient, mon cher ami, de la douleur et de
l'indignation qu'avait ressenties le vénérable Freind quand
il apprit que son cher Jenni était à Barcelone dans les
prisons du Saint-Office; croyez qu'il fut saisi d'un plus
violent transport en apprenant les déportements de ce
malheureux enfant, ses débauches, ses dissipations, sa
manière de payer ses créanciers, et son danger d'être
pendu. Mais Freind se contint. C'est une chose étonnante que l'empire de cet excellent homme sur lui-même.
Sa raison commande à son cœur, comme un bon maître
à un bon domestique. Il fait tout à propos, et agit prudemment avec autant de célérité que les imprudents se
déterminent. « Il n'est pas temps, dit-il, de prêcher Jenni ;
il faut le tirer du précipice. »
Vous saurez que notre ami avait touché la veille une
très grosse somme de la succession de George Hubert,
son oncle. Il va chercher lui-même notre grand chirurgien Cheselden. Nous le trouvons heureusement, nous
allons ensemble chez le créancier blessé. Mr. Freind fait
visiter sa plaie, elle n'était pas mortelle. Il donne au
patient les cent guinées pour premier appareil, et cinquante autres en forme de réparation ; il lui demande
pardon pour son fils ; il lui exprime sa douleur avec tant
de tendresse, avec tant de vérité, que ce pauvre homme,
qui était dans son lit, l'embrasse en versant des larmes,
et veut lui rendre son argent. Ce spectacle étonnait et
attendrissait le jeune Mr. Cheselden, qui commence à se
faire une grande réputation, et dont le cœur est aussi bon
que son coup d'œil et sa main sont habiles. J'étais ému,
j'étais hors de moi ; je n'avais jamais tant révéré, tant aimé
notre ami.
Je lui demandai, en retournant à sa maison, s'il ne

ferait pas venir son fils chez lui, s'il ne lui représenterait pas ses fautes. « Non, dit-il; je veux qu'il les sente avant que je lui en parle. Soupons ce soir tous deux; nous verrons ensemble ce que l'honnêteté m'oblige de faire. Les exemples corrigent bien mieux que les réprimandes. »

J'allai, en attendant le souper, chez Jenni; je le trouvai comme je pense que tout homme est après son premier crime, pâle, l'œil égaré, la voix rauque et entrecoupée, l'esprit agité, répondant de travers à tout ce qu'on lui disait. Enfin je lui appris ce que son père venait de faire. Il resta immobile, me regarda fixement, puis se détourna un moment pour verser quelques larmes. J'en augurai bien; je conçus une grande espérance que Jenni pourrait être un jour très honnête homme. J'allais me jeter à son cou, lorsque madame Clive-Hart entra avec un jeune étourdi de ses amis, nommé Birton.

« Eh bien! dit la dame en riant, est-il vrai que tu as tué un homme aujourd'hui ? C'était apparemment quelque ennuyeux; il est bon de délivrer le monde de ces gens-là. Quand il te prendra envie d'en tuer quelque autre, je te prie de donner la préférence à mon mari, car il m'ennuie furieusement. »

Je regardais cette femme des pieds jusqu'à la tête. Elle était belle; mais elle me parut avoir quelque chose de sinistre dans la physionomie. Jenni n'osait répondre, et baissait les yeux, parce que j'étais là. « Qu'as-tu donc, mon ami ? lui dit Birton, il semble que tu aies fait quelque mal; je viens te remettre ton péché. Tiens, voici un petit livre que je viens d'acheter chez Lintot; il prouve, comme deux et deux font quatre, qu'il n'y a ni Dieu, ni vice, ni vertu : cela est consolant. Buvons ensemble. »

A cet étrange discours je me retirai au plus vite. Je fis sentir discrètement à Mr. Freind combien son fils avait besoin de sa présence et de ses conseils. « Je le conçois comme vous, dit ce bon père; mais commençons par payer ses dettes. » Toutes furent acquittées dès le lendemain matin. Jenni vint se jeter à ses pieds. Croiriez-vous bien que le père ne lui fit aucun reproche. Il l'abandonna à sa conscience, et lui dit seulement : « Mon fils, souvenez-vous qu'il n'y a point de bonheur sans la vertu. »

Ensuite il maria Boca Vermeja avec le bachelier de Catalogne, pour qui elle avait un penchant secret, malgré les larmes qu'elle avait répandues pour Jenni : car tout cela s'accorde merveilleusement chez les femmes. On dit que c'est dans leurs cœurs que toutes les contradictions se rassemblent. C'est, sans doute, parce qu'elles ont été pétries originairement d'une de nos côtes.

Le généreux Freind paya la dot des deux mariés ; il plaça bien tous ses nouveaux convertis, par la protection de milord Peterborou : car ce n'est pas assez d'assurer le salut des gens, il faut les faire vivre.

Ayant dépêché toutes ces bonnes actions avec ce sang-froid actif qui m'étonnait toujours, il conclut qu'il n'y avait d'autre parti à prendre pour remettre son fils dans le chemin des honnêtes gens que de le marier avec une personne bien née qui eût de la beauté, des mœurs, de l'esprit, et même un peu de richesse ; et que c'était le seul moyen de détacher Jenni de cette détestable Clive-Hart, et des gens perdus qu'il fréquentait.

J'avais entendu parler de mademoiselle Primerose, jeune héritière élevée par milady Hervey, sa parente. Milord Peterborou m'introduisit chez milady Hervey. Je vis miss Primerose, et je jugeai qu'elle était bien capable de remplir toutes les vues de mon ami Freind. Jenni, dans sa vie débordée, avait un profond respect pour son père, et même de la tendresse. Il était touché principalement de ce que son père ne lui faisait aucun reproche de sa conduite passée. Ses dettes payées sans l'en avertir, des conseils sages donnés à propos et sans réprimandes, des marques d'amitié échappées de temps en temps sans aucune familiarité qui eût pu les avilir, tout cela pénétrait Jenni, né sensible et avec beaucoup d'esprit. J'avais toutes les raisons de croire que la fureur de ses désordres céderait aux charmes de Primerose et aux étonnantes vertus de mon ami.

Milord Peterborou lui-même présenta d'abord le père, et ensuite Jenni chez milady Hervey. Je remarquai que l'extrême beauté de Jenni fit d'abord une impression profonde sur le cœur de Primerose : car je la vis baisser les yeux, les relever, et rougir. Jenni ne parut que poli, et Primerose avoua à milady Hervey qu'elle eût bien souhaité que cette politesse fût de l'amour.

Peu à peu notre beau jeune homme démêla tout le mérite de cette incomparable fille, quoiqu'il fût subjugué par l'infâme Clive-Hart. Il était comme cet Indien invité par un ange à cueillir un fruit céleste, et retenu par les griffes d'un dragon. Ici le souvenir de ce que j'ai vu me suffoque. Mes pleurs mouillent mon papier. Quand j'aurai repris mes sens, je reprendrai le fil de mon histoire.

CHAPITRE SIXIÈME

AVENTURE ÉPOUVANTABLE

L'on était prêt de conclure le mariage de la belle Primerose avec le beau Jenni. Notre ami Freind n'avait jamais goûté une joie plus pure; je la partageais. Voici comme elle fut changée en un désastre que je puis à peine comprendre.

La Clive-Hart aimait Jenni en lui faisant continuellement des infidélités. C'est le sort, dit-on, de toutes les femmes qui, en méprisant trop la pudeur, ont renoncé à la probité. Elle trahissait surtout son cher Jenni pour son cher Birton et pour un autre débauché de la même trempe. Ils vivaient ensemble dans la crapule. Et, ce qui ne se voit peut-être que dans notre nation, c'est qu'ils avaient tous de l'esprit et de la valeur. Malheureusement ils n'avaient jamais plus d'esprit que contre Dieu. La maison de madame Clive-Hart était le rendez-vous des athées. Encore s'ils avaient été des athées gens de bien, comme Epicure et Leontium, comme Lucrèce et Memmius, comme Spinosa, qu'on dit avoir été un des plus honnêtes hommes de la Hollande; comme Hobbes, si fidèle à son infortuné monarque Charles Ier... Mais!...

Quoi qu'il en soit, Clive-Hart, jalouse avec fureur de la tendre et innocente Primerose, sans être fidèle à Jenni, ne put souffrir cet heureux mariage. Elle médite une vengeance dont je ne crois pas qu'il y ait d'exemple dans notre ville de Londres, où nos pères ont vu cependant tant de crimes de tant d'espèces.

Elle sut que Primerose devait passer devant sa porte en revenant de la Cité, où cette jeune personne était allée faire des emplettes avec sa femme de chambre. Elle prend ce temps pour faire travailler à un petit canal souterrain qui conduisait l'eau dans ses offices.

Le carrosse de Primerose fut obligé, en revenant, de s'arrêter vis-à-vis cet embarras. La Clive-Hart se présente à elle, la prie de descendre, de se reposer, d'accepter quelques rafraîchissements, en attendant que le chemin soit libre. La belle Primerose tremblait à cette proposition; mais Jenni était dans le vestibule. Un mouvement involontaire, plus fort que la réflexion, la fit descendre. Jenni courait au-devant d'elle, et lui don-

nait déjà la main. Elle entre; le mari de la Clive-Hart
était un ivrogne imbécile, odieux à sa femme autant que
soumis, à charge même par ses complaisances. Il présente d'abord, en balbutiant, des rafraîchissements à la
demoiselle qui honore sa maison, il en boit après elle. La
dame Clive-Hart les emporte sur-le-champ, et en fait
présenter d'autres. Pendant ce temps la rue est débar-
rassée. Primerose remonte en carrosse et rentre chez sa
mère.

Au bout d'un quart d'heure elle se plaint d'un mal de
cœur et d'un étourdissement. On croit que ce petit déran-
gement n'est que l'effet du mouvement du carrosse. Mais
le mal augmente de moment en moment, et le lendemain
elle était à la mort. Nous courûmes chez elle, Mr. Freind
et moi. Nous trouvâmes cette charmante créature, pâle,
livide, agitée de convulsions, les lèvres retirées, les yeux
tantôt éteints, tantôt étincelants, et toujours fixes. Des
taches noires défiguraient sa belle gorge et son beau
visage. Sa mère était évanouie à côté de son lit. Le secourable Cheselden prodiguait en vain toutes les ressources
de son art. Je ne vous peindrai point le désespoir de
Freind, il était inexprimable. Je vole au logis de la Clive-
Hart. J'apprends que son mari vient de mourir, et que la
femme a déserté la maison. Je cherche Jenni; on ne le
trouve pas. Une servante me dit que sa maîtresse s'est
jetée aux pieds de Jenni, et l'a conjuré de ne la pas abandonner dans son malheur; qu'elle est partie avec Jenni
et Birton, et qu'on ne sait où elle est allée.

Ecrasé de tant de coups si rapides et si multipliés, l'esprit bouleversé par des soupçons horribles que je chassais
et qui revenaient, je me traîne dans la maison de la mourante. « Cependant, me disais-je à moi-même, si cette
abominable femme s'est jetée aux genoux de Jenni, si
elle l'a prié d'avoir pitié d'elle, il n'est donc point complice. Jenni est incapable d'un crime si lâche, si affreux,
qu'il n'a eu nul intérêt, nul motif de commettre, qui le
priverait d'une femme adorable et de sa fortune, qui le
rendrait exécrable au genre humain. Faible, il se sera
laissé subjuguer par une malheureuse dont il n'aura pas
connu les noirceurs. Il n'a point vu comme moi Primerose expirante; il n'aurait pas quitté le chevet de son lit
pour suivre l'empoisonneuse de sa femme. » Dévoré de
ces pensées, j'entre en frissonnant chez celle que je craignais de ne plus trouver en vie. Elle respirait. Le vieux
Clive-Hart avait succombé en un moment, parce que son

corps était usé par les débauches; mais la jeune Primerose était soutenue par un tempérament aussi robuste que
son âme était pure. Elle m'aperçut, et d'une voix tendre
elle me demanda où était Jenni. A ce mot j'avoue qu'un
torrent de larmes coula de mes yeux. Je ne pus lui
répondre; je ne pus parler au père. Il fallut la laisser
enfin entre les mains fidèles qui la servaient.

Nous allâmes instruire milord de ce désastre. Vous
connaissez son cœur : il est aussi tendre pour ses amis que
terrible à ses ennemis. Jamais homme ne fut plus compatissant avec une physionomie plus dure. Il se donna
autant de peine pour secourir la mourante, pour découvrir l'asile de Jenni et de sa scélérate, qu'il en avait pris
pour donner l'Espagne à l'archiduc. Toutes nos recherches furent inutiles. Je crus que Freind en mourrait.
Nous volions tantôt chez Primerose, dont l'agonie était
longue, tantôt à Rochester, à Douvres, à Portsmouth;
on envoyait des courriers partout, on était partout, on
errait à l'aventure, comme des chiens de chasse qui ont
perdu la voie; et cependant la mère infortunée de l'infortunée Primerose voyait d'heure en heure mourir sa
fille.

Enfin nous apprenons qu'une femme assez jeune et
assez belle, accompagnée de trois jeunes gens et de quelques valets, s'est embarquée à Neuport dans le comté
de Pembroke, sur un petit vaisseau qui était à la rade, plein
de contrebandiers, et que ce bâtiment est parti pour
l'Amérique septentrionale.

Freind, à cette nouvelle, poussa un profond soupir; puis,
tout à coup se recueillant et me serrant la main : « Il
faut, dit-il, que j'aille en Amérique. » Je lui répondis en
l'admirant et en pleurant : « Je ne vous quitterai pas; mais
que pourrez-vous faire ? — Ramener mon fils unique,
dit-il, à sa patrie et à la vertu, ou m'ensevelir auprès de
lui. » Nous ne pouvions douter en effet aux indices qu'on
nous donna que ce ne fût Jenni qui s'était embarqué
avec cette horrible femme et Birton, et les garnements
de son cortège.

Le bon père, ayant pris son parti, dit adieu à milord
Peterborou, qui retourna bientôt en Catalogne; et nous
allâmes fréter à Bristol un vaisseau pour la rivière de
Delaware et pour la baie de Maryland. Freind concluait
que, ces parages étant au milieu des possessions anglaises,
il fallait y diriger sa navigation, soit que son fils fût vers le
sud, soit qu'il eût marché vers le septentrion. Il se munit

d'argent, de lettres de change et de vivres, laissant à
Londres un domestique affidé, chargé de lui donner des
nouvelles par les vaisseaux qui allaient toutes les semaines
dans le Maryland ou dans la Pensylvanie.

Nous partîmes; les gens de l'équipage, en voyant la
sérénité sur le visage de Freind, croyaient que nous faisions un voyage de plaisir. Mais, quand il n'avait que moi
pour témoin, ses soupirs m'expliquaient assez sa douleur profonde. Je m'applaudissais quelquefois en secret
de l'honneur de consoler une si belle âme. Un vent d'ouest
nous retint longtemps à la hauteur des Sorlingues. Nous
fûmes obligés de diriger notre route vers la Nouvelle-
Angleterre. Que d'informations nous fîmes sur toute la
côte! Que de temps et de soins perdus! Enfin un vent de
nord-est s'étant levé, nous tournâmes vers Maryland.
C'est là qu'on nous dépeignit Jenni, la Clive-Hart, et
leurs compagnons.

Ils avaient séjourné sur la côte pendant plus d'un mois,
et avaient étonné toute la colonie par des débauches et
des magnificences inconnues jusqu'alors dans cette partie du globe; après quoi ils étaient disparus, et personne
ne savait de leurs nouvelles.

Nous avançâmes dans la baie avec le dessein d'aller
jusqu'à Baltimore prendre de nouvelles informations.

CHAPITRE SEPTIÈME

CE QUI ARRIVA EN AMÉRIQUE

Nous trouvâmes dans la route, sur la droite, une habitation très bien entendue. C'était une maison basse, commode et propre, entre une grange spacieuse et une vaste
étable, le tout entouré d'un jardin où croissaient tous les
fruits du pays. Cet enclos appartenait à un vieillard qui
nous invita à descendre dans sa retraite. Il n'avait pas
l'air d'un Anglais, et nous jugeâmes bientôt à son accent
qu'il était étranger. Nous ancrâmes; nous descendîmes;
ce bonhomme nous reçut avec cordialité, et nous donna
le meilleur repas qu'on puisse faire dans le nouveau
monde.

Nous lui insinuâmes discrètement notre désir de savoir
à qui nous avions l'obligation d'être si bien reçus. « Je
suis, dit-il, un de ceux que vous appelez sauvages. Je
naquis sur une des montagnes bleues qui bordent cette

contrée, et que vous voyez à l'occident. Un gros vilain
serpent à sonnette m'avait mordu dans mon enfance sur
une de ces montagnes; j'étais abandonné; j'allais mourir.
Le père de milord Baltimore d'aujourd'hui me rencontra,
me mit entre les mains de son médecin, et je lui dus la
vie. Je lui rendis bientôt ce que je lui devais, car je lui sau-
vai la sienne dans un combat contre une horde voisine. Il
me donna pour récompense cette habitation, où je vis
heureux. »

Mr. Freind lui demanda s'il était de la religion du
lord Baltimore. « Moi! dit-il, je suis de la mienne; pourquoi voudriez-vous que je fusse de la religion d'un autre
homme ? » Cette réponse courte et énergique nous fit
rentrer un peu en nous-mêmes. « Vous avez donc, lui
dis-je, votre dieu et votre loi ? — Oui, nous répondit-il
avec une assurance qui n'avait rien de la fierté; mon dieu
est là », et il montra le ciel; « ma loi est là-dedans », et il
mit la main sur son cœur.

Mr. Freind fut saisi d'admiration, et, me serrant la
main : « Cette pure nature, me dit-il, en sait plus que tous
les bacheliers qui ont raisonné avec nous dans Barcelone. »

Il était pressé d'apprendre, s'il se pouvait, quelque nouvelle certaine de son fils Jenni. C'était un poids qui l'op-
pressait. Il demanda si on n'avait pas entendu parler de
cette bande de jeunes gens qui avaient fait tant de fracas
dans les environs. « Comment! dit le vieillard, si on m'en a
parlé! Je les ai vus, je les ai reçus chez moi, et ils ont été
si contents de ma réception qu'ils sont partis avec une de
mes filles. »

Jugez quel fut le frémissement et l'effroi de mon ami à
ce discours. Il ne put s'empêcher de s'écrier dans son
premier mouvement : « Quoi! votre fille a été enlevée par
mon fils! — Bon Anglais, lui repartit le vieillard, ne te
fâche point; je suis très aise que celui qui est parti de chez
moi avec ma fille soit ton fils, car il est beau, bien fait,
et paraît courageux. Il ne m'a point enlevé ma chère
Parouba : car il faut que tu saches que Parouba est son
nom, parce que Parouba est le mien. S'il m'avait pris ma
Parouba, ce serait un vol; et mes cinq enfants mâles, qui
sont à présent à la chasse dans le voisinage, à quarante ou
cinquante milles d'ici, n'auraient pas souffert cet affront.
C'est un grand péché de voler le bien d'autrui. Ma fille s'en
est allée de son plein gré avec ces jeunes gens; elle a voulu
voir le pays : c'est une petite satisfaction qu'on ne doit
pas refuser à une personne de son âge. Ces voyageurs me

la rendront avant qu'il soit un mois ; j'en suis sûr, car ils
me l'ont promis. » Ces paroles m'auraient fait rire, si la
douleur où je voyais mon ami plongé n'avait pas pénétré
mon âme, qui en était tout occupée.

Le soir, tandis que nous étions prêts à partir et à profiter du vent, arrive un des fils de Parouba tout essoufflé,
la pâleur, l'horreur et le désespoir sur le visage. « Qu'as-
tu donc, mon fils ? d'où viens-tu ? je te croyais à la chasse.
Que t'est-il arrivé ? Es-tu blessé par quelque bête sauvage ?

— Non, mon père, je ne suis point blessé, mais je me
meurs.

— Mais d'où viens-tu, encore une fois, mon cher fils ?

— De quarante milles d'ici sans m'arrêter ; mais je suis
mort. »

Le père, tout tremblant, le fait reposer. On lui donne
des restaurants ; nous nous empressons autour de lui, ses
petits frères, ses petites sœurs, Mr. Freind, et moi, et nos
domestiques. Quand il eut repris ses sens, il se jeta au cou
du bon vieillard Parouba. « Ah ! dit-il en sanglotant, ma
sœur Parouba est prisonnière de guerre, et probablement
va être mangée. »

Le bonhomme Parouba tomba par terre à ces paroles.
Mr. Freind, qui était père aussi, sentit ses entrailles
s'émouvoir. Enfin Parouba le fils nous apprit qu'une troupe
de jeunes Anglais fort étourdis avaient attaqué par passe-
temps des gens de la montagne bleue. « Ils avaient, dit-il,
avec eux une très belle femme et sa suivante ; et je ne sais
comment ma sœur se trouvait dans cette compagnie. La
belle Anglaise a été tuée et mangée ; ma sœur a été prise,
et sera mangée tout de même. Je viens ici chercher du
secours contre les gens de la montagne bleue ; je veux
les tuer, les manger à mon tour, reprendre ma chère
sœur, ou mourir. »

Ce fut alors à Mr. Freind de s'évanouir ; mais l'habitude
de se commander à lui-même le soutint. « Dieu m'a donné
un fils, me dit-il ; il reprendra le fils et le père quand le
moment d'exécuter ses décrets éternels sera venu. Mon
ami, je serais tenté de croire que Dieu agit quelquefois par
une providence particulière, soumise à ses lois générales,
puisqu'il punit en Amérique les crimes commis en
Europe, et que la scélérate Clive-Hart est morte comme
elle devait mourir. Peut-être le souverain fabricateur de
tant de mondes aura-t-il arrangé les choses de façon que
les grands forfaits commis dans un globe sont expiés

quelquefois dans ce globe même. Je n'ose le croire, mais
je le souhaite; et je le croirais si cette idée n'était pas
contre toutes les règles de la bonne métaphysique. »

Après des réflexions si tristes sur de si fatales aventures,
fort ordinaires en Amérique, Freind prit son parti incontinent selon sa coutume. « J'ai un bon vaisseau, dit-il à
son hôte, il est bien approvisionné; remontons le golfe
avec la marée le plus près que nous pourrons des montagnes bleues. Mon affaire la plus pressée est à présent de
sauver votre fille. Allons vers vos anciens compatriotes;
vous leur direz que je viens leur apporter le calumet de
la paix, et que je suis le petit-fils de Penn : ce nom seul
suffira. »

A ce nom de Penn, si révéré dans toute l'Amérique
boréale, le bon Parouba et son fils sentirent les mouvements du plus profond respect et de la plus chère espérance. Nous nous embarquons, nous mettons à la voile,
nous abordons en trente-six heures auprès de Baltimore.

A peine étions-nous à la vue de cette petite place, alors
presque déserte, que nous découvrîmes de loin une troupe
nombreuse d'habitants des montagnes bleues qui des-
cendaient dans la plaine, armés de casse-têtes, de haches,
et de ces mousquets que les Européans leur ont si sotte-
ment vendus pour avoir des pelleteries. On entendait déjà
leurs hurlements effroyables. D'un autre côté s'avançaient quatre cavaliers suivis de quelques hommes de
pied. Cette petite troupe nous prit pour des gens de Baltimore qui venaient les combattre. Les cavaliers courent
sur nous à bride abattue, le sabre à la main. Nos compagnons se préparaient à les recevoir. Mr. Freind, ayant
regardé fixement les cavaliers, frissonna un moment;
mais, reprenant tout à coup son sang-froid ordinaire :
« Ne bougez, mes amis, nous dit-il d'une voix attendrie;
laissez-moi agir seul. » Il s'avance en effet seul, sans armes,
à pas lents, vers la troupe. Nous voyons en un moment
le chef abandonner la bride de son cheval, se jeter à terre,
et tomber prosterné. Nous poussons un cri d'étonnement;
nous approchons : c'était Jenni lui-même qui baignait de
larmes les pieds de son père, qui l'embrassait de ses
mains tremblantes. Ni l'un ni l'autre ne pouvait parler.
Birton et les deux jeunes cavaliers qui l'accompagnaient
descendirent de cheval. Mais Birton, conservant son
caractère, lui dit : « Pardieu, mon cher Freind, je ne t'attendais pas ici. Toi et moi nous sommes faits pour les
aventures. Pardieu! je suis bien aise de te voir. »

Freind, sans daigner lui répondre, se retourna vers
l'armée des montagnes bleues qui s'avançait. Il marcha
à elle avec le seul Parouba, qui lui servait d'interprète.
« Compatriotes, leur dit Parouba, voici le descendant de
Penn qui vous apporte le calumet de la paix. »

A ces mots, le plus ancien du peuple répondit, en élevant les mains et les yeux au ciel : « Un fils de Penn! que
je baise ses pieds et ses mains, et ses parties sacrées de la
génération! Qu'il puisse faire une longue race de Penn!
que les Penn vivent à jamais! le grand Penn est notre
Manitou, notre Dieu. Ce fut presque le seul des gens
d'Europe qui ne nous trompa point, qui ne s'empara
point de nos terres par la force. Il acheta le pays que nous
lui cédâmes; il le paya libéralement; il entretint chez nous
la concorde; il apporta des remèdes pour le peu de maladies que notre commerce avec les gens d'Europe nous
communiquait; il nous enseigna des arts que nous ignorions. Jamais nous ne fumâmes contre lui ni contre ses
enfants le calumet de la guerre; nous n'avons avec les
Penn que le calumet de l'adoration. »

Ayant parlé ainsi au nom de son peuple, il courut en
effet baiser les pieds et les mains de Mr. Freind; mais il
s'abstint de parvenir aux parties sacrées dès qu'on lui
dit que ce n'était pas l'usage en Angleterre, et que chaque
pays a ses cérémonies.

Freind fit apporter sur-le-champ une trentaine de
jambons, autant de grands pâtés et de poulardes à la
daube, deux cents gros flacons de vin de Pontac qu'on
tira du vaisseau; il plaça à côté de lui le commandant des
montagnes bleues. Jenni et ses compagnons furent du
festin; mais Jenni aurait voulu être cent pieds sous terre.
Son père ne lui disait mot; et ce silence augmentait encore
sa honte.

Birton, à qui tout était égal, montrait une gaieté évaporée. Freind, avant qu'on se mît à manger, dit au bon
Parouba : « Il nous manque ici une personne bien chère,
c'est votre fille. » Le commandant des montagnes bleues
la fit venir sur-le-champ; on ne lui avait fait aucun
outrage; elle embrassa son père et son frère, comme si
elle fût revenue de la promenade.

Je profitai de la liberté du repas pour demander par
quelle raison les guerriers des montagnes bleues avaient
tué et mangé madame Clive-Hart, et n'avaient rien fait
à la fille de Parouba. « C'est parce que nous sommes
justes, répondit le commandant. Cette fière Anglaise

était de la troupe qui nous attaqua; elle tua un des nôtres
d'un coup de pistolet par-derrière. Nous n'avons rien fait
à la Parouba dès que nous avons su qu'elle était la fille
d'un de nos anciens camarades, et qu'elle n'était venue
ici que pour s'amuser : il faut rendre à chacun selon ses
œuvres. »

Freind fut touché de cette maxime, mais il représenta
que la coutume de manger des femmes était indigne de
si braves gens, et qu'avec tant de vertu on ne devait pas
être anthropophage.

Le chef des montagnes nous demanda alors ce que nous
faisions de nos ennemis lorsque nous les avions tués.
« Nous les enterrons, lui répondis-je. — J'entends, dit-il;
vous les faites manger par les vers. Nous voulons avoir
la préférence; nos estomacs sont une sépulture plus
honorable. »

Birton prit plaisir à soutenir l'opinion des montagnes
bleues. Il dit que la coutume de mettre son prochain au
pot ou à la broche était la plus ancienne et la plus naturelle
puisqu'on l'avait trouvée établie dans les deux hémisphères; qu'il était par conséquent démontré que c'était là
une idée innée, qu'on avait été à la chasse aux hommes
avant d'aller à la chasse aux bêtes, par la raison qu'il
était bien plus aisé de tuer un homme que de tuer un
loup; que si les Juifs, dans leurs livres si longtemps ignorés, ont imaginé qu'un nommé Caïn tua un nommé Abel,
ce ne put être que pour le manger; que ces Juifs eux-
mêmes avouent nettement s'être nourris plusieurs fois de
chair humaine; que, selon les meilleurs historiens, les
Juifs dévorèrent les chairs sanglantes des Romains assassinés par eux en Egypte, en Chypre, en Asie, dans leurs
révoltes contre les empereurs Trajan et Adrien.

Nous lui laissâmes débiter ces dures plaisanteries, dont
le fond pouvait malheureusement être vrai, mais qui
n'avaient rien de l'atticisme grec et de l'urbanité romaine.

Le bon Freind, sans lui répondre, adressa la parole aux
gens du pays. Parouba l'interprétait phrase à phrase.
Jamais le grave Tillotson ne parla avec tant d'énergie,
jamais l'insinuant Smalridge n'eut des grâces si touchantes. Le grand secret est de démontrer avec éloquence.
Il leur démontra donc que ces festins où l'on se nourrit
de la chair de ses semblables sont des repas de vautours,
et non pas d'hommes; que cette exécrable coutume inspire
une férocité destructive du genre humain; que c'était la
raison pour laquelle ils ne connaissaient ni les consola-

tions de la société, ni la culture de la terre; enfin ils
jurèrent par leur grand Manitou qu'ils ne mangeraient
plus ni hommes ni femmes.

Freind, dans une seule conversation, fut leur législateur; c'était Orphée qui apprivoisait les tigres. Les Jésuites
ont beau s'attribuer des miracles dans leurs *Lettres
curieuses et édifiantes*, qui sont rarement l'un et l'autre, ils
n'égaleront jamais notre ami Freind.

Après avoir comblé de présents les seigneurs des montagnes bleues, il ramena dans son vaisseau le bonhomme
Parouba vers sa demeure. Le jeune Parouba fut du voyage
avec sa sœur; les autres frères avaient poursuivi leur
chasse du côté de la Caroline. Jenni, Birton, et leurs
camarades, s'embarquèrent dans le vaisseau; le sage
Freind persistait toujours dans sa méthode de ne faire
aucun reproche à son fils quand ce garnement avait fait
quelque mauvaise action; il le laissait s'examiner lui-même
et dévorer son cœur, comme dit Pythagore. Cependant il
reprit trois fois la lettre qu'on lui avait apportée d'Angleterre; et, en la relisant, il regardait son fils, qui baissait
toujours les yeux; et on lisait sur le visage de ce jeune
homme le respect et le repentir.

Pour Birton, il était aussi gai et aussi désinvolte que
s'il était revenu de la comédie : c'était un caractère à peu
près dans le goût du feu comte de Rochester, extrême
dans la débauche, dans la bravoure, dans ses idées, dans
ses expressions, dans sa philosophie épicurienne, n'étant
attaché à rien, sinon aux choses extraordinaires, dont
il se dégoûtait bien vite; ayant cette sorte d'esprit qui
tient les vraisemblances pour des démonstrations; plus
savant, plus éloquent qu'aucun jeune homme de son âge,
mais ne s'étant jamais donné la peine de rien approfondir.

Il échappa à Mr. Freind, en dînant avec nous dans le
vaisseau, de me dire : « En vérité, mon ami, j'espère que
Dieu inspirera des mœurs plus honnêtes à ces jeunes gens,
et que l'exemple terrible de la Clive-Hart les corrigera. »

Birton, ayant entendu ces paroles, lui dit d'un ton un
peu dédaigneux : « J'étais depuis longtemps très mécontent de cette méchante Clive-Hart : je ne me soucie pas
plus d'elle que d'une poularde grasse qu'on aurait mise à
la broche; mais, en bonne foi, pensez-vous qu'il existe,
je ne sais où, un être continuellement occupé à faire punir
toutes les méchantes femmes, et tous les hommes pervers
qui peuplent et dépeuplent les quatre parties de notre
petit monde ? Oubliez-vous que notre détestable Marie,

fille de Henri VIII, fut heureuse jusqu'à sa mort ? et cependant elle avait fait périr dans les flammes plus de huit cents citoyens et citoyennes sur le seul prétexte qu'ils ne croyaient ni à la transsubstantiation ni au pape. Son père, presque aussi barbare qu'elle, et son mari, plus profondément méchant, vécurent dans les plaisirs. Le pape Alexandre VI, plus criminel qu'eux tous, fut aussi le plus fortuné : tous ses crimes lui réussirent, et il mourut à soixante et douze ans, puissant, riche, courtisé de tous les rois. Où donc est le Dieu juste et vengeur ? Non, pardieu ! il n'y a point de Dieu. »

Mr. Freind, d'un air austère, mais tranquille, lui dit : « Monsieur, vous ne devriez pas, ce me semble, jurer par Dieu même que ce Dieu n'existe pas. Songez que Newton et Locke n'ont prononcé jamais ce nom sacré sans un air de recueillement et d'adoration secrète qui a été remarqué de tout le monde.

— *Pox !* repartit Birton ; je me soucie bien de la mine que deux hommes ont faite. Quelle mine avait donc Newton quand il commentait l'*Apocalypse ?* et quelle grimace faisait Locke lorsqu'il racontait la longue conversation d'un perroquet avec le prince Maurice ? » Alors Freind prononça ces belles paroles d'or qui se gravèrent dans mon cœur : « Oublions les rêves des grands hommes, et souvenons-nous des vérités qu'ils nous ont enseignées. » Cette réponse engagea une dispute réglée, plus intéressante que la conversation avec le bachelier de Salamanque ; je me mis dans un coin, j'écrivis en notes tout ce qui fut dit : on se rangea autour des deux combattants ; le bonhomme Parouba, son fils, et surtout sa fille, les compagnons des débauches de Jenni, écoutaient, le cou tendu, les yeux fixés ; et Jenni, la tête baissée, les deux coudes sur ses genoux, les mains sur ses yeux, semblait plongé dans la plus profonde méditation.

Voici mot à mot la dispute.

CHAPITRE HUITIÈME

DIALOGUE DE FREIND ET DE BIRTON SUR L'ATHÉISME

FREIND

Je ne vous répéterai pas, monsieur, les arguments métaphysiques de notre célèbre Clarke. Je vous exhorte seulement à les relire ; ils sont plus faits pour vous éclairer

que pour vous toucher : je ne veux vous apporter que des
raisons qui peut-être parleront plus à votre cœur.

BIRTON

Vous me ferez plaisir ; je veux qu'on m'amuse et qu'on
m'intéresse ; je hais les sophismes : les disputes métaphysiques ressemblent à des ballons remplis de vent que les
combattants se renvoient. Les vessies crèvent, l'air en
sort, il ne reste rien.

FREIND

Peut-être, dans les profondeurs du respectable arien
Clarke, y a-t-il quelques obscurités, quelques vessies ;
peut-être s'est-il trompé sur la réalité de l'infini actuel
et de l'espace, etc. ; peut-être, en se faisant commentateur de Dieu, a-t-il imité quelquefois les commentateurs
d'Homère, qui lui supposent des idées auxquelles Homère
ne pensa jamais.

*A ces mots d'infini, d'espace, d'Homère, de commen-
tateurs, le bonhomme Parouba et sa fille, et quelques
Anglais même, voulurent aller prendre l'air sur le tillac ; mais Freind ayant promis d'être intelligible, ils demeurèrent ; et moi, j'expliquais tout bas à Parouba
quelques mots un peu scientifiques que des gens nés sur les
montagnes bleues ne pouvaient entendre aussi commodément que des docteurs d'Oxford et de Cambridge.*

L'ami Freind continua donc ainsi :

Il serait triste que, pour être sûr de l'existence de Dieu,
il fût nécessaire d'être un profond métaphysicien : il n'y
aurait tout au plus en Angleterre qu'une centaine d'esprits bien versés ou renversés dans cette science ardue du
pour et du contre qui fussent capables de sonder cet
abîme, et le reste de la terre entière croupirait dans une
ignorance invincible, abandonné en proie à ses passions
brutales, gouverné par le seul instinct, et ne raisonnant
passablement que sur les grossières notions de ses intérêts
charnels. Pour savoir s'il est un Dieu, je ne vous demande
qu'une chose, c'est d'ouvrir les yeux.

BIRTON

Ah ! je vous vois venir : vous recourez à ce vieil argument tant rebattu que le soleil tourne sur son axe en vingt-
cinq jours et demi, en dépit de l'absurde Inquisition de
Rome ; que la lumière nous arrive réfléchie de Saturne

en quatorze minutes, malgré les suppositions absurdes de Descartes; que chaque étoile fixe est un soleil comme le nôtre, environné de planètes; que tous ces astres innombrables, placés dans les profondeurs de l'espace, obéissent aux lois mathématiques découvertes et démontrées par le grand Newton; qu'un catéchiste annonce Dieu aux enfants, et que Newton le prouve aux sages, comme le dit un philosophe *frenchman*, persécuté dans son drôle de pays pour l'avoir dit.

Ne vous tourmentez pas à m'étaler cet ordre constant qui règne dans toutes les parties de l'univers : il faut bien que tout ce qui existe soit dans un ordre quelconque; il faut bien que la matière plus rare s'élève sur la plus massive, que le plus fort en tout sens presse le plus faible, que ce qui est poussé avec plus de mouvement coure plus vite que son égal; tout s'arrange ainsi de soi-même. Vous auriez beau, après avoir bu une pinte de vin comme Esdras, me parler comme lui neuf cent soixante heures de suite sans fermer la bouche, je ne vous en croirais pas davantage. Voudriez-vous que j'adoptasse un Etre éternel, infini et immuable, qui s'est plu, dans je ne sais quel temps, à créer de rien des choses qui changent à tout moment, et à faire des araignées pour éventrer des mouches ? Voudriez-vous que je disse, avec ce bavard impertinent de Nieuventyd, que « Dieu nous a donné des oreilles pour avoir la foi, parce que la foi vient par ouïdire » ? Non, non, je ne croirai point à des charlatans qui ont vendu cher leurs drogues à des imbéciles; je m'en tiens au petit livre d'un *frenchman* qui dit que rien n'existe et ne peut exister, sinon la nature; que la nature fait tout, que la nature est tout, qu'il est impossible et contradictoire qu'il existe quelque chose au-delà du tout; en un mot, je ne crois qu'à la nature.

FREIND

Et si je vous disais qu'il n'y a point de nature, et que dans nous, autour de nous, et à cent mille millions de lieues, tout est art sans aucune exception!

BIRTON

Comment! tout est art! en voici bien d'une autre!

FREIND

Presque personne n'y prend garde; cependant rien n'est plus vrai. Je vous dirai toujours : « Servez-vous de vos yeux, et vous reconnaîtrez, vous adorerez un Dieu. Songez comment ces globes immenses, que vous voyez rouler dans leur immense carrière, observent les lois d'une profonde mathématique : il y a donc un grand mathématicien que Platon appelait l'éternel géomètre. Vous admirez ces machines d'une nouvelle invention, qu'on appelle Oréri, parce que milord Oréri les a mises à la mode en protégeant l'ouvrier par ses libéralités : c'est une très faible copie de notre monde planétaire et de ses révolutions, la période même du changement des solstices et des équinoxes, qui nous amène de jour en jour une nouvelle étoile polaire.

Cette période, cette course si lente d'environ vingt-six mille ans, n'a pu être exécutée par des mains humaines dans nos oréri. Cette machine est très imparfaite : il faut la faire tourner avec une manivelle; cependant c'est un chef-d'œuvre de l'habileté de nos artisans. Jugez donc quelle est la puissance, quel est le génie de l'éternel architecte, si l'on peut se servir de ces termes impropres si mal assortis à l'Etre suprême. »

Je donnai une légère idée d'un oréri à Parouba. Il dit : « S'il y a du génie dans cette copie, il faut bien qu'il y en ait dans l'original. Je voudrais voir un oréri : mais le ciel est plus beau. » Tous les assistants, Anglais et Américains, entendant ces mots, furent également frappés de la vérité, et levèrent les mains au ciel. Birton demeura tout pensif, puis il s'écria : « Quoi ! tout serait art, et la nature ne serait que l'ouvrage d'un suprême artisan ! serait-il possible ? » Le sage Freind continua ainsi :

Portez à présent vos yeux sur vous-même; examinez avec quel art étonnant, et jamais assez connu, tout y est construit en dedans et en dehors pour tous vos usages et pour tous vos désirs; je ne prétends pas faire ici une leçon d'anatomie, vous savez assez qu'il n'y a pas un viscère qui ne soit nécessaire, et qui ne soit secouru dans ses dangers par le jeu continuel des viscères voisins. Les secours dans le corps sont si artificieusement préparés de tous côtés qu'il n'y a pas une seule veine qui n'ait ses valvules et ses écluses, pour ouvrir au sang des passages. Depuis la racine des cheveux jusqu'aux orteils des pieds, tout est art, tout est préparation, moyen, et fin. Et, en vérité, on ne peut que se sentir de l'indignation contre ceux qui osent nier les véritables causes finales, et qui ont assez de mauvaise foi ou de fureur pour dire que la bouche n'est pas faite pour parler et pour manger; que ni les yeux ne sont merveilleusement disposés pour voir, ni les oreilles pour entendre, ni les parties de la génération pour engendrer. Cette audace est si folle que j'ai peine à la comprendre.

Avouons que chaque animal rend le témoignage au suprême fabricateur.

La plus petite herbe suffit pour confondre l'intelligence humaine, et cela est si vrai qu'il est impossible aux efforts de tous les hommes réunis de produire un brin de paille si le germe n'est pas dans la terre; et il ne faut pas dire que les germes pourrissent pour produire, car ces bêtises ne se disent plus.

L'assemblée sentit la vérité de ces preuves plus vivement que tout le reste, parce qu'elles étaient plus palpables. Birton disait entre ses dents : « Faudra-t-il se soumettre à reconnaître un Dieu ? Nous verrons cela, pardieu ! c'est une affaire à examiner. » Jenni rêvait toujours profondément, et était touché, et notre Freind acheva sa phrase :

Non, mes amis, nous ne faisons rien; nous ne pouvons rien faire : il nous est donné d'arranger, d'unir, de désunir, de nombrer, de peser, de mesurer; mais faire! quel mot! Il n'y a que l'être nécessaire, l'être existant éternellement par lui-même, qui fasse; voilà pourquoi les charlatans qui travaillent à la pierre philosophale sont de si grands imbéciles, ou de si grands fripons. Ils se vantent de créer de l'or, et ils ne pourraient pas créer de la crotte.

Avouons donc, mes amis, qu'il est un Etre suprême, nécessaire, incompréhensible, qui nous a faits.

BIRTON

Et où est-il, cet Etre ? S'il y en a un, pourquoi se cache-t-il ? Quelqu'un l'a-t-il jamais vu ? Doit-on se cacher quand on a fait du bien ?

FREIND

Avez-vous jamais vu Christophe Ken, qui a bâti St. Paul de Londres ? Cependant il est démontré que cet édifice est l'ouvrage d'un architecte très habile.

BIRTON

Tout le monde conçoit aisément que Ken a bâti avec beaucoup d'argent ce vaste édifice, où Burgess nous endort quand il prêche. Nous savons bien pourquoi et comment nos pères ont élevé ce bâtiment. Mais pourquoi et comment un Dieu aurait-il créé de rien cet univers ? Vous savez l'ancienne maxime de toute l'antiquité : *Rien ne peut rien créer, rien ne retourne à rien.* C'est une vérité dont personne n'a jamais douté. Votre Bible même dit expressément que votre Dieu fit le ciel et la terre, quoique le ciel, c'est-à-dire l'assemblage de tous les astres, soit beaucoup plus supérieur à la terre que cette terre ne l'est au plus petit des grains de sable; mais votre Bible n'a jamais dit que Dieu fit le ciel et la terre avec rien du tout : elle ne prétend point que le Seigneur ait fait la femme de rien. Il la pétrit fort singulièrement d'une côte qu'il arracha à son mari. Le chaos existait, selon la Bible même, avant la terre : donc la matière était aussi éternelle que votre Dieu.

> *Il s'éleva alors un petit murmure dans l'assemblée ; on disait : « Birton pourrait bien avoir raison » ; mais Freind répondit :*

Je vous ai, je pense, prouvé qu'il existe une intelligence suprême, une puissance éternelle à qui nous devons une vie passagère : je ne vous ai point promis de vous expliquer le pourquoi et le comment. Dieu m'a donné assez de raison pour comprendre qu'il existe, mais non assez pour savoir au juste si la matière lui a été éternellement soumise ou s'il l'a fait naître dans le temps. Que vous importe l'éternité ou la création de la matière, pourvu que vous reconnaissiez un Dieu, un maître de la matière et de vous ? Vous me demandez où Dieu est; je n'en sais rien, et je ne dois pas le savoir. Je sais qu'il est; je sais qu'il est notre maître, qu'il fait tout, que nous devons tout attendre de sa bonté.

BIRTON

De sa bonté ! vous vous moquez de moi. Vous m'avez dit : « Servez-vous de vos yeux »; et moi je vous dis : « Servez-vous des vôtres. Jetez seulement un coup d'œil sur la terre entière, et jugez si votre Dieu serait bon. »

Mr. Freind sentit bien que c'était là le fort de la dispute, et que Birton lui préparait un rude assaut ; il s'aperçut que les auditeurs, et surtout les Américains, avaient besoin de prendre haleine pour écouter, et lui pour parler. Il se recommanda à Dieu ; on alla se promener sur le tillac ; on prit ensuite du thé dans le yacht, et la dispute réglée recommença.

CHAPITRE NEUVIÈME

SUR L'ATHÉISME

BIRTON

Pardieu! monsieur, vous n'aurez pas si beau jeu sur l'article de la bonté que vous l'avez eu sur la puissance et sur l'industrie; je vous parlerai d'abord des énormes défauts de ce globe, qui sont précisément l'opposé de cette industrie tant vantée; ensuite je mettrai sous vos yeux les crimes et les malheurs perpétuels des habitants, et vous jugerez de l'affection paternelle que, selon vous, le maître a pour eux.

Je commence par vous dire que les gens de Glocestershire, mon pays, quand ils ont fait naître des chevaux dans leurs haras, les élèvent dans de beaux pâturages, leur donnent ensuite une bonne écurie, et de l'avoine et de la paille à foison; mais, s'il vous plaît, quelle nourriture et quel abri avaient tous ces pauvres Américains du Nord quand nous les avons découverts après tant de siècles ? Il fallait qu'ils courussent trente et quarante milles pour avoir de quoi manger. Toute la côte boréale de notre ancien monde languit à peu près sous la même nécessité; et depuis la Laponie suédoise jusqu'aux mers septentrionales du Japon, cent peuples traînent leur vie, aussi courte qu'insupportable, dans une disette affreuse, au milieu de leurs neiges éternelles.

Les plus beaux climats sont exposés sans cesse à des fléaux destructeurs. Nous y marchons sur des précipices enflammés, recouverts de terrains fertiles qui sont des pièges de mort. Il n'y a point d'autres enfers sans doute; et ces enfers se sont ouverts mille fois sous nos pas.

On nous parle d'un déluge universel, physiquement impossible, et dont tous les gens sensés rient; mais du moins on nous console en nous disant qu'il n'a duré

que dix mois : il devait éteindre ces feux qui depuis
ont détruit tant de villes florissantes. Votre St. Augustin nous apprend qu'il y eut cent villes entières d'em-
brasées et d'abîmées en Libye par un seul tremblement
de terre ; ces volcans ont bouleversé toute la belle Italie.
Pour comble de maux, les tristes habitants de la zone
glaciale ne sont pas exempts de ces gouffres souterrains ;
les Islandais, toujours menacés, voient la faim devant
eux, cent pieds de glace et cent pieds de flamme à droite
et à gauche sur leur mont Hécla : car tous les grands
volcans sont placés sur ces montagnes hideuses.

On a beau nous dire que ces montagnes de deux mille
toises de hauteur ne sont rien par rapport à la terre,
qui a trois mille lieues de diamètre ; que c'est un grain
de la peau d'une orange sur la rondeur de ce fruit, que
ce n'est pas un pied sur trois mille. Hélas ! qui sommes-
nous donc, si les hautes montagnes ne font sur la terre
que la figure d'un pied sur trois mille pieds, et de quatre
pouces sur neuf mille pieds ? Nous sommes donc des
animaux absolument imperceptibles ; et cependant nous
sommes écrasés par tout ce qui nous environne, quoique
notre infinie petitesse, si voisine du néant, semblât
devoir nous mettre à l'abri de tous les accidents. Après
cette innombrable quantité de villes détruites, rebâties
et détruites encore comme des fourmilières, que dirons-
nous de ces mers de sable qui traversent le milieu de
l'Afrique, et dont les vagues brûlantes, amoncelées par
les vents, ont englouti des armées entières ? A quoi
servent ces vastes déserts à côté de la belle Syrie ? déserts
si affreux, si inhabitables, que ces animaux féroces appelés
Juifs se crurent dans le paradis terrestre quand ils passèrent de ces lieux d'horreur dans un coin de terre dont on
pouvait cultiver quelques arpents.

Ce n'est pas encore assez que l'homme, cette noble
créature, ait été si mal logé, si mal vêtu, si mal nourri
pendant tant de siècles. Il naît entre de l'urine et de la
matière fécale pour respirer deux jours ; et, pendant ces
deux jours, composés d'espérances trompeuses et de
chagrins réels, son corps, formé avec un art inutile, est
en proie à tous les maux qui résultent de cet art même :
il vit entre la peste et la vérole ; la source de son être est
empoisonnée ; il n'y a personne qui puisse mettre dans
sa mémoire la liste de toutes les maladies qui nous
poursuivent ; et le médecin des urines en Suisse prétend
les guérir toutes !

Pendant que Birton parlait ainsi, la compagnie était tout attentive et tout émue ; le bonhomme Parouba disait : « Voyons comme notre docteur se tirera de là. » Jenni même laissa échapper ces paroles à voix basse : « Ma foi, il a raison ; j'étais bien sot de m'être laissé toucher des discours de mon père. » Mr. Freind laissa passer cette première bordée, qui frappait toutes les imaginations, puis il dit :

Un jeune théologien répondrait par des sophismes à ce torrent de tristes vérités et vous citerait St. Basile et St. Cyrille qui n'ont que faire ici ; pour moi, messieurs, je vous avouerai sans détour qu'il y a beaucoup de mal physique sur la terre ; je n'en diminue pas l'existence ; mais Mr. Birton l'a trop exagérée. Je m'en rapporte à vous, mon cher Parouba ; votre climat est fait pour vous, et il n'est pas si mauvais, puisque ni vous ni vos compatriotes n'avez voulu le quitter. Les Esquimaux, les Islandais, les Lapons, les Ostiaks, les Samoyèdes, n'ont jamais voulu sortir du leur. Les rangifères, ou rennes, que Dieu leur a donnés pour les nourrir, les vêtir et les traîner, meurent quand on les transporte dans une autre zone. Les Lapons mêmes aussi meurent dans les climats un peu méridionaux : le climat de la Sibérie est trop chaud pour eux ; ils se trouveraient brûlés dans le parage où nous sommes.

Il est clair que Dieu a fait chaque espèce d'animaux et de végétaux pour la place dans laquelle ils se perpétuent. Les nègres, cette espèce d'hommes si différente de la nôtre, sont tellement nés pour leur patrie que des milliers de ces animaux noirs se sont donné la mort quand notre barbare avarice les a transportés ailleurs. Le chameau et l'autruche vivent commodément dans les sables de l'Afrique ; le taureau et ses compagnes bondissent dans les pays gras où l'herbe se renouvelle continuellement pour leur nourriture ; la cannelle et le girofle ne croissent qu'aux Indes ; le froment n'est bon que dans le peu de pays où Dieu le fait croître. On a d'autres nourritures dans toute votre Amérique, depuis la Californie jusqu'au détroit de Lemaire ; nous ne pouvons cultiver la vigne dans notre fertile Angleterre, non plus qu'en Suède et en Canada. Voilà pourquoi ceux qui fondent dans quelques pays l'essence de leurs rites religieux sur du pain et du vin n'ont consulté que leur climat ; ils font très bien, eux, de remercier Dieu de

l'aliment et de la boisson qu'ils tiennent de sa bonté;
et vous ferez très bien, vous Américains, de lui rendre
grâce de votre maïs, de votre manioc et de votre cas-
save. Dieu, dans toute la terre, a proportionné les organes
et les facultés des animaux, depuis l'homme jusqu'au
limaçon, aux lieux où il leur a donné la vie : n'accusons
donc pas toujours la Providence, quand nous lui devons
souvent des actions de grâces.

Venons aux fléaux, aux inondations, aux volcans, aux
tremblements de terre. Si vous ne considérez que ces
calamités, si vous ne ramassez qu'un assemblage affreux
de tous les accidents qui ont attaqué quelques roues
de la machine de cet univers, Dieu est un tyran à vos
yeux; si vous faites attention à ses innombrables bienfaits,
Dieu est un père. Vous me citez St. Augustin le rhéteur,
qui, dans son livre des miracles, parle de cent villes
englouties à la fois en Libye; mais songez que cet Africain, qui passa sa vie à se contredire, prodiguait dans ses
écrits la figure de l'exagération : il traitait les tremblements de terre comme la grâce efficace et la damnation
éternelle de tous les petits enfants morts sans baptême.
N'a-t-il pas dit, dans son trente-septième sermon, avoir
vu en Ethiopie des races d'hommes pourvues d'un grand
œil au milieu du front, comme les cyclopes, et des peuples
entiers sans tête ?

Nous, qui ne sommes pas Pères de l'Eglise, nous ne
devons aller ni au-delà ni en deçà de la vérité : cette
vérité est que, sur cent mille habitations, on en peut
compter tout au plus une détruite chaque siècle par les
feux nécessaires à la formation de ce globe.

Le feu est tellement nécessaire à l'univers entier que,
sans lui, il n'y aurait sur la terre ni animaux, ni végétaux,
ni minéraux : il n'y aurait ni soleil ni étoiles dans l'espace. Ce feu, répandu sous la première écorce de la
terre, obéit aux lois générales établies par Dieu même;
il est impossible qu'il n'en résulte quelques désastres
particuliers : or on ne peut pas dire qu'un artisan soit
un mauvais ouvrier quand une machine immense, formée
par lui seul, subsiste depuis tant de siècles sans se déranger. Si un homme avait inventé une machine hydraulique
qui arrosât toute une province et la rendît fertile, lui
reprocheriez-vous que l'eau qu'il vous donnerait noyât
quelques insectes ?

Je vous ai prouvé que la machine du monde est l'ouvrage d'un être souverainement intelligent et puissant :

vous, qui êtes intelligents, vous devez l'admirer; vous, qui êtes comblés de ses bienfaits, vous devez l'aimer.

Mais les malheureux, dites-vous, condamnés à souffrir toute leur vie, accablés de maladies incurables, peuvent-ils l'admirer et l'aimer ? Je vous dirai, mes amis, que ces maladies si cruelles viennent presque toutes de notre faute, ou de celle de nos pères, qui ont abusé de leurs corps, et non de la faute du grand fabricateur. On ne connaissait guère de maladie que celle de la décrépitude dans toute l'Amérique septentrionale, avant que nous vous y eussions apporté cette eau de mort que nous appelons *eau-de-vie*, et qui donne mille maux divers à quiconque en a trop bu. La contagion secrète des Caraïbes, que vous autres jeunes gens vous appelez *pox*, n'était qu'une indisposition légère dont nous ignorons la source, et qu'on guérissait en deux jours, soit avec du gayac, soit avec du bouillon de tortue; l'incontinence des Européans transplanta dans le reste du monde cette incommodité, qui prit parmi nous un caractère si funeste, et qui est devenue un fléau si abominable. Nous lisons que le pape Jules II, le pape Léon X, un archevêque de Mayence nommé Henneberg, le roi de France François Ier, en moururent.

La petite vérole, née dans l'Arabie Heureuse, n'était qu'une faible éruption, une ébullition passagère sans danger, une simple dépuration du sang : elle est devenue mortelle en Angleterre, comme dans tant d'autres climats; notre avarice l'a portée dans ce nouveau monde; elle l'a dépeuplé.

Souvenons-nous que, dans le poème de Milton, ce benêt d'Adam demande à l'ange Gabriel s'il vivra longtemps. « Oui, lui répond l'ange, si tu observes la grande règle *Rien de trop*. » Observez tous cette règle, mes amis; oseriez-vous exiger que Dieu vous fît vivre sans douleur des siècles entiers pour prix de votre gourmandise, de votre ivrognerie, de votre incontinence, de votre abandonnement à d'infâmes passions qui corrompent le sang, et qui abrègent nécessairement la vie ?

J'approuvai cette réponse, Parouba en fut assez content ; mais Birton ne fut pas ébranlé, et je remarquai dans les yeux de Jenni qu'il était encore très indécis. Birton répliqua en ces termes :

Puisque vous vous êtes servi de lieux communs mêlés

avec quelques réflexions nouvelles, j'emploierai aussi un
lieu commun auquel on n'a jamais pu répondre que par
des fables et du verbiage. S'il existait un Dieu si puissant,
si bon, il n'aurait pas mis le mal sur la terre; il n'aurait pas
dévoué ses créatures à la douleur et au crime. S'il n'a pu
empêcher le mal, il est impuissant; s'il l'a pu et ne l'a pas
voulu, il est barbare.

Nous n'avons des annales que d'environ huit mille
années, conservées chez les bracmanes; nous n'en avons
que d'environ cinq mille ans chez les Chinois; nous ne
connaissons rien que d'hier; mais dans cet hier tout est
horreur. On s'est égorgé d'un bout de la terre à l'autre,
et on a été assez imbécile pour donner le nom de grands
hommes, de héros, de demi-dieux, de dieux même, à
ceux qui ont fait assassiner le plus grand nombre des
hommes leurs semblables.

Il restait dans l'Amérique deux grandes nations civili-
sées qui commençaient à jouir des douceurs de la paix :
les Espagnols arrivent, et en massacrent douze millions;
ils vont à la chasse aux hommes avec des chiens, et
Ferdinand, roi de Castille, assigne une pension à ces
chiens pour l'avoir si bien servi. Les héros vainqueurs
du nouveau monde, qui massacrent tant d'innocents
désarmés et nus, font servir sur leur table des gigots
d'hommes et de femmes, des fesses, des avant-bras,
des mollets en ragoût. Ils font rôtir sur des brasiers le
roi Gatimozin au Mexique; ils courent au Pérou convertir le roi Atabalipa. Un nommé Almagro, prêtre, fils
de prêtre, condamné à être pendu en Espagne pour avoir
été voleur de grand chemin, vient, avec un nommé
Pizarro, signifier au roi, par la voix d'un autre prêtre,
qu'un troisième prêtre, nommé Alexandre VI, souillé
d'incestes, d'assassinats, et d'homicides, a donné, de son
plein gré, *proprio motu*, et de sa pleine puissance, non
seulement le Pérou, mais la moitié du nouveau monde,
au roi d'Espagne; qu'Atabalipa doit sur-le-champ se
soumettre sous peine d'encourir l'indignation des apôtres
St. Pierre et St. Paul. Et, comme ce roi n'entendait pas
la langue latine plus que le prêtre qui lisait la bulle, il
fut déclaré sur-le-champ incrédule et hérétique : on fit
brûler Atabalipa, comme on avait brûlé Gatimozin; on
massacra sa nation, et tout cela pour ravir de la boue
jaune endurcie, qui n'a servi qu'à dépeupler l'Espagne
et à l'appauvrir, car elle lui a fait négliger la véritable
boue, qui nourrit les hommes quand elle est cultivée.

Çà, mon cher Mr. Freind, si l'être fantastique et ridicule qu'on appelle le diable avait voulu faire des hommes à son image, les aurait-il formés autrement ? Cessez donc d'attribuer à un Dieu un ouvrage si abominable.

Cette tirade fit revenir toute l'assemblée au sentiment de Birton. Je voyais Jenni en triompher en secret ; il n'y eut pas jusqu'à la jeune Parouba qui ne fut saisie d'horreur contre le prêtre Almagro, contre le prêtre qui avait lu la bulle en latin, contre le prêtre Alexandre VI, contre tous les chrétiens qui avaient commis tant de crimes inconcevables par dévotion, et pour voler de l'or. J'avoue que je tremblais pour l'ami Freind : je désespérais de sa cause ; voici pourtant comme il répondit sans s'étonner :

Mes amis, souvenez-vous toujours qu'il existe un Etre suprême; je vous l'ai prouvé, vous en êtes convenus, et, après avoir été forcés d'avouer qu'il est, vous vous efforcez de lui chercher des imperfections, des vices, des méchancetés.

Je suis bien loin de vous dire, comme certains raisonneurs, que les maux particuliers forment le bien général. Cette extravagance est trop ridicule. Je conviens avec douleur qu'il y a beaucoup de mal moral et de mal physique; mais puisque l'existence de Dieu est certaine, il est aussi très certain que tous ces maux ne peuvent empêcher que Dieu existe. Il ne peut être méchant, car quel intérêt aurait-il à l'être ? Il y a des maux horribles, mes amis; eh bien! n'en augmentons pas le nombre. Il est impossible qu'un Dieu ne soit pas bon; mais les hommes sont pervers : ils font un détestable usage de la liberté que ce grand Etre leur a donnée et dû leur donner, c'est-à-dire de la puissance d'exécuter leurs volontés, sans quoi ils ne seraient que de pures machines formées par un être méchant pour être brisées par lui.

Tous les Espagnols éclairés conviennent qu'un petit nombre de leurs ancêtres abusa de cette liberté jusqu'à commettre des crimes qui font frémir la nature. Don Carlos, second du nom (de qui Mr. l'archiduc puisse être le successeur!), a réparé, autant qu'il a pu, les atrocités auxquelles les Espagnols s'abandonnèrent sous Ferdinand et sous Charles-Quint.

Mes amis, si le crime est sur la terre, la vertu y est aussi.

BIRTON

Ah! ah! ah! la vertu! voilà une plaisante idée; pardieu! je voudrais bien savoir comment la vertu est faite,
et où l'on peut la trouver.

*A ces paroles je ne me contins pas ; j'interrompis
Birton à mon tour. «Vous la trouverez chez Mr. Freind,
lui dis-je, chez le bon Parouba, chez vous-même,
quand vous aurez nettoyé votre cœur des vices qui le
couvrent. » Il rougit, Jenni aussi ; puis Jenni baissa
les yeux, et parut sentir des remords. Son père le
regarda avec quelque compassion, et poursuivit ainsi
son discours :*

FREIND

Oui, mes chers amis, il y eut toujours des vertus, s'il
y eut des crimes. Athènes vit des Socrate, si elle vit des
Anitus; Rome eut des Caton, si elle eut des Sylla;
Caligula, Néron, effrayèrent la terre par leurs atrocités;
mais Titus, Trajan, Antonin le Pieux, Marc-Aurèle, la
consolèrent par leur bienfaisance : mon ami Sherloc dira
en peu de mots au bon Parouba ce qu'étaient les gens
dont je parle. J'ai heureusement mon Epictète dans ma
poche : cet Epictète n'était qu'un esclave, mais égal à
Marc-Aurèle par ses sentiments. Ecoutez, et puissent
tous ceux qui se mêlent d'enseigner les hommes écouter
ce qu'Epictète se dit à lui-même! « C'est Dieu qui m'a
créé, je le porte dans moi; oserais-je le déshonorer par des
pensées infâmes, par des actions criminelles, par d'in-
dignes désirs ? » Sa vie fut conforme à ses discours.
Marc-Aurèle, sur le trône de l'Europe et de deux autres
parties de notre hémisphère, ne pensa pas autrement
que l'esclave Epictète : l'un ne fut jamais humilié de sa
bassesse, l'autre ne fut jamais ébloui de sa grandeur;
et, quand ils écrivirent leurs pensées, ce fut pour eux-
mêmes et pour leurs disciples, et non pour être loués
dans des journaux. Et, à votre avis, Locke, Newton,
Tillotson, Penn, Clarke, le bonhomme qu'on appelle *the
man of Ross*, tant d'autres dans notre île et hors de notre
île, que je pourrais vous citer, n'ont-ils pas été des modèles
de vertu ?

Vous m'avez parlé, Mr. Birton, des guerres aussi
cruelles qu'injustes dont tant de nations se sont rendues
coupables; vous avez peint les abominations des chrétiens

au Mexique et au Pérou, vous pouvez y ajouter la St. Barthélemy de France, et les massacres d'Irlande; mais n'est-il pas des peuples entiers qui ont toujours eu l'effusion de sang en horreur ? Les bracmanes n'ont-ils pas donné de tout temps cet exemple au monde ? Et, sans sortir du pays où nous sommes, n'avons-nous pas auprès de nous la Pensylvanie, où nos primitifs, qu'on défigure en vain par le nom de quakers, ont toujours détesté la guerre ? N'avons-nous pas la Caroline, où le grand Locke a dicté ses lois ? Dans ces deux patries de la vertu, tous les citoyens sont égaux, toutes les consciences sont libres, toutes les religions sont bonnes pourvu qu'on adore un Dieu; tous les hommes y sont frères. Vous avez vu, Mr. Birton, comme au seul nom d'un descendant de Penn les habitants des montagnes bleues, qui pouvaient vous exterminer, ont mis bas les armes. Ils ont senti ce que c'est que la vertu, et vous vous obstinez à l'ignorer! Si la terre produit des poisons comme des aliments salutaires, voudrez-vous ne vous nourrir que de poisons ?

BIRTON

Ah! monsieur, pourquoi tant de poisons ? Si Dieu a tout fait, ils sont son ouvrage; il est le maître de tout; il fait tout, il dirige la main de Cromwell qui signe la mort de Charles Ier; il conduit le bras du bourreau qui lui tranche la tête : non, je ne puis admettre un Dieu homicide.

FREIND

Ni moi non plus. Ecoutez, je vous prie; vous conviendrez avec moi que Dieu gouverne le monde par des lois générales. Selon ces lois, Cromwell, monstre de fanatisme et d'hypocrisie, résolut la mort de Charles Ier pour son intérêt, que tous les hommes aiment nécessairement et qu'ils n'entendent pas tous également. Selon les lois du mouvement établies par Dieu même, le bourreau coupa la tête de ce roi. Mais certainement Dieu n'assassina pas Charles Ier par un acte particulier de sa volonté. Dieu ne fut ni Cromwell, ni Jeffris, ni Ravaillac, ni Balthazar Gérard, ni le frère prêcheur Jacques Clément. Dieu ne commet, ni n'ordonne, ni ne permet le crime; mais il a fait l'homme, et il a fait les lois du mouvement; ces lois éternelles du mouvement sont également exécutées par la main de l'homme charitable, qui secourt le pauvre, et par la main du scélérat, qui égorge son frère. De même que Dieu n'éteignit

point son soleil et n'engloutit point l'Espagne sous la mer
pour punir Cortez, Almagro et Pizzaro, qui avaient inondé
de sang humain la moitié d'un hémisphère, de même aussi
il n'envoie point une troupe d'anges à Londres, et ne fait
point descendre du ciel cent mille tonneaux de vin de
Bourgogne, pour faire plaisir à ses chers Anglais quand
ils ont fait une bonne action. Sa providence générale
serait ridicule si elle descendait dans chaque moment à
chaque individu ; et cette vérité est si palpable que jamais
Dieu ne punit sur-le-champ un criminel par un coup
éclatant de sa toute-puissance : il laisse luire son soleil
sur les bons et sur les méchants. Si quelques scélérats
sont morts immédiatement après leurs crimes, ils sont
morts par les lois générales qui président au monde. J'ai
lu dans le gros livre d'un *frenchman* nommé Mézeray
que Dieu avait fait mourir notre grand Henri V de la
fistule à l'anus parce qu'il avait osé s'asseoir sur le trône
du roi très chrétien ; non, il mourut parce que les lois
générales émanées de la toute-puissance avaient tellement
arrangé la matière que la fistule à l'anus devait terminer
la vie de ce héros. Tout le physique d'une mauvaise
action est l'effet des lois générales imprimées par la
main de Dieu à la matière ; tout le mal moral de l'action
criminelle est l'effet de la liberté dont l'homme abuse.

Enfin, sans nous plonger dans les brouillards de la métaphysique, souvenons-nous que l'existence de Dieu est
démontrée ; il n'y a plus à disputer sur son existence.
Otez Dieu au monde, l'assassinat de Charles Ier en
devient-il plus légitime ? Son bourreau vous en sera-t-il
plus cher ? Dieu existe, il suffit ; s'il existe, il est juste.
Soyez donc justes.

BIRTON

Votre petit argument sur le concours de Dieu a de la
finesse et de la force, quoiqu'il ne disculpe pas Dieu
entièrement d'être l'auteur du mal physique et du mal
moral. Je vois que la manière dont vous excusez Dieu fait
quelque impression sur l'assemblée ; mais ne pouvait-il
pas faire en sorte que ses lois générales n'entraînassent
pas tant de malheurs particuliers ? Vous m'avez prouvé
un Etre éternel et puissant, et, Dieu me pardonne ! j'ai
craint un moment que vous ne me fissiez croire en Dieu ;
mais j'ai de terribles objections à vous faire. Allons, Jenni,
prenons courage ; ne nous laissons point abattre.

CHAPITRE DIXIÈME

SUR L'ATHÉISME

La nuit était venue, elle était belle, l'atmosphère était une voûte d'azur transparent, semée d'étoiles d'or; ce spectacle touche toujours les hommes, et leur inspire une douce rêverie : le bon Parouba admirait le ciel, comme un Allemand admire St. Pierre de Rome, ou l'opéra de Naples, quand il le voit pour la première fois. « Cette voûte est bien hardie », disait Parouba à Freind; et Freind lui disait : « Mon cher Parouba, il n'y a point de voûte; ce cintre bleu n'est autre chose qu'une étendue de vapeurs, de nuages légers, que Dieu a tellement disposés et combinés avec la mécanique de vos yeux qu'en quelque endroit que vous soyez vous êtes toujours au centre de votre promenade, et vous voyez ce qu'on nomme le ciel, et qui n'est point le ciel, arrondi sur votre tête. — Et ces étoiles Mr. Freind ? — Ce sont, comme je vous l'ai déjà dit, autant de soleils autour desquels tournent d'autres mondes; loin d'être attachées à cette voûte bleue, souvenez-vous qu'elles en sont à des distances différentes et prodigieuses : cette étoile, que vous voyez, est à douze cents millions de mille pas de notre soleil. » Alors il lui montra le télescope qu'il avait apporté : il lui fit voir nos planètes, Jupiter avec ses quatre lunes, Saturne avec ses cinq lunes et son inconcevable anneau lumineux; « c'est la même lumière, lui disait-il, qui part de tous ces globes, et qui arrive à nos yeux : de cette planète-ci, en un quart d'heure; de cette étoile-ci, en six mois. » Parouba se mit à genoux et dit : « Les cieux annoncent Dieu. » Tout l'équipage était autour du vénérable Freind, regardait, et admirait. Le coriace Birton avança sans rien regarder, et parla ainsi :

BIRTON

Eh bien, soit! il y a un Dieu, je vous l'accorde; mais qu'importe à vous et à moi ? Qu'y a-t-il entre l'Etre infini et nous autres vers de terre ? Quel rapport peut-il exister de son essence à la nôtre ? Epicure, en admettant des dieux dans les planètes, avait bien raison d'enseigner qu'ils ne se mêlaient nullement de nos sottises et de nos horreurs; que nous ne pouvions ni les offenser ni leur plaire; qu'ils

n'avaient nul besoin de nous, ni nous d'eux : vous admet-
tez un Dieu plus digne de l'esprit humain que les dieux
d'Epicure et que tous ceux des Orientaux et des Occidentaux. Mais si vous disiez, comme tant d'autres, que ce
Dieu a formé le monde et nous pour sa gloire ; qu'il exi-
gea autrefois des sacrifices de bœufs pour sa gloire ; qu'il
apparut, pour sa gloire, sous notre forme de bipèdes, etc.,
vous diriez, ce me semble, une chose absurde, qui ferait
rire tous les gens qui pensent. L'amour de la gloire
n'est autre chose que de l'orgueil, et l'orgueil n'est que
de la vanité ; un orgueilleux est un fat que Shakespeare
jouait sur son théâtre : cette épithète ne peut pas plus
convenir à Dieu que celle d'injuste, de cruel, d'inconstant. Si Dieu a daigné faire, ou plutôt arranger l'univers, ce ne doit être que dans la vue d'y faire des heureux. Je vous laisse à penser s'il est venu à bout de ce
dessein, le seul pourtant qui pût convenir à la nature
divine.

FREIND

Oui, sans doute, il y a réussi avec toutes les âmes
honnêtes : elles seront heureuses un jour, si elles ne le
sont pas aujourd'hui.

BIRTON

Heureuses ! quel rêve ! quel conte de Peau d'Ane ! où,
quand, comment ? qui vous l'a dit ?

FREIND

Sa justice.

BIRTON

N'allez-vous pas me dire, après tant de déclamateurs,
que nous vivrons éternellement quand nous ne serons
plus ; que nous possédons une âme immortelle, ou plutôt qu'elle nous possède, après nous avoir avoué que les
Juifs eux-mêmes, les Juifs, auxquels vous vous vantez
d'avoir été subrogés, n'ont jamais soupçonné seulement
cette immortalité de l'âme jusqu'au temps d'Hérode ?
Cette idée d'une âme immortelle avait été inventée par
les bracmanes, adoptée par les Perses, les Chaldéens, les
Grecs, ignorée très longtemps de la malheureuse petite
horde judaïque, mère des plus infâmes superstitions.
Hélas ! monsieur, savons-nous seulement si nous avons
une âme ? Savons-nous si les animaux, dont le sang fait

la vie, comme il fait la nôtre, qui ont comme nous des volontés, des appétits, des passions, des idées, de la mémoire, de l'industrie; savez-vous, dis-je, si ces êtres, aussi incompréhensibles que nous, ont une âme, comme on prétend que nous en avons une?

J'avais cru jusqu'à présent qu'il est dans la nature une force active dont nous tenons le don de vivre dans tout notre corps, de marcher par nos pieds, de prendre par nos mains, de voir par nos yeux, d'entendre par nos oreilles, de sentir par nos nerfs, de penser par notre tête, et que tout cela était ce que nous appelons l'âme : mot vague qui ne signifie au fond que le principe inconnu de nos facultés. J'appellerai Dieu, avec vous, ce principe intelligent et puissant qui anime la nature entière; mais a-t-il daigné se faire connaître à nous?

FREIND

Oui, par ses œuvres.

BIRTON

Nous a-t-il dicté ses lois? nous a-t-il parlé?

FREIND

Oui, par la voix de votre conscience. N'est-il pas vrai que si vous aviez tué votre père et votre mère, cette conscience vous déchirerait par des remords aussi affreux qu'involontaires? Cette vérité n'est-elle pas sentie et avouée par l'univers entier? Descendons maintenant à de moindres crimes. Y en a-t-il un seul qui ne vous effraye au premier coup d'œil, qui ne vous fasse pâlir la première fois que vous le commettez, et qui ne laisse dans votre cœur l'aiguillon du repentir?

BIRTON

Il faut que je l'avoue.

FREIND

Dieu vous a donc expressément ordonné, en parlant à votre cœur, de ne vous souiller jamais d'un crime évident. Et quant à toutes ces actions équivoques, que les uns condamnent et que les autres justifient, qu'avons-nous de mieux à faire que de suivre cette grande loi du premier des Zoroastres, tant remarquée de nos jours par un auteur français : « Quand tu ne sais si l'action que tu médites est bonne ou mauvaise, abstiens-toi » ?

BIRTON

Cette maxime est admirable; c'est sans doute ce qu'on a jamais dit de plus beau, c'est-à-dire de plus utile en morale; et cela me ferait presque penser que Dieu a suscité de temps en temps des sages qui ont enseigné la vertu aux hommes égarés. Je vous demande pardon d'avoir raillé de la vertu.

FREIND

Demandez-en pardon à l'Etre éternel, qui peut la récompenser éternellement, et punir les transgresseurs.

BIRTON

Quoi! Dieu me punirait éternellement de m'être livré à des passions qu'il m'a données!

FREIND

Il vous a donné des passions avec lesquelles on peut faire du bien et du mal. Je ne vous dis pas qu'il vous punira à jamais, ni comment il vous punira, car personne n'en peut rien savoir; je vous dis qu'il le peut. Les bracmanes furent les premiers qui imaginèrent une prison éternelle pour les substances célestes qui s'étaient révoltées contre Dieu dans son propre palais : il les enferma dans une espèce d'enfer qu'ils appelaient *ondéra ;* mais, au bout de quelques milliers de siècles, il adoucit leurs peines, les mit sur la terre, et les fit hommes; c'est de là que vint notre mélange de vices et de vertus, de plaisirs et de calamités. Cette imagination est ingénieuse; la fable de *Pandore* et de *Prométhée* l'est encore davantage. Des nations grossières ont imité grossièrement la belle fable de *Pandore*; ces inventions sont des rêves de la philosophie orientale; tout ce que je puis vous dire, c'est que, si vous avez commis des crimes en abusant de votre liberté, il vous est impossible de prouver que Dieu soit incapable de vous en punir : je vous en défie.

BIRTON

Attendez; vous pensez que je ne peux pas vous démontrer qu'il est impossible au grand Etre de me punir : par ma foi, vous avez raison; j'ai fait ce que j'ai pu pour me prouver que cela était impossible, et je n'en suis jamais venu à bout. J'avoue que j'ai abusé de ma liberté, et que Dieu peut m'en châtier; mais, pardieu! je ne serai pas puni quand je ne serai plus.

FREIND

Le meilleur parti que vous ayez à prendre est d'être honnête homme tandis que vous existez.

BIRTON

D'être honnête homme pendant que j'existe ?... oui, je l'avoue; oui, vous avez raison : c'est le parti qu'il faut prendre.

Je voudrais, mon cher ami, que vous eussiez été témoin de l'effet que firent les discours de Freind sur tous les Anglais et sur tous les Américains. Birton, si évaporé et si audacieux, prit tout à coup un air recueilli et modeste ; Jenni, les yeux mouillés de larmes, se jeta aux genoux de son père, et son père l'embrassa. Voici enfin la dernière scène de cette dispute si épineuse et si intéressante.

CHAPITRE ONZIÈME

DE L'ATHÉISME

BIRTON

Je conçois bien que le grand Etre, le maître de la nature, est éternel; mais nous, qui n'étions pas hier, pouvons-nous avoir la folle hardiesse de prétendre à une éternité future ? Tout périt sans retour autour de nous, depuis l'insecte dévoré par l'hirondelle jusqu'à l'éléphant mangé des vers.

FREIND

Non, rien ne périt, tout change; les germes impalpables des animaux et des végétaux subsistent, se développent, et perpétuent les espèces. Pourquoi ne voudriez-vous pas que Dieu conservât le principe qui vous fait agir et penser, de quelque nature qu'il puisse être ? Dieu me garde de faire un système, mais certainement il y a dans nous quelque chose qui pense et qui veut : ce quelque chose, que l'on appelait autrefois une monade, ce quelque chose est imperceptible. Dieu nous l'a donnée, ou peut-être, pour parler plus juste, Dieu nous a donnés à elle. Etes-vous bien sûr qu'il ne peut la conserver ? Songez, examinez; pouvez-vous m'en fournir quelque démonstration ?

BIRTON

Non; j'en ai cherché dans mon entendement, dans tous les livres des athées, et surtout dans le troisième chant de Lucrèce; j'avoue que je n'ai jamais trouvé que des vraisemblances.

FREIND

Et, sur ces simples vraisemblances, nous nous abandonnerions à toutes nos passions funestes! Nous vivrions en brutes, n'ayant pour règle que nos appétits, et pour frein que la crainte des autres hommes rendus éternellement ennemis les uns des autres par cette crainte mutuelle! car on veut toujours détruire ce qu'on craint. Pensez-y bien, Mr. Birton; réfléchissez-y sérieusement, mon fils Jenni: n'attendre de Dieu ni châtiment ni récompense, c'est être véritablement athée. A quoi servirait l'idée d'un Dieu qui n'aurait sur vous aucun pouvoir? C'est comme si on disait: il y a un roi de la Chine qui est très puissant; je réponds: grand bien lui fasse; qu'il reste dans son manoir et moi dans le mien: je ne me soucie pas plus de lui qu'il ne se soucie de moi; il n'a pas plus de juridiction sur ma personne qu'un chanoine de Windsor n'en a sur un membre de notre parlement; alors je suis mon Dieu à moi-même, je sacrifie le monde entier à mes fantaisies si j'en trouve l'occasion; je suis sans loi, je ne regarde que moi. Si les autres êtres sont moutons, je me fais loup; s'ils sont poules, je me fais renard.

Je suppose (ce qu'à Dieu ne plaise) que toute notre Angleterre soit athée par principes; je conviens qu'il pourra se trouver plusieurs citoyens qui, nés tranquilles et doux, assez riches pour n'avoir pas besoin d'être injustes, gouvernés par l'honneur, et par conséquent attentifs à leur conduite, pourront vivre ensemble en société: ils cultiveront les beaux-arts, par qui les mœurs s'adoucissent; ils pourront vivre dans la paix, dans l'innocente gaieté des honnêtes gens; mais l'athée pauvre et violent, sûr de l'impunité, sera un sot s'il ne vous assassine pas pour voler votre argent. Dès lors tous les liens de la société sont rompus, tous les crimes secrets inondent la terre, comme les sauterelles, à peine d'abord aperçues, viennent ravager les campagnes; le bas peuple ne sera qu'une horde de brigands, comme nos voleurs, dont on ne pend pas la dixième partie à nos sessions;

ils passent leur misérable vie dans des tavernes avec des filles perdues, ils les battent, ils se battent entre eux; ils tombent ivres au milieu de leurs pintes de plomb dont ils se sont cassé la tête; ils se réveillent pour voler et pour assassiner; ils recommencent chaque jour ce cercle abominable de brutalités.

Qui retiendra les grands et les rois dans leurs vengeances, dans leur ambition, à laquelle ils veulent tout immoler? Un roi athée est plus dangereux qu'un Ravaillac fanatique.

Les athées fourmillaient en Italie au XVe siècle; qu'en arriva-t-il? Il fut aussi commun d'empoisonner que de donner à souper, et d'enfoncer un stylet dans le cœur de son ami que de l'embrasser; il y eut des professeurs du crime, comme il y a aujourd'hui des maîtres de musique et de mathématique. On choisissait exprès les temples pour y assassiner les princes au pied des autels. Le pape Sixte IV et un archevêque de Florence firent assassiner ainsi les deux princes les plus accomplis de l'Europe. (Mon cher Sherloc, dites, je vous prie, à Parouba et à ses enfants ce que c'est qu'un pape et un archevêque, et dites-leur surtout qu'il n'est plus de pareils monstres.) Mais continuons. Un duc de Milan fut assassiné de même au milieu d'une église. On ne connaissait que trop les étonnantes horreurs d'Alexandre VI. Si de telles mœurs avaient subsisté, l'Italie aurait été plus déserte que ne l'a été le Pérou après son invasion.

La croyance d'un Dieu rémunérateur des bonnes actions, punisseur des méchants, pardonneur des fautes légères, est donc la croyance la plus utile au genre humain: c'est le seul frein des hommes puissants, qui commettent insolemment les crimes publics; c'est le seul frein des hommes qui commettent adroitement les crimes secrets. Je ne vous dis pas, mes amis, de mêler à cette croyance nécessaire des superstitions qui la déshonoreraient, et qui même pourraient la rendre funeste: l'athée est un monstre qui ne dévorera que pour apaiser sa faim; le superstitieux est un autre monstre qui déchirera les hommes par devoir. J'ai toujours remarqué qu'on peut guérir un athée, mais on ne guérit jamais le superstitieux radicalement; l'athée est un homme d'esprit qui se trompe, mais qui pense par lui-même, le superstitieux est un sot brutal qui n'a jamais eu que les idées des autres. L'athée violera Iphigénie prête d'épouser

Achille, mais le fanatique l'égorgera pieusement sur
l'autel, et croira que Jupiter lui en aura beaucoup d'obligation; l'athée dérobera un vase d'or dans une église
pour donner à souper à des filles de joie, mais le fanatique
célébrera un auto-da-fé dans cette église, et chantera
un cantique juif à plein gosier, en faisant brûler des
juifs. Oui, mes amis, l'athéisme et le fanatisme sont les
deux pôles d'un univers de confusion et d'horreur. La
petite zone de la vertu est entre ces deux pôles : marchez
d'un pas ferme dans ce sentier; croyez un Dieu bon, et
soyez bons. C'est tout ce que les grands législateurs
Locke et Penn demandent à leurs peuples.

Répondez-moi, Mr. Birton, vous et vos amis; quel
mal peut vous faire l'adoration d'un Dieu jointe au
bonheur d'être honnête homme ? Nous pouvons tous
être attaqués d'une maladie mortelle au moment où je
vous parle : qui de nous alors ne voudrait pas avoir
vécu dans l'innocence ? Voyez comme notre méchant
Richard III meurt dans Shakespeare; comme les
spectres de tous ceux qu'il a tués viennent épouvanter
son imagination. Voyez comme expire Charles IX de
France après sa St. Barthélemy. Son chapelain a beau
lui dire qu'il a bien fait, son crime le déchire, son sang
jaillit par ses pores, et tout le sang qu'il fit couler crie
contre lui. Soyez sûr que de tous ces monstres, il n'en
est aucun qui n'ait vécu dans les tourments du remords,
et qui n'ait fini dans la rage du désespoir.

CHAPITRE DOUZIÈME

RETOUR EN ANGLETERRE. MARIAGE DE JENNI

Birton et ses amis ne purent tenir davantage : ils se
jetèrent aux genoux de Freind. « Oui, dit Birton, je crois
en Dieu et en vous. »

On était déjà près de la maison de Parouba. On y
soupa, mais Jenni ne put souper : il se tenait à l'écart,
il fondait en larmes; son père alla le chercher pour le
consoler. « Ah! lui dit Jenni, je ne méritais pas d'avoir
un père tel que vous; je mourrai de douleur d'avoir été
séduit par cette abominable Clive-Hart : je suis la cause,
quoique innocente, de la mort de Primerose, et tout à
l'heure, quand vous nous avez parlé d'empoisonnement,
un frisson m'a saisi; j'ai cru voir Clive-Hart présentant

le breuvage horrible à Primerose. O ciel! ô Dieu! comment ai-je pu avoir l'esprit assez aliéné pour suivre une créature si coupable! Mais elle me trompa; j'étais aveugle; je ne fus détrompé que peu de temps avant qu'elle fût prise par les sauvages : elle me fit presque l'aveu de son crime dans un mouvement de colère; depuis ce moment je l'eus en horreur, et, pour mon supplice, l'image de Primerose est sans cesse devant mes yeux; je la vois, je l'entends; elle me dit : « Je suis morte, parce que je t'aimais. »

Mr. Freind se mit à sourire d'un sourire de bonté dont Jenni ne put comprendre le motif; son père lui dit qu'une vie irréprochable pouvait seule réparer les fautes passées : il le ramena à table comme un homme qu'on vient de retirer des flots où il se noyait; je l'embrassai, je le flattai, je lui donnai du courage : nous étions tous attendris. Nous appareillâmes le lendemain pour retourner en Angleterre, après avoir fait des présents à toute la famille de Parouba : nos adieux furent mêlés de larmes sincères; Birton et ses camarades, qui n'avaient jamais été qu'évaporés, semblaient déjà raisonnables.

Nous étions en pleine mer quand Freind dit à Jenni en ma présence : « Eh bien! mon fils, le souvenir de la belle, de la vertueuse et tendre Primerose, vous est donc toujours cher ? » Jenni se désespéra à ces paroles; les traits d'un repentir inutile et éternel perçaient son cœur, et je craignis qu'il ne se précipitât dans la mer. « Eh bien! lui dit Freind, consolez-vous; Primerose est vivante, et elle vous aime. »

Freind en effet en avait reçu des nouvelles sûres de ce domestique affidé, qui lui écrivait par tous les vaisseaux qui partaient pour Maryland. Mr. Mead, qui a depuis acquis une si grande réputation pour la connaissance de tous les poisons, avait été assez heureux pour tirer Primerose des bras de la mort. Mr. Freind fit voir à son fils cette lettre qu'il avait relue tant de fois, et avec tant d'attendrissement.

Jenni passa en un moment de l'excès du désespoir à celui de la félicité. Je ne vous peindrai point les effets de ce changement si subit : plus j'en suis saisi, moins je puis les exprimer; ce fut le plus beau moment de la vie de Jenni. Birton et ses camarades partagèrent une joie si pure. Que vous dirai-je enfin ? L'excellent Freind leur a servi de père à tous; les noces du beau Jenni et de la belle Primerose se sont faites chez le docteur

Mead; nous avons marié aussi Birton, qui était tout changé. Jenni et lui sont aujourd'hui les plus honnêtes gens de l'Angleterre. Vous conviendrez qu'un sage peut guérir des fous.

NOTE

LES OREILLES
DU COMTE DE CHESTERFIELD

   Philippe Stanhope, comte de Chesterfield, figure distinguée de l'Europe des lumières, venait de mourir (1773). Voltaire n'attendit guère pour mettre en scène le· défunt, affligé en ses dernières années de surdité : *les Oreilles du comte de Chesterfield* paraissent en 1775 dans les *Nouveaux Mélanges* (Genève, Cramer).
   En la personne de Goudman, chapelain de milord, il se donne un interlocuteur de l'espèce de l'homme aux quarante écus : un mécontent, gêné en ses finances, puisqu'un rival lui a pris, en même temps que la main de miss Fidler, le poste de curé anglican promis par le comte. Avec Sidrac, chirurgien cynique, et le voyageur Grou qui revient d'Otaïti, Goudman est homme à faire en causant le tour des questions philosophiques d'actualité. Ces Anglais ne manquent pas de se référer à un « rêveur d'outre-Manche » : Voltaire lui-même, qui a dit, à l'article *Nature* des *Questions sur l'Encyclopédie*, que « tout est art », et à l'article *Passion* des mêmes *Questions*, que les hommes ne sont que « les pauvres marionnettes de l'éternel Démiourgos ». Les propos des devisants sont nourris de tout le savoir encyclopédique de Ferney. Ils se ressentent de la lecture du *V.oyage autour du monde par la frégate du roi la Boudeuse et la flûte l'Etoile :* à la différence de Diderot, Voltaire n'a pas réservé pour ses œuvres posthumes son « supplément au voyage de Bougainville ».

                                             R. P.

LES OREILLES
DU COMTE DE CHESTERFIELD
ET LE CHAPELAIN GOUDMAN

CHAPITRE PREMIER

Ah! la fatalité gouverne irrémissiblement toutes les choses de ce monde. J'en juge, comme de raison, par mon aventure.

Milord Chesterfield, qui m'aimait fort, m'avait promis de me faire du bien. Il vaquait un bon *preferment* [a] à sa nomination. Je cours du fond de ma province à Londres; je me présente à milord; je le fais souvenir de ses promesses; il me serre la main avec amitié, et me dit qu'en effet j'ai bien mauvais visage. Je lui réponds que mon plus grand mal est la pauvreté. Il me réplique qu'il veut me faire guérir, et me donne sur-le-champ une lettre pour Mr. Sidrac, près de Guildhall.

Je ne doute pas que Mr. Sidrac ne soit celui qui doit m'expédier les provisions de ma cure. Je vole chez lui. Mr. Sidrac, qui était le chirurgien de milord, se met incontinent en devoir de me sonder, et m'assure que, si j'ai la pierre, il me taillera très heureusement.

Il faut savoir que milord avait entendu que j'avais un grand mal à la vessie, et qu'il avait voulu, selon sa générosité ordinaire, me faire tailler à ses dépens. Il était sourd, aussi bien que monsieur son frère, et je n'en étais pas encore instruit.

Pendant le temps que je perdis à défendre ma vessie contre Mr. Sidrac, qui voulait me sonder à toute force, un des cinquante-deux compétiteurs qui prétendaient au même bénéfice arriva chez milord, demanda ma cure, et l'emporta.

J'étais amoureux de Miss Fidler, que je devais épou-

---

a. *Preferment* signifie *bénéfice* en anglais.

ser dès que je serais curé ; mon rival eut ma place et ma
maîtresse.

Le comte, ayant appris mon désastre et sa méprise, me
promit de tout réparer, mais il mourut deux jours après.

Mr. Sidrac me fit voir clair comme le jour, que mon
bon protecteur ne pouvait pas vivre une minute de plus,
vu la constitution présente de ses organes, et me prouva
que sa surdité ne venait que de l'extrême sécheresse de la
corde et du tambour de son oreille. Il m'offrit même d'en-
durcir mes deux oreilles avec de l'esprit-de-vin, de façon à
me rendre plus sourd qu'aucun pair du royaume.

Je compris que Mr. Sidrac était un très savant homme.
Il m'inspira du goût pour la science de la nature. Je voyais
d'ailleurs que c'était un homme charitable qui me taille-
rait gratis dans l'occasion, et qui me soulagerait dans tous
les accidents qui pourraient m'arriver vers le col de la
vessie.

Je me mis donc à étudier la nature sous sa direction, pour
me consoler de la perte de ma cure, et de ma maîtresse.

CHAPITRE SECOND

Après bien des observations sur la nature, faites avec
mes cinq sens, des lunettes, des microscopes, je dis un
jour à Mr. Sidrac : « On se moque de nous ; il n'y a point
de nature, tout est art. C'est par un art admirable que
toutes les planètes dansent régulièrement autour du
soleil, tandis que le soleil fait la roue sur lui-même. Il
faut assurément que quelqu'un d'aussi savant que la
Société royale de Londres ait arrangé les choses de
manière que le carré des révolutions de chaque planète
soit toujours proportionnel à la racine du cube de leur
distance à leur centre ; et il faut être sorcier pour le deviner.

« Le flux et le reflux de notre Tamise me paraît l'effet
constant d'un art non moins profond et non moins difficile à connaître.

« Animaux, végétaux, minéraux, tout me paraît arrangé
avec poids, mesure, nombre, mouvement. Tout est
ressort, levier, poulie, machine hydraulique, laboratoire
de chimie, depuis l'herbe jusqu'au chêne, depuis la puce
jusqu'à l'homme, depuis un grain de sable jusqu'à nos
nuées.

« Certainement il n'y a que de l'art, et la nature est
une chimère.

— Vous avez raison, me répondit Mr. Sidrac, mais vous n'en avez pas les gants; cela a déjà été dit par un rêveur delà la Manche[a], mais on n'y a pas fait attention. — Ce qui m'étonne, et ce qui me plaît le plus, c'est que, par cet art incompréhensible, deux machines en produisent toujours une troisième; et je suis bien fâché de n'en avoir pas fait une avec miss Fidler; mais je vois bien qu'il était arrangé de toute éternité que miss Fidler emploierait une autre machine que moi.

— Ce que vous dites, me répliqua Mr. Sidrac, a été encore dit, et tant mieux : c'est une probabilité que vous pensez juste. Oui, il est fort plaisant que deux êtres en produisent un troisième; mais cela n'est pas vrai de tous les êtres. Deux roses ne produisent point une troisième rose en se baisant. Deux cailloux, deux métaux, n'en produisent pas un troisième; et cependant un métal, une pierre, sont des choses que toute l'industrie humaine ne saurait faire. Le grand, le beau miracle continuel, est qu'un garçon et une fille fassent un enfant ensemble, qu'un rossignol fasse un rossignolet à sa rossignole, et non pas à une fauvette. Il faudrait passer la moitié de sa vie à les imiter, et l'autre moitié à bénir celui qui inventa cette méthode. Il y a dans la génération mille secrets tout à fait curieux. Newton dit que la nature se ressemble partout : *Natura est ubique sibi consona.* Cela est faux en amour; les poissons, les reptiles, les oiseaux, ne font point l'amour comme nous : c'est une variété infinie. La fabrique des êtres sentants et agissants me ravit. Les végétaux ont aussi leur prix. Je m'étonne toujours qu'un grain de blé jeté en terre en produise plusieurs autres.

— Ah! lui dis-je comme un sot que j'étais encore, c'est que le blé doit mourir pour naître, comme on l'a dit dans l'école. »

Mr. Sidrac me reprit en riant avec beaucoup de circonspection. « Cela était vrai du temps de l'école, dit-il; mais le moindre laboureur sait bien aujourd'hui que la chose est absurde. — Ah! monsieur Sidrac, je vous demande pardon; mais j'ai été théologien, et on ne se défait pas tout d'un coup de ses habitudes. »

---

a. *Questions encyclopédiques*, article *Nature*.

CHAPITRE TROISIÈME

Quelque temps après ces conversations entre le pauvre prêtre Goudman et l'excellent anatomiste Sidrac, ce chirurgien le rencontra dans le parc St. James, tout pensif, tout rêveur, et l'air plus embarrassé qu'un algébriste qui vient de faire un faux calcul. « Qu'avez-vous ? lui dit Sidrac; est-ce la vessie ou le côlon qui vous tourmente ? — Non, dit Goudman, c'est la vésicule du fiel. Je viens de voir passer dans un bon carrosse l'évêque de Glocester, qui est un pédant bavard et insolent. J'étais à pied, et cela m'a irrité. J'ai songé que si je voulais avoir un évêché dans ce royaume, il y a dix mille à parier contre un que je ne l'aurais pas, attendu que nous sommes dix mille prêtres en Angleterre. Je suis sans aucune protection depuis la mort de milord Chesterfield, qui était sourd. Posons que les dix mille prêtres anglicans aient chacun deux protecteurs, il y aurait en ce cas vingt mille à parier contre un que je n'aurais pas l'évêché. Cela fâche quand on y fait attention.

« Je me suis souvenu qu'on m'avait proposé autrefois d'aller aux grandes Indes en qualité de mousse; on m'assurait que j'y ferais une grande fortune, mais je ne me sentis pas propre à devenir un jour amiral. Et, après avoir examiné toutes les professions, je suis resté prêtre sans être bon à rien.

— Ne soyez plus prêtre, lui dit Sidrac, et faites-vous philosophe. Ce métier n'exige ni ne donne des richesses. Quel est votre revenu ? — Je n'ai que trente guinées de rente, et, après la mort de ma vieille tante, j'en aurai cinquante. — Allons, mon cher Goudman, c'est assez pour vivre libre et pour penser. Trente guinées font six cent trente shellings : c'est près de deux shellings par jour. Philips n'en voulait qu'un seul. On peut, avec ce revenu assuré, dire tout ce qu'on pense de la compagnie des Indes, du parlement, de nos colonies, du roi, de l'être en général, de l'homme et de Dieu, ce qui est un grand amusement. Venez dîner avec moi, cela vous épargnera de l'argent; nous causerons, et votre faculté pensante aura le plaisir de se communiquer à la mienne par le moyen de la parole : ce qui est une chose merveilleuse que les hommes n'admirent pas assez. »

CHAPITRE QUATRIÈME

CONVERSATION DU DOCTEUR GOUDMAN ET DE L'ANATOMISTE
SIDRAC SUR L'AME ET SUR QUELQUE AUTRE CHOSE

GOUDMAN

Mais, mon cher Sidrac, pourquoi dites-vous toujours
ma faculté pensante ? Que ne dites-vous *mon âme*, tout
court ? cela serait plus tôt fait, et je vous entendrais tout
aussi bien.

SIDRAC

Et moi, je ne m'entendrais pas. Je sens bien, je sais bien
que Dieu m'a donné la faculté de penser et de parler;
mais je ne sens ni ne sais s'il m'a donné un être qu'on
appelle âme.

GOUDMAN

Vraiment, quand j'y réfléchis, je vois que je n'en sais
rien non plus, et que j'ai été longtemps assez hardi pour
croire le savoir. J'ai remarqué que les peuples orientaux
appelèrent l'âme d'un nom qui signifiait la vie. A leur
exemple, les Latins entendirent d'abord par *anima* la vie
de l'animal. Chez les Grecs on disait : la respiration est
l'âme. Cette respiration est un souffle. Les Latins tra-
duisirent le mot *souffle* par *spiritus :* de là le mot qui répond
à *esprit* chez presque toutes les nations modernes. Comme
personne n'a jamais vu ce souffle, cet esprit, on en a fait
un être que personne ne peut voir ni toucher. On a dit
qu'il logeait dans notre corps sans y tenir de place, qu'il
remuait nos organes sans les atteindre. Que n'a-t-on pas
dit ? Tous nos discours, à ce qu'il me semble, ont été
fondés sur des équivoques. Je vois que le sage Locke a
bien senti dans quel chaos ces équivoques de toutes les
langues avaient plongé la raison humaine. Il n'a fait
aucun chapitre sur l'âme dans le seul livre de métaphysique raisonnable qu'on ait jamais écrit. Et si, par hasard,
il prononce ce mot en quelques endroits, ce mot ne signifie chez lui que notre intelligence.

En effet, tout le monde sent bien qu'il a une intelligence,
qu'il reçoit des idées, qu'il en assemble, qu'il en décom-
pose; mais personne ne sent qu'il ait dans lui un autre
être qui lui donne du mouvement, des sensations et des

pensées. Il est, au fond, ridicule de prononcer des mots qu'on n'entend pas, et d'admettre des êtres dont on ne peut avoir la plus légère connaissance.

SIDRAC

Nous voilà donc déjà d'accord sur une chose qui a été un objet de dispute pendant tant de siècles.

GOUDMAN

Et j'admire que nous soyons d'accord.

SIDRAC

Cela n'est pas étonnant, nous cherchons le vrai de bonne foi. Si nous étions sur les bancs de l'école, nous argumenterions comme les personnages de Rabelais. Si nous vivions dans les siècles de ténèbres affreuses qui enveloppèrent si longtemps l'Angleterre, l'un de nous deux ferait peut-être brûler l'autre. Nous sommes dans un siècle de raison; nous trouvons aisément ce qui nous paraît la vérité, et nous osons la dire.

GOUDMAN

Oui, mais j'ai peur que cette vérité ne soit bien peu de chose. Nous avons fait en mathématique des prodiges qui étonneraient Apollonius et Archimède, et qui les rendraient nos écoliers; mais en métaphysique, qu'avons-nous trouvé ? Notre ignorance.

SIDRAC

Et n'est-ce rien ? Vous convenez que le grand Etre vous a donné une faculté de sentir et de penser, comme il a donné à vos pieds la faculté de marcher, à vos mains le pouvoir de faire mille ouvrages, à vos viscères le pouvoir de digérer, à votre cœur le pouvoir de pousser votre sang dans vos artères. Nous tenons tout de lui; nous n'avons rien pu nous donner; et nous ignorerons toujours la manière dont le maître de l'univers s'y prend pour nous conduire. Pour moi, je lui rends grâce de m'avoir appris que je ne sais rien des premiers principes.

On a toujours recherché comment l'âme agit sur le corps. Il fallait d'abord savoir si nous en avions une. Ou Dieu nous a fait ce présent, ou il nous a communiqué quelque chose qui en est l'équivalent. De quelque manière qu'il s'y soit pris, nous sommes sous sa main. Il est notre maître, voilà tout ce que je sais.

GOUDMAN

Mais, au moins, dites-moi ce que vous en soupçonnez. Vous avez disséqué des cerveaux, vous avez vu des embryons et des fœtus : y avez-vous découvert quelque apparence d'âme ?

SIDRAC

Pas la moindre, et je n'ai jamais pu comprendre comment un être immatériel, immortel, logeait pendant neuf mois inutilement caché dans une membrane puante entre de l'urine et des excréments. Il m'a paru difficile de concevoir que cette prétendue âme simple existât avant la formation de son corps : car à quoi aurait-elle servi pendant des siècles sans être âme humaine ? Et puis comment imaginer un être simple, un être métaphysique, qui attend pendant une éternité le moment d'animer de la matière pendant quelques minutes ? Que devient cet être inconnu si le fœtus qu'il doit animer meurt dans le ventre de sa mère ?

Il m'a paru encore plus ridicule que Dieu créât une âme au moment qu'un homme couche avec une femme. Il m'a semblé blasphématoire que Dieu attendît la consommation d'un adultère, d'un inceste, pour récompenser ces turpitudes en créant des âmes en leur faveur. C'est encore pis quand on me dit que Dieu tire du néant des âmes immortelles pour leur faire souffrir éternellement des tourments incroyables. Quoi ! brûler des êtres simples, des êtres qui n'ont rien de brûlable ! Comment nous y prendrions-nous pour brûler un son de voix, un vent qui vient de passer ? Encore ce son, ce vent, étaient matériels dans le petit moment de leur passage; mais un esprit pur, une pensée, un doute ? Je m'y perds. De quelque côté que je me tourne, je ne trouve qu'obscurité, contradiction, impossibilité, ridicule, rêverie, impertinence, chimère, absurdité, bêtise, charlatanerie.

Mais je suis à mon aise quand je me dis : Dieu est le maître. Celui qui fait graviter des astres innombrables les uns vers les autres, celui qui fit la lumière, est bien assez puissant pour nous donner des sentiments et des idées, sans que nous ayons besoin d'un petit atome étranger, invisible, appelé âme.

Dieu a donné certainement du sentiment, de la mémoire, de l'industrie à tous les animaux. Il leur a donné la vie, et il est bien aussi beau de faire présent de la

vie que de faire présent d'une âme. Il est assez reçu que
les animaux vivent; il est démontré qu'ils ont du sentiment, puisqu'ils ont les organes du sentiment. Or,
s'ils ont tout cela sans âme, pourquoi voulons-nous à
toute force en avoir une ?

GOUDMAN

Peut-être c'est par vanité. Je suis persuadé que si un
paon pouvait parler, il se vanterait d'avoir une âme, et
il dirait que son âme est dans sa queue. Je me sens très
enclin à soupçonner avec vous que Dieu nous a faits
mangeants, buvants, marchants, dormants, sentants, pensants, pleins de passions, d'orgueil et de misère, sans
nous dire un mot de son secret. Nous n'en savons pas plus
sur cet article que ces paons dont je parle; et celui qui a
dit que nous naissons, vivons, et mourons sans savoir
comment, a dit une grande vérité.

Celui qui nous appelle les marionnettes de la Providence me paraît nous avoir bien définis. Car enfin, pour
que nous existions, il faut une infinité de mouvements.
Or nous n'avons pas fait le mouvement; ce n'est pas nous
qui en avons établi les lois. Il y a quelqu'un qui, ayant
fait la lumière, la fait mouvoir du soleil à nos yeux, et y
arriver en sept minutes. Ce n'est que par le mouvement
que mes cinq sens sont remués; ce n'est que par ces
cinq sens que j'ai des idées : donc c'est l'auteur du mouvement qui me donne mes idées. Et, quand il me dira de
quelle manière il me les donne, je lui rendrai de très
humbles actions de grâces. Je lui en rends déjà beaucoup
de m'avoir permis de contempler pendant quelques
années le magnifique spectacle de ce monde, comme
disait Epictète. Il est vrai qu'il pouvait me rendre plus
heureux, et me faire avoir un bon bénéfice et ma maîtresse miss Fidler; mais enfin, tel que je suis avec mes
six cent trente shellings de rente, je lui ai encore bien
de l'obligation.

SIDRAC

Vous dites que Dieu pouvait vous donner un bon bénéfice et qu'il pouvait vous rendre plus heureux que vous
n'êtes. Il y a des gens qui ne vous passeront pas
cette proposition. Eh! ne vous souvenez-vous pas que
vous-même vous vous êtes plaint de la fatalité ? Il n'est
pas permis à un homme qui a voulu être curé de se contredire. Ne voyez-vous pas que, si vous aviez eu la cure et
la femme que vous demandiez, ce serait vous qui auriez

fait un enfant à miss Fidler, et non pas votre rival ? L'enfant dont elle aurait accouché aurait pu être mousse, devenir amiral, gagner une bataille navale à l'embouchure du Gange et achever de détrôner le Grand Mogol. Cela seul aurait changé la constitution de l'univers. Il aurait fallu un monde tout différent du nôtre pour que votre compétiteur n'eût pas la cure, pour qu'il n'épousât pas miss Fidler, pour que vous ne fussiez pas réduit à six cent trente shellings, en attendant la mort de votre tante. Tout est enchaîné et Dieu n'ira pas rompre la chaîne éternelle pour mon ami Goudman.

GOUDMAN

Je ne m'attendais pas à ce raisonnement quand je parlais de fatalité ; mais enfin, si cela est ainsi, Dieu est donc esclave tout comme moi ?

SIDRAC

Il est esclave de sa volonté, de sa sagesse, des propres lois qu'il a faites, de sa nature nécessaire. Il ne peut les enfreindre, parce qu'il ne peut être faible, inconstant, volage, comme nous, et que l'Etre nécessairement éternel ne peut être une girouette.

GOUDMAN

Mr. Sidrac, cela pourrait mener tout droit à l'irréligion : car, si Dieu ne peut rien changer aux affaires de ce monde, à quoi bon chanter ses louanges, à quoi bon lui adresser des prières ?

SIDRAC

Eh ! qui vous dit de prier Dieu et de le louer ? Il a vraiment bien affaire de vos louanges et de vos placets ! On loue un homme parce qu'on le croit vain ; on le prie quand on le croit faible, et qu'on espère le faire changer d'avis. Faisons notre devoir envers Dieu, adorons-le, soyons justes : voilà nos vraies louanges et nos vraies prières.

GOUDMAN

Mr. Sidrac, nous avons embrassé bien du terrain, car, sans compter miss Fidler, nous examinons si nous avons une âme, s'il y a un Dieu, s'il peut changer, si nous sommes destinés à deux vies, si... Ce sont là de profondes études, et peut-être je n'y aurais jamais pensé si j'avais été curé. Il faut que j'approfondisse ces choses nécessaires et sublimes puisque je n'ai rien à faire.

SIDRAC

Eh bien! demain le docteur Grou vient dîner chez moi :
c'est un médecin fort instruit; il a fait le tour du monde
avec MM. Banks et Solander; il doit certainement
connaître Dieu et l'âme, le vrai et le faux, le juste et l'injuste, bien mieux que ceux qui ne sont jamais sortis de
Covent-Garden. De plus, le docteur Grou a vu presque
toute l'Europe dans sa jeunesse; il a été témoin de cinq
ou six révolutions en Russie; il a fréquenté le bacha comte
de Bonneval, qui était devenu, comme on sait, un parfait
musulman à Constantinople. Il a été lié avec le prêtre
papiste Makarti, Irlandais, qui se fit couper le prépuce
à l'honneur de Mahomet, et avec notre presbytérien
écossais Ramsay, qui en fit autant, et qui ensuite servit
en Russie, et fut tué dans une bataille contre les Suédois,
en Finlande. Enfin il a conversé avec le révérend père
Malagrida, qui a été brûlé depuis à Lisbonne, parce que
la Ste. Vierge lui avait révélé tout ce qu'elle avait fait
lorsqu'elle était dans le ventre de sa mère Ste. Anne.

Vous sentez bien qu'un homme comme Mr. Grou, qui
a vu tant de choses, doit être le plus grand métaphysicien
du monde. A demain donc chez moi à dîner.

GOUDMAN

Et après-demain encore, mon cher Sidrac : car il faut
plus d'un dîner pour s'instruire.

CHAPITRE CINQUIÈME

Le lendemain, les trois penseurs dînèrent ensemble;
et comme ils devenaient un peu plus gais sur la fin du
repas, selon la coutume des philosophes qui dînent, on
se divertit à parler de toutes les misères, de toutes les sottises, de toutes les horreurs qui affligent le genre animal,
depuis les terres australes jusqu'auprès du pôle arctique,
et depuis Lima jusqu'à Méaco. Cette diversité d'abominations ne laisse pas d'être fort amusante. C'est un plaisir que n'ont point les bourgeois casaniers et les vicaires
de paroisse, qui ne connaissent que leur clocher, et qui
croient que tout le reste de l'univers est fait comme
Exchange-alley à Londres, ou comme la rue de la
Huchette à Paris.

« Je remarque, dit le docteur Grou, que, malgré la
variété infinie répandue sur ce globe, cependant tous les

hommes que j'ai vus, soit noirs à laine, soit noirs à cheveux, soit bronzés, soit rouges, soit bis, qui s'appellent
blancs, ont également deux jambes, deux yeux, et une
tête sur leurs épaules, quoi qu'en ait dit St. Augustin, qui,
dans son trente-septième sermon, assure qu'il a vu des
acéphales, c'est-à-dire des hommes sans tête, des mono-
cules qui n'ont qu'un œil, et des monopèdes qui n'ont
qu'une jambe. Pour des anthropophages, j'avoue qu'on
en regorge, et que tout le monde l'a été.

« On m'a souvent demandé si les habitants de ce pays
immense nommé la Nouvelle-Zélande, qui sont aujour-
d'hui les plus barbares de tous les barbares, étaient baptisés. J'ai répondu que je n'en savais rien, que cela pouvait être; que les Juifs, qui étaient plus barbares qu'eux,
avaient eu deux baptêmes au lieu d'un, le baptême de
justice et le baptême de domicile.

— Vraiment, je les connais, dit Mr. Goudman, et j'ai
eu sur cela de grandes disputes avec ceux qui croient
que nous avons inventé le baptême. Non, messieurs, nous
n'avons rien inventé, nous n'avons fait que rapetasser.
Mais, dites-moi, je vous en prie, monsieur Grou, de
quatre-vingts ou cent religions que vous avez vues en
chemin, laquelle vous a paru la plus agréable : est-ce
celle des Zélandais ou celle des Hottentots ?

MR. GROU

C'est celle de l'île d'Otaïti, sans aucune comparaison.
J'ai parcouru les deux hémisphères; je n'ai rien vu comme
Otaïti et sa religieuse reine. C'est dans Otaïti que la nature
habite. Je n'ai vu ailleurs que des masques; je n'ai vu que
des fripons qui trompent des sots, des charlatans qui
escamotent l'argent des autres pour avoir de l'autorité,
et qui escamotent de l'autorité pour avoir de l'argent
impunément; qui vous vendent des toiles d'araignée pour
manger vos perdrix; qui vous promettent richesses et
plaisirs quand il n'y aura plus personne, afin que vous
tourniez la broche pendant qu'ils existent.

Pardieu! il n'en est pas de même dans l'île d'Aïti, ou
d'Otaïti. Cette île est bien plus civilisée que celle de
Zélande et que le pays des Cafres, et, j'ose dire, que notre
Angleterre, parce que la nature l'a favorisée d'un sol plus
fertile; elle lui a donné l'arbre à pain, présent aussi utile
qu'admirable, qu'elle n'a fait qu'à quelques îles de la mer
du Sud. Otaïti possède d'ailleurs beaucoup de volailles,
de légumes et de fruits. On n'a pas besoin dans un tel

pays de manger son semblable; mais il y a un besoin plus naturel, plus doux, plus universel, que la religion d'Otaïti ordonne de satisfaire en public. C'est de toutes les cérémonies religieuses la plus respectable sans doute; j'en ai été témoin, aussi bien que tout l'équipage de notre vaisseau. Ce ne sont point ici des fables de missionnaires, telles qu'on en trouve quelquefois dans les *Lettres édifiantes et curieuses* des révérends pères jésuites. Le docteur Jean Hakerovorth achève actuellement de faire imprimer nos découvertes dans l'hémisphère méridional. J'ai toujours accompagné Mr. Banks, ce jeune homme si estimable qui a consacré son temps et son bien à observer la nature vers le pôle antarctique, tandis que messieurs Dakins et Wood revenaient des ruines de Palmyre et de Balbek, où ils avaient fouillé les plus anciens monuments des arts, et que Mr. Hamilton apprenait aux Napolitains étonnés l'histoire naturelle de leur mont Vésuve. Enfin j'ai vu avec messieurs Banks, Solander, Cook, et cent autres, ce que je vais vous raconter.

La princesse Obéira, reine de l'île d'Otaïti... »

Alors on apporta le café, et, dès qu'on l'eut pris, Mr. Grou continua ainsi son récit.

CHAPITRE SIXIÈME

« La princesse Obéira, dis-je, après nous avoir comblés de présents avec une politesse digne d'une reine d'Angleterre, fut curieuse d'assister un matin à notre service anglican. Nous le célébrâmes aussi pompeusement que nous pûmes. Elle nous invita au sien l'après-dîné; c'était le 14 mai 1769. Nous la trouvâmes entourée d'environ mille personnes des deux sexes rangées en demi-cercle, et dans un silence respectueux. Une jeune fille très jolie, simplement parée d'un déshabillé galant, était couchée sur une estrade qui servait d'autel. La reine Obéira ordonna à un beau garçon d'environ vingt ans d'aller sacrifier. Il prononça une espèce de prière, et monta sur l'autel. Les deux sacrificateurs étaient à demi nus. La reine, d'un air majestueux, enseignait à la jeune victime la manière la plus convenable de consommer le sacrifice. Tous les Otaïtiens étaient si attentifs et si respectueux qu'aucun de nos matelots n'osa troubler la cérémonie par un rire indécent. Voilà ce que j'ai vu, vous

dis-je; voilà tout ce que notre équipage a vu : c'est à vous
d'en tirer les conséquences.

— Cette fête sacrée ne m'étonne pas, dit le docteur
Goudman. Je suis persuadé que c'est la première fête
que les hommes aient jamais célébrée, et je ne vois pas
pourquoi on ne prierait pas Dieu lorsqu'on va faire un
être à son image, comme nous le prions avant les repas
qui servent à soutenir notre corps. Travailler à faire naître
une créature raisonnable est l'action la plus noble et la
plus sainte. C'est ainsi que pensaient les premiers Indiens,
qui révérèrent le Lingam, symbole de la génération; les
anciens Egyptiens, qui portaient en procession le Phallus;
les Grecs, qui érigèrent des temples à Priape. S'il est permis
de citer la misérable petite nation juive, grossière imita-
trice de tous ses voisins, il est dit dans ses livres que ce
peuple adora Priape, et que la reine mère du roi juif Asa
fut sa grande prêtresse[a].

« Quoi qu'il en soit, il est très vraisemblable que
jamais aucun peuple n'établit ni ne put établir un culte
par libertinage. La débauche s'y glisse quelquefois dans
la suite des temps; mais l'institution est toujours innocente et pure. Nos premières agapes, dans lesquelles les
garçons et les filles se baisaient modestement sur la
bouche, ne dégénérèrent qu'assez tard en rendez-vous
et en infidélités; et plût à Dieu que je pusse sacrifier
avec miss Fidler devant la reine Obéira en tout bien
et en tout honneur! Ce serait assurément le plus beau
jour et la plus belle action de ma vie. »

Mr. Sidrac, qui avait jusque-là gardé le silence, parce
que messieurs Goudman et Grou avaient toujours parlé,
sortit enfin de sa taciturnité, et dit : « Tout ce que je
viens d'entendre me ravit en admiration. La reine Obéira
me paraît la première reine de l'hémisphère méridional;
je n'ose dire des deux hémisphères. Mais parmi tant de
gloire et tant de félicité, il y a un article qui me fait
frémir, et dont Mr. Goudman vous a dit un mot auquel
vous n'avez pas répondu. Est-il vrai, monsieur Grou,
que le capitaine Wallis, qui mouilla dans cette île fortunée avant vous, y porta les deux plus horribles fléaux
de la terre, les deux véroles ? — Hélas! reprit Mr. Grou,
ce sont les Français qui nous en accusent, et nous en
accusons les Français. Mr. Bougainville dit que ce sont
ces maudits Anglais qui ont donné la vérole à la reine

a. Troisième livre des *Rois*, chap. XIII; et *Paralipomènes*, chap. XV.

Obéira; et Mr. Cook prétend que cette reine ne l'a
acquise que de Mr. Bougainville lui-même. Quoi qu'il
en soit, la vérole ressemble aux beaux-arts : on ne sait
point qui en fut l'inventeur; mais, à la longue, ils font
le tour de l'Europe, de l'Asie, de l'Afrique et de l'Amérique.

— Il y a longtemps que j'exerce la chirurgie, dit
Sidrac, et j'avoue que je dois à cette vérole la plus
grande partie de ma fortune; mais je ne la déteste pas
moins. Madame Sidrac me la communiqua dès la première nuit de ses noces; et, comme c'est une femme
excessivement délicate sur ce qui peut entamer son
honneur, elle publia dans tous les papiers publics de
Londres qu'elle était à la vérité attaquée du mal immonde,
mais qu'elle l'avait apporté du ventre de madame sa
mère, et que c'était une ancienne habitude de famille.

« A quoi pensa ce qu'on appelle *la nature*, quand elle
versa ce poison dans les sources de la vie ? On l'a dit,
et je le répète, c'est la plus énorme et la plus détestable
de toutes les contradictions. Quoi! l'homme a été fait,
dit-on, à l'image de Dieu, *finxit in effigiem moderantum
cuncta deorum :* et c'est dans les vaisseaux spermatiques
de cette image qu'on a mis la douleur, l'infection, et
la mort! Que deviendra ce beau vers de milord Rochester : « L'amour ferait adorer Dieu dans un pays d'a-
thées » ?

— Hélas! dit alors le bon Goudman, j'ai peut-être
à remercier la Providence de n'avoir pas épousé ma
chère miss Fidler : car sait-on ce qui serait arrivé ? On
n'est jamais sûr de rien dans ce monde. En tout cas,
Mr. Sidrac, vous m'avez promis votre aide dans tout ce
qui concernerait ma vessie. — Je suis à votre service,
répondit Sidrac; mais il faut chasser ces mauvaises
pensées. » Goudman, en parlant ainsi, semblait prévoir
sa destinée.

CHAPITRE SEPTIÈME

Le lendemain, les trois philosophes agitèrent la grande
question, quel est le premier mobile de toutes les actions
des hommes. Goudman, qui avait toujours sur le cœur
la perte de son bénéfice et de sa bien-aimée, dit que le
principe de tout était l'amour et l'ambition. Grou, qui
avait vu plus de pays, dit que c'était l'argent; et le

grand anatomiste Sidrac assura que c'était la chaise percée. Les deux convives demeurèrent tout étonnés; et voici comme le savant Sidrac prouva sa thèse.

« J'ai toujours observé que toutes les affaires de ce monde dépendaient de l'opinion et de la volonté d'un principal personnage, soit roi, soit premier ministre, soit premier commis. Or cette opinion et cette volonté sont l'effet immédiat de la manière dont les esprits animaux se filtrent dans le cervelet, et de là dans la moelle allongée; ces esprits animaux dépendent de la circulation du sang; ce sang dépend de la formation du chyle; ce chyle s'élabore dans le réseau du mésentère; ce mésentère est attaché aux intestins par des filets très déliés; ces intestins, s'il m'est permis de le dire, sont remplis de merde. Or, malgré les trois fortes tuniques dont chaque intestin est vêtu, il est percé comme un crible; car tout est à jour dans la nature, et il n'y a grain de sable si imperceptible qui n'ait plus de cinq cents pores. On ferait passer mille aiguilles à travers un boulet de canon si on en trouvait d'assez fines et d'assez fortes. Qu'arrive-t-il donc à un homme constipé? Les éléments les plus ténus, les plus délicats de sa merde se mêlent au chyle dans les veines d'Azellius, vont à la veine-porte et dans le réservoir de Paquet. Ils passent dans la sous-clavière; ils entrent dans le cœur de l'homme le plus galant, de la femme la plus coquette. C'est une rosée d'étron desséché qui court dans tout son corps. Si cette rosée inonde les parenchymes, les vaisseaux et les glandes d'un atrabilaire, sa mauvaise humeur devient férocité; le blanc de ses yeux est d'un sombre ardent; ses lèvres sont collées l'une sur l'autre; la couleur de son visage a des teintes brouillées. Il semble qu'il vous menace : ne l'approchez pas, et, si c'est un ministre d'Etat, gardez-vous de lui présenter une requête. Il ne regarde tout papier que comme un secours dont il voudrait bien se servir selon l'ancien et abominable usage des gens d'Europe. Informez-vous adroitement de son valet de chambre favori si monseigneur a poussé sa selle le matin.

« Ceci est plus important qu'on ne pense. La constipation a produit quelquefois les scènes les plus sanglantes. Mon grand-père, qui est mort centenaire, était apothicaire de Cromwell; il m'a conté souvent que Cromwell n'avait pas été à la garde-robe depuis huit jours lorsqu'il fit couper la tête à son roi.

« Tous les gens un peu instruits des affaires du continent savent que l'on avertit souvent le duc de Guise le
Balafré de ne pas fâcher Henri III en hiver pendant
un vent de nord-est. Ce monarque n'allait alors à la
garde-robe qu'avec une difficulté extrême. Ses matières
lui montaient à la tête; il était capable, dans ces temps-
là, de toutes les violences. Le duc de Guise ne crut pas un
si sage conseil; que lui en arriva-t-il ? son frère et lui
furent assassinés.

« Charles IX, son prédécesseur, était l'homme le plus
constipé de son royaume. Les conduits de son côlon et
de son rectum étaient si bouchés qu'à la fin son sang
jaillit par ses pores. On ne sait que trop que ce tempérament aduste fut une des principales causes de la
St. Barthélemy.

« Au contraire les personnes qui ont de l'embonpoint,
les entrailles veloutées, le cholédoque coulant, le mouvement péristaltique aisé et régulier, qui s'acquittent
tous les matins, dès qu'elles ont déjeuné, d'une bonne
selle aussi aisément qu'on crache; ces personnes favorites de la nature sont douces, affables, gracieuses, prévenantes, compatissantes, officieuses. Un *non* dans leur
bouche a plus de grâce qu'un *oui* dans la bouche d'un
constipé.

« La garde-robe a tant d'empire qu'un dévoiement
rend souvent un homme pusillanime. La dysenterie ôte
le courage. Ne proposez pas à un homme affaibli par
l'insomnie, par une fièvre lente, et par cinquante déjec-
tions putrides, d'aller attaquer une demi-lune en plein
jour. C'est pourquoi je ne puis croire que toute notre
armée eut la dysenterie à la bataille d'Azincourt, comme
on le dit, et qu'elle remporta la victoire culottes bas.
Quelques soldats auront eu le dévoiement pour s'être
gorgés de mauvais raisins dans la route, et les historiens
auront dit que toute l'armée malade se battit à cul nu,
et que, pour ne pas le montrer aux petits-maîtres français, elle les battit *à plate couture*, selon l'expression du
jésuite Daniel.

Et voilà justement comme on écrit l'histoire.

« C'est ainsi que les Français ont tous répété, les uns
après les autres, que notre grand Edouard III se fit
livrer six bourgeois de Calais, la corde au cou, pour les
faire pendre, parce qu'ils avaient osé soutenir le siège
avec courage, et que sa femme obtint enfin leur pardon

par ses larmes. Ces romanciers ne savent pas que c'était la coutume dans ces temps barbares que les bourgeois se présentassent devant leur vainqueur, la corde au cou, quand ils l'avaient arrêté trop longtemps devant une bicoque. Mais certainement le généreux Edouard n'avait nulle envie de serrer le cou de ces six otages, qu'il combla de présents et d'honneurs. Je suis las de toutes les fadaises dont tant d'historiens prétendus ont farci leurs chroniques, et de toutes les batailles qu'ils ont si mal décrites. J'aime autant croire que Gédéon remporta une victoire signalée avec trois cents cruches. Je ne lis plus, Dieu merci, que l'histoire naturelle, pourvu qu'un Burnet, et un Whiston, et un Woodward, ne m'ennuient plus de leurs. maudits systèmes; qu'un Maillet ne me dise plus que la mer d'Irlande a produit le mont Caucase, et que notre globe est de verre; pourvu qu'on ne me donne pas de petits joncs aquatiques pour des animaux voraces, et le corail pour des insectes; pourvu que des charlatans ne me donnent pas insolemment leurs rêveries pour des vérités. Je fais plus de cas d'un bon régime qui entretient mes humeurs en équilibre, et qui me procure une digestion louable et un sommeil plein. Buvez chaud quand il gèle, buvez frais dans la canicule; rien de trop ni de trop peu en tout genre; digérez, dormez, ayez du plaisir; et moquez-vous du reste. »

CHAPITRE HUITIÈME

Comme Mr. Sidrac proférait ces sages paroles, on vint avertir Mr. Goudman que l'intendant du feu comte de Chesterfield était à la porte dans son carrosse, et demandait à lui parler pour une affaire très pressante. Goudman court pour recevoir les ordres de monsieur l'intendant, qui, l'ayant prié de monter, lui dit :

« Monsieur, vous savez sans doute ce qui arriva à Mr. et à Mad. Sidrac la première nuit de leurs noces ?

— Oui, monsieur; il me contait tout à l'heure cette petite aventure.

— Eh bien! il en est arrivé tout autant à la belle mademoiselle Fidler et à Mr. le curé, son mari. Le lendemain ils se sont battus; le surlendemain, ils se sont séparés, et on a ôté à Mr. le curé son bénéfice. J'aime la Fidler, je sais qu'elle vous aime; elle ne me hait pas. Je suis au-dessus de la petite disgrâce qui est cause de son divorce. Je suis amoureux et intrépide. Cédez-moi miss Fidler, et je vous fais avoir la cure, qui vaut cent cinquante guinées de revenu. Je ne vous donne que dix minutes pour y rêver.

— Monsieur, la proposition est délicate : je vais consulter mes philosophes Sidrac et Grou ; je suis à vous sans tarder. »

Il revole à ses deux conseillers. « Je vois, dit-il, que la digestion ne décide pas seule des affaires de ce monde, et que l'amour, l'ambition et l'argent, y ont beaucoup de part. » Il leur expose le cas et les prie de le déterminer sur-le-champ. Tous deux conclurent qu'avec cent cinquante guinées il aurait toutes les filles de sa paroisse, et encore miss Fidler par-dessus le marché.

Goudman sentit la sagesse de cette décision ; il eut la cure, il eut miss Fidler en secret, ce qui était bien plus doux que de l'avoir pour femme. Mr. Sidrac lui prodigua ses bons offices dans l'occasion. Il est devenu un des plus terribles prêtres de l'Angleterre, et il est plus persuadé que jamais de la fatalité qui gouverne toutes les choses de ce monde.

NOTE
AVENTURE DE LA MÉMOIRE

La philosophie des lumières se réclamait d'une psychologie : celle de Locke. Après l'auteur de l'*Essai sur l'entendement*, Condillac, Helvétius et toute l'école sensualiste répétaient que « rien n'est dans l'intellect qui n'y soit entré par les sens ». Avec les sensations comme matériau, la mémoire forme en l'esprit toutes les idées. Locke et ses disciples refusaient donc les idées innées de « l'argumenteur moitié géomètre, moitié chimérique » : Descartes. Mais les antiphilosophes pourchassent le sensualisme. La Nonsobre (la Sorbonne, en sa Faculté de théologie) accueille par inadvertance puis rejette avec horreur la thèse, inspirée de Locke, soutenue par l'abbé de Prades, théologien de l'*Encyclopédie* (1752). Les ennemis mortels, liolisteois (loyolistes, ou jésuites) et séjanistes (jansénistes), se réconcilient, avec l'appui des dicastériques (les juges du Parlement), pour persécuter la philosophie de la sensation.

Qu'arriva-t-il ? Voltaire conte que la Mémoire, irritée de tant de dédain, décida de priver les hommes de son secours. De là, d'étranges effets. Parmi lesquels une nouvelle sottise de Cogé, recteur de l'Université de Paris. On avait, en 1772, proposé comme sujet de discours latin : « *Non magis Deo quam regibus infensa est ista qua vocatur hodie philosophia.* » Ce que Voltaire traduisait, à rebours du sens qu'avait voulu donner le régent : « Celle qu'on nomme aujourd'hui philosophie n'est pas plus hostile à Dieu qu'aux rois. » Après l'aventure de la Mémoire, Cogé ne manque pas d'énoncer, en latin, que « celle qu'on nomme Mémoire n'est pas plus hostile aux Muses qu'aux hommes ».

Conte allégorique, comparable à cet égard à l'*Eloge historique de la Raison*, l'*Aventure de la Mémoire* parut à Genève en 1775 dans les *Mélanges de poésie*, et dans l'édition encadrée des *Œuvres complètes*.

R. P.

AVENTURE DE LA MÉMOIRE

Le genre humain pensant, c'est-à-dire la cent millième partie du genre humain tout au plus, avait cru longtemps, ou du moins avait souvent répété que nous n'avions d'idées que par nos sens, et que la mémoire est le seul instrument par lequel nous puissions joindre deux idées et deux mots ensemble.

C'est pourquoi Jupiter, représentant la nature, fut amoureux de Mnémosyne, déesse de la mémoire, dès le premier moment qu'il la vit; et de ce mariage naquirent les neuf muses, qui furent les inventrices de tous les arts.

Ce dogme, sur lequel sont fondées toutes nos connaissances, fut reçu universellement, et même la Nonsobre l'embrassa dès qu'elle fut née, quoique ce fût une vérité.

Quelque temps après vint un argumenteur, moitié géomètre, moitié chimérique, lequel argumenta contre les cinq sens et contre la mémoire; et il dit au petit nombre du genre humain pensant : « Vous vous êtes trompés jusqu'à présent, car vos sens sont inutiles, car les idées sont innées chez vous avant qu'aucun de vos sens pût agir, car vous aviez toutes les notions nécessaires lorsque vous vîntes au monde; vous saviez tout sans avoir jamais rien senti; toutes vos idées, nées avec vous, étaient présentes à votre intelligence, nommée *âme*, sans le secours de la mémoire. Cette mémoire n'est bonne à rien. »

La Nonsobre condamna cette proposition, non parce qu'elle était ridicule, mais parce qu'elle était nouvelle : cependant, lorsque ensuite un Anglais se fut mis à prouver, et même longuement, qu'il n'y avait point d'idées innées, que rien n'était plus nécessaire que les cinq sens, que la mémoire servait beaucoup à retenir les choses reçues par les cinq sens, elle condamna ses propres sentiments, parce qu'ils étaient devenus ceux d'un Anglais. En conséquence elle ordonna au genre humain de croire désormais aux idées innées, et de ne plus croire aux cinq sens et à la mémoire. Le genre humain, au lieu d'obéir, se moqua de la Nonsobre, laquelle se mit en telle colère qu'elle voulut faire brûler un philosophe. Car ce philosophe avait dit qu'il est impossible d'avoir une idée complète d'un fromage à moins d'en avoir vu et d'en avoir mangé ; et même le scélérat osa avancer que les hommes et les femmes n'auraient jamais pu travailler en tapisserie s'ils n'avaient pas eu des aiguilles et des doigts pour les enfiler.

Les liolisteois se joignirent à la Nonsobre pour la première fois de leur vie, et les séjanistes, ennemis mortels des liolisteois, se réunirent pour un moment à eux. Ils appelèrent à leur secours les anciens dicastériques, qui étaient de grands philosophes ; et tous ensemble, avant de mourir, proscrivirent la mémoire et les cinq sens, et l'auteur qui avait dit du bien de ces six choses.

Un cheval se trouva présent au jugement que prononcèrent ces messieurs, quoiqu'il ne fût pas de la même espèce, et qu'il y eût entre lui et eux plusieurs différences, comme celle de la taille, de la voix, de l'égalité, des crins et des oreilles ; ce cheval, dis-je, qui avait du sens aussi bien que des sens, en parla un jour à Pégase dans mon écurie ; et Pégase alla raconter aux muses cette histoire avec sa vivacité ordinaire.

Les muses, qui depuis cent ans avaient singulièrement favorisé le pays longtemps barbare où cette scène se passait, furent extrêmement scandalisées ; elles aimaient tendrement Mémoire ou Mnémosyne leur mère, à laquelle ces neuf filles sont redevables de tout ce qu'elles savent. L'ingratitude des hommes les irrita. Elles ne firent point de satires contre les anciens dicastériques, les liolisteois, les séjanistes et la Nonsobre, parce que les satires ne corrigent personne, irritent les sots, et les rendent encore plus méchants. Elles imaginèrent un moyen de les éclairer en les punissant. Les hommes avaient blasphémé la mémoire ; les muses leur ôtèrent ce don des dieux, afin qu'ils apprissent une bonne fois ce qu'on est sans son secours.

Il arriva donc qu'au milieu d'une belle nuit tous les

cerveaux s'appesantirent, de façon que le lendemain matin tout le monde se réveilla sans avoir le moindre souvenir du passé. Quelques dicastériques, couchés avec leurs femmes, voulurent s'approcher d'elles par un reste d'instinct indépendant de la mémoire. Les femmes, qui n'ont eu que très rarement l'instinct d'embrasser leurs maris, rejetèrent leurs caresses dégoûtantes avec aigreur. Les maris se fâchèrent, les femmes crièrent, et la plupart des ménages en vinrent aux coups.

Messieurs, trouvant un bonnet carré, s'en servirent pour certains besoins que ni la mémoire ni le bon sens ne soulagent. Mesdames employèrent les pots de leur toilette aux mêmes usages. Les domestiques, ne se souvenant plus du marché qu'ils avaient fait avec leurs maîtres, entrèrent dans leurs chambres sans savoir où ils étaient; mais, comme l'homme est né curieux, ils ouvrirent tous les tiroirs; et comme l'homme aime naturellement l'éclat de l'argent et de l'or, sans avoir pour cela besoin de mémoire, ils prirent tout ce qu'ils en trouvèrent sous la main. Les maîtres voulurent crier au voleur; mais l'idée de voleur étant sortie de leur cerveau, le mot ne put arriver sur leur langue. Chacun ayant oublié son idiome articulait des sons informes. C'était bien pis qu'à Babel, où chacun inventait sur-le-champ une langue nouvelle. Le sentiment inné dans le sens des jeunes valets pour les jolies femmes agit si puissamment que ces insolents se jetèrent étourdiment sur les premières femmes ou filles qu'ils trouvèrent, soit cabaretières, soit présidentes; et celles-ci, ne se souvenant plus des leçons de pudeur, les laissèrent faire en toute liberté.

Il fallut dîner; personne ne savait plus comment il fallait s'y prendre. Personne n'avait été au marché ni pour vendre ni pour acheter. Les domestiques avaient pris les habits des maîtres, et les maîtres ceux des domestiques. Tout le monde se regardait avec des yeux hébétés. Ceux qui avaient le plus de génie pour se procurer le nécessaire (et c'étaient les gens du peuple) trouvèrent un peu à vivre : les autres manquèrent de tout. Le premier président, l'archevêque, allaient tout nus, et leurs palefreniers étaient les uns en robes rouges, les autres en dalmatiques : tout était confondu, tout allait périr de misère et de faim, faute de s'entendre.

Au bout de quelques jours les muses eurent pitié de cette pauvre race : elles sont bonnes, quoiqu'elles fassent

sentir quelquefois leur colère aux méchants; elles sup-
plièrent donc leur mère de rendre à ces blasphémateurs
la mémoire qu'elle leur avait ôtée. Mnémosyne descendit
au séjour des contraires, dans lequel on l'avait insultée
avec tant de témérité, et leur parla en ces mots :

« Imbéciles, je vous pardonne; mais ressouvenez-vous
que sans les sens il n'y a point de mémoire, et que sans
la mémoire il n'y a point d'esprit. »

Les dicastériques la remercièrent assez sèchement, et
arrêtèrent qu'on lui ferait des remontrances. Les séjanistes mirent toute cette aventure dans leur gazette; on
s'aperçut qu'ils n'étaient pas encore guéris. Les liolisteois
en firent une intrigue de cour. Maître Cogé, tout ébahi
de l'aventure, et n'y entendant rien, dit à ses écoliers
de cinquième ce bel axiome : « Non magis musis quam
hominibus infensa est ista quæ vocatur memoria. »

NOTE
SUR
COSI-SANCTA

Bayle, dans l'article *Acindynus* du *Dictionnaire historique et critique*, avait narré l'histoire de Cosi-Sancta. Mis en demeure de trouver sur-le-champ une anecdote, Voltaire en tire le sujet d'un conte, « moral » à sa manière : Cosi-Sancta supporte stoïquement, par trois fois, ce dont mourra Mlle de Saint-Yves, fiancée de l'Ingénu, pour l'avoir enduré une seule.

Voltaire ne publia pas ce conte. Il parut pour la première fois dans l'édition posthume de Kehl (1784), précédé de cette notice :

« Mme la duchesse du Maine avait imaginé une loterie de titres de différents genres d'ouvrages en vers et en prose; chacune des personnes qui tiraient ces billets était obligée de faire l'ouvrage qui s'y trouvait porté. Mme de Montauban ayant tiré pour son lot une nouvelle, elle pria M. de Voltaire d'en faire une pour elle, et il lui donna le conte suivant. »

Cosi-Sancta, le dernier des contes voltairiens par la date de sa publication, serait donc, par la date de sa rédaction, l'un des plus anciens. Il nous ramène aux origines du genre, dont il illustre l'une des règles que Voltaire énonçait ainsi (lettre à Moultou, 5 janvier 1763) : « Il faut être très court et un peu salé, sans quoi les ministres et Mme de Pompadour, les commis et les femmes de chambre font des papillotes du livre. »

R. P.

COSI-SANCTA

UN PETIT MAL POUR UN GRAND BIEN

NOUVELLE AFRICAINE

C'est une maxime faussement établie qu'il n'est pas permis de faire un petit mal dont un plus grand bien pourrait résulter. St. Augustin a été entièrement de cet avis, comme il est aisé de le voir dans le récit de cette petite aventure arrivée dans son diocèse, sous le pro-consulat de Septimus Acindynus, et rapportée dans le livre de la *Cité de Dieu* [a].

Il y avait à Hippone un vieux curé, grand inventeur de confréries, confesseur de toutes les jeunes filles du quartier, et qui passait pour un homme inspiré de Dieu, parce qu'il se mêlait de dire la bonne aventure, métier dont il se tirait assez passablement.

On lui amena un jour une jeune fille nommée Cosi-Sancta : c'était la plus belle personne de la province. Elle avait un père et une mère jansénistes, qui l'avaient élevée dans les principes de la vertu la plus rigide; et de tous les amants qu'elle avait eus, aucun n'avait pu seulement lui causer, dans ses oraisons, un moment de distraction. Elle était accordée depuis quelques jours à un petit vieillard ratatiné, nommé Capito, conseiller au présidial d'Hippone. C'était un petit homme bourru et chagrin, qui ne manquait pas d'esprit, mais qui était pincé dans la conversation, ricaneur, et assez mauvais plaisant; jaloux d'ailleurs comme un Vénitien, et qui pour rien au monde ne se serait accommodé d'être l'ami des galants de sa femme. La jeune créature faisait tout ce qu'elle pouvait pour l'aimer, parce qu'il devait être son mari; elle y allait de la meilleure foi du monde, et cependant n'y réussissait guère.

Elle alla consulter son curé, pour savoir si son mariage

a. Voyez Bayle, article ACINDYNUS.

serait heureux. Le bonhomme lui dit d'un ton de prophète : « Ma fille, ta vertu causera bien des malheurs ;
mais tu seras un jour canonisée pour avoir fait trois infidélités à ton mari. »

Cet oracle étonna et embarrassa cruellement l'innocence de cette belle fille. Elle pleura ; elle en demanda
l'explication, croyant que ces paroles cachaient quelque
sens mystique ; mais toute l'explication qu'on lui donna
fut que les trois fois ne devaient point s'entendre de
trois rendez-vous avec le même amant, mais de trois
aventures différentes.

Alors Cosi-Sancta jeta les hauts cris ; elle dit même
quelques injures au curé, et jura qu'elle ne serait jamais
canonisée. Elle le fut pourtant, comme vous l'allez voir.

Elle se maria bientôt après : la noce fut très galante ;
elle soutint assez bien tous les mauvais discours qu'elle
eut à essuyer, toutes les équivoques fades, toutes les
grossièretés assez mal enveloppées dont on embarrasse
ordinairement la pudeur des jeunes mariées. Elle dansa
de fort bonne grâce avec quelques jeunes gens fort bien
faits et très jolis, à qui son mari trouvait le plus mauvais
air du monde.

Elle se mit au lit auprès du petit Capito, avec un peu
de répugnance. Elle passa une fort bonne partie de la
nuit à dormir, et se réveilla toute rêveuse. Son mari
était pourtant moins le sujet de sa rêverie qu'un jeune
homme nommé Ribaldos, qui lui avait donné dans la
tête sans qu'elle en sût rien. Ce jeune homme semblait
formé par les mains de l'Amour ; il en avait les grâces,
la hardiesse et la friponnerie ; il était un peu indiscret,
mais il ne l'était qu'avec celles qui le voulaient bien :
c'était la coqueluche d'Hippone. Il avait brouillé toutes
les femmes de la ville les unes contre les autres, et il
l'était avec tous les maris et toutes les mères. Il aimait
d'ordinaire par étourderie, un peu par vanité ; mais il
aima Cosi-Sancta par goût, et l'aima d'autant plus éperdument que la conquête en était plus difficile.

Il s'attacha d'abord, en homme d'esprit, à plaire au
mari. Il lui faisait mille avances, le louait sur sa bonne
mine, et sur son esprit aisé et galant. Il perdait contre
lui de l'argent au jeu, et avait tous les jours quelque
confidence de rien à lui faire. Cosi-Sancta le trouvait le
plus aimable du monde ; elle l'aimait déjà plus qu'elle
ne croyait ; elle ne s'en doutait point, mais son mari s'en
douta pour elle. Quoiqu'il eût tout l'amour-propre qu'un

petit homme peut avoir, il ne laissa pas de se douter
que les visites de Ribaldos n'étaient pas pour lui seul.
Il rompit avec lui sur quelque mauvais prétexte, et lui
défendit sa maison.

Cosi-Sancta en fut très fâchée, et n'osa le dire; et
Ribaldos, devenu plus amoureux par les difficultés,
passa tout son temps à épier les moments de la voir. Il
se déguisa en moine, en revendeuse à la toilette, en joueur
de marionnettes; mais il n'en fit point assez pour triompher de sa maîtresse, et il en fit trop pour n'être pas
reconnu par le mari. Si Cosi-Sancta avait été d'accord
avec son amant, ils auraient si bien pris leurs mesures
que le mari n'aurait rien pu soupçonner; mais, comme
elle combattait son goût et qu'elle n'avait rien à se reprocher, elle sauvait tout, hors les apparences; et son mari la
croyait très coupable.

Le petit bonhomme, qui était très colère, et qui
s'imaginait que son honneur dépendait de la fidélité de
sa femme, l'outragea cruellement, et la punit de ce qu'on
la trouvait belle. Elle se trouva dans la plus horrible
situation où une femme puisse être : accusée injustement,
et maltraitée par un mari à qui elle était fidèle, et déchirée par une passion violente qu'elle cherchait à sur-
monter.

Elle crut que, si son amant cessait ses poursuites, son
mari pourrait cesser ses injustices, et qu'elle serait assez
heureuse pour se guérir d'un amour que rien ne nourri-
rait plus. Dans cette vue, elle se hasarda d'écrire cette
lettre à Ribaldos :

« Si vous avez de la vertu, cessez de me rendre malheureuse : vous m'aimez, et votre amour m'expose aux
soupçons et aux violences d'un maître que je me suis
donné pour le reste de ma vie. Plût au ciel que ce fût
encore le seul risque que j'eusse à courir! Par pitié
pour moi, cessez vos poursuites; je vous en conjure par
cet amour même qui fait votre malheur et le mien, et
qui ne peut jamais vous rendre heureux. »

La pauvre Cosi-Sancta n'avait pas prévu qu'une lettre
si tendre, quoique si vertueuse, ferait un effet tout contraire à celui qu'elle espérait. Elle enflamma plus que
jamais le cœur de son amant, qui résolut d'exposer sa
vie pour voir sa maîtresse.

Capito, qui était assez sot pour vouloir être averti
de tout, et qui avait de bons espions, fut averti que
Ribaldos s'était déguisé en frère carme quêteur pour

demander la charité à sa femme. Il se crut perdu : il
imagina que l'habit d'un carme était bien plus dangereux qu'un autre pour l'honneur d'un mari. Il aposta
des gens pour étriller frère Ribaldos : il ne fut que trop
bien servi. Le jeune homme, en entrant dans la maison,
est reçu par ces messieurs ; il a beau crier qu'il est un
très honnête carme, et qu'on ne traite point ainsi de
pauvres religieux, il fut assommé, et mourut, à quinze
jours de là, d'un coup qu'il avait reçu sur la tête. Toutes
les femmes de la ville le pleurèrent. Cosi-Sancta en fut
inconsolable. Capito même en fut fâché, mais par une
autre raison, car il se trouvait une très méchante affaire
sur les bras.

Ribaldos était parent du proconsul Acindynus. Ce
Romain voulut faire une punition exemplaire de cet
assassinat, et, comme il avait eu quelques querelles
autrefois avec le présidial d'Hippone, il ne fut pas
fâché d'avoir de quoi faire pendre un conseiller ; et il
fut fort aise que le sort tombât sur Capito, qui était
bien le plus vain et le plus insupportable petit robin du
pays.

Cosi-Sancta avait donc vu assassiner son amant et
était près de voir pendre son mari ; et tout cela pour
avoir été vertueuse. Car, comme je l'ai déjà dit, si elle
avait donné ses faveurs à Ribaldos, le mari en eût été
bien mieux trompé.

Voilà comme la moitié de la prédiction du curé fut
accomplie. Cosi-Sancta se ressouvint alors de l'oracle,
elle craignit fort d'en accomplir le reste. Mais, ayant bien
fait réflexion qu'on ne peut vaincre sa destinée, elle
s'abandonna à la Providence, qui la mena au but par les
chemins du monde les plus honnêtes.

Le proconsul Acindynus était un homme plus débauché que voluptueux, s'amusant très peu aux prélimi-
naires, brutal, familier, vrai héros de garnison, très craint
dans la province, et avec qui toutes les femmes d'Hippone avaient eu affaire, uniquement pour ne se pas
brouiller avec lui.

Il fit venir chez lui Mme Cosi-Sancta : elle arriva
en pleurs ; mais elle n'en avait que plus de charmes.
« Votre mari, madame, lui dit-il, va être pendu, et il
ne tient qu'à vous de le sauver. — Je donnerais ma
vie pour la sienne, lui dit la dame. — Ce n'est pas cela
qu'on vous demande, répliqua le proconsul. — Et que
faut-il donc faire ? dit-elle. — Je ne veux qu'une de

vos nuits, reprit le proconsul. — Elles ne m'appartiennent pas, dit Cosi-Sancta; c'est un bien qui est à
mon mari. Je donnerai mon sang pour le sauver, mais
je ne puis donner mon honneur. — Mais si votre mari
y consent ? dit le proconsul. — Il est le maître, répondit la dame : chacun fait de son bien ce qu'il veut.
Mais je connais mon mari, il n'en fera rien; c'est un
petit homme têtu, tout propre à se laisser pendre plutôt que de permettre qu'on me touche du bout du doigt.
— Nous allons voir cela », dit le juge en colère.

Sur-le-champ il fait venir devant lui le criminel; il lui
propose ou d'être pendu, ou d'être cocu : il n'y avait
point à balancer. Le petit bonhomme se fit pourtant tirer
l'oreille. Il fit enfin ce que tout autre aurait fait à sa place.
Sa femme par charité, lui sauva la vie; et ce fut la première des trois fois.

Le même jour, son fils tomba malade d'une maladie
fort extraordinaire, inconnue à tous les médecins d'Hippone. Il n'y en avait qu'un qui eût des secrets pour
cette maladie; encore demeurait-il à Aquila, à quelques
lieues d'Hippone. Il était défendu alors à un médecin
établi dans une ville d'en sortir pour aller exercer sa
profession dans une autre. Cosi-Sancta fut obligée elle-
même d'aller à sa porte à Aquila, avec un frère qu'elle
avait, et qu'elle aimait tendrement. Dans les chemins
elle fut arrêtée par des brigands. Le chef de ces messieurs la trouva très jolie; et, comme on était près de
tuer son frère, il s'approcha d'elle, et lui dit que, si
elle voulait avoir un peu de complaisance, on ne tuerait
point son frère, et qu'il ne lui en coûterait rien. La chose
était pressante : elle venait de sauver la vie à son mari,
qu'elle n'aimait guère; elle allait perdre un frère, qu'elle
aimait beaucoup; d'ailleurs le danger de son fils l'alarmait : il n'y avait pas de moment à perdre. Elle se
recommanda à Dieu, fit tout ce qu'on voulut; et ce fut la
seconde des trois fois.

Elle arriva le même jour à Aquila, et descendit chez
le médecin. C'était un de ces médecins à la mode que
les femmes envoient chercher quand elles ont des vapeurs,
ou quand elles n'ont rien du tout. Il était le confident
des unes, l'amant des autres : homme poli, complaisant,
un peu brouillé d'ailleurs avec la Faculté, dont il avait
fait de fort bonnes plaisanteries dans l'occasion.

Cosi-Sancta lui exposa la maladie de son fils, et lui
offrit un gros sesterce. (Vous remarquerez qu'un gros

sesterce fait, en monnaie de France, mille écus et plus.)
« Ce n'est pas de cette monnaie, madame, que je prétends
être payé, lui dit le galant médecin. Je vous offrirais
moi-même tout mon bien, si vous étiez dans le goût de
vous faire payer des cures que vous pouvez faire : gué-
rissez-moi seulement du mal que vous me faites, et je
rendrai la santé à votre fils. »

La proposition parut extravagante à la dame; mais le
destin l'avait accoutumée aux choses bizarres. Le médecin
était un opiniâtre qui ne voulait point d'autre prix de son
remède. Cosi-Sancta n'avait point de mari à consulter;
et le moyen de laisser mourir un fils qu'elle adorait, faute
du plus petit secours du monde qu'elle pouvait lui donner! Elle était aussi bonne mère que bonne sœur. Elle
acheta le remède au prix qu'on voulut : et ce fut la dernière des trois fois.

Elle revint à Hippone avec son frère, qui ne cessait
de la remercier, durant le chemin, du courage avec lequel
elle lui avait sauvé la vie.

Ainsi Cosi-Sancta, pour avoir été trop sage, fit périr
son amant et condamner à mort son mari, et, pour
avoir été complaisante, conserva les jours de son frère,
de son fils, et de son mari. On trouva qu'une pareille
femme était fort nécessaire dans une famille, on la
canonisa après sa mort, pour avoir fait tant de bien
à ses parents en se mortifiant, et l'on grava sur son
tombeau :

UN PETIT MAL POUR UN GRAND BIEN.

TABLE DES MATIÈRES

4874-1973. — Impr.-Reliure Maison Mame, Tours.
N° d'édition 8751. — 3ᵉ trimestre 1966. — PRINTED IN FRANCE.